D1379191

Le Guide de l'auto 99

Conception graphique et infographie: Patrice Francœur et Johanne Lemay
Révision et correction: Nicole Raymond, Sylvie Tremblay et Odette Lord
Coordination de la production: Martine Lavoie

Photos: Jacques Duval, Denis Duquet, Alain Florent, Alain Raymond, Philippe Laguë et Jeff Lorriman
Photo de la page couverture: Les adversaires de notre match rétro, la Panoz AIV et la Plymouth Prowler,
rivalisent d'audace devant le vignoble du Château Elan à Braselton en Géorgie, à deux pas du circuit de Road Atlanta.

La quasi-totalité des photos d'auteurs du *Guide de l'auto 99*
ont été réalisées avec du film AGFA Agfachrome. Merci à Denis Desbois.

Le *Guide de l'auto* tient à remercier les personnes et organismes dont les noms suivent et qui, chacun à leur façon,
ont contribué à l'élaboration de la présente édition.

Francine Tremblay pour sa présence et sa patience
Manon Moquin pour sa minutie
Odette Lord pour son œil de lynx
Mike Jones de l'équipe des relations publiques de Plymouth USA pour la Prowler
Dan Panoz et Brandon Broxston pour leur accueil chez Panoz
Richard Petit pour sa stimulante amitié
Antoine Joubert pour ses chiffres précis
Richard Léger pour ses trouvailles
Olivier Adam pour son coup de chiffon
Mario Ciaburri pour son souci du détail
John Raymond pour sa coopération
Monique Ruhlmann Duval qui sera toujours une source d'inspiration
Pour leur disponibilité et leur minutie, les participants à nos matchs comparatifs:
Claude Carrière, Jean-Yves Dupuis, Francis Roy, Richard Petit, Antoine Joubert, Charles-Olivier Sainte-Marie,
Richard Sigouin, Georges Simard et Sylvain Sirois
Et les familles suivantes:
Carole Dugré et Yvan Fournier ainsi que Catherine et Carl
Pierre-Louis Mongeau ainsi que Nicolas, Micha, Benjamin et Lucas Ozols-Mongeau
Nicole Raymond et Louis Desjardins ainsi que Véronique, Roxane, Marius et Raphaël
Un merci particulier à Carole Dugré et Yvan Fournier qui ont participé à tous les matchs cette année.

DISTRIBUTEURS EXCLUSIFS:

• Pour le Canada et les États-Unis:
MESSAGERIES ADP*
955, rue Amherst,
Montréal, Québec
H2L 3K4
Tél.: (514) 523-1182
Télécopieur: (514) 939-0406
* Filiale de Sogides ltée

• Pour la Belgique et le Luxembourg:
PRESSES DE BELGIQUE S.A.
Boulevard de l'Europe 117
B-1301 Wavre
Tél.: (010) 42-03-20
Télécopieur: (010) 41-20-24

• Pour la Suisse:
DIFFUSION: ACCES-DIRECT SA
Case Postale 69 – 1701 Fribourg – Suisse
Tél.: (41-26) 460-80-60
Télécopieur: (41-26) 460-80-68
DISTRIBUTION: OLF SA
Z.I. 3, Corminbœuf
Case postale 1061
Commandes: Tél.: (41-26) 467-53-33
            Télécopieur: (41-26) 467-54-66

• Pour la France et les autres pays:
INTER FORUM
Immeuble Paryseine, 3, Allée de la Seine, 94854 Ivry Cedex
Tél.: 01 49 59 11 89/91
Télécopieur: 01 49 59 11 96
Commandes: Tél.: 02 38 32 71 00
            Télécopieur: 02 38 32 71 28

Pour en savoir davantage sur nos publications,
visitez notre site: **www.edhomme.com**
Autres sites à visiter: www.edjour.com
• www.edtypo.com • www.edvlb.com
• www.edhexagone.com • www.edutilis.com

© 1998, Les Éditions de l'Homme,
une division du groupe Sogides

Tous droits réservés
Dépôt légal: 4e trimestre 1998
Bibliothèque nationale du Québec

ISBN 2-7619-1445-7

Jacques Duval et Denis Duquet

Le Guide de l'auto

······················· *avec la collaboration de Philippe Laguë* ·······················

99

avec la collaboration de Philippe Laguë

LES ÉDITIONS DE
L'HOMME

Qui n'a pas vu la route à l'aube
entre ses rangées d'arbres, fraîche, vivante,
ne sait pas ce que c'est que l'espoir.

Georges Bernanos

table des matières

voitures d'occasion

matchs comparatifs

essais spéciaux

prototypes

camionnettes

supervoitures

essais et analyses

en vedette cette année

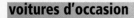

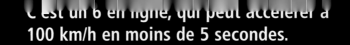

C'est un 6 en ligne, qui peut accélérer à
100 km/h en moins de 5 secondes.

Il est muni d'un système de freinage ABS
qui peut l'arrêter en moins de 10 millisecondes.

Il est accompagné d'une garantie
sans aucune limite de kilométrage.

Il est équipé d'un détecteur infrarouge
afin de prévenir les collisions.

Ce n'est pas une voiture...

KÉBECSON
6555, rue St. Denis • Montréal • Québec
(514) 270-7900

BANG & OLUFSEN   B&O

Face aux imprévus

Assurance PRÊT Desjardins

assurez-vous de garder le contrôle!

Lors de l'achat ou de la location d'une voiture, demandez l'Assurance prêt Desjardins. Elle vous protégera contre les hasards de la vie et les pannes financières. En cas de décès ou d'invalidité, l'Assurance prêt Desjardins prendra la relève.

Demandez-la à votre caisse Desjardins ou chez votre concessionnaire automobile.

«…l'Assurance prêt Desjardins est définitivement le meilleur produit d'assurance crédit au pays.»

Recommandé par : Association pour la protection des automobilistes (APA)

 Assurance vie Desjardins-Laurentienne

www.avdl.com

Acura

1,6EL	18 800
1,6EL Premium	22 500
1,6EL Sport	20 500
2,3CL	30 000
3,0CL	34 000
3,5RL	55 000
Integra GS	25 500
Integra GS-R	27 300
Integra RS	21 000
NS-X	138 000
TL	35 000
Type R	30 000

Aston Martin

DB7	180 000
DB7 Volante	195 000

Audi

A4 1,8 Turbo	32 700
A4 1,8 Turbo Auto	33 930
A4 2,8	38 800
2,8 Quattro	41 550
A6	48 880
A6 Quattro	51 630
A6 Quattro Avant	53 295
A8 Quattro	90 540

Bentley

Azure	445 400
Continental R	386 200
Continental T	444 960

BMW

318iL	49 900
318iS	33 400
318Ti	27 800
323i	34 900
323iC	49 900
323iS	39 900
328i	44 900
328iC	58 900
328iS	49 900
528i	57 200
528i Touring	59 150
528iA Touring	60 150
540i	72 900
540iA	73 900
540iA Touring	74 850
740i	89 900
740iL	93 900
740iS	92 900
750iL	137 900
M Roadster	61 900
M3 Coupé	62 900
Z3 2,3	43 900
Z3 2,8	52 900

Buick

Century Custom	25 199
Century Limited	26 099
Le Sabre Custom	28 845
Le Sabre Limited	31 775
Park Avenue	41 060
Park Avenue Ultra	46 805
Regal GS	31 775
Regal LS	28 845
Riviera	44 125

Cadillac

Catera	42 310
DeVille	49 910
DeVille Concours	57 490
DeVille d'Élégance	54 815
Eldorado	52 120
Eldorado Touring Coupe	55 370
Escalade	55 796
Seville SLS	59 195
Seville STS	63 080

Chevrolet

Astro	22 660
Astro AWD	26 165
Blazer 4X2 (2 portes)	26 770
Blazer 4X2 (4 portes)	30 385
Blazer 4X4 (2 portes)	28 625
Blazer 4X4 (4 portes)	32 675
Camaro	23 100
Camaro Cabriolet	30 105
Camaro Z28	28 670
Camaro Z28 Cabriolet	37 100
Camaro Z28 SS	33 480
Camaro Z28 SS Cabriolet	41 910
Cavalier (coupé)	15 365
Cavalier LS (berline)	18 575
Cavalier Z24 (cabriolet)	26 450
Cavalier Z24 (coupé)	20 035
Corvette Cabriolet	59 850
Corvette Coupé	52 870
Corvette Hard-top	50 165
Lumina	22 329
Lumina LS	23 749
Lumina LTZ	25 270
Malibu	20 895
Malibu LS	24 045
Metro	10 690
Metro berline	11 680
Monte Carlo	24 715
Monte Carlo Z34	26 145
S-10 standard/boîte courte	16 190
S-10 standard/boîte longue	16 490
Silverado 4X2	21 495
Silverado 4X4	24 995
Suburban 4X2	34 620
Suburban 4X4	37 620
Tahoe (2 portes)	31 555
Tahoe 4X2 (4 portes)	38 915
Tahoe 4X4 (2 portes)	34 555
Tahoe 4X4 (4 portes)	41 915
Tracker 4RM décapotable	18 630
Tracker 4RM (4 portes)	19 495
Venture LW	26 930
Venture SW	24 625

Chrysler

300M	38 995
Cirrus LXi	24 765
Concorde LX	26 815
Concorde LXi	31 015
Intrepid	24 395
Intrepid ES	29 015
LHS	40 900
Sebring JX	27 530
Sebring JXi	34 095
Sebring LX	21 650
Sebring LXi	26 810
Town & Country	42 915
Town & Country AWD	46 135

Dodge

Avenger	19 180
Avenger ES	22 045
Caravan	20 405
Caravan LE	30 335
Caravan SE	25 770
Grand Caravan	23 310
Grand Caravan ES	34 035
Grand Caravan LE	31 345
Grand Caravan SE	29 135
Grand Caravan SE AWD	34 085
Dakota	16 795
Dakota Club Cab 4X4	24 430
Durango SLT	36 660
Durango SLT+ 5,9 litres	38 345
Neon Berline EX	15 975
Neon Coupé EX	15 890
Neon Sport Berline	17 155
Neon Sport Coupé	16 955
Ram 1500	19 145
Ram 1500 Club Cab	24 475
Ram Quad Cab 4X2	28 910
Ram Quad Cab 4X4	29 900
Stratus	19 505
Stratus ES	22 570
Viper Roadster	94 380
Viper RT/10	90 610

Ferrari

Ferrari F355 Berlinetta	182 427
Ferrari F355 F1	n. d.
Ferrari 456 GT	325 000
Ferrari F550 Maranello	295 000

Ford

Contour LX	17 595
Contour SE	19 695
Contour SVT	28 195
Crown Victoria	33 695
Crown Victoria LX	35 195
Econoline Club Wagon	27 895
Escort LX	14 895
Escort SE	16 395
Escort SE familiale	16 395
Escort ZX2	15 895
Expedition	37 495
Expedition Eddie Bauer	45 595
Explorer Eddie Bauer	37 595
Explorer Limited	41 895
Explorer XL	29 495
Explorer XLT	38 995
F-150	20 995
Mustang	22 595
Mustang Cobra	36 095
Mustang Cobra cabriolet	39 495
Mustang GT	26 995
Mustang GT cabriolet	33 595
Ranger XL	15 995
Ranger XL Supercab	18 995
Taurus LX	23 295
Taurus SE	23 995
Taurus SE familiale	24 495
Taurus SHO	37 795
Windstar	24 295

Windstar LX	31 595
Windstar SEL	35 995

GMC

Jimmy SL (2 portes)	26 845
Jimmy SL (4 portes)	31 180
Jimmy SL 4X4 (2 portes)	28 700
Jimmy SL 4X4 (4 portes)	33 465
Safari SLX	22 660
Safari SLX AWD	26 900
Sierra C1500 boîte courte	21 775
Sierra C1500 boîte longue	22 075
Sonoma SL 4X4	*21 150*
Sonoma SL boîte courte	*16 190*
Suburban SL 4X4	37 620
Suburban SLE	34 620
Yukon (4 portes)	38 910
Yukon 4X4 (4 portes)	41 915
Yukon Denali	55 800-

Honda

Accord Berline DX	*22 000*
Accord Berline EX	*26 800*
Accord Berline EX V6	*30 800*
Accord Berline LX	*23 800*
Accord Coupé EX	*26 800*
Accord Coupé EX V6	*30 800*
Accord Coupé LX	*23 800*
Civic Berline EX	*17 000*
Civic Berline LX	*15 700*
Civic Coupé DX	*15 900*
Civic Coupé Si	*18 300*
Civic Coupé Si-R	*n. d.*
Civic Hatchback CX	*14 000*
CR-V EX	*27 600*
CR-V LX	*25 800*
Odyssey	*n. d.*
Prelude	*27 600*
Prelude SH	*31 300*

Hummer

HMCO	86 500
HMC4	92 900
XLC2	76 900

Hyundai

Accent berline GL	12 995
Accent berline GL automatique	13 695
Accent GSi	13 495
Accent GSi automatique	14 195
Accent L	11 565
Accent L automatique	12 295
Elantra GL manuelle	14 595
Elantra GL familiale	15 595
Elantra GLS berline	17 695
Elantra GLS familiale	18 845
Sonata GL	19 495
Sonata GLS	23 595
Tiburon	*17 595*
Tiburon FX	*19 495*

Infiniti

G20	32 950
G20T	34 050
I30	*41 350*
I30 T	*43 950*
Q45T	*69 000*
QX4	*45 000*

Isuzu

Hombre S	13 995
Hombre XS	16 995
Hombre XS 4X4	26 995
Rodeo LS	33 300
Rodeo S	29 660
Trooper Limited	41 995
Trooper LS	37 995
Trooper S	32 975

Jaguar

Vanden Plas	*89 900*
XJ8	*76 900*
XJR	*92 900*
XK8 cabriolet	*99 900*
XK8 coupé	*91 900*

Jeep

Cherokee Limited	*32 150*
Cherokee SE 4X2	*21 525*
Cherokee SE 4X4	*23 475*
Cherokee SE 4X4 (4 portes)	*25 280*
Cherokee Sport 4X2	*24 140*
Cherokee Sport 4X2 (4 portes)	*23 915*
Cherokee Sport 4X4	*26 360*
Grand Cherokee Limited 4X4	*43 130*
TJ Sahara	*24 700*
TJ SE cabriolet 4X4	*18 675*
TJ Sport 4X4 cabriolet	*21 905*

Lamborghini

Diablo Roadster	379 000
Diablo VT	349 000

Land Rover

Discovery LE	*49 400*
Discovery II	*n. d.*
Range Rover 4,0SE	*81 800*
Range Rover 4,6HSE	*93 500*

Lexus

ES300	44 236
GS300	59 220
GS400	67 360
LS400	78 300
LX470	83 265
RX300	46 000

Lincoln

Continental	52 795
Navigator 4X4	62 495
Town Car Cartier	54 195
Town Car Executive	50 895
Town Car Signature	52 295

Mazda

626 DX	20 140
626 ES	29 215
626 LX	22 575
B2500 boîte courte	15 080
B3000 SX	16 260
B4000 SX 4X4	20 475
B4000 SX Cab Plus	20 655
Millenia Cuir	36 535
Millenia S	39 595
MPV base 2RM	25 199
MPV LX 2RM	29 635

MPV LX 4RM	32 355
MPV LX 4WD	*32 335*
MX-5 Miata	26 025
Protegé DX	14 870
Protegé LX	17 195
Protegé SE	15 515

Mercedez-Benz

C230 E	43 850
C230 Special Edition	37 950
C280 Sport	45 650
C43	75 700
CL500	*122 900*
CL600	*161 800*
CLK 320	57 750
CLK 320A cabriolet	67 750
CLK 430	68 750
E300DT	59 950
E320	66 750
E320 4Matic	71 500
E320 familiale	67 250
E440	74 250
ML320 Classic	47 550
ML320 Élégance	53 500
ML430	59 950
S320	*87 950*
S420	*101 900*
S500	*117 900*
S600	*176 600*
SL500R	115 900
SL600R	185 750
SLK230	57 550
SLK230 manuelle	57 550

Mercury

Cougar 4 cylindres	19 995
Cougar V6	21 795
Grand Marquis GS	33 695
Grand Marquis LS	35 195
Mystique GS	17 995
Mystique LS	20 995
Sable GS	24 395
Sable LS	25 095
Sable LS familiale	25 595

Nissan

Altima GLE	27 998
Altima GXE	21 998
Altima SE	25 398
Altima XE	19 895
Frontier	*15 575*
Maxima ES	31 298
Maxima GLE	37 548
Maxima GXE	28 598
Maxima SE	36 748
Pathfinder Chilkoot	33 498
Pathfinder LE	40 998
Pathfinder SE	35 498
Pathfinder XE	31 398
Quest GXE	*30 898*
Sentra	*14 998*
Sentra GXE	*19 448*
Sentra XE	*16 798*

Oldsmobile

88 LS	28 705
88 LSS	32 515

Alero GL	22 295	9-3 Hatchback (3 portes)	33 800	RAV4 AWD (4 portes)	23 398
Alero GL coupé	23 295	9-3 SE Cabrio	58 950	Sienna CE (4 portes)	26 808
Alero GX	20 995	9-3 SE Cabrio HO	57 750	Sienna LE (4 portes)	29 558
Alero GX coupé	20 995	9-3 SE Hatchback (5 portes)	40 550	Tacoma cabine standard	17 268
Aurora	46 190	9-3 SE Hatchback HO	39 350	Tercel CE	13 795
Intrigue GL	28 779	9-5	39 800	Tercel CE (4 portes)	14 630
Intrigue GLS	31 839	9-5 SE	49 990	T100 4X4 Extra Cab	*31 288*
Intrigue GX	27 199			T100 4X4 Extra Cab SR5	*33 778*
Silhouette GL	29 890	**Saturn**		T100 4X2 XC	*27 408*
Silhouette GLS	34 045	SC1	15 493		
Silhouette GS	29 855	SC2	18 768	**Volkswagen**	
Silhouette Premiere	38 395	SL	13 488	EuroVan Camper	49 815
		SL1	14 398	EuroVan GLS	43 940
Plymouth		SL2	17 183	EuroVan MV	46 200
Breeze	*19 505*	SW1	16 118	Golf	15 610
Grand Voyager	*23 310*	SW2 Sport	20 348	Golf Cabrio	25 300
Grand Voyager LE AWD	*36 710*			Golf Cabrio GLS	30 070
Neon Berline	*15 975*	**Subaru**		Golf GL	16 765
Neon Coupé	*16 175*	Forester L	26 695	Golf GL Diesel	*16 665*
Prowler	*55 500*	Forester S	30 795	Golf GTi	20 525
Voyager	*24 405*	Forester S Limited	33 195	Golf GTi VR6	26 465
Voyager Expresso	*29 070*	Impreza 2,5RS Coupe	26 395	Golf Wolfsburg	19 800
Voyager LE	*30 335*	Impreza Brighton Wagon	17 795	Jetta GL	18 085
Voyager SE	*25 770*	Impreza Outback Sport	24 995	Jetta TDI	19 945
		Impreza TS berline	21 995	Jetta Wolfsburg	21 325
Pontiac		Legacy Brighton familiale	20 495	Nouvelle Coccinelle	19 940
Bonneville SE	29 000	Legacy Brighton SE familiale	22 795	Nouvelle Coccinelle TDI	21 685
Bonneville SLE	29 780	Legacy GT	29 995	Passat GLS	29 100
Bonneville SSE	35 170	Legacy GT familiale	30 995	Passat GLS familiale	29 900
Bonneville SSEi	36 685	Legacy GT Limited	33 795	Passat GLS V6	32 750
Firebird	24 865	Legacy L	25 995	Passat GLS V6 familiale	33 550
Firebird Cabrio	33 265	Legacy L familiale	26 795	Passat GLX	41 050
Firebird Formula	30 430	Legacy Outback	30 695	Passat GLX familiale	41 850
Firefly	10 690	Legacy Outback berline	33 795		
Firefly berline	11 680	Outback	30 895	**Volvo**	
Grand Am GT	25 895	Outback Limited	34 295	C70	54 695
Grand Am GT coupé	25 895	Outback Sport	24 995	C70 cabriolet	58 795
Grand Am SE	21 795			S70	34 995
Grand Am SE coupé	21 795	**Suzuki**		S70 GLT	41 995
Grand Prix GT	27 489	Esteem GL	13 995	S70 T5	43 995
Grand Prix GT coupé	27 489	Esteem GLX	17 195	V70	36 295
Grand Prix SE	25 399	Esteem familiale GL	14 695	V70 AWD	45 495
Sunfire GT Cabrio	27 565	Esteem familiale GLX	18 495	V70 AWD R	55 595
Sunfire GT Coupé	25 895	Grand Vitara JLX	26 495	V70 AWD XC	48 995
Sunfire SE	16 135	Grand Vitara JX	22 995	V70 GLT	43 295
Sunfire SE Coupé	15 165	Swift DLX	11 595	V70 T5	45 295
Trans Am	34 750			S80	49 995
Trans Am Cabrio	40 320	**Toyota**		S80 T	45 995
Trans Am Ram Air	38 845	4Runner Limited	47 270		
Trans Am Ram Air cabrio	44 415	4Runner SR5 4X4	32 000		
Trans Sport LW	28 365	4Runner SR5 V6 4X4	37 235	Les prix des modèles 1998 sont en italique; ils	
Trans Sport SW	27 265	Avalon XL	36 605	étaient en vigueur le 30 septembre 1998.	
		Avalon XLS	42 615	**Note:** Ces prix vous sont fournis à titre indicatif seule-	
Porsche		Camry CE	22 680	ment. Ce sont les prix des modèles de base au moment	
911 Carrera 4	*n. d.*	Camry CE V6	28 435	de la parution de cet ouvrage. Cependant, les prix de	
911 Carrera Cabrio	109 000	Camry LE	27 070	détail suggérés fluctuent au fil des mois et il était impos-	
911 Carrera Cabrio Tiptronic	113 830	Camry Solara SE	26 245	sible d'obtenir certains prix définitifs 1999 à la date de	
911 Carrera S	95 200	Camry Solara V6	30 515	tombée.	
911 Carrera S Tiptronic	100 030	Camry XLE V6	31 425		
Boxster	58 400	Celica GT-S	*34 138*		
Boxster Tiptronic	63 230	Corolla CE	17 705		
		Corolla LE	20 070		
Rolls-Royce		Corolla VE	16 095		
Silver Seraph	313 625	Paseo	17 100		
		RAV4 Cabriolet 4X2	23 520		
Saab		RAV4 4X4 (2 portes)	23 556		
9-3 Cabrio	50 650	RAV4 4X4 (4 portes)	25 345		
9-3 Hatchback	33 200				

Depuis 33 ans, vous invitez *Le Guide de l'auto* dans votre foyer et vous partagez avec ses rédacteurs la grande passion de l'automobile. Nous vous connaissons déjà un peu par le courrier que vous nous adressez et par les commentaires que vous nous faites à l'occasion de diverses rencontres. Cette année, nous aimerions vous connaître davantage, et c'est précisément le but de ce petit sondage. Pour vous remercier de prendre le temps d'y répondre, nous vous ferons participer à un tirage-surprise. C'est d'ailleurs la seule raison pour laquelle nous vous demandons votre nom et votre numéro de téléphone.

Nom (facultatif)

Numéro de téléphone (facultatif)

Âge
Moins de 18 ans ❑   45 - 54 ans ❑
18 - 24 ans ❑   55 - 64 ans ❑
25 - 34 ans ❑   65 ans et plus ❑
35 - 44 ans ❑

Occupation
Cadre supérieur ❑   Sans occupation ❑
Chef d'entreprise ❑   Travail de bureau ❑
Étudiant ❑   Travailleur autonome ❑
Ouvrier non spécialisé ❑   Travailleur spécialisé ❑
Professionnel ❑   Ventes ❑
Retraité ❑

Revenu personnel annuel
Moins de 18 000 $ ❑   60 000 à 80 000 $ ❑
18 000 à 25 000 $ ❑   80 000 à 100 000 $ ❑
25 000 à 40 000 $ ❑   Plus de 100 000 $ ❑
40 000 à 60 000 $ ❑

Intérêts et loisirs
Voyages (précisez destination)

Sports (précisez)
Lecture ❑   Cinéma ❑
Théâtre ❑   Restaurant ❑
Autres (précisez)

Automobile(s) actuelle(s)

Autre(s) véhicule(s)

Depuis combien d'années lisez-vous *Le Guide de l'auto*?

Indiquez dans l'ordre vos rubriques préférées:
Les voitures d'occasion
Les matchs comparatifs
Les essais spéciaux
Les prototypes
Les camionnettes
Les supervoitures
Les essais et analyses
Le classement

Les fiches techniques vous paraissent:
❑ Complètes
❑ Moyennement complètes
❑ Incomplètes (vos suggestions)

Les textes sont-ils agréables à lire?

Quelle est, selon vous, la voiture du siècle?

Avez-vous des suggestions pour la prochaine édition?

Commentaires

Envoyez vos réponses au: *Guide de l'auto*
955, rue Amherst
Montréal, Québec
H2L 3K4

Pas de remerciements

Cet avant-propos est ordinairement consacré à définir le contenu du *Guide de l'auto* et à remercier ceux et celles qui nous ont aidés à le façonner. Cette année, une situation qui perdure depuis trop longtemps m'oblige à modifier l'ordre établi pour dénoncer l'attitude arbitraire et discriminatoire de certains constructeurs automobiles et, plus précisément, de leurs préposés aux relations publiques.

Dans l'ensemble, *Le Guide de l'auto* bénéficie de l'entière collaboration des gens dont le travail est d'aider la presse automobile à obtenir l'information pertinente pour lui permettre de renseigner ses lecteurs. Que ceux-là acceptent ici l'expression de ma profonde gratitude, mais les exceptions à la règle sont trop graves pour que nous puissions continuer à les ignorer. Bref, je n'ai pas de remerciements à adresser aux quelques compagnies qui n'ont pas encore compris l'importance et le mandat du *Guide de l'auto* après ses 33 ans d'existence et de succès. À cause d'elles et de leurs représentants, la production du *Guide* devient chaque année une expérience qui frise quelquefois le cauchemar. Nous voulons faire un travail hautement professionnel, mais nous sommes souvent à la merci de vrais amateurs en relations publiques.

Curieusement, ce sont surtout les marques de luxe, Jaguar et Mercedes en tête, pourtant fort bien traitées par cet ouvrage, qui nous rendent la vie absolument misérable et qui menacent la survie même du *Guide de l'auto.* Leur manque de coopération est d'autant plus choquant qu'elles accordent une attention démesurée à n'importe quel obscur magazine au tirage insignifiant... en autant qu'il soit de langue anglaise et, surtout, très flatteur à l'endroit de leurs produits. Dans mon dictionnaire à moi, cela s'appelle de la discrimination et du contrôle de l'information, deux offenses graves à l'éthique professionnelle.

Pendant que des représentants de magazines de langue anglaise, canadiens ou américains, sont invités à conduire divers modèles de nombreux mois à l'avance pour respecter leur date de tombée, *Le Guide de l'auto* se voit souvent privé de ce genre de privilège. Le *Guide* ne paraissant qu'une fois l'an, nous ne pouvons pas, comme le fait un magazine, reporter la publication d'une information au mois suivant. Mais ces compagnies se fichent éperdument du Québec et de son pauvre petit marché francophone. Combien de temps encore allons-nous accepter que l'on nous crache dessus sans rien dire?

Le journalisme automobile au Québec, dont je pense être l'un des pionniers, est dans un état lamentable. Il ne s'en sortira que le jour où ses représentants auront le courage d'écrire la vérité et de ne plus se laisser manipuler par le lobby des relations publiques. Après avoir trimé dur pendant 33 ans pour faire du *Guide de l'auto* le best-seller qu'il est devenu, je suis fatigué de devoir quémander l'information à laquelle nous avons droit. Si la situation persiste, il deviendra nécessaire d'entreprendre des recours légaux contre les compagnies et les gens qui pratiquent un tel abus de pouvoir.

Dans une veine plus réjouissante, je pense que cette édition 1999 du *Guide de l'auto* est la meilleure que notre équipe ait produite jusqu'ici. L'équilibre que nous tentons d'obtenir entre la raison et la passion n'a vraiment jamais été aussi bien échafaudé.

Le match des roadsters rétro (Prowler contre Panoz), une exclusivité du *Guide de l'auto*, ravira les aficionados, alors que notre match des fourgonnettes est sans doute le premier à faire appel aux vrais utilisateurs de ces véhicules (les familles) pour choisir le meilleur achat de la catégorie. Merci à Honda (Todd Fowler) et à Ford (Renée Bélec) de nous avoir fourni les modèles 1999 de leurs Odyssey et Windstar bien avant leur dévoilement.

Permettez-moi aussi de faire l'accolade à Michel Barrette pour le remercier d'être ce passionné d'automobile qui nous donne le goût et l'énergie de produire année après année ce *Guide de l'auto*. Ami du *Guide* depuis ses débuts, le populaire comédien nous a fait découvrir sa collection de voitures, de publications et de souvenirs.

Mon fidèle collaborateur, Denis Duquet, s'est surpassé cette année en organisant des matchs comparatifs du plus haut intérêt. Alain Raymond est une précieuse addition à notre équipe, comme vous pourrez le constater en prenant connaissance de son dossier sur les voitures d'occasion, tandis que Philippe Laguë et Jean-Georges Laliberté se révèlent de précieux acolytes.

Un coup de chapeau aussi à mon grand patron Pierre Lespérance, dont la contribution au succès du *Guide de l'auto* est plus grande qu'on le pense.

C'est grâce à tout ce beau monde que *Le Guide de l'auto* devient cette année le livre dont le tirage initial est un record dans toute l'histoire de l'édition au Québec. Et cela, même si certaines compagnies considèrent les Québécois comme un peuple de va-nu-pieds.

En souhaitant vous revoir l'an prochain à l'aube du siècle nouveau, je vous dis bonne lecture et bonne route.

Jacques Duval

Aubaines et mini

Toyota Tercel

Hyundai Accent

Suzuki Swift • Chevrolet Metro

Sous-compactes

Honda Civic • Acura EL

Volkswagen Golf

Nouvelle Coccinelle

4. Ford Escort   5. Mazda Protegé   6. Subaru Impreza   7. Toyota Corolla   8. Chevrolet Cavalier
9. Hyundai Elantra   10. Suzuki Esteem   11. Chrysler Neon   12. Nissan Sentra   13. Saturn SL1

Grandes compactes

Volkwsagen Passat

Honda Accord

Toyota Camry

4. Infiniti G20   5. Oldsmobile Alero   6. Subaru Legacy   7. Dodge Stratus • Plymouth Breeze
8. Ford Contour • Mercury Mystique   9. Nissan Altima   10. Mazda 626   11. Volkswagen Jetta 1998
12. Pontiac Grand Am   13. Chevrolet Malibu

Intermédiaires

Acura TL

Volvo S70

Nissan Maxima

4. Toyota Avalon   5. Buick Regal   6. Oldsmobile Intrigue   7. Pontiac Grand Prix   8. Ford Taurus
9. Hyundai Sonata   10. Buick Century   11. Chevrolet Lumina

Grandes berlines

Chrysler Intrepid • Chrysler Concorde   Pontiac Bonneville

Oldsmobile Delta 88

4. Buick LeSabre   5. Ford Crown Victoria • Mercury Grand Marquis

Fourgonnettes

Honda Odyssey

Chrysler Town & Country • Dodge
Caravan • Plymouth Voyager

Toyota Sienna

4. Ford Windstar   5. Chevrolet Venture • Pontiac Trans Sport • Oldsmobile Silhouette   6. Nissan Quest
7. Mazda MPV   8. Volkswagen EuroVan   9. Chevrolet Astro • Pontiac Safari

Familiales hybrides

Lexus RX300

Volvo V70 X-Country

Audi A6 Avant

4. Subaru Legacy Outback   5. Mercedes-Benz E430 4-Matic

Berlines de luxe de moins de 50 000 $

Audi A4 Quattro

BMW 328i

Mercedes-Benz classe C

4. Chrysler 300M   5. Cadillac Catera   6. Lexus ES300   7. Infiniti I30   8. Mazda Millenia   9. Infiniti G20
10. Oldsmobile Aurora   11. Buick Park Avenue   12. Saab 9-5   13. Lincoln Continental

Berlines de luxe de plus de 50 000 $

BMW 528i / 540i

Audi A6

Mercedes-Benz E430

4. Volvo S80   5. Lexus GS400   6. Cadillac Seville   7. Infiniti Q45T   8. Acura RL   9. Lincoln Town Car

Berlines grand luxe de plus de 70 000 $

Audi A8

BMW 750

Mercedes-Benz classe S

4. Lexus LS400   5. Jaguar XJ8

Cabriolets de moins de 40 000 $

Mazda Miata

Volkswagen Golf

Chrysler Sebring

4. Ford Mustang   5. Chevrolet Cavalier   6. Pontiac Firebird

Roadsters

Porsche Boxster

BMW M Roadster

Mercedes-Benz SLK

4. BMW 328i

Coupés sport de moins de 25 000 $

Mercury Cougar

Acura Integra

Honda Civic

4. Hyundai Tiburon   5. Ford ZX2   6. Chevrolet Cavalier Z24   7. Toyota Paseo   8. Saturn SC   9. Chrysler Neon

Coupés sport de luxe

Audi TT

Mercedes-Benz CLK

Volvo C70

4. BMW 328i   5. Saab 9-3 Turbo

Utilitaires sport 4X4 de moins de 45 000 $

Jeep Grand Cherokee

Dodge Durango

Ford Explorer V6

4. Mercedes-Benz ML320   5. Toyota 4Runner   6. Nissan Pathfinder   7. Isuzu Rodeo   8. GMC Envoy
9. Jeep Cherokee   10. Land Rover Discovery II   11. Chevrolet Blazer • GMC Jimmy

Utilitaires sport 4X4 de plus de 45 000 $

Mercedes-Benz ML430

Lexus LX470

Infiniti QX4

4. Ranger Rover SE   5. Cadillac Escalade • GMC Denali   6. Chevrolet • GMC Suburban

Mini utilitaires sport

Subaru Forester

Suzuki Grand Vitara

Honda CR-V

4. Toyota RAV4   5. Chevrolet Tracker • Suzuki Vitara

Voiture de l'année

Volkswagen Nouvelle Coccinelle

Donnez de la
personnalité
à votre auto

Gamme de
déflecteurs,
phares auxiliaires,
roues en alliage,
marchepieds,
ailerons arrière,
démarreurs à distance
attaches remorques, etc.

Découvrez la plus **grande**
sélection d'accessoires
d'auto au Québec.

Réparation de pare-brise
gratuite, si assuré.

Profitez du paiement mensuel
avec la carte de crédit
du Docteur du Pare-Brise.

Docteur
du PARE-
BRISE
Le n° 1 des accessoires d'auto

Donnez de la
personnalité
à votre auto

Docteur
DU PARE-
BRISE
Le n°1 des accessoires d'aut

1234 5678 9876 5432
P MARTIN
Vitres et accessoires d'auto

1 888 PARE-BRISE

De 8 h 00 à 17 h 30 du lundi au vendredi
De 8 h 00 à 16 h 00 le samedi
www.docteur-pb.com

eagle summit
mercury tracer
nissan stanza
toyota cressida
infiniti G20
ford crown victoria
mazda 323
honda accord
oldsmobile cutlass ciera
nissan maxima
nissan quest
mercury villager
nissan pathfinder
acura legend LS
audi 905 quattro sport
bmw 525i
cadillac seville STS
infiniti 45
mercedes-benz C280
mazda miata
maxda RX-7
honda CRX si
volkswagen corrado
bmw série-3
mercedes-benz SL
acura NSX
alfa romeo spider veloce
bmw 850I
chevrolet corvette
dodge stealth
dodge viper
ford mustang
jaguar XJR
nissan 300NX
nissan nx2000
plymouth prowler
porsche 911
porsche 944
toyota MR2
volkswagen beetle II
dodge colt
eagle summit
mercury tracer
nissan stanza
toyota cressida
infiniti G20
ford crown victoria
mazda 323

nissan maxima
nissan quest
mercury villager
nissan pathfinder
acura legend LS
audi 905 quattro sport
bmw 525i
cadillac seville STS
infiniti Q45
mercedes-benz C280
mazda miata
mazda RX-7
honda CRX si
volkswagen corrado
bmw série 3
mercedes-benz SL
acura NSX
alfa romeo spider veloce
mercedes-benz C280
chevrolet corvette
dodge stealth
dodge viper
ford mustang
nissan 5
nissan NX2000
plymouth prowler
porsche 911
porsche 944
toyota MR2
volkswagen beetle II
dodge colt
eagle summit
mercury tracer
nissan stanza
toyota cressida
infiniti G20
ford crown victoria
mazda 323
honda accord
oldsmobile cutlass ciera
nissan maxima
nissan quest
mercury villager
nissan pathfinder
acura legend LS
audi 905 quattro sport
bmw 525i

le guide des voitures d'occasion

par Alain Raymond

La voiture d'occasion:
un meilleur achat que jamais

À l'époque où la voiture d'occasion était synonyme de camelote, elle venait le plus souvent accompagnée d'une «garantie»... garantie de pannes répétées, de démarrages impossibles aux pires moments, de réparations fréquentes ou de fortune; bref, de «l'usagé», au sens le plus péjoratif du terme. Heureusement, les choses ont bien changé...

La fiabilité à la hausse

Il n'y a pas si longtemps, l'achat d'une voiture d'occasion était l'équivalent d'un coup de dé. Armé de recommandations, d'une bonne dose de scepticisme, d'une liste de questions et de vérifications à n'en plus finir, on plongeait dans ce marché comme dans un océan infesté de requins. De nos jours, les constants progrès en matière de fiabilité mécanique, de qualité des matériaux et de l'assemblage ainsi que de la résistance au cancer insidieux qu'est la rouille font que les voitures actuelles durent bien plus longtemps et se comportent bien mieux que leurs devancières. Il n'est donc pas surprenant de voir circuler encore des voitures vieilles de 10 ans, affichant plus de 250 000 km au compteur, et dont la carrosserie et la mécanique ont fort bien résisté aux rigueurs de notre climat et de nos routes. En somme, la voiture d'occasion présente moins de risques qu'auparavant: elle a perdu une bonne partie de ses stigmates. Elle est devenue fort respectable et, peut-être, un meilleur achat que jamais.

La location

Un autre changement important survenu dans le monde de l'automobile est la popularité croissante de la location sur deux, trois ou quatre ans. Le parc des voitures d'occasion s'est donc considérablement agrandi, ce qui donne à l'acheteur un choix beaucoup plus vaste. C'est d'ailleurs pourquoi les concessionnaires de véhicules neufs s'intéressent plus à ce marché qu'auparavant, au détriment des marchands de véhicules d'occasion, dont l'image n'était pas vraiment reluisante.

Sachez aussi que le législateur oblige les concessionnaires et commerçants de véhicules d'occasion à remettre à l'acheteur une garantie variant de 6 mois ou 10 000 km à 1 mois ou 1700 km, en fonction de l'âge et du kilométrage, et ce, pour les véhicules ayant au maximum 5 ans ou 80 000 km. En outre, certains concessionnaires effectuent une révision en profondeur de leurs voitures d'occasion et offrent à l'acheteur une garantie de 12 mois. Cela se fait notamment pour les véhicules de luxe.

Conseils d'usage

L'achat d'une voiture d'occasion, aussi belle soit-elle, s'accompagne toujours d'un certain risque. Même si celui-ci est moindre depuis quelques années, il faut quand même être vigilant. Voici quelques conseils qui vous permettront d'améliorer vos chances de faire un bon achat.

❶ Le budget

Avant de partir à la chasse, déterminez le montant maximum que vous voulez payer. Et puisqu'il est maintenant possible de louer une voiture d'occasion, fixez aussi une mensualité maximale, mais sachez qu'en général, la location finit par coûter plus cher que l'achat. Veuillez noter que les prix figurant ci-après comprennent la climatisation et la boîte automatique.

❷ La tête

Ne la perdez pas! N'achetez pas la première voiture qu'on vous propose. Parcourez les petites annonces pour vous faire une idée du marché et de la valeur des véhicules qui vous intéressent. Si vous ne vous y connaissez pas, adressez-vous à un spécialiste ou, à tout le moins, faites-vous accompagner par un ami qui a l'habitude de garder la tête froide. Et surtout, lisez *Le Guide de l'auto*!

❸ Le vendeur

Sachez que le risque inhérent à l'achat d'une voiture d'occasion est relativement moindre chez un concessionnaire établi. Vient ensuite le marchand de voitures d'occasion et, en bas de liste, le particulier. C'est avec ce dernier qu'il faut être le plus vigilant, car vous n'êtes pratiquement pas protégé. Les quelques dollars que vous allez économiser risquent de vous coûter très cher. Ne manquez surtout pas de faire examiner la voiture que vous convoitez par un mécanicien compétent et en qui vous avez confiance.

❹ Le véhicule

Examinez-le toujours en plein jour. S'il s'agit d'un véhicule récent (moins de 5 ans) et qu'il a été repeint, il est fort probable qu'il ait été accidenté. Ouvrez les portes, le coffre et le capot pour voir s'il y a des différences entre la couleur de la carrosserie à l'intérieur et à l'extérieur. Si c'est le cas, soyez *très prudent,* car même si la carrosserie vous paraît en bon état, la caisse ou le châssis peuvent être faussés et le comportement routier du véhicule en serait compromis ainsi que votre sécurité.

Ouvrez les portes et examinez le bas pour voir s'il y a des traces de rouille. Observez l'usure des pneus. Si elle est inégale, méfiez-vous.

Et surtout, surtout, faites un essai routier en ville, sur l'autoroute, puis sur route accidentée (elles ne manquent pas!). Éteignez la radio et écoutez la voiture. Bruits, grincements et cognements? C'est la voiture qui vous dit: «Méfiez-vous!» Sur un chemin dégagé, freinez vigoureusement à allure moyenne et observez le comportement du véhicule. Tout déséquilibre au freinage est signe d'une anomalie.

À l'intérieur, observez les témoins; s'ils s'allument ou s'ils clignotent, c'est qu'ils ont quelque chose à dire! Notez l'état de l'habitacle. Est-il propre? Le revêtement des sièges est-il en bon état? Dans l'affirmative, c'est signe que le propriétaire de la voiture était soigneux. Si l'intérieur a été négligé, il est probable que le reste de la voiture l'ait été aussi.

Enfin, demandez à voir les factures ou le cahier d'entretien. Et même si vous ne vous y connaissez pas, faites confiance à votre instinct: s'il y a quelque chose qui vous dérange, qui vous paraît anormal, bizarre, inexpliqué, ne laissez pas la question en suspens. Demandez un examen plus approfondi et si on vous répond «c'est normal avec ce modèle», de deux choses l'une: soit que votre interlocuteur vous prend pour un idiot, soit que lui-même n'en sait pas plus. Dans les deux cas, il vous revient d'obtenir une réponse qui vous satisfasse.

L'occasion en quatre actes

L'an dernier, *Le Guide de l'auto* présentait les 10 meilleures berlines d'occasion à moins de 10 000 $, la meilleure fourgonnette d'occasion à moins de 15 000 $ et la meilleure voiture de luxe à moins de 20 000 $.

Cette année, pour varier la sauce, nous avons imaginé quatre volets distincts:

Les occasions oubliées
Celles auxquelles on ne pense généralement pas, mais qui constituent quand même de bonnes occasions, **page 26.**

Six valeurs sûres
Celles qui, d'année en année, occupent le palmarès de la voiture d'occasion, **page 30.**

L'occasion de luxe
Une Mercedes au prix d'une Honda!, **page 34.**

Des «occasions» de s'enrichir
Celle qui pourra devenir un jour objet de collection, **page 38.**

La saison 1999 de la chasse à l'occasion est donc ouverte. Bonne chasse et bonne route!

Les occasions oubliées: six aubaines à découvrir

Le succès n'arrive pas toujours à celui qui le mérite. Un écrivain de talent peut rester éternellement dans l'ombre si son éditeur est nul. Un inventeur génial peut demeurer inconnu par manque de financement. Un sportif doué peut passer inaperçu s'il ne trouve pas d'entraîneur compétent.

Le même sort est parfois réservé à l'automobile. Compétente, douée, fiable, mais... oubliée, soit par négligence du fabricant qui n'accorde pas à un modèle donné l'appui publicitaire nécessaire,

soit par la faute du concessionnaire qui considère que la marge bénéficiaire n'est pas suffisante, ou tout simplement parce que la malheureuse est trop anonyme pour retenir l'attention du public acheteur.

Quelle que soit la raison de cet oubli, notre parc automobile contient certains modèles qui présentent des atouts intéressants et qui pourraient devenir de bonnes voitures d'occasion.

En voici quelques-uns.

Mercury Tracer 1991-1993

Cousine de la Ford Escort que nous vous recommandions l'an dernier, la Tracer est souvent restée à l'ombre de l'Escort, au point que Mercury l'a retirée de son catalogue dès le millésime 1994. Serait-ce que le public acheteur n'associe pas Mercury à la catégorie des sous-compactes?

La Tracer a subi une importante refonte en 1991. Assemblée au Mexique et offerte en berline classique 4 portes (sans hayon) et en familiale, elle se distingue de l'Escort par le dessin de la carrosserie, notamment de la partie avant. En fait, elle ressemble à la Mazda Protegé, dont elle emprunte d'ailleurs la plate-forme et certains organes mécaniques, ce qui est en soi une bonne référence, car la Protegé est l'une des meilleures sous-compactes sur le marché.

Le 4 cylindres Ford de 1,9 litre (88 chevaux) a aussi été profondément remanié en 1991 et se comporte mieux que la version précédente, mais les reprises qu'il procure à la Tracer sont encore anémiques. La motorisation la plus réussie est celle empruntée à Mazda, soit le 4 cylindres 1,8 litre à 2 arbres à cames en tête et 16 soupapes. Développpant 127 chevaux, ce moteur anime (au sens propre du terme) la Tracer LTS. Les deux moteurs sont bien exploités par la boîte manuelle à 5 vitesses; l'automatique à 4 rapports nuit aux performances et rend les dépassements laborieux (surtout si la climatisation est en marche).

Prix approximatifs sur le marché de l'occasion	
Mercury Tracer 1991, 4 portes	4500 $
Mercury Tracer LTS 1993, 4 portes	8000 $

La Tracer bénéficie d'une direction précise et d'une bonne stabilité en ligne droite. Des suspensions entièrement indépendantes accrochées à une plate-forme saine lui procurent une tenue de route sûre et un confort convenable. Le freinage (disque/tambour) est aussi très convenable.

L'aménagement intérieur de la Tracer ne s'est jamais attiré beaucoup d'éloges: tableau de bord et matériaux ternes, ergonomie et finition perfectibles, places arrière moyennes. Par contre, nombreux sont ceux qui ont remarqué la belle fiabilité de la Tracer, qualité dont nous connaissons tous l'importance lorsqu'il s'agit d'une voiture d'occasion. Ses points faibles: les systèmes électriques, la climatisation et parfois les freins.

La Mercury Tracer remaniée n'est restée que trois ans sur le marché canadien (contre six aux États-Unis), mais sa fiabilité, son économie, son comportement routier et sa version familiale en font une occasion intéressante et bien plus abordable que ses rivales japonaises.

Dodge Colt / Eagle Summit 1990-1996

Nées Mitsubishi, les Dodge Colt et Eagle Summit furent importées du Japon par Chrysler pour combler le vide en bas de gamme laissé par les Omni et Horizon de triste mémoire, vide que l'arrivée de la Neon n'a pas pu combler immédiatement. Ce sont en fait les acheteurs, en restant fidèles aux Colt et Summit, qui ont pratiquement forcé Chrysler (malgré la résistance de Lee Iaccoca qui ne portait pas les produits nippons dans son cœur) à poursuivre année après année la commercialisation de ces modèles.

C'est en 1979 que les Dodge Colt ont fait leur apparition sur le marché canadien. Bien cotées depuis leurs débuts, ces petites voitures de fabrication japonaise se distinguaient par leur conception moderne, leur excellent comportement routier, leur économie et leur fiabilité. En 1985, les Colt ont subi un remaniement en profondeur, suivi en 1989 d'un autre changement important, à savoir la création de deux modèles: la Colt 200 (nouvelle 2 portes) et les Colt 100/ Eagle Vista assemblées désormais en Thaïlande. En 1993, recarrossage (fort réussi, d'ailleurs) et en 1994, premier affrontement avec la nouvelle Neon, produit purement nord-américain. Le temps était compté pour les Colt et Summit. Pour les différencier de sa sous-compacte Neon, Chrysler a adopté pour ses «importées» la stratégie des prix à rabais en offrant des modèles de plus en plus dépouillés. Enfin, en 1997, les Colt et Summit ont disparu du catalogue.

En somme, une carrière de près de 20 ans, sous le signe de l'économie, de la fiabilité, du bon comportement routier et des prix abordables. À certains moments, les Colt et Summit occupaient la

Prix approximatifs sur le marché de l'occasion	
Dodge Colt 100 E 1991, 3 portes	4000 $
Dodge Colt 200 GT 1991, 3 portes	5000 $
Eagle Summit DL 1994, 4 portes	9000 $
Eagle Summit ES 1995, 2 portes	9500 $

tête du peloton des sous-compactes au chapitre des qualités routières, devant les Honda, Toyota et autres grands noms de la voiture économique. Équipées selon les modèles et les années d'un 4 cylindres de 1,5 ou 1,6 litre, ces petites tractions sont plus intéressantes avec la boîte manuelle à 5 vitesses. La boîte automatique atténue les performances et l'économie, alors que la manuelle à 4 vitesses équipant certains modèles de base est plutôt rudimentaire, sauf si vous ne circulez qu'en ville.

Si Mitsubishi avait tenu sa promesse de commercialiser ses produits au Canada, nous aurions pu revoir ces petites voitures sympathiques sous la marque Mirage. Mais les hautes instances du siège social de Tokyo semblent en avoir décidé autrement. Il faut donc se rabattre sur le marché de l'occasion.

Si l'on désire se procurer une Colt ou une Summit des cinq dernières années, c'est-à-dire les millésimes 1991 à 1996, outre les précautions habituelles, il y a lieu de surveiller la boîte automatique et les freins qui comptent parmi les rares points faibles de ces voitures.

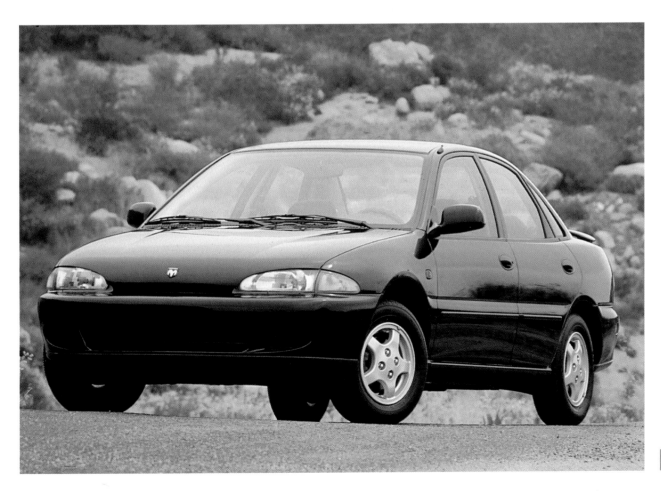

Nissan Stanza 1990-1992

Présentée pour la première fois en 1986, la Stanza a été entièrement remaniée en 1990. Les stylistes de Nissan ont remplacé sa ligne anonyme par une autre ligne... anonyme. Quand on connaît le succès de la superbe 300ZX et de l'élégante Maxima sur le plan du design, on se demande pourquoi la Stanza a hérité d'une telle banalité.

Mais aussi banale soit-elle, cette voiture présente de nombreux atouts. D'abord, la motorisation: le robuste 4 cylindres de 2,4 litres (138 chevaux) prend place sous le capot. Si les accélérations de 0 à 100 km/h sont moyennes (10 secondes), les reprises sont convenables, grâce au bon couple livré par le moteur à bas régime. Les deux versions (XE et GXE) reçoivent la même motorisation, mais c'est certainement la GXE qui est le modèle le plus intéressant et le plus compétent, et ce, pour plusieurs raisons. D'abord, l'ABS qui améliore la prestation des freins, puis le fameux différentiel à visco-coupleur Nissan qui améliore sensiblement la motricité de cette traction sur route glissante et lui assure une tenue de route supérieure à celle de la version de base. D'ailleurs, la XE est affublée d'un train avant imprécis qui nuit à la tenue de route. Autres avantages de la GXE: le confort des sièges avant et l'équipement complet. À noter que la version GXE a été rebaptisée SE pour le millésime 1992.

La suspension ferme ne parvient pas à corriger les lacunes du train avant sur la version de base, mais elle assure un confort convenable. Avec un empattement de 255 cm (contre 272 pour la Honda Accord et 260 pour la Camry), l'habitabilité de la Stanza est un peu juste, surtout à l'arrière. Le coffre est bien proportionné et les dossiers rabattables de la banquette en améliorent la contenance. Le tableau de bord moderne est doté d'une instrumentation complète et bien lisible, mais l'ergonomie est perfectible.

Cette description de la Stanza ne saurait être complète sans un commentaire sur la très bonne fiabilité de cette Nissan.

Retirée du catalogue en 1993, la Stanza a été remplacée par l'Altima et aura donc servi de modèle de transition.

Toyota Cressida 1989-1992

Une vieille connaissance, la Cressida. Remaniée en 1989, «la Maytag de l'automobile» (dixit, *Le Guide de l'auto 1990*) avait alors adopté un moteur moderne (6 cylindres, 3,0 litres, 24 soupapes, 190 chevaux) issu directement de la sportive Supra. Allié à la boîte automatique à 4 rapports à commandes électroniques, ce groupe motopropulseur affiche une excellente efficacité: souplesse, silence de fonctionnement, accélérations (0-100 km/h en 9,2 secondes) et économie (12 litres aux 100 km) sont tous au rendez-vous.

Sont aussi présents le confort et la tenue de route, grâce aux suspensions indépendantes aux 4 roues. Le freinage confié à 4 disques assistés doublés de l'ABS est efficace, mais son endurance est perfectible, et la direction surassistée manque de précision au centre. Sûre et efficace sur autoroute, la Cressida n'est cependant pas une bête au tempérament sportif. Comme ce n'est pas une traction, les pneus d'hiver s'imposent et il faut être encore plus vigilant sur chaussée glissante.

L'habitacle bénéficie de sièges confortables, mais l'espace disponible est relativement moyen quand on le compare à celui d'une Nissan Maxima ou d'une Acura Legend. En outre, le coffre à seuil haut manque de profondeur et le dossier fixe de la banquette arrière ne permet pas de dégager plus d'espace. Quant au tableau de bord, il est affublé de certaines commandes inutilement complexes.

Toyota a cessé de commercialiser la Cressida en 1992, sans doute pour ne pas nuire à la gamme Lexus. Depuis 1995, une nouvelle venue au nom étrange d'Avalon occupe dorénavant le haut de gamme chez Toyota.

Vendue entre 33 000 et 35 000 $ neuve en 1992, la Cressida a eu un succès mitigé, sans doute à cause de sa ligne discrète, banale même, et ce, malgré une très belle fiabilité. Celle-ci lui a d'ailleurs valu d'être classée à plusieurs reprises «voiture neuve la plus fiable» par la maison de sondage J. D. Powers & Associates. Et c'est précisément cette fameuse fiabilité qui en fait un bon achat d'occasion.

Prix approximatif sur le marché de l'occasion	
Nissan Stanza GXE 1991, 4 portes	6500 $

Prix approximatif sur le marché de l'occasion	
Toyota Cressida 1992	15 000 $

Infiniti G20 1991-1995

Vraiment négligée, la pauvre petite G20. Et pourtant, elle a tant à offrir: ses airs européens, son moteur fougueux, sa tenue de route exceptionnelle, son excellente fiabilité...

Infiniti a retiré la G20 du catalogue en 1996. Mais elle s'est peut-être rendu compte qu'à l'instar de BMW, Acura et Mercedes-Benz, il lui fallait une petite luxueuse abordable pour bien compléter sa gamme. C'est sans doute pourquoi elle a présenté sa nouvelle G20 au dernier Salon de New York. Espérons cette fois-ci que sa commercialisation se fera avec un peu plus de conviction.

La G20, née en 1991, est issue de la Nissan Primera conçue spécifiquement pour le marché européen. La Primera (et par conséquent la G20) devait donc répondre aux canons de la mode automobile européenne, ce qui explique l'avant à la Peugeot 405, l'arrière à la Mercedes-Benz et la découpe du montant arrière à la BMW. À noter au passage le profil à habitacle avancé, deux ans avant les LH de Chrysler... Il faut cependant avouer que la ligne de la G20 est discrète, trop discrète, ce qui a sûrement nui à sa capacité d'attraction.

En équipant la G20 d'un moteur 4 cylindres plutôt que d'un 6, Infiniti a suivi l'exemple de la BMW 318, de la Mercedes-Benz 220E et de l'Acura Integra. Ce 2,0 litres (140 chevaux), vif et souple, convient bien au tempérament de la voiture. En outre, grâce à une aérodynamique soignée, la consommation se chiffre à moins de 10 litres aux 100 km. Son défaut: le bruit, notamment en forte accélération.

Ce moteur s'exprime pleinement lorsqu'il est allié à l'excellente boîte manuelle à 5 vitesses. Avec le millésime 1994, la G20 a été dotée d'une boîte automatique à commandes électroniques mieux adaptée.

Mais le principal attrait de la G20 est sans conteste son comportement routier. Les suspensions indépendantes aux 4 roues sont à bras multiples à l'avant et le différentiel doublé d'un visco-coupleur améliore nettement la motricité sur chaussée glissante. Si la tenue de route vous importe, assurez-vous d'équiper votre G20 de pneus performants et vous découvrirez la traction la plus compétente sur le marché, avis que partagent la plupart des chroniqueurs qui ont pris le volant de la G20.

En somme, la «petite» Infiniti conviendra aux automobilistes avertis qui affectionnent la conduite à l'européenne, exigent une fiabilité exceptionnelle et apprécient l'excellente qualité du service.

Ford Crown Victoria 1992-1998

«Le passé présenté à la moderne», lisait-on dans *Le Guide de l'auto 1994*. Propulsion, carrosserie boulonnée au châssis, gros V8, suspensions souples, essieu arrière rigide, direction généreusement assistée, dimensions... américaines. Faut-il en dire plus?

Mais n'allez pas penser que ce cocktail à l'ancienne n'est pas apprêté à la moderne. Le moteur de 4,6 litres à arbres à cames en tête développe 190 chevaux (210 en option), les freins sont à disque aux 4 roues (ABS en option), deux coussins de sécurité se trouvent à l'avant, la boîte automatique est dotée de commandes électroniques et le climatiseur fonctionne au frigorigène sans CFC. C'est pas moderne, ça?

Alors, si vous avez besoin d'une grande (très grande) berline ou si vous aimez l'automobile à l'ancienne, la Crown Victoria et sa cousine la Mercury Grand Marquis vous plairont. Notons en passant qu'elles sont le choix de nos forces policières. Elles offrent des performances honorables, un confort très ouaté, une fiabilité convenable, une très bonne habitabilité, un coffre caverneux, une mécanique bien éprouvée, une bonne capacité de remorquage et une consommation tolérable (moyenne de 13 litres aux 100 km).

En contrepartie, ces grandes américaines sont mal à l'aise en ville, leur direction floue est beaucoup trop assistée, leurs freins sont moyens, la tenue de cap aussi, et le roulis est prononcé en virage négocié à allure... moyenne. Sur mauvais revêtement, la présence de l'essieu rigide à l'arrière se fait sentir par les trépidations de la caisse. Autrement dit, amateurs de conduite sportive s'abstenir.

Si la présentation intérieure est terne, elle témoigne néanmoins d'une bonne qualité d'assemblage. L'instrumentation réduite à sa plus simple expression est facile à lire, mais l'ergonomie de certaines commandes laisse à désirer. Les sièges aux dimensions généreuses offrent cependant un soutien insuffisant. Mais pour faire oublier ces lacunes, il suffit d'allumer l'excellente chaîne stéréophonique ou d'apprécier la souplesse et le silence de roulement de ce paquebot de la route.

Prix approximatif sur le marché de l'occasion	
Infiniti G20 1994	20 000 $

Prix approximatif sur le marché de l'occasion	
Ford Crown Victoria 1994	14 000 $

Six valeurs sûres

Les saisons défilent, les années passent, les modèles se succèdent, mais dans le domaine de l'automobile d'occasion, les valeurs sûres restent pratiquement les mêmes. C'est pourquoi vous allez retrouver dans ce texte plusieurs des modèles qui ont figuré l'an dernier à la rubrique des meilleures voitures d'occasion, modèles dont la liste nous est dictée par la nature même du marché.

Pour couvrir l'ensemble du marché de l'occasion, nous avons choisi un véhicule dans chacune des six classes suivantes: sous-compactes, compactes et intermédiaires, grandes, de luxe, fourgonnettes et utilitaires sport.

Mazda 323 / Protegé 1990-1998

C'est en 1990 qu'est née la troisième génération de la Mazda 323, dont la version berline est dénommée Protegé. La sous-compacte Mazda a toujours joui d'une excellente réputation. Elle constituait le modèle le plus populaire de la gamme. En 1990, la 323 de base et la DX à 3 portes reçoivent le très robuste moteur 1,6 litre développant 82 chevaux, alors que la 3 portes LX et la Protegé de base sont animées par le nouveau 1,8 litre produisant 103 chevaux. Enfin, la Protegé GT est équipée du 1,8 litre à double arbre à cames en tête développant 125 chevaux.

À part le dessin de la partie arrière de la 323 qui ne fait pas l'unanimité, ces modèles ont été louangés par les chroniqueurs et les acheteurs pour leur robustesse, leur confort, leur tenue de route, leur finition soignée, leur habitacle et leur coffre spacieux. La popularité des petites Mazda au Québec jusqu'en 1995 témoigne de leur attrait auprès du public automobiliste. À noter que la Protegé adopte un empattement plus long que celui de la 323 et présente donc une meilleure habitabilité et un confort plus relevé.

Avec le remaniement de la gamme 323/Protegé effectué en 1995, Mazda a commis l'erreur de majorer sensiblement le prix de ces modèles agrandis qui se rapprochent de la catégorie des compactes. En outre, la nouvelle 323 à 3 portes connut des ventes désastreuses, ce qui justifia son retrait presque immédiat. Restait donc la Protegé dans sa nouvelle robe fort attrayante recouvrant une plate-forme à empattement plus long. En somme, une petite berline

aux lignes agréables, spacieuse, confortable mais «assagie» par rapport à ses devancières, notamment les versions DX et LX qui ont hérité d'un moteur de 1,5 litre de 92 chevaux. L'EX haut de gamme a reçu un moteur 1,8 litre de 122 chevaux.

En 1996, autre changement de motorisation en faveur du 1,8 litre, puis en 1997, retour du 1,5 litre sur la version SE dépouillée et offerte à prix plus concurrentiel. Mises à part ces tergiversations étourdissantes, les Protegé demeurent des voitures d'occasion très intéressantes. Si vous privilégiez les performances, optez pour le moteur 1,8 litre, car la puissance du 1,5 litre est un peu juste avec la boîte manuelle et carrément lymphatique avec la boîte automatique.

À surveiller: les freins, le système d'échappement, les roues en aluminium sensibles à l'oxydation, l'écaillement de la peinture à l'avant (1991-1993).

Autres occasions de choix: Dodge Colt/Eagle Summit, Honda Civic, Nissan Sentra, Ford Escort/Mercury Tracer (à partir de 1991), Toyota Corolla, Toyota Tercel.

Prix approximatifs sur le marché de l'occasion	
Mazda 323LX 1990	4000 $
Mazda Protegé SE 1993	8000 $
Mazda Protegé ES 1995	12 000 $

Honda Accord 1990-1998

Fidèle à sa réputation, la Honda Accord remporte une fois de plus la palme de la compacte d'occasion la plus intéressante. Certes, il existe d'autres berlines compactes qui constituent un excellent achat, mais l'Accord a su se tailler une place de choix dans cette catégorie.

La troisième génération de l'Accord est arrivée en 1986. Dotée d'un empattement plus long que sa devancière, l'Accord devenait plus accueillante, plus confortable, «plus grande». La quatrième génération, dévoilée quatre ans plus tard, a franchi une autre étape. Longueur, largeur et empattement ont encore augmenté, faisant de l'Accord la berline familiale la plus vendue en Amérique du Nord, une première pour une voiture de marque étrangère.

Offerte en plusieurs versions (LX, EX et la luxueuse EX-R), l'Accord reçut le moteur 4 cylindres de 2,2 litres en deux versions: 125 chevaux pour la LX et l'EX et 130 chevaux pour l'EX-R qui bénéficiait aussi de freins à disque aux 4 roues et de l'antiblocage. Avec le succès commercial vint cependant la détérioration de l'agrément de conduite.

Devant un tel succès, Honda joua de prudence pour la cinquième génération de l'Accord, née en 1994. Les efforts portèrent sur le design, la rigidité de la caisse, la sécurité passive (deux coussins à l'avant) et l'équipement, alors que la motorisation et les dimensions restaient assez semblables. Sur l'EX-R, le bon vieux moteur 2,2 litres reçut la distribution variable (VTEC) et vit sa puissance grimper à 145 chevaux. Dotée de suspensions plus fermes, l'EX-R adopta un comportement plus sportif.

Pour faire face à la concurrence (notamment de la Toyota Camry), Honda proposa en 1995 un V6 de 2,7 litres (170 chevaux) jumelé à la boîte automatique et offert en option sur les EX et EX-R. Un autre remaniement important survenu en 1998 porte l'Accord carrément dans la catégorie des berlines intermédiaires. Le 4 cylindres passe à 2,3 litres et le V6 à 3,0 litres, et les suspensions sont améliorées. Les qualités traditionnelles se maintiennent; le comportement aseptisé aussi.

Moteurs souples et économiques, suspensions et sièges confortables, bonne habitabilité, belle qualité d'assemblage, caisse rigide, finition soignée, bonne fiabilité: voilà les atouts de l'Accord qui existe en versions coupé, berline et familiale. Point faible: la boîte automatique.

À surveiller: la climatisation, les freins, les joints homocinétiques, la crémaillère de direction et la rouille sur les bas de caisse. Sachez enfin que les voleurs sont très friands de l'Accord. Méfiezvous donc des trop «bonnes aubaines».

Autres occasions de choix: **Mazda 626/Cronos, Nissan Altima et Stanza, Toyota Camry, Volvo 240.**

Prix approximatifs sur le marché de l'occasion	
Honda Accord LX 1990, 4 portes	6500 $
Honda Accord EX-R 1993, 2 portes	14 000 $
Honda Accord EX V6 1996, 4 portes	20 000 $

Nissan Maxima 1989-1998

Autre habituée des rubriques «meilleurs achats», la Maxima de Nissan présente un rapport qualité/prix imbattable. Si le succès commercial de cette voiture de luxe n'est pas plus grand, c'est probablement à cause de sa ligne assez effacée. Redessinée en 1989, elle hérite d'une carrosserie plus profilée que Nissan modifie de nouveau en 1995, puis en 1998, dans le but de donner à sa berline de luxe une allure plus attrayante. Ces efforts se traduisent par une ligne plus distinctive.

Le prix attrayant de la Maxima lui permet souvent de concurrencer les versions haut de gamme de voitures moins luxueuses, telles la Toyota Camry et la Honda Accord. Le V6 de 3,0 litres qui équipe la Maxima depuis ses débuts en 1984 a évolué avec les années. Produisant 160 chevaux dès 1989, ce moteur développe 190 chevaux sur la version à double arbre à cames en tête lancée en 1992. Entièrement revu en 1995, il est à présent plus léger et surtout bien plus économique. Souple, robuste, silencieux et très fiable, ce moteur raffiné procure à la Maxima d'excellentes accélérations qui rivalisent avec celles des meilleures berlines sport. Par contre, le comportement routier trahit les prétentions sportives du moteur.

La suspension (à essieu semi-rigide à l'arrière) privilégie le confort et la souplesse de roulement; la caisse accuse du roulis en virage et la tenue de cap est certainement perfectible. À noter cependant que les modèles plus récents assurent une tenue de route plus relevée. La version SE, plus ferme, affiche un caractère plus sportif, alors que la GXE (de base) et la GLE (version luxueuse offerte depuis 1995) privilégient le confort ouaté.

Les freins à disque aux 4 roues doublés de l'ABS se révèlent à la hauteur des prestations de la voiture et la boîte automatique est un exemple d'efficacité. La Maxima est aussi offerte avec une boîte manuelle à 5 vitesses, chose plutôt rare dans cette catégorie de voitures.

L'habitacle de la Maxima se distingue par un équipement complet, un tableau de bord réussi, une bonne habitabilité, une multitude d'espaces de rangement et un coffre à fond plat qui dégage un volume convenable. Le modèle 1995 bénéficie de nombreuses améliorations au chapitre de l'aménagement intérieur et du confort, alors que la version 1998 reçoit des retouches esthétiques à l'avant et à l'arrière.

À surveiller: les freins, le système électrique et l'embrayage de la boîte manuelle.

Autres occasions de choix: BMW série 3, Mercedes-Benz classe C, Mazda Millenia, Volvo 850.

Prix approximatifs sur le marché de l'occasion	
Nissan Maxima GXE 1992, 4 portes	13 000 $
Nissan Maxima SE 1995, 4 portes	16 000 $

Oldsmobile Cutlass Ciera 1991-1996

Dans la catégorie des grandes, un dilemme se pose au moment de choisir une bonne voiture d'occasion. Ford et Chrysler produisent les modèles les plus attrayants sur le plan du comportement routier, des performances et du design (Taurus/Sable chez Ford, Intrepid/Concorde chez Chrysler), mais GM remporte plus souvent la palme de la fiabilité, alors que ses modèles présentent généralement moins d'attraits.

L'Oldsmobile Cutlass Ciera, un des modèles de la série A de GM, partage sa plate-forme et sa motorisation avec la Buick Century (que nous avons recommandée l'an dernier). Cette grande berline sage, mais de conception ancienne (1982), est dotée en version de base d'un moteur 4 cylindres de 2,5 litres qu'il est préférable (et même fortement recommandé) d'éviter, tant il est amorphe et bruyant. Par contre, les V6 de 3,3 litres (1989 à 1993) et de 3,1 litres (1994 à 1996) couplés à une boîte automatique à 4 rapports conviennent bien mieux à une voiture de ce gabarit et affichent une bonne fiabilité, notamment en ce qui concerne le 3,3 litres.

Outre l'intérêt que présente une motorisation fiable, la Cutlass Ciera se distingue aussi par un coffre et un habitacle spacieux pouvant accueillir 6 occupants (avec banquette avant). La suspension souple présente un bon confort, mais les sièges trop mous, dépourvus de support lombaire, deviennent inconfortables à la longue. Silencieuse sur route, la Ciera affiche une tenue de route axée sur le confort et n'ayant donc aucune prétention sportive. La direction surassistée et floue contribue à l'effet «guimauve». Il est cependant possible de remédier quelque peu à cette situation avec la suspension optionnelle dotée de pneus plus performants.

Avec le millésime 1994, arrivent les freins antiblocage et le coussin de sécurité de série, suivis en 1995 de sièges plus confortables. Après 15 ans de bons et loyaux services, la Cutlass Ciera disparaît du catalogue en 1997.

Archétype de la voiture économique, sans problème et sans panache, l'Oldsmobile Cutlass Ciera affiche une fiabilité appréciable, un coût d'entretien raisonnable et un équipement relativement complet.

À surveiller: les freins, les systèmes électriques, la direction, l'étanchéité et le système de refroidissement (1990-1991).

Autres occasions de choix: Buick Century, Chevrolet Lumina et Monte Carlo (1995-1996), Ford Crown Victoria, Mercury Grand Marquis.

Prix approximatif sur le marché de l'occasion	
Oldsmobile Cutlass Ciera SL V6 1992, 4 portes	10 000 $
Oldsmobile Cutlass Ciera S V6 1995, 4 portes	15 000 $

Nissan Quest / Mercury Villager 1993-1998

Surprise! Dès qu'on parle de fourgonnette, tout le monde s'attend qu'on cite les produits Chrysler en premier. Certes, la Dodge Caravan et la Plymouth Voyager sont les plus populaires (et de loin); leur conception est soignée et souvent originale, et elles offrent de nombreux avantages indéniables. Mais (car mais il y a) la fiabilité ne compte pas parmi leurs principaux atouts. Et c'est là que s'insèrent la Nissan Quest et sa sœur jumelle, la Mercury Villager.

Assemblées par Ford en Ohio sur une mécanique Nissan, la Quest et la Villager sont identiques, à l'exception de quelques détails de style et du niveau d'équipement (la Quest étant la mieux équipée). L'empattement se compare à celui des modèles Chrysler à empattement court, mais le volume habitable est moindre.

Le V6 3,0 litres de la Nissan Maxima (version 150 chevaux) procure à la Quest et à la Villager des prestations honorables et une consommation inférieure à celle de ses célèbres rivales. À pleine charge cependant, le moteur s'essouffle et les dépassements sont pénibles. Sur la route, la Quest et la Villager se comportent comme une voiture: faciles à conduire, maniables, stables, confortables et agiles. Les freins antiblocage sont de série, mais le premier coussin de sécurité n'apparaît qu'en 1994 et le deuxième, en 1996.

Suffisamment spacieuses, ces fourgonnettes compactes peuvent accueillir jusqu'à 7 occupants, grâce à leur ingénieuse banquette arrière modulable et amovible montée sur rails. Seule ombre au tableau: le faible volume du coffre lorsque la banquette est à la position la plus reculée. La finition et la qualité des matériaux sont excellentes et les sièges offrent un bon soutien. Le tableau de bord harmonieux est doté d'une instrumentation simple et lisible, mais les commandes de la radio et de la climatisation sont mal placées.

La Quest et la Villager affichent une belle fiabilité qui en fait des choix fort intéressants pour ceux qui cherchent une fourgonnette compacte et qui n'ont pas besoin du supplément d'espace qu'offrent les modèles Chrysler à empattement long.

À surveiller: le système électrique, les freins, l'étanchéité, les mécanismes des portes et le cognement du moteur sur certains modèles 1995.

Autres occasions de choix: Dodge Caravan/Plymouth Voyager, Honda Odyssey.

Nissan Pathfinder 1991-1996

C'est en 1987 que Nissan a rejoint la meute des utilitaires 4X4 qui avait commencé quelques années auparavant à envahir le marché automobile nord-américain.

Le Pathfinder de première génération est monté sur l'empattement le plus long de sa catégorie (265 cm), mais son originalité réside dans sa construction monocoque (par opposition au châssis-cadre) et dans la présence d'un arceau intégré et d'une petite fenêtre triangulaire sur les côtés. Il se distingue aussi par l'aménagement de l'habitacle qui fait plutôt penser à une voiture et par son comportement routier civilisé qui fait l'envie des propriétaires d'autres utilitaires. L'espace habitable est très convenable, à l'exception de la garde au toit.

Le Pathfinder est offert en version 2 portes seulement jusqu'en 1990, date à laquelle il subit son premier important remaniement. Un 4 portes figure par la suite au catalogue et le V6 passe de 145 à 153 chevaux. En 1991, l'antiblocage équipe les freins arrière, mais le Pathfinder commence à perdre des plumes par rapport à ses rivaux plus «à la mode». En 1994, on adopte un tableau de bord plus moderne, mais le moteur manque de puissance et de sobriété par rapport à la concurrence.

En 1996, soit 10 ans après son lancement, le Pathfinder fait peau neuve, tant sur le plan mécanique qu'esthétique. Nouvelle structure monocoque plus longue et plus légère, empattement plus long (270 cm), 2 coussins de sécurité, ABS aux 4 roues et V6 de 3,3 litres (168 chevaux), 4X4 temporaire avec engagement à la volée. Les performances sont à la hausse, mais lors des reprises, le Nissan se fait encore damer le pion par certains de ses rivaux. S'il est plus souple que son prédécesseur, le V6 est quand même bruyant sur autoroute. Le tableau de bord devient plus moderne, l'ergonomie est exemplaire et l'habitabilité augmente, mais les passagers arrière se sentent encore à l'étroit. Le nouveau Pathfinder conserve son avance en matière de comportement routier. Le confort de suspension et la tenue de route sont ses points forts. De l'avis de tous, c'est encore l'utilitaire qui se rapproche le plus de la voiture particulière. Comme la plupart des utilitaires, le Pathfinder est gourmand, mais il offre un bon rapport qualité/prix.

À surveiller: boîte automatique (1990-1992 à kilométrage élevé), systèmes électriques, suspension, système d'échappement, direction, joints homocinétiques.

Autres occasions de choix: Toyota 4Runner, Ford Explorer.

Prix approximatifs sur le marché de l'occasion	
Nissan Quest SE 1993	16 000 $
Mercury Villager GS 1995	19 000 $

Prix approximatifs sur le marché de l'occasion	
Nissan Pathfinder XE 1991, 2 portes	10 000 $
Nissan Pathfinder LE 1996, 4 portes	28 000 $

33

L'occasion de luxe:
une Mercedes au prix d'une Honda!

Qui n'a pas rêvé d'une voiture qui fait tourner les têtes, une voiture un peu snob peut-être, sentant le bon cuir? Depuis des années, vous travaillez fort; vous avez toujours roulé dans des voitures plus ou moins ordinaires. Vous avez déjà pensé à une voiture sport, mais c'est trop petit, et puis l'hiver... mieux vaut songer à autre chose. En réalité, vous avez tout simplement envie de vous faire plaisir.

> **«... il n'y a plus de _mauvaise_ voiture» ou «_presque..._»**

Se faire plaisir... c'est ça! Mais aussi être raisonnable, car après tout, vous n'êtes pas seul dans cette affaire; il faut penser à la famille ou alors aux clients qu'il vous arrive de voiturer à l'occasion. Donc quelque chose de confortable, de solide aussi, parce que vous n'avez pas envie de courir les garages, quoique les voitures de nos jours sont fiables, si l'on en croit les chroniqueurs et autres spécialistes. Il paraît même «qu'il n'y a plus de _mauvaise_ voiture» ou «_presque_», ajoutent certains. Donc pas trop de crainte de ce côté-là. D'ailleurs, les garanties sont bonnes, au cas où...

Et le budget, alors? Disons, un maximum de 35 000 $, de préférence plus près de 30 000 $? C'est déjà pas mal. Vous imaginez, il y a 30 ans, vous auriez acheté une maison pour ce prix-là! Mais ça, c'est une autre histoire.

Alors, voyons ce qu'on peut faire avec ce montant. Vous consultez _Le Guide de l'auto_ et vous identifiez tous les modèles neufs affichés aux alentours de 30 000 $. Un bon choix de voitures très convenables, mais vous ne pouvez vous empêcher de lorgner du côté des luxueuses: 50 000 $, 60 000 $ et même 70 000 $. C'est vraiment trop cher. Mais il vous vient une idée: ces mêmes voitures doivent bien exister sur le marché de l'occasion. D'ailleurs, depuis que la location sur deux, trois ou quatre ans est devenue si populaire, il s'est créé un stock assez imposant de voitures d'occasion en excellent état revendues par les concessionnaires d'origine et souvent accompagnées d'une garantie fort intéressante.

Vous consultez donc les petites annonces, question de vous faire une idée, et vous y découvrez que pour 30 000 $ à 35 000 $, vous pouvez vous procurer une Mercedes C280 1994 ou 1995 ayant moins de 80 000 km au compteur. Autrement dit, pas si loin d'une Honda Accord EX V6 neuve... C'est la réponse à votre dilemme: une occasion de luxe.

Dans ce cahier spécial, nous vous proposons donc six voitures de luxe d'occasion à moins de 35 000 $ qui pourraient bien remplacer les éternelles berlines moyennes sans âme (mais quand même sans reproche) que nous propose le marché du neuf.

Mais avant de vous présenter nos six belles, nous tenons à vous rappeler que l'achat d'une voiture d'occasion s'accompagne toujours d'un certain risque, risque que vous pouvez atténuer en traitant avec un marchand réputé, de préférence un concessionnaire bien établi. Si vous achetez d'un particulier, faites vérifier la voiture par un garage ou un concessionnaire _avant_ de conclure la transaction. Et puisqu'il s'agit de voitures de luxe, donc coûteuses à l'origine, n'oubliez pas que les réparations et l'entretien seront aussi (vous l'avez deviné)... coûteux.

Par ordre alphabétique, voici donc les six voitures de luxe que nous avons retenues.

Il fut un temps où la catégorie des voitures de luxe se limitait à quelques grandes marques: Cadillac, Lincoln, Chrysler Imperial, Jaguar et Mercedes. Au cours des 10 dernières années, ce secteur a connu une très forte croissance, notamment avec l'arrivée des luxueuses japonaises (Acura, Infiniti et Lexus) et grâce au changement qu'ont connu d'autres marques jadis à vocation plus populaire, notamment Audi, BMW, Saab et Volvo.

Pour le consommateur, le choix de voitures d'occasion de luxe est donc très vaste et les modèles auxquels on peut attribuer la cote «à éviter» sont heureusement moins nombreux que les modèles recommandés.

Voici donc les modèles à éviter:

Acura Vigor (1992-1994)
Alfa Romeo Milano (1987-1990)
Cadillac Brougham (1986-1990)
Cadillac Cimarron (1986-1988)
Chrysler New Yorker / Fifth Avenue (1986-1993)
Jaguar (toutes) (1986-1992)
Lexus ES250 (1991)
Lincoln Continental (1988-1991)
Mazda 929 (1988-1991)
Merkur XR4Ti (1986-1989)

Acura Legend LS 1994

Si vous affectionnez les produits signés Honda, la Legend ne vous décevra pas. La berline et le coupé affichent un indéniable air de famille Honda, ce qui fait dire à certains que la Legend ne se démarque pas assez d'une Accord ou qu'elle n'a pas la distinction d'une Lexus ou d'une Infiniti. C'est vrai. Mais si les lignes de la berline sont plutôt classiques et, disons-le, anonymes, le coupé est nettement plus réussi.

À l'intérieur, le design est tout aussi réservé, mais la présentation est efficace et l'ergonomie excellente. La qualité des matériaux et de la finition est aussi sans reproche et on trouve rapidement la bonne position de conduite. Tant la berline que le coupé offrent 4 vraies places confortables. L'accès à bord est évidemment plus facile dans la berline.

Sur route, c'est d'abord le silence de roulement qui impressionne. Le V6 de 3,2 litres, souple et onctueux, développe 210 chevaux; il existe aussi une version de 230 chevaux réservée au coupé doté de la boîte manuelle à 6 vitesses. Mais en réalité, c'est la boîte automatique à 4 rapports qui correspond le mieux au caractère de la voiture et aux prestations du moteur. Ce sont d'ailleurs ces prestations qui font l'objet de certaines critiques, notamment le manque de couple à bas régime qui force le conducteur à enfoncer l'accélérateur pour aller trouver les 210 chevaux cachés près de la ligne rouge du compte-tours. Les rivales de la Legend, qu'elles s'appellent Lexus ou Infiniti, reçoivent des V8 plus musclés et l'absence d'un tel moteur se sent sur une voiture de près de 1600 kg. Par contre, ce que le V6 de l'Acura perd en performances, il le gagne en économie avec une consommation moyenne de 13 litres aux 100 km.

Le comportement routier est aussi à l'image du moteur: fait pour l'autoroute. Une direction précise, mais trop assistée; une suspension ferme, mais trop de roulis en virage serré; un freinage puissant, mais des distances d'arrêt assez longues.

En somme, une berline cossue, confortable, silencieuse, très bien finie et équipée, relativement économique et très à l'aise sur l'autoroute, accompagnée de la fiabilité qui fait la réputation de tous les produits Honda. Pour les prétentions sportives, par contre, il faut regarder ailleurs.

Audi 90S Quattro Sport 1995

Le rajustement à la baisse des prix instauré par Audi en 1994 a rendu les produits de ce constructeur bien plus accessibles. Parallèlement, Audi a réalisé d'importantes percées sur le plan de la fiabilité et de la qualité d'ensemble, ce qui se traduit par une gamme fort attrayante de produits luxueux et sportifs.

Le système de traction intégrale Quattro de l'Audi 90 Sport procure à la voiture une motricité et un niveau de sécurité active tout à fait exceptionnels. Avec les conditions routières qui prévalent au Québec pendant les longs mois d'hiver, ce système à 4 roues motrices en permanence devrait à lui seul inciter tout automobiliste soucieux de sécurité à considérer l'achat d'une Audi Quattro. La caisse rigide, le système de rétraction des ceintures de sécurité et les freins très efficaces ajoutent des points à l'aspect sécuritaire.

Équipée d'un V6 de 2,8 litres développant 172 chevaux, l'Audi affiche des performances plutôt moyennes (0-100 km/h en 9,3 secondes en version automatique et en 8,5 secondes pour la manuelle). Le manque de couple à bas régime nuit à l'agrément de conduite, surtout en version automatique, mais l'efficacité des suspensions et la rigidité de la caisse font un peu oublier le manque de puissance.

Sur l'autoroute, la Quattro est solide comme le roc: une véritable machine à rouler. Grand confort des sièges, tableau de bord ergonomique et design fort agréable, silence de roulement, bonne visibilité et impression générale de qualité procurent un plaisir indéniable. Il existe certes des modèles plus luxueux parmi les rivales de la Quattro, mais rares sont ceux qui peuvent la concurrencer au chapitre de l'agrément et, ne l'oublions pas, de la sécurité. Seules notes discordantes, un léger manque d'espace à l'arrière et des bruits de suspension sur revêtement dégradé. La consommation moyenne se situe à 12 litres aux 100 km.

Vendue 34 100 $ neuve en 1995, l'Audi 90S Quattro Sport constitue une valeur très intéressante sur le marché de l'occasion. Avec un peu de chance et un peu de patience, vous pourriez vous retrouver au volant d'une Quattro ayant moins de 80 000 km pour 25 000 $, le tout accompagné d'une belle garantie.

Prix approximatifs sur le marché de l'occasion	
Berline LS 1994	32 000 $
Coupé LS 1994	33 000 $

Prix approximatif sur le marché de l'occasion	
Audi 90S Quattro Sport 1995	25 000 $

BMW 525i 1994

La BMW série 5 vous fait grimper d'un cran par rapport à nos deux premières occasions de luxe. Vendue neuve à près de 50 000 $ en 1994, la 525i affiche un caractère très séduisant. Les lignes sobres et équilibrées résistent bien à l'épreuve du temps et le raffinement de la mécanique procure à la belle allemande un agrément de conduite haut de gamme, véritable apanage d'une authentique berline de luxe.

La 525i est propulsée par le vénérable 6 cylindres en ligne de 2,5 litres développant 189 chevaux, moteur qui équipe aussi la plus petite 325i. Malgré sa faible cylindrée, ce moteur se tire très bien d'affaire et permet à la 525i à boîte manuelle (5 vitesses) de boucler le 0-100 km/h en 8,2 secondes, avec une consommation de l'ordre de 12,5 litres aux 100 km.

Les moteurs BMW sont réputés pour leur souplesse, leur puissance et leur robustesse. Ils constituent certainement l'une des principales armes du constructeur bavarois, l'autre étant la qualité du châssis. Caisse rigide à souhait, suspensions fort bien conçues, freins puissants, ABS de série et équilibre des masses presque parfait procurent aux berlines BMW, petites et grandes, un comportement routier que l'on cite souvent en exemple.

Sur l'autoroute, la BMW 525i, tout comme l'Audi, avale les kilomètres en toute aisance. Stable, silencieuse (à l'exception de quelques bruits de vent), sûre, facile à conduire et dotée de sièges très confortables, la «grande BM» comblera facilement 4 adultes sur des centaines de kilomètres (à condition qu'ils ne transportent pas trop de bagages, car la capacité du coffre est limitée).

À l'intérieur, les occupants pourront apprécier le sérieux de la présentation et la qualité des matériaux. L'équipement est très complet et seul l'habillage en cuir et la boîte automatique sont proposés en option. De série aussi, le prestige de la marque BMW et, hélas! le coût élevé des réparations et de l'entretien. Un conseil donc: choisissez bien votre 525i d'occasion et insistez pour obtenir une garantie convenable ou, du moins, une vérification complète par un spécialiste de la marque.

Puisqu'il faut remonter au millésime 1994 pour trouver une BMW série 5 de moins de 35 000 $, veillez à ce que le kilométrage ne soit pas excessif. Comme on le disait ci-haut, les réparations, surtout si elles sont importantes, peuvent finir par coûter cher.

Prix approximatif sur le marché de l'occasion	
Berline BMW 525i 1994	33 000 à 35 000 $

Cadillac Seville STS 1994

À une époque pas trop lointaine, quand on pensait voiture de luxe, on pensait immédiatement et presque exclusivement à Cadillac. Cet état de choses s'est cependant détérioré pour la grande marque américaine: piètre qualité pendant les années 70 et 80, nombreuses erreurs de conception et de marketing, puis avènement des allemandes, suivies des japonaises de luxe, offrant une qualité nettement supérieure. Mais la marque de prestige de GM s'est relevée, péniblement certes, mais quand même. La Seville, complètement refondue et repensée en 1992, est la preuve de ce redressement.

Cette voiture se distingue avant tout par la beauté de ses lignes. Sobre et bien équilibré, le dessin de la carrosserie présente un classicisme qui ne se démodera pas de sitôt. La version STS que nous avons retenue se différencie de sa sœur la SLS par son caractère plus sportif ou plutôt «moins embourgeoisé», que lui procurent notamment une suspension raffermie et un moteur plus puissant. Ce moteur, c'est le magnifique V8 Northstar tout en aluminium à 32 soupapes. D'une cylindrée de 4,6 litres, il développe rien de moins que 295 chevaux. Vous ne serez donc pas surpris d'apprendre que le 0-100 km/h est bouclé en moins de 7 secondes: un véritable canon. Évidemment, cette fougue, ça se paye... au poste d'essence (16 litres aux 100 km).

Les suspensions fermes contribuent à augmenter l'agrément de conduite, mais ne sont quand même pas à la hauteur des prestations du moteur. Cette grosse traction souffre de survirage à haute vitesse. En conduite plus normale, elle reste quand même assez neutre et offre un bel agrément de conduite. L'hiver, le système antipatinage et l'ABS facilitent la conduite sur chaussée glissante et augmentent la sécurité.

Si la robe de la Seville mérite des éloges, la réalisation de l'habitacle est plus exposée à la critique. La finition en bois et en cuir rejoint le classicisme de l'extérieur, mais l'ergonomie laisse franchement à désirer. Quant à l'habitabilité, rien à redire: amplement d'espace à l'avant comme à l'arrière.

La fiabilité, véritable talon d'Achille du géant américain, s'améliore d'année en année, même si elle n'a pas encore atteint celle de ses rivaux, notamment les Japonais. Si la Seville vous intéresse, sachez que certains modèles ont souffert de fuites d'eau au niveau de la lunette arrière et du coffre, que le système de chauffage et de climatisation peut être capricieux et que la suspension avant à pilotage électronique est parfois délicate. Mais quelle classe...

Prix approximatif sur le marché de l'occasion	
Berline Cadillac STS 1994	30 000 $

Infiniti Q45 1993

Mal-aimée, la grande Infiniti. Mal-aimée, car sa ligne, notamment le dessin de l'avant, n'avait pas l'air particulièrement inspirée au début, mais aussi parce que sa campagne de lancement frisait le loufoque et enfin parce que le réseau Infiniti était plutôt mince à ce moment-là. Mais cette voiture présente de sérieux atouts. Si son avant est anonyme, son profil sobre et élégant rappelle les berlines Jaguar. À vrai dire, la Q45 est mieux profilée et plus agréable sous certains angles que sa rivale, la Lexus LS400.

Côté motorisation, l'Infiniti prend la tête par rapport à sa rivale nippone grâce à un excellent V8 de 4,5 litres développant 278 chevaux. Allié à une boîte automatique sans reproche, il offre d'excellentes accélérations (0-100 km/h en 7,4 secondes) et des reprises dignes d'une berline sport, ce qui est remarquable quand on connaît la masse à déplacer. Comme on peut s'y attendre, quand la puissance approche les 280 chevaux, la consommation ne peut que suivre. Il faut donc compter 14,6 litres aux 100 km. Mais à bien y penser, c'est moins que la plupart des utilitaires «sport»...

Les suspensions indépendantes, les freins et la tenue de route sont à la hauteur des prestations du moteur. Seule la direction surassistée nuit au caractère sportif de cette grande propulsion. Sur autoroute, la Q45 avale les kilomètres sans effort et baigne ses occupants dans un confort feutré. Les sièges et les suspensions relativement fermes semblent inspirés des grandes berlines allemandes. La finition, la qualité des matériaux et la chaîne stéréophonique sont de très grande qualité. N'était-ce le maniement peu pratique des commandes de réglage des sièges, l'ergonomie aussi serait parfaite. Les grands voyageurs et les amateurs de golf apprécieront particulièrement le coffre volumineux, dont la découpe arrive au ras du pare-chocs.

Vendue 59 500 $ en 1993, l'Infiniti Q45 est une véritable voiture de luxe que l'on peut se procurer sur le marché de l'occasion à un peu plus que la moitié du prix d'origine. La qualité de fabrication, la fiabilité et les prestations de cette luxueuse nippone en font un achat intéressant.

Mercedes-Benz C280 1994

La gamme des «petites» Mercedes-Benz a été complètement refondue en 1994. La classe C a ainsi remplacé les modèles 190 créés 10 ans auparavant. Cette redéfinition a permis à Mercedes-Benz d'agrandir ses modèles de taille compacte, corrigeant du même coup un des principaux défauts de la gamme 190.

Si la carrosserie a été entièrement redessinée et arbore à présent une apparence plus moderne, «l'air de famille» est encore très net, notamment grâce à la présence de la calandre traditionnelle surmontée de la célèbre étoile à trois branches. La refonte a aussi permis d'augmenter l'habitabilité qui faisait défaut sur le modèle antérieur, ce qui est particulièrement bienvenu aux places arrière.

La classe C est composée de deux modèles; la 220 et la 280 qui se distinguent par leur motorisation: un nouveau 4 cylindres de 2,2 litres pour la première et, pour la deuxième, le 6 cylindres en ligne bien connu de 2,8 litres. Il est indéniable que le 6 cylindres convient bien mieux à la vocation de voiture de luxe. Puissant (194 chevaux), souple et robuste à souhait, le 2,8 litres procure des accélérations fort convenables (0-100 km/h en 8,5 secondes), même si les reprises à bas régime sont un peu faibles. Une fois lancée, cependant, la Mercedes-Benz est une merveille de stabilité, de sécurité et de confort.

À bord, on sent la solidité de la caisse dès qu'on aborde une route accidentée. La suspension avant entièrement nouvelle et la suspension arrière multibras perfectionnée se conjuguent à la caisse d'une rigidité exemplaire pour vous faire traverser nids-de-poule et bosses avec aplomb. Les freins (avec ABS) sont aussi un exemple du genre et c'est d'ailleurs au chapitre de la sécurité active et passive que la Mercedes-Benz se distingue de la plupart de ses rivales.

Et puisqu'il s'agit d'une propulsion (comme toutes les Mercedes-Benz) et que les particularités de notre climat favorisent, hélas! le patinage non artistique, il serait sage de choisir une C280 dotée de l'option antipatinage et, surtout, d'insister sur la présence de 4 bons pneus d'hiver.

Si vous avez toujours rêvé de «rouler en Mercedes», mais que vous avez été rebutés par le prix affiché, sachez qu'une bonne C280 d'occasion, doublée d'une garantie convenable, vous donnera presque autant de plaisir qu'une neuve. Mais comme on le disait précédemment, c'est une voiture de luxe et... c'est une Mercedes-Benz; alors, renseignez-vous aussi sur les coûts d'entretien avant de signer.

Prix approximatif sur le marché de l'occasion
Infiniti Q45 1993   30 000 $

Prix approximatif sur le marché de l'occasion
Mercedes-Benz C280 1994   30 000 $

Des «occasions» de s'enrichir

Nous avons tous entendu parler des voitures d'exception qui, 15 ou 20 ans plus tard, valent pratiquement leur pesant d'or. Ornée du cheval cabré d'Enzo Ferrari ou de celui de Ferdinand Porsche, la voiture d'exception réussit souvent à prendre de la valeur au fil des ans.

Mais qu'arrive-t-il à la voiture ordinaire, celle de Monsieur ou Madame Tout-le-monde? Elle commence à perdre de la valeur dès le premier jour. C'est bien connu.

Comment expliquer alors que certains soient prêts à payer trois fois la valeur d'origine pour une banale Coccinelle ou pour une antique MG dégoulinante d'huile qui s'enrhume à la moindre petite pluie?

C'est qu'il existe des voitures qui refusent de disparaître de nos mémoires. Elles ont ce «je ne sais quoi», cette rare qualité qui rend l'objet vieillissant encore plus attachant. Est-ce la beauté des lignes? La puissance? L'exotisme? Le prix exorbitant?

Non. Cette qualité rare, c'est le caractère, je dirais presque le charisme. Une touche d'originalité, une allure, un cachet qui transforme le simple objet à 4 roues pour lui donner une «personnalité» et le distinguer ainsi des simples ustensiles de transport dotés du même charme qu'un réfrigérateur que nous servent sans répit les fabricants de bagnoles en manque de créativité. Ce sont précisément ces «voitures passion» qui font de l'automobile un objet de collection et de plaisir.

Sans prétendre prédire l'avenir, Le Guide de l'auto a voulu rendre hommage, pour cette dernière édition du millénaire, à six voitures, certaines fort abordables, d'autres plus exclusives, qui ont marqué cette décennie et qui pourraient fort bien, par leur force de caractère, devenir objets de collection d'ici l'an 2020.

Mazda Miata: la vedette

S'il est une voiture qui a réussi à galvaniser le public dès son lancement, c'est bien la Mazda Miata. Près de 450 000 exemplaires vendus depuis 1990, des dizaines de clubs de miatistes fanatiques à travers le monde, des revues spécialisées, une multitude d'accessoiristes offrant une kyrielle d'objets pour enjoliver et personnaliser la belle et, surtout, une passion – parfois démesurée – pour ce petit roadster qui transforme des adultes souvent bedonnants et grisonnants en enfants émerveillés. Une véritable obsession! Sans conteste, la Miata est la voiture passion des années 90 et, à ce titre, elle fera encore sourire en 2020.

Le millésime 1999 marque le premier remaniement important de ce sympathique roadster qui se détaille à moins de 30 000 $. Le premier modèle, lancé à la fin de 1989, valait aux environs de 20 000 $. Sur le marché de l'occasion, une Miata 1990 à faible kilométrage, qui n'a pas roulé l'hiver et qui a été méticuleusement entretenue (il y en a) vaut environ 10 000 $. Un charmant jouet qui ne se démodera pas et qui, en prime, est doté d'une fiabilité exemplaire.

Mazda RX-7 1993-1996: l'incomprise

Encore Mazda! Eh oui! Mais cette fois-ci, ce n'est pas un jouet. La troisième génération de la RX-7 n'a hélas connu qu'une courte carrière, trop tôt sacrifiée à la mode des dinosaures modernes que sont les utilitaires prétendument sport. Mais quel charme, quelle originalité, quelle vivacité, cette RX-7! «Elle n'a absolument rien à envier à des rivales plus exotiques et plus prestigieuses, qu'elles s'appellent Porsche ou Ferrari. Pour le tiers – sinon le quart – du prix», lisait-on dans Le Guide de l'auto 96. Moteur à pistons rotatifs, bi-turbo, une ligne à couper le souffle, le 0-100 en près de 5 secondes, une tenue de route époustouflante, des freins surpuissants. Bref, le sport à l'état pur. Son originalité mécanique, sa conception sans compromis, sa pureté et sa relative rareté garantiront sa place au palmarès de l'auto passion.

Vendue à près de 50 000 $ en 1993, la RX-7 dernière génération vaut, selon le millésime, entre 23 000 $ et 35 000 $. Un must pour les collectionneurs de voitures sport.

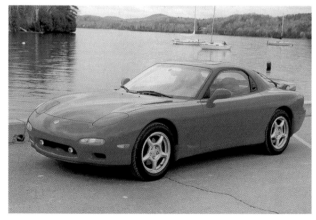

Honda CRX Si: la jeune

Les plus âgés se souviendront du petit roadster Honda S600 des années 60, d'ailleurs fort recherché de nos jours par les collectionneurs. De toutes les Honda des 30 dernières années, la CRX est la seule descendante spirituelle du S600.

Dès son lancement en 1984, la CRX a connu un succès enviable. Compact, léger et maniable, ce diminutif coupé biplace au joli minois procure un plaisir de conduite indéniable. Fiable et économique à

souhait, il a été fort apprécié des jeunes Québécois depuis 1984. La version la plus intéressante est la dernière, c'est-à-dire la CRX Si de 1991. Dans 20 ans, la CRX saura-t-elle leur rappeler leurs 20 ans? Je crois que oui.

Vous pouvez vous procurer une CRX Si des derniers millésimes, qui était vendue, neuve, à près de 16 000 $ en 1991, pour un prix variant entre 6000 $ et 9000 $. Les freins et le système d'échappement sont les points faibles de cette voiture. Attention aussi à la rouille, à l'état de la peinture et aux mécanismes des portes.

Volkswagen Corrado: la sportive

Fini l'époque où Volkswagen signifiait simplement économie et simplicité. La métamorphose a commencé avec le petit coupé Scirocco (que Jacques Duval qualifiait en 1981 de «l'une des meilleures voitures du monde»), et avec les Rabbit et Golf GTI, ces petites berlines dopées à la manière des Austin Mini Cooper des années 60.

La Scirocco avait de la gueule et du mordant, et ses performances parvenaient à humilier des «sportives» bien plus prétentieuses. Elle a cédé la place à la Corrado G60 animée par le vénérable 4 cylindres 1,8 litre. Gavé par un compresseur de suralimentation exclusif à Volkswagen, ce moteur de 158 chevaux affichait une santé d'athlète, malgré une timidité certaine à bas régime.

Trapue, merveilleusement équipée et dotée d'un comportement routier admirable, la Corrado affichait un sacré caractère qui la distinguait fortement de ses concurrentes nippones. D'ailleurs, sa robustesse et sa vocation sportive furent amplement démontrées à l'occasion du 25e anniversaire du *Guide de l'auto* par un marathon de 24 heures sur la piste de Sanair.

L'originalité mécanique du 4 cylindres à compresseur a cédé la place en 1996 à l'originalité du VR6, un V6 à angle très fermé développant 172 chevaux qui allie la souplesse à tous les régimes à un couple exemplaire.

Disparue du catalogue en 1996, la Corrado nous laisse le souvenir d'un coupé sport fidèle à sa vocation. On a préféré dans sa conception l'agrément de conduite et la tenue de route aux gadgets et à l'allure trompeuse.

La dernière Corrado (1995) coûtait 31 000 $. Sur le marché de l'occasion, elles valent entre 9000 et 26 000 $, selon le millésime.

Mercedes-Benz SL: la diva

«Un cabriolet nommé désir.» «Suprême cabriolet.» «Une classe à part.» Voilà quelques-uns des qualificatifs qui ont été décernés par *Le Guide de l'auto* aux Mercedes-Benz SL depuis leur lancement en 1990. Et pour *Le Guide de l'auto 98*, notre collègue Denis Duquet a titré son article «Presque un classique». Alors, comment ne pas inclure cette belle allemande dans notre collection d'occasion?

Depuis 10 ans, les Mercedes-Benz SL, soit les 300, 320, 500 et 600, sont la référence mondiale dans la catégorie des cabriolets haut de gamme. Le nec plus ultra du savoir-faire allemand en matière d'automobile offrait il y a 10 ans déjà des solutions technologiques d'une rare efficacité.

Côté moteur, la série SL a commencé par nous proposer le 6 cylindres en ligne de 3,0 litres (la 300) et le magnifique V8 de 5,0 litres (la 500). Sont venus ensuite, en 1994, le 6 cylindres de 3,2 litres pour remplacer le 3,0 litres et le fabuleux V12 de 6,0 litres (la 600) développant 389 chevaux.

Ceux qui apprécient la maniabilité et qui placent le plaisir de conduire en tête de leurs priorités opteront pour une 300 ou une 320SL, plus agiles. À noter que ce modèle à moteur 6 cylindres ne figure plus au catalogue depuis l'an dernier.

Vendus respectivement 105 000 $ et 160 000 $ en 1998, ces «cabriolets nommés désir» ne sont évidemment pas à la portée de tous. Mais, une fois de plus, le marché de l'occasion vous permettra peut-être d'ajouter l'un de ces bijoux à votre collection. À titre d'exemple, une 300SL 1990 vous soulagera de 40 000 $, alors qu'une 600SL 1996 nécessitera la rondelette somme de 120 000 $. Et si vous avez encore des hésitations, sachez qu'une 300SL 1958 vaut aujourd'hui 250 000 $. Mais ça, c'est une autre histoire.

BMW série 3: la référence

L'arrivée des modèles de la quatrième génération des «petites BMW», dignes descendants des 1602 et 2002 du début des années 60, a été annoncée il y a à peine quelques mois. Le marché de l'occasion ne concerne donc que les modèles de la génération précédente qui remonte à 1992.

Les qualités dynamiques qui ont valu à la 2002 le titre de «meilleure voiture du monde» pendant les années 60 font encore aujourd'hui s'exclamer les chroniqueurs et les heureux propriétaires de ces petites merveilles. Modèles d'équilibre, de souplesse, d'agilité et de performances, les petites BMW procurent un plaisir de conduire exquis. Si on aime l'automobile, on aimera les BMW série 3.

La livrée la plus en vue est le magnifique coupé 2 portes animé par le 6 cylindres de 2,8 litres. Puissant à souhait, nerveux et onctueux, ce moteur, qui est sans doute l'un des meilleurs 6 cylindres du monde, propulse la voiture avec facilité et grâce.

On voit encore aux réunions de voitures anciennes les premières versions de cette auto passion *made in Germany*. Il y a donc fort à parier que les BMW série 3 des années 90 soient aussi au rendez-vous des anciennes en l'an 2020.

S'il fallait débourser l'an dernier près de 50 000 $ pour une 328iS neuve, il faut compter entre 10 000 $ et 35 000 $ pour une série 3 d'occasion à moteur 6 cylindres (1990-1996). Évidemment, si vous avez le portefeuille bien nanti, vous pouvez opter pour une M3 (si vous en trouvez une). Mentionnons simplement que cette série 3 dopée aux stéroïdes figure dans la section *Supervoitures* du *Guide de l'auto*!

- -

À ces six belles «collectionnables», nous pourrions ajouter les modèles suivants produits entre 1990 et 1999, certains dont le choix est facile, d'autres peut-être moins, mais qui présentent tous un caractère particulier, une touche d'originalité qui feront tourner les têtes dans 5, 10 ou 20 ans.

Acura NSX
Une exotique mal-aimée.

Alfa Romeo Spider Veloce
Ne riez pas! C'est déjà un classique.

BMW 850i
La grande routière de classe mondiale.

Chevrolet Corvette
Le mythe américain.

Chrysler Concorde
Un «top modèle» qui marque une date importante dans l'évolution du design américain.

Dodge Stealth
La vitrine technologique.

Dodge Viper
Le monstre sacré.

Ford Mustang 1994 et ultérieures
Si vous n'avez pas une Mustang des années 60.

Jaguar XJR
La version R à compresseur, quel délice! Enfin, une Jaguar digne d'en porter le nom!

Nissan 300ZX
Belle à craquer et quel punch, ce turbo!

Nissan NX2000
L'incisive.

Plymouth Prowler
Unique!

Porsche 911
L'ancienne: objet de collection par définition.

Porsche 944
La Porsche mal-aimée.

Toyota MR2
Du charme, quand même.

Volkswagen Coccinelle II
Se passe de commentaires!

le match des fourgonnettes
la guerre des intermédiaires
le match des sœurs ennemies
le match des fourgonnettes
la guerre des intermédiaires
le match des sœurs ennemies
le match des fourgonnettes
la guerre des intermédiaires
le match des sœurs ennemies
le match des fourgonnettes
la guerre des intermédiaires
le match des sœurs ennemies
le match des fourgonnettes
la guerre des intermédiaires
le match des sœurs ennemies
le match des fourgonnettes
la guerre des intermédiaires
le match des sœurs ennemies
le match des fourgonnettes
la guerre des intermédiaires
le match des sœurs ennemies
le match des fourgonnettes
la guerre des intermédiaires
le match des sœurs ennemies
le match des fourgonnettes
la guerre des intermédiaires
le match des sœurs ennemies
le match des fourgonnettes
la guerre des intermédiaires
le match des sœurs ennemies
le match des fourgonnettes
la guerre des intermédiaires
le match des sœurs ennemies
le match des fourgonnettes
la guerre des intermédiaires

le match des sœurs ennemies
la guerre des intermédiaires
le match des fourgonnettes
la guerre des intermédiaires
le match des sœurs ennemies
le match des fourgonnettes
la guerre des intermédiaires
le match des sœurs ennemies
le match des fourgonnettes
la guerre des intermédiaires
le match des sœurs ennemies
le match des fourgonnettes
la guerre des intermédiaires
le match des sœurs ennemies
le match des fourgonnettes
la guerre des intermédiaires
le match des sœurs ennemies
le match des fourgonnettes
la guerre des intermédiaires
le match des sœurs ennemies
le match des fourgonnettes
la guerre des intermédiaires
le match des sœurs ennemies
le match des fourgonnettes
la guerre des intermédiaires
le match des sœurs ennemies
le match des fourgonnettes
la guerre des intermédiaires
le match des sœurs ennemies
le match des fourgonnettes
la guerre des intermédiaires
le match des sœurs ennemies
le match des fourgonnettes
la guerre des intermédiaires

les matchs comparatifs

Le match des fourgonnettes

La meilleure fourgonnette:
Les familles se prononcent

Notre dernier match comparatif de fourgonnettes vous a été présenté dans l'édition 1996 du *Guide de l'auto*. Lors de cette confrontation, la Dodge Caravan avait devancé la Ford Windstar par plus de huit points et dominé toutes les autres concurrentes. Même si le marché des fourgonnettes n'a plus l'élan qu'il connaissait à ce moment-là, il est toujours l'un des plus importants. D'ailleurs, de nombreux analystes s'entendent pour souligner que plusieurs personnes vont se tourner vers cette catégorie après avoir goûté aux utilitaires sport et que les fourgonnettes pourraient connaître un regain de popularité. Ce qui explique pourquoi les principaux manufacturiers ont développé de nouveaux modèles depuis notre dernière évaluation comparative.

Dans l'édition 1996, la Dodge Caravan, l'étalon de la catégorie, venait à peine d'être transformée du tout au tout. Depuis, General Motors a abandonné les carrosseries futuristes et les habitacles mi-voiture, mi-camion pour nous offrir en 1997 une famille de fourgonnettes mettant l'accent sur le côté pratique et le gros bon sens. Comme Chrysler l'avait fait une année auparavant, GM a offert également une porte arrière gauche coulissante.

L'an dernier, c'était au tour de Toyota d'abandonner les modèles excentriques. La Previa aux allures futuristes et au moteur central était remplacée par la Sienna, un modèle s'inspirant de la configuration développée par Chrysler. Avec son moteur avant / traction avant, sa silhouette assez conservatrice et ses deux portes coulissantes arrière, cette Camry transformée en fourgonnette s'attaquait au marché des modèles haut de gamme.

Pour 1999, deux nouveautés de marque sont à signaler. En premier lieu, la Ford Windstar a été sensiblement améliorée. Non seulement elle offre maintenant une porte coulissante arrière gauche, mais les deux sont à télécommande électrique. Ford tente ainsi de reprendre le temps perdu en 1998, alors que la Windstar offrait ce compromis boiteux qu'était la «super porte» avant gauche. De plus, on en a profité pour améliorer l'habitacle de la Windstar et donner un coup de pinceau à sa silhouette.

Enfin, un tout nouveau joueur est entré dans l'arène des fourgonnettes: la Honda Odyssey. Si cette recrue porte le même nom que le modèle commercialisé depuis quelque temps, il n'y a aucune similitude entre les deux. La première était en fait une grosse familiale surélevée. La nouvelle est une authentique fourgonnette dotée d'un moteur V6 et des incontournables portes coulissantes arrière. Et comme c'est la tendance du moment, les deux sont à ouverture automatique.

Cette fois, notre match a été plus exclusif. Nous nous sommes limités aux fourgonnettes à traction dotées de deux portes coulissantes arrière et à empattement allongé, la tendance générale du marché. Ce qui a exclu les Chevrolet Astro / Pontiac Safari trois portes et les Nissan Quest à empattement court. Quant à la Mazda MPV, elle possède deux portes arrière, mais elles ne sont pas coulissantes. Donc, carton rouge pour non-conformité.

Place aux familles!

Papa, maman et une ribambelle d'enfants... Voilà l'équipe par excellence pour évaluer des fourgonnettes. *Le Guide de l'auto* a cru bon pour une fois de donner la parole aux familles. C'était à nos yeux le meilleur test qu'une four-gonnette pouvait subir. Véhicule familial par excellence, elle devait être jugée par de vraies familles. Quelques essayeurs autonomes se sont joints à nous afin de pouvoir réaliser l'évaluation la plus com-plète possible.

Côté famille, Nicole Raymond et Louis Desjardins ont eu le courage d'amener leurs quatre enfants. Le «clan Raymond-Desjardins» était composé de: Véronique, 10 ans; Roxane, 7 ans; Marius, 4 ans et Raphaël, 9 mois. Ces deux derniers doivent voyager dans des sièges pour enfant, ce qui donnait lieu à toute une chorégraphie chaque fois qu'on changeait de véhicule.

Pierre-Louis Mongeau, un habitué de nos matchs, avait amené en renfort ses quatre garçons. La «bande de gars» Ozols-Mongeau se décline comme suit: Nicolas, 12 ans, surtout intéressé à la qualité des systèmes audio; son frère Micha, 9 ans, essayeur à répétition des portes coulissantes. Quant aux jumeaux, Benjamin et Lucas, 6 ans, ils ont porté leur attention sur le confort des sièges.

Enfin, Carole Dugré et Yvan Fournier promenaient la famille la plus modeste, composée de Carl, 6 ans, et de sa sœur Catherine, 7 ans. Les deux ont été des partici-pants exemplaires, autant en rai-son de leur grande patience que par leur capacité à analyser les fourgonnettes dans leur moindres détails.

Venaient compléter l'équipe Philippe Laguë, collaborateur actif au *Guide,* et Georges Simard, un musicien transformé en essayeur pour les besoins de la cause. Philippe avait également invité Charles-Olivier Saint-Maurice, 9 ans, fils de l'un de ses amis, à se joindre à l'équipe.

Tout ce beau monde a pris place à bord des cinq fourgonnettes et a complété le Tour du Richelieu qui nous a permis de passer par Sorel à une extrémité et par Lacolle à l'autre. Cette randonnée s'est

agrémentée de quatre arrêts, soit à Saint-Paul-de-l'Île-aux-Noix, Iberville, Saint-Ours et Saint-Marc-sur-Richelieu, pour ensuite se terminer à Saint-Basile-le-Grand, le point de départ et d'arrivée.

Honda nous a fait parvenir l'Odyssey par camion, puisque ce test a eu lieu au début du mois d'août, plusieurs semaines avant le lancement officiel de cette four-gonnette. Il faut remercier Gérald Bourdua, du garage Petro-Canada du même nom à Saint-Basile-le-Grand, qui a permis à cette impo-sante semi-remorque de se garer sur son terrain en attendant le re-tour de notre caravane. Inutile de souligner que les Grandbasilois ont été intrigués par la présence de ce camion aussi voyant qu'encom-brant.

Quant à la randonnée elle-même, elle s'est déroulée sans ani-croches. Plusieurs nous avaient avertis que c'était suicidaire de partir pour une journée entière avec une garderie sur roues. Pourtant, les enfants ont été exemplaires. Personne n'a été malade, aucun aliment n'est venu souiller les sièges et la trousse de premiers soins que quelqu'un avait apportée par précaution n'a jamais été utilisée.

En fait, le seul incident digne de mention est l'oubli de la clé de con-tact dans une Ford Windstar ver-rouillée. Heureusement, le service routier d'urgence du CAA-Québec est venu nous tirer de ce mauvais pas dans le stationnement du cen-tre d'accueil de Fort Lennox à Saint-Paul-de-l'Île-aux-Noix. Dix minutes après notre appel, un représentant local du CAA était sur les lieux et libérait les clés de la Windstar en moins de deux. Pendant ce temps, les familles cassaient paisiblement la croûte au bord de l'eau, à l'om-bre des arbres.

Voilà, les questionnaires ont été remplis, les données compilées et le temps est venu de vous présenter nos lauréates. Cette année, la fourgonnette de Chrysler se fait damer le pion pour la première fois. Son tombeur est la toute nouvelle Odyssey de Honda. Mais, à bien des chapitres, il s'agit d'une victoire morale pour Chrysler. Voici comment cela s'explique.

Honda Odyssey
L'éloquence de ses 210 chevaux

Les plus perspicaces d'entre vous qui ont déjà consulté le tableau de pointage n'ont pas été sans remarquer que si la Honda l'emporte au classement final, elle se fait distancer à plusieurs reprises par la Town & Country. En fait, le score est de 17 éléments en faveur de la Chrysler et de 14 à l'avantage de l'Odyssey. De plus, celle-ci remporte cinq catégories, soit deux de moins que sa rivale de chez Chrysler.

Vérifiez par vous-mêmes, il n'y a pas eu de méprise dans le total des points! C'est tout simplement que cette Honda a largement dominé la catégorie des performances mesurées, alors que la Chrysler s'est vraiment fait damer le pion à ce chapitre. Il faut d'ailleurs admettre que

«La banquette qui se dissimule dans le plancher, c'est génial! En un tournemain, on libère un grand espace. […] Et par-dessus tout ça, la réputation de qualité de Honda. Quand on a 4 enfants à bord, on n'a vraiment aucune envie de tomber en panne.»
Nicole Raymond

l'Odyssey en a impressionné plusieurs avec son tout nouveau moteur V6 3,5 litres de 210 chevaux. Il n'était peut-être pas aussi silencieux que celui de la Sienna, mais ses performances ont fait la différence au cumul des points. Cette nouvelle venue a en effet été la plus rapide en accélération de 0 à 100 km/h et au ¼ mille.

Les familles ont également apprécié cette Honda tout usage. En fait, l'Odyssey a été non seulement le choix des essayeurs, mais également celui des enfants. Et dans les deux cas, c'est la Town & Country qui se classe en deuxième place. Enfants et adultes ont été unanimes pour vanter les mérites de la banquette arrière qui disparaît comme par magie dans le plancher. Ce stratagème ne sert pas uniquement à amuser la galerie, cette astuce règle aussi une fois pour toutes le problème de la banquette arrière traditionnelle que l'on doit remiser lorsqu'on veut faire de la place pour transporter des objets volumineux.

Parmi les autres points positifs, il faut mentionner les buses de ventilation individuelles aux places arrière, les nombreuses lampes de lecture et le brio de la suspension. Par contre, les sièges arrière pourraient être plus confortables, tandis que l'espace de chargement est bon, sans plus. En outre, les tissus qui recouvraient les sièges étaient d'une présentation quelconque. Enfin, personne n'a vraiment été impressionné par le rail central perpendiculaire permettant de faire coulisser un des éléments de la banquette centrale vers la droite ou la gauche. C'est astucieux, mais le confort est minimal. Le tableau de bord a été jugé trop sobre par la majorité, même si les instruments et les commandes ont obtenu une note supérieure à la

«J'ai été déçu par la Honda. Elle n'est pas très jolie et, malgré qu'elle soit la plus performante et la plus économique, sans parler du troisième siège, elle m'a laissé froid.»
Pierre-Louis Mongeau

moyenne. D'ailleurs, la Town & Country a surpassé l'Odyssey dans plusieurs de ces catégories.

Cette fois, Honda a bien fait ses devoirs en concoctant une fourgonnette qui réussit à inquiéter Chrysler. Cette compagnie japonaise a toujours été reconnue pour la qualité de ses groupes propulseurs, l'agrément de conduite de ses véhicules et leur finition sérieuse. Et ce sont justement ces éléments qui ont permis à la nouvelle Odyssey de décrocher les grands honneurs.

Elle nous fait rapidement oublier la première du nom, qui n'était en fait qu'une grosse familiale aux formes exagérées, dont le prix faisait déchanter.

Chrysler Town & Country
Toujours impressionnante

Avant de parler des points forts et des points faibles de cette four-gonnette, prenons le temps d'expliquer la présence d'une version aussi relevée que la Town & Country dans ce match. Il est vrai que son prix surpasse les autres de plusieurs milliers de dollars et que son luxe aurait pu influencer certains membres de notre jury. Mais puisque toutes les autres marques en présence avaient délégué leur meilleur élément en matière d'équipement et de luxe, il était juste que Chrysler fasse de même. Par contre, il ne faut pas oublier que cette version était plus lourde en raison de sa traction intégrale et donc handicapée en ce qui concerne les performances. De plus, son prix plus élevé lui a également fait perdre des points au classement général.

«C'est la plus confortable du groupe et celle qui se compare le plus à une voiture sur la grand-route... Son moteur est doux, mais peu perfor-mant, tandis que la finition exté-rieure lui a fait perdre des points. Elle se fait aussi apprécier par le confort de ses sièges arrière et le généreux dégagement pour les jambes. Enfin, elle est toujours aussi jolie!»
Yvan Fournier

Malgré tout, cette fourgonnette est celle qui a obtenu le plus grand nombre de premières places. Sa silhouette a fait l'una-nimité quant à son excellence, tandis que l'habitacle a gagné les cœurs de la majorité. Le même verdict s'est appliqué au confort des sièges, à la position de con-duite et même aux instruments et com-mandes. Il faut toutefois souligner qu'une famille avait pris la Chrysler en grippe et l'a notée très sévèrement. Ce qui ne l'a pas empêchée de devancer toutes les concur-rentes à presque tous les chapitres.

Il faut également se souvenir que la Town & Country est le modèle qui avait le plus d'ancienneté parmi les fourgonnettes en présence. Elle a été révisée en 1996, tandis que l'Odyssey et la Windstar sont toute nouvelles et que les deux autres par-ticipantes datent respectivement d'il y a deux ans et de l'an dernier. C'est tout à l'honneur des concepteurs de Chrysler d'avoir conçu un véhicule qui a réussi à conserver son attrait plus de trois ans après son lancement.

Dans leur évaluation, les enfants ont apprécié son coffre spa-cieux, le confort, la ventilation de même que le caractère convivial de l'habitacle. Par contre, ils se sont plaints que les ceintures s'at-tachaient trop près de leur corps, que la qualité de fabrication lais-sait à désirer pour une fourgonnette de ce prix et que le moteur semblait toujours «forcer» plus que les autres en accélération.

La Town & Country de même que ses homologues Plymouth Grand Voyager et Dodge Grand Caravan est un véhicule qui sait se faire apprécier lors de longs voyages. La position de conduite a été jugée la meilleure et il en est de même du système audio. Ces deux conditions pour que les longues randonnées soient

«On n'a vraiment pas compris pourquoi elle coûte 10 000 $ de plus que les autres. Le tableau de bord est carrément affreux et l'ergono-mie des commandes est à revoir, notamment celles de l'ouverture des fenêtres qui sont placées beaucoup trop vers l'avant.»
Louis Desjardins

agréables et confortables étant remplies, la Town & Country en remet avec les sièges les plus confortables du groupe et la suspension jugée la meilleure par nos essayeurs. Par contre, il faudra vivre avec des dépassements un peu plus laborieux et un freinage qui ne s'effectue pas toujours en douceur. Il faut aussi souligner que le V6 3,8 litres atteint les limites du développement. Il est presque certain qu'un groupe propulseur plus moderne aurait permis à la T&C de conserver sa suprématie.

Ce match comparatif prouve que cette fourgonnette représente toujours la norme à plusieurs points de vue, en plus d'offrir la gamme la plus complète de l'industrie. Par contre, une refonte et l'arrivée de nou-veaux groupes propulseurs devraient se manifester dans des délais assez courts, faute de quoi la concurrence va encore gagner du terrain.

Toyota Sienna
Une troisième place à l'arraché

Curieusement, ce sont les performances de son moteur et le choix personnel des essayeurs qui ont permis à la Sienna de devancer la Windstar de quelques maigres points. Un coup d'œil au tableau des résultats explique toute la situation. À presque tous les chapitres, la fourgonnette de Ford devance la Toyota. Elle est jugée plus élégante, mieux équipée, plus efficace en matière de sécurité, tout en étant beaucoup plus spacieuse en fait de capacité de chargement.

La Sienna prend l'avantage sur la Windstar au chapitre du moteur, de la transmission, de la qualité de la finition extérieure et en raison d'un comportement routier légèrement supérieur. Elle finit également au deuxième rang dans la caté-

> «En considérant tous ses aspects, la Sienna possède la meilleure conduite: la direction est ferme, juste ce qu'il faut, les accélérations sont bonnes, la suspension ferme et la transmission réagit rapidement... Malgré une finition de bonne qualité, la Sienna semble trop sobre autant à l'intérieur qu'à l'extérieur.»
> **Georges Simard**

gorie des performances mesurées. Il faut avouer que son moteur V6 3,0 litres est non seulement puissant, mais il éclipse tous les autres en raison de sa douceur et de son silence, tandis qu'il ne cède qu'un maigre dixième de point au V6 Honda côté rendement. Et comme pour ce dernier, sa fiabilité est drôlement rassurante. Il faut également souligner au passage la douceur de la boîte automatique, dont les passages de vitesses sont à peine perceptibles.

Son habitacle confortable, la présence de multiples porte-verres et une insonorisation poussée sont également à porter à la liste des plus. Toutefois, la caisse émettait des craquements suspects qui semblaient être l'indice d'un manque de rigidité. Et si on voulait les étouffer en écoutant de la musique, c'était encore plus insupportable en raison d'un système audio d'une piètre sonorité. Détail intéressant, ce sont les Japonais qui se sont imposés au fil des

années dans le secteur audio et ce sont les deux fourgonnettes nippones du match qui possédaient les deux pires systèmes audio.

Deux familles sur trois ont placé cette Toyota au deuxième rang quant à leur choix personnel. Elles ont été unanimes pour vanter le confort de la cabine, son insonorisation de même que plusieurs astuces d'aménagement. Par exemple, le siège arrière est constitué de deux éléments pouvant s'enlever individuellement. Cela rend leur manipulation moins pénible, car ils sont moins lourds qu'une banquette monopièce. De plus, cette configuration ajoute à la polyvalence de l'habitacle. Soulignons au passage les ingénieux porte-verres qui se reconstruisent comme par magie si jamais on a le

> «Au départ, j'ai trouvé le coffre si petit et la voiture si terne que j'ai éliminé la Sienna tout de suite. En roulant, j'ai été agréablement surpris. Je la conseillerais aux gens qui voyagent à 4 ou 5, mais elle n'est pas faite pour les grosses familles.»
> **Louis Desjardins**

malheur d'en défaire les composantes. Par ailleurs, la Sienna a été pénalisée pour sa présentation extérieure terne, ses places arrière un peu justes et ses accoudoirs difficiles à bouger.

Comme le soulignait fort justement un essayeur, il s'agit probablement de la fourgonnette la plus équilibrée du groupe. Toutefois, pour l'apprécier à sa juste valeur, il faut l'analyser avec attention, car ses qualités ne sautent pas toujours aux yeux. Et il faut également ajouter que pour presque tous les essayeurs, la fiabilité anticipée de cette fourgonnette de même que sa valeur de revente sont des critères qui jouent en faveur de la Sienna.

4e place:

Ford Windstar
Devancée par la nouvelle vague

Lors de la confrontation des fourgonnettes publiée dans l'édition 1996 du *Guide de l'auto*, la Windstar avait terminé au deuxième rang. Cette fois, fraîchement revue et corrigée, elle doit se contenter de la quatrième place. Pourtant son score global est plus élevé qu'auparavant. L'explication est relativement simple. Les nouvelles Honda et Toyota ont rapidement fait oublier les deux versions précédentes et c'est ce duo qui a relégué la Ford à ce rang.

Il ne faut pas en conclure pour autant qu'elle a été déclassée, loin de là. En fait, dans ce match, toutes les participantes sont des fourgonnettes améliorées en mesure de satisfaire leur propriétaire pour des années à venir. Et la Windstar revue et

«Je suis resté sur ma faim. Trop pépère pour moi: suspension mollasse, V6 décevant, comportement routier peu inspirant. Trop peu, trop tard. Cependant, le taux de satisfaction élevé des propriétaires de même que la grande sécurité passive de la Windstar pèsent lourd dans la balance.»
Philippe Laguë

corrigée possède plusieurs qualités qui ne sont pas à négliger. Elle est la seule du groupe à comporter des coussins de sécurité latéraux qui protègent à la fois le tronc et la tête. Et toujours au chapitre de la sécurité, il est possible de commander en option un détecteur de proximité qui émet un signal sonore si un obstacle ou une personne se trouve à quelques mètres de la fourgonnette.

Au cours des dernières années, la Windstar se faisait damer le pion par plusieurs concurrentes offrant une porte coulissante arrière gauche. Cette fois, elle comble son retard en proposant cette fameuse porte. Mieux encore, les deux portes arrière sont motorisées et peuvent s'ouvrir automatiquement. Ce faisant, Ford se place sur le même pied que la Honda Odyssey. Quant à l'Oldsmobile Silhouette, elle se contente d'une seule porte à ouverture motorisée, celle du côté droit.

En plus de ces améliorations, les stylistes de Ford ont rafraîchi avec doigté l'extérieur de la Windstar. D'ailleurs, dans le cadre des préparatifs de ce match, plusieurs personnes ont émis des commentaires agréables quant à la présentation extérieure. Malgré tout, elle se fait devancer par la Town & Country et l'Odyssey à ce chapitre. Ce qui démontre une fois de plus que l'approche des designers de Ford, qui tentent de lui donner une forme la faisant paraître plus petite, n'a jamais fait l'unanimité.

Au classement des familles, là aussi la Windstar soulève des opinions diverses. L'une la place carrément en dernière place, l'autre au deuxième rang, tandis que la troisième famille lui décerne la troisième

«Je n'ai jamais aimé la Windstar et ce n'est pas cette version qui me fera changer d'idée. L'extérieur aussi bien que l'intérieur me laissent froid. Elle fait tout assez bien, mais je n'aime pas. Comme disent les Américains: *"Too little, too late."*»
Pierre-Louis Mongeau

marche sur le podium. L'ajustement des ceintures, les portes à ouverture automatique, la qualité de la finition et une très bonne sonorisation sont à porter à la colonne des plus. Par contre, la visibilité extérieure n'a emballé personne, la commande de la radio à l'arrière a été jugée difficile d'accès, tandis que les enfants se sont tous plaints que les ceintures les «pinçaient» *(sic)*.

Curieusement, le moteur de 200 chevaux est le deuxième en puissance parmi les cinq fourgonnettes en présence, mais il n'a pas semblé se manifester avec trop de brio, car il a obtenu des notes acceptables, sans plus.

Loin d'être recalée, la Windstar est nettement améliorée par rapport au modèle antérieur. Son classement s'explique par le caractère de plus en plus relevé de la concurrence.

Oldsmobile Silhouette
En mal de raffinement

Encore une fois, c'est un produit General Motors qui termine en queue de peloton. En fait, si ce match avait eu lieu quelques mois plus tard et que la Silhouette inscrite à notre confrontation ait été le modèle «Premier» équipé du système de cinéma maison, il est certain que cette Oldsmobile aurait remporté la palme. En effet, les enfants l'auraient adoptée d'emblée avec son écran LCD, son lecteur vidéo intégré et la possibilité de brancher les jeux vidéo à cet écran et à la chaîne audio de type «cinéma maison». D'ailleurs, un père de famille participant à notre match a écrit dans ses commentaires: «Le premier manufacturier à installer un écran télé pour la deuxième et troisième banquette, écouteurs pour tous, aura mon vote.»

> «Si elle était fiable et mieux finie, elle serait certainement dans le trio de tête. Dommage, mais il n'y a que GM qui peut ainsi gâcher un véhicule aussi bon à la base. De plus, le dépouillement du tableau de bord est tout simplement atroce sur un véhicule de ce prix.»
>
> **Philippe Laguë**

Malheureusement pour Oldsmobile, le modèle essayé ne possédait pas ce gadget et termine en dernière position. Pourtant, en théorie, cette fourgonnette possède plusieurs éléments en mesure de la classer parmi les trois premières places. Sa présentation est honnête, l'habitacle regorge d'espaces de rangement et de porte-verres, tandis que la Silhouette a été la première fourgonnette de l'histoire avec une porte arrière coulissante motorisée.

Ces qualités sont en partie sabotées par une finition intérieure sous la norme. Un accès mécanique pénible et des performances plutôt modestes par rapport à une concurrence plus forte lui font également perdre bien des points. De plus, elle a terminé au dernier rang dans le choix des essayeurs pour en faire autant deux fois sur trois dans le classement des familles.

Les enfants se sont plaints d'être mal assis, que les fenêtres sont difficiles à ouvrir et que les places arrière sont aussi difficiles d'accès. Tous ont par ailleurs apprécié le positionnement des commandes audio à l'arrière. Les parents ont pour leur part voté en faveur du filet de retenue d'objets placé entre les sièges avant.

La Silhouette s'est également démarquée côté prix et habitabilité en devançant toutes les autres participantes. Deux éléments qui risquent de peser lourd au moment de prendre la décision. Il faut également ajouter que GM propose une structure de prix très compétitive pour des modèles très bien équipés de série.

En fait, la Oldsmobile n'a qu'à resserrer la qualité de la finition et de l'assemblage,

> «L'extérieur nous donne hâte de voir l'intérieur. Mais là, c'est la déception totale! Il est difficile de lui trouver des aspects positifs. Puisque la concurrence est très forte dans cette catégorie, elle a beaucoup de chemin à faire avant de rejoindre le peloton.»
>
> **Carole Dugré**

tout en raffinant la présentation de l'habitacle pour voir la silhouette grimper au classement. Et cette remarque s'applique tout aussi bien aux Chevrolet Venture et Pontiac Trans Sport, ses frères jumeaux.

Enfin, la piètre réputation de fiabilité de ces fourgonnettes a certainement influencé quelques essayeurs.

Ce résultat ne fait que confirmer ce que plusieurs essais à long terme effectués par les revues spécialisées ont démontré. Cette Oldsmobile a beaucoup de potentiel si son assemblabe et sa finition sont améliorés.

La parité ou presque

La situation des fourgonnettes a drôlement évolué au cours des six dernières années et le résultat de ce match en est le reflet. D'ailleurs, Pierre-Louis Mongeau, qui avait participé au premier match des fourgonnettes du *Guide* en 1993, décrit fort bien la progression qui s'est effectuée: «Lors de mon premier comparatif de fourgonnettes, il y a six ans, il y avait Chrysler et les autres. Si on donnait une note de 8 sur 10 à une Dodge Caravan, il était impossible de donner plus de 5 sur 10 à une Chevrolet Astro. Aujourd'hui, si on accorde toujours 8 sur 10 à Chrysler, il est impossible d'accorder une note de 5 sur 10 aux Sienna, Odyssey et autres... La troisième génération des fourgonnettes Chrysler a placé la barre très haut, mais elle est talonnée de près.»

Notre participant ne savait pas au moment d'écrire ces lignes que l'Odyssey allait devancer la Chrysler de très peu. Mais il a drôlement raison en évoquant une certaine parité entre les participantes.

En fait, chaque fourgonnette inscrite à notre confrontation peut répondre aux attentes des acheteurs dans la mesure où leur choix a été effectué en fonction de leurs besoins propres. Il s'agit de rationaliser son choix en fonction de ses attentes et de son budget. Chrysler est le seul manufacturier à proposer une traction intégrale, le nouveau moteur de la Honda Odyssey est la nouvelle référence, tandis que la Sienna offre un équilibre fort intéressant. Et il ne faut pas oublier que le rapport qualité-équipement-sécurité de la Ford Windstar est sans égal. L'Oldsmobile Silhouette verra sa finition s'améliorer pour devenir un produit très intéressant par l'équipement qu'elle offrira pour le prix demandé. Et il est certain que de nombreux parents vont donner leur appui sans retenue à la version dotée du «cinéma maison».

Finalement, si plusieurs des fourgonnettes participant à ce match comparatif offraient des portes coulissantes motorisées, cet accessoire n'a pas fait l'unanimité. Tous reconnaissent que cela peut être drôlement pratique en plusieurs circonstances, mais il faut être patient pour vivre avec ce gadget. Les temps d'ouverture et de fermeture ont impatienté plusieurs essayeurs. Heureusement, il est possible d'annuler l'ouverture motorisée et d'utiliser la force manuelle pour effectuer une opération certainement plus rapide, à défaut d'être sophistiquée.

Plus raffinées et plus agréables à conduire que jamais, les fourgonnettes de la dernière génération se démarquent fortement des camionnettes transformées du début de la décennie. Elles sont aussi plus chères que jadis et se rapprochent de plus en plus, côté confort, d'une voiture. Et il ne faut pas oublier que la sécurité qu'elles assurent est aussi meilleure qu'auparavant.

Nos essayeurs, jeunes et vieux, ont rendu leur verdict. Cette cuvée de très grande qualité permettra aussi bien aux familles qu'aux individus de profiter d'un véhicule aussi agréable à conduire que polyvalent. Espérons que ce match comparatif vous sera utile lors de votre prochain achat.

Le choix des enfants

Famille Dugré/Fournier [Catherine 7 ans • Carl 5 ans]

1. Honda Odyssey   **2.** Toyota Sienna   **3.** Ford Windstar   **4.** Chrysler Town & Country   **5.** Oldsmobile Silhouette

Famille Ozols/Mongeau [Nicolas 12 ans • Micha 9 ans • Benjamin et Lucas 6 ans]

1. Chrysler Town & Country   **2.** Toyota Sienna   **3.** Oldsmobile Silhouette   **4.** Honda Odyssey   **5.** Ford Windstar

Famille Raymond/Desjardins [Véronique 10 ans • Roxane 7 ans • Marius 4 ans • Raphaël 9 mois]

1. Honda Odyssey   **2.** Ford Windstar   **3.** Chrysler Town & Country   **4.** Toyota Sienna   **5.** Oldsmobile Silhouette

Choix des essayeurs adultes

1. Honda Odyssey   **2.** Chrysler Town & Country   **3.** Toyota Sienna   **4.** Ford Windstar   **5.** Oldsmobile Silhouette

Honda Odyssey   Chrysler Town & Country   Toyota Sienna   Ford Windstar   Oldsmobile Silhouette

Un mélomane de 12 ans passe les chaînes audio en revue

Les impressions de Nicolas Ozols-Mongeau:

Oldsmobile Silhouette

La radio était très bonne. Le son était riche et le lecteur CD n'était pas affecté par les secousses. L'idée d'une radio séparée à l'arrière est géniale. Malheureusement, il est impossible de changer de chaîne à partir de l'arrière.

Toyota Sienna

J'ai apprécié les commandes multiples à partir d'un seul bouton, toutefois, les commandes étaient placées trop près du plancher, tandis que la sonorité était correcte, sans plus.

Chrysler Town & Country

Le son était excellent et le lecteur CD ne sautillait pas. Même à plein régime, le son ne souffrait pas de distorsion. Excellent, du moins à mon avis.

Ford Windstar

Le son était correct, mais le lecteur CD avait tendance à sautiller. Les prises de casque d'écoute arrière et les commandes sont intéressantes.

Honda Odyssey

J'ai bien aimé cet ensemble audio en particulier. J'ai écouté de la musique classique aux sonorités très aiguës et le résultat était intéressant. La radio avait de la facilité à syntoniser une chaîne et à conserver le signal. Je le recommanderais sans aucune hésitation.

	Honda Odyssey	Chrysler Town & Country	Toyota Sienna	Ford Windstar	Oldsmobile Silhouette
Empattement	300 cm	303 cm	290 cm	305 cm	304 cm
Longueur	511 cm	507 cm	491 cm	510 cm	511 cm
Hauteur	174 cm	174 cm	171 cm	167 cm	172 cm
Largeur	192 cm	195 cm	186 cm	193 cm	183 cm
Poids	1945 kg	2024 kg	1765 kg	1895 kg	1790 kg
Transmission	automatique	automatique	automatique	automatique	automatique
Nombre de rapports	4	4	4	4	4
Moteur	V6	V6	V6	V6	V6
Cylindrée	3,5 litres	3,8 litres	3,0 litres	3,8 litres	3,4 litres
Puissance	210 ch	180 ch	194 ch	200 ch	180 ch
Suspension avant	indépendante	indépendante	indépendante	indépendante	indépendante
Suspension arrière	indépendante	rigide	rigide	rigide	rigide
Freins avant	disque	disque	disque	disque	disque
Freins arrière	tambour	disque	tambour	disque	tambour
ABS	oui	oui	oui	oui	oui
Pneus	P215/65R16	P215/65R16	P205/70R15	P225/60R16	P215/70R15
Direction	à crémaillère	à crémaillère	à crémaillère	à crémaillère	à crémaillère
Diamètre de braquage	11,7 mètres	12,0 mètres	n.d.	12,3 mètres	11,3 mètres
Coussin gonflable	cond. et pass.	cond. et pass.	cond. et pass.	cond. et pass.	cond. et pass.
Réservoir de carburant	75 litres	75 litres	79 litres	98 litres	95 litres
Capacité coffre	711 / 3 812 l	916 / 4127 l	501 / 3650 l	674 / 4190 l	685 / 4413 l
Accélération 0-100 km/h	10,1 secondes	12,9 secondes	11,8 secondes	10,4 secondes	12,3 secondes
Vitesse de pointe	195 km/h	190 km/h	190 km/h	192 km/h	185 km/h
Consommation (100 km)	10,8 litres	11,3 litres	13,9 litres	12,7 litres	13,2 litres
Prix	33 495 $ (estimé)	44 260 $	34 595 $	34 795 $	33 840 $

		1re place	2e place
		Honda Odyssey	**Chrysler Town & Country**
Esthétique	40 points		
Extérieur	10	8,0	8,6
Intérieur	10	7,7	8,5
Finition ext.	10	8,9	8,1
Finition int.	10	8,3	8,7
Total:		32,9	33,9
Accessoires	40 points		
Nombre et commodité	10	7,7	8,6
Espaces de rangement	10	7,6	8,8
Instruments/commandes	10	8,3	9,2
Ventilation/chauffage	10	8,2	9,3
Total:		31,8	35,9
Carrosserie	40 points		
Accès/Espace avant	15	13,4	13,6
Accès/Espace arrière	15	13,3	13,5
Coffre: accès et volume	5	4,8	3,6
Accès mécanique	5	4,0	2,0
Total:		35,5	32,7
Confort	40 points		
Suspension	10	8,5	8,7
Niveau sonore	10	8,6	8,6
Sièges	10	8,2	8,7
Position de conduite	10	8,5	8,9
Total:		33,8	34,9
Moteur / Transmission	40 points		
Rendement	15	13,9	12,8
Performances	15	13,5	12,1
Sélecteur de vitesses	5	3,9	3,7
Passage des vitesse	5	4,0	3,6
Total:		35,3	32,2
Comportement routier	50 points		
Tenue de route	20	17,4	17,8
Direction	15	13,3	13,7
Freins	15	13,2	13,4
Total:		43,9	44,9
Sécurité / Audio	30 points		
Coussins de sécurité	5	4,0	4,0
Système audio	10	6,3	9,0
Visibilité	10	8,6	8,3
Rétroviseurs	5	4,4	4,0
Total:		23,3	25,3
Performances mesurées	50 points		
1/4 mille	10	10,0	7,0
Accélération	20	20,0	16,0
Freinage	20	19,0	18,0
Total:		49,0	41,0
Autres classements	70 points		
Espace pour bagages	10	7,0	9,0
Choix des essayeurs	50	50,0	49,0
Prix	10	8,0	7,0
Total:		65,0	65,0
Classement final	400 points	350,5	345,8

3ʳᵉ place	4ᵉ place	5ᵉ place
Toyota Sienna	Ford Windstar	Oldsmobile Silhouette
7,0	7,8	7,5
7,1	7,3	7,3
8,1	7,8	7,7
7,5	7,5	7,0
29,7	30,4	29,5
7,3	8,5	7,7
7,4	8,8	7,8
7,3	7,8	7,1
7,6	8,3	8,0
29,6	33,4	30,6
13,6	13,4	13,3
13,0	13,5	11,9
3,4	3,4	4,0
3,0	2,5	1,5
33,0	32,8	30,7
8,2	7,5	7,1
9,0	8,5	8,0
7,9	8,1	8,2
8,8	8,7	8,0
33,9	32,8	31,3
13,8	12,7	12,8
13,2	12,8	12,4
3,0	2,6	3,5
4,3	3,2	3,7
34,3	31,3	32,4
16,9	16,6	16,6
13,1	12,5	12,6
12,8	11,9	11,4
42,8	41,0	40,6
4,0	5,0	4,0
6,8	7,7	7,8
8,1	8,0	8,1
4,0	3,4	4,3
22,9	24,1	24,2
9,0	8,0	6,0
18,0	19,0	17,0
20,0	17,0	16,0
47,0	44,0	39,0
6,0	8,0	10,0
48,0	47,0	46,0
8,0	9,0	10,0
62,0	64,0	66,0
335,2	333,8	324,3

DENIS DUQUET

La guerre des intermédiaires

Quand Detroit se compare à Detroit !

Les recherches en marketing le démontrent, les acheteurs de voitures américaines ne s'intéressent pas nécessairement à la concurrence japonaise ou européenne. Pour ces personnes, le choix s'effectue entre Chrysler, Ford et General Motors. Et il faut souligner que la réciproque est souvent vraie dans le cas des acheteurs de japonaises ou d'européennes. C'est ce trait de caractère des acheteurs qui a été la source d'inspiration de ce match comparatif: pourquoi ne pas comparer trois berlines «made in Detroit»? Et quoi de plus identifié à Detroit que les voitures intermédiaires qui ont été pendant des décennies les modèles les plus en demande chez nos voisins du sud. Une fois ce critère établi, les Chrysler Intrepid, Ford Taurus et Pontiac Grand Prix venaient de recevoir leur carton d'invitation pour notre randonnée de comparaison. Chez General Motors, nous avions l'embarras du choix, puisque la Buick Regal, l'Oldsmobile Intrigue et la Pontiac Grand Prix étaient toutes des choix logiques. Malheureusement, l'Intrigue avec son nouveau moteur V6 3,5 litres n'était pas disponible. Nous avons alors choisi la Grand Prix, un modèle qui connaît jusqu'à maintenant une plus grande diffusion que la Regal.

En plus de leurs origines communes, ces voitures possèdent un tempérament et des caractéristiques mécaniques qui les placent dans une catégorie relativement distincte. Et il serait erroné de conclure que les nord-américaines traînent toujours la patte en fait de sophistication mécanique et de design. Sur plusieurs chapitres, elles sont en mesure de bien se défendre par rapport à leurs concurrentes conçues sous d'autres cieux. Soulignons au passage que les studios californiens de design automobile influencent l'industrie tout entière. D'ailleurs, il n'est pas une firme qui se respecte qui n'a pas un pied-à-terre sur la côte ouest des États-Unis.

Malgré tout, les compagnies américaines conçoivent leurs voitures pour une clientèle qui a des goûts bien précis. Ces gens apprécient l'habitabilité, les silhouettes plus audacieuses que la moyenne, le confort de la suspension et le silence de roulement. L'agrément de conduite et les performances routières leur importent moins. Par contre, ce match a fait la preuve que les tendances évoluent et que les Américains sont plus à l'affût des nouveautés en matière d'automobile qu'ils ne l'étaient.

Les trois berlines en lice ne sont certainement pas des copies conformes. Chacune se démarque par une présentation extérieure très différente et la configuration mécanique change d'un modèle à l'autre. À titre d'exemple, le moteur de l'Intrepid est longitudinal et à arbres à cames en tête, celui de la Pontiac Grand Prix est transversal et à soupapes en tête.

Ces trois intermédiaires se situent dans la même fourchette de prix et ce, même si les dimensions plus généreuses de l'Intrepid la placent dans une catégorie différente pour le format.

Des cotes à la hausse

Cette réunion intime entre trois berlines s'est déroulée sur les routes des Hautes-Laurentides, dont le parcours sinueux se prêtait bien à nos besoins. Contrairement à ce qui se passait il y a quelques années avec certaines voitures américaines, personne n'est venu nous trouver en catimini pour nous souligner que «cette voiture a les pires freins que j'ai jamais essayés» ou que «l'habitacle a été conçu par un débile ou un aveugle sous l'effet du LSD». Bien au contraire, les commentaires ont été plutôt élogieux. Tous ont vanté le moteur de l'Intrepid, la tenue de route de la Grand Prix, l'attention aux détails apportés dans la conception de la Taurus et la qualité plus relevée que par le passé des trois voitures en présence.

Voilà, la randonnée est terminée, les notes ont été compilées et c'est le temps de remettre les bulletins. Comme vous allez le constater, notre gagnante remporte une victoire sans appel, tandis qu'un des membres du trio échoue presque sur toute la ligne par rapport à ses opposantes. Voilà les résultats de ce match «isolationniste» qui fait fi des autres nationalités.

Chrysler Intrepid
Tout nouveau, tout beau

L'Intrepid sort grande gagnante de cette comparaison avec ses pairs. Et pour la première fois depuis des lunes, une berline Chrysler remporte l'un des matchs du *Guide*. La fourgonnette Autobeaucoup certes, le Jeep Grand Cherokee d'accord, mais une berline? C'est dire les progrès accomplis par la compagnie. Il fut une époque pas trop lointaine où les relationnistes de la marque devaient avaler une Valium avant de lire les résultats de nos matchs comparatifs, histoire d'être capables de prendre connaissance avec calme du classement et des remarques attribuées à leurs voitures qui se faisaient joliment tabasser.

Dans un spectaculaire renversement de la situation, l'Intrepid a dominé pratiquement toutes les catégories pour s'envoler avec les lauriers de la victoire. Et elle l'a même emporté dans les catégories telles la finition intérieure et extérieure, du jamais vu! Jusqu'à

«Cette Chrysler nous en offre beaucoup. Son tableau de bord élégant, une position de conduite impeccable, un moteur impressionnant, une tenue de route sérieuse de même qu'une finition impeccable justifient ma décision de la placer en tête de liste.»

Jean-Yves Dupuis

tout récemment, Chrysler était capable de concevoir des silhouettes flatteuses et d'élaborer une mécanique intéressante pour ensuite se voir recaler au chapitre de l'exécution. Cette fois, il semble que les employés de l'usine de Bramalea, en banlieue de Toronto, ont rehaussé leur intensité d'un cran et que les concepteurs étaient plus expérimentés.

Bien entendu, la silhouette très futuriste de la caisse, ses phares originaux et son allure très racée lui ont permis d'obtenir beaucoup de points. L'habitacle a également été l'objet de plusieurs commentaires positifs. Entre autres, les cadrans indicateurs avec chiffres noirs sur fond blanc ont fait l'unanimité ou presque. Certains ont toutefois déploré que les tissus recouvrant les sièges soient à peine acceptables et tous ont souligné que la profondeur exagérée du coffre le rendait difficile d'utilisation. D'ailleurs, l'un des essayeurs qui avait laissé sa mallette dans le coffre a été obligé de prendre place dans la soute à bagages pour aller la chercher tout au fond. Par contre, l'accès aux places avant et arrière ne pose aucun problème. D'ailleurs, les portes arrière sont d'une telle longueur que

même le Bonhomme Carnaval n'aurait pas de difficulté à se glisser à l'intérieur. L'arrière de la voiture est très relevé, ce qui rend toute manœuvre de stationnement difficile parce qu'on n'a aucune idée de la position du pare-chocs.

En fait, le principal défaut de cette voiture est son encombrement excessif. Sur les routes sinueuses que nous avons empruntées, elle s'est inclinée devant la Grand Prix aussi bien en fait d'agilité que d'agrément de conduite. De plus, la direction de l'Intrepid était un peu mollasse et les roues avant sautillaient lorsque la chaussée se dégradait. À part cet irritant mineur, l'Intrepid se débrouille étonnamment bien pour une berline de ce gabarit.

Côté moteur, le nouveau V6 2,7 litres a été le favori de toute l'équipe. Il ne craint pas les régimes élevés et livre la marchandise à la moindre sollicitation de l'accélérateur. Son raffinement et sa conception avancée sont la preuve que

«L'Intrepid doit plusieurs de ses points forts à son vaste format et à sa ligne. Enlevez-lui ça et la Grand Prix pourrait bien passer devant.»

Jacques Duval

Chrysler n'a de leçon à recevoir de personne pour réaliser un moteur raffiné destiné à une voiture de prix moyen. Il est certain que Mercedes, le nouveau partenaire de Chrysler, va pouvoir profiter de l'expérience de son associée qui peut réaliser des éléments mécaniques raffinés sans faire sauter la banque. Par contre, il reste encore des progrès à faire en ce qui concerne la boîte automatique. Celle de la Grand Prix lui était supérieure. Celle de l'Intrepid était affligée de passages saccadés, surtout lorsque la boîte rétrogradait.

Malgré ces quelques accrocs à l'excellence, l'Intrepid remporte les grands honneurs. Il est vrai que la version précédente avait de sérieux problèmes de finition et de fiabilité mais, chez Chrysler, on jure que tout a été fait pour remédier à cette situation. Notre test ne peut être un gage de fiabilité à long terme, mais notre exemplaire était bien assemblé et la rigidité de la caisse était de bon augure. Il serait dommage qu'une voiture aussi intéressante soit handicapée par une fiabilité précaire et un assemblage bâclé. À ce jour, les sondages effectués par J. D. Powers concernant la qualité des premières Intrepid ont été très positifs. Pourvu que ça dure!

2e place:

Pontiac Grand Prix
Une agréable surprise!

Mieux vaut l'avouer maintenant, la présence de la Grand Prix à ce match inquiétait quelque peu l'équipe du *Guide*. Les quelques exemplaires essayés à ce jour avaient démontré du potentiel, tout en étant affligés d'une finition nettement sous la normale et d'une suspension trop ferme. Heureuse surprise! Non seulement cette Pontiac était d'une finition irréprochable, mais en plus sa suspension s'est révélée très efficace et… confortable. En fait, des trois, cette voiture était la plus agréable à piloter. Sa tenue de route, la précision de sa direction de même que son équilibre dans les courbes lui ont permis de dominer le lot. Il est important de souligner que l'agrément de conduite aurait été encore plus intéressant si cette version avait été animée par le V6 3,8 litres de 195 chevaux ou encore sa version à compresseur offrant 240 chevaux sous le capot. Même si le but de notre match était de comparer des berlines à vocation familiale, il est tout de même

> «À mon grand étonnement, ma préférée dans ce match est un produit GM. L'intérieur est un peu chargé, mais l'extérieur est plus équilibré. Une voiture agréable à conduire en raison de son bon équilibre entre le moteur et la suspension. Et dire qu'il s'agit de la version la plus modeste!»
>
> Claude Carrière

intéressant de noter que la Pontiac est celle qui offre le moteur le plus puissant de sa catégorie sur les modèles plus étoffés. La Taurus doit se contenter de 200 chevaux depuis la disparition du SHO, tandis que l'Intrepid en propose 225 avec le moteur 3,2 litres. Il faut également ajouter que la boîte de vitesses s'est révélée la plus agréable: les passages d'un rapport à l'autre étaient imperceptibles.

La précision de sa direction, son agilité sur la route et des sièges confortables associés à des rétroviseurs efficaces se conjuguent pour offrir un agrément de conduite nettement plus relevé. L'Intrepid se défendait bien à ce chapitre, mais sa suspension avant était davantage intimidée par les virages rapides et sa direction péchait par un certain flou au centre. La Grand Prix offrait pour sa part un équilibre presque parfait. D'ailleurs, c'est son comportement routier qui a le plus impressionné l'équipe d'essayeurs.

Même si son agrément de conduite est le plus relevé des trois, la Grand Prix s'est attiré des critiques en raison de sa présentation intérieure étriquée. Son tableau de bord trop tourmenté est beau-

coup moins irritant que celui de certaines autres Pontiac, mais c'est suffisant pour la placer en queue de peloton à ce chapitre. Pontiac devrait délaisser ces designs complexes nécessitant l'utilisation de plusieurs pièces qui rendent l'assemblage difficile. Quand on sait que la majorité des produits GM ont de la difficulté à afficher une finition exemplaire, c'est courir après les ennuis. De plus, les tissus des sièges étaient tout juste acceptables.

Cette Pontiac brille cependant au chapitre des espaces de rangement qui sont nombreux et faciles d'accès. Elle est malheureusement la seule qui ne fournit pas de bouches de ventilation / chaleur pour les places arrière.

Côté présentation extérieure, les avis sont partagés. Certains trouvent que c'est trop sportif pour la catégorie, d'autres admirent cette silhouette dynamique, associée à des dimensions plus compactes. Et si l'extérieur de la Grand Prix vous

> «En faisant abstraction de son habitacle trop chargé et de son moteur V6 à soupapes en tête, cette Pontiac en a surpris plusieurs. Une finition plus sérieuse associée à un équipement complet et à un agrément de conduite relevé permettent de croire que General Motors a retrouvé sa touche d'antan.»
>
> Denis Duquet

déplaît, vous pouvez toujours considérer les Oldsmobile Intrigue et Buick Regal, dont le comportement routier et l'agrément de conduite sont au moins à l'égal de ceux de la Pontiac. Il faut par contre placer la Chevrolet Lumina dans une catégorie inférieure en raison d'un manque de personnalité, de prestations timides et d'une silhouette fort anonyme.

Si la Grand Prix se fait devancer par l'Intrepid, c'est tout simplement que cette dernière la supplante sur la majorité des critères. La Chrysler est plus homogène, plus spacieuse, et se débrouille fort bien sur la route. Il est certain que la Grand Prix se serait rapprochée du sommet si elle avait été animée par un moteur V6 3,8 litres. Toutefois, la différence n'aurait pas été suffisante pour lui permettre de devancer la Chrysler. Cela dit, c'est une victoire morale pour GM, compte tenu des commentaires positifs concernant son comportement sur la route. Et, qui sait? l'Intrigue avec son nouveau moteur V6 3,5 litres ne se serait peut-être pas faufilée en tête!

3e place:

Ford Taurus
Elle perd des plumes

Le résultat de ce match démontre clairement pourquoi la Taurus n'est plus la berline la plus vendue en Amérique du Nord. Alors qu'auparavant elle dominait à plusieurs points de vue, cette version revue et corrigée en 1996 est surclassée par ses concurrentes à presque tous les chapitres. En fait, il suffit de jeter un coup d'œil sur la feuille de classement pour réaliser que cette Ford n'a terminé première que pour un seul des éléments, celui de la visibilité. C'est très peu pour une voiture qui a révolutionné la façon de penser des constructeurs nord-américains lors de son lancement en 1986.

Tout porte à croire que ses concepteurs ont voulu causer une autre révolution en dessinant une carrosserie vraiment futuriste et un tableau de bord hors de l'ordinaire. Il en a résulté une silhouette qui n'a pas été en mesure de plaire. Le public boude son apparence étiolée; nos essayeurs l'ont placée au dernier rang à ce chapitre.

«La Taurus m'a semblé être la plus silencieuse, mais la différence est difficile à établir... Le siège manque de support lombaire et j'ai eu de la difficulté à trouver une position de conduite confortable. La voiture était plus difficile à maîtriser sur les routes sinueuses. La direction est imprécise.»
Yvan Fournier

Quant au tableau de bord avec sa grosse «galette» centrale en guise de radio et de commandes de climatisation, il a obtenu de meilleures notes que celui de la Pontiac, toujours aussi tourmenté et chargé.

L'enfer est pavé de bonnes intentions et la Taurus en est un exemple flagrant. En voulant trop en faire, on a raté le coche. Même l'habitacle est couci-couça, entre autres parce que les places arrière sont généreuses en théorie, mais peu invitantes en pratique. Et comme si cela n'était pas suffisant, la finition de notre Taurus était certainement perfectible.

Il ne faut pas dramatiser non plus. La Taurus n'a pas été larguée par les deux autres, mais il lui manque ce petit quelque chose qui faisait la différence par rapport à la version précédente.

Le V6 Duratec est d'une conception mécanique très poussée avec son bloc en alliage léger et ses doubles arbres à cames en tête. Il fait la nique au vétuste V6 3,1 litres de 160 chevaux de la Pontiac Grand Prix qui offre également deux moteurs plus puissants en option. Malgré ses 200 chevaux, ce V6 n'est pas plus vigoureux

qu'il ne le faut, même si ses accélérations se situent dans la bonne moyenne. Il ne réussit cependant pas à se démarquer par rapport au V6 2,7 litres de l'Intrepid, d'une puissance égale. Le moteur de la Chrysler est nettement plus nerveux et incisif. En outre, la boîte de vitesses de la Taurus s'est contentée d'être adéquate, sans plus. Pendant notre essai, à quelques reprises, le passage du premier au deuxième rapport a été assez brutal.

Mais la Taurus réussissait à suivre le peloton en dépit de ces faiblesses. Ce qui l'a achevée est la conduite sur les routes sinueuses empruntées pour ce match. La suspension relativement souple n'arrivait pas à négocier les virages avec aplomb. Le passage d'une première courbe se déroulait sans problème, mais l'enchaînement de quelques autres en succession provoquait un certain déséquilibre. De plus, l'assistance variable de la direction semblait également

«C'est sans doute ma plus grande déception. J'ai tenté de lui trouver des points positifs, mais... C'est décevant de constater qu'une voiture de ce prix nous est offerte avec une finition bâclée, une présentation déroutante et un comportement routier très moyen.»
Carole Dugré

prise au dépourvu, alors que la direction était trop dure ou trop molle. Enfin, le débattement vertical de la suspension avant étant trop généreux, cela provoque un sautillement du train avant en conduite rapide.

Il est dommage que Ford n'ait jamais réussi à donner une homogénéité plus poussée à cette voiture, dont la qualité du châssis mérite mieux. Lors de son dévoilement en 1996, les modèles mis à notre disposition étaient nettement plus intéressants et offraient un comportement routier de qualité. Depuis sa mise en production, les éléments n'ont jamais su s'accorder pour travailler en harmonie. Après plus de deux ans, il est surprenant que cette voiture soit toujours affligée des mêmes traits de caractère.

Voilà pourquoi cette Taurus termine en queue de peloton. Ce n'est pas une mauvaise voiture, mais elle est devancée par les deux autres qui bénéficient d'une meilleure homogénéité et d'un comportement routier plus inspirant. Par contre, dans la version GL, la Taurus est nettement la plus économique du lot, tout en offrant un équipement relativement complet.

Des signes encourageants

Même si l'un des matchs comparatifs de l'édition 1998 du Guide mettent aux prises la Toyota Camry et ses rivales américaines avait tourné à l'avantage de la japonaise, il ne faut pas conclure que les berlines nord-américaines ne sont pas dans le coup.

Si cet essai ne permet pas de faire des comparaisons directes avec les rivales d'autres origines, il est cependant permis de souligner que nos trois concurrentes ne devraient entretenir aucun complexe par rapport à la concurrence. Mieux encore, tandis que la plupart des berlines japonaises semblent condamnées à se copier les unes les autres, nos trois américaines possèdent un design original qui leur permet de se démarquer très facilement. De plus, leur fiche technique se défend assez bien, puisque 2 des 3 moteurs sont de conception sophistiquée. Enfin, la qualité d'assemblage des 3 voitures essayées de même que leur finition sont la preuve que la qualité est en hausse du côté des nord-américaines. Ce qui n'empêche pas les Japonais, les Suédois et les Allemands de concocter des voitures drôlement bien ficelées.

Si la Chrysler domine ses deux sœurs ennemies, c'est surtout en raison de son homogénéité et d'une exécution digne de mention. Ce match a également permis de constater que la Taurus a perdu sa touche magique, tandis que la Grand Prix apporte une preuve de plus que GM est dans la bonne voie.

	Chrysler Intrepid	Pontiac Grand Prix	Ford Taurus
Empattement	287 cm	281 cm	265 cm
Longueur	531 cm	499 cm	501 cm
Hauteur	142 cm	139 cm	140 cm
Largeur	189 cm	185 cm	185 cm
Poids	1610 kg	1550 kg	1600 kg
Transmission	automatique	automatique	automatique
Nombre de rapports	4	4	4
Moteur	V6	V6	V6
Cylindrée	2,7 litres	3,1 litres	3,0 litres
Puissance (chevaux et tr/min)	200 ch à 5800	160 ch à 5200	200 ch à 5750
Suspension avant	indépendante	indépendante	indépendante
Suspension arrière	indépendante	indépendante	indépendante
Freins avant	disque	disque	disque
Freins arrière	disque	disque	tambour
ABS	oui	oui	oui
Pneus	P205/70R15	P205/70R15	P205/65R15
Direction	à crémaillère	à crémaillère	à crémaillère
Diamètre de braquage	11,5 mètres	11,2 mètres	11,8 mètres
Coussin gonflable	cond. et pass.	cond. et pass.	cond. et pass.
Réservoir de carburant	64 litres	68 litres	60 litres
Capacité coffre	530 litres	453 litres	447 litres
Accélération 0-100 km/h	9,4 secondes	10,3 secondes	10,3 secondes
Vitesse de pointe	190 km/h	180 km/h	180 km/h
Consommation (100 km)	12,4 litres	11,5 litres	12,0 litres
Prix	29 895 $	28 640 $	28 845 $

		1re place	2e place	3e place
		Chrysler Intrepid	**Pontiac Grand Prix**	**Ford Taurus**
Esthétique	**40 points**			
Extérieur	10	9,0	8,0	7,0
Intérieur	10	8,0	7,0	7,5
Finition ext.	10	8,5	8,0	7,5
Finition int.	10	8,0	7,0	7,5
	Total:	33,5	30,0	29,5
Accessoires	**40 points**			
Nombre et commodité	10	7,5	8,5	8,0
Espaces de rangement	10	6,0	7,5	7,0
Instruments/commandes	10	8,5	7,5	7,0
Ventilation/chauffage	10	8,5	7,5	8,0
	Total:	30,5	31,0	30,0
Carrosserie	**40 points**			
Accès/Espace avant	10	13,0	11,5	12,0
Accès/Espace arrière	10	13,5	11,0	11,5
Coffre: accès et volume	10	4,0	3,5	3,5
Accès mécanique	10	3,0	4,0	2,0
	Total:	35,5	30,0	29,0
Confort	**40 points**			
Suspension	10	8,5	7,5	7,5
Niveau sonore	10	8,0	7,0	7,5
Sièges	10	8,5	9,0	8,0
Position de conduite	10	9,0	8,0	7,5
	Total:	34,0	31,5	30,5
Moteur / Transmission	**40 points**			
Rendement	15	13,0	12,0	11,0
Performances	15	15,0	12,0	11,5
Sélecteur de vitesses	5	4,0	3,0	3,5
Passage des vitesses	5	4,0	4,5	3,5
	Total:	36,0	31,5	29,5
Comportement routier	**50 points**			
Tenue de route	20	16,5	17,0	15,5
Direction	15	12,0	13,0	11,5
Freins	15	12,5	12,5	12,0
	Total:	41,0	42,5	39,0
Sécurité	**30 points**			
Coussins de sécurité	5	10,0	10,0	10,0
Visibilité	10	7,0	7,5	8,0
Rétroviseurs	5	3,5	4,5	3,5
	Total:	20,5	22,0	21,5
Performances mesurées	**50 points**			
1/4 mille	10	10,0	6,0	8,0
Accélération	20	20,0	16,0	18,0
Freinage	20	20,0	18,0	16,0
	Total:	50,0	40,0	42,0
Autres classements	**70 points**			
Espace pour bagages	10	10,0	8,0	6,0
Choix des essayeurs	50	50,0	48,0	46,0
Prix	10	10,0	6,0	8,0
	Total:	70,0	62,0	60,0
Classement final	**400 points**	351,0	320,5	311,0

DENIS DUQUET

Le match des
sœurs.
ennemies

Une Lexus ES300 vaut-elle vraiment 12 000 $ de plus qu'une Toyota Camry V6, sa sœur jumelle?

Ce match est un programme double ou, si vous préférez, un deux dans un... Depuis que l'industrie automobile a appris à jouer le jeu des plates-formes, plusieurs manufacturiers proposent des modèles qui n'ont souvent de différent que leur nom, leur enveloppe de luxe et, bien entendu, leur prix.

Le Guide de l'auto a d'ailleurs souvent écrit qu'entre une **Toyota Camry V6** haut de gamme et une **Lexus ES300,** il y avait si peu de différence qu'il valait mieux acheter la première plutôt que la seconde et épargner du même coup un bon 10 000 $. Nous n'avions toutefois jamais mené l'expérience jusqu'au bout et comparé les deux voitures côte à côte.

Ce jour est arrivé et, tant qu'à y être, aussi bien faire la même expérience avec les autres modèles qui empruntent la même philosophie. Outre la Lexus et la Camry, les plus notoires chez les sœurs ennemies sont la **Nissan Maxima** et l'**Infiniti I30,** la **Honda Accord** et la nouvelle **Acura TL3,2** et, finalement, la **Volkswagen Passat** et l'**Audi A4.** Doit-on se laisser tenter par la publicité et croire à la supériorité d'une Infiniti I30 sur une Maxima quand on sait fort bien que ces voitures sont du pareil au même? Nous avons voulu répondre à cette première question et du même coup identifier la meilleure voiture parmi les huit modèles soumis à ce petit conseil de famille.

Sans plus de préambule, je cède le clavier d'ordinateur à mon collègue Denis Duquet qui vous racontera en détail les péripéties de ce match inusité, dont certaines conclusions sont pour le moins surprenantes.

Jacques Duval

Huit voitures, 12 essayeurs

Jamais dans l'histoire du *Guide* avons-nous organisé un match aussi complexe et aussi disparate. Réunir huit voitures pour un essai comparatif n'est généralement pas très difficile. Cette fois, la donne était différente.

Il a fallu choisir non seulement les modèles, mais on a également dû convaincre certains manufacturiers de la valeur de notre idée. «Qu'est-ce que vous voulez faire avec ces voitures?» demandaient-ils.

La bonne nouvelle, c'est que tous ont trouvé notre idée emballante, une fois le but de cet essai expliqué un peu plus en détail. Il faut également souligner que nous devons une fière chandelle à Antoine Basili, de Automobiles Popular, qui nous a dépanné in extremis la veille du match en dépouillant son gérant des ventes de sa A4 toute neuve pour la remettre entre les mains de notre équipe d'essai.

Une fois de plus, nous avons été victimes, au cours de nos préparatifs, du mode d'opération parfois énigmatique de la compagnie Volkswagen-Audi. Heureusement, nous avons trouvé un concessionnaire compatissant qui a réagi très, très rapidement.

Ce match a aussi été marqué par une première, puisque l'Acura TL3,2 1999 n'était théoriquement pas disponible à ce moment. Todd Fowler, de Honda Canada, n'a pas eu peur de relever le défi et de nous livrer une TL par camion le matin même du match. Cette voiture destinée à paraître sur les photographies publicitaires de la compagnie était donc un modèle choisi parmi les toutes premières à avoir été fabriquées. Comme les résultats le démontrent, il s'est fort bien débrouillé, même si la finition de la voiture devait théoriquement ne pas être à la hauteur des modèles de production.

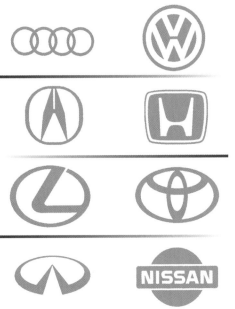

Rendez-vous à Sanair

Pour cette confrontation fratricide, c'est à la piste de Sanair que notre groupe d'essayeurs s'est réuni. Après un hiatus de quelques années, le *Guide* retournait au circuit de Saint-Pie de Bagot, qui se prête fort bien à ce genre de match nécessitant des moyens de comparaison plus précis que d'habitude.

En plus d'effectuer des tours de piste, un slalom et une batterie de tests mesurés, l'équipe s'est aussi promenée sur les routes avoisinantes afin d'évaluer «dans le vrai monde» les qualités routières de notre gamme de voitures. Durant les essais sur piste et sur route, aucun ennui mécanique et aucun incident fâcheux n'est venu ternir cette journée fort chargée. En fait, le seul incident cocasse au chapitre de la mécanique est survenu lorsqu'un essayeur a découvert que la Maxima n'était pas équipée de freins ABS. Il en est résulté des pneus avant dotés de plats qui faisaient sentir leur présence et un essayeur rouge d'embarras.

En résumé, ce fut une dure journée de travail sous une chaleur de plus de 35 °C, mais le jeu en valait la chandelle. Voici donc le fruit de cette journée de travail, alors qu'une équipe de 12 personnes de goûts et d'orientation diverses ont relevé le défi de comparer des voitures théoriquement semblables mais qui, comme le démontre le résultat du match, se démarquent l'une de l'autre parfois de façon surprenante.

Les forces en présence

Avant de décortiquer les résultats individuels de ce match comparatif, commençons par examiner de plus près les voitures. Les deux modèles du clan Honda mis en présence étaient ceux qui se différenciaient le plus l'un de l'autre. En effet, les deux étaient animés par des moteurs différents, l'Accord par un V6 3,0 litres de 200 chevaux et la TL par une version de cylindrée plus généreuse, soit 3,2 litres, et disposant de 225 chevaux. Quant à la plate-forme de l'Acura, il s'agit d'une version améliorée par rapport à celle de l'Accord. Elle est naturellement plus rigide et son empattement est plus long de 3 cm.

L'Audi A4 et la Passat V6 se ressemblent davantage. Dans un premier temps, les deux sont animées par le même moteur V6 2,8 litres 30 soupapes de 193 chevaux. De plus, la Passat a été développée à partir de la plate-forme de l'A4, dont elle emprunte également la suspension avant et la position longitudinale du moteur. Par contre, sa suspension arrière est différente. De plus, la Volkswagen est plus longue, plus large et plus spacieuse que l'Audi, dont l'option Quattro en faisait la seule intégrale du groupe.

Avec le tandem Toyota Camry et Lexus ES300, on se rapproche davantage des voitures jumelles ou presque. Le châssis de la Lexus est étroitement dérivé de celui de la Toyota Camry et les deux sont animées par le même moteur en substance. De légères modifications au V6 permettent à la Lexus d'atteindre le cap des 200 chevaux, mais les deux se ressemblent de très près.

Enfin, les authentiques jumelles de ce match sont la Nissan Maxima et l'Infiniti I30. Les deux partagent non seulement la même plate-forme, mais le même V6 3,0 litres de 190 chevaux. En outre, la suspension arrière à essieu rigide à poutre déformante est la même sur les deux voitures. La présentation de l'habitacle, la grille de calandre et quelques autres éléments du genre permettent à ces deux voitures de se distinguer l'une de l'autre.

Voilà, la table est mise. Il ne reste plus qu'à vous faire le compte rendu du verdict de nos 12 juges/essayeurs.

Acura TL3,2 une entrée fracassante!

C'est l'Acura TL3,2, la toute dernière à faire son entrée sur le marché, qui a le mieux fait dans cet essai comparatif. Et dire que les responsables d'Acura étaient inquiets de nous expédier une voiture qui, selon eux, n'était pas nécessairement à la hauteur des standards de la marque. Ils ont été récompensés d'avoir pris un risque, puisque ce match s'est conclu à l'avantage de la TL. La version antérieure avait été ratée, mais cette nouvelle génération entièrement revue et corrigée fait amende honorable. Elle a effectué une véritable razzia parmi les premières places en raflant cinq des neuf catégories de notre feuille de pointage.

«Voilà une voiture qui se démarque par son excellence à plusieurs points de vue. Elle possède une petite touche européenne qu'on rendrait encore plus crédible en raffinant la finition et la qualité d'assemblage. Mais puisque c'était un prototype, elle se tire très bien d'affaire.»
Yvan Fournier

Si la TL s'incline de peu par rapport à l'Audi et à la Passat côté présentation extérieure et intérieure, elle l'emporte en ce qui concerne la qualité de la finition, les catégories accessoires et la carrosserie. Notre première de classe ne s'en laisse pas imposer sur le plan du comportement routier, étant jugée la meilleure côté tenue de route. Et si cette Acura termine au deuxième rang derrière l'Accord en fait d'accélérations et de freinage, la différence entre les deux sœurs ennemies est très minime. Par contre, ces deux opposantes ont été désavantagées par des pneumatiques assez peu performants qui étaient très glissants sur la piste en plus d'affecter la précision de la direction.

Non contente de l'emporter dans le classement chiffré, la TL a séduit les essayeurs en se classant au deuxième rang en ce qui a trait au choix personnel. En fait, la seule faille à son armure a été une performance plutôt moche dans le slalom, alors qu'elle n'a réussi qu'à devancer la Honda Accord, dont la direction transfor-

mait cet exercice en séance de musculation des bras.

Notre lauréate l'a emporté en raison de son équilibre général. Et, comme le soulignait si justement Jacques Duval: «Elle possède un bel équilibre entre la saveur allemande et la rigueur japonaise.» Bref, la majorité s'est vite ralliée en faveur de cette berline qui succède à une version qui a connu une carrière plutôt moche. Cela explique sans doute pourquoi la plupart de ceux qui l'ont classée au premier rang affirment qu'il s'agit de la grande surprise de ce match.

Mais victorieuse ou pas, elle possède ses faiblesses. Tel que mentionné précédemment, les pneumatiques ne sont pas

«Sous ses allures distinguées se cache un vraie sportive de luxe. Voilà la première Acura qui peut aller chasser sur le territoire d'Audi et de BMW.»
Claude Carrière

à la hauteur. De plus, un effet de couple fait sentir sa présence en accélération, tandis que plusieurs ont été réticents devant cette silhouette qui manque d'audace et qui possède certaines ressemblances avec l'Accord, la mal-aimée du groupe sur ce point. La grille de sélection du levier de vitesses figure également parmi les irritants.

Il ne faudrait pas oublier d'inscrire sur la liste des points forts son moteur doux, performant et dont la fiabilité ne devrait pas être mise en doute. La boîte automatique réagit en douceur et avec précision. De plus, notre voiture d'essai était dotée du système de sélection manuelle Sportshift qui semblait un peu plus rapide dans son exécution que le «Tiptronic» des Audi et Volkswagen.

La marge de la victoire de l'Acura TL est relativement généreuse: 11,7 points en tout. Pourtant, la Passat lui a fait une chaude lutte: elle a été plus lourdement pénalisée en raison de performances mesurées plus modestes et d'une accessibilité mécanique plus difficile.

Volkswagen Passat
Presque sans faille

Si la logique des voitures jumelles était respectée, l'Accord devrait théoriquement se classer au deuxième rang, juste derrière la version Acura, plus luxueuse et plus raffinée. Pourtant, ce n'est pas le cas. En fait, l'Accord doit se contenter de la cinquième place. Le deuxième rang, c'est la Passat qui l'occupe par une infime marge devant l'A4, dont l'habitabilité est nettement inférieure, surtout aux places arrière. D'ailleurs, la Passat est la voiture qui a remporté la palme pour la générosité des places arrière et la capacité de la soute à bagages. En fait, dans l'ensemble, ce sont les qualités pratiques de cette voiture qui

> «Voilà une voiture spacieuse, agréable à conduite et dotée d'un moteur V6 qui la transforme du tout au tout. Selon moi, il s'agit de la meilleure berline sur le marché.»
>
> François Roy

lui ont permis de devancer une gamme de modèles, dont la réputation n'est plus à faire. La Passat remporte donc la palme dans la catégorie des voitures plus économiques dans ce match. Ce qui n'est pas une mince affaire, compte tenu qu'il s'agissait de ce que le Japon avait de mieux à offrir.

S'il est vrai qu'elle partage les mêmes organes mécaniques que l'Audi, il s'agissait d'une traction et non d'une intégrale, ce qui explique probablement pourquoi l'A4 l'a devancée de quelques poussières de secondes dans le slalom. Par contre, les deux ont souffert dans le $1/4$ mille, alors que le manque de muscle à bas régime les handicape. Les deux versions étaient équipées du système de passage des vitesses «Tiptronic», qui a fait belle figure. D'ailleurs, le levier de vitesses de ces deux voitures a été jugé le meilleur parmi toutes les voitures en piste.

Curieusement, notre sonomètre a révélé que la Passat était la voiture la plus silencieuse du groupe à 100 km/h, tandis

qu'elle était généralement plus bruyante au ralenti, à cause du ventilateur du radiateur qui fonctionnait presque toujours en cette journée de canicule. Quant à la finition intérieure et à la qualité des matériaux, elles sont dans la bonne moyenne, tout au plus et nettement inférieures à celles de l'Audi qui offre un environnement moins généreux, mais certainement plus cossu et d'une finition plus relevée.

La Passat est une automobile d'une grande polyvalence, spacieuse et capable de bien accomplir toutes les tâches qu'on lui confie. Plusieurs ont souligné son caractère très allemand et son équilibre général.

> «Je suis déçue par sa présentation intérieure. À mon avis, l'Accord lui est supérieure côté finition, tout en offrant une meilleure visibilité. Par contre, sa conduite est très germanique et sa tenue de route rassurante.»
>
> Carole Dugré

Ils ont également fait part de leur inquiétude concernant la fiabilité de cette voiture qui a des antécédents plutôt sombres. Soulignons que l'A4, dont est dérivée la Passat, affiche un dossier très positif sur ce point. Quant à cette dernière, elle est sur le marché depuis plusieurs mois maintenant et il ne semble pas y avoir eu de problèmes majeurs. C'est à souhaiter!

En général, cette Volkswagen s'est retrouvée dans le peloton de tête du classement de presque tous les essayeurs. Son pire classement au chapitre «Choix des essayeurs» a été une cinquième place accordée surtout en raison de sa présentation trop austère.

Lors de son lancement l'an dernier, plusieurs journalistes avaient demandé si cette Volkswagen n'allait pas être le plus important compétiteur de l'Audi A4. Les responsables de Volkswagen avaient repoussé cette éventualité. Pourtant, ce match donne raison à la presse et renvoie les responsables du marketing à leurs devoirs.

Audi A4
La préférée des essayeurs!

Si l'A4 a été devancée par la Passat, c'est surtout en raison de critères d'ordre pratique, tels l'habitabilité, la générosité des places arrière et d'autres détails du même genre. Par contre, au chapitre de la conduite pure, c'est l'Audi qui se démarque de tout le lot. Première en slalom, jugée la plus agréable à piloter sur la route et classée au premier rang quant au choix personnel des essayeurs, cette belle allemande séduit de plus d'une façon.

Il faut mentionner que l'A4 était la seule intégrale du groupe. Caractéristique qui a certainement influencé son brio en

«J'adore cette voiture! Son apparence fait beaucoup plus haut de gamme que celle de la Passat et elle offre en prime le système Quattro. Elle vaut d'emblée les milliers de dollars de plus qui la démarquent de la Passat.»

Jean-Yves Dupuis

slalom et ses prestations lors des multiples tours de piste. Et si elle est pénalisée en raison de ses dimensions plus modestes au chapitre de l'habitabilité, son gabarit plus petit lui donne plus d'agilité en plus de relever son caractère sportif. Par contre, son comportement relativement neutre en piste rendait son pilotage différent sur le circuit. Certains de nos essayeurs en étaient à leurs premières armes au volant d'une Quattro et ils ont été quelque peu surpris lors des premiers tours de piste.

Cette Audi est certes la plus sensuelle du groupe. Elle séduit par sa silhouette extérieure, la présentation de son tableau de bord et la qualité de ses sièges. Enfin, tous sont tombés en amour avec la présentation du volant. Il est certain que c'est la voiture coup de cœur. Curieusement, même si elle partage sa mécanique avec la Passat, cette dernière est le parfait exemple du sens pratique et du rationnel. Chez Audi, on semble dessiner les voitures avec beaucoup plus d'émotion.

Devant ce concert d'éloges, il s'est trouvé au moins une voix discordante parmi le groupe des 12 essayeurs. Cette personne l'a classée au dernier rang parmi le groupe des voitures de luxe à l'essai. La souplesse de la suspension, le manque de chevaux à bas régime et le temps de réponse de la boîte «Tiptronic» l'ont recalée aux yeux de cet essayeur, qui reconnaît toutefois les qualités esthétiques de la voiture. Il a toutefois mieux apprécié la Passat, justement en raison de son côté plus pratique.

Comme vous pouvez le constater, ce match justifie d'emblée l'utilisation de

«Elle m'a déçu sur le circuit, mais s'est drôlement rachetée par la suite sur la route. Un équilibre extraordinaire, allié à une qualité de construction supérieure et à une finition exemplaire. J'accorde également de bonnes notes au volant.»

Richard Petit

plates-formes semblables pour produire des voitures de personnalité et de comportement différents. La Passat et l'A4 ont plusieurs éléments en commun, mais se démarquent à plusieurs chapitres.

Somme toute, cette Audi est celle qui a suscité le plus d'émotion dans le groupe. La logique en a incité plusieurs à se demander si ça valait le coup de dépenser plusieurs milliers de dollars de plus quand la Passat est plus pratique et abrite la même mécanique. Le fait que l'A4 a remporté la catégorie «choix personnel» fournit une réponse. Les gens qui ont besoin d'une voiture plus pratique vont opter pour la Passat, tandis que les conducteurs plus sportifs et plus fortunés vont rouler en Audi.

Lexus ES300
La qualité d'exécution

Il est certain que la présence de l'Acura TL3,2 en tête de notre classement global va faire des vagues dans le camp Lexus. Cette compagnie est habituée aux premières places et ce n'est pas un quatrième rang qui va lui faire plaisir. À la décharge de l'ES300, il faut souligner que cette voiture est sur le marché depuis au moins trois ans maintenant. En fait, seul le tandem Maxima/Infiniti la devance dans cette course à l'ancienneté. Plus encore, la toute récente ES300 n'est en quelque sorte qu'une version légèrement retouchée côté mécanique et remise au goût du jour sur le plan esthétique.

> «Rendons à César ce qui appartient à César. C'est une saprée bonne voiture et fort élégante en plus. Le choix de ceux qui opteront pour le grand confort et le luxe avant l'agrément de conduite.»
>
> Jacques Duval

Puisque l'Acura TL s'est accaparé pratiquement toutes les premières places dans les différentes catégories, elle n'a laissé que des miettes à ses concurrentes. Ce qui ne signifie pas pour autant que l'ES300 ait été déclassée. Bien au contraire! Elle s'est même permis le luxe de remporter le titre de meilleure chaîne audio et de prendre les devants au classement «sécurité/audio». Par surcroît, elle a cumulé les places d'honneur en figurant parmi les trois premières au classement de presque toutes les catégories.

Comme il fallait s'y attendre de la part d'un produit réalisé sous la coupe de Toyota, la qualité de la finition et de l'assemblage, l'attention apportée aux moindres détails ainsi que la qualité des matériaux sont tous à la hauteur de la bonne réputation de la marque. L'insonorisation de la cabine a toujours été un point fort des produits Lexus. La version présente à notre match ne faisait pas exception à la règle. Au ralenti, elle s'est révélée la plus silencieuse de toutes. Par contre, elle s'est

fait damer le pion par l'Audi A4 et même par la Toyota Camry lorsque la lecture du sonomètre a été effectuée à une vitesse stabilisée de 100 km/h.

Les notes des essayeurs font souvent mention de la qualité de la finition, du confort des sièges, de la douceur du moteur et de l'agrément d'ensemble de cette voiture. Quelqu'un a même souligné qu'elle était parfaite pour traverser le Canada d'un océan à l'autre. Et même si l'ES300 ne possède pas le petit caractère sportif de certaines autres berlines inscrites à ce match, elle se débrouille assez bien en piste et sur la route. Il faut toutefois

> «Une insonorisation à couper le souffle qui permet de goûter encore plus l'excellente qualité sonore de la chaîne audio. Si seulement l'agrément de conduite était moins aseptisé.»
>
> Philippe Laguë

souligner un certain manque d'homogénéité dans ses prestations. Si les performances sont valables, l'agrément de conduite passe au deuxième rang. Par exemple, elle est la deuxième plus rapide sur le 1/4 mille et elle a obtenu la plus courte distance de freinage de tout le groupe. Elle s'est également tirée d'affaire assez honorablement sur la piste, surtout en raison de son caractère très prévisible. Toutefois, les choses se sont gâtées en slalom, alors qu'elle a été reléguée à la sixième place.

Même si elle est étroitement associée à la Camry et si elle coûte plusieurs milliers de dollars de plus, cette Lexus a carrément semé sa sœur cadette. Il semble que le côté plus dépouillé de cette dernière et son tempérament relativement anonyme l'aient fortement pénalisée. D'ailleurs, la Honda Accord a subi plus ou moins le même traitement, même si elle se classe au cinquième rang.

Honda Accord
Ça manque de sel!

C'est l'évidence même. Les voitures qui se retrouvent les quatre dernières au classement général ont souffert de lacunes fort sérieuses. Dans le cas de l'Accord, il faut s'interroger, car elle se fait vraiment écraser par l'Acura, dont elle se rapproche tout de même passablement, du moins en théorie. En fait, cette voiture présente deux lacunes importantes. Dans un premier temps, sa silhouette est presque totalement anonyme. Lorsqu'elle n'est comparée à aucune autre, cette Honda réussit à nous convaincre que cette sobriété est de bon aloi. Malheureusement, une fois garée à côté de plusieurs concurrentes, elle perd nécessaire-

> «La première chose que l'on remarque est la position de conduite désagréable. Ce qui est surprenant de la part d'une compagnie comme Honda qui a des racines sportives. Par contre, les performances sont à la hauteur et le moteur V6 est un bijou.»
>
> **Sylvain Sirois**

ment des points en raison de ce manque de relief visuel. Et la même remarque s'applique à l'habitacle et au tableau de bord qui n'ont pas tellement convaincu les gens par leur élégance.

Dans un second temps, l'Accord est affublée d'une direction vraiment très légère sur la route qui devient excessivement ferme en slalom. Ce qui lui fait perdre des points encore une fois. Mais là où ça se détériore davantage, c'est lorsqu'on constate que cette même direction n'a pas été en mesure de suivre le rythme du slalom. Son temps a été vraiment supérieur aux autres, tout simplement parce que Claude Carrière, le responsable de cet exercice, n'arrivait pas à tourner le volant rapidement, tant l'effort nécessaire était grand. Et il ne s'agit pas d'un incident de parcours. Dans le cadre de la présentation de la Buick Century / Regal 1999, la division Buick a organisé un slalom plutôt facile et la direction de l'Accord nous a donné à nouveau l'impression de piloter un camion chargé de billes de bois.

C'est dommage, car le moteur V6 de l'Accord est l'un des meilleurs de sa catégorie et la boîte automatique est exemplaire. En fait, l'Accord a décroché la palme dans la catégorie des performances mesurées en remportant assez facilement les tests d'accélération et de freinage. Par contre, la tenue de route était handicapée par des pneumatiques vraiment très glissants qui ont pénalisé sa tenue en piste en plus de crisser à la moindre occasion. Ce sont ces inégalités, ces crêtes d'excellence et de médiocrité qui l'ont reléguée au cinquième rang. Détail digne de mention, la quasi-totalité des essayeurs ont critiqué

> «Encore une fois, Honda a réuni les éléments pour créer une voiture vouée au succès. Spacieuse, sobre, puissante, agréable à conduire et surtout abordable.»
>
> **Antoine Joubert**

sa position de conduite étriquée de même que le confort très moyen qu'offrent les sièges.

Malgré tout, il s'agit d'une voiture sérieuse, dont la fiabilité ne fera jamais défaut et qui offre tout de même un bon rapport qualité-performances-prix. Malheureusement, la voiture manque de relief et de personnalité. Ce qui ne l'empêche pas de terminer au deuxième rang parmi les versions plus économiques, alors qu'elle surclasse ses rivales de toujours, la Toyota Camry et la Nissan Maxima.

Il est ironique que l'Accord se fasse moucher par l'Acura TL. Pourtant, lors du lancement de la nouvelle Accord V6 l'an dernier, plusieurs la voyaient déjà comme l'ennemie numéro un de la TL de l'époque. Ce qui était vrai jusqu'à ce qu'Acura fasse ses devoirs et révise la TL à la hausse.

Infiniti I30
Elle sauve l'honneur de Nissan

Sans vouloir chercher d'excuses à ce manufacturier japonais, soulignons que les Nissan Maxima et Infiniti I30 sont les modèles qui ont le plus d'ancienneté dans ce match. Qui plus est, la révision de la Maxima effectuée il y a quelques années n'a pas été tellement en profondeur, puisqu'on s'est contenté de modifier quelques éléments visuels. Curieusement, le palmarès du match se décline pratiquement en tenant compte des dates d'apparition sur le marché, la TL et la Passat V6 étant les plus jeunes.

Même si la Maxima et l'I30 étaient les modèles les plus similaires, la version la

«Voilà une japonaise offrant la finition d'une américaine. La suspension arrière est sèche pour une voiture de luxe. De plus, elle manque d'adhérence sur chaussée dégradée.»
Richard Sigouin

plus huppée s'est démarquée. Les gens ont davantage apprécié la qualité de la présentation intérieure et sa finition plus soignée. Les quelques changements apportés à la carrosserie permettent de lui donner un peu plus de caractère sur le plan visuel.

La précision de la direction de cette berline a également été bien notée de même que son impressionnant moteur V6, dont les performances sont à souligner. Et cette berline aux allures de «voiture de papy» ne s'est pas laissée intimider dans l'épreuve du slalom en se classant parmi les quatre premières. D'ailleurs, aussi bien sur la piste que sur les routes en périphérie du circuit de Sanair, cette Maxima en tenue de gala a fait valoir ses qualités routières. En piste, elle était l'une des plus prévisibles et des plus faciles à piloter. Dotée de pneumatiques et de réglages de la suspension surtout établis en fonction du confort, cette voiture pourrait être facilement transformée en berline sport par l'intermédiaire de pneumatiques plus accrocheurs et d'amortisseurs plus efficaces.

Comme il fallait s'y attendre, plusieurs ont trouvé que la facture était passablement corsée pour une version mieux finie et plus luxueuse de la Maxima. C'est probablement le seul tandem qui s'est fait reprocher sa trop grande similitude.

En fait, si l'I30 se classe au sixième rang, c'est tout simplement que sa conception et sa présentation sont plus vieillottes que celles des autres voitures. Le brio de son moteur et son agrément de conduite ne peuvent compenser pour une présentation d'ensemble qui a de la difficulté à masquer des origines plus lointaines que celles de la majorité du groupe.

«Il est difficile de justifier la différence de prix entre l'Infiniti et la Maxima. Il est recommandé d'acheter l'Infiniti en solde, à moins de tenir mordicus à l'expérience Infiniti chez le concessionnaire.»
Claude Carrière

Enfin, en dépit de son brio sur la route, plusieurs essayeurs ont déploré la sécheresse de la suspension arrière. Plusieurs étaient tentés de blâmer l'essieu rigide pour cet état de fait. Cependant, la nouvelle G20 introduite cette année possède cette configuration, tout en étant nettement plus confortable. Sans vouloir jouer les experts, des amortisseurs plus appropriés et une révision de la géométrie du train arrière viendraient probablement régler le problème.

Enfin, comme le soulignait un des essayeurs, l'I30 a du caractère et une personnalité plus marquée que la Honda Accord et la Toyota Camry. C'est déjà ça de gagné.

Toyota Camry
La première de classe se fait tabasser

L'une des grandes surprises de ce match est le classement de la Camry. En effet, cette voiture reconnue pour sa fiabilité et sa qualité d'assemblage avait fait la leçon à trois berlines nord-américaines dans le cadre d'un match États-Unis contre Japon paru dans l'édition 1998 du *Guide*. Cette fois, c'est une tout autre histoire. En fait, si on ne tient compte que du classement des voitures de prix plus abordable, elle termine troisième sur quatre derrière l'impressionnante Passat et une Honda Accord V6 totalement revue et corrigée l'an dernier. Encore là, il semble que les versions les plus

«La voiture sans histoire, point.»
Jacques Duval

récentes aient eu préséance sur la Camry, un modèle dévoilé plusieurs mois plut tôt.

Comme il se doit, cette Toyota se classe parmi les meilleures en termes de qualité d'assemblage et de fabrication. Par contre, elle se fait devancer à ce chapitre par les Acura TL et Audi A4, deux voitures de catégorie supérieure. À prix égal, la Camry continue d'exercer sa suprématie en la matière.

Son moteur V6 3,0 litres est d'une douceur remarquable et il devrait en supplanter plusieurs autres en ce qui concerne la longévité et la fiabilité. Par contre, ses performances se situent dans la bonne moyenne, sans plus. D'ailleurs, si la Camry ne se classe pas à un échelon plus élevé dans ce match, c'est justement parce qu'elle se contente d'être une élève douée et appliquée. Contrairement à la Passat ou à l'Acura TL, elle n'est pas surdouée. De plus, elle est dotée d'un tempérament soporifique qui lui a fait perdre bien des points par rapport à des voitures à l'agrément de conduite plus élevé.

Détail intéressant, lorsque la Camry a été révisée en 1997, la compagnie a souligné qu'elle avait fait l'impossible pour réduire les coûts de production sans que le comportement de la voiture soit affecté. S'il est vrai que la Camry se comporte toujours avec assurance, certains détails destinés à réduire les coûts viennent la hanter dans ce match. Par exemple, elle a certainement perdu des points à cause de son habitacle, dont la présentation laisse à désirer. De plus, son manque évident de personnalité ne l'a pas tellement privilégiée. Les essayeurs l'ont classée au septième rang

«Quand la raison l'emporte sur la passion. Qualité de construction et bonne motorisation: voilà son portrait en peu de mots.»
Richard Petit

quant à leur choix personnel parmi l'ensemble des huit voitures.

Bref, les qualités qui permettent à la Camry de se démarquer dans sa catégorie et de constituer un choix logique ne suffisent pas à l'avantager outre mesure lorsqu'on la compare à d'autres véhicules à la personnalité plus pointue. Moyenne en slalom, faible en agrément de conduite, elle se contente de dominer le classement de l'insonorisation, une victoire qui ne fait rien pour lui donner du caractère.

Si elle termine troisième dans la classe, c'est tout simplement que l'Accord est plus homogène, tandis que la Passat les surclasse par son brio et ses qualités pratiques. Malgré tout, elle va continuer de faire un malheur sur le marché en raison de son incroyable fiabilité, associée à une conduite équilibrée qui la fait apprécier au fil des jours, des mois et des années.

Nissan Maxima
Trahie par sa réputation

L'odieux de jouer le rôle de lanterne rouge revient à la Nissan Maxima qui se fait devancer de quelques poussières par la Toyota Camry. Sous cet angle, il s'agit d'une défaite fort honorable. Par contre, devant cette brochette d'adversaires de grande qualité, la Nissan doit s'avouer vaincue. La doyenne de toutes les voitures présentes à ce match, elle a surtout été handicapée par une présentation qui a de plus en plus de difficulté à masquer ses origines plutôt anciennes. D'ailleurs, si l'Infiniti I30 la devance de deux rangs et par plusieurs points, c'est tout simplement parce que la présentation intérieure et

«Pas mauvaise en piste, elle tire son épingle du jeu en maniabilité et en tenue de route. Par contre, à la fin de la journée, elle semblait être celle qui avait le plus souffert.»

Philippe Laguë

extérieure de cette version plus bourgeoise est plus relevée.

Il faut de plus ajouter que la qualité du plastique utilisé pour l'habitacle de même que la présentation générale du tableau de bord ne sont pas de nature à améliorer la position de cette Nissan au classement général. D'ailleurs, Nissan est probablement d'accord avec le jugement de notre équipe d'essayeurs, car la compagnie a déjà annoncé qu'une toute nouvelle Maxima serait commercialisée au plus tard en 2001, si ce n'est pas avant.

En dépit de sa présentation trop modeste et de sa silhouette pépère, cette japonaise partageait avec l'I30 l'un des meilleurs moteurs du groupe. Performant à tous les régimes, silencieux et ne lésinant pas au moment des reprises, ce V6 3,0 litres permet à la Maxima de se démarquer tant au chapitre des performances que du comportement routier. Sa deuxième position dans le slalom donne une bonne idée de l'équilibre général de cette voiture. Comme chez presque toutes

les berlines inscrites à ce match, les pneumatiques sont de qualité plutôt moyenne et un meilleur choix permettrait d'améliorer l'agrément de conduite. Malgré cet équipement quelque peu décevant, la Maxima s'est révélée l'une des plus intéressantes en piste.

Sans vouloir lui trouver des excuses pour justifier sa huitième place, il est certain qu'une version plus cossue aurait peut-être permis de grappiller quelques points supplémentaires. Malgré cela, il est tout à fait normal que la voiture qui est sur le marché depuis plus longtemps soit désavantagée par rapport à des modèles qui viennent à

«Une bonne voiture qui a mal vieilli. Il ne faut pas ridiculiser son essieu arrière rigide qui lui donne le deuxième meilleur temps en slalom et un comportement solide sur piste.»

Jacques Duval

peine de faire leur entrée. Et si l'I30 la devance, c'est tout simplement qu'il s'agit d'une version plus récente et plus raffinée de la Maxima. Il faut se souvenir que l'I30 est arrivée plusieurs mois après que la Maxima s'est refait une beauté en 1995. De nos jours, quatre ans, c'est une véritable éternité dans un marché sans cesse en évolution où les nouveautés se succèdent à un rythme infernal.

Cette Nissan a au moins la consolation de terminer presque à égalité avec la Toyota Camry, sa grande rivale de toujours. Et puisque la Nissan privilégie davantage l'agrément de conduite, elle aura plut d'attrait pour les personnes à la recherche d'une berline spacieuse, mais qui leur offre aussi du plaisir.

Ouf! c'est fini

Le temps est venu de mettre un terme à l'un des matchs les plus complexes jamais organisés par le *Guide*. Si les résultats sont parfois surprenants, il est possible de déceler deux points forts. Dans un premier temps, les voitures plus cossues semblent justifier leur prix plus corsé, puisque trois des quatre premières voitures au classement général appartiennent à cette catégorie. Les producteurs ont réussi à intégrer des différences marquées entre des voitures partageant les mêmes organes mécaniques. De plus, il semble que le prestige d'une marque ou d'un modèle en particulier soit un facteur qui a son influence.

Dans un deuxième temps, on remarque que les voitures de conception plus récente ont décroché les places d'honneur. En fait, le classement général est presque en harmonie totale avec les dates d'introduction des modèles inscrits à ce match. La plus récente a remporté les grands honneurs, tandis que la plus ancienne s'est retrouvée en huitième place.

Enfin, si ce match est le premier du genre, il faudra probablement en réaliser d'autres au fil des années, car les manufacturiers ont tous annoncé leur intention de développer une gamme de plus en plus variée de voitures, développées à partir d'un minimum de plates-formes. En attendant, contentons-nous de digérer cette première initiative!

Classement des essayeurs

Classement général:

1. Audi A4

2. Acura TL3,2

3. VW Passat

4. Lexus ES300

5. Honda Accord

6. Infiniti I30

7. Toyota Camry

8. Nissan Maxima

Classement par catégorie:

1. Audi A4

2. Acura TL3,2

3. Lexus ES300

4. Infiniti I30

1. VW Passat

2. Toyota Camry

3. Honda Accord

4. Nissan Maxima

		1re place	2e place	3e place
		Acura TL3,2	VW Passat	Audi A4
Esthétique	40 points			
Extérieur	10	8,5	8,5	9,0
Intérieur	10	8,5	8,6	8,0
Finition ext.	10	8,8	8,0	9,1
Finition int.	10	9,2	8,3	9,6
	Total:	35,0	33,4	35,7
Accessoires	40 points			
Nombre et commodité	10	9,0	7,7	8,3
Espaces de rangement	10	8,8	7,6	7,7
Instruments/commandes	10	9,0	8,0	8,8
Ventilation/chauffage	10	8,9	8,4	8,5
	Total:	35,7	31,7	33,3
Carrosserie	40 points			
Accès/Espace avant	10	13,2	12,9	12,7
Accès/Espace arrière	10	12,7	14,0	11,0
Coffre: accès et volume	10	4,0	4,5	3,0
Accès mécanique	10	4,0	2,5	2,5
	Total:	33,9	33,9	29,2
Confort	40 points			
Suspension	10	9,2	8,9	8,9
Niveau sonore	10	9,0	10,0	7,9
Sièges	10	8,5	8,9	8,9
Position de conduite	10	8,0	8,5	8,5
	Total:	34,7	36,3	34,2
Moteur / Transmission	40 points			
Rendement	15	14,0	14,0	13,5
Performances	15	14,3	12,5	12,5
Sélecteur de vitesses	5	3,0	4,0	4,0
Passage des vitesse	5	4,5	4,0	4,0
	Total:	35,8	34,5	34,0
Comportement routier	50 points			
Tenue de route	20	18,2	17,0	17,7
Direction	15	14,0	13,5	14,0
Freins	15	14,0	14,0	13,5
	Total:	46,2	44,5	45,2
Sécurité / Audio	30 points			
Coussins de sécurité	5	2,5	5,0	5,0
Système audio	10	8,0	7,0	7,0
Visibilité	10	8,5	8,0	8,0
Rétroviseurs	5	5,0	4,0	4,0
	Total:	24,0	24,0	24,0
Performances mesurées	50 points			
1/4 mille	10	10,0	7,5	7,5
Accélération	20	19,0	16,5	17,0
Freinage	20	18,0	18,5	19,0
	Total:	47,0	42,5	43,5
Autres classements	70 points			
Espace pour bagages	10	8,5	10,0	9,5
Choix des essayeurs	50	49,0	48,0	50,0
Prix	10	8,0	8,5	8,0
	Total:	65,5	66,5	67,5
Classement final	400 points	357,8	347,3	346,6

4re place	5e place	6e place	7e place	8e place
Lexus ES300	Honda Accord	Infiniti I30	Toyota Camry	Nissan Maxima
8,0	7,0	7,1	7,0	7,0
8,5	8,0	8,2	7,4	7,0
8,8	8,1	8,3	8,2	7,8
8,8	8,2	8,5	7,8	7,4
34,1	31,3	32,1	30,4	29,2
8,6	8,3	8,2	7,9	7,6
8,4	8,5	8,3	7,8	7,3
8,5	8,7	8,2	7,7	8,6
8,6	8,6	8,5	9,5	7,4
34,1	34,1	33,2	32,9	30,9
13,3	12,8	13,2	13,0	13,4
12,7	13,1	13,5	12,8	13,1
3,5	4,0	3,5	3,5	3,5
2,5	4,0	3,0	2,5	3,0
32,0	33,9	33,2	31,8	33,0
8,5	8,4	7,8	8,0	7,5
9,0	8,0	8,5	9,5	8,0
8,3	7,2	8,3	7,8	7,9
8,0	7,0	8,0	8,0	8,0
33,8	30,6	32,6	33,3	31,4
13,5	13,0	14,0	13,5	14,0
12,9	13,6	12,9	12,1	12,6
3,5	3,5	3,5	3,5	3,5
4,5	4,5	4,0	4,5	4,5
34,4	34,6	34,4	33,6	34,6
16,5	16,7	17,2	16,4	16,8
13,0	13,5	14,3	13,0	14,0
13,0	13,0	13,0	13,5	13,0
42,5	43,2	44,5	42,9	43,8
5,0	2,5	2,5	2,5	2,5
10,0	7,0	8,0	7,0	8,0
7,0	8,0	7,0	7,5	7,5
4,0	5,0	3,5	4,0	3,5
26,0	22,5	21,0	21,0	21,5
9,0	8,5	8,5	8,0	8,0
18,0	20,0	18,5	17,5	19,5
19,5	20,0	17,0	17,5	16,5
46,5	48,5	44,0	43,0	44
7,5	8,0	9,0	7,5	9,0
47,0	46,0	45,0	44,0	43,0
7,5	10,0	8,0	9,5	9,0
62,0	64,0	62,0	61,0	61,0
345,4	342,7	337,0	329,9	329,4

	Vitesse	¼ mille Temps	Freinage 100-0	Slalom
Acura TL3,2	129 km/h	16,20 secondes	40,23 mètres	26,40 secondes
VW Passat	140 km/h	17,04 secondes	39,8 mètres	24,94 secondes
Audi A4	137 km/h	17,54 secondes	39,6 mètres	24,52 secondes
Lexus ES300	136 km/h	16,42 secondes	37,18 mètres	26,26 secondes
Honda Accord	137 km/h	16,62 secondes	37,18 mètres	28,30 secondes
Infiniti I30	129 km/h	16,66 secondes	42,28 mètres	25,59 secondes
Toyota Camry	128 km/h	16,68 secondes	40,23 mètres	26,10 secondes
Nissan Maxima	130 km/h	16,68 secondes	41,30 mètres	24,90 secondes

l'automobile selon Michel Barrette
le match des roadsters rétro Panoz contre Prowler
Fidomobile: la machine à voyager dans le temps
l'automobile selon Michel Barrette
le match des roadsters rétro Panoz contre Prowler
Fidomobile: la machine à voyager dans le temps
l'automobile selon Michel Barrette
le match des roadsters rétro Panoz contre Prowler
Fidomobile: la machine à voyager dans le temps
l'automobile selon Michel Barrette
le match des roadsters rétro Panoz contre Prowler
Fidomobile: la machine à voyager dans le temps
l'automobile selon Michel Barrette
le match des roadsters rétro Panoz contre Prowler
Fidomobile: la machine à voyager dans le temps
l'automobile selon Michel Barrette
le match des roadsters rétro Panoz contre Prowler
Fidomobile: la machine à voyager dans le temps
l'automobile selon Michel Barrette
le match des roadsters rétro Panoz contre Prowler
Fidomobile: la machine à voyager dans le temps
l'automobile selon Michel Barrette
le match des roadsters rétro Panoz contre Prowler
Fidomobile: la machine à voyager dans le temps
l'automobile selon Michel Barrette
le match des roadsters rétro Panoz contre Prowler
Fidomobile: la machine à voyager dans le temps
l'automobile selon Michel Barrette
le match des roadsters rétro Panoz contre Prowler
Fidomobile: la machine à voyager dans le temps
l'automobile selon Michel Barrette
le match des roadsters rétro Panoz contre Prowler
Fidomobile: la machine à voyager dans le temps
l'automobile selon Michel Barrette
le match des roadsters rétro Panoz contre Prowler
Fidomobile: la machine à voyager dans le temps
l'automobile selon Michel Barrette
le match des roadsters rétro Panoz contre Prowler
Fidomobile: la machine à voyager dans le temps
l'automobile selon Michel Barrette
le match des roadsters rétro Panoz contre Prowler
Fidomobile: la machine à voyager dans le temps
l'automobile selon Michel Barrette
le match des roadsters rétro Panoz contre Prowler
Fidomobile: la machine à voyager dans le temps
l'automobile selon Michel Barrette
le match des roadsters rétro Panoz contre Prowler
Fidomobile: la machine à voyager dans le temps
l'automobile selon Michel Barrette
le match des roadsters rétro Panoz contre Prowler
Fidomobile: la machine à voyager dans le temps
l'automobile selon Michel Barrette
le match des roadsters rétro Panoz contre Prowler
Fidomobile: la machine à voyager dans le temps

les essais spéciaux

L'automobile selon Michel
Barrette

Depuis le temps que l'on raconte que le comédien et humoriste Michel Barrette est un passionné d'automobiles ou, comme on dit chez nous, un «gars de chars», le moment était venu d'en faire la preuve. Et l'instrument de cette preuve ne pouvait être rien d'autre que *Le Guide de l'auto*. Car, comme le raconte lui-même le principal intéressé, c'est ce livre annuel qui est en grande partie à l'origine de son amour démesuré pour tout ce qui roule et qui fait beaucoup de bruit.

«Rien ne me faisait autant capoter que de te voir faire crisser les pneus des grosses bagnoles américaines des années 60 et 70 dans ton émission *Prenez le volant* à la télévision de Radio-Canada», me confie Michel Barrette en conduisant sa très chromée Oldsmobile Super 88 Holiday 1956 sur la petite route étroite qui fait face à sa maison-musée de Saint-Jean-Baptiste-de-Rouville. Le

créateur du défunt Hi-Ha Tremblay était un fan de *Prenez le volant* et, par conséquent, du *Guide de l'auto,* dont la première édition en 1967 était le recueil intégral des essais automobiles d'abord présentés à la télévision. Et ce ne sont pas là des paroles en l'air enrobées de flatterie, comme j'ai pu le constater à maintes reprises. Il y a une dizaine d'années, lors d'une rencontre sur un plateau de télévision, Michel m'avait raconté qu'il entretenait une telle admiration pour *Le Guide de l'auto* qu'il avait pratiquement appris par cœur tout le contenu de l'édition 1971. Il m'en avait cité de longs passages en terminant par une boutade bien de son cru, stipulant que j'avais écrit que le seul défaut de la BMW 2002 était de ne pas posséder un petit crochet porte-manteau à l'arrière, alors que la seule qualité de la Lada, essayée plus tard, était justement de posséder ce fameux petit appendice.

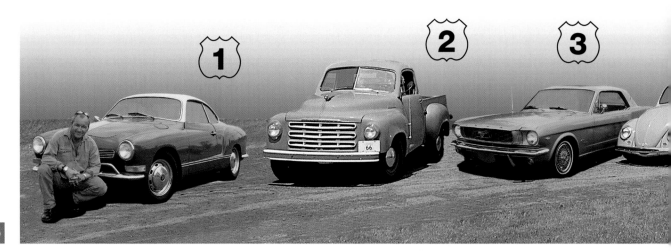

L'influence du grand-père

Né en 1957, Michel Barrette avait autour de 10 ans quand il a attrapé la maladie de son grand-père pour les voitures. Son père a bien tenté de le guérir de ce qu'il considérait comme une grave affliction, mais c'est finalement le vieil homme, avec ses balades à toute vitesse – qu'il chronométrait – dans la région de Jonquière, qui a eu le plus d'influence sur son petit-fils. «Grand-papa était de ceux qui voulaient faire une course avec tout le monde et sa devise était: "Le pied dans le fond"», se rappelle le populaire comédien.

Au moment où Michel Barrette dévorait *Le Guide de l'auto*, il roulait en vélo CCM 2 vitesses et rêvait du jour où il pourrait s'offrir la rutilante Pontiac Trans Am blanche à barres bleues qui ornait la couverture. «J'étais tellement maniaque, avoue-t-il, que je m'inventais des essais de bicyclettes que je répétais dans ma tête à la manière de *Prenez le volant*.» Sa Trans Am de rêve, il l'a finalement eue, mais il a commis l'erreur de la revendre et c'est la voiture qu'il regrette le plus aujourd'hui quand il fait l'inventaire des quelque 75 autos et camions, dont il a été ou est encore propriétaire. Michel Barrette, on le constate, ne fait pas que parler de voitures, il en consomme une bonne quantité.

Prowler et cie

Outre l'Oldsmobile 1956 2 portes *hard-top* [voiture 7] mentionnée plus haut, sa collection actuelle comprend une Chrysler 300 1966 [voiture 8], une Camaro Z28 1971 [voiture 9], une Buick Grand National 1987, une Karmann-Ghia [voiture 1] et une MGB 71, une camionnette Studebaker 1950 [voiture 2], une Volkswagen Beetle 1966 «California look» [voiture 4], une Envoy Epic 1967 [voiture 6], une Ford Mustang 1966 [voiture 3] et, bien sûr, cette célèbre Plymouth Prowler mauve [voiture 5] dans laquelle on l'a vu un peu partout l'été dernier. Ce modèle est en quelque sorte le parfait symbole de tout ce qui le fascine dans l'automobiile. Michel a un profond attachement pour les choses d'hier et, tout particulièrement, pour ce qui lui rappelle sa jeunesse. Un roadster comme la Plymouth Prowler évoquant la belle époque des *hot-rods* des années 50 ne pouvait faire autrement que trouver une place de choix dans son cœur.

Lorsque je me suis étonné de l'absence de voitures dites «exotiques» dans sa collection, Michel Barrette a bien résumé le fondement de sa passion pour l'automobile. «Pour moi, une auto doit correspondre à une tranche de vie, de ma vie. Elle doit évoquer des souvenirs, des moments particuliers que j'ai vécus», de préciser le plus célèbre de nos collectionneurs. «Je ne me sens pas attiré par les exotiques; pour moi il n'y a pas de nostalgie chez elles et, de toute manière, je n'ai pas les moyens de me les offrir.» Pour Michel Barrette, les voitures anciennes sont comme des flashs qui explosent dans la mémoire. Il faut l'entendre raconter l'histoire de chacune des voitures qu'il a en sa possession. La plus tricotée est celle de la MGB 71 qu'il a achetée à Alma en copropriété en revenant de France au milieu des années 70. «Si cette voiture pouvait parler, elle en aurait des choses à raconter», dit-il. Il l'a partagée au rythme d'un été chacun avec son grand ami Marcel Gagnon jusqu'à ce que celui-ci lui revende sa part il y a peu de temps à la naissance de son dernier enfant.

Une de ses récentes acquisitions, la Chrysler 300 1966 à moteur 383 («4 barils», précise Michel) lui rappelle les frasques de son grand-père qui est toujours resté loyal à la marque, comme on l'était dans le temps. D'ailleurs, la première auto dans laquelle Michel Barrette a mis les pieds était une Dodge 1956 Custom Royale. Et il y a quelques années, il a failli flanquer une crise cardiaque à son père lorsqu'il lui a présenté un modèle absolument identique à l'ancienne voiture familiale.

À propos de l'Oldsmobile 1956, Michel raconte avec force détails comment il avait d'abord payé cette voiture 50 $ en 1974. «Elle n'était pas à vendre et un proche du propriétaire s'était payé ma tête en me faisant croire que je pouvais l'acheter pour 50 $. Quand je me suis rendu compte qu'on riait de moi, je me suis mis à pleurer et l'on a eu pitié de moi. Mon père, par contre, ne l'avait pas trouvée drôle et j'ai finalement revendu la voiture. J'en ai racheté une semblable l'an dernier. C'est une Holiday 88 2 portes *hard-top* turquoise et blanc comme l'originale, sauf que cette fois elle m'a coûté 20 000 $ au lieu de 50 $.»

Fou de vitesse, Michel Barrette a évidemment un faible pour les voitures américaines datant de l'époque où la puissance brute avait préséance sur tout. Qu'importe les pneus, la suspension ou les freins... à condition qu'il y ait un gros V8 plein de couple sous le capot. Sa Camaro Z-28 1971 est non seulement un beau clin d'œil à la glorieuse époque des *pony-cars,* mais aussi la voiture la plus performante de sa collection. Le moteur d'origine, un V8 de 5,7 litres déjà en très bonne forme, a été modifié et développe désormais 450 chevaux au lieu de 255. Michel se souvient qu'en 1977, au moment où il était dans l'armée, il conduisait une modeste Coccinelle, mais rêvait de la Camaro de son beau-frère. Il s'était dit qu'un jour, il achèterait la plus performante des Camaro, la Z-28, et c'est maintenant chose faite.

Un accident mémorable

Sa Buick Grand National 1987 est l'aboutissement d'un chapitre de sa vie qui aurait pu mal se terminer. Au volant d'une Buick Century Grand Sport, Michel a été victime de son plus grave accident, un face-à-face, à Beloeil en 1986. Il avait remplacé cette «perte totale» par une Pontiac Firebird Trans Am toute neuve qui se révéla une authentique poubelle. Trois mois plus tard, un concessionnaire un peu naïf, ignorant la piètre condition de sa Trans Am avait accepté de la reprendre contre la seule et unique Buick Grand National qui trônait dans la salle de montre. «C'est peut-être la seule fois où j'ai volé un concessionnaire», d'affirmer le comédien.

Des amours de Coccinelle

Les seules voitures étrangères qui fascinent Michel Barrette sont les Coccinelle et leurs dérivés. Sans doute parce qu'elles ont joué un rôle important dans sa vie, il est amoureux de ces anciennes Volkswagen et leur a toujours consacré une place de choix dans sa collection. Et celles-ci le rendent très volubile...

En 1974, sa première voiture fut une Coccinelle très usagée qu'il avait achetée dans un banc de neige pour 100 $. «Il n'y avait pas de sièges dans la voiture», ironise Michel, et j'étais assis sur une caisse de Pepsi pendant que ma blonde était couchée sur le plancher. L'indicateur de vitesse s'arrêtait à 80 milles à l'heure et j'étais déterminé à profiter de toutes les côtes du Lac-Saint-Jean pour atteindre cette vitesse magique. Quand j'y suis arrivé, le concessionnaire du coin m'a offert en cadeau un speedomètre de Super Beetle qui, lui, était calibré jusqu'à 90 milles à l'heure. La voiture a fini sa carrière en même temps qu'un orignal rencontré à 90 milles à l'heure dans le parc des Laurentides.»

La Karmann-Ghia, pour sa part, représentait le rêve de tout amateur de Volkswagen qui n'avait pas les moyens de s'acheter une Porsche.

Quant à l'Envoy Epic 67 bardée du numéro 7 que l'on peut apercevoir sur nos photos, c'est un joujou qu'il a voulu offrir à son fils Martin pour son septième anniversaire, bien entendu. Et sur les genoux de son père, Martin s'est déjà offert quelques dérapages contrôlés dans les sentiers du verger situé derrière la propriété des Barrette. Finalement, le camion Studebaker 1950, le préféré de sa compagne, Chantal, a été acheté à un voisin qui l'avait lui-même acheté pour le revendre à Michel.

Le rêve de Michel Barrette est de posséder une auto et une moto de chacune des cinq dernières décennies. Il a d'ailleurs pratiquement complété sa collection avec, notamment, une moto BSA Firebird Scrambler 650 1968, dont seulement 250 exemplaires ont été construits. Il a aussi fait l'acquisition de deux Kawasaki, une KZ LTD 900 1976 et une 1000 J de 1981. Les années 90 sont représentées par une Yamaha V Max 1200 cm^3 qu'il a fait peindre de la même couleur (mauve) que sa Prowler. Il ne lui manque pour l'instant qu'une représentante des années 50.

Un musée au sous-sol

S'il est aussi bien documenté sur les voitures ou les motos d'hier et d'aujourd'hui, c'est que la passion de Michel Barrette ne se limite pas aux véhicules, mais aussi à tout ce qui lui permet d'en savoir plus à leur sujet. Il faut voir son sous-sol rempli de cartables dans lesquels s'alignent pas moins de 11 000 magazines, livres, journaux ou fascicules, en plus de divers objets ou colifichets reliés au monde de l'automobile. Tout est répertorié sur des fiches permettant de retrouver, par exemple, tous les essais routiers publiés sur la Dodge Charger Daytona de 1969 ou la Ford Mustang originale. La collection complète des éditions du *Guide de l'auto* figure en bonne place, tout comme une petite bouteille de champagne autographiée par Jacques Villeneuve après sa victoire aux 500 milles d'Indianapolis (à laquelle Michel Barrette avait assisté) et la fameuse table à café Viper mise à l'encan lors du lancement du dernier *Guide de l'auto.* Fabriquée avec l'un des pneus Michelin Pilot ayant chaussé la Viper GTS avec laquelle nous avons roulé à 299,7 km/h l'an dernier, cette table a été achetée par Michel Barrette et les profits ont été remis à une œuvre de charité.

Comme on peut le constater, le fanatisme de Michel Barrette pour l'automobile n'est pas de la frime, ni un stunt publicitaire. S'il conduit une Prowler, ce n'est pas pour se faire voir, mais parce qu'il aime rouler, et vite de préférence. Et j'avouerai, avant de mettre le point final à cet article, que le succès du *Guide de l'auto* est en grande partie attribuable à des passionnés comme lui qui, en scrutant notre travail, nous incitent chaque année à parler d'automobile autant avec le cœur qu'avec la raison. Entre passionnés, on finit par se comprendre... Bonne route, Michel!

Selon Michel Barrette, la fiction dépasse presque la réalité lorsqu'il fait de la course automobile sur un jeu vidéo ultra sophistiqué.

Au sous-sol de sa maison-musée, Michel Barrette a réuni une impressionnante quantité de livres, magazines et souvenirs, sans oublier une collection de voitures miniatures

Lecteur assidu du *Guide de l'auto* depuis sa première année de parution, Michel Barrette possède chacune des 33 éditions du *Guide* publiées à ce jour et même un rare exemplaire relié de l'édition originale de 1967

Michel au volant de sa Chrysler 300 1966, la marque préférée de son grand-père, à qui il doit sa passion pour l'automobile

Michel Barrette avait assisté à la victoire de Jacques Villeneuve aux 500 milles d'Indianapolis en 1995. En souvenir, le populaire coureur lui avait remis cette bouteille de vin autographiée

Michel dans son fauteuil (art déco) préféré à côté de la table à café fabriquée avec l'un des pneus de la Dodge Viper avec laquelle *Le Guide de l'auto* a fracassé le record de vitesse du Centre d'Essais de Blainville l'an dernier

Le match des roadsters rétro
Panoz contre

Ne serait-ce que pour l'avoir vue à la télévision, dans les salons de l'auto, dans les pages de ce livre ou avec Michel Barrette à son volant, on connaît assez bien la Plymouth Prowler, cette excentricité sortie de l'imagination furibonde des ingénieurs de Chrysler. Même si elle l'a précédée de quelques années, la Panoz AIV n'a pas reçu la même attention médiatique et, conséquemment, est loin d'avoir la même notoriété. Bien sûr, ceux qui suivent le monde de l'automobile pas à pas connaissent ce sympathique roadster, une des douces folies de Don Panoz, un richissime entrepreneur américain qui investit son argent dans ses rêves plutôt qu'à Wall Street.

Pour les non-initiés, précisons que ce visionnaire détient notamment le brevet du timbre à la nicotine utilisé pour le sevrage de la cigarette et qu'en plus d'avoir un faible pour la culture française, il se passionne pour l'automobile. Résultat: un château style 17e siècle en plein cœur de la Géorgie, un vignoble (Château Elan) tout autour, une piste de course (Road Atlanta) à deux pas et, à la porte voisine, une petite usine automobile qui ressemble sans doute à ce qu'était Ferrari à ses débuts. Bienvenue dans l'univers de Don Panoz.

Sans des hommes de sa trempe, l'automobile ne serait pas cette fascinante industrie qui suscite autant de passions. Avant lui, il y a

Prowler

eu les Enzo Ferrari, Ferrucio Lamborghini, Alessandro DeTomaso et un tas d'autres fous des voitures d'exception qui ont investi vie et fortune à créer des marques en marge de la grande série. Pour eux, il n'était pas question de concurrencer Chevrolet, Ford, Fiat ou Volkswagen, mais plutôt de faire rouler un rêve.

Rencontre à Road Atlanta

Dans le cas qui nous intéresse, ce rêve s'appelle Panoz AIV. Ce roadster à l'allure rétro se situe à mi-chemin entre la suprêmement agile Lotus 7 et la terriblement rapide Cobra, deux symboles de haute performance des années 60. Par son style un peu *hot-rod*

et ses caractéristiques, c'est indéniablement ce qui se rapproche le plus de la Plymouth Prowler. D'où ce match comparatif inédit que *Le Guide de l'auto* a orchestré sur la piste de Road Atlanta et les routes avoisinantes de la Géorgie.

Une petite firme aux moyens restreints, bien qu'impressionnants, peut-elle envisager de faire la lutte à un des plus grands constructeurs automobiles du monde? Don Panoz y croit fermement, mais il y a quelquefois loin du rêve à la réalité. Une confrontation Prowler/Panoz allait nous permettre de répondre objectivement à cette question et de départager les deux rivales. Voyons d'abord les coordonnées de chacune…

Rendez-vous à Road Atlanta

Sophistiquée, la Panoz

Si ces voitures évoquent les *hot-rods* des années 50, leur méthode de construction et leur mécanique font appel aux solutions modernes. C'est aussi vrai pour la Prowler que pour la Panoz. La sophistication de cette dernière se cache derrière les trois lettres «AIV» qui suivent son appellation. Elles signifient «Aluminium Intensive Vehicle» et le terme n'est pas usurpé quand on sait que 70 p. 100 du poids de la voiture est attribuable à ses composantes en aluminium. Le châssis tubulaire est notamment fabriqué de 4 poutrelles en profilés d'aluminium extrudés, selon une méthode mise au point par Alumax Canada et qui n'est pas sans rappeler celle utilisée par Audi pour l'A8. Il est combiné à un cadre de renfort aussi construit en aluminium. La structure complète est ensuite assemblée au moyen de poutres en acier. Est-il besoin d'ajouter que ce procédé permet d'obtenir un châssis d'une robustesse incomparable qui se distingue aussi par sa légèreté et son excellente résistance en cas d'impact? En plus du châssis, la plupart des panneaux de caisse sont aussi en aluminium, tandis que les ailes et le capot avant sont fabriqués en fibre de verre.

À un prix de 59 500 $ US, certains puristes pourront s'offusquer de ce que le roadster Panoz utilise une mécanique Ford. Le fils de Don Panoz, Danny, qui préside aux destinées de la division automobile de l'empire Panoz, rétorque que la simplification mécanique est ce qui manque le plus souvent aux voitures exotiques vendues

à des prix exorbitants. «Les gens veulent des voitures performantes, mais fiables, et l'utilisation d'organes mécaniques Ford a précisément pour but de leur offrir ce qu'ils sont en droit d'exiger», précise le fils Panoz. C'est donc le moteur de la Mustang Cobra, un V8 de 4,6 litres à 4 arbres à cames et 32 soupapes, qui réside sous le capot de la Panoz. Avec la boîte Borg-Warner 5 vitesses, ses 305 chevaux n'ont que 1178 kg à déplacer, ce qui donne un meilleur rapport poids/puissance à ce roadster que ceux de la Corvette, de l'Acura NSX, de la Porsche 911 et de la Ferrari F355. Aussi bien vous dire tout de suite que sur le plan des accélérations, des reprises et de la vitesse maximale, la Panoz met la Prowler dans sa petite poche arrière avec une facilité déconcertante.

De l'aluminium aussi pour la Prowler

Le roadster Plymouth n'est pas en mal de sophistication, lui non plus. Comme chez Panoz, sa construction fait largement appel à des éléments d'aluminium. Le châssis utilise par exemple des poutres en aluminium sur lesquelles des pièces moulées sont placées aux points stratégiques. Elles servent de point d'ancrage pour les bras de suspension et la partie inférieure de la voiture. L'aluminium est aussi utilisé pour l'armature des sièges, le carter de la transmission et plusieurs éléments de la suspension. Enfin, le couvercle du coffre, le capot, les portes et les panneaux latéraux sont également en alliage léger, tandis que les freins font appel à des disques constitués d'un alliage d'aluminium et de céramique. Comme sur la Panoz, les ailes de motos qui recouvrent les roues avant sont fabriquées en matière plastique.

La mécanique est par ailleurs un peu plus simpliste, ce qui était impératif pour conserver la voiture à un prix raisonnable (55 000 $). À part ses pneus arrière de 20 pouces qui sortent carrément de

l'ordinaire et sa suspension avant qu'on dirait empruntée directement à une voiture «Indy», la fiche technique de ce roadster rétro n'a rien de renversant. En revanche, un nouveau moteur V6 24 soupapes en aluminium de 3,5 litres a été mis en service cette année et la puissance a progressé de 28 chevaux par rapport à l'an dernier. À 1298 kg, la Prowler est légèrement plus lourde que la Panoz, tout en accusant un déficit de 52 chevaux au point de vue puissance. Elle se trouve aussi handicapée par la seule boîte de vitesses offerte, une transmission automatique à 4 rapports à laquelle le gadget «AutoStick» n'apporte vraiment pas grand-chose

en termes de rapidité d'exécution. Soulignons en passant que la transmission a été montée à l'arrière afin de mieux équilibrer la répartition du poids.

Une fois la table mise, il ne restait plus qu'à lancer nos deux protagonistes sur le circuit de Road Atlanta et à laisser ses neuf virages arbitrer le débat. Le match des roadsters rétro était en marche.

Compte tenu du caractère très particulier des voitures en présence, nous n'avons pas cru nécessaire, lors de cette évaluation, d'utiliser des notes chiffrées. Laissons plutôt parler les émotions.

Vitesse et accélérations: la Panoz, de loin

On s'en doutait. Avec 100 kg de moins et 52 chevaux de plus, la Panoz s'est littéralement envolée devant la Prowler, dès la première ligne droite de Road Atlanta. Là où elle roulait à près de 200 km/h, sa rivale arrivait difficilement à 175 km/h. Et cela, en dépit d'une boîte de vitesses manuelle, dont les rapports sont exagérément longs. En secondes, la Panoz ne frôle pas la zone rouge du compte-tours (6800 tr/min) avant 125 km/h, ce qui transforme le 0-100 km/h en un jeu d'enfant bouclé en 5 petites secondes. La transmission de la Prowler a vu son convertisseur de couple réglé pour un minimum de glissement, mais cela n'est pas suffisant pour lui permettre de rattraper la Panoz ou d'abaisser son chrono 0-100 km/h sous la barre des 8 secondes. Les accélérations sont d'ailleurs pénalisées par les

immenses pneus arrière (P295/ 40HR20) qui ont une telle empreinte sur le bitume qu'il est tout à fait impossible de faire patiner les roues au moment de lancer la voiture.

Dans la Panoz, la vitesse de pointe est purement théorique. En principe, elle pourrait atteindre 250 km/h, mais la turbulence de l'air devient si intense autour de 160 km/h que l'on en a la vue brouillée. Les glaces latérales de la Plymouth permettent d'éviter ce problème, mais la Panoz n'en possède pas. Elle est plutôt dotée de demi-portes sur lesquelles vient se fixer la capote lorsqu'elle est en place.

Avec ou sans chronomètre, la Panoz est la plus rapide des deux. Sans être à la traîne, la Prowler épate davantage par son look que par sa vitesse pure.

Comportement routier:
la Panoz encore une fois

La nature même de ces deux roadsters est de montrer un comportement routier exemplaire. En faisant abstraction de toute forme de compromis, ils doivent offrir une tenue en virage très au-dessus de la moyenne, une direction impeccable et un freinage parfaitement efficace. Le but est atteint avec la Panoz, mais on sent que la Prowler ne va pas au bout de sa vocation. On a la ferme impression d'être en présence d'un *hot-rod* de piste (la Panoz) et d'un *hot-rod* de ville (la Prowler). Paradoxalement, la suspension du roadster Plymouth paraît plus dure et plus sautillante, mais la mixité des pneus (17 pouces à l'avant et 20 à l'arrière) crée un sous-virage prononcé dans les virages serrés. En somme, les pneus arrière ont une telle adhérence au sol qu'ils font tout le travail, ouvrant toute grande la porte au sous-virage du train avant. Dans les virages à grande ou moyenne vitesse, la Prowler passe

aussi bien et aussi vite que la Panoz, ce qui n'est pas peu dire. Par contre, elle perd du temps au freinage. En conduisant les deux voitures l'une après l'autre, je freinais toujours trop tard avec la Prowler et, inversement, toujours trop tôt avec la Panoz. Cette dernière, soulignons-le, est dotée d'une force de freinage absolument remarquable et n'est pas sans rappeler la Porsche 911 Turbo par la puissance de ses décélérations.

Dans les deux cas, la direction est agréable bien que celle de la Panoz soit passablement plus légère. En plus, son diamètre de braquage est plus grand que celui de la Prowler.

Rappelons enfin qu'en conduite sportive, il est plutôt fascinant de voir tourner les ailes avant en même temps que le volant et d'admirer le travail de la suspension. Dans la Prowler, toutefois, le spectacle est moins évident, compte tenu du fait que le conducteur est assis très bas.

Sur la route: avantage à la Prowler

La confrontation sur le circuit de Road Atlanta s'est soldée par une éclatante victoire de la Panoz, mais il faut bien admettre que ce genre de véhicule a d'abord et avant tout une vocation routière. Le second volet de notre match s'est donc déroulé à la ville et à la campagne dans la région de Hoschton (Géorgie), tantôt sur de petites routes vallonneuses, tantôt sur des voies rapides. Dans un tel environnement, la Prowler s'est montrée un peu plus à l'aise que sa rivale.

Bien que sa capote ne soit pas un modèle à suivre, elle est tout de même moins compliquée à enlever et à remettre en place que celle de la Panoz, et son insonorisation est supérieure. La Prowler est également dotée d'une vraie lunette arrière dégivrante, malgré les aptitudes hivernales extrêmement limitées de la voiture. Elle a aussi une certaine allure, même avec son toit, tandis que la Panoz semble avoir été conçue pour rouler décoiffée, un point c'est tout. En revanche, la Panoz possède un petit coffre arrière, une caractéristique inexistante sur la Prowler. Pour qu'on puisse voyager avec autre chose qu'un bikini et une brosse à dents, la Plymouth doit emmener derrière elle cette fameuse petite remorque offerte en option. Et ne cherchez pas de roue de secours dans la Prowler: il n'y en a pas. En revanche, les pneus de série sont des Goodyear de type EMT (pour «mobilité continue») qui peuvent rouler à plat sur une distance de 80 km à 90 km/h. Dans l'éventualité d'une crevaison, un témoin lumineux apparaît au tableau

Panoz

de bord pour prévenir le conducteur de la baisse de pression de l'un des pneus.

Nos deux roadsters ne sont pas faciles d'accès, mais les portes de la Prowler sont un atout, comparativement à celles de la Panoz qui obligent à monter dans la voiture comme s'il s'agissait d'une monoplace de course en se plaçant debout, en face du volant et

en se laissant glisser dans le siège-baquet en s'appuyant sur les côtés.

Dans la Panoz, on doit déplorer le manque d'espace pour la jambe gauche qui ne bénéficie pas non plus de repose-pied.

Les sièges de chez Chrysler sont mieux rembourrés et le cockpit légèrement plus large. Rien n'est plus sympathique que le tableau de bord de la Prowler avec sa rangée d'instruments alignés sur une plaque de la même couleur que la voiture. La qualité de la chaîne stéréo démontre également que musique et roadster vont de pair. Chrysler a doté la Prowler d'une radio Infinity 320 watts à 7 haut-parleurs avec lecteurs de cassettes et de 6 disques compacts logés derrière le siège du conducteur. À propos de «son», soulignons que les responsables du projet Prowler se sont longuement attardés aux bruits émanant du système d'échappement en acier inoxydable de la voiture. Le V6 n'a pas le beau grognement du V8 de la Panoz, mais réussit tout de même à affirmer son caractère haute performance.

Ces deux voitures, il ne faut pas se le cacher, misent d'abord sur leur apparence spectaculaire et leur pouvoir de faire tourner les têtes. À ce chapitre, le match est nul, s'il faut se fier aux réactions des badauds qui se sont attroupés chaque fois que nous nous sommes arrêtés quelque part avec la Panoz et la Prowler. Chacune a ses admirateurs et les deux semblent exercer la même fascination auprès des foules. Alors que la Prowler

Prowler

n'existe qu'en 4 couleurs (jaune, pourpre, rouge et noir), la Panoz propose une palette de couleurs qui va du rouge au gris argent en passant par ces nouvelles peintures au coloris changeant qui peuvent être vertes ou bleues ou je ne sais quoi selon l'angle ou la lumière.

Terminons en précisant que la Panoz n'est pas encore vendue au Canada, mais que cela ne saurait tarder.

Panoz ou Prowler?

Le bilan de ce match des roadsters rétro va certainement plaire à Dan Panoz. Si l'on respecte à la lettre l'esprit de ce type de voiture, la Panoz AIV sort gagnante de notre face-à-face. Si les performances et la tenue de route constituent les critères de choix, on ne peut passer outre aux résultats obtenus sur le circuit de Road Atlanta. Par ailleurs, le prix plus élevé de la Panoz et un habitacle plus sommaire sont des aspects qui ramènent la Prowler dans le

match... Avec ce modèle, Chrysler a défié toutes les normes et déjoué les rabougris qui voient l'automobile comme une chose sérieuse excluant toute fantaisie. Ne serait-ce que pour cette belle audace, la palme devrait-elle aller à la Prowler? Je vous en laisse juger...

	Panoz AIV	Plymouth Prowler
Prix	59 500 $ US	55 500 $ CAN
Type	roadster / propulsion	roadster / propulsion
Empattement	265 cm	288 cm
Longueur	403 cm	420 cm
Largeur	194 cm	194 cm
Hauteur	119 cm	129 cm
Poids	1178 kg	1298 kg
Volume du coffre	140 litres	51 litres
Volume du réservoir	51 litres	45 litres
Coussins de sécurité	non	oui
Système antipatinage	non	non
Moteur	V8 4,6 litres 32 soupapes	V6 3,5 litres 24 soupapes
Puissance	305 ch / 5800 tr/min	253 ch / 6400 tr/min
Couple	300 lb/pi / 4800 tr/min	255 lb/pi / 3950 tr/min
Transmission	manuelle 5 rapports	automatique 4 rapports
Rapport poids/puissance	3,8 kg à 1	5,1 kg à 1
Suspension avant	leviers triangulés et transversaux	leviers triangulés *pushrod*
Suspension arrière	triangle oblique roues indépendantes	bras multiples roues indépendants
Freins	disque sans ABS	disque sans ABS
Pneus avant	P245/40ZR18	P245/45VR17
Pneus arrière	P295/35ZR18	P295/40VR20
Direction	à crémaillère	à crémaillère
Diamètre de braquage	10,6 mètres	11,7 mètres
Performances		
Accélération 0-100 km/h	5 secondes	8 secondes
Freinage 100-km/h	35,2 mètres	38,4 mètres
Vitesse de pointe	225 km/h	195 km/h
Consommation	13,5 litres/100 km	15 litres/100 km
Accélération latérale	0,97	0,80

L'usine en photos

Une vue d'ensemble de l'usine Panoz avec plusieurs roadsters au stade final de la production

Une version coupé avec portes en ailes de mouette du roadster Panoz est maintenant à l'étude à l'usine de Braselton en Géorgie

Le châssis de la future GT Esperanté qui entrera en production sous peu

Brandon Broxson, employé chez Panoz démontre la légèreté des éléments de la carrosserie (aluminium ou fibre de verre) du roadster AIV en tenant dans sa main le nez de la voiture

De jeunes modélistes affinent les lignes d'un modèle format réduit de la prochaine Panoz, l'Esperanté

Une Panoz AIV aux premiers stades de sa fabrication

Une Esperanté pour *Daddy*

« Fiston, j'achèterai une de tes bagnoles quand il y aura assez de place dans le coffre pour y mettre deux sacs de bâtons de golf, a dit un jour Don Panoz à son fils Danny. Celui-ci, grâce au financement de son milliardaire de père, a pu mettre sur pied l'usine où sont amoureusement fignolés les petits roadsters comme celui dont nous parlons dans cet article. La remarque n'est pas tombée dans l'oreille d'un sourd et Danny Panoz a décidé sur-le-champ de construire une voiture pour son paternel, l'Esperanté.

Il ne faut donc pas s'étonner que la première chose dont parle le fils Panoz lorsqu'il nous montre le prototype de ce futur modèle soit le coffre à bagages. Immense, vous dis-je, et une caverne par rapport aux petits recoins que l'on trouve dans la plupart des voitures de sport chères et rapides. Cela dit, cette Esperanté, que ce soit en version coupé ou cabriolet, pourra être obtenue pour moins de 100 000 $, ce qui est minime par rapport aux super-voitures auxquelles elle pourra se comparer avantageusement.

Son atout principal est la pureté de ses lignes et un dessin dépourvu d'extravagances. Sous cette robe assez cintrée se cache une voiture biplace à moteur avant et propulsion. Son coût raisonnable tient à sa mécanique simple, éprouvée et peu coûteuse, qui est d'ailleurs exactement la même que celle du roadster. L'Esperanté peut donc compter sur le groupe propulseur

Dan Panoz, le fils de Don, est à la tête de la petite usine automobile qui produit le roadster AIV et, prochainement, l'Esperanté

de la Ford Mustang Cobra, dont le V8 de 4,6 litres à 32 soupapes annonce 330 chevaux-vapeur. Ce qu'il cède en sophistication, il le rend en durabilité, une qualité primordiale dans l'esprit de Dan Panoz. «Les voitures de cette classe sont trop souvent capricieuses et leurs accessoires de luxe fonctionnent au p'tit bonheur la chance», d'affirmer le grand patron de la division automobile de l'empire Panoz. Bref, pourquoi chercher midi à quatorze heures quand on peut s'en remettre à des solutions éprouvées? Sans oublier la facilité d'entretien d'une voiture pouvant être réparée par n'importe quel concessionnaire Ford.

L'Esperanté, deuxième modèle de la gamme Panoz, vise une clientèle beaucoup plus vaste que le roadster. On veut y offrir tout le luxe et le confort des GT les plus prestigieuses et, bien sûr, un coffre à bagages digne de ce nom. Ce coupé fait appel à un châssis périphérique en aluminium extrudé, une technique qui donne des résultats remarquables en matière de rigidité et de résistance aux impacts. Les performances annoncées font état d'un 0-100 km/h autour de 5 secondes et d'une vitesse de pointe de 250 km/h.

Après une petite révision à sa ligne originale (trop ventrue aux dires de Dan Panoz), l'Esperanté devrait être en production et prête à prendre la route pour l'année modèle 1999. J'ai hâte d'en faire l'essai...

Le deuxième modèle Panoz à voir le jour sera cet attrayant coupé Grand Tourisme baptisé Esperanté. Doté d'une mécanique Ford, il s'adresse à une plus vaste clientèle que le roadster AIV mis à l'essai

Du vin et des voitures

Du vin et des voitures... Cela pourrait bien être la devise du milliardaire américain Don Panoz qui, entre autres, a investi un gros morceau de sa fortune, acquise dans la pharmacologie, dans le but de satisfaire sa passion pour le vin et l'automobile. Visiblement, cet homme aime les défis, les gros. Rien en effet ne semble plus aléatoire que la réussite d'un vignoble planté dans les montagnes de la Géorgie ou d'un constructeur automobile qui se consacre à la production de voitures de sport de petite série.

Le vignoble, nommé Château Elan (du nom de la compagnie pharmaceutique de son créateur), trône au milieu d'un magnifique domaine de 3100 acres encerclé par trois parcours de golf et de somptueuses résidences. Je laisserai à mon collègue Michel Phaneuf le soin d'analyser les vins de Château Elan, dont les plus prisés par les connaisseurs semblent être le Merlot et un autre rouge qu'on désigne par: «Essence de Cabernet

Sauvignon». Un autre vin intéressant est le Sangiovese, ne serait-ce que par son étiquette montrant le père de Don Panoz, d'origine italienne, dans sa tenue de boxeur professionnel. Comme on pouvait s'y attendre, le best-seller de Château Elan est un vin blanc parfumé aux pêches, le fruit emblématique de la Géorgie. Quand on demande à nos hôtes ce qu'on doit penser des vins produits par cette *winery*, on nous emmène tout simplement au deuxième étage de la boutique où sont vendus les produits de la maison pour nous montrer les dizaines de médailles remportées par les divers cépages de Château Elan. Personnellement, je dirais que ces vins géorgiens sont au moins aussi bons que ce qui se fait de mieux dans la péninsule du Niagara en Ontario.

Toutes les rues du domaine du Château Elan portent des noms français: Tour de France, Charlemagne, etc.

Le centre d'accueil du vignoble Château Elan à Braselton en Géorgie comprend un restaurant et une boutique où l'on peut acheter les vins de la propriété

Une écurie de course et 3 circuits

Le volet automobile de l'empire de Don Panoz est très diversifié. Il comprend une équipe de course, une usine de montage pour voitures de route et pas moins de trois pistes de course. La plus active est d'ailleurs à quelques encablures du magnifique Château Elan, dont l'architecture rappelle les châteaux français du XVIᵉ siècle. Le circuit de Road Atlanta, l'un des plus exigeants que je connaisse, comporte quelques virages qui ont donné des sueurs froides à l'élite mondiale des pilotes de course. À l'approche de la ligne départ/arrivée, les voitures déboulent à plus de 250 km/h avant de s'engouffrer dans un virage en descente, dont la courbure est tout à fait invisible à l'entrée. C'est sur ce circuit qu'ont été développées les Panoz GTR1 qui disputent le championnat du monde des marques avec Eric Bernard, David Brabham, Raul Boesel et Andy Wallace comme pilotes. Conçus en Angleterre par le même Adrian Reynard qui a élaboré le châssis des futures Formules 1 de Craig Pollock, ces gros coupés à moteur avant et mécanique Ford réussissent à faire la vie dure aux toutes-puissantes Mercedes-Benz CLK-R et Porsche 911 GT1. Ils se sont d'ailleurs classés au deuxième rang du championnat du monde des manufacturiers en 1997, juste derrière les Porsche. C'est Don Panoz lui-même qui supervise cette écurie de course, dont l'ultime objectif est de gagner les 24 Heures du Mans, une épreuve où une GTR1 s'est classée septième en 1998.

La piste de Road Atlanta, soit dit en passant, a été considérablement modifiée au cours des derniers mois et répond désormais à toutes les normes d'un circuit de Formule 1. «La piste est là… si Bernie Ecclestone veut l'utiliser tant mieux, sinon tant pis pour lui», de dire le fils Panoz, président de la firme qui commercialise les roadsters Panoz AIV. Son paternel a aussi mis la main sur la piste de Sebring en Floride et sur celle de Mosport en Ontario.

L'automobile a vu passer beaucoup d'excentriques et de milliardaires au cours des 20 dernières années, mais aucun n'a accompli autant que Don Panoz en si peu de temps. Et s'il en est un qu'il faut prendre au sérieux, c'est bien lui. Il a l'argent, la passion et l'incroyable motivation nécessaire pour battre les plus grands à leur propre jeu. On ne peut que le remercier de nous faire oublier l'écrasante monotonie qui caractérise trop souvent cette industrie.

Un coin du vaste immeuble abritant l'écurie de course Panoz nous permet de voir les GTR-1 à moteur avant (Ford V8) qui se distinguent dans les épreuves d'endurance comme les 24 Heures du Mans

Cette coque d'une future Panoz GTR-1 de course a été élaborée par Adrian Reynard, l'ingénieur britannique responsable de la future Formule 1 que conduira Jacques Villeneuve

La Panoz GTR-1, baptisée aussi «Batmobile», en pleine action sur la piste de Daytona en Floride

La Panoz de route dans un des nombreux virages du circuit de Road Atlanta

Fidomobile:

La machine
à voyager dans le temps

Peint aux couleurs de Fido, voici un an qu'il circule à nouveau cet étrange engin, croisement entre la locomotive, l'avion sans ailes et l'autobus sans passager. Vous l'avez peut-être déjà remarqué à Vancouver, à Toronto, à Montréal ou à Québec. Vous l'avez peut-être même vu de près dans un centre commercial, ouvert comme la coquille d'un gigantesque crustacé, vous invitant à visiter ses entrailles truffées de... téléphones sans fil.

Mais d'où vient cette machine qui a l'air de sortir tout droit d'un film de science-fiction tourné il y a 50 ans? Directement – ou presque – d'une idée née en 1933 dans l'esprit d'un visionnaire du nom de Charles Kettering, vice-président à la recherche chez General Motors.

C'est bien avant l'arrivée de la télévision, plus précisément lors de l'Exposition universelle de Chicago de 1933, alors qu'il visitait le kiosque de GM, que Kettering eut l'idée d'une exposition itinérante pouvant porter le message du progrès et de la technologie à l'Amérique profonde, celle des petites villes et des villages éloignés qui sortaient péniblement des années misérables de la Grande Dépression.

Parade of Progress

Rapidement convaincu du bien-fondé du projet, Alfred P. Sloan Jr., célèbre président de GM, donne donc le feu vert à la première *Parade of Progress*. Composée de six énormes fourgons rouge et blanc construits aux ateliers Fisher à Detroit, la «caravane du progrès» prend donc la route en février 1936 afin de parler de science et de technologie à des millions de curieux partout en Amérique du Nord, y compris au Mexique, au Canada et... à Cuba. Certains se souviennent d'ailleurs d'avoir vu l'illustre caravane en août 1955 au parc Jeanne-Mance, à Montréal! En tout, près de 12,5 millions de personnes ont eu l'occasion d'admirer ce spectacle ambulant, de se familiariser avec les derniers développements de la science et de la technologie et, en passant, d'admirer les modèles de la gamme GM.

Reliés par des structures souples que l'on installait à chaque arrêt, les fourgons de la caravane placés côte à côte devenaient ainsi une énorme salle d'exposition où de jeunes universitaires – dont plusieurs firent par la suite carrière chez GM – présentaient les dernières trouvailles de la science. Les visiteurs passaient ainsi d'un fourgon à l'autre pour y admirer la «cuisine de demain» avec l'ancêtre du four à micro-ondes ou le «salon de l'avenir» avec son écran de télévision encastré dans le mur.

Pendant 20 ans, soit de 1936 à 1956, avec une interruption de quelques années lors de la Seconde Guerre mondiale, la *Parade of Progress* sillonne le continent, d'abord avec les huit premiers Streamliners, puis, dès 1940, à bord de 12 nouveaux Futurliners, des mastodontes de plus de 15 000 kg évoquant tantôt la locomotive, tantôt l'avion sans ailes.

Enfin, en 1956, vu la popularité croissante du petit écran, GM décide de mettre fin au projet, et les Futurliners prennent le chemin de la retraite définitive... jusqu'en 1994.

Des visionnaires montréalais

Oubliés, ignorés, exposés à l'usure du temps et des éléments, six Futurliners sont miraculeusement épargnés du sort que leur réservait GM – la casse – par Joe

Un transporteur spécial livre le Fidomobile à toutes les régions du pays

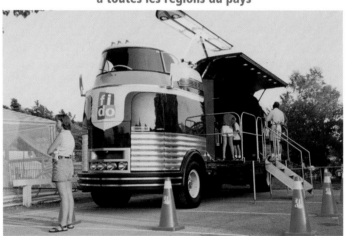

Le Fidomobile dans toute sa splendeur...

Bortz, un excentrique collectionneur américain qui décide un jour d'en dévoiler l'existence en plaçant une annonce dans la bible des collectionneurs, le *Hemmings Motors News*. C'est ainsi que commence la deuxième vie de l'un de ces Futurliners aux mains d'un petit groupe de visionnaires montréalais. Fascinés par leur découverte et par son historique, nos amis décident d'acquérir un de ces étranges objets avec l'intention d'en faire un jour un kiosque ambulant au service de l'une de leurs entreprises.

Transporté à Joliette et entreposé pendant trois ans, le Futurliner sauvé de la casse attire l'attention d'un autre visionnaire, Michel Ostiguy, dont l'agence de publicité, Bos, cherche un moyen original d'étendre la portée de Fido, une marque de téléphone sans fil. En deux temps trois mouvements, l'entente est conclue et le futur ambassadeur de Fido prend le chemin de l'atelier de restauration situé dans la région de Repentigny.

... et dans sa livrée originale avant sa réfection

Naissance du Fidomobile

Quelques mois de travail acharné, la coquette somme de 350 000 $ et la collaboration de plusieurs artisans, maîtres carrossiers, mécaniciens et électriciens ingénieux et dévoués se soldent par la résurrection de cette superbe «machine à voyager dans le temps». Le châssis, la carrosserie, la mécanique, les circuits électriques, les accessoires – tout a été mis à nu et reconstitué selon les règles de l'art. D'interminables recherches ont permis de dénicher une multitude d'accessoires et de détails, alors que certaines pièces introuvables ont dû être recréées, notamment le grand pare-brise parabolique pour lequel il a fallu fabriquer un moule spécial et qui, à lui seul, a coûté 7 000 $.

Peint aux couleurs de Fido, mais dans le strict respect du découpage d'origine, le Futurliner de GM est devenu le Fidomobile.

Propulsé par un V6 de 401 po^3 qu'il a fallu aussi remettre à neuf, le Fidomobile est monté sur un châssis de camion doté de roues jumelées à l'arrière comme à l'avant. La boîte automatique Hydra-Matic à deux gammes de rapports, la direction assistée et la climatisation du poste de conduite font partie des nouveautés de l'époque, tout comme les flancs en tôle ondulée d'acier inoxydable et la commande automatique des phares.

Le fidomobile, une vitrine ambulante unique en son genre

Mis à nu, le Fidomobile commence à renaître des mains des artisans

Les flancs du véhicule s'ouvrent jusqu'au plafond comme une coquille pour exposer une plate-forme à laquelle on accède par un petit escalier en aluminium. À l'intérieur, les préposés de Fido présentent aux visiteurs la gamme de produits et de services de téléphonie sans fil. Et pour mieux éclairer l'espace la nuit, un ingénieux système de vis sans fin permet de soulever la partie centrale du toit, dont la paroi intérieure est dotée d'un système d'éclairage à 24 tubes fluorescents et 4 projecteurs, le tout alimenté par une génératrice autoportée.

À 3 mètres du sol

Pour accéder aux commandes, le «pilote de cette monoplace de plusieurs tonnes» doit gravir six marches en aluminium accessibles par une porte logée dans le museau. «À plus de 3 mètres du sol, la vue sur la circulation est imprenable, précise Mario, mais la visibilité très limitée sur les côtés et la position très avancée du poste de conduite nécessitent une certaine accoutumance.» C'est d'ailleurs pour améliorer la visibilité que le Fidomobile est doté à l'avant comme à l'arrière d'une caméra de télévision en circuit fermé, seule concession au modernisme à laquelle on a consenti au nom de la sécurité.

Devenus inséparables depuis un an, le Fidomobile et son maître parcourent le pays de ville en ville et font halte dans les grands centres pour exposer les derniers développements de l'extraordinaire technologie de cette fin de XXe siècle qu'est la téléphonie sans fil. Cette vitrine technologique permet à Fido de présenter et d'expliquer les SCP (services de communications personnels), nouvelle génération entièrement numérique des communications sans fil.

Boucler la boucle

Lorsqu'on aime vraiment l'automobile, on sait l'apprécier sous toutes ses formes, depuis la microvoiture aux dimensions enfantines jusqu'aux voluptueuses exotiques, en passant par les camions plus ou moins utilitaires et, à l'occasion, le véhicule étrange, témoin roulant d'une époque révolue, mais pas trop lointaine.

Projet futuriste lors de sa conception il y a plus d'un demi-siècle, le Fidomobile réussit encore à symboliser l'avenir, tant par son allure «spatiale» que par son mandat. En somme, la *Parade of Progress* poursuit son chemin. La boucle est bouclée.

À Daniel Noiseux, Mario et Richard Petit, Pierre Marchand et aux nombreux artisans du Québec qui ont consacré tout leur savoir-faire à faire renaître cette pièce unique du patrimoine automobile nord-américain, bravo! et merci, de la part de tous les passionnés d'automobile.

audi
bertone
bmw
buick
chrysler
ford
honda
hyundai
italdesigh
mgf
mitsubishi
nissan
peugeot
pontiac
renault
smart
subaru
suzuki
toyota
volkswagen
audi
berton
bmw
buick
chrysler
ford
honda
hyundai
italdesigh
mgf
mitsubishi
nissan
peugeot
pontiac
renault
smart
subaru
suzuki
toyota
volkswagen
audi
bertone
bmw
buick
chrysler
ford
honda
hyundai

nissan
peugeot
pontiac
renault
smart
subaru
suzuki
toyota
volkswagen
audi
bertone
bmw
buick
chrysler
ford
honda
hyundai
italdesigh
mgf
mitsubishi
nissan
peugeot
pontiac
renault
smart
subaru
suzuki
toyota
volkswagen
audi
bertone
bmw
buick
chrysler
ford
honda
hyundai
italdesigh
mgf
mitsubishi
nissan
peugeot
pontiac
renault
smart
subaru
suzuki
toyota

les prototypes

Audi

La compagnie Audi est en effervescence depuis quelques années. Les innovations sont légion. Cette minivoiture appelée «AL2 open end» fait appel à une structure d'aluminium qui permet d'obtenir une caisse à la fois rigide et légère.

Le tableau de bord de la «AL2 open end», très design, fait appel à des éléments déposés sur la planche de bord. La vocation pratique de cette mini n'exclut pas un certain luxe.

Audi

Cette diminutive Audi, animée par un moteur 1,3 litre d'une puissance de 100 chevaux, peut rouler à plus de 190 km/h.

Le clou de cette voiture est son toit ouvrant qui transforme ce *hatchback* en cabriolet ou presque. Contrairement à tous les autres toits ouvrants, celui-ci s'ouvre de l'arrière vers l'avant.

Ford

Le nouveau modèle Focus sera appelé à remplacer l'Escort sur les marchés américains et européens. Cette voiture se démarque tellement de l'Escort actuelle que Ford a opté pour un changement de nom.

La Ford Focus a été dévoilée en configuration *hatchback*. C'est l'un des véhicules les plus légers de la catégorie, mais sa structure est 100 p. 100 plus rigide que celle de l'Escort. Un moteur 2,0 litres de 130 chevaux sera offert.

Honda

Le Honda J-VX est un coupé sport animé par un moteur hybride 3 cylindres 1,0 litre associé à un moteur électrique. Il peut couvrir une distance de plus de 100 km avec seulement 4 litres de carburant.

Le tableau de bord du Honda J-VX est de présentation fort dépouillée. Il fait appel à des cadrans indicateurs autonomes regroupés dans des cellules.

Honda

Le J-WJ représente la vision de Honda quant aux utilitaires sport de demain. Comme d'habitude, on tente d'offrir la plus grande habitabilité possible dans un format très modeste. Ce tout-terrain est animé par un moteur 1,5 litre couplé à une boîte automatique constamment variable.

Le Honda J-WJ possède une garde au sol très généreuse de même que des panneaux de protection sous le véhicule afin de pouvoir circuler sans problème sur les routes les plus accidentées.

MGF

Pas moins de 65 ans séparent ces deux voitures sport classiques. À l'arrière-plan, on retrouve la MG K. 3 Magnette 1933. À l'avant, la nouvelle MG F Super Sport 1998 en livrée de course. Cette «F» est animée par un moteur 1,8 litre suralimenté, développant 200 chevaux.

Compte tenu de sa vocation de voiture de route et de piste, la MG F Super Sport est dotée d'un habitacle très cossu. Les ceintures de sécurité pour la course, des barres latérales de renfort et une couverture tonneau en font un coursier très stylé.

Nissan

L'Hypermini est la réplique de Nissan à la Smart de Swatch / Mercedes. Cette sympathique petite voiture est propulsée par énergie électrique et est naturellement destinée à une conduite urbaine. Sa longueur hors tout est de 250 cm, tandis que son diamètre de braquage est de 3,3 mètres. C'est vraiment la voiture passe-partout dans la circulation. Son autonomie de 155 kilomètres est aussi intéressante que sa vitesse maximale de 120 km/h.

Peugeot

Même si elle s'inspire des légendaires cabriolets / coupés de Peugeot des années 30, la nouvelle 200 respecte tous les canons esthétiques de notre époque.

Peugeot

La célèbre compagnie française Peugeot a dévoilé en première mondiale la 200 coupé / cabriolet qui reprend une approche concrétisée sur la 401 D Eclipse en 1934 dans le cadre du Salon de Paris. Il faut moins de 16 secondes pour transformer cette voiture en décapotable ou en coupé. Elle pourrait être animée par un moteur 1,6 litre.

Smart

La Smart ressemble à un prototype du futur, mais cette mini sera commercialisée au cours de 1999. En fait, cette voiture serait déjà en production si des problèmes de stabilité en virage n'avaient pas obligé les ingénieurs à retourner à leurs ordinateurs.

Une longueur hors tout de 250 cm et un moteur 600 cc de 45 chevaux font de la Smart une voiture presque exclusivement urbaine.

Bertone

Bertone est un carrossier turinois qui n'a jamais eu peur de choquer. Ce sera sans doute le cas avec le Pickster, une camionnette de course destinée à la route! Et pour être assuré de ne pas manquer de panache, il est animé par un moteur 6 cylindres BMW de 320 chevaux.

La cabine du Bertone Pickster ne comprend que 2 places. Par contre, 2 sièges escamotables placés dans la partie arrière permettent de profiter du grand air. Ce camion très particulier roule sur des pneus Michelin de 21 pouces.

BMW

La BMW Z07 est un prototype inspiré de la légendaire voiture sport 507 lancée en 1956. Les stylistes de Munich ont voulu imaginer ce que serait devenue cette voiture si elle avait poursuivi sa carrière. Cette approche rétro a permis d'obtenir l'une des voitures les plus spectaculaires à être présentées au cours des 12 derniers mois. BMW a d'ailleurs décidé de produire une version élaborée à partir de la Z07.

La Z07 est animée par un moteur V8 5,0 litres de plus de 400 chevaux emprunté à la nouvelle M5. De plus, elle peut être transformée en cabriolet ou en coupé par l'intermédiaire d'un toit rigide amovible. Le cabriolet s'inspire des voitures de Grand Prix des années 50.

BMW

La BMW Z07 affiche une présentation rétro dans la cabine comme c'est maintenant la vogue. À remarquer, le volant avec rayons de type cordes de banjo et les cadrans placés au centre de la planche de bord.

La BMW Z07 sera fabriquée en deux versions distinctes, soit un coupé et un cabriolet. Elle n'aura donc pas de toit amovible rigide comme ce prototype.

Buick

La Buick Signa est un prototype aux formes pour le moins étranges, tentant de concilier les avantages de la familiale, du *hatchback* et de l'utilitaire sport. Cette voiture de recherche doit sa silhouette très particulière à sa partie arrière fort arrondie.

La partie arrière s'ouvre pour laisser le passage au plancher arrière qui se déplace de plus de 38 cm afin de faciliter le chargement. La Buick Signa est dotée du même moteur V8 3,8 litres de 240 chevaux qui anime la Park Avenue, qui lui prête également son châssis.

Le tableau de bord est aussi étonnant que la carrosserie. Les stylistes semblent s'être inspirés des films de science-fiction des années 30.

Chrysler

Dotée de roues de 20 pouces à l'avant et de 21 pouces à l'arrière, cette Chrysler Chronos saura faire bon usage des 350 chevaux et plus développés par son moteur V10 6,0 litres. Cette berline sport de caractère relevé s'inspire des voitures des années 30.

L'habitacle de la Chronos ne ménage aucun effort pour dorloter ses occupants. Et comme les cigares ont la cote parmi les gens riches et célèbres, cette Chrysler est dotée d'un humidor.

Avec ses roues de 18 pouces à l'avant et de 19 pouces à l'arrière, le Pronto Cruiser semble toujours prêt à bondir.

Chrysler

Ce coupé 3 portes de teinte «Aztec Yellow» possède une calandre et des ailes qui évoquent le look de la Prowler. Les jupes latérales qui se fondent dans les ailes sont inspirées des voitures des années 40.

Le tableau de bord avec ses chromes omniprésents n'est pas sans rappeler les belles américaines des années 50. Toutefois, concession au modernisme, les cadrans sont éclairés par électroluminescence.

Le Pronto Spyder est en quelque sorte la réplique de Chrysler à la Porsche Boxster. Cependant, ce prototype est doté d'une carrosserie en matière plastique similaire au produit utilisé pour les bouteilles d'eau gazeuse. Il est animé par un 4 cylindres 2,4 litres de 225 chevaux.

Hyundai

Les difficultés économiques de la Corée n'ont pas empêché Hyundai de concevoir le prototype Euro 1. Dessinée par David Cutliffe, cette voiture inspirée des années 50 est animée par un moteur 2,0 litres turbocompressé développant 380 chevaux.

Les appuie-tête jumelés sont dérivés de ceux utilisés sur les voitures de course des années 50. Par contre, les feux arrière sont tout à fait de notre époque.

Italdesign

Pour mettre son nouveau moteur W12 5,6 litres de 420 chevaux en évidence, Volkswagen a demandé aux stylistes d'Italdesign de concevoir un coupé ultrasportif qui est tout simplement appelé W12 Synchro. Le résultat est cette spectaculaire voiture, dont la ligne de pavillon s'inspire de la Passat. La traction intégrale est de mise.

Les formes du capot arrière et les lumières de frein ont un air de famille avec celles des autres voitures Volkswagen.

Mitsubishi

La compagnie Mitsubishi a abandonné son idée de s'installer au Canada, mais elle n'en continue pas moins de dévoiler prototype après prototype. Ce coupé sport SST dévoile la vision qu'entretiennent les designers californiens de Mitsubishi de la voiture sport du futur.

Mitsubishi n'a pas dévoilé quel moteur animait cette voiture sport. Par contre, le manufacturier insiste sur les 350 watts de la chaîne audio et les panneaux en composite de la carrosserie.

Mitsubishi

Chez Mitsubishi, on croit fermement que les utilitaires sport seront toujours de la partie, bien au-delà de l'an 2000. Voici l'idée qu'en ont les stylistes du studio de Mitsubishi situé à Cypress, en Californie. Le Technas possède des roues de 19 pouces et le transfert du couple du moteur est contrôlé par ordinateur.

L'accès à bord du Technas est facilité par des portes arrière s'ouvrant vers l'arrière. Cette configuration permet d'assurer une meilleure rigidité à la caisse.

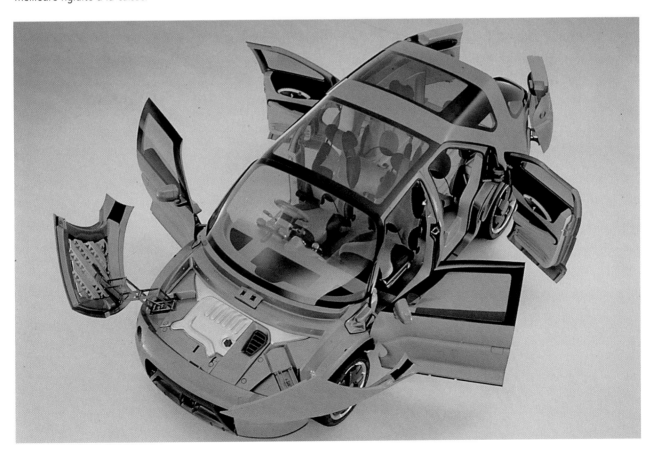

Pontiac

Les stylistes de Pontiac ont mis de côté la subtilité lorsqu'ils ont concocté la Montana Thunder. Cette fourgonnette sport compte sur une voie élargie, un moteur V6 4,0 litres de 225 chevaux et des roues de 18 pouces pour obtenir des performances à la hauteur de son image.

Le tableau de bord est garni de cadrans inspirés de ceux des motos. De plus, ces cadrans indicateurs se déplacent en harmonie avec le volant réglable.

Renault

Pour célébrer son centenaire, Renault a dévoilé Zo, au Salon de l'auto de Genève. Ce tout-terrain trois places a l'allure d'un scarabée et possède une suspension réglable afin de pouvoir gambader presque partout sans aucun problème.

Renault

Zo bénéficie d'un saute-vent aérodynamique qui offre un champ de vision exceptionnel. Les portes à ouverture en élytre associent l'apparence de ce véhicule au monde des coléoptères.

Le pilote de la Zo est assis au centre de l'habitacle. Les deux passagers sont installés légèrement en retrait du conducteur.

Subaru

La Elten, une mini, ressemble beaucoup à la 360, la première Subaru fabriquée en série dans les années 50. Pourtant, ce prototype est tout ce qu'il y a de plus moderne. Il est animé par un groupe propulseur hybride combinant un moteur à essence 4 cylindres de 658 cc à un moteur électrique. De plus, un panneau solaire sur le toit permet de favoriser la recharge des batteries.

Suzuki

Le C2 un roadster de Suzuki est un peu plus petit que le Mazda Miata. Cependant, il est propulsé par un moteur V8 1,6 litre développant 270 chevaux. Ce tour de force technologique assure un rapport poids/puissance aussi impressionnant que celui d'une Porsche 911 Turbo. Cette Suzuki tout muscle pourrait être exportée un jour.

Toyota

Toyota s'apprête à commercialiser une minivoiture sur le sol européen. La Yaris est un prototype qui pourrait s'apparenter au modèle de production qui sera dévoilé plus tard cette année. Le concept de la cabine haute et courte permet d'offrir une grande habitabilité.

Voici le Funcargo, une fourgonnette urbaine vue par les stylistes de Toyota. Très compacte, elle possède un système d'agencement des sièges qui permet de transporter beaucoup de bagages. Le Funcargo partage la même plate-forme qu'un coupé, Funcoupe, et qu'un cabriolet, Funtime.

Comme tous les grands constructeurs, Toyota s'intéresse à la voiture urbaine à moteur électrique. Produit en collaboration avec la firme Panasonic, le e-com est une traction animée par un moteur électrique alimenté par des piles Ni-MHH possédant une longévité supérieure à la moyenne.

Volkswagen

Sous l'impulsion de son dynamique leader Ferdinand Piech, Volkswagen s'attaque à tous les défis. Non contents d'offrir le moteur W12 5,6 litres dans un coupé conçu chez Italdesign, les dirigeants de Wolfsburg ont demandé aux stylistes italiens de concocter un roadster qui a été dévoilé à Genève.

Contrairement au coupé, ce roadster possède un moteur monté en position centrale devant les roues arrière.

chevrolet silverado • gmc sierra

dodge dakota

dodge ram

ford série f

ford ranger

hummer

mazda série b

nissan frontier

toyota t100 • t150

toyota tacoma

chevrolet s-10 • gmc sonoma • isuzu hombre

chevrolet silverado • gmc sierra

dodge dakota

dodge ram

ford série f

ford ranger

hummer

mazda série b

nissan frontier

toyota t100 • t150

toyota tacoma

chevrolet s-10 • gmc sonoma • isuzu hombre

chevrolet silverado • gmc sierra

dodge dakota

dodge ram

ford série f

ford ranger

hummer

mazda série b

nissan frontier

toyota t100 • t150

toyota tacoma

chevrolet s-10 • gmc sonoma • isuzu hombre

chevrolet silverado • gmc sierra

dodge dakota

dodge ram

ford série f

mazda série b

nissan frontier

toyota t100 • t150

toyota tacoma

chevrolet s-10 • gmc sonoma • isuzu hombre

chevrolet silverado • gmc sierra

dodge dakota

dodge ram

ford série f

ford ranger

hummer

mazda série b

nissan frontier

toyota t100 • t150

toyota tacoma

chevrolet s-10 • gmc sonoma • isuzu hombre

chevrolet silverado • gmc sierra

dodge dakota

dodge ram

ford série f

ford ranger

hummer

mazda série b

nissan frontier

toyota t100 • t150

toyota tacoma

chevrolet s-10 • gmc sonoma • isuzu hombre

chevrolet silverado • gmc sierra

dodge dakota

dodge ram

ford série f

ford ranger

hummer

mazda série b

nissan frontier

toyota t100 • t150

toyota tacoma

les camionnettes

Chevrolet S-10 • GMC Sonoma • Isuzu Hombre

En attendant la quatrième porte

Même si la bataille semble s'intensifier dans la catégorie des gros camions avec l'arrivée des nouveaux Chevrolet Silverado et GMC Sierra, ça joue quand même dur dans la catégorie des camionnettes compactes. Cette année, le Ford Ranger et le Mazda série B proposent tous deux une cabine 4 portes, tandis que le Dodge Dakota R/T est le seul de cette catégorie à offrir un moteur V8. Et pas n'importe lequel, puisque ce gros 5,9 litres développe 250 chevaux, ce qui transforme le Dakota en véritable bolide.

Quant aux trois modèles de camionnettes compactes proposés par GM, ce millésime est particulièrement modeste en fait de nouveautés. Les améliorations apportées se limitent à une multitude de modifications de détails et à quelques accessoires additionnels offerts en option. Parmi ceux-ci, on remarque des rétroviseurs extérieurs à coloration électrochimique et quelques autres babioles du genre. En mal de nouveautés, GM annonce fièrement l'arrivée d'une «clé à tête plus grande offrant une meilleure prise, avec logo de la marque».

Rares innovations

L'absence d'innovations techniques en 1999 ne signifie pas pour autant qu'il faille oublier ces camions par rapport à ceux de la concurrence. Bien au contraire, ils continuent d'être très compétitifs. Par contre, il faut ajouter que l'arrivée d'une quatrième portière sur les modèles à cabine allongée serait fort appréciée. Et GM aurait un atout supplémentaire si ses ingénieurs réussissaient à trouver une solution plus élégante que les inconfortables strapontins arrière dessinés par les ingénieurs de Ford pour le Ranger 4 portes.

Aussi bien par la présentation extérieure de la caisse que par son habitacle spacieux, le S-10 / Sonoma est toujours dans le coup. D'autant plus que son tableau de bord est plus élégant et plus pratique que ce qu'offre la majorité de la concurrence. Par contre, comme c'est le cas chez GM, la qualité des plastiques est douteuse, tandis que le tissu de recouvrement des sièges fait toujours bon marché. En cochant l'option cuir, cependant, on obtient une sellerie de qualité et des sièges plus confortables.

Les mêmes groupes propulseurs sont de retour cette année. Les versions plus économiques sont animées par le sempiternel 4 cylindres 2,2 litres, dont les 120 chevaux sont parfois un peu justes. Quant à l'incontournable V6 Vortec, il demeure toujours aussi robuste et fiable. Et s'il ne possède pas le muscle du V8 du Dakota, il est plus puissant que les deux V6 proposés par Ford qui souffrent d'une consommation plus élevée.

À ne pas négliger.

Grâce à un catalogue d'options très étoffé, il est possible d'équiper ces camions de tous les accessoires imaginables ou presque. La version la plus alléchante est sans aucun doute celle à cabine allongée animée par le moteur V6. Les 180 chevaux de ce groupe propulseur s'allient au confort de la cabine aux dimensions plus généreuses pour rendre tout déplacement fort agréable. À l'autre bout de la lunette, on retrouve le modèle à cabine standard animé par le 4 cylindres 2,0 litres. L'habitacle est spacieux, comparé à celui de la concurrence, mais l'espace demeure limité et les aires de rangement très modestes. De plus, les 120 chevaux ne permettent pas de transporter de grosses charges.

Il ne faut pas oublier l'Isuzu Hombre qui est un clone des deux autres modèles. Il se différencie par une présentation extérieure distincte et un choix d'accessoires et d'options propres à cette marque. La seule raison de choisir un Hombre est probablement la proximité d'un concessionnaire ou encore un attachement à la marque Isuzu.

Denis Duquet

Pour	Contre
Habitacle spacieux	Certains pneumatiques à revoir
Moteur V6 toujours vigoureux	Espaces de rangement modestes
Choix de suspensions	Strapontin étroit (cabine allongée)
Rapport qualité/prix intéressant	Suspension ZR2 très ferme
Tableau de bord efficace	Finition inégale

Chevrolet Silverado · GMC Sierra

Raffinés de A à Z

Toute personne qui se contente d'examiner les photos des nouveaux Chevrolet Silverado et GMC Sierra pourrait conclure que ces deux camions n'ont bénéficié que d'une légère modification de leur caisse. Contrairement à Ford qui a complètement remanié la silhouette de son camion F-150 lors de sa refonte en 1997, General Motors s'est contentée de rafraîchir la présentation extérieure de ses deux gros camions.

En fait, cette silhouette conservatrice et l'absence, pour le moment, d'une version à cabine allongée dotée de 4 portes sont les seules notes discordantes concernant les Silverado et Sierra. Pour le reste, tous s'accordent pour vanter les mérites de ces camions remaniés en profondeur. En effet, non seulement les moteurs sont plus puissants et plus raffinés, mais le châssis, tout nouveau, est constitué de 3 sections distinctes. L'avant fait appel à des poutres longitudinales hydroformées, tandis que la partie médiane est constituée d'une poutre en «C» avec lèvre de renfort pour éliminer les flexions. L'arrière, moins sollicité, utilise des poutres en «C» traditionnelles. Cette configuration permet d'obtenir la rigidité voulue au bon endroit et une certaine flexibilité là où c'est nécessaire.

Trois types de suspension

La suspension avant utilise des leviers triangulés et des ressorts hélicoïdaux sur le modèle 2 roues motrices. Pour la version 4 roues motrices, les ingénieurs ont opté pour des barres de torsion. La suspension arrière utilise des ressorts elliptiques et des amortisseurs afin de maintenir l'essieu rigide sous contrôle. Soulignons au passage que ces camions proposent trois types de suspension. En plus de la version standard (Z83) dotée d'amortisseurs calibrés pour le confort, on retrouve l'ensemble sport/remorquage (Z85), la suspension avec amortisseurs à réglage électronique et la version Z71 conçue pour la conduite sportive hors route. Les ingénieurs ont même concocté une suspension spécialement conçue pour les versions équipées d'un chasse-neige.

À souligner: l'entrée en scène de 3 nouveaux moteurs Vortec. Le V8 4800 développe 255 chevaux et remplace le V8 5,0 litres. Quant au nouveau V8 5300, il prend la relève du 5,7 litres et développe 15 chevaux de plus, pour un total de 270 chevaux. Enfin, le nouveau

V8 6000 offre 400 chevaux. Et il faut également ajouter qu'une nouvelle version du V8 6,5 litres turbo diesel sera offerte plus tard dans l'année. Sa puissance sera de 215 chevaux!

À l'usage, aussi bien le Silverado que le Sierra se distinguent par leur cabine très spacieuse dotée d'un tableau de bord très bien agencé. De plus, les sièges-baquets assurent un excellent confort et un support latéral supérieur à celui de bien des automobiles. Quant à la banquette arrière des versions à cabine allongée, elle est la plus confortable de la catégorie. Dommage qu'une porte arrière gauche ne soit pas encore offerte.

Sur le plan de la conduite, les versions essayées étaient animées par les V8 4,8 litres et 5,3 litres. Tous deux sont performants et offrent des accélérations immédiates et franches. Le 4,8 litres est adéquat si vous n'entendez pas remorquer de lourdes charges, tandis que le 5,3 litres ne se fait pas prier pour répondre à la moindre sollicitation et est nettement plus vigoureux. Quant à la direction, elle est un peu trop assistée et son *feed-back* laisse à désirer. Malgré tout, la tenue de route et le confort de la suspension permettent presque d'oublier qu'on pilote un gros camion. Par contre, un train arrière parfois vagabond sur route bosselée et un sous-virage prononcé à haute vitesse viennent nous rappeler à l'ordre.

Ces nouveaux camions sont confortables et offrent un excellent compromis entre le confort, la robustesse et la tenue de route. Ils risquent de menacer la suprématie de Ford dans cette catégorie.

Denis Duquet

> Surtout ne pas se fier aux apparences.

Pour	Contre
Moteurs plus puissants	Absence d'une quatrième porte
Cabine spacieuse	Silhouette conservatrice
Système intégral «AutoTrac»	Volant peu esthétique
Châssis très rigide	Lave-glace sur bras d'essuie-glace
Sièges confortables	Banquette arrière monobloc

Dodge Dakota

Le surdoué de la catégorie

Le Dodge Dakota n'est pas seulement le seul camion intermédiaire sur le marché, c'est aussi le seul à se comporter pratiquement comme une voiture sport. C'est du moins le cas avec la version R/T. Certains vont répliquer que Ford est en mesure de concurrencer le Dakota avec son modèle F-150 Lightning. Toutefois, en plus d'être encombrant et moins agile sur la route, ce Ford musclé n'est offert qu'avec une cabine régulière, tandis qu'il est possible de commander un Dakota R/T à cabine allongée. Cette option offre un confort plus relevé, tout en permettant de transporter passagers et bagages avec plus d'aisance.

Pour répondre aux attentes de milliers de clients à la recherche d'une camionnette offrant des performances fougueuses et un tempérament sportif, les ingénieurs de la division Dodge ont installé un tonitruant moteur V8 5,9 litres sous le capot. Avec ses échappements spéciaux, sa suspension sport et ses pneus haute performance, le Dakota R/T tente de combler les camionneurs sportifs.

Leurs attentes sont satisfaites non seulement au chapitre de l'accélération, mais également du côté de la tenue de route. Avec une version à cabine allongée et une pléiade d'accessoires optionnels, il nous a été très facile de boucler le 0-100 km/h en 7,2 secondes, un temps respectable pour une voiture sport et drôlement impressionnant pour un camion. Il est certain que la suspension à vocation utilitaire fait toujours sentir sa présence sur mauvaise route où on déplore certains sautillements du train arrière. Malgré tout, la direction est précise et la tenue en virage étonnante pour un tel véhicule.

La majorité des acheteurs ne recherchent pas un modèle aussi imposant, mais il est toujours intéressant de savoir qu'une version aussi performante existe. Par contre, il est facile d'imaginer que la conduite sera délicate en hiver avec ses 250 chevaux associés à une propulsion. Heureusement, il est possible de commander une version 4 roues motrices. Cependant, comme ce V8 5,9 litres a toujours soif, la venue d'un rouage d'entraînement 4X4 ne viendra pas arranger les choses.

Si la version R/T 5,9 litres est excellente pour faire saliver les passionnés d'accélérations tonitruantes, ceux qui recherchent un outil de travail ou un véhicule familial d'appoint seront heureux de savoir que le V6 3,9 litres et le V8 5,2 litres sont toujours au catalogue. Le premier développe 175 chevaux et est fort bien adapté aux travaux légers et à une utilisation familiale. De plus, sans être le champion de la catégorie en termes d'économie de carburant, ce V6 se situe dans la bonne moyenne. Le 5,2 litres n'est pas dépourvu de ressources avec ses 230 chevaux; c'est un compromis intéressant pour la personne qui désire un V8 sans toutefois vouloir faire des courses d'accélération.

Vroum!
Vroum!

Si l'économie d'essence est un facteur important, on peut opter pour le 4 cylindres 2,5 litres, mais ses 120 chevaux le réservent à une utilisation très légère. Il n'est pas à conseiller à ceux qui sont pressés ou qui doivent fréquemment transporter des objets lourds.

Toutes les versions bénéficient de la cabine la plus spacieuse et la plus confortable de toutes les camionnettes compactes. D'ailleurs, la version à cabine allongée est la seule camionnette compacte ou intermédiaire à pouvoir accueillir trois personnes sur la banquette arrière. Et même si la finition demeure toujours perfectible, le tableau de bord est bien agencé et les sièges confortables. En revanche, certains détails d'aménagement de la version standard détonnent passablement avec les cabines des versions plus huppées.

Somme toute, compte tenu de son homogénéité, de ses caractéristiques générales, de son choix de moteurs et de sa cabine confortable, le Dakota demeure toujours le camion de choix parmi les compacts et les intermédiaires.

Denis Duquet

Pour	Contre
Choix de moteurs	Moteurs V8 gourmands
Version R/T intéressante	Conduite hivernale délicate
Bonne capacité de charge	Moteur 4 cylindres un peu juste
Cabine allongée spacieuse	Essieu arrière instable sur mauvaise route
Fiabilité en progrès	Freins ABS moyens

Dodge Ram

Le miracle se poursuit

Lorsque Chrysler a présenté le nouveau camion Dodge Ram en 1994, ses airs de costaud, son caractère innovateur et une cabine dont l'habitabilité était supérieure à la moyenne ont propulsé la gamme à l'avant-plan. Pour la compagnie, ce geste provocateur avait pour but de sensibiliser le public à l'arrivée de ce nouveau camion et d'attirer l'attention. Tout cela visait à secouer la léthargie de la division des camions Dodge qui devait alors se contenter de 7 p. 100 du marché. Avec le nouveau Ram, on voulait accaparer au moins 10 p. 100 des ventes de cette catégorie et on rêvait de pouvoir atteindre les 12 p. 100.

Les résultats ont largement surpassé les objectifs, puisque le Dodge Ram occupait plus de 17 p. 100 du marché à la fin de l'année-modèle 1998. Tout un progrès! Ces succès ne s'expliquent pas seulement par une silhouette agressive. Le comportement routier de ce camion, sa cabine spacieuse et confortable de même qu'un vaste choix de moteurs ont conquis le public. Au fil des années, les modèles se sont raffinés. De plus, une cabine allongée a été offerte moins d'une année après le lancement. De son côté, le moteur V10 de 8,0 litres a toujours épaté la galerie que ce soit en raison de ses 300 chevaux et de son couple de 440 lb/pi ou par sa forte consommation de carburant.

L'an dernier, le Ram innovait en étant le premier camion existant en version à cabine allongée à 4 portes. Une banquette arrière relativement confortable de même que des sièges avant dotés de ceintures intégrées ajoutaient au raffinement de ce modèle. On en a profité également pour rafraîchir le tableau de bord. En fait, avec ses 4 portières, le Ram constitue un compromis fort intéressant pour les familles qui doivent combiner outil de travail et moyen de transport. Capable de transporter 5 adultes dans un confort presque égal à celui d'une automobile, le Ram est un bon choix.

Il est certain que l'édition 1999 ne comporte pas de modifications aussi spectaculaires que celles apportées l'an dernier. Malgré tout, la calandre a été légèrement révisée de même que la partie arrière. Il faut également mentionner qu'un système de désactivation du coussin de sécurité du côté du conducteur a été ajouté en cours d'année en 1998.

En fait, la grande nouvelle dans la gamme Ram est l'arrivée d'un tout nouveau moteur turbodiesel Cummins 5,9 litres de 24 soupapes. Ce gros 6 cylindres en ligne fort apprécié des utilisateurs est en partie responsable de la grande popularité du Ram. Ce moteur de la seconde génération possède maintenant 24 soupapes, en plus de bénéficier de multiples modifications à son système d'injection. La version dotée de la boîte manuelle offre 235 chevaux, un gain de 25 par rapport à l'édition 1998, tandis que ce moteur en propose 215 avec la boîte automatique. Les améliorations apportées au V8 5,4 litres Triton de Ford de même que l'arrivée d'une famille de tout nouveaux moteurs chez GM nous font constater que les V8 5,0 litres et 5,2 litres de Dodge ne sont plus aussi compétitifs en certaines circonstances.

> **Un cadeau pour les amateurs de diesels.**

Le turbodiesel Cummins est tout aussi bruyant que ses vis-à-vis chez Ford et General Motors. Il offre toutefois une réponse presque instantanée lorsqu'on enfonce l'accélérateur et son couple très généreux lui permet de tracter de lourdes charges sans trop de problèmes. Sur la grand-route, il paresse à plus de 120 km/h. C'est un choix apprécié pour les longues randonnées.

Jadis le parent pauvre de la catégorie des gros camions, le Dodge Ram s'est repris de belle façon. Amélioré au fil des années, offrant dorénavant une fiabilité plus rassurante et un agrément de conduite intéressant, il devrait continuer à se démarquer au cours de la prochaine année, malgré l'arrivée des nouveautés chez GM et du nouveau camion Toyota T100.

Denis Duquet

Pour	Contre
Moteur Cummins 5,9 litres	Pneumatiques moyens
Cabine 4 portes	Moteur V10 gourmand
Sièges avant confortables	Sautillement du train arrière (4X4)
Tenue de route saine	Ventilation paresseuse
Présentation plus homogène	Dossier arrière trop vertical

Ford F-150

Le numéro un s'améliore

Les camions de la série F de Ford dominent le marché nord-américain de la catégorie depuis 21 ans. Mieux encore, les camions F sont les véhicules les plus vendus aux États-Unis depuis 16 ans. Le maintien de cette position privilégiée n'est pas de tout repos et l'enjeu est de taille. C'est pourquoi la compagnie Ford n'a ménagé aucun effort pour créer un produit très raffiné et également très fiable lors de sa refonte complète il y a deux ans. Et l'effort a porté fruit, puisque la suprématie des F-150 n'a jamais été en danger. Malgré tout, personne ne se repose sur ses lauriers, car la concurrence est féroce. L'an dernier, Dodge a proposé une version 4 portes de son populaire camion Ram, tandis que GM a complètement remanié sa gamme de camions Chevrolet Silverado et GMC Sierra pour 1999.

Il n'est donc pas surprenant de constater l'arrivée au printemps 1998 de versions encore plus robustes, les Super Duty, dotées d'une plate-forme plus large, d'une suspension avant à poutres transversales et de moteurs plus robustes. Quant aux modèles F-150 et F-250, ils bénéficient pour 1999 d'une multitude de raffinements esthétiques et mécaniques. La grande nouvelle est l'arrivée d'une version «SuperCab» offrant 4 portières en équipement de série, sans frais additionnels. L'ajout d'une portière n'a pas été trop difficile à réaliser. Les ingénieurs n'ont eu qu'à ajouter au côté gauche des renforts identiques à ceux déjà développés pour la portière arrière droite de la première version. Ce faisant, Ford dame le pion à General Motors qui n'avait pas prévu le coup et qui devra patienter environ une année avant de pouvoir offrir cette fameuse porte arrière gauche sur ses nouveaux modèles Silverado et Sierra.

Puissance en hausse

Les choses ne s'arrêtent pas là. Par la même occasion, les spécialistes du développement des moteurs ont réussi à hausser la puissance du moteur Triton V8 5,4 litres à 260 chevaux, un gain de 25 chevaux par rapport à l'édition 1998. Le couple est plus généreux, 345 lb/pi plutôt que 330 lb/pi, et se manifeste à un régime inférieur. Il est important de souligner que ces gains n'ont pas modifié la consommation. Quant aux moteurs V6 4,2 litres et V8 4,6 litres, ils n'ont pas été modifiés. Le système de freins a été

amélioré grâce à l'utilisation de disques de meilleure qualité et d'un maître cylindre plus efficace.

Les pare-chocs avant sont nouveaux et plus sobres qu'auparavant. De nouvelles roues sont également offertes, tandis que l'habitacle est l'objet de plusieurs retouches incluant une banquette avant plus large de 2 cm.

Toutes ces améliorations rendent la série F encore plus performante et raffinée qu'auparavant. Le V8 5,4 fait sentir ses chevaux additionnels par des accélérations vraiment plus mordantes et des reprises impressionnantes. Tous les modèles de la gamme bénéficient d'une suspension offrant un excellent compromis entre le confort et la tenue de route. Il faut en outre souligner que l'ajout d'une portière gauche ne se traduit pas par des bruits de vent additionnels. En fait, cette camionnette possède un habitacle plus silencieux que celui de bien des berlines. Sur la grand-route, à part une certaine sensibilité au vent latéral et une position de conduite élevée, ce gros camion se comporte pratiquement comme une berline. Et si l'envie vous prend de commander une version avec boîte manuelle, vous serez agréablement surpris d'apprendre que celle-ci est mieux étagée qu'auparavant et que la course du levier est moins longue.

Parmi les points faibles, il faut souligner des dimensions parfois encombrantes, une consommation élevée des moteurs V8 et un tableau de bord, dont la présentation est moins excitante que celle des nouveaux camions GM. Malgré ces quelques bémols, ce camion possède tous les éléments pour défendre ses positions.

Denis Duquet

> ## Le leader se porte bien.

Pour	Contre
Choix de moteurs	Dimensions encombrantes
Tenue de route prévisible	Consommation élevée
Version 4X4 efficace	Cabine standard dépouillée
Insonorisation poussée	Tableau de bord terne
Boîte manuelle à considérer	Commande d'essuie-glaces irritante

Ford Ranger

L'auto camion

Les modifications apportées l'an dernier au Ford Ranger ont certainement porté fruit, puisque les ventes de cette camionnette ont connu une hausse substantielle au fil des mois. Ces changements n'étaient certainement pas spectaculaires, mais ils ont permis à ce camion de gagner en homogénéité et de satisfaire les attentes des gens. Mieux encore, Ford a amélioré la donne en proposant au cours de 1998 une version dotée d'une porte arrière gauche additionnelle qui facilite l'accès à l'espace de rangement situé derrière les sièges avant sur la version SuperCab. Il est important de parler d'«espace de rangement» et non de sièges pour passagers. Non seulement il est pratiquement impossible à un adulte d'y prendre place, mais ces petites banquettes articulées ne conviennent qu'à de jeunes enfants. Il faut en plus être contorsionniste pour y avoir accès. Par contre, c'est suffisamment spacieux pour loger des objets assez gros et la présence des deux portes arrière gauche facilite les choses.

Les modifications apportées au châssis du Ranger ont également permis d'augmenter le niveau de confort offert par la suspension. Ce qui nous a incité à écrire que cette camionnette était «pratiquement» aussi confortable qu'une voiture de même prix. Toutefois, le mot «pratiquement» laisse flotter un certain flou quant au degré de confort offert par ce camion, surtout lors de trajets sur de longues distances. Pour en avoir le cœur net, nous avons décidé de vérifier cette affirmation en effectuant un parcours de plus de 1000 km dans une même journée au volant d'un Ranger équipé d'un moteur V6 3,0 litres, d'une boîte manuelle et d'un équipement relativement peu élaboré.

Cette camionnette a rendu ce périple fort agréable merci, surtout en raison du confort assuré par sa cabine et ses sièges. Les prestations routières de ce camion permettaient une conduite à l'égal ou presque de toutes les voitures sur la route. Seule une suspension un peu plus sèche est venue nous rappeler que nous étions au volant d'une camionnette lorsqu'il a fallu emprunter des voies de déviation en fort mauvais état. Et il fallait parfois lever le pied sur une chaussée bosselée pour empêcher le train arrière de se dérober. Mais ce sont des bémols relativement mineurs en comparaison avec l'évaluation d'ensemble.

L'agrément de conduite était accentué par une direction à crémaillère qui ajoutait à la précision de la direction. La boîte manuelle, sans être sportive, était actionnée par un levier, dont la course était relativement courte pour un camion. Cependant, le moteur V6 3,0 litres s'essoufflait parfois à haute vitesse et il fallait rétrograder pour relancer le véhicule. Ajoutons que la consommation a été fort raisonnable, puisque la moyenne enregistrée a été de 10,8 litres aux 100 km, beaucoup mieux que le 4,0 litres qui est nettement plus assoiffé.

L'absence de climatiseur sur cette version a certainement assuré une bonne économie de carburant. Cependant, même si l'air ambiant était frais, celui qui sortait des bouches de ventilation était tiède et même très sec. Incidemment, la climatisation est dorénavant de série sur le modèle XLT.

> **Elle se bonifie avec l'âge.**

Cette année, Ford a abandonné le modèle Splash doté de passages de roues arrière en relief qui avait connu un succès mitigé au fil des années. Il s'agit du seul changement majeur cette année; toutes les autres modifications sont très mineures.

Le Ranger EV à propulsion électrique, de retour cette année, sera offert dans certaines régions d'Amérique dans le cadre d'un plan de location de trois ans. Le modèle alimenté par des batteries acide / plomb pourra être commandé avec le système de charge rapide PosiCharge qui permet de recharger les batteries à 80 p. 100 de leur capacité en moins de 20 minutes. Vient s'ajouter cette année un modèle alimenté par des piles NiMH assurant une autonomie de plus de 150 km.

Somme toute, l'édition actuelle du Ranger affiche une bonne maturité et devrait être en mesure de poursuivre sur sa lancée.

Denis Duquet

Pour	Contre
Caisse solide	Dérobade du train arrière
Quatrième porte appréciée	Ventilation pénible
Boîte manuelle agréable	Moteur 4,0 litres gourmand
Sièges avant confortables	Version électrique aléatoire
Fiabilité éprouvée	Strapontins arrière peu confortables

Hummer

Le costaud des costauds

Les utilitaires sport ont toujours la cote d'amour. Mieux encore, ils sont de plus en plus populaires. Il suffit de consulter les chiffres de ventes des Lincoln Navigator, GMC Yukon et Chevrolet Suburban pour conclure que les tout-terrains aux dimensions gargantuesques sont plus en demande que jamais. Le Hummer fait partie de cette catégorie. Bien plus, il les domine tous en raison de son gabarit exceptionnel. Sa silhouette aux formes très carrées en fait le véhicule le plus intimidant de tous. Ce costaud, tout en force et en robustesse, doit son caractère très particulier à ses origines militaires. Outil à tout faire des forces armées américaines, il s'est adapté comme il a pu à la vie civile. Dans ce véhicule, tout est conçu en fonction de la robustesse et de l'efficacité sur le terrain. Le style et le confort n'ont jamais été pris en considération.

La cabine tente tant bien que mal d'être accueillante et confortable. Malgré tout, le dépouillement est toujours élevé et les places exiguës; quant au tableau de bord, il fait amateur. L'été, l'habitacle se transforme pratiquement en chambre à torture, car le système de climatisation ne suffit pas à la tâche. Il faut également souligner que la visibilité arrière n'est pas ce qu'il y a de mieux. La consultation des rétroviseurs extérieurs est indispensable pour éviter le pire. Bien sûr, conduire un véhicule de ce gabarit offrant une visibilité aléatoire n'est pas une partie de plaisir dans la circulation. Quant aux manœuvres de stationnement, il faut avoir du doigté et jouir d'un espace relativement généreux pour les mener à bien. Mais si jamais on effleure un autre véhicule, ce n'est certainement pas le Hummer qui va sortir perdant.

Rien de l'arrête

Il faut admettre que ce gros tout-terrain excelle lorsque les conditions se détériorent. En fait, aucun autre véhicule ne peut le suivre lorsque vient le temps de traverser un ruisseau, de rouler dans la neige profonde ou de se sortir du bourbier. Dans le Hummer, tout est conçu pour dompter les éléments. La traction intégrale est de rigueur. En outre, les ingénieurs ont mis au point des différentiels répartiteurs assurant la distribution du couple aux 4 roues, même lorsqu'une ou plusieurs d'entre elles n'a plus d'adhérence. Il est de plus possible de bloquer les différentiels d'un simple coup de freins. Ce dispositif a été adopté afin que le conducteur puisse réagir instantanément lorsque la situation se corse. En dernier recours, il est possible d'engager un mécanisme de moyeu à engrenage assurant une démultiplication de 2:1, permettant ainsi de doubler la puissance aux roues. Ce qui explique pourquoi ce gros 4X4 peut rouler en travers d'une pente possédant une inclinaison de 40 degrés ou se rendre au sommet d'un raidillon pouvant atteindre 60 degrés de pente. Enfin, dernière astuce, un mécanisme permettant de gonfler et de dégonfler automatiquement les pneumatiques en roulant donne une meilleure adhérence des pneus, et ce, peu importe les conditions de la chaussée ou du terrain.

Il faut également ajouter que la garde au sol du Hummer est plus que généreuse. Le dessous du véhicule est conçu en forme d'arche afin d'assurer un dégagement optimal au centre.

Malheureusement, ses dimensions sont tellement imposantes qu'il lui est parfois impossible de rouler sur les chemins forestiers bordés d'arbres et particulièrement étroits. De plus, son prix fortement prohibitif le réserve aux bien nantis en mal de sensations fortes et d'inconfort ou aux compagnies ayant vraiment besoin de ses qualités particulières. D'ailleurs, si vous rêvez toujours de jouer les Rambo à son volant, ses performances plutôt modestes risquent de vous décevoir, tandis que la facture de carburant vous déprimera à coup sûr.

Denis Duquet

> ## Si vous appréciez la démesure.

Pour	Contre
Plusieurs modèles offerts	Encombrement excessif
Robustesse sans égale	Habitacle décevant
Système de traction sophistiqué	Climatisation modeste
Concept unique	Prix très corsé
Raffinement en progrès	Performances anémiques

Mazda série B

Une histoire de portes

Depuis que Dodge a innové une fois de plus en étant la première compagnie à construire une cabine allongée, dotée de 2 portes arrière, toute l'industrie s'est efforcée de lui donner la réplique. Compte tenu que la parade a été très rapide, il est certain que Mazda et son associé Ford travaillaient déjà à ce projet depuis quelque temps. En effet, aussi bien la camionnette Mazda que le Ranger de Ford étaient en vente au début du printemps 1998 en versions 4 portes. Ce sont des choses qui ne s'improvisent pas. Et, détail intéressant, si Dodge a montré la voie avec son gros camion Ram 4 portes, le Dakota doit se contenter d'une cabine allongée à 2 portes seulement, situation plutôt anachronique.

Le Mazda 4 portes est bien fignolé: les portières ferment hermétiquement et la cabine ne souffre pas de bruits éoliens causés par l'ajout de joints en raison de la présence des 2 portes arrière. Soulignons au passage qu'il faut bien observer pour détecter leur présence. Par contre, si ces ouvertures supplémentaires sont très appréciées pour placer des objets, l'espace demeure toujours restreint pour les personnes désireuses de prendre place à l'arrière. Ces petits strapontins relativement peu confortables conviennent surtout aux enfants ou aux adultes souples et de gabarit modeste.

Comme ce camion a été sérieusement révisé l'an dernier, il n'affiche pratiquement pas d'autres modifications. Ce Mazda a alors bénéficié d'une nouvelle calandre, de parois latérales revues, d'une cabine standard allongée et d'une partie arrière sculptée. Tous ces éléments sont venus donner un peu d'individualité à cette camionnette qui est en fait une version révisée du Ford Ranger. Mazda a réussi à donner à son camion un petit quelque chose de particulier. Il faut cependant s'interroger sur la présentation de la calandre qui donne l'impression que les stylistes n'ont pas complété leur travail en laissant une ouverture assez large traverser l'avant de part en part.

Ce camion Mazda s'est également raffiné sur le plan de la mécanique en 1998: le châssis a été renforcé et la suspension avant révisée. Elle fait appel à des ressorts hélicoïdaux sur la version 2 roues motrices. Par contre, des barres de torsion sont utilisées sur le modèle 4X4, comme c'est la pratique courante dans l'industrie, afin d'offrir l'espace nécessaire pour les arbres de couche. Ces retouches à la mécanique ont aussi permis d'installer une direction à crémaillère afin d'améliorer la précision de la direction et d'assurer un agrément de conduite plus relevé. Trois moteurs sont au programme. Le 4 cylindres 2,5 litres dévoilé l'an dernier permet de compter sur une économie de carburant plus intéressante que les V6 de 3,0 et 4,0 litres, plus puissants, mais aussi plus gourmands. Le 4,0 litres est le plus performant et le plus brillant des deux, mais bien sûr son coût d'acquisition est plus élevé. Quant au 3,0 litres, il s'essouffle parfois, mais permet de combiner la douceur d'un V6 à une consommation moins élevée que celle de son vis-à-vis de cylindrée plus généreuse.

Une porte n'attend pas l'autre.

Tous ces raffinements permettent de rendre la gamme de la série B encore plus attrayante que l'an dernier. Un modèle B 4000, doté du V6 4,0 litres et de la cabine allongée 4 portes, incluant des sièges sport, est pratiquement un véhicule de luxe et se comporte presque comme une voiture en certaines circonstances. Malgré tout, lorsque la chaussée se dégrade, ses origines plus industrielles remontent à la surface: le train arrière sautille et la direction perd de sa précision. De plus, la dernière version essayée était un modèle 2 roues motrices, dont la suspension avant était affligée d'un léger sautillement sur mauvaise route.

Les camions de la série B possèdent suffisamment d'individualité pour que les personnes désireuses de bénéficier du réseau de concessionnaires Mazda optent pour cette camionnette compacte qui peut, au gré des options, se transformer en outil de travail ou en véhicule sportif.

Denis Duquet

Pour	Contre
Cabine allongée 4 portes	Strapontins arrière peu confortables
Choix de moteurs	Dérobades sur mauvaises routes
Silhouette flatteuse	Moteur 4,0 litres gourmand
Sièges sport très confortables	Sautillement du train avant (4X2)
Passage en mode 4X4 très facile	Levier de vitesses vague (manuelle)

Nissan Frontier

Sous le signe de la raison

À constater le déluge d'options et d'accessoires offerts sur certaines camionnettes, on est en droit de se demander qui sera en mesure de payer la note, une fois la liste d'options complétée. Moteurs de plus en plus puissants, portes multiples, confort presque semblable à celui d'une automobile, tout cela se paie parfois très cher. Tant et si bien que les personnes à la recherche d'une camionnette simple, robuste et en mesure d'effectuer des tâches parfois ingrates ont de la difficulté à s'y retrouver.

C'est probablement cette clientèle que vise Nissan avec le Frontier. S'il est vrai que le Costaud King Cab a été l'une des premières camionnettes à offrir confort et luxe dans la cabine, le Frontier entend poursuivre dans cette voie, tout en respectant une certaine logique. Sa cabine est confortable et spacieuse, mais pas nécessairement luxueuse. Quant au châssis, il est nettement plus rigide que celui de l'ancienne version. En fait, Nissan a apporté les améliorations qui s'imposaient au Costaud et conservé les éléments qui n'avaient pas besoin d'être remplacés.

Il en résulte une camionnette simple et pratique à un prix de base raisonnable. La version standard est animée par un 4 cylindres 2,4 litres qui a été sérieusement revu l'an dernier. La puissance est dorénavant de 143 chevaux, ce qui n'est pas tellement différent des 134 chevaux offerts sur le Costaud. Il est toutefois important de noter que le couple est mieux réparti et que ce moteur est d'une propreté exemplaire en ce qui concerne les gaz d'échappement. De plus, les ingénieurs ont peaufiné ses éléments mécaniques afin d'en améliorer la fiabilité et la durabilité.

Les concepteurs de cette camionnette n'ont pas perdu de vue leur objectif: offrir un outil de travail ou de transport d'appoint à un prix très compétitif. Cette vocation ne signifie pas que la cabine soit dépouillée et inconfortable. Au contraire, la présentation est bonne, le tableau de bord bien disposé et le confort des sièges nettement supérieur à la moyenne. Il faut toutefois regretter que l'habitacle de la version la plus économique soit un tantinet trop sobre.

À l'usage, le 4 cylindres se montre en mesure de répondre aux attentes de la clientèle. Toutefois, ses reprises sont un peu timides et il devient bruyant lorsqu'on le sollicite au maximum. Enfin, pour transporter une forte charge, les 143 chevaux sont adéquats, mais à peine. Pour plusieurs personnes, le V6 3,3 litres annoncé depuis belle lurette serait une solution fort appréciée. Malheureusement, Nissan n'a pas semblée trop pressée de l'offrir. Il devait être prêt pour le début de 1998. Pourtant, son entrée en scène a été retardée à plusieurs reprises. Ce retard s'explique en bonne partie par le fait que les ventes du Costaud équipé du V6 ont toujours été de beaucoup inférieures à celles des versions animées par le 4 cylindres. Comme la compagnie est en train de restructurer sa palette de plates-formes et de groupes propulseurs, l'arrivée du nouveau V6 a été remise à plus tard. Maintenant, il apporte une nouvelle dimension à cette camionnette. Couplé aux versions à cabine allongée, il permet finalement à Nissan de lutter à armes égales dans cette catégorie où la concurrence fait rage.

> La logique l'emporte parfois.

Le Frontier a également bénéficié de plusieurs retouches qui lui permettent de mieux satisfaire aux exigences actuelles en termes d'esthétique et de présentation. Au premier coup d'œil, les changements semblent modestes quand on le compare au Costaud. Cependant, une observation plus attentive permet de découvrir que les changements sont tout de même appréciables. Ces modifications à l'esthétique ont également pour effet d'atténuer les bruits de vent, grâce à un profil plus aérodynamique étudié pour réduire les turbulences. Là comme ailleurs cependant, stylistes et ingénieurs n'ont vraiment pas tenté de rompre avec le passé. Comme pour la plupart de ses autres produits, Nissan a adopté une approche évolutive lorsque est venu le temps de remodeler sa camionnette.

Denis Duquet

Pour	Contre
Conception saine	Sautillement sur mauvaise route
Moteur plus puissant	Freinage perfectible
Habitacle confortable	Pneumatiques moyens
Prix compétitif	Moteur 4 cylindres parfois bruyant
Équipement complet	Tableau de bord dépouillé

Toyota T100/T150

Enfin du muscle!

Chez Toyota, on n'a pas l'habitude de faire la même erreur deux fois. Il faut parfois quelques années à la firme avant de réparer les pots cassés, mais le deuxième effort donne généralement de bien meilleurs résultats. Le nouveau camion T150 en fournit une autre preuve.

Dévoilé en tant que prototype au Salon de l'auto de Chicago en février 1998, le T150 devrait rapidement nous faire oublier la saga du T100 qui n'a pas connu une carrière très glorieuse. Cet intermédiaire avait été conçu comme un compromis entre les camions pleine grandeur et les modèles compacts, tel le Tacoma. Comme dans le cas de plusieurs tentatives similaires, les résultats ont été décevants. Mais le nouveau venu semble capable de corriger les carences de la première version. L'une des faiblesses les plus évidentes du T100 était l'absence de moteur V8. Pour y remédier, les ingénieurs de Toyota n'ont pas lésiné sur les moyens: un imposant V8 capable de tracter de grosses remorques ou de lourdes charges est dorénavant offert. Avec sa cylindrée de 4,7 litres, ses 230 chevaux et son couple de 320 lb-pi, ce moteur permet donc à ce nouveau camion de se mesurer à armes égales à ses concurrents nord-américains.

Comme c'est son habitude, Toyota n'a pu résister à la tentation de réaliser un moteur plus sophistiqué que la moyenne. Plusieurs moteurs de camions fonctionnent avec un seul arbre à cames en tête; Toyota innove avec deux. Et si cette sophistication vous inquiète, rassurez-vous. Ce groupe propulseur aura déjà démontré sa valeur sur le Lexus LX470 lorsque ce camion sera commercialisé en 1999 en tant que modèle 2000.

Un créneau bien à lui

Un autre élément qui jouait en défaveur du modèle T100 était sa présentation extérieure, qui semblait avoir été conçue pour que le camion passe inaperçu. Ce ne sera pas le cas avec le T150, dont la silhouette est fort réussie. Les passages d'ailes élargis, une calandre agressive et une version à cabine allongée, dotée de 4 portes, font du T150 un bon compromis entre le style agressif du Ford F-150 et la présentation relativement conservatrice des nouveaux Chevrolet Silverado et GMC Sierra. De plus, il faut souligner que l'habitacle du T150 est très relevé.

Chez Toyota, on est prudent. Les responsables du marketing soutiennent qu'ils visent surtout une clientèle désireuse de demeurer fidèle à la marque au moment d'acheter un gros camion. Pas question selon eux d'entamer une lutte à finir avec Dodge, Ford et GM. Il faut en conclure que le nombre de clients désireux de conduire un gros camion de cette marque doit être très élevé, puisque l'usine en voie de construction en Indiana aura une capacité annuelle de plus de 100 000 unités.

En attendant l'arrivée de son grand frère plus musclé et plus attrayant, le T100 tel qu'on le connaît aura la tâche de défendre le fort. Même si sa distribution aux États-Unis a été interrompue en août 1998, elle sera poursuivie pendant plusieurs autres mois au Canada.

> Un changement qui s'imposait.

Comme vous pouvez vous en douter, aucun changement majeur n'a été apporté à ce modèle menacé de disparition. À défaut de pouvoir nous inspirer par ses performances ou son élégance, le T100 demeure un produit Toyota avec tout ce que cela signifie en termes de fiabilité, de solidité et de valeur de revente. Même si ses ventes ont toujours été plutôt modestes, le fait demeure que ce camion est fort apprécié de ses propriétaires.

Il ne faudra pas non plus écarter la possibilité que la nouvelle génération des camions «T» nous propose un modèle animé par un moteur V6, comme c'est le cas chez la concurrence. Mais, cette fois, ceux qui auront besoin de plus de puissance auront un autre choix. De plus, la silhouette sera plus agressive et en harmonie avec les tendances actuelles du marché.

Denis Duquet

Pour	Contre
Finition impeccable	Prix élevé
Mécanique éprouvée	Suspension rigide
Cabine confortable	Faible diffusion
Moteur consommant peu	Modèle en sursis
Durabilité assurée	Moteur peu discret

Toyota Tacoma

Solide et fiable, mais…

La compagnie Toyota a toujours résisté à la tentation de diminuer la qualité et la fiabilité de ses produits. En fait, dans toute sa gamme, seul le RAV4 peut être accusé d'avoir glissé sur cette pente et de se contenter, par exemple, de plastiques bon marché dans la cabine. Si cette philosophie du beau, du bon et du solide qui anime Toyota est fortement appréciée dans le cas d'une automobile, elle l'est encore davantage dans la catégorie des camionnettes. Heureusement pour les acheteurs éventuels d'un Tacoma, ces qualités qui ont fait la réputation de la marque font toujours partie intégrante de ce véhicule.

La version SR5 V6 Xtracab est le modèle de rêve dans la famille Tacoma. C'est également celui qui convient le plus à une utilisation familiale. Son moteur V6 possède une cylindrée de 3,4 litres et développe 194 chevaux. Et contrairement à la plupart des V6 d'origine américaine possédant des soupapes en tête, celui-ci est doté de deux arbres à cames en tête. C'est pourquoi il offre des prestations tout en douceur et des reprises qui ont plus de mordant à des vitesses intermédiaires. Ce moteur souple et doux est en parfaite harmonie avec la boîte automatique à 4 rapports. Celle-ci effectue son travail avec une telle efficacité qu'on oublie sa présence. Toutefois, il faut souligner qu'en accélération franche, le moteur marque certaines hésitations qui risquent de déplaire à plusieurs.

Ce modèle à cabine allongée se comporte pratiquement comme une automobile sur les autoroutes. La suspension relativement moelleuse s'associe à une cabine bien insonorisée pour offrir un confort appréciable au cours des trajets de plusieurs heures. Toutefois, lorsque les courbes se succèdent en cascade, les limites de la suspension se manifestent très rapidement. De plus, le faible support latéral offert par les sièges oblige le conducteur à se cramponner au volant et le passager à s'agripper à lui! Soulignons au passage que la cabine est d'une finition impeccable et sa présentation d'inspiration nettement rétro. Chez les versions à 4 roues motrices, la suspension est très ferme et le passage des joints d'expansion de la chaussée est souligné par un sautillement enthousiaste du train avant.

Voilà pour la version idéale. Cependant, le Tacoma peut devenir beaucoup moins intéressant lorsqu'on choisit la cabine standard et le moteur 2,4 litres de 142 chevaux. Ce moteur est peut-être robuste et sa conception mécanique relevée, mais il perd des plumes à l'usage. Ses prestations anémiques et son niveau sonore élevé découragent l'utilisateur. En fait, Toyota se complique l'existence inutilement. Il suffirait d'offrir un seul moteur 4 cylindres, soit le 2,7 litres qui est toujours réservé à la version 4X4. Ce moteur est plus puissant et plus performant et sa consommation de carburant équivalente à celle du 2,4 litres qui nous semble toujours à bout de souffle. Alors?

La même approche inutilement compliquée a été utilisée pour l'aménagement de la cabine. Les concepteurs ont voulu ménager la chèvre et le chou en concoctant une banquette avant de type sport permettant au passager et au pilote d'apporter des réglages individuels à leur siège lorsque personne n'occupe la place centrale. L'idée est valable, mais l'exécution assez peu intéressante, surtout lorsque conducteur et passager optent pour des réglages diamétralement opposés. Et cet inconfort est accentué par l'exiguïté de la cabine standard.

Dans son ensemble, le Tacoma possède les qualités de solidité et de fiabilité mécanique inhérentes à toute camionnette. En revanche, certains choix d'agencement de groupes propulseurs et d'options, une silhouette discutable et un prix souvent corsé empêchent plusieurs acheteurs d'opter pour le Tacoma. Un léger redressement des options de même qu'une révision des prix à la baisse feraient des merveilles pour la popularité du Tacoma.

Denis Duquet

> Fiable ne rime pas avec agréable.

Pour	Contre
Finition impeccable	Direction floue
Fiabilité éprouvée	Tenue de route moyenne
Bonne valeur de revente	Moteur 2,4 litres anémique
Moteur V6 sophistiqué	Silhouette anonyme
Cabine insonorisée	Suspension du 4X4 très ferme

Marque / Modèle	Chevrolet S-10 cab. reg. 4X2	Chevrolet Silverado cab. all. 3 portes	Dodge Dakota cab. all. 4X2	Dodge Ram cab. rég. 4X2	Ford F-150 cab. rég. 4X2	Ford Ranger / Mazda série B cab. all. 4X2	Hummer util. sport 4X4	Nissan Frontier cab. rég. 4X2	Toyota T100 cab. all. 4X2	Toyota Tacoma cab. all. 4X2
Empattement	299 cm	364 cm	333 cm	342 cm	297 cm	318 cm	330 cm	265 cm	310 cm	309 cm
Longueur	523 cm	578 cm	545 cm	570 cm	500 cm	504 cm	467 cm	443 cm	531 cm	505 cm
Poids	1314 kg	2150 kg	1455 kg	2145 kg	2130 kg	1455 kg	n. d.	1250 kg	1620 kg	1355 kg
Moteur / transmission	V6 4,3 litres	V8 4,8 litres	V6 3,9 litres	V8 5,2 litres	V6 4,2 litres	4L 2,5 litres	V8 6,5 litres	4L 2,4 litres	V6 3,4 litres	4L 2,4 litres
Puissance	190 ch	255 ch	175 ch	230 ch	205 ch	117 ch	170 ch	135 ch	190 ch	142 ch
Transmission	man. 5 rapports	aut. 4 rapports	man. 5 rapports	man. 5 rapports	man. 5 rapports	man. 5 rapports	aut. 4 rapports	man. 5 rapports	man. 5 rapports	man. 5 rapports
Autres moteurs	4L 2,2 l	V6 4,3 l / V8 5,3 l V8 6,0 l / 6,5 l TD	4L 2,5 l / V8 5,2 l V8 5,9 l	V6 3,9 l / V8 5,9 l V10 8 l / 6L 5,9 l TD	V8 4,6 l / V8 5,4 l V8 5,8 l / V8 7,3 TD	V6 3,0 l / V6 4,0 l	V8 6,5 D	V6 3,3 l	aucun	4L 2,7 l / V6 3,4 l
Autre transmission	aut. 4 rapports	man. 5 rapports	aut. 4 rapports	aut. 4 rapports	aut. 4 rapports	aut. 4 rap. /aut. 5 rap	aucune	aut. 4 rapports	aut. 4 rapports	aut. 4 rapports
Suspension av.	indépendante	indépendante	indépendante	indépendante	indépendante	indépendante	indépendante	indépendante	indépendante	indépendante
Suspension arr.	essieu rigide	essieu rigide	essieu rigide	essieu rigide	essieu rigide	essieu rigide	indépendante	essieu rigide	essieu rigide	essieu rigide
Freins av.	disque ABS	disque ABS	disque ABS	disque ABS	disque ABS	disque ABS	disque ABS	disque ABS	disque ABS	disque ABS
Freins arr.	tambour ABS	disque ABS	tambour ABS	tambour ABS	tambour ABS	tambour ABS	tambour ABS	tambour ABS	tambour ABS	tambour ABS
Direction	à billes	à billes	à crémaillère	à billes	à billes	à billes	à billes	à billes	à crémaillère	à crémaillère
Pneus	P205/75R15	LT225/75R16	P215/75R15	P225/75R16	P235/70R16	P195/70R14	37x12,5 OR16,5	P195/65R14	P235/75R15	P225/75R15
Accél. 0-100 km/h	9,1 secondes	10,2 secondes	9,6 secondes	10,3 secondes	9,7 secondes	12,9 secondes	19,8 secondes	12,8 secondes	9,3 secondes	12,6 secondes
Vitesse maximale	170 km/h	180 km/h	175 km/h	175 km/h	175 km/h	160 km/h	135 km/h	165 km/h	165 km/h	165 km/h
Consommation	12,1 l/100 km	13,4 l/100 km	12,8 l/100 km	13,4 l/100 km	14,3 l/100 km	9,1 l/100 km	18,2 l/100 km	9,3 l/100 km	14,2 l/100 km	10,3 l/100 km
Échelle de prix	16 500 $ - 28 500 $	22 500 $ - 48 000 $	17 000 $ - 28 500 $	19 945 $ - 37 000 $	21 500 $ - 38 700 $	16 500 $ - 27 650 $	76 900 $ - 105 000 $	17 500 $ - 26 000 $	27 800 $ - 38 900 $	16 395 $ - 31 950 $

aston martin db7
bmw m3
callaway
ferrari f355
ferrari 456 gt
ferrari 550 maranello
lamborghini diablo
mercedes-benz sl
acura nsx t
aston martin db7
bmw m3
callaway
ferrari f355
ferrari 456 gt
ferrari 550 maranello
lamborghini diablo
mercedes-benz sl
acura nsx t
aston martin db7
bmw m3
callaway
ferrari f355
ferrari 456 gt
ferrari 550 maranello
lamborghini diablo
mercedes-benz sl
acura nsx t
aston martin db7
bmw m3
callaway
ferrari f355
ferrari 456 gt
ferrari 550 maranello
lamborghini diablo
mercedes-benz sl
acura nsx t
aston martin db7
bmw m3
callaway
ferrari f355
ferrari 456 gt
ferrari 550 maranello
lamborghini diablo
mercedes-benz sl
acura nsx t
aston martin db7
bmw m3
callaway

ferrari 550 maranello
lamborghini diablo
mercedes-benz sl
acura nsx t
aston martin db7
bmw m3
callaway
ferrari f355
ferrari 456 gt
ferrari 550 maranello
lamborghini diablo
mercedes-benz sl
acura nsx t
aston martin db7
bmw m3
callaway
ferrari f355
ferrari 456 gt
ferrari 550 maranello
lamborghini diablo
mercedes-benz sl
acura nsx t
aston martin db7
bmw m3
callaway
ferrari f355
ferrari 456 gt
ferrari 550 maranello
lamborghini diablo
mercedes-benz sl
acura nsx t
aston martin db7
bmw m3
callaway
ferrari f355
ferrari 456 gt
ferrari 550 maranello
lamborghini diablo
mercedes-benz sl
acura nsx t
aston martin db7
bmw m3
callaway
ferrari f355
ferrari 456 gt
ferrari 550 maranello
lamborghini diablo
mercedes-benz sl

les supervoitures

Acura NSX

Le fleuron de la gamme

Lancée en 1991, l'Acura NSX avait pour but de rivaliser avec les voitures de sport les plus prestigieuses de cette planète et, du même coup, de donner à une marque relativement jeune la crédibilité qui lui faisait grandement défaut.

Or, cette sportive bien étoffée n'a atteint ni son objectif ni le succès escompté. Malgré de fort belles qualités, la NSX a été un échec commercial. Le gros obstacle à sa diffusion est bien entendu son prix de 135 000 $ qui se situe entre celui d'une Porsche 911 et celui d'une Ferrari F355. L'amateur se tournera souvent vers la voiture allemande, dont la réputation est solidement établie ou déboursera un petit 50 000 $ supplémentaire pour accéder au cercle restreint des propriétaires de Ferrari. Car bien des gens achètent des voitures autant pour leur nom que pour leurs performances.

La NSX mérite néanmoins un meilleur sort. Son fabuleux moteur V6 lui confère des performances exceptionnelles, même si la vraie puissance n'est ressentie qu'à partir de 5000 tr/min.

Une sportive aguerrie

La NSX possède depuis deux ans une boîte manuelle à 6 rapports qui est un plaisir à utiliser. Sa direction à assistance variable contrôlée électriquement répond avec rapidité et précision aux impulsions du volant. Ajoutons qu'une transmission automatique disposant du système «SportsShift» (la version Honda de la «Tiptronic» de Porsche) avec levier sélecteur électronique monté sur la colonne de direction est également offerte. Avec l'automatique, on doit toutefois se contenter de l'ancien moteur V6 3,0 litres développant 252 chevaux au lieu des 290 chevaux du 3,2 litres jumelé à la boîte manuelle. Le peu d'intérêt que représente cette transmission et le handicap de puissance qui l'accompagne constituent deux bonnes raisons pour choisir une NSX, dont on change soi-même les vitesses.

Le freinage résiste pour sa part à un usage abusif, tout en affichant une progressivité qui repousse à l'extrême limite l'entrée en fonction de l'ABS. Contrairement à de nombreuses voitures de sport toujours un peu «pointues», la NSX est très facile à conduire à la limite et, sur piste, elle se montre plutôt neutre, grâce au bon équilibre que lui donne son moteur central. La rigidité du châssis se met en valeur sur mauvaise route, ce qui est d'autant plus remar-

quable que la version mise à l'essai était une NSX-T dotée d'un panneau de toit amovible, une solution qui affaiblit souvent la structure et qui est à l'origine de divers bruits de caisse. La carrosserie, rappelons-le, est entièrement en aluminium, ce qui devrait normalement faire de cette Acura une voiture relativement légère. Or, elle est plus lourde qu'une Porsche 911 ou une Ferrari F355, malgré un format équivalent.

Un habitacle moins heureux

Si le comportement routier de cette Acura est irréprochable, son aménagement prête le flanc à quelques critiques. Je pense notamment à la position de conduite au ras du sol qui rend l'accès difficile à toute personne qui n'a pas la souplesse d'un athlète. De plus, le siège du conducteur devient inconfortable sur de longs trajets. L'Acura est aussi pénalisée par une piètre visibilité arrière et par l'absence de rangements dignes de ce nom.

Elle se fait pardonner ses petits travers en offrant une sellerie en cuir, une climatisation entièrement automatique et une chaîne stéréo Bose.

Somme toute, la NSX-T se présente comme une vraie voiture de sport que l'on prend grand plaisir à conduire, mais qui est en même temps mal adaptée à une utilisation quotidienne. Son palmarès plutôt modeste, une silhouette qui ne fait pas l'unanimité et un prix astronomique sont autant de raisons qui contribuent à la maintenir dans l'anonymat. Dommage...

Jacques Duval

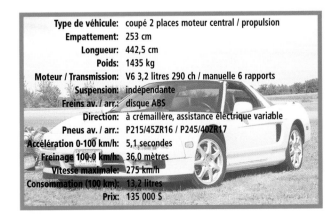

Type de véhicule:	coupé 2 places moteur central / propulsion
Empattement:	253 cm
Longueur:	442,5 cm
Poids:	1435 kg
Moteur / Transmission:	V6 3,2 litres 290 ch / manuelle 6 rapports
Suspension:	indépendante
Freins av. / arr.:	disque ABS
Direction:	à crémaillère, assistance électrique variable
Pneus av. / arr.:	P215/45ZR16 / P245/40ZR17
Accélération 0-100 km/h:	5,1 secondes
Freinage 100-0 km/h:	36,0 mètres
Vitesse maximale:	275 km/h
Consommation (100 km):	13,2 litres
Prix:	135 000 $

Aston Martin DB7 • Volante • Project Vantage

De bien beaux objets

Déjà considérée par de nombreux stylistes et carrossiers comme l'une des plus belles voitures du monde, l'Aston Martin DB7 pourrait bientôt hériter d'une grande sœur encore plus séduisante si le projet Vantage se concrétise. Dévoilée lors des grands salons internationaux de 1998, cette voiture concept doit ses lignes au même dessinateur écossais qui a signé la DB7, Ian Cullum. Le prototype Project Vantage représente la supervoiture du futur, selon Aston Martin.

Conçu avec l'entière collaboration de Ford, désormais propriétaire à 100 p. 100 de la marque britannique, ce modèle s'inspire des hautes technologies que la firme américaine a explorées dans le cadre de sa participation au championnat du monde de Formule 1. La carrosserie et le châssis font appel à l'aluminium et à la fibre de carbone. La rigidité des structures et la protection des occupants de cette GT sont similaires à ce que l'on trouve dans une monoplace de Formule 1. Comme la récente Ferrari F355, la Vantage recevra une boîte de vitesses séquentielle, dont les 6 rapports seront contrôlés à partir de manettes placées sur le volant. Cette transmission sera au service d'une imposante cavalerie constituée d'un V12 48 soupapes de 6,0 litres développé conjointement par Ford, Aston Martin et Cosworth. Avec une puissance estimée autour de 600 chevaux, cette quasi-voiture de course pourrait atteindre les 325 km/h et accélérer de 0 à 100 km/h en 4 secondes et des poussières. Avec le Project Vantage, Aston Martin serait en mesure de donner la réplique aux Ferrari F50 et autres voitures d'exception qui existent davantage pour auréoler l'image d'un constructeur que pour hausser ses chiffres de production. En revanche, ces *dream cars* ont souvent des effets bénéfiques sur les ventes des modèles de série qui, chez Aston Martin, demeurent à un stade confidentiel.

Un prix irréaliste

Pourtant, la DB7 est non seulement belle et exclusive, mais relativement performante, comme l'a démontré l'essai du cabriolet Volante. Son moteur 6 cylindres de 3,2 litres à compresseur développe la bagatelle de 335 chevaux et est offert avec une boîte à 5 rapports ou complètement automatique. Les performances (0-100 km/h en 5,6 secondes et une vitesse maxi de 266 km/h)

s'apparentent à celles d'une Porsche 911, mais à 195 000 $, la voiture coûte presque le double de l'allemande sans offrir la même fiabilité.

Pour donner à cette DB7 un attrait supplémentaire, on offre depuis peu une Aston Martin édition Alfred Dunhill, la célèbre marque anglaise renommée pour ses cigares. À une époque où le lobby antitabac est à son plus fort, ce jumelage apparaît assez inconvenant. Mais l'on nous assure que le contenant à cigares humidifié (humidor) qui équipe cette version peut être remplacé par une trousse d'outils de toilette. *Shocking, my dear...* L'acheteur de cette DB7 offerte exclusivement en gris platine avec jantes assorties aura droit également à un ensemble de plumes Dunhill AD 2000 et de valises noir et gris du plus grand chic. À l'intérieur, le bois précieux cède sa place à des appliques d'aluminium brossé et à une montre Millenium de la maison Alfred Dunhill.

Tout ce maquillage ne fera sans doute pas oublier que les Aston Martin coûtent énormément cher pour les performances et la qualité de construction qu'elles ont à offrir. Devant les Jaguar XK8 et bientôt XKR qui leur ressemblent comme des jumelles, elles auront sans doute de plus en plus de mal à sortir du marasme qui les afflige depuis de nombreuses années.

Jacques Duval

Type de véhicule:	«Project Vantage», coupé 2 places / propulsion
Empattement:	269 cm
Longueur:	467 cm
Poids:	1550 kg
Moteur / Transmission:	V12 6,0 l 600 ch (estimé) /séquentielle 6 rapports
Suspension:	indépendante
Freins av. / arr.:	disque, ABS ITT
Direction:	à crémaillère, assistance variable
Pneus av. / arr.:	P255/40ZR19 / P285/40ZR19 Bridgestone
Accélération 0-100 km/h:	4,3 secondes
Freinage 100-0 km/h:	n. d.
Vitesse maximale:	325 km/h (donnée du manufacturier)
Consommation (100 km):	13 litres (donnée du manufacturier)
Prix:	n. d.

Callaway C12

En partie québécoise

La Callaway C12 est une sorte de consécration pour le designer québécois Paul Deutschman. Dévoilée en première mondiale au Salon de Genève 1998, cette éclatante voiture de sport a été conçue comme une rivale de ce qui se fait de plus «exotique» sur cette planète. Elle n'a évidemment pas le panache d'une Ferrari ni même d'une Lamborghini, mais elle n'en demeure pas moins une belle riposte à des modèles comme la Dodge Viper GTS.

Si la Callaway C12 rate de peu son passage dans la sacro-sainte confrérie des supervoitures, c'est qu'il s'agit essentiellement d'une Corvette sérieusement revue et corrigée par Reeves Callaway et ses acolytes. L'un de ceux-là est notre bon ami et collaborateur occasionnel Paul Deutschman qui a dessiné le spectaculaire silhouette de la C12. Et quelle silhouette... Malgré les contraintes liées à l'utilisation d'un châssis existant, Paul a réussi à donner à cette voiture une ligne bien à elle. Deutschman n'est pas un inconnu pour nos lecteurs. L'une de ses premières créations, la Spex Elf, faisait l'objet d'une rubrique dans l'édition 1985 du *Guide de l'auto*. Sur la base d'une Honda Civic, il avait créé un magnifique petit cabriolet qui devint en quelque sorte sa carte de visite pour de nombreuses réalisations ultérieures, dont la Spexter, précurseur de la Porsche Boxster.

Nous avons plus tard consacré d'autres papiers à Paul Deutschman, surtout depuis qu'il fait partie de l'équipe de Callaway, un petit manufacturier américain spécialisé dans la construction de voitures sport de petite série autant pour la route que pour la course. En 1995, nous avons parlé de la très élégante Callaway Camaro, puis l'année suivante de la C7, une GT conçue pour

la compétition, mais qui fut mise au rancart à la suite d'un changement de réglementation. La nouvelle C12 constitue cependant le plus beau fleuron à la couronne du styliste québécois.

Une Corvette bonifiée

La voiture sera produite à une centaine d'unités seulement par la firme d'ingénierie allemande IVM, associée à Callaway. Cette firme, qui compte environ 1400 employés, se spécialise dans le développement et la recherche pour divers manufacturiers automobiles. Au début, les Allemands voulaient imposer leur propre designer, mais Reeves Callaway, président de la firme du même nom et grand admirateur de Deutschman, a insisté pour que ce dernier dessine la C12. Si plusieurs éléments de ce modèle proviennent de la

Type de véhicule:	coupé 2 places / propulsion
Empattement:	266 cm
Longueur:	485 cm
Poids:	1480 kg
Moteur / Transmission:	V8 5,7 litres 440 ch / manuelle 6 rapports
Suspension:	indépendante
Freins av. / arr.:	disque, ABS
Direction:	à crémaillère, assistance variable
Pneus av. / arr.:	P295/30ZR19 / P335/25ZR19
Accélération 0-100 km/h:	4,3 secondes
Freinage 100-0 km/h:	n. d.
Vitesse maximale:	304 km/h (donnée du manufacturier)
Consommation (100 km):	13,8 litres
Prix:	140 000 $ US (estimé)

Chevrolet Corvette, il ne reste plus que les glaces et le panneau amovible du toit de la carrosserie originale.

Double vocation

L'exercice n'a pas été facile, étant donné qu'il fallait tenir compte de la double vocation de la C12, soit la piste et la route. Le règlement des courses de GT stipule qu'il faut préserver la forme extérieure de la carrosserie. C'est pourquoi plusieurs détails de style ont été incorporés à la voiture en fonction de son utilisation en compétition. Par exemple, l'immense renflement du capot avant servira ultérieurement à loger le boîtier d'admission d'air pour le moteur. La petite fenêtre latérale arrière permettra de mieux refroidir les freins, tandis que les bas de caisse seront utilisés pour créer un effet de sol afin d'améliorer la tenue de route.

Sous le capot, le moteur est dérivé du V8 de 5,7 litres de la Corvette, dont la puissance a été portée de 345 à 440 chevaux. En vitesse de pointe, cette Callaway peut atteindre 304 km/h, selon son constructeur. La tenue de route a aussi été optimisée, notamment par l'adoption de jantes de 19 pouces chaussées de pneus à profil surbaissé dans les dimensions P295/30ZR19 et P335/25ZR19. En plus, les freins à disque à aération intérieure d'un diamètre de 355 mm possèdent des étriers à 4 pistons.

Grâce à sa carrosserie en plastique renforcé à la fibre de verre Kevlar, la C12 pèse 55 kg de moins qu'une Dodge Viper, ce qui contribue à améliorer son rapport poids/puissance. Ainsi, malgré un handicap d'une dizaine de chevaux par rapport au V10 de la Viper, cette Callaway coiffe sa rivale à l'épreuve du 0-100 km/h avec un temps de 4,3 secondes, comparativement à 4,7. *Le Guide de l'auto* devait entériner tous ces chiffres et, possiblement, abaisser le record de piste de la Viper au Centre d'essais de Blainville. Malheureusement, la firme Callaway a été incapable de nous fournir un exemplaire de la C12 à la date prévue pour les essais.

Si la haute performance est au cœur des préoccupations de cette nouvelle supervoiture, elle répond néanmoins aux critères de confort et de luxe d'une grand-tourisme.

L'intérieur noir et argent fait appel à des matériaux de grande qualité avec un heureux mélange de cuir, d'aluminium, d'Alcantara et de fibre de carbone. L'équipement de série comprend les coussins gonflables, l'ordinateur de bord, la climatisation, les rétroviseurs extérieurs chauffants et des sièges à commande électrique programmables.

Comme toute voiture construite en petite série, cette Callaway est destinée à une clientèle à l'aise, puisqu'elle coûtera environ 140 000 $ US. À peine sortie de son moule, la C12 coupé sera bientôt secondée par une version décapotable afin de tirer profit de la popularité de plus en plus forte des roadsters.

Jacques Duval

Ferrari F355

Tournée d'adieu

Avec une rare unanimité, quantité de spécialistes de la chose automobile s'entendent pour dire que la Ferrari F355 mérite une place sur le podium des meilleures sportives du monde. Un verdict qu'entérinent les ferraristes de tout poil, pour qui ce pur-sang est l'une des réussites de la firme de Maranello. Un galop d'essai dans les collines surplombant ce village, nous aura permis de confirmer ces dires.

La F355 a pris le relais, en 1995, de la décevante 348, qui succédait elle-même à la célèbre lignée des 308/328. À peine plus raffinée que ces dernières – dont la conception remontait pourtant à près de 20 ans! –, la 348 en a rebuté plus d'un par sa brutalité.

Dès son arrivée, la F355 n'a pas mis de temps à faire oublier sa devancière mal-aimée. Bien qu'elles fussent semblables au premier coup d'œil, leurs robes étant signées par le même designer (Pininfarina), toute ressemblance s'arrête là: autant il fallait être un authentique tifoso pour apprécier la 348, autant sa remplaçante risque de convertir bon nombre de païens au culte du cheval cabré. Nous avons en effet affaire ici à un modèle de civisme et de convivialité – pour une Ferrari, s'entend.

Sans être celui d'une berline, le confort n'est plus une notion abstraite à bord de la «petite Ferrari». La même remarque s'applique mot pour mot à l'ergonomie, en net progrès. Les plus cartésiens trouveront à redire à la petitesse du coffre à gants et des espaces de rangement, mais entre vous et moi, qu'est-ce qu'on s'en balance! Les commandes sont à la portée de la main, l'instrumentation se consulte tout aussi aisément, voilà ce qui importe. De toute façon, si l'aspect pratique est votre priorité, ce n'est pas une Ferrari qu'il vous faut, mais une fourgonnette...

Nirvana

Pour le reste, le charme est non seulement intact, mais il est unique, incomparable. On vous l'a déjà dit mille fois, mais il faut le vivre pour vraiment le comprendre: être bien calé dans un baquet aussi enveloppant que celui d'une voiture de compétition, avec l'écusson de la marque, le légendaire *Cavallino Rampante,* sous les yeux, au centre du volant, offre une sensation indescriptible. Qui m'a plongé dans un état second, très près de la plénitude. Le nirvana du chroniqueur automobile, en quelque sorte. Et je pèse mes mots.

Type de véhicule:	Berlinette 2 places / propulsion
Empattement:	245 cm
Longueur:	425 cm
Poids:	1350 kg
Moteur / Transmission:	V8 3,5 litres 380 ch / boîte séquentielle 6 rapports
Suspension:	indépendante
Freins av. / arr.:	disques ABS
Direction:	à crémaillère, assistance variable
Pneus av. / arr.:	P225/40 ZR18 / P265/40ZR18
Accélération 0-100 km/h:	4,7 secondes
Freinage 100-0 km/h:	36,0 mètres
Vitesse maximale:	295 km/h
Consommation (100 km):	17,0 litres
Prix:	201 526 $ (F355 Berlinette F1)

Dès qu'on ouvre la portière, une forte odeur de cuir monte au nez, mais elle envoûte plus qu'elle n'agresse. Avant de vous lancer dans un éloge du cuir italien, sachez toutefois que celui employé chez Ferrari vient de chez Connoly, à Londres, fournisseur de Sa Majesté, mais aussi de Jaguar et de Rolls-Royce.

Ferrari avait mis à ma disposition une berlinette F355 munie de la boîte de vitesses séquentielle F1 pour une demi-journée. Les routes en lacets des montagnes environnantes constituaient le terrain idéal pour vérifier le rendement de cette nouvelle boîte, apparue en cours d'année, mais aussi pour mesurer l'efficacité du freinage et de la tenue de route, ainsi que la souplesse du moteur. Joli programme en perspective.

La F1: un concept anglo-italien

Comme son nom l'indique, la boîte séquentielle F1 est directement issue de la discipline reine du sport automobile. L'idée n'est pas neuve, puisqu'une boîte semi-automatique, qui éliminait la pédale d'embrayage, a été installée pour la première fois en 1978, dans la monoplace d'un certain Gilles Villeneuve. Farouchement traditionnaliste, et peu désireux de se lancer dans un laborieux programme de développement, le pilote de Berthierville avait choisi de rester fidèle à la transmission conventionnelle. Onze ans plus tard, avec la contribution du savoir-faire britannique, cette boîte de vitesses révolutionnaire, développée par le super ingénieur anglais John Barnard, réapparaissait dans la Ferrari 639 de son compatriote Nigel Mansell, qui la faisait triompher à son premier Grand Prix, au Brésil. Depuis, ce type de transmission est devenu la norme en Formule 1.

Aussi traditionnaliste que l'était le regretté Gilles (mais toute comparaison s'arrête là...), l'auteur de ces lignes a été emballé par ce système. Très simple à utiliser, il maximise le rendement déjà époustouflant de ce V8 on ne peut plus souple, dont la zone rouge commence à... 8500 tr/min! Soit 300 tr/min de plus que le 4 cylindres VTEC de l'Acura Integra Type R; un chiffre encore plus hallucinant dans le cas d'un V8, les grosses cylindrées étant, en règle générale, moins portées sur les hauts régimes. Il faut dire que chaque centimètre carré y contribue: avec un rapport de 109 chevaux par litre de cylindrée, la F355 est sans égale. Les performances sont à la hauteur, comme vous pourrez le constater en jetant un coup d'œil à la fiche technique.

Le comportement est du même calibre: elle avale les grandes courbes comme les virages les plus serrés en restant plaquée au sol, à un point tel qu'on se demande si limite d'adhérence il y a... Du reste, on voit mal comment il pourrait en être autrement, avec un tel équilibre des masses, favorisé par la position centrale du moteur; mais aussi une suspension sophistiquée, qui fait office de référence dans cette catégorie pour le moins relevée; et surtout, grâce au fond plat, qui dote la F355 de l'effet de sol. On est plus près du bolide de course que de la voiture de série, ici.

Si vous êtes de ces privilégiés qui en avez les moyens, dépêchez-vous cependant de vous en procurer une, car la F355 complète en 1999 son dernier tour de piste. Sa remplaçante sera présentée en cours d'année et, selon nos sources, elle pourrait être baptisée F360 Fiorano. Parmi les autres renseignements obtenus, citons une augmentation de la cylindrée, qui passerait à 3586 cc, et de la puissance, désormais de 400 chevaux. Finalement, l'utilisation d'un châssis en aluminium permettra de sauver quelques centaines de kilos. Rendez-vous en 2000...

Philippe Laguë

Statu quo

Bien que la série 3, dont elle est directement issue, vienne tout juste de subir une refonte en règle, la M3 nous revient inchangée en 1999. Ce qui signifie que cette version aussi exclusive que performante continue de faire appel à la plate-forme et à la carrosserie de l'ancienne génération. La configuration berline est toutefois retirée du catalogue, de sorte que la M3 n'est désormais offerte que sous la forme d'un coupé. Nos voisins du sud ont droit, eux, à un cabriolet en sus; mais comme nous, ils doivent se contenter d'une version dégonflée du 6 cylindres en ligne de 3,2 litres revu par les motoristes de la branche Motorsport du constructeur bavarois. (De là le «M», si vous ne le saviez déjà, ou ne l'aviez deviné.)

Avant d'aller plus loin, soulignons que l'historique de l'actuelle M3 en sol canadien ressemble à une véritable saga, riche en rebondissements de toutes sortes. Lors de son introduction, il y a cinq ans, les bonzes de BMW Canada choisirent d'y aller avec la version européenne, forte de ses 282 chevaux. Seulement 45 exemplaires furent importés et si vous faites partie des veinards qui en possèdent une, sachez que vous avez une pièce de collection entre les mains. En effet, la M3 cessa ensuite de traverser nos frontières et ce, pour deux ans. Elle fut réintroduite en 1997, cette fois avec le moteur M amputé de 42 chevaux, et réservé au seul marché nord-américain. Par ailleurs, même s'il s'agissait d'un modèle datant de quelques années, vendu au compte-gouttes et qui était tout, sauf accessible, l'Association des journalistes automobiles du Canada (AJAC) – qui n'en est pas à une aberration près, il est vrai – trouva le moyen de lui décerner le titre de «Voiture de l'année», toutes catégories confondues! Allez y comprendre quelque chose...

M comme dans Muscle

N'allez cependant pas croire que la M3 ne mérite pas les éloges qu'elle a reçus depuis qu'elle existe. Bon sang ne saurait mentir, dit le proverbe, et l'ancienne série 3 reposait sur une plate-forme des plus saines, dont la jolie robe recouvrait une mécanique de premier ordre: moteur, transmission, direction, suspension, freinage, il était difficile de trouver à redire. Imaginez dès lors le résultat lorsqu'elle passe entre les mains expertes des sorciers de la division

Motorsport: elle accélère, freine et tient la route comme une série 3... à la puissance 10! Que dire de plus?

Même dégonflé, ce 6 cylindres ne rougit devant personne avec ses 240 chevaux et il métamorphose ce coupé sport en lui conférant des accélérations dignes des meilleures GT. Avec sa courbe de puissance progressive à souhait, ce superbe moteur ne souffre d'aucun creux, répondant à la moindre sollicitation de l'accélérateur, à n'importe quel régime. N'ayons pas peur des mots, cet engin frise la perfection. La boîte manuelle est du même calibre, mais un sixième rapport serait toutefois le bienvenu pour gérer la puissance de ce chef-d'œuvre de la mécanique. Quant à la boîte séquentielle, elle n'est pas offerte de ce côté-ci de l'Atlantique.

Le comportement routier de la M3 est tout aussi relevé et n'a rien à envier à des sportives pures et dures telles la Corvette, la Ferrari F355 ou la Porsche 911. Sa suspension ultraferme et ses larges pneus à profil bas y contribuent grandement, mais si vous recherchez une routière confortable, la M3 n'est pas pour vous. Cette voiture d'exception s'adresse aux puristes, qui feront fi de la dureté de son roulement pour apprécier pleinement ses aptitudes routières et ses performances exceptionnelles. Dommage tout de même que pour 61 900 $, le lecteur de disques au laser ne fasse même pas partie de l'équipement de série...

Philippe Laguë

Type de véhicule:	coupé 4 places / propulsion
Empattement:	271 cm
Longueur:	443 cm
Poids:	1440 kg
Moteur / Transmission:	6L 3,2 litres 240 ch / manuelle 5 rapports
Suspension:	indépendante
Freins av. / arr.:	disque ABS
Direction:	à crémaillère, assistance variable
Pneus av. / arr.:	P225/45ZR17 / P245/40ZR17
Accélération 0-100 km/h:	6,5 secondes
Freinage 100-0 km/h:	37,5 mètres
Vitesse maximale:	250 km/h (limitée électroniquement)
Consommation (100 km):	12,0 litres
Prix:	61 900 $

Ferrari 456M GT

M comme dans *Magnifica*

Première Ferrari de production lancée sous le régime Montezemolo, la 456GT devait redonner du lustre à une gamme qui ne cessait de perdre de son éclat avec la décevante 348 et la vieillissante 512. Cinq ans (et 1950 exemplaires) plus tard, on ne peut que constater que ce superbe coupé 2+2 fut bel et bien le tonique, dont avait besoin le constructeur de Maranello. Descendante directe de la 365 GT-4 de 1977 (rebaptisée 400 l'année suivante), la 456 est d'ores et déjà considérée, consécration ultime, comme un classique de la marque au cheval cabré.

Mais qui n'avance pas recule, dit le proverbe, aussi la dernière chose à faire pour les têtes pensantes de Maranello était de s'asseoir sur leurs lauriers. D'autant plus que cette Ferrari d'exception n'est plus seule sur son trône: la F355 et la 550 sont apparues depuis, méritant d'emblée les éloges les plus dithyrambiques de la presse spécialisée, d'une part; mais surtout, l'approbation des ferraristes.

M comme dans *Modificata*

Pas question, ici, de refonte: mais des modifications salutaires, qui ne visent qu'à la bonifier. De là le M qui s'ajoute cette année à sa désignation, et qui signifie *Modificata*.

Un œil averti aura tôt fait de remarquer la disparition des deux prises d'air sur le capot, juste au-dessus des phares escamotables. Capot désormais lisse, mais aussi allégé, grâce à l'utilisation de la fibre de carbone en lieu et place de l'acier. À l'arrière, l'extracteur d'air niché sous le pare-chocs, naguère mobile, est désormais fixe. Voilà pour les indices visuels.

Pour ce qui n'est pas visible à l'œil nu, c'est-à-dire la mécanique, il convient de parler d'améliorations plutôt que de changements. Chef-d'œuvre d'ingénierie, le sublime V12 a subi des raffinements visant à réduire les vibrations et à le rendre plus silencieux. C'est priver l'oreille d'un bien noble plaisir, mais la 456 est en quelque sorte la Ferrari de luxe, ne l'oublions pas. Pour la même raison, puissance et couple n'augmentent pas, afin de ne pas menacer le règne du bolide de la famille, la 550 Maranello, qui trône au sommet de la gamme Ferrari. Les chiffres – et les prestations – de ce V12 n'en sont pas moins ahurissants; ceux qui suspectent

l'auteur de ces lignes de pécher par excès d'enthousiasme n'ont qu'à consulter la fiche technique qui accompagne ce texte.

La direction et les trains roulants ont été peaufinés, eux aussi, tout comme la boîte automatique. Vous avez bien lu, on peut commander une Ferrari 456 automatique (de GT, elle devient GTA) et avant de crier au sacrilège, sachez que la GTA revendique 70 p. 100 des ventes de ce modèle. Signe des temps... Terminons ce survol technique en mentionnant que la suspension pilotée ne propose plus que deux modes d'utilisation (au lieu de trois), soit Normal et Sport. Autre nouveauté, la venue de l'ASR (antipatinage), qui fait corps avec un ABS de marque Bosch.

Plus évidentes sont les modifications apportées à l'habitacle, qui a été revu sous toutes ses coutures. Des sièges au tableau de bord et à la console centrale, en passant par un accès facilité aux places arrière, le tout confirmant la vocation grand-tourisme de ce coupé aussi excitant qu'opulent. Jamais Ferrari n'aura été aussi civilisée, conviviale même. Mais l'essentiel est sauf: la 456M GT demeure un exemple d'équilibre, qui n'a rien perdu de sa beauté et de son mordant, et dont le comportement relevé masque très bien les quelque 1700 kg de cette sportive de luxe, grâce en partie à une judicieuse répartition des masses (56/44).

Hélas, rien ne permet d'occulter l'addition salée qu'elle commande, mais la réalité n'a pas droit de cité dans le segment des voitures exotiques. Celles-ci incarnent le rêve, après tout, et la seule bonne nouvelle, c'est que rêver ne coûte rien...

Philippe Laguë

Type de véhicule:	coupé / propulsion
Empattement:	260 cm
Longueur:	476 cm
Poids:	1690 kg
Moteur / Transmission:	V12 5,5 litres 442 ch / man. 6 rapports
Suspension:	indépendante
Freins av. / arr.:	disque ABS
Direction:	à crémaillère assistée
Pneus av. / arr.:	P255/45ZR17 / P285/40ZR17
Accélération 0-100 km/h:	5,1 secondes
Freinage 100-0 km/h:	37,3 mètres
Vitesse maximale:	309 km/h
Consommation (100 km):	23 litres/100 km
Prix:	325 000 $

Ferrari 550 Maranello

Quand la tradition se conjugue au futur

Certains prophètes de malheur avaient prédit le déclin de Ferrari à la mort de son fondateur, Enzo Ferrari, il y a 11 ans. Or, ce constructeur mythique ne s'est jamais si bien porté. Il est vrai que l'actuelle gamme Ferrari, qui se compose de trois modèles aussi spectaculaires que complémentaires, n'a pas affiché une telle santé depuis belle lurette. Les F355, 456M GT et 550 Maranello passeront sans doute à l'histoire parmi les meilleures voitures ayant arboré le sigle du *Cavallino Rampante*. L'architecte de ce renouveau n'est pas un inconnu pour les tifosi: il s'agit de nul autre que Luca Cordero di Montezemolo, celui-là même qui avait dirigé la *Scuderia* de Formule 1 il y a plus de 20 ans.

Un pur-sang docile

Lancée au Salon de Paris de 1996, la 550 Maranello est venue en quelque sorte boucler la boucle. Après l'arrivée de Montezemolo à la présidence des Automobiles Ferrari, en 1992, la 456 GT et la F355 ont illustré de façon concrète la renaissance de la firme au cheval cabré. Au sommet de cette gamme renouvelée, la 512M (née Testarossa) détonnait, cachant de plus en plus difficilement son âge.

Sa remplaçante, la 550 Maranello, est un pur produit de l'ère Montezemolo. Elle se présente sous la forme d'un coupé 2 places, dont l'architecture traditionnelle (moteur avant, roues arrière motrices) marque un retour aux sources par rapport à sa devancière à moteur central. Celui-ci est toujours un 12 cylindres, comme il se doit, mais il renoue avec la configuration en V, alors que la Testarossa et la 512 TR étaient motorisées par un 12 cylindres à plat (de type Boxer). Mis à part ces deux clins d'œil au passé, la 550 est le fruit d'une conception tournée vers le futur.

Ainsi, cette superbe carrosserie signée Sergio Pininfarina ne se contente pas d'être belle, ses formes épurées et fluides étant le fruit de longues études aérodynamiques, comme en font foi les 4800 heures passées en soufflerie. L'expertise de la *Scuderia* de Formule 1 a, bien sûr, été mise à contribution, notamment dans l'élaboration du fond plat, qui plaque la voiture au sol. Malgré ses 1690 kg, ce coupé se défend plus qu'honorablement. Ses aptitudes routières lui ont d'ailleurs valu d'enregistrer le meilleur chrono pour une Ferrari de production sur la piste d'essai de Fiorano.

De plus, la 550 aura été la première Ferrari à recevoir un système antipatinage, au grand déplaisir des puristes. Que ceux-ci se rassurent: il est débrayable. De plus, il s'agit du premier système de ce genre, dont les paramètres peuvent être modifiés. Comme la suspension, il peut être réglé en mode Sport ou Normal et travaille de concert avec l'ABS pour, au besoin, réduire le couple du moteur et ensuite, freiner les roues arrière indépendamment l'une de l'autre. À cela s'ajoute une servo-direction à crémaillère, dont l'assistance varie en fonction de la vitesse.

Grâce à la contribution de ces dispositifs, jamais pur-sang n'aura été aussi facile à dresser. Ce qui ne signifie pas pour autant que ce bolide peut être mis entre n'importe quelles mains: avec près de 500 chevaux sous le capot, il n'est pas superflu de se taper un petit cours de pilotage – d'autant plus qu'on vous l'offre généreusement à l'achat d'une Ferrari. Après tout, il serait dommage d'abîmer une merveille valant un peu plus de 300 000 dollars…

Monsieur le président voulait des voitures modernes, sans qu'elles renient le mythe Ferrari. Il les voulait aussi plus fiables, donc moins artisanales et mieux assemblées. Finalement, elles devaient être plus sécuritaires, un aspect désormais incontournable pour les marchés étrangers. La 550 Maranello satisfait toutes ces exigences, et même plus: elle déclenche les passions, tant par son allure que par son caractère. Une vraie Ferrari, quoi.

Philippe Laguë

Type de véhicule:	coupé 2 places / propulsion
Empattement:	250 cm
Longueur:	455 cm
Poids:	1690 kg
Moteur / Transmission:	V12 5,5 litres 485 ch / manuelle 6 rapports
Suspension:	indépendante
Freins av. / arr.:	disque ABS
Direction:	à crémaillère, assistance variable
Pneus av. / arr.:	P255/40ZR18 / P295/35ZR18
Accélération 0-100 km/h:	4,4 secondes
Freinage 100-0 km/h:	37,8 mètres
Vitesse maximale:	312 km/h
Consommation (100 km):	22,0 litres
Prix:	309 500 $

Lamborghini Diablo

Le taureau revit

La saga mouvementée de Lamborghini a connu un nouvel épisode l'été dernier, avec le rachat de la firme bolognaise par le géant allemand Volkswagen. Ébranlé depuis un quart de siècle – soit depuis le départ de son fondateur, en 1973 – par d'incessants changements de propriétaires, ce constructeur, tel le taureau qui le représente, n'a jamais cessé de combattre, et son destin est celui d'un survivant. Car s'il est une marque dont on a annoncé plus d'une fois la mise à mort, c'est bien elle; mais même à l'agonie, le taureau a toujours trouvé moyen de se relever.

Après que Chrysler, qui n'a jamais compris le marché de la voiture exotique, eut lancé la serviette en 1994, Lamborghini fut repris par un consortium asiatique contrôlé en partie par Tommy Suharto, le fils du dictateur déchu. Depuis, sa condition est passée de critique à stable. Mieux, les gains ont succédé aux pertes au cours des deux dernières années; or, il y a belle lurette qu'on ne connaissait plus la signification du mot profit à Sant'Agata…

Du neuf à Sant'Agata

En cette année de transition, la plus-très-jeune-mais-toujours-impressionnante Diablo, dont la naissance remonte à 1990, revient pour un ultime tour de piste. Sa remplaçante, qui portera le millésime 2000, est annoncée pour mars 1999. De celle-ci, on sait peu de choses, sinon que sa carrosserie sera faite à 80 p. 100 de matériaux composites – plus précisément en fibre de carbone, en lieu et place des panneaux d'aluminium de sa devancière.

Elle utilisera un système Drive By Wire (accélérateur électronique) et une boîte mécanique à 6 rapports (contre 5 pour l'actuelle Diablo). Elle reprendra également le même moteur, dont la cylindrée sera toutefois portée à 6,0 litres (300 cc de plus) et la puissance à 600 chevaux. Donc: 6 litres, 6 rapports, 600 chevaux. On promet plus de 330 km/h en pointe. On ignore si cette voiture surnommée «Super Diablo» reprendra ce nom; selon certaines sources, elle pourrait s'appeler Canto ou Toro, selon la tradition qui lie le nom des Lamborghini à la tauromachie.

Beauté fatale

Avant que le modèle actuel tire sa révérence, Lamborghini a mis à la disposition du *Guide de l'auto* un exemplaire de la Diablo que j'ai pu conduire sur les petites routes avoisinant les ateliers. Le hic, c'est que cette petite balade dans la campagne bolognaise était précédée d'une initiation aux mains de Moreno Conti, l'un des pilotes-essayeurs de la maison, qui peut conduire une Diablo les yeux fermés…

Compte tenu des sensations que procure une Diablo, l'enjeu en valait toutefois la chandelle. Peu, mais alors là très peu, de voitures accélèrent, freinent et tiennent la route comme cette bouillante italienne. Le reste n'est que futilité… Oui, c'est vrai, la disposition du pédalier est à revoir, la finition est artisanale et l'ergonomie, franchement lamentable; quant à l'aspect pratique, il est tout simplement inexistant. Mais il s'agit d'un authentique pur-sang, et ce genre d'irritants importe peu, ou pas. Seule la boîte manuelle trahit son âge; de plus, un sixième rapport ne serait pas de trop pour gérer cette puissance surréaliste: 530 chevaux! Hallucinant.

Considérée à juste titre comme l'une des plus belles voitures de tous les temps, cette sportive d'exception affiche une robe spectaculaire, signée Gandini, qui cache un tempérament de feu. Il est fortement recommandé d'opter pour la VT Roadster, dont la traction intégrale pourrait prolonger l'espérance de vie de son conducteur. Sinon, cette beauté a tout pour être fatale…

Philippe Laguë

Type de véhicule:	coupé 2 places / propulsion
Empattement:	265 cm
Longueur:	446 cm
Poids:	1625 kg
Moteur / Transmission:	V12 5,7 litres 530 ch / manuelle 5 rapports
Suspension:	indépendante
Freins av. / arr.:	disque ABS
Direction:	à crémaillère, assistée
Pneus av. / arr.:	P235/35ZR18 / P335/30ZR18
Accélération 0-100 km/h:	3,9 secondes (données du constructeur)
Freinage 100-0 km/h:	39,6 mètres
Vitesse maximale:	335 km/h (données du constructeur)
Consommation (100 km):	21,0 litres
Prix:	379 000 $ (Diablo SV 2RM)

Mercedes-Benz SL

Des valeurs du passé

Les années passent et la Mercedes SL continue une carrière amorcée à l'aube de cette décennie. Selon toute probabilité, elle franchira le cap de l'an 2000. Contrairement à d'autres modèles de prestige qui poursuivent leur carrière même s'ils sont dépassés, ce cabriolet 2 places est encore tout feu tout flamme après toutes ces années. En fait, si Mercedes jouit de nos jours d'une réputation aussi enviable, c'est en grande partie grâce à des modèles comme la SL. Tandis que la plupart des nouveautés mises sur le marché par la marque à l'étoile d'argent soulèvent la controverse et se font critiquer pour leur finition de plus en plus légère, la SL respecte les valeurs de jadis. Ce cabriolet possède une plate-forme dont la rigidité est toujours considérée comme étant la référence toutes catégories. Cette excellence des matériaux et de l'exécution fait de la SL le choix des personnes à l'aise à la recherche d'une voiture de caractère offrant luxe et confort.

Il aura fallu l'arrivée de la SLK, plus en harmonie avec les canons esthétiques de notre époque, pour nous faire prendre conscience que la SL avait déjà quelques rides. Toutefois, l'aînée est toujours en mesure de faire la leçon à sa cadette en fait de qualité, de raffinement et de solidité, bien qu'elle réussisse de plus en plus difficilement à camoufler son âge. Et ce ne sont pas les rétroviseurs extérieurs de type SLK offerts cette année, les cercles de chrome qui entourent les cadrans indicateurs ou mieux encore le nouveau levier de vitesses qui vont effacer l'attaque des années. Ils servent tout au plus à retarder l'échéance.

Malgré tout, la silhouette très classique n'est pas affectée par ces retouches et cette voiture demeure toujours l'une des plus élégantes sur la route. Ce cabriolet a été l'un des premiers à être doté d'un toit souple s'escamotant automatiquement et le mécanisme est toujours aussi efficace. Étanche, isolé et imperméable, ce toit n'en fait pas moins place, l'hiver venu, à un toit rigide amovible. Ce dernier transforme la SL en véritable coupé, ce qui permet de profiter du meilleur des deux mondes. Certains soulignent que le toit rigide escamotable de la SLK est plus impressionnant. Il est certainement plus spectaculaire, mais son utilisation fait perdre une bonne partie de la capacité du coffre, une fois le toit abaissé.

Malgré son âge, la SL reste un classique parmi les modèles grand-tourisme en combinant élégance, performance et tenue de route imperturbable.

La bataille des cylindres

Les voitures de luxe et de grande classe doivent absolument être équipées de moteurs puissants et afficher une conception mécanique raffinée. Cela explique pourquoi le moteur 6 cylindres a tiré sa révérence l'an dernier. Cette année, la SL500 bénéfice d'un nouveau moteur. Comme plusieurs nouveaux groupes propulseurs de Mercedes, ce V8 5,0 litres fait appel à 2 bougies et à 3 soupapes par cylindre. Sa puissance de 302 chevaux est inférieure de 13 chevaux à celle du modèle qu'elle remplace. Par contre, un couple supérieur et un meilleur rendement compensent. Presque aussi léger que le 6 cylindres qui nous a quitté l'an dernier, ce V8 offre un meilleur équilibre que le V12 6,0 litres, dont la masse supérieure fait sentir sa présence, et vient déséquilibrer la voiture sur des tracés sinueux. Monstre de douceur et de couple à bas régime, ce 12 cylindres se fait surtout apprécier sur les autoroutes allemandes, Malheureusement, les limites de vitesses en vigueur en Amérique ne permettent pas d'apprécier le plein potentiel de ce 6,0 litres.

Malgré une conception qui remonte au début des années 80 et un agrément de conduite qui n'est pas à la hauteur du prix, la SL demeure une voiture, dont les lignes classiques et le comportement routier rassurant s'associent à une cabine luxueuse pour charmer les bien nantis en quête de standing instantané.

Denis Duquet

Type de véhicule:	cabriolet / propulsion
Empattement:	251 cm
Longueur:	451 cm
Poids:	1900 kg
Moteur / Transmission:	V8 5,0 litres 302 ch / automatique 5 rapports
Suspension:	indépendante
Freins av. / arr.:	disque ABS
Direction:	à billes, assistance variable
Pneus av. / arr.:	P225/50ZR16
Accélération 0-100 km/h:	6,7 secondes
Freinage 100-0 km/h:	38,7 mètres
Vitesse maximale:	250 km/h (limitée)
Consommation (100 km):	15,0 litres
Prix:	115 000 $ à 160 000 $

essais & analyses

Acura CL

Acura CL

Plus qu'un exercice de style

Lors du lancement de l'Acura CL, il y a deux ans, plusieurs observateurs de la scène automobile se sont interrogés sur la pertinence d'un tel modèle, en raison de la popularité à la baisse de ce type de véhicule au profit, notamment, des utilitaires sport et des fourgonnettes. Depuis, il est apparu prématuré de sonner le glas des coupés sport de luxe, car ceux-ci semblent connaître un regain de vie.

Avec le tandem Sebring/Avenger, Chrysler ne se débrouille pas trop mal et, une coche plus haut, les récentes Mercedes-Benz CLK et Volvo C70 témoignent de la bonne santé des coupés. Certes, Ford a mis à mort la Thunderbird l'an dernier, tandis que chez GM, la Monte Carlo agonise, mais force est d'admettre qu'il s'agissait de deux véritables *has been*.

Ce qui n'est sûrement pas le cas du modèle qui nous préoccupe, comme en font foi sa conception des plus modernes et une fiche technique qui l'est tout autant. Disons les choses clairement: il s'agit d'un exercice de style ayant pour base le coupé Honda Accord. De cette dernière, le coupé Acura reprend la plate-forme et les organes mécaniques, ce qui est tout sauf une mauvaise nouvelle, compte tenu des qualités de l'Accord. Pour se défaire de l'étiquette peu flatteuse de clone, la CL tente de se démarquer par un raffinement supérieur et une silhouette bien à elle qui, à défaut d'être franchement belle, est à tout le moins originale. Dans le cas d'une japonaise, voilà qui mérite d'être souligné.

Mais justement, peut-on encore parler de voiture japonaise? Car non seulement elle reprend un concept typiquement américain – celui des «voitures personnelles» (traduction étriquée de *Luxury Personal Cars*), qui donna naissance dans les années 60 et 70 aux Ford Thunderbird, Buick Riviera, Oldsmobile Toronado et cie –, mais elle a été pensée et conçue en fonction de l'Amérique du Nord, où elle est vendue en exclusivité. Qui plus est, elle est assemblée aux États-Unis, plus précisément à l'usine Honda de East Liberty (Ohio).

Une technologie de pointe

Comme ces belles américaines dont elle s'inspire, l'Acura CL brille davantage par son confort et sa douceur de roulement que par son tempérament sportif. Toute comparaison s'arrête là, toutefois, car son comportement n'a rien à voir, Dieu merci, avec celui de ces paquebots d'une autre époque, pour lesquels la tenue de route était une notion abstraite. La suspension indépendante aux 4 roues et à double levier triangulé (une solution brevetée Honda) a été calibrée pour procurer la plus grande douceur possible, c'est l'évidence même; pourtant, le roulis est peu prononcé, tandis que le sous-virage qui est le propre des tractions ne se manifeste que lorsqu'on pousse la voiture dans ses derniers retranchements. Un bel équilibre, en somme, ce qui n'a rien d'étonnant quand on connaît la maestria des ingénieurs de Honda en matière de suspension.

Leurs homologues du département moteur n'ont pas à rougir de leur compétence, car ils ont mis au point un 4 cylindres et un V6 qui méritent bien des compliments. Le premier, surtout, est un véritable petit chef-d'œuvre, rien de moins, et on se surprend à rêver du jour où les constructeurs américains réussiront à mettre au point des 4 cylindres aussi souples et silencieux que performants.

Sa cylindrée a été augmentée de 100 cc l'année dernière, de sorte que la 2,2CL s'appelle désormais 2,3CL. Mais le changement

Acura CL

Pour

Coupé spacieux et pratique • Confort et douceur de roulement • Construction/finition soignées • Comportement équilibré • Mécanique fiable

Contre

Esthétique discutable • Chaîne audio décevante • V6 mou à bas régime • Rayon de braquage considérable

Caractéristiques

Échelle de prix:	voir page 11 et suivantes
Modèle / Prix:	2,3CL / 30 000 $
Type:	coupé 4 places / traction
Empattement:	271 cm
Longueur:	483 cm
Largeur:	178 cm
Hauteur:	139 cm
Poids:	1362 kg
Coffre / Réservoir:	340 litres / 65 litres
Coussins de sécurité:	conducteur et passager
Système antipatinage:	oui
Suspension av. / arr.:	indépendante
Freins av. / arr.:	disque ABS
Direction:	à crémaillère, assistance variable
Diamètre de braquage:	12,0 mètres
Pneus av. / arr.:	P205/55R16
Valeur de revente:	passable
Garantie de base:	3 ans / 60 000 km

Motorisation et performances

Moteur / Transmission:	4L 2,3 litres SACT / manuelle 5 rapports
Puissance / Couple:	150 ch à 5700 tr/min / 152 lb-pi à 4900 tr/min
Autre(s) moteur(s):	V6 3,0 litres 200 ch
Transmission optionnelle:	automatique 4 rapports
Accélération 0-100 km/h:	7,5 secondes autre moteur: 7,7 secondes
Vitesse maximale:	210 km/h
Freinage 100-0 km/h:	40,0 mètres
Consommation (100 km):	9,5 litres autre moteur: 11,0 litres

Modèles concurrents

Chrysler Sebring coupé • Mercury Cougar • Honda Accord Coupé • Saab 900

Quoi de neuf?

Filet de retenue arrière • Nouvelles jantes (version 3,0CL)

Verdict

Agrément	⊕ ⊕ ⊕	Habitabilité	⊕ ⊕ ⊕
Confort	⊕ ⊕ ⊕ ⊕	Hiver	⊕ ⊕ ⊕ ⊕
Fiabilité	⊕ ⊕ ⊕ ⊕ ⊕	Sécurité	⊕ ⊕ ⊕ ⊕

ne s'arrête pas là: l'opération se traduit également par un gain de 5 chevaux, ce qui, sur papier, n'est rien pour écrire à sa mère; mais le rendement du moteur s'en trouve amélioré sur tous les plans et le jumelage avec une boîte manuelle autorise de solides performances, qui n'ont rien à envier à celles du V6. Mieux: cette combinaison permet d'obtenir un meilleur chrono pour le 0-100 km/h que le V6. Il est vrai que ce dernier ne peut être accouplé qu'à une boîte automatique, mais il n'en reste pas moins qu'il dispose de 50 chevaux supplémentaires. De plus, ces deux moteurs utilisent le système de distribution VTEC à calage variable des soupapes, un autre brevet Honda, mis au point lors du passage de ce manufacturier en Formule 1, de 1983 à 1992. Or, cette technologie s'accommode beaucoup mieux d'une boîte mécanique que d'une automatique. On le voit bien avec le V6, qui est paresseux à bas régime et dont les reprises manquent de punch. Mais en matière de souplesse et de douceur de roulement, il impressionne autant que son petit frère à 4 cylindres. Pour couronner le tout, ces deux moteurs sont diablement économiques.

Ce qu'un coupé de luxe devrait être.

Et fiable avec ça!

Si l'emballage de l'Acura CL nous laisse quelque peu sur notre faim, il en va tout autrement du contenu. Outre sa sophistication mécanique, ce coupé offre un habitacle aussi accueillant que spacieux. La présentation intérieure est du meilleur goût, l'ergonomie ne présente aucune faille et la finition est soignée. De plus, les conducteurs sportifs apprécieront les deux immenses cadrans dans lesquels logent l'indicateur de vitesse et le compte-tours au tableau de bord. Leur consultation n'en est que plus aisée, et ils contribuent à donner un certain cachet au poste de pilotage. Le seul bémol vient de la chaîne stéréo qui, dans la version de base, offre un rendement (très) moyen.

Quoi qu'en disent ses dénigreurs, qui se plaignent de son manque de caractère et de son design controversé, l'Acura CL n'a pas grand-chose à se reprocher. Jugez plutôt: ce coupé brille par son confort, son comportement et sa technologie de pointe, tout en offrant 4 vraies places et un coffre arrière digne de ce nom. À cet aspect pratique, peu courant sur ce type de voiture, s'ajoute une fiabilité de moine, qui est le propre des produits Honda. Franchement, que peut-on demander de plus?

Philippe Laguë

Acura EL

Acura EL

Manipulation génétique

Décidément, le clonage est à la mode. Mais bien avant la brebis Daisy, plusieurs spécimens de la gent automobile avaient été clonés par des constructeurs reconvertis en généticiens de la mécanique. Plutôt que d'investir des sommes faramineuses dans le développement d'un tout nouveau modèle, on a opté, chez Acura, pour cette solution à la fois facile et économique.

Le modèle choisi: la Honda Civic, dans sa configuration berline. Quelques petits ajouts cosmétiques, un équipement de série plus relevé, des raffinements ici et là et un coup de baguette magique: abracadabra! La remplaçante de la berline Integra, retirée de la circulation à la fin de 1996, venait d'apparaître.

Cette Civic revampée a hérité du patronyme 1,6EL. Une petite exclusivité avec ça: Sheila Copps a de quoi pavoiser, l'Acura 1,6EL est réservée au seul marché canadien, en plus d'être assemblée à l'usine ontarienne d'Alliston. Un véhicule conçu pour les Canadiens, et fabriqué par des Canadiens.

En terrain connu

La 1,6EL se conjugue en trois temps, c'est-à-dire dans les versions SE (de base), Sport et Premium. Vous vous en doutez, les différences portent sur l'équipement de série, qui monte d'un cran d'une version à l'autre. Extérieurement, elle se distingue de la Civic par son allure un peu plus cossue, gracieuseté d'une calandre retouchée, de feux arrière redessinés et de roues en alliage (pour la Sport et la Premium). Une touche somme toute discrète, trop au goût de certains; mais à tout le moins a-t-on évité de la surcharger

de «bébelles» plastifiées, genre aileron et bavette. Soyons beau joueur, l'approche est défendable, mais on peut aussi comprendre ceux qui lui reprocheront sa trop grande ressemblance avec la roturière Civic, car on s'attend à plus d'une Acura.

C'est à l'intérieur qu'on a mis le paquet, particulièrement à bord de la Premium: du cuir recouvre les sièges, le volant ainsi que l'enveloppe du levier de vitesses. Classique, mais toujours agréable, tant à l'œil qu'au toucher. Pour le reste, on évolue en terrain connu, l'instrumentation et les accessoires étant empruntés, encore une fois, à la Civic. À une petite différence près: les cadrans du tableau de bord reçoivent des chiffres de couleur orange, ce qui donne un petit cachet sportif. Ajoutez à cela de la belle moquette au plancher, et vous avez la recette pour changer l'eau en vin.

Les muscles du VTEC

Pour le choix de la motorisation, on a délaissé la Civic berline pour aller du côté de la Si, la version sportive. Donc la plus musclée. Un choix judicieux, puisque cette dernière bénéficiait en exclusivité (jusque-là) du 4 cylindres VTEC de 1,6 litre, petit bijou de moteur. D'une rare flexibilité, il brille autant par sa souplesse que par sa nervosité. Mais son couple souffre du léger surplus de poids qu'entraîne la transformation de la Civic en Acura; et sa paresse à bas régime revient souvent parmi les critiques des propriétaires.

Indépendamment des versions, la boîte manuelle à 5 rapports est de série et elle demeure la plus compatible. En jouant du levier, on évite ainsi les creux à bas et moyen régimes, et le rendement de cette boîte est tel qu'il contribue pour beaucoup à l'agrément de conduite. Les transmissions manuelles de Honda, bien servies par

Acura EL

Pour

Fiche technique étoffée • Boîte manuelle exemplaire • Agrément de conduite relevé • Routière confortable et spacieuse • Rapport qualité/prix

Contre

Silhouette trop semblable à celle de la Civic • Paresse à bas régime • Peformances décevantes • Direction trop assistée

Caractéristiques

Échelle de prix:	voir page 11 et suivantes
Modèle / Prix:	1,6EL Sport / 20 500 $
Type:	berline 5 places / traction
Empattement:	262 cm
Longueur:	448 cm
Largeur:	170 cm
Hauteur:	140 cm
Poids:	1144 kg
Coffre / Réservoir:	337 litres / 45 litres
Coussins de sécurité:	conducteur et passager
Système antipatinage:	non
Suspension av. / arr.:	indépendante
Freins av. / arr.:	disque ABS / tambour ABS
Direction:	à crémaillère, assistance variable
Diamètre de braquage:	10,0 mètres
Pneus av. / arr.:	P195/55R15
Valeur de revente:	excellente
Garantie de base:	3 ans / 60 000 km

Motorisation et performances

Moteur / Transmission:	4L 1,6 litre / manuelle 5 rapports
Puissance / Couple:	127 ch à 6600 tr/min / 107 lb-pi à 5500 tr/min
Autre(s) moteur(s):	aucun
Transmission optionnelle:	automatique 4 rapports
Accélération 0-100 km/h:	10,9 secondes
Vitesse maximale:	192 km/h
Freinage 100-0 km/h:	39,6 mètres
Consommation (100 km):	8,0 litres

Modèles concurrents

Mazda Protegé • Nissan Sentra • Subaru Impreza • Toyota Corolla • VW Jetta

Quoi de neuf?

Levier de vitesses en cuir • Grille de sélection (boîte auto) • Version SE • Toit ouvrant électrique de série sur Sport • Nouvelles roues en alliage (Premium)

Verdict

Agrément	⊕ ⊕ ⊕ ᠘	Habitabilité ⊕ ⊕ ⊕
Confort	⊕ ⊕ ⊕	Hiver ⊕ ⊕ ⊕ ⊕
Fiabilité	⊕ ⊕ ⊕ ⊕	Sécurité ⊕ ⊕ ⊕ ⊕

leur précision et leur étagement exemplaires, ainsi que par la courte course du levier demeurent une référence.

Outre sa maestria dans les domaines de la motorisation, ce constructeur brille par son savoir-faire en matière de suspension. Celle de la 1,6EL fait appel à 2 leviers triangulés avec ressorts hélicoïdaux et barre stabilisatrice, à l'avant comme à l'arrière. Cette configuration chère à Honda optimise tant le confort que le comportement routier, comme quoi il est possible de concilier l'un et l'autre.

Tout comme sa génitrice, la 1,6EL brille par son aplomb dans les virages. La différence entre elle et la berline Civic? Le moteur, bien sûr, mais aussi les pneumatiques, l'Acura étant chaussée sur des jantes de 15 pouces. Légère et trop démultipliée, la direction n'est pas tout à fait à la hauteur du comportement sportif de cette petite berline. Elle est cependant précise et nerveuse, et son assistance un peu trop prononcée plaira à ceux qui aiment conduire en douceur.

La citrouille changée en carrosse.

De grands espaces

Ils apprécieront également le roulement paisible et confortable de la petite Acura, bien enfoncés dans les excellents baquets, dans la quiétude d'un habitacle dépourvu de tout bruit suspect. Ceux qui prennent place à l'arrière ne souffriront pas non plus, puisque l'habitacle est aussi spacieux que confortable. C'est une spécialité japonaise, ne l'oublions pas: il y a longtemps que les constructeurs de ce pays ont su utiliser à bon escient tout l'espace disponible dans une automobile, en offrant notamment des places arrière et un coffre aussi spacieux que ceux de voitures plus volumineuses.

Pour une fois, la transformation d'une voiture populaire en un modèle un peu plus cossu constitue une agréable surprise. Chose encore plus rare, cette manipulation génétique apparaît pertinente et les origines de la 1,6EL y sont pour beaucoup, la berline Civic étant une référence dans sa catégorie. Le raffinement qu'on lui a transmis pour en faire une version améliorée est bien réel, et ne se limite pas à quelques éléments décoratifs. Mieux encore, elle propose un rapport qualité/prix intéressant, ce qui est de moins en moins fréquent pour une japonaise. Si vous n'êtes pas encore convaincus, n'oubliez pas que tout ce qui porte la bannière Honda ou Acura est gage de qualité et de fiabilité. Et, par le fait même, d'une solide valeur de revente.

Philippe Laguë

Acura Integra

Acura Integra

Comme le bon vin

Si la marque de prestige de Honda a pu prendre racine chez nous, elle en est grandement redevable à l'Integra. Et bien qu'il ait été à peine retouché depuis sa dernière refonte, en 1994, le modèle d'entrée de la gamme Acura demeure l'un des meilleurs coupés sport sur le marché. Comme quoi la moins chère n'est pas forcément la moins bonne...

En fait, depuis l'introduction de l'Integra de troisième génération, le seul changement significatif est survenu il y a deux ans, lorsque la production de la berline a été abandonnée. Sa piètre performance au chapitre des ventes aura signé son arrêt de mort, d'autant plus qu'au sein de la grande famille Honda, la berline Accord s'acquittait fort bien de sa tâche dans ce segment. Dans le cas du coupé Integra, c'est une tout autre histoire: sa popularité ne se dément pas et, surtout, le temps ne semble avoir aucune emprise sur lui, sinon pour le rendre encore meilleur.

Le pur-sang est de retour

Les amateurs de conduite sportive «pure et dure» seront par ailleurs heureux d'apprendre que l'exclusive et racée Type R est produite pour une troisième année. Fabriqué en quantité limitée (une centaine d'exemplaires pour le Canada), le pur-sang de la gamme Integra ne devait être offert que pendant un an, mais son succès a forcé les têtes pensantes de Honda – pardon, Acura – à revoir leur décision. À part certaines améliorations techniques, du reste invisibles, elle nous revient inchangée, toujours parée de ses plus beaux atours (roues en alliage, aileron arrière surdimensionné) et dans sa

seule livrée blanche. À l'intérieur, des baquets enveloppants ainsi qu'un volant et un levier de vitesses gainés de cuir, accessoires incontournables pour une sportive digne de ce nom, viennent rehausser le tout.

Côté mécanique, rappelons que la Type R se distingue par la rigidité accrue de sa carrosserie monocoque; par un freinage plus puissant, muni de disques plus larges et d'étriers haute performance; par sa suspension raffermie; et, plat de résistance de cet alléchant menu, son 4 cylindres VTEC délivrant 195 chevaux. Pour une cylindrée de 1,8 litre! Vous avez dit impressionnant? Sachez seulement que ce moteur développe plus de puissance au litre que tout autre moteur de série à aspiration normale en Amérique du Nord... À une exception près: celui de la Ferrari F355. Une deuxième place qui vaut bien une première.

Sur un plan strictement sportif, cet engin diabolique n'a que des qualités, mais en usage normal, c'est une autre paire de manches. À bas régime, il manque de mordant et il paraît creux, tandis qu'à une vitesse de croisière, sa plainte stridente rendra dingues ceux qui n'ont pas l'oreille, disons, musicale. À ne pas mettre entre n'importe quelles mains, donc. Par contre, côté sensations et performances, c'est du bonbon: avec une zone rouge débutant à plus de 8400 tr/min, il s'éclate à haut régime et il en résulte des chiffres assez flatteurs, comparables à ceux de sportives haut de gamme (et beaucoup plus chères). Jugez plutôt: 231 km/h en pointe, et moins de 7 secondes pour passer de 0 à 100 km/h. Du solide.

Une coche en dessous, la version GS-R, elle aussi motorisée par un 4 cylindres utilisant le système de distribution à calage variable des soupapes (VTEC), constitue une solution alternative pour qui ne

Acura Integra

Pour
Prestations de haut niveau (Type R)
• Freinage puissant (Type R)
• Haute technologie (GS-R et Type R)
• Choix de versions • Bon rapport
qualité/prix • Fiabilité reconnue

Contre
Moteurs VTEC bruyants • Direction
légère • Tableau de bord terne
• Matériaux bon marché à
l'intérieur

Caractéristiques

Échelle de prix:	voir page 11 et suivantes
Modèle / Prix:	Type R / 30 000 $
Type:	coupé / traction
Empattement:	257 cm
Longueur:	438 cm
Largeur:	169 cm
Hauteur:	132 cm
Poids:	1172 kg
Coffre / Réservoir:	310 litres / 50 litres
Coussins de sécurité:	conducteur et passager
Système antipatinage:	non
Suspension av. / arr.:	indépendante
Freins av. / arr.:	disque ABS
Direction:	à crémaillère, assistance variable
Diamètre de braquage:	10,6 mètres
Pneus av. / arr.:	P195/55R15
Valeur de revente:	très bonne
Garantie de base:	3 ans / 60 000 km

Motorisation et performances

Moteur / Transmission:	4L 1,8 litre VTEC / manuelle 5 rapports
Puissance / Couple:	195 ch à 8000 tr/min / 130 lb-pi à 7500 tr/min
Autre(s) moteur(s):	4L 1,8 litre DACT 139 ch / 4L 1,8 litre VTEC 170 ch
Transmission optionnelle:	automatique 4 rapports (RS et GS)
Accélération 0-100 km/h:	6,7 secondes autre moteur: 7,4 s (GS-R) 8,6 s (aut.)
Vitesse maximale:	231 km/h
Freinage 100-0 km/h:	40,0 mètres
Consommation (100 km):	11,6 litres autre moteur: 11,0 l (GS-R) 8,7 l (aut.)

Modèles concurrents
Chevrolet Cavalier Z24/Pontiac Sunfire GT • Dodge Neon coupé
• Ford Escort ZX2 • Honda Civic Si • Toyota Celica

Quoi de neuf?
Retour de la type R en 1999

Verdict

Agrément	⊕ ⊕ ⊕ ⊕ (	Habitabilité	⊕ ⊕ (
Confort	⊕ ⊕ (	Hiver	⊕ ⊕ ⊕ ⊕
Fiabilité	⊕ ⊕ ⊕ ⊕ (	Sécurité	⊕ ⊕ ⊕ (

veut pas franchir la barre psychologique des 30 000 $. La cylindrée est la même, mais la puissance est ramenée à 170 chevaux et la zone rouge, à 8000 tr/min (contre 8400 pour la Type R). Qu'importe, puisque ses performances demeurent supérieures à celles de la plupart de ses rivales, comme en font foi un chrono plus qu'honorable de 7,4 secondes pour le 0-100 km/h et une vitesse de pointe de plus de 200 km/h. C'est plus qu'il n'en faut pour perdre son permis de conduire.

Fidèle à sa vocation originale

Ceux qui ne sauraient tolérer la fermeté de la suspension et le hurlement d'un 4 cylindres gonflé aux stéroïdes de ces deux fauves peuvent se rabattre sur les versions RS (base) et GS, plus accessibles (dans tous les sens du terme). Même privé du système VTEC, leur moteur affiche une puissance respectable, soit 139 chevaux, et s'il demeure un tantinet bruyant, il compense par son rendement plus que satisfaisant. De plus, son architecture moderne, avec sa culasse à double arbre à cames en tête et 4 soupapes par cylindre, n'a rien à envier aux motorisations de la concurrence. Finalement, le label Acura, comme tout bon produit Honda qui se respecte, est gage de fiabilité.

Toujours aussi efficace, la suspension à double levier triangulé contribue à l'agrément de conduite, en dotant les versions RS et GS d'une tenue de route qui, sans les souder au bitume comme la GS-R ou la Type R, n'en est pas moins dépourvue de mordant. Nerveuse et précise, la direction se prête bien, elle aussi, à une conduite plus sportive, mais elle pourrait être plus ferme. Parce qu'après tout, l'Integra est un coupé sport et non une paisible berline. Pour les mêmes raisons, il ne faut pas se surprendre de la sécheresse de la suspension – moindre, il est vrai, chez les RS et GS. Mais on ne doit pas s'attendre à retrouver la douceur de roulement d'une Accord, par exemple.

De toute façon, c'est ce tempérament pointu qui fait le charme de l'Integra, la seule Acura qui soit restée fidèle à la vocation originale de cette marque. Qui, rappelons-le, était de construire des automobiles combinant luxe et caractère sportif. Depuis, à part l'exotique et inaccessible NSX, les autres modèles n'ont cessé de s'embourgeoiser, perdant petit à petit leur identité. Heureusement, l'Integra a su éviter de prendre ces mauvais plis, tout en continuant d'offrir un des meilleurs rapports qualité/prix de sa catégorie. Avis aux dirigeants de la branche Acura: on en veut encore, des comme ça.

La passionnée de la famille.

Philippe Laguë

Acura RL

Aseptisation, quand tu nous tiens...

Sous le nom Legend, la plus cossue de la famille Acura aura vécu 10 ans. Premier modèle conçu et vendu sous la bannière de prestige de Honda, cette berline de luxe a cédé le pas il y a deux ans à la 3,5RL. Le changement était pour le moins impératif, puisque sa devancière agonisait depuis quelques années.

Son allure trop discrète, voire banale, et sa personnalité tout aussi timide ne l'auront guère aidée. En fait, l'aseptisation était le mal qui affligeait la Legend, comme bon nombre de ses rivales – japonaises surtout. Sa remplaçante ne brille guère plus par son éclat, mais les dirigeants de cette firme nippone ont choisi de prendre le taureau par les cornes autrement, soit en capitalisant sur le rapport qualité/prix. Sur papier, voilà une approche hautement défendable; voyons maintenant ce que ça donne en pratique.

Belle en dedans...

Si vous trouviez la silhouette de sa devancière ennuyante à mourir, vous resterez sur votre appétit en examinant la 3,5RL. Inodore, incolore et sans saveur. Un constat s'impose: depuis qu'ils ont accouché de la spectaculaire – mais inabordable – NSX, les stylistes de la marque sont en panne d'inspiration.

Avec une parure aussi fade, on s'attend au pire en pénétrant à bord; or, surprise! c'est tout le contraire. Serait-ce une nouvelle façon de nous chanter les vertus de la beauté intérieure? Sur une note plus sérieuse, force est d'admettre que l'habitacle de la 3,5RL est une réussite à tout point de vue, tant sur les plans esthétique et ergonomique que de l'habitabilité. C'est si spacieux qu'on peut y installer

une ligne d'attaque complète de basket-ball (composée de cinq joueurs, pour les non-initiés). Et j'exagère à peine. En un mot, «vaste» est le qualificatif approprié. Pratique, aussi: au tableau de bord, les immenses cadrans sont de lecture facile, toutes les commandes sont à la portée de la main, et les espaces de rangement abondent. Ajoutez à cela un coffre caverneux, de sorte qu'il est difficile de demander mieux. Quant aux sièges, enrobés d'un cuir, dont la texture respire la qualité, le terme «fauteuils» leur sied parfaitement.

La présentation intérieure est du meilleur goût, avec une petite touche d'originalité en sus. Une seule note discordante: certains accessoires Honda subsistent, tels les leviers de chaque côté du volant ou encore les interrupteurs servant à actionner le verrouillage central, qui sont les mêmes qu'on retrouve dans une «vulgaire» Accord ou même une Civic. Un détail, je le concède, mais dans une automobile de plus de 50 000 $, admettez que pareille économie de bouts de chandelle n'a pas sa place.

Promesses tenues

Comme l'indique le chiffre des désignations alphanumériques d'Acura, la cylindrée de ce V6 (3,5 litres) en fait le plus gros moteur jamais offert sur un modèle de cette marque. Idem pour le couple qu'il délivre, soit 224 lb-pi, à un régime exceptionnellement bas de 2800 tr/min. Joli tour de force pour un moteur multisoupape, cette solution favorisant, en règle générale, le rendement à haut régime. Pour parvenir à un tel résultat, on a doté ce V6, tout aluminium à simple arbre à cames en tête, d'un système d'admission variable triple étage qui maximise la puissance à tous les régimes. Une version améliorée, en somme, du système VTEC exclusif à Honda, lui-même directement

Acura RL

Pour

Superbe V6 • Habitacle réussi
• Ergonomie soignée • Silence et
douceur de roulement • Fiabilité
remarquable • Prix acceptable

Contre

Certains accessoires bon marché
• Impression de lourdeur
• Silhouette anonyme • Suspension
trop souple

Caractéristiques

Échelle de prix:	voir page 11 et suivantes
Modèle / Prix:	3,5RL / 55 000 $
Type:	berline / traction
Empattement:	291 cm
Longueur:	495 cm
Largeur:	181 cm
Hauteur:	143 cm
Poids:	1675 kg
Coffre / Réservoir:	419 litres / 68 litres
Coussins de sécurité:	conducteur, passager et latéraux
Système antipatinage:	oui
Suspension av. / arr.:	indépendante
Freins av. / arr.:	disque ABS
Direction:	à crémaillère, assistance variable
Diamètre de braquage:	11,0 mètres
Pneus av. / arr.:	P215/60VR16
Valeur de revente:	passable
Garantie de base:	3 ans / 60 000 km

Motorisation et performances

Moteur / Transmission:	V6 3,5 litres SACT / automatique 4 rapports
Puissance / Couple:	210 ch à 5200 tr/min / 224 lb-pi à 2800 tr/min
Autre(s) moteur(s):	aucun
Transmission optionnelle:	aucune
Accélération 0-100 km/h:	8,2 secondes
Vitesse maximale:	225 km/h
Freinage 100-0 km/h:	41,0 mètres
Consommation (100 km):	12,0 litres

Modèles concurrents

Audi A6 • BMW 528 • Cadillac Seville • Lexus GS300 • Lincoln Continental
• Mercedes E320 • Saab 9-5 • Volvo S90

Quoi de neuf?

Retouches esthétiques • Améliorations mécaniques (rigidité de la caisse,
disques de freins plus grands) • Coussins latéraux • Jantes élargies

Verdict

Agrément	⊕ ⊕	Habitabilité	⊕ ⊕ ⊕ ⊕
Confort	⊕ ⊕ ⊕ ⊕	Hiver	⊕ ⊕ ⊕ ⊕
Fiabilité	⊕ ⊕ ⊕ ⊕ ⊕	Sécurité	⊕ ⊕ ⊕ ⊕

issu du passage de ce manufacturier en Formule 1, à la glorieuse époque de McLaren et du tandem Prost/Senna.

Ce petit chef-d'œuvre de technologie tient ses promesses sur tous les plans, assurant une réponse immédiate, peu importe le régime moteur, tout en étant d'une discrétion monacale. Sur le strict plan de la performance, les chiffres ne sont pas bouleversants, mais c'est plus qu'il n'en faut pour se retrouver dans l'illégalité... Mais surtout, ce V6 est d'une douceur et d'une souplesse qui n'ont rien à envier aux meilleures mécaniques des voitures de prestige, qu'elles soient euro-péennes, japonaises ou américaines. Et ce, qu'il s'agisse de motorisations à 6 ou à 8 cylindres. Compte tenu de la vocation de la 3,5RL, réso-lument bourgeoise et non sportive, les moto-ristes d'Acura peuvent dire «mission accomplie».

La raison plutôt que la passion.

Le même commentaire pourrait s'appliquer au comportement de cette berline de luxe, qui privilégie le confort avant tout. Sa conduite n'a rien d'électrisant et ceux qui recherchent des sensations fortes devront regarder ailleurs. Vous voilà avertis.

Sur un tracé sinueux, la RL démontre de belles qualités, compte tenu de ses dimensions et de son poids, mais ses réactions n'inspi-rent guère la conduite sportive: on la sent lourde, pataude, et c'est malheureusement tout ce qu'on ressent, puisque la direction et la suspension filtrent tout. Une conduite aseptisée, c'est ça. Mais pour être confortable, c'est confortable: l'insonorisation est poussée et la suspension à double levier triangulé, chère à Honda, a été retra-vaillée pour porter la douceur de roulement à son maximum. Objectif atteint, encore une fois. Pour décrire la 3,5RL en un mot, on pourrait dire qu'il s'agit d'une voiture fluide: accélérations, change-ments de vitesse, freinages, maniement du volant, c'est le règne de la douceur dans toute sa quintessence.

La remplaçante de la défunte Legend s'acquitte de sa tâche honorablement, dans les limites de son mandat. Et même un peu plus, car elle se montre l'égale de ses rivales en matière de confort, tout en faisant preuve d'une fiabilité irréprochable. L'exploit est digne de mention quand on constate qu'elle exige un déboursé moindre que celles-ci, qui coûtent au bas mot 10 000 $ de plus, quand ce n'est pas 20 000 $ ou 30 000 $! Cela est d'autant plus remarquable qu'elle n'est pas plus chère que sa devancière, tout en offrant un équipement de série encore plus relevé. Pour la passion, on repassera, mais comme achat rationnel, c'est dur à battre.

Philippe Laguë

Acura TL

Acura TL

On efface tout et on recommence

Trois ans seulement après avoir pris la relève de la Vigor, l'Acura TL faisait face, elle aussi, à un constat d'échec. Sa ligne banale à mourir l'a conduite tout droit au cimetière de l'automobile. À partir de 1999, les gens d'Acura se sont fixé comme objectif de sortir la TL de l'anonymat en lui donnant une toute nouvelle personnalité.

B ien malin qui pourrait dire exactement ce qui fait le succès d'une voiture! Chose certaine, l'apparence reste l'un des plus puissants facteurs de motivation des acheteurs. Comment expliquer autrement la cuisante défaite de l'Acura TL, la berline intermédiaire de la marque de prestige du groupe Honda?

Introduit en 1995, ce modèle n'avait jamais vraiment fait son nid à côté de ses rivales directes que sont l'Infiniti I30 et la Lexus ES300. Trois années ont suffi aux maîtres à penser de la firme japonaise pour en venir à la conclusion que le style impersonnel des TL était la principale raison de leur faible pénétration du marché. Bref, on efface tout et on recommence.

Des visées très hautes

La nouvelle venue mise d'abord et avant tout sur deux choses: une ligne plus inspirée et un comportement routier moins soporifique.

La TL prétend offrir l'agrément de conduite d'une BMW série 3 et le raffinement d'une Lexus ES300. C'est, bien sûr, un lourd engagement qu'un essai routier allait me permettre de décortiquer.

Sur le plan esthétique, on peut dire que les stylistes ont réussi à dessiner ce qui est indéniablement la plus jolie berline Acura à ce jour. On peut évidemment lui trouver des affinités, mais quel mal y

a-t-il à ressembler à une Oldsmobile Intrigue quand on sait que celle-ci se trouvait sur notre liste des 10 plus belles voitures du monde l'an dernier? Globalement, la TL donne l'impression d'être large et basse, ce qui lui confère une certaine agressivité.

Soulignons en passant que cette Acura est construite aux États-Unis, là où elle a été élaborée, et qu'elle est conçue en fonction du marché nord-américain. D'ailleurs, la marque Acura n'existe pas ailleurs dans le monde. Son lieu de naissance et la clientèle visée imposent un certain nombre de concessions, dont la plus flagrante est certes l'utilisation de pneus «verts» recyclables (des Michelin X Green Energy MXV4 Plus) qui sont de bonne qualité, mais qui ne conviennent pas aux ambitions sportives de la voiture. Car la TL n'entend pas se contenter d'un rôle de figuration dans l'arène des berlines de luxe de taille moyenne. On veut en faire rien de moins que la nouvelle référence de la catégorie. La présence de divers modèles concurrents au lancement à des fins de comparaison était d'ailleurs assez éloquente.

La TL3,2 s'attaque de plein fouet non seulement à l'Infiniti I30 et à la Lexus ES300, mais aussi à l'Audi A4, à la BMW 328 et à la Volvo S70. Côté motorisation, par exemple, elle offre le V6 le plus puissant du groupe, un 3,2 litres développant 225 chevaux. Désormais placé transversalement, ce moteur doté du contrôle électronique du calage de l'allumage VTEC cher à Honda est une extrapolation du V6 de 3,0 litres qui réside notamment sous le capot des Honda Accord et Acura CL. Il est beau, compact, léger, et il tourne avec la précision d'un mouvement d'horlogerie suisse. Il travaille en tandem avec une transmission automatique à 4 rapports dotée du mode «Sportshift», une variante du système

«Tiptronic» des Porsche. En deux mots, cette boîte semi-manuelle vous permet de choisir vous-même le moment des changements de rapport. Certains prétendent que c'est le meilleur de deux mondes, alors qu'il s'agit selon moi d'un pur gadget qui, une fois l'effet de nouveauté passé, devient quasi inutile. Cela dit, la boîte n'en souffre pas et offre des performances de premier niveau.

Si la nouvelle TL reprend plus ou moins les dimensions de l'ancienne, son empattement a gagné 10 cm et son châssis bénéficie d'une nouvelle suspension arrière à 5 biellettes et double levier triangulé. Le diamètre des jantes est aussi passé de 15 à 16 pouces.

Dans une tentative de recréer la sensation de robustesse des voitures allemandes, tous les constructeurs s'acharnent depuis quelques années à améliorer la rigidité des coques, et la TL n'échappe pas à la règle. La carrosserie, dit-on, est 70 p.100 plus résistante à la torsion et 80 p. 100 plus résistante à la flexion. Cette caisse, incidemment, repose sur une version allongée de ce que le groupe Honda/Acura appelle sa «plate-forme globale intermédiaire». La TL utilise, à peu de chose près, la même base que la populaire Honda Accord. Freins à disque partout, direction à assistance progressive et système antipatinage complètent la nomenclature de la fiche technique.

Le volet luxe de cette Acura comprend une chaîne stéréo Bose Alpine avec amplificateur de 100 watts et 5 haut-parleurs ainsi que des phares de croisement à décharge à haute intensité de type réflecteur, dont la portée est de 45 p. 100 supérieure à celle de lampes halogènes conventionnelles. Leur présence permet d'éliminer les phares antibrouillards séparés. On s'étonne toutefois qu'Acura n'ait pas cru nécessaire d'inclure les coussins gonflables latéraux que l'on trouve désormais dans maintes voitures de luxe de cette catégorie de prix.

Le moment de vérité

Le canevas est à la fois intéressant et prometteur. Il ne restait plus qu'à vérifier tout cela sur le terrain. D'emblée, une chose est sûre: la TL nouveau genre est une belle réussite et elle n'aura sans doute aucun mal à se tailler une place dans le groupe sélect des berlines de luxe de format moyen. La concurrence y est redoutable, mais notre nouvelle candidate a de belles aptitudes. Elle distance d'abord ses deux ennemies jurées que sont la I30 d'Infiniti et la ES300 de Lexus. La marge est infime entre la TL et la I30, mais l'Acura possède un moteur un peu plus vivant et, surtout, un comportement routier plus mordant. Quant à la ES300, son insistance à tenter

d'isoler ses occupants du monde extérieur et sa suspension mollasse déçoivent lors d'une comparaison directe. Ses places arrière sont également moins spacieuses que celles de la TL.

Tout cela ne transforme pas pour autant notre Acura en BMW 328. Elle devance sa rivale allemande en matière de confort, mais lui concède quelques points sur le plan du comportement routier et des performances. Car, si la TL est la plus puissante de sa catégorie, elle n'est pas nécessairement la plus rapide.

Ses 225 chevaux s'expriment avec une infinie douceur et une discrétion absolue, mais les accélérations sont plutôt tempérées avec un 0-100 km/h juste sous la barre des 10 secondes. On pourrait décrire la tenue de route comme étant semi-sportive. En virage, le roulis est modéré et des pneus plus performants pourraient certes repousser la limite d'adhérence. En revanche, la tenue de cap à grande vitesse est

Acural TL

Pour	Contre
Ligne agréablement rajeunie • Confort soigné • Silence de roulement • Carrosserie solide • Comportement routier plus incisif	Pneus sous-dimensionnés • Pas de coussins gonflables latéraux • Perfomances moyennes • Certaines commandes mal placées

Caractéristiques

Échelle de prix:	voir page 11 et suivantes
Modèle / Prix:	Acura TL 3,2 / 35 000 $
Type:	berline / traction
Empattement:	275 cm
Longueur:	490 cm
Largeur:	179 cm
Hauteur:	143 cm
Poids:	1565 kg
Coffre / Réservoir:	405 litres / 65 litres
Coussins de sécurité:	conducteur et passager
Système antipatinage:	oui
Suspension av. / arr.:	indépendante
Freins av. / arr.:	disque, ABS
Direction:	à crémaillère, assistance variable
Diamètre de braquage:	11,2 mètres
Pneus av. / arr.:	P205/60R16
Valeur de revente:	nouveau modèle
Garantie de base:	3 ans / 60 000 km

Motorisation et performances

Moteur / Transmission:	V6 3,2 litres / automatique 4 rapports
Puissance / Couple:	225 ch à 5500 tr/min / 216 lb-pi à 5000 tr/min
Autre(s) moteur(s):	aucun
Transmission optionnelle:	aucune
Accélération 0-100 km/h:	8,9 secondes
Vitesse maximale:	200 km/h
Freinage 100-0 km/h:	40,6 mètres
Consommation (100 km):	11,7 litres

Modèles concurrents

Mercedes-Benz classe C • BMW série 3 • Cadillac Catera • Saab 9-5 • Volvo S70 • Audi A4 • Lexus ES300 • Infiniti I30

Quoi de neuf?

Nouveau modèle

Verdict

Agrément	⊕ ⊕ ⊕ (	Habitabilité	⊕ ⊕ ⊕ (
Confort	⊕ ⊕ ⊕ (	Hiver	⊕ ⊕ ⊕ (
Fiabilité	⊕ ⊕ ⊕ ⊕ ⊕	Sécurité	⊕ ⊕ ⊕ ⊕

exceptionnelle et les mauvaises routes permettent de mettre en exergue la grande solidité de la caisse.

La servodirection possède une assistance fort bien dosée, à tel point que l'on peut vraiment sentir son durcissement à partir d'une certaine vitesse. Finalement, la puissance du freinage est limitée par la surface de contact des pneus, ce qui montre encore que la TL pourrait facilement chausser une pointure plus grande.

Un environnement agréable

L'Acura TL est le type de voiture dans laquelle on se sent immédiatement à l'aise. Les sièges en cuir sont bien galbés, le pied gauche a de l'espace pour prendre appui et les divers réglages permettent de trouver la position de conduite idéale. En s'installant au volant, on se trouve assis devant un immense pare-brise incliné qui contribue à donner une note parfaite à la visibilité. Et, comme dans l'Audi A6, chaque place, y compris celle du conducteur, est surplombée par une poignée de maintien articulée, placée dans le pavillon.

Une belle réincarnation.

Il faut relever aussi la belle qualité des matériaux qui contraste avec cet aspect de «plastique bon marché» qui a cours dans de trop nombreuses voitures. Même le faux bois dispersé sur la console et dans les contre-portes a l'air véritable. Toutes les commandes, que ce soit celles du tableau de bord ou de la console centrale, sont facilement accessibles, à l'exception des boutons du régulateur de vitesse et de l'antipatinage qui sont masqués par le volant. Les espaces de rangement sont commodes et on a même eu la sage idée de dissimuler les porte-verres sous un petit couvercle.

La TL est spacieuse aussi bien à l'avant qu'à l'arrière, mais il s'agit essentiellement d'une 4 places. La position centrale de la banquette arrière est en effet peu confortable en raison d'un manque de dégagement pour la tête. Quant au coffre, il est vaste et on appréciera la présence d'un filet de retenue, d'un sac à skis et de deux coffrets de rangement pour les outils.

Lors de la présentation de la TL, on a souvent fait référence à la Lexus LS400 et il est clair que cette voiture a servi d'étalon pour le développement de la nouvelle Acura. C'est ce qui explique que la TL n'a aucun mal à se hisser au niveau d'une Lexus EL300 sur le plan du raffinement. Du côté de l'agrément de conduite, on a fait de beaux progrès par rapport à l'ancienne version, mais on n'est pas encore tout à fait à la hauteur de celui d'une BMW série 3.

Jacques Duval

Audi A4

Dans les p'tits pots...

Malgré son prix, malgré son luxe et malgré les modèles qu'elle prend pour cible, l'Audi A4 est une toute petite voiture. À peine plus grande qu'une berline Honda Civic, elle illustre fort bien l'adage «dans les p'tits pots, les bons onguents». Comme toutes les récentes créations de cette marque allemande, l'Audi A4 témoigne d'une qualité de construction très soignée et doit être considérée comme l'une des meilleures voitures du monde toutes catégories confondues.

Curieusement, la plus grande rivale de l'Audi A4 est sa sœur jumelle, la Volkswagen Passat. Les deux firmes, précisons-le, font partie du même groupe automobile, une entité qui, outre Audi et Volkswagen, comprend les marques Seat (Espagne), Skoda (République tchèque) et, dans la foulée d'acquisitions entreprises récemment, Rolls-Royce/Bentley (Grande-Bretagne) et Lamborghini (Italie). D'ailleurs, le groupe allemand nourrit de très grandes ambitions et son PDG Ferdinand Piëch est un homme buté qui a des comptes à régler avec Mercedes-Benz. La venue de Mercedes dans le segment des petites voitures avec sa classe A a profondément déplu à M. Piëch qui n'a pas apprécié que l'on vienne jouer dans ses plates-bandes. Or, si Mercedes veut concurrencer la Golf, VW est pleinement capable de rivaliser avec les grosses limousines de Stuttgart. Il faudra donc surveiller l'arrivée dans les prochaines années de grandes berlines Volkswagen à moteur 12 cylindres et d'une kyrielle de nouvelles Audi destinées à faire mal à Mercedes. Dès le printemps 1999, l'A4 sera rejointe par une S4 super performante à moteur de 250 chevaux, tandis que les

A6 et A8 seront aussi proposées en de multiples variantes. Le coupé TT pour sa part (voir article séparé) viendra faire échec au roadster SLK de Mercedes. Mais me voilà rendu bien loin de l'A4.

Si vous vous demandez s'il est préférable d'acheter plutôt une Passat, je vous renvoie à notre match comparatif du début dans lequel la petite Audi a dû faire face à la plus cossue des Volkswagen. Ces deux berlines ont beaucoup en commun, puisqu'elles partagent plus ou moins la même plate-forme et les mêmes organes mécaniques, à l'exception du système de 4 roues motrices Quattro qui demeure une exclusivité d'Audi. C'est même cette caractéristique qui gagne de nombreux adeptes à l'A4. Comme la voiture de notre match comparatif était équipée du V6 de 2,8 litres, je m'attarderai surtout ici au modèle bas de gamme offert avec le 4 cylindres turbo de 1,8 litre.

Malgré un déficit d'une quarantaine de chevaux, ce moteur ne dilue en rien l'agrément de conduite de la voiture. Avec la boîte manuelle à 5 rapports, il concède une seconde au V6 dans l'épreuve du 0-100 km/h, mais le moteur monte facilement en régime et ses reprises sont si énergiques qu'on a l'impression de disposer d'une puissance supérieure. En plus, le moteur suralimenté de la petite Audi n'accuse aucun délai de réponse, contrairement au 4 cylindres turbo de la Saab 9-3 mise à l'essai peu de temps après. Seul son niveau sonore à haut régime cadre moins bien avec le cachet luxeux de l'Audi A4.

La boîte manuelle est toujours un plaisir à utiliser, en partie grâce à un levier de vitesses très court qui se déplace sans aucun effort. Avec ses 5 rapports, l'automatique fait aussi du bon travail, mais semble toujours un peu hésitante à rétrograder quand on

Audi A4

Pour

Traction intégrale sécuritaire • Carrosserie robuste • Éclairage soigné • Bon comportement routier • Confort appréciable

Contre

Places arrière exiguës • Porte-verres ridicules • Instabilité à grande vitesse • Mauvais dégivrage de la lunette arrière

Caractéristiques

Échelle de prix:	voir page 11 et suivantes
Modèle / Prix:	1,8 Turbo / 34 270 $
Type:	berline / traction intégrale
Empattement:	261 cm
Longueur:	452 cm
Largeur:	173 cm
Hauteur:	142 cm
Poids:	1475 kg
Coffre / Réservoir:	440 litres / 60 litres
Coussins de sécurité:	conducteur et passager
Système antipatinage:	oui (traction)
Suspension av. / arr.:	indépendante
Freins av. / arr.:	disque ABS
Direction:	à crémaillère, assistée
Diamètre de braquage:	11,1 mètres
Pneus av. / arr.:	P205/55R16
Valeur de revente:	bonne
Garantie de base:	3 ans / 80 000 km

Motorisation et performances

Moteur / Transmission:	4L 1,8 litre turbo / manuelle 5 rapports
Puissance / Couple:	150 ch à 5700 tr/min / 155 lb-pi 1750 à 4600 tr/min
Autre(s) moteur(s):	V6 30 soupapes 193 ch
Transmission optionnelle:	automatique 5 rapports
Accélération 0-100 km/h:	9,4 secondes autre moteur: 8,3 s (manuelle)
Vitesse maximale:	210 km/h
Freinage 100-0 km/h:	41 mètres
Consommation (100 km):	10,8 litres autre moteur: 11, 5 litres

Modèles concurrents

BMW 325 • Mercedes-Benz C230 • Saab 9-3 • Volvo S70 • Volkswagen Passat

Quoi de neuf?

Version S4 250 chevaux (printemps 1999) • Rétroviseur extérieur droit agrandi • Volant sport avec commandes «Triptronic»

Verdict

Agrément	⊕ ⊕ ⊕ ⊕	Habitabilité	⊕ ⊕ ◖
Confort	⊕ ⊕ ⊕ ⊕	Hiver	⊕ ⊕ ⊕ ⊕ ◖
Fiabilité	⊕ ⊕ ⊕ ⊕	Sécurité	⊕ ⊕ ⊕ ⊕

exige des accélérations un peu plus énergiques. Cette transmission bénéficie du mode «Tiptronic» (un brevet Porsche) qui permet de passer les vitesses manuellement. Pour 1999, on peut même contrôler les changements de rapport à partir du volant, grâce à de petites touches qu'il suffit d'enfoncer comme sur les Porsche ou, mieux encore, les voitures de Formule 1. Quitte à me répéter, je persiste à croire que cet ajout à la transmission automatique est un «gadget» parfaitement inutile.

Le moteur V6 de l'A4 n'a jamais été très expressif, mais depuis l'adjonction d'une culasse à 5 soupapes, il bénéficie d'un couple supérieur à bas régime qui le rend plus coopératif en conduite urbaine.

Une grande petite voiture.

A4 ou Passat?

Avec leur traction intégrale, les petites Audi peuvent compter sur une tenue de route admirable aussi bien sur pavé sec que sur pavé mouillé ou enneigé. Assouplies pour l'exportation, les suspensions gagneraient cependant à conserver la rigidité que l'on trouve dans les versions européennes. Le confort ne s'en verrait pas diminué outre mesure et le décrochement latéral qu'on constate en négociant un virage sur pavé dégradé serait probablement éliminé. À très grande vitesse, la voiture donne une sensation de légèreté qui se manifeste par une certaine instabilité. En revanche, la direction est un modèle de précision et de *feed-back,* tandis que le freinage est au-dessus de tout reproche.

Si les impressions de conduite laissées par une balade en A4 sont très similaires à celles d'une VW Passat équipée de la même façon, l'ambiance à bord est bien différente. L'Audi est plus intime, plus enveloppée, et donne davantage la sensation de faire corps avec la voiture. Le décor et l'insonorisation y sont pour beaucoup, de même que l'attention accordée aux petits détails. De la superbe du tableau de bord à l'abondance des espaces de rangement, le conducteur ne trouvera pas tellement matière à critiquer. J'ai toutefois noté que le dégivrage de la lunette arrière pourrait être plus efficace et, bien sûr, que les places arrière ne sont pas très hospitalières. Il serait toutefois bien dommage que l'on se prive des exceptionnelles qualités de l'Audi A4 à cause de sa faible habitabilité. À moins d'opter pour la VW Passat...

Jacques Duval

Audi A6 — A6 avant

Audi A6

Après la pluie, le beau temps

Aucune marque automobile n'a connu autant de déboires qu'Audi au cours des 15 dernières années. Accusée à tort de construire des voitures qui avaient la fâcheuse habitude d'accélérer toutes seules, la firme allemande a vu ses ventes chuter aussi rapidement que l'indice Dow Jones en temps de crise. Même s'il fut clairement établi que ces reproches étaient sans fondement, Audi a cruellement souffert de ce qui n'était somme toute qu'un canular. Ce malheureux incident a toutefois eu son bon côté. Il a piqué au vif la fierté de la compagnie, tout en la motivant à construire des voitures pratiquement sans faute pour regagner la confiance de la clientèle.

Après l'étincelant succès de l'A4, Audi a récidivé avec une version superbement remaniée de l'A6, son modèle fétiche, dont la gamme 1999 s'enrichit d'une familiale nommée Avant. La sportive S6 tant attendue n'arrivera que dans un an, dotée d'un V8 de 340 chevaux. Elle sera d'ailleurs précédée au printemps 1999 d'une A6 2,7 T à moteur turbo de 250 chevaux.

Des airs de coupé

Avec ses lignes avant-gardistes qui lui donnent des allures de coupé et ses garnitures intérieures personnalisées, la berline A6 n'a pas raté son entrée en scène lors de son dévoilement à l'automne 1998. Un essai ultérieur de plusieurs semaines m'a permis non seulement de confirmer mes impressions de conduite initiales, mais aussi de les hausser d'un cran après avoir affronté une tempête de neige bien de chez nous.

Comme l'A4, l'A6 s'achète en version traction ou Quattro. Bien sûr, cette dernière option est la plus courante. Car acheter une Audi sans ses 4 roues motrices équivaut à partir pour le Sud sans son maillot de bain.

La mécanique est familière, mais suffisamment différente de l'ancienne pour transformer le comportement de la voiture. Je pense notamment au groupe propulseur qui, malgré une cylindrée identique, a fait de sérieux progrès en matière de puissance et de couple. Le V6 2,8 litres qui somnolait sous le capot des anciennes A6 est maintenant beaucoup plus en verve, grâce à l'adjonction d'une culasse à 5 soupapes par cylindre qui a fait bondir la puissance de 172 à 200 chevaux. Le couple est aussi mieux géré, grâce à l'adoption d'une transmission automatique à 5 rapports avec mode «Tiptronic». À titre d'exemple, soulignons que la voiture boucle le 0-100 km/h en 9,1 secondes. Si l'accélération à bas régime reste tempérée, les reprises sont superbes, grâce à une boîte programmée pour répondre promptement aux sollicitations de l'accélérateur. Même si la transmission automatique se défend très bien, plusieurs amis de la marque seront heureux d'apprendre qu'une boîte manuelle à 5 rapports est désormais offerte dans l'A6 Quattro en plus d'une suspension sport et de pneus surdimensionnés.

L'A6 se démarque aussi par de très belles coordonnées en matière de sécurité aussi bien active que passive. Le châssis est d'une rigidité qui lui vaut d'excellentes cotes dans les tests de simulation d'accidents. En plus, les occupants peuvent compter sur la présence de coussins gonflables frontaux et latéraux à l'avant comme à l'arrière ainsi que sur des appuie-tête à chacune des 5 places.

Audi A6

Pour
Silence de roulement • Excellent comportement routier • Moteur rajeuni • Qualités hivernales poussées • Éclairage intérieur

Contre
Craquements par temps froid • Boutons de la radio trop petits • Sonnerie d'alarme agaçante • Transmission à mode manuel superflue

Caractéristiques

Échelle de prix:	voir page 11 et suivantes
Modèle / Prix:	A6 Quattro / 51 680 $
Type:	berline 5 places / traction intégrale
Empattement:	276 cm
Longueur:	488 cm
Largeur:	181 cm
Hauteur:	145 cm
Poids:	1680 kg
Coffre / Réservoir:	551 litres / 70 litres
Coussins de sécurité:	frontaux avant, latéraux avant et arrière
Système antipatinage:	non (oui traction)
Suspension av. / arr.:	indépendante
Freins av. / arr.:	disque, ABS 5,3
Direction:	à crémaillère, assistance variable
Diamètre de braquage:	11,7 mètres
Pneus av. / arr.:	P215/55R16
Valeur de revente:	bonne
Garantie de base:	3 ans / 80 000 km

Motorisation et performances

Moteur / Transmission:	V6 2,8 litres 30 soupapes/automatique 5 rapports
Puissance / Couple:	200 ch à 6000 tr/min / 207 lb-pi à 3200 tr/min
Autre(s) moteur(s):	aucun
Transmission optionnelle:	manuelle 5 rapports
Accélération 0-100 km/h:	9,1 secondes
Vitesse maximale:	210 km/h
Freinage 100-0 km/h:	39 mètres
Consommation (100 km):	11,9 litres

Modèles concurrents

BMW 528 • Mercedes-Benz E320 • Volvo S90 • Acura RL • Lexus GS300 • Cadillac Seville STS

Quoi de neuf?

Boîte manuelle • Rétroviseur de droite agrandi • Banquette arrière chauffante • Suspension sport optionnelle

Verdict

Agrément	⊕⊕⊕⊕	
Confort	⊕⊕⊕⊕	Habitabilité ⊕⊕⊕⊕
Fiabilité	⊕⊕⊕⊕	Hiver ⊕⊕⊕⊕⊕
		Sécurité ⊕⊕⊕⊕⊕

Des notes quasi parfaites

Cette Audi est encore plus impressionnante au chapitre de la sécurité active et il suffit d'affronter une tempête de neige à son volant pour s'en convaincre. Équipée de bons pneus d'hiver comme les Michelin Alpin, la voiture se moque des intempéries, aussi violentes soient-elles. La motricité sur sol glissant est phénoménale et rassurante. L'A6 brille de tous ses feux sur l'autoroute, grâce à une tenue de cap exceptionnelle, quelle que soit la vitesse adoptée. La suspension se distingue aussi par son comportement sur chaussée dégradée. Qu'importe la profondeur des nids-de-poule, la voiture semble y être insensible. Sans les quelques craquements qui se manifestent par temps froid autour du tableau de bord, on se croirait sur un tapis. Et que dire de ce volant chauffant qui a les apparences d'un gadget, mais qu'on finit par apprécier si l'on aime conduire mains nues pour mieux «sentir» la voiture?

> Un redressement remarquable.

L'intérieur mérite lui aussi sa volée d'éloges, à deux exceptions près. D'abord, l'avertisseur sonore destiné à prévenir le conducteur de toute anomalie fait sursauter, tellement son bruit est crispant. De plus, les boutons de la chaîne audio sont trop nombreux et beaucoup trop petits pour satisfaire aux normes les plus élémentaires de l'ergonomie. Sauf ces deux bavures, cette Audi traite ses occupants avec beaucoup d'égards: ses sièges sont d'un confort irréprochable et 5 adultes et leurs bagages peuvent y prendre place.

Une familiale raffinée

Les conducteurs en mal d'espace peuvent se rabattre sur l'Avant, une A6 familiale, dont le compartiment à bagages peut avaler 73,2 pieds cubes de malles Vuitton. Malgré une architecture souvent ingrate, cette Audi ne manque pas de raffinement. Elle se distingue par un meilleur dégagement pour la tête aux places avant (+ 2 cm), une troisième banquette en option et une suspension qui paraît moins spongieuse que celle de la berline. Sans être aussi agréable à regarder que cette dernière, cet utilitaire en smoking conserve ses qualités dynamiques. Cela comprend, entre autres, un éclairage qui fait de la conduite nocturne un véritable plaisir. Les phares illuminent parfaitement la route à des centaines de mètres, tandis qu'à l'intérieur tout ce qui doit être vu ou manipulé (y compris les mollettes d'ajustement des aérateurs) bénéficie d'un éclairage agréable et reposant pour les yeux. Si l'A6 représente l'essence même de la marque Audi, la firme allemande n'a pas fini de faire parler d'elle en termes élogieux.

Jacques Duval

Audi A8

Audi A8

Haute cuisine

Les grosses berlines deviennent chaque jour plus confortables, plus sûres, plus silencieuses, plus performantes, mais aussi, hélas, plus lourdes. Ferdinand Peich, le grand patron du groupe Volkswagen/Audi, a élaboré la recette miracle qui permet de vivre heureux et (relativement) léger tout à la fois.

C omme un grand chef qui a décidé d'alléger sa cuisine traditionnelle pour ne pas trop faire prendre de kilos à ses clients, le très dynamique chef d'entreprise a demandé à Alcoa, le géant américain de l'aluminium, de lui fournir les ingrédients de base d'une voiture qui conserverait, bien entendu, sa rapidité. On a ainsi mis au point un nouveau type de structure baptisé «Audi Space Frame» qui consiste à relier des profils d'aluminium par des treillis sur lesquels on rivette des panneaux de carrosserie du même métal, plutôt que de les souder. Résultat? Une structure 40 p. 100 plus légère et rigide, mais qui ne peut certainement pas être réparée par le carrossier du coin.

Un équipement pléthorique

Lorsqu'on a le privilège de conduire l'A8, on savoure l'«exubérance» de ses équipements. En fait, on peut faire appel encore une fois à des références gastronomiques (que le lecteur me pardonne ce gourmand penchant) et comparer le conducteur de cette luxueuse berline à celui qui reçoit ses invités à dîner et qui ne ménage rien pour ce faire. Elle bénéficie, en effet, d'une climatisation extrêmement perfectionnée qui régule automatiquement la température sur deux zones en fonction, entre autres, de l'incidence des rayons du soleil, aidée en cela par un double vitrage sur toutes les surfaces. Commandez le «groupe été» et vous aurez droit à un panneau solaire alimentant (moteur à l'arrêt) un petit ventilateur, qui rafraîchit l'habitacle par grand soleil, et à de petits écrans pour les places arrière (celui de la lunette se déploie électriquement!). Les Nordiques que nous sommes retiendront probablement le «groupe hiver» réunissant sièges chauffants à l'avant comme à l'arrière, sac pour les skis et, suprême réconfort lors des froids matins sous zéro, volant chauffant d'une efficacité diabolique. En fait, imaginez tout ce qui peut équiper un palace et vous le retrouverez dans ce petit Ritz roulant, incluant des assistances électriques en 14 points pour les fauteuils avant, pour la hauteur des appuie-tête et les baudriers des ceintures de sécurité, et 4 coussins gonflables latéraux. Réactions d'étonnement garanties de la part de vos convives. Surtout qu'ils seront gagnés d'avance par la richesse du cuir Nappa, dont l'odeur vous met en appétit, et la noble facture du noyer et des autres matériaux qui garnissent la planche de bord et les contre-portes.

La robe dont se pare l'A8 fait plutôt dans le classique. Sur ce chapitre, la nouvelle A6 affiche un air résolument plus moderne, malgré une aérodynamique aussi soignée pour l'une que pour l'autre. L'espace réservé aux occupants impressionne, particulièrement à l'arrière, et le coffre avale tout simplement la concurrence. L'A8 fait presque aussi bien que la gargantuesque Mercedes classe S, tout en ayant l'air beaucoup moins sévère et pataude. En fait, et cette remarque s'adresse à toute la gamme Audi, sa ligne revêt une espèce de cachet «androgyne», qui plaît autant aux femmes qu'aux hommes. Mais, sous cette apparence tranquille, elle cache un débordement technologique à nul autre pareil.

Audi A8

Pour

Voiture tout temps • Superbe tenue de cap • Confort irréprochable • Performances enlevantes • Sécurité passive poussée

Contre

Transmission automatique lente • Commandes complexes • Pneus de 16 pouces mal adaptés • Complexité de l'aluminium • Roulis en virage

Caractéristiques

Échelle de prix:	voir page 11 et suivantes
Modèle / Prix:	A8 4,2 / 92 300 $
Type:	berline 5 places / rouage intégral
Empattement:	288 cm
Longueur:	503 cm
Largeur:	188 cm
Hauteur:	144 cm
Poids:	1770 kg
Coffre / Réservoir:	498 litres / 90 litres
Coussins de sécurité:	frontaux et latéraux
Système antipatinage:	oui (EDL)
Suspension av. / arr.:	indépendante
Freins av. / arr.:	disque ABS
Direction:	à crémaillère, assistée
Diamètre de braquage:	12,3 mètres
Pneus av. / arr.:	P225/60R16
Valeur de revente:	passable
Garantie de base:	3 ans / 80 000 km

Motorisation et performances

Moteur / Transmission:	V8 4,2 litres / automatique 5 rapports
Puissance / Couple:	300 ch à 6000 tr/min / 295 lb/pi à 3300 tr/min
Autre(s) moteur(s):	aucun
Transmission optionnelle:	aucune
Accélération 0-100 km/h:	7,0 secondes
Vitesse maximale:	210 km/h (limité)
Freinage 100-0 km/h:	40,8 mètres
Consommation (100 km):	14,0 litres

Modèles concurrents

Mercedes-Benz S420 • BMW série 7 • Lexus LS400 • Infiniti Q45T • Acura RL

Quoi de neuf?

Rétroviseur droit plus grand • Chargeur à 6 CD dans le coffre de série • Pneus de 17 pouces haute performance en option

Verdict

Agrément	⊕ ⊕ ⊕ (	Habitabilité ⊕ ⊕ ⊕ ⊕
Confort	⊕ ⊕ ⊕ ⊕ ⊕	Hiver ⊕ ⊕ ⊕ ⊕
Fiabilité	⊕ ⊕ ⊕ ⊕	Sécurité ⊕ ⊕ ⊕ ⊕ (

Performances et confort ouatés

Commençons par le moteur, un somptueux V8 réalisé en alliage léger qui génère 300 chevaux, malgré une cylindrée somme toute assez modeste. Il fonctionne en tandem avec une boîte automatique à 5 rapports de type «Tiptronic» fabriquée sous licence Porsche qui permet le passage des vitesses de façon séquentielle ou complètement automatique. Bien que cette boîte puisse s'adapter au tempérament du conducteur – à l'aide de 200 programmes de sélection –, il me semble que je n'ai jamais réussi à en extraire toute la subtilité. On remarque en effet un petit creux agaçant dans le passage de la première à la deuxième, opération qui s'effectue automatiquement même en mode manuel, et un bref, mais bien détectable temps de réponse lorsqu'on enfonce hardiment l'accélérateur. Ne cassons pas trop de sucre quand même sur le dos de la belle, car elle réussit à atteindre des allures hautement illégales plus rapidement qu'à peu près tout ce qui roule. Le plus remarquable, c'est que sur pavé glissant, vous laisserez littéralement sur place le reste de la concurrence. Sur ce terrain, elle demeure intouchable, bien assistée en cela par deux différentiels électroniques (EDL) et un autre de type «Torsen» au centre. Méfiez-vous cependant, car vous constaterez qu'il est beaucoup plus facile dans ces conditions précaires d'accélérer que de ralentir, et ce, malgré la présence d'énormes disques et d'un ABS de dernière génération. Pour le reste, les réglages des suspensions réalisées aussi entièrement en aluminium représentent un compromis évident envers le confort ouaté, au détriment des performances pures affichées par une BMW 740, par exemple. Blâmez aussi les pneumatiques d'origine et retenez les roues de 17 pouces offertes en option. Autres reproches concernant le menu? Le fonctionnement très complexe des innombrables commandes et interrupteurs. On compare souvent la cuisinière des grands chefs à un piano et je vous assure qu'il faut presque passer par le Conservatoire avant de maîtriser ceux-là. On s'interroge également sur l'absence de rangement entre les sièges avant. Par contre, le rétroviseur droit, autrefois trop petit, a été agrandi cette année.

Mais le véritable gastronome automobile ne s'en lassera pas, certain d'accueillir, malgré tout, ses amis dans ce que je n'hésite absolument pas à qualifier de meilleure production automobile conçue pour notre imprévisible climat.

Aseptisée, malgré tout.

Jean-Georges Laliberté

Audi TT

Audi TT

Le triomphe du style

Décernons d'abord le prix de la voiture la plus fantasque de cette fin de siècle à Audi pour son nouveau coupé TT dévoilé au récent Mondial de l'auto à Paris. J'ai eu le privilège de le conduire en Ombrie, au cœur de la péninsule italienne, plusieurs mois avant son arrivée en terre nord-américaine prévue pour l'été 1999 sous le millésime 2000.

En donnant carte blanche à ses plus jeunes designers, la marque allemande a fait preuve d'un goût du risque qui lui vaut aujourd'hui des tonnes d'éloges. Par son audace, son look rétro-moderne et sa créativité, le coupé TT a déjà sa place dans les annales de l'automobile. Pour Audi, il ne s'agit pas seulement d'un nouveau modèle s'ajoutant à la gamme, mais d'un premier pas dans le marché très pointu de la voiture sport. Ce coupé 2+2 attirera sans doute une vaste clientèle, mais il s'inscrit principalement dans le créneau occupé par ses rivales allemandes que sont la Z3 (BMW), la SLK (Mercedes) et la Boxster (Porsche). Il voit le jour trois ans seulement après avoir été montré sous la forme d'une attrayante étude de style au Salon de l'auto de Francfort en 1995. Sa réalisation tient du tour de force, tellement la version définitive est proche du prototype qui, au départ, ne semblait pas du tout adapté aux contraintes d'une voiture de série. Pourtant, à part les petites glaces latérales triangulaires et quelques autres détails, l'Audi TT est en tous points semblable au concept initial.

TT pour *Tourist Trophy*

Pour la petite histoire, soulignons que ce minuscule coupé est un clin d'œil aux anciennes Auto Union, voitures de course à moteurs

16 cylindres des années 30, en même temps qu'une évocation de l'école de design Bauhaus des années 20. Ajoutons qu'Audi, à diverses époques, a englobé plusieurs marques, dont Auto Union, DKW et surtout NSU à qui on doit la paternité du célèbre moteur rotatif Wankel. Bref, la maison, qui a aussi créé le fameux système de traction intégrale Quattro, n'en est pas à sa première originalité. Quant aux lettres TT, elles ont été empruntées à la célèbre course sur route *Tourist Trophy* qui confrontait autos et motos au début du siècle sur l'île de Man dans la mer d'Irlande. Le bouchon en aluminium du réservoir d'essence qui pare le flanc droit de la voiture rappelle d'ailleurs joliment cet héritage lointain. En dessinant le coupé TT, les designers d'Audi affirment s'être inspirés de la roue, attribut essentiel d'une automobile. Les passages de roues ont été accentués et toutes les courbes de la carrosserie y prennent leur point de départ. Il en est résulté un petit coupé à arrière ouvrant aux dimensions voisines de celles d'une BMW Z3 avec des porte-à-faux très courts, une surface vitrée réduite et une ligne trapue qui aura sans doute autant d'admirateurs que de détracteurs. Vu la ceinture de caisse élevée, on pourrait craindre des problèmes de visibilité, mais à part une obstruction partielle causée par la grosseur du pilier avant dans les virages à gauche, on ne peut s'en plaindre outre mesure.

Bien que le style semble être la dominante du nouveau coupé Audi TT, cette voiture a tout de même fait l'objet d'une sérieuse mise au point sur le plan technique. En revanche, le prix envisagé (autour de 40 000 $) a mené les ingénieurs vers des éléments mécaniques déjà largement utilisés au sein du groupe VW-Audi.

De 180 à 225 chevaux

La plate-forme est la même que celle utilisée pour l'Audi A3 européenne et la nouvelle Coccinelle, tandis que le moteur turbo de 180 chevaux à 5 soupapes par cylindre est une version plus poussée du 4 cylindres de 1,8 litre et 150 chevaux que l'on trouve aussi dans l'Audi A4 et la VW Passat. Ce même moteur a vu sa puissance portée à 225 chevaux dans une version haute performance du coupé TT qui sera lancée plus tard. Aux États-Unis, deux modèles seront proposés: l'un à traction avant et l'autre à traction intégrale Quattro. Toutefois, seule cette dernière version sera commercialisée au Canada, ce qui est souhaitable comme on le verra plus loin. La traction intégrale telle qu'utilisée dans le coupé TT a été réétudiée en fonction du moteur monté transversalement et du peu d'espace disponible. La répartition du couple entre les essieux avant et arrière est désormais assurée par un système de faible encombrement à régulation électro-hydraulique qui, en détectant une perte d'adhérence des roues avant, transmet une fraction plus importante du couple à l'essieu arrière.

Au début, seule une boîte de vitesses manuelle à 5 rapports à commande par câbles sera offerte. Une boîte à 6 vitesses équipera la version de 225 chevaux, tandis qu'une transmission automatique «Tiptronic» sera offerte un peu plus tard. Suspension et freinage font appel à des solutions classiques, mais Audi est particulièrement fière du fait que le coupé TT excède les nouvelles normes européennes et américaines de sécurité passive pour les collisions frontales et latérales. Quatre coussins gonflables (frontaux et latéraux) assurent une protection supplémentaire.

Rendez-vous en Ombrie

Après avoir assimilé une véritable avalanche d'informations, il ne restait qu'à vérifier si ce chef-d'œuvre de design est aussi impressionnant à conduire qu'à admirer. Quelques boucles d'un parcours d'une quarantaine de kilomètres entre Rome et Florence m'ont permis d'évaluer les trois principales livrées de ce modèle.

Si l'on peut souvent décrire la présentation intérieure d'une voiture sport en deux temps trois mouvements, ce coupé échappe à une évaluation aussi sommaire. On ne peut s'installer au volant sans faire une pause pour admirer le décor. Du ravissant petit volant jusqu'au repose-pied, l'omniprésence de l'aluminium rappelle que l'on a affaire à une voiture qui n'a rien de banal. L'aluminium brossé se retrouve encore sur les leviers de vitesses et de frein d'urgence, sur la plaque qui dissimule la radio, sur la boîte à gants, autour des cadrans du tableau de bord et sur ces curieux triangles qui relient tableau de bord, console centrale et plancher. Ces supports ne sont pas purement décoratifs: ils ont pour but de réduire les vibrations mécaniques dans le volant. Les bagues en aluminium qui encerclent les aérateurs sont aussi fonctionnelles et tournent à la manière précise d'un mécanisme de caméra afin de régler le débit d'air. Évitez d'ouvrir le cendrier en plastique bon marché qui détonne vraiment dans un tel environnement.

L'habitacle, étonnamment spacieux pour une si petite voiture, est agrémenté par la facilité avec laquelle on trouve tout de suite la bonne position de conduite. Les sièges de série ajustables en hauteur sont recouverts d'un tissu particulièrement agréable, garni de petites bulles de caoutchouc qui offrent un meilleur maintien dans les virages. Enfin, le pédalier est fait de plaques perforées en acier inoxydable, assorties de languettes en caoutchouc pour empêcher les pieds de glisser.

L'Audi TTS (pour Spider) sera prête pour l'an 2000

Audi TT

Pour
Ligne suave • Aménagement unique • Traction intégrale • Excellents moteurs • Grand coffre • Conduite amusante • Sécurité passive poussée

Contre
Suspension à trop grand débattement • Accélérateur peu progressif • Cendrier dépareillé • Visibilité trois quarts avant réduite • Places arrière symboliques

Caractéristiques
Échelle de prix:	voir page 11 et suivantes
Modèle / Prix:	Audi TT Quattro Coupé / 43 500 $ (estimé)
Type:	coupé 2+2, traction intégrale
Empattement:	243 cm
Longueur:	404 cm
Largeur:	186 cm (incluant rétroviseurs)
Hauteur:	135 cm
Poids:	1320 kg
Coffre / Réservoir:	de 220 à 490 litres (banquette rabattue) / 62 litres
Coussins de sécurité:	frontaux et latéraux
Système antipatinage:	non
Suspension av. / arr.:	indépendante
Freins av. / arr.:	disque, ABS 5,3
Direction:	à crémaillère, assistée
Diamètre de braquage:	10,5 mètres
Pneus av. / arr.:	P205/55R16 (P225/45R17 en option)
Valeur de revente:	nouveau modèle
Garantie de base:	3 ans / 80 000 km

Motorisation et performances
Moteur / Transmission:	4L DACT 1,8 litre Turbo / manuelle 5 rapports
Puissance / Couple:	180 ch à 5500 tr/min / 171 lb-pi 1950 à 4700 tr/min
Autre(s) moteur(s):	4L 1,8 Turbo 225 ch
Transmission optionnelle:	manuelle 6 rapports (version 225 chevaux)
Accélération 0-100 km/h:	7,4 secondes autre moteur: 6,4 s (225 ch)
Vitesse maximale:	226 km/h (243 km/h version 225 ch)
Freinage 100-0 km/h:	n. d.
Consommation (100 km):	8,9 litres autre moteur: 9,2 litres

Modèles concurrents
BMW Z3 • Mercedes-Benz SLK • Porsche Boxster

Quoi de neuf?
Nouveau modèle

Verdict
Agrément	⊕⊕⊕⊕	Habitabilité ⊕⊕⊕
Confort	⊕⊕⊕⊕	Hiver ⊕⊕⊕⊕⊕
Fiabilité	⊕⊕⊕⊕	Sécurité ⊕⊕⊕⊕⊕

Contrairement à ses rivaux, le coupé TT peut recevoir une impressionnante quantité de bagages. Les petites places arrière ne serviront qu'à véhiculer des enfants en bas âge, mais l'espace peut être récupéré pour agrandir le coffre. Lorsqu'on abaisse la banquette arrière, son volume passe de 220 à 490 litres.

Cela dit, ce coupé se défend plutôt bien en conduite sportive, tout en faisant preuve d'une remarquable civilité en utilisation courante. Sauf dans la version de 225 chevaux dotée d'un turbocompresseur plus gros qui allonge son temps de réponse, le moteur répond promptement quand il est sollicité. La conduite en douceur exige toutefois une certaine habitude en raison du manque de progressivité de l'accélérateur. Ce n'est vraiment que sur des parcours montagneux qu'il devient nécessaire de rétrograder pour maintenir le rythme. La course très courte du levier de vitesses demande aussi un peu d'entraînement pour éviter de confondre les troisième et cinquième rapports. De 0 à 100 km/h, la voiture se maintient dans le sillage d'une Boxster avec le moteur de base et passe devant avec la version 225 chevaux. Quant à la sonorité, elle est plus agréable dans une SLK, mais une coche en dessous de celle du roadster de chez Porsche. Le freinage et la direction sont tels qu'on les souhaite dans une voiture sport. La TT (un nom qui supporte mal le féminin) peut compter sur un superbe équilibre en phase de ralentissement et sur une maniabilité agréable en virage.

Bienvenue en l'an 2000.

La suspension a besoin, selon moi, de meilleurs réglages. Ceux de la version 225 chevaux sont un peu mieux adaptés à la conduite sportive, mais avec le moteur de 180 chevaux les ondulations créent un effet de pompage qui devient agaçant. Même avec la traction intégrale, la voiture est un peu trop sous-vireuse à la limite et l'agrément de conduite y perd légèrement. Le confort, bien sûr, y gagne énormément, mais à quel prix?

Construite dans une usine très moderne à Györ en Hongrie, cette voiture entreprend une carrière dont le déroulement sera crucial pour Audi. Depuis sa silhouette unique jusqu'à sa traction intégrale, elle a pratiquement tous les atouts pour devenir le nouveau symbole de la voiture jeune et rebelle. Ce n'est d'ailleurs pas pour rien que ses concepteurs affirment que le coupé TT est la voiture que conduirait James Dean aujourd'hui.

Jacques Duval

BMW 318Ti

BMW 318Ti

Toujours controversée!

À une époque où la plupart des manufacturiers abandonnent les modèles *hatchback*, le constructeur munichois continue la commercialisation de son modèle deux portes à hayon. Depuis son apparition sur le marché européen en 1994, la plus économique des BMW a suscité bien des débats. Les avis sont toujours partagés sur ce modèle qui a été conçu afin que BMW puisse offrir une voiture affichant l'emblème bleu et blanc à des acheteurs plus jeunes et moins fortunés. De plus, une version plus courte, dotée d'un hayon, permet de transporter beaucoup de bagages, tout en étant de faible encombrement, ce qu'apprécie cette clientèle très active.

Si la 318Ti vous semble plus petite que les autres modèles de la série 3, vos yeux ne vous trompent pas, puisque cette nouvelle venue est de 21 cm plus courte qu'une berline de la même famille. Il n'est donc pas surprenant que ce modèle soit commercialisé en Europe sous le nom de «Compact». Cette «amputation» permet de produire une voiture moins longue, donc plus maniable. Ces dimensions plus modestes sont compensées par la présence d'un hayon et de dossiers articulés, permettant d'offrir un espace de chargement nettement plus généreux que celui du coupé. De plus, l'ouverture du hayon étant importante, il est possible d'y engouffrer des objets plus volumineux. Soulignons au passage que le seuil du coffre est quelque peu élevé, mais rien pour obliger à soulever colis et bagages à une hauteur démesurée.

Les places avant sont spacieuses et le support latéral des sièges anatomiques, excellent. Par contre, les places arrière ne peuvent être atteintes qu'après bien des contorsions et offrent un confort discutable. On peut parier qu'elles vont accueillir plus de sacs et de mallettes que de personnes. Le reste de l'habitacle est similaire à celui des anciens modèles 318i.

Côté esthétique, les avis sont partagés. Certains lui trouvent un petit quelque chose de différent, tandis que plusieurs ne se gênent pas pour affirmer avec éclat que les stylistes de BMW se sont mis le crayon dans l'œil avec ce *hatchback*.

Une suspension qui fait jaser

En plus de sa silhouette assez peu conventionnelle, la Ti fait également bande à part pour la suspension arrière, la sienne ressemblant de très près à celle utilisée sur la série 3 au début de la décennie. Pour plusieurs, il s'agit d'un choix qui n'est pas à l'honneur de BMW, puisque cette suspension a souvent été accusée de décrocher sans avis et de surprendre le conducteur. Selon eux, cette décision est uniquement basée sur des raisons économiques et la voiture est handicapée par cette configuration rétro. Chez BMW, on admet que des motifs économiques ont influencé en partie ce choix, tout en s'empressant d'ajouter que la géométrie a été révisée et que l'arrière du véhicule est plus léger, ce qui permet à la suspension d'offrir d'excellentes performances. D'ailleurs, c'est une suspension dérivée de ces éléments qui est utilisée sur le cabriolet Z3.

La mécanique est moins controversée, puisqu'on fait appel au moteur 4 cylindres 1,9 litre à double arbre à cames en tête qui développe 138 chevaux. La boîte manuelle à 5 rapports est offerte en équipement de série, tandis que l'automatique à 4 rapports est optionnelle.

BMW 318Ti

Pour
Agréable à conduire • Boîte manuelle précise • Carrosserie polyvalente • Sièges confortables • Moteur intéressant

Contre
Performances moyennes • Finition perfectible • Places arrière symboliques • Prix élevé • Faible visibilité arrière

Caractéristiques

Échelle de prix:	voir page 11 et suivantes
Modèle / Prix:	318Ti / 29 895$
Type:	hatchback / propulsion
Empattement:	270 cm
Longueur:	421 cm
Largeur:	170 cm
Hauteur:	139 cm
Poids:	1245 kg
Coffre / Réservoir:	325 litres / 52 litres
Coussins de sécurité:	conducteur et passager
Système antipatinage:	optionnel
Suspension av. / arr.:	indépendante
Freins av. / arr.:	disque ABS
Direction:	à crémaillère, assistance variable
Diamètre de braquage:	10,4 mètres
Pneus av. / arr.:	P185/65R15
Valeur de revente:	passable
Garantie de base:	4 ans / 80 000 km

Motorisation et performances

Moteur / Transmission:	4L 1,9 litre / manuelle 5 rapports
Puissance / Couple:	138 ch à 6000 tr/min / 133 lb-pi à 4300 tr/min
Autre(s) moteur(s):	aucun
Transmission optionnelle:	automatique 4 rapports
Accélération 0-100 km/h:	9,9 secondes
Vitesse maximale:	187 km/h
Freinage 100-0 km/h:	38,0 mètres
Consommation (100 km):	10,0 litres/100 km

Modèles concurrents

Acura Integra RS • Honda Prelude • Toyota Celica

Quoi de neuf?

Aucun changement majeur • Version avec moteur 2,5 litres toujours prévue

Verdict

Agrément	⊕ ⊕ ⊕ ⊕	Habitabilité ⊕ ⊕ ⊖
Confort	⊕ ⊕ ⊕	Hiver ⊕ ⊕ ⊕ ⊖
Fiabilité	⊕ ⊕ ⊕	Sécurité ⊕ ⊕ ⊕ ⊕

Des éléments positifs

Conduire une 318 Ti, c'est reprendre contact avec plusieurs éléments qui ont fait la réputation de la marque: une caisse très solide, une direction précise, un moteur qui aime les régimes élevés et l'impression d'être le maître à bord. De plus, comme il s'agit d'une propulsion, les accélérations s'effectuent sans effet de couple dans le volant.

Par contre, même si le moteur est performant compte tenu de sa cylindrée, il n'offre pas des prestations à couper le souffle. Elles sont honnêtes, presque sportives même avec la boîte manuelle. Mais il faut se souvenir qu'il s'agit d'une voiture qui se vend environ 30 000 $. À ce prix, les performances «honnêtes» apparaissent plus modestes.

L'excentrique de la famille.

Et si des temps d'accélération de 9,9 secondes sur la version avec boîte manuelle et 11,2 secondes pour la version automatique peuvent sembler intéressants, il faut ajouter qu'on doit ramer avec le levier de la boîte de vitesses pour les obtenir. Ainsi, avec l'automatique, pour obtenir des reprises plus franches, il faut placer le levier en troisième vitesse. En conduite urbaine, mieux vaut éviter d'utiliser la surmultipliée. Dans ces conditions, le moteur semble moins essoufflé et les prestations ont plus de fougue. Avec la version manuelle, il faut sans cesse solliciter la boîte pour tirer profit des 138 chevaux du moteur. Comme la boîte manuelle est très agréable à utiliser, le conducteur sportif aura du plaisir à piloter ce *hatchback*. Par contre, si vous vous contentez de changer de rapports de temps à autre, la voiture vous semblera poussive.

La voiture accroche bien à la route et c'est tout un plaisir d'aborder les virages à des vitesses sportives, ainsi que de profiter de la précision de la direction et de la rigidité de la caisse. Quant à la suspension arrière, elle se comporte très bien et n'a pas prêté flanc à aucune critique sérieuse.

Donc, selon votre style de conduite et le genre d'équipement de la voiture, la 318Ti pourra vous sembler passionnante ou désarmante. Il faut quand même souhaiter que la version animée par le 6 cylindres 2,5 litres de 170 chevaux vienne assurer la relève.

Denis Duquet

BMW 323i ● 328i

BMW 328i

Le défi de la décennie

Depuis l'envoûtante et mémorable 2002 de 1969 (*Guide de l'auto 1970*), les petites BMW figurent parmi les voitures les plus convoitées du monde. Pour leur agrément de conduite, leur construction méticuleuse et leur côté BCBG, les BMW de série 3 font rêver tous ceux qui aiment l'automobile ou pour qui le succès se doit d'être affiché. Transformer une voiture aussi unanimement désirée et acclamée par la presse automobile n'est pas une mince affaire. Voyons comment le constructeur bavarois a relevé ce qui pourrait être le défi de la décennie.

À une époque où l'emblème bleu et blanc de BMW était celui d'un petit constructeur moins prestigieux qu'aujourd'hui et où l'on pouvait acheter une de ses voitures (neuve) pour moins de 4000 $, j'avais succombé aux attraits de la fameuse 2002, l'ancêtre de l'actuelle série 3. Depuis, bien de l'eau a coulé sous les ponts, mais la fascination qu'exercent les BMW n'a cessé de croître. La marque allemande en est pleinement consciente et chaque renouvellement de l'un ou l'autre de ses modèles pose un problème colossal. Quand on construit des voitures considérées comme étant parmi les meilleures du monde, il n'est pas facile d'améliorer la recette.

C'est ce qui explique que pour la quatrième génération de la série 3, BMW ait adopté une approche plus évolutive que révolutionnaire.

Les berlines d'abord

Les lignes, déjà très réussies, n'ont fait l'objet que de subtiles retouches. Les changements les plus notables se remarquent à

l'avant avec une calandre intégrée au capot et par la forme en L des feux arrière qui se prolongent dans le couvercle du coffre. Les nouvelles mensurations diffèrent très légèrement des anciennes: un petit 2,5 cm en empattement, 4 cm en longueur et, ce qui est plus significatif, 4 cm également en largeur. L'habitabilité, jusque-là un peu mesurée, en est largement bénéficiaire avec un dégagement pour les genoux et pour la tête accrus respectivement de 2 cm et 1 cm aux places arrière. J'en profite pour souligner que la nouvelle série 3 ne sera offerte cette année qu'en version 4 portes. Les coupés et cabriolets recarrossés viendront plus tard.

À l'intérieur, le tableau de bord a été agréablement rafraîchi, mais les appliques de bois qui mettent en relief son cachet luxueux restent en option. En revanche, l'agencement des couleurs et la disposition des instruments et commandes offrent un beau coup d'œil, tout en étant parfaitement ergonomiques. Toutefois, la bande de métal en aluminium brossé paraît très vulnérable aux taches et aux égratignures. Le groupe d'accessoires sport optionnel comprend notamment un fort joli volant à trois branches à fonctions multiples qui permet de régler à distance la radio et le régulateur de vitesse.

Des moteurs à «Double Vanos»?

Les moteurs offerts sont essentiellement les mêmes que dans le passé: un 6 cylindres en ligne de 2,5 litres et 168 chevaux dans la 323i et une version 2,8 litres du même groupe développant 190 chevaux pour la 328i. Selon un système déjà appliqué au fabuleux moteur de la M3 haute performance, les 6 cylindres ordinaires de la série 3 bénéficient d'un réglage variable et complètement automatique de l'arbre à cames curieusement appelé «Double Vanos». Cela a une influence directe sur la force de couple obtenue à un régime inférieur et sur les émanations polluantes qui respectent désormais les plus récentes normes californiennes en ce domaine. Ces moteurs peuvent être associés à une boîte de vitesses manuelle à 5 rapports ou à une nouvelle transmission automatique, aussi à 5 rapports.

Sachant toute l'importance que BMW accorde au comportement routier, la E46 (nom de code de la nouvelle série 3) ne pouvait pas se satisfaire du même châssis que sa devancière, la E36. Le repositionnement de la batterie dans le coffre arrière et l'utilisation de l'aluminium pour les bras de suspension, tout comme les supports de jambes de force à l'avant ont contribué à une répartition égale des masses sur les deux essieux. Les voies élargies s'ajoutent à ce parfait équilibre du châssis pour améliorer encore d'un cran une tenue de route déjà spectaculaire pour une berline. Et, bien sûr, la rigidité de toute la structure a été amplifiée au point où on la dit deux fois supérieure à celle de l'ancienne série 3.

Chez BMW, on reste convaincu que la seule manière de construire une voiture au tempérament sportif est d'avoir recours à la propulsion. Cette architecture est cependant souvent critiquée en raison de son piètre rendement en conduite hivernale. Les ingénieurs ont voulu dissiper cette perception négative de la propulsion en dotant la dernière série 3 d'un antipatinage hautement sophistiqué, combiné à un système de freinage appelé CBC (Corner Control Braking) qui régule chacune des roues individuellement lorsqu'on donne un coup de frein en virage. L'ordinateur détecte la roue qui a le meilleur appui, donc la meilleure adhérence, et applique la force de freinage en conséquence. Dans la pratique, c'est-à-dire sur une piste ensablée à très faible adhérence, la voiture s'est montrée plus stable et très facile à guider en obéissant correctement aux mouvements du volant. Il s'agit, en quelque sorte, d'un ABS hautement perfectionné. Selon les responsables de BMW, la 328i peut affronter l'hiver avec la même aisance qu'une traction, mais je me réserve l'occasion de procéder à des essais comparatifs avant de confirmer ou d'infirmer cette assertion.

On n'a pas lésiné non plus en ce qui concerne la sécurité passive et cette nouvelle BMW peut offrir jusqu'à huit coussins gonflables. En plus des coussins frontaux et latéraux à l'avant, on propose en option des sacs gonflables de chaque côté des places arrière et deux autres en forme de bourrelets destinés à protéger la tête.

Un entretien à la baisse

S'il est un domaine où l'image de BMW était un peu plus pâle, c'est du côté de l'entretien. Les nouveaux modèles vont tenter de rétablir la situation en proposant des coûts réduits de 30 p. 100 en même temps qu'un entretien sans frais pendant 3 ans ou 60 000 km.

Et pour en finir avec cet inventaire, la liste des options est exhaustive et comprend notamment un système de navigation par satellite (offert plus tard), un capteur de pluie qui règle l'intermittence des essuie-glaces, un système dynamique du contrôle de la stabilité, un contrôle de distance de stationnement et des phares à haute intensité au xénon.

Route et circuit

Les présentations étant faites, j'étais impatient de découvrir si la nouvelle 328i privilégiait toujours le même agrément de conduite. Mon essai s'est déroulé sur les petites routes voisinant la charmante localité de St. Andrews au Nouveau-Brunswick ainsi que sur un mini-circuit aménagé par le pilote de course Claude Poirier dans un aérodrome local. Sur piste, j'ai pu tout à loisir pousser la 328i à sa limite et au-delà, et je dois dire que la grande qualité de cette voiture est encore de faire bien paraître n'importe quel conducteur. La facilité avec laquelle on peut la conduire sportivement et habilement est stimulante et c'est sans doute ce qui fait le succès de ces petites BMW. Un conseil toutefois: si le comportement routier se situe au sommet de vos priorités, optez pour le groupe Sport avec sa suspension plus ferme, assortie de pneus à profil bas de 17 pouces et évitez l'automatique. Sans la boîte manuelle et avec les pneus de série, notre petite BM se rapproche beaucoup plus d'une berline de luxe que d'une sportive et courtise surtout les conducteurs de Lexus ES300 ou d'Infiniti I30.

BMW 323i • 328i

Pour

Silence de roulement exceptionnel
• Agrément de conduite préservé
• Moteur superbe • Sécurité active
et passive soignées • Solidité
impressionnante

Contre

Trop d'options • Suspension de série
trop souple • Transmission automatique peu intéressante • Visibilité
arrière perfectible • Finition du
tableau de bord discutable

Caractéristiques

Échelle de prix:	voir page 11 et suivantes
Modèle / Prix:	328i / 44 900 $
Type:	berline 4 portes / 4 places, propulsion
Empattement:	272,5 cm
Longueur:	447 cm
Largeur:	174 cm
Hauteur:	141,5 cm
Poids:	1450 kg
Coffre / Réservoir:	440 litres / 63 litres
Coussins de sécurité:	frontaux, passager, latéraux av. (lat. arr. et tête opt.)
Système antipatinage:	oui
Suspension av. / arr.:	indépendante
Freins av. / arr.:	disque ABS + CBC (voir texte)
Direction:	à crémaillère , assistance variable
Diamètre de braquage:	10,5 mètres
Pneus av. / arr.:	P205/55R16 (P225/45R17 option)
Valeur de revente:	très bonne
Garantie de base:	4 ans / 80 000 km

Motorisation et performances

Moteur / Transmission:	6L 2,8 litres / manuelle 5 rapports
Puissance / Couple:	190 ch à 5500 tr/min / 206 lb-pi à 3500 tr/min
Autre(s) moteur(s):	6L 2,5 litres / 168 ch
Transmission optionnelle:	automatique 5 rapports
Accélération 0-100 km/h:	7,8 secondes autre moteur: 8,5 s. (auto.)
Vitesse maximale:	205 km/h
Freinage 100-0 km/h:	38,6 mètres
Consommation (100 km):	11,5 litres autre moteur: 10 litres

Modèles concurrents

Acura TL • Audi A4 • Mercedes-Benz C280 • Lexus ES300 • Infiniti I30
• Saab 9-5 • Volvo S70 • Cadillac Catera

Quoi de neuf?

Nouveau modèle

Verdict

Agrément	⊕ ⊕ ⊕ ⊕ ⊊	Habitabilité	⊕ ⊕ ⊕
Confort	⊕ ⊕ ⊕ ⊊	Hiver	⊕ ⊕ ⊕
Fiabilité	⊕ ⊕ ⊕ ⊊	Sécurité	⊕ ⊕ ⊕ ⊕ ⊊

En choisissant les bonnes options, on retrouve tout ce qui fait plaisir dans une petite BMW: son agilité, son comportement très neutre en virage, son freinage droit et puissant ainsi que cette robustesse qui donne l'impression que la voiture a été sculptée dans le roc. Et le confort n'en souffre nullement, tellement la 328i reste imperturbable au passage de revêtements bosselés. L'anti-patinage ou système de traction toutes saisons dans le langage BMW a aussi le précieux avantage de ne pas intervenir trop tôt et de vous permettre de maintenir une vitesse respectable en virage.

Le moteur reste plein d'allant et sa douceur est telle qu'il faut toujours s'en remettre au chronomètre pour mesurer son rendement. En plus, la dernière 328i professe un silence de roulement qui n'est rien de moins qu'exceptionnel. Même à 140 km/h, on peut faire la conversation sans élever la voix d'un seul décibel.

Une belle évolution.

Pour BMW, l'agrément de conduite se mesure aussi par le confort des sièges. Malgré leur rembourrage ferme, ceux de la 328i assurent un parfait maintien, tout en réduisant la fatigue sur de longs trajets. Et cela vaut autant pour les sièges de série que les baquets de l'option Sport. Même les passagers arrière sont gâtés par une banquette épousant la forme de sièges individuels, quoique l'espace soit réservé à deux personnes seulement en raison du tunnel de transmission.

Finalement, j'entends déjà la question: après mon coup de foudre pour la 2002, achèterais-je aujourd'hui le modèle de cinquième génération de la plus petite des BMW? Ma réponse est que la question exige désormais mûre réflexion, compte tenu de l'abondance des modèles qui offrent de nos jours des qualités très proches de celles d'une 328i. Bref, BMW n'est plus seul au sommet et un match comparatif à venir me permettra sans doute de découvrir où elle se situe exactement dans la hiérarchie.

Jacques Duval

BMW série 5

BMW M5

Pilote automatique?

C'est avec une certaine curiosité mêlée de respect qu'on aborde l'évaluation d'une BMW. D'abord, la lecture de la fiche technique régale l'amateur de mécaniques sophistiquées, et prendre place derrière le volant rend conscient des efforts et de la maîtrise des ingénieurs qui ont présidé à sa création. L'actuelle série 5, qui roule déjà depuis quelque temps, en est la démonstration parfaite.

Même à l'arrêt, sa ligne projette une image élancée et dynamique. Les porte-à-faux très brefs, les phares carénés et tous les arcs harmonieusement tendus autour des composantes sophistiquées annoncent déjà une expérience excitante. À première vue, la 528 et la 540 ne présentent pas de différences importantes. Vous pouvez néanmoins les tailler à la mesure de vos priorités et surtout de vos capacités financières.

La 528 est toujours animée par le vénérable 6 cylindres en ligne au feulement mécanique inimitable. Si certains nouveaux V6 sont aussi performants et parfois plus sveltes, le châssis qui le soutient s'impose comme un étalon dans ce domaine. Il offre suffisamment d'espace aux occupants, même si la place médiane à l'arrière n'est pas des plus confortables à moyen terme.

Tous pourront aussi apprécier les efforts constants de BMW pour meubler l'intérieur avec goût. L'ambiance paraît plus sereine et lumineuse que par le passé. L'ergonomie et l'aménagement de la cabine sont irréprochables et conçus en fonction du conducteur, sans négliger pour autant ses invités. La qualité des matériaux et leur facture ne vous feront certainement pas regretter votre série 3. Les dispositifs électroniques abondent, par exemple le réglage

automatique de la température en deux zones qui fonctionne même lorsque le moteur est coupé, et un petit ordinateur de bord très savant, mais difficilement programmable. Les frileux pourront compter sur le chauffage des fauteuils avant, du volant (bénédiction!), ainsi que des rétroviseurs et du liquide lave-glace. Quant à l'aspect sécurité, soyez rassurés, car les occupants à l'avant sont protégés par des coussins frontaux, latéraux, et d'autres pour la tête.

Manque-t-il des accessoires au décor? Optez pour l'ensemble «Premium» qui garnit d'un cuir cossu et odorant fauteuils et contre-portes et comprend des appliques de bois. Pas satisfait des performances? Cochez la case «Sport» et vous aurez jantes de 17 pouces, suspension «M-Technic» moins souple mais plus mordante, et sièges de qualité supérieure. Maintenant, une manuelle 5 ou une automatique 4? La première réussira à faire de vous un expert des changements de vitesse. Mais il manque un rapport à l'automatique pour s'ajuster à la concurrence, même si elle se comporte impeccablement. Tout dépend aussi de l'importance que vous accordez à la grosse seconde qui sépare la série 5 de ses concurrentes pour atteindre le 100 km/h.

Une 5 qui se prend pour une 7

Vous reluquez la 540, mais qu'est-ce qui peut justifier les 15 000 $ qui gonflent la note? En fait, elle emprunte plusieurs éléments de la série 7. Il y a d'abord le moteur, un merveilleux V8 fondu en alliage léger, conçu pour vous faire frissonner chaque fois que vous touchez l'accélérateur. Sa puissance spécifique et son couple n'éloignent plus la concurrence, mais force est d'admettre que sa disponibilité à tous les régimes vous permettra de faire décrocher

BMW série 5

Pour

Moteur V8 divin • Tenue de route exceptionnelle • Pneumatiques performants • Caisse rigide • Sièges confortables

Contre

Places arrière modestes • Puissance juste du 2,8 l • Prix élevé à l'achat et à l'entretien • Certaines commandes complexes

Caractéristiques

Échelle de prix:	voir page 11 et suivantes
Modèle / Prix:	528i / 58 600 $
Type:	berline / propulsion
Empattement:	283 cm
Longueur:	477 cm
Largeur:	180 cm
Hauteur:	143 cm
Poids:	1590 kg
Coffre / Réservoir:	460 litres / 70 litres
Coussins de sécurité:	frontaux, latéraux, tête
Système antipatinage:	oui
Suspension av. / arr.:	indépendante
Freins av. / arr.:	disque ABS
Direction:	à crémaillère, rapport variable
Diamètre de braquage:	11,3 mètres
Pneus av. / arr.:	P225/60HR15
Valeur de revente:	bonne
Garantie de base:	4 ans / 80 000 km

Motorisation et performances

Moteur / Transmission:	6L 2,8 litres / automatique 4 rapports
Puissance / Couple:	190 ch à 5300 tr/min / 206 lb/pi à 3950 tr/min
Autre(s) moteur(s):	V8 4,4 litres 282 ch
Transmission optionnelle:	man. 5 rapports (aut. 5 rap. man. 6 rap. 540i)
Accélération 0-100 km/h:	8,6 secondes **autre moteur:** 6,4 secondes
Vitesse maximale:	210 km/h (limitée) 250 km/h (540i manuelle)
Freinage 100-0 km/h:	41,0 mètres
Consommation (100 km):	12,3 litres **autre moteur:** 13,4 litres

Modèles concurrents

Mercedes-Benz E • Volvo S70 T5 • Audi A6 • Lexus GS400 • Acura RL

Quoi de neuf?

Version familiale 528iT et 540iT • Moteur V8 moins polluant • Modèle M5 en cours d'année

Verdict

Agrément	🔧🔧🔧🔧	Habitabilité	🔧
Confort	🔧🔧🔧	Hiver	🔧🔧
Fiabilité	🔧🔧🔧🔧	Sécurité	🔧🔧🔧🔧

le train arrière si le cœur vous en dit. Les suspensions avant plus incisives sont en acier plutôt qu'en aluminium, elle est guidée par une direction à billes (!), et les sièges sont tendus d'un cuir encore plus confortable. L'équipement offert varie selon que vous retenez l'automatique à 5 rapports ou la manuelle à 6 vitesses. Avec la première, vous roulerez sur des pneus de 16 pouces, tandis qu'avec la seconde on vous offre entre autres des 17 pouces et la suspension «M-Technic». Le splendide V8 ne fait pas trop de cas de votre choix de transmission, puisque selon le manufacturier, il n'y a que quelques dixièmes de secondes de différence entre les deux pour le 0-100 km/h.

Deux surdouées.

Derrière le volant, la dépense supplémentaire vaut-elle le coup? Les deux affichent une précision de conduite insoupçonnable par rapport à leur gabarit et peuvent jouer sur deux tableaux: un train de politicien qui parade ou une allure effrénée. Les suspensions de la 528 absorbent avec plus de douceur les irrégularités, mais celles de la 540, surtout la «M-Technic», vous entraînent dans les enchaînements de virages et procurent une meilleure stabilité directionnelle. Surtout que vous pouvez vous fier sur un antipatinage et contrôle de traction appelé «ASC+T» qui module les freins arrière pour contrer les pertes d'adhérence. Sur la 540 automatique, un système stabilisateur «DSC III» peut agir de façon sélective sur tous les freins ou sur le moteur pour vous garder sur la route. Mais chaussez la 528 de 17 pouces, et bien malin qui pourra sentir les différences les yeux fermés. Par contre, 2 secondes en moyenne séparent ces modèles au 0-100 km/h. Une éternité! Peu importe la combinaison cependant, vous sortez gagnant, car la direction lit la route comme une experte en braille, et la pédale de frein semble actionner des rétrofusées. Elle est presque intouchable sur le sec, le tout dans un silence monacal que ne viendront pas rompre vos passagers subjugués par vos exploits à la Fangio.

BMW continue à peaufiner les équipements de sa 5, à défaut de la dynamiser avec de nouvelles motorisations. La 540 peut encore défier ses rivales avec l'aide de son moteur, de ses suspensions impeccables et de ses aides au pilotage. Le 6 cylindres possède encore de beaux restes, mais il lui manque ce petit quelque chose qui forçait le respect envers la marque. En attendant la venue de la M5 de plus de 400 chevaux (voir photo), les Munichois devraient encore se retrousser les manches et nous offrir une 528 plus puissante.

Jean-Georges Laliberté

BMW 740i · 740iL · 750iL

BMW 740iL

Classe et discrétion

Lorsqu'un manufacturier allemand jouissant d'une réputation aussi enviable que BMW s'attaque à la réalisation d'une voiture de grand luxe, il faut s'attendre à quelque chose de beaucoup plus sophistiqué que la moyenne. À Munich, les ingénieurs responsables du développement de la série 7 l'ont non seulement dotée de groupes propulseurs très raffinés, mais aussi d'une foule d'accessoires destinés à relever le degré de sécurité active et passive, en plus du confort.

Avant de passer cette interminable liste au peigne fin, il est intéressant de comparer les personnalités des trois berlines allemandes de grand luxe sur le marché. Chez Audi, on a opté pour le châssis en aluminium et pour le plus petit moteur V8 de la catégorie dans le but de faire de l'A8 une voiture vraiment à part. Sa traction intégrale et une silhouette très effacée contribuent à leur tour à la marginaliser. Chez Mercedes, la présente génération de la classe S manque de subtilité sur le plan esthétique, même si sa fiche technique est très étoffée. Les stylistes ont dessiné une silhouette massive, destinée à afficher à la face du monde la réussite financière de son propriétaire.

Chez BMW, la série 7 a été conçue comme la voiture du juste milieu. Moins ostentatoire que la classe S de Mercedes, elle possède une personnalité plus relevée que l'Audi. De plus, au chapitre de la conduite, c'est celle qui offre les meilleures sensations. La Mercedes classe S fait trop limousine, tandis que l'efficacité du système Quattro de l'A8 élimine une partie du feed-back positif que recherche le conducteur sportif.

Une BMW 740i à empattement court possède l'agilité voulue pour être agréable à piloter, tandis que les 282 chevaux de son V8 4,4 litres sont suffisants pour offrir des performances dignes de sa classe. En effet, même si ses dimensions sont généreuses, cette berline est toujours agréable à conduire. Stable comme pas une en ligne droite, elle impressionne sur les routes sinueuses et même dans les courbes à court rayon. À son volant, on n'a pas l'impression de piloter une voiture de 21 cm plus longue qu'une 540i.

Le fait d'opter pour une 740iL à empattement allongé vous place derrière le volant d'une voiture possédant une personnalité différente. Son empattement et sa longueur hors tout affichent 14 cm de plus que la 740i. Il en résulte plus d'espace pour les occupants des places arrière et un comportement plus pataud sur la route. Si sa stabilité sur les autoroutes est encore plus impressionnante que celle de la version à empattement court, la 740iL n'a pas la même agilité que sa petite sœur lorsque vient le temps d'enchaîner les virages. Par contre, ses performances sont pratiquement les mêmes, puisque ces quelques centimètres de plus se traduisent par un excédent de poids de 15 kg au maximum.

Reste la 750iL et son fabuleux moteur V12 de 5,3 litres développant 322 chevaux. C'est la berline idéale pour rouler à grande vitesse sur les autoroutes allemandes. Elle réussit à conjuguer le luxe et le silence de roulement à une sensation de conduite moins soporifique que celles de plusieurs autres voitures de cette catégorie.

Sur notre continent, à défaut de pouvoir rouler à plus de 100 km/h, on doit se contenter de l'incroyable douceur et souplesse de ce moteur. Ce V12 n'est pas nécessairement le plus performant sur le marché, mais il effectue son travail en silence et avec discrétion,

BMW 750iL

Pour

Motorisation proverbiale
• Caisse très rigide • Équipement ultracomplet • Système audio de référence • Sécurité active relevée

Contre

Dépréciation rapide (750iL)
• Accessoires complexes
• Accoudoir central peu confortable
• Voiture en fin de carrière • Moyeu du volant trop volumineux

Caractéristiques

Échelle de prix:	voir page 11 et suivantes
Modèle / Prix:	740i / 91 200$
Type:	berline / propulsion
Empattement:	293 cm
Longueur:	498 cm
Largeur:	186 cm
Hauteur:	142 cm
Poids:	1930 kg
Coffre / Réservoir:	500 litres / 85 litres
Coussins de sécurité:	conducteur, passager et latéraux
Système antipatinage:	oui
Suspension av. / arr.:	indépendante
Freins av. / arr.:	disque ABS
Direction:	à billes, assistance variable
Diamètre de braquage:	12,2 mètres
Pneus av. / arr.:	P235/60R16
Valeur de revente:	faible
Garantie de base:	4 ans / 80 000 km

Motorisation et performances

Moteur / Transmission:	V8 4,4 litres / automatique 5 rapports
Puissance / Couple:	282 ch à 5700 tr/min / 324 lb-pi à 3700 tr/min
Autre(s) moteur(s):	V12 5,3 litres 322 ch (750iL)
Transmission optionnelle:	aucune
Accélération 0-100 km/h:	7,4 secondes autre moteur: 6,7 secondes
Vitesse maximale:	210 km/h (limitée électroniquement)
Freinage 100-0 km/h:	40,1 mètres
Consommation (100 km):	13,9 litres autre moteur: 16,2 litres

Modèles concurrents

Audi A8 • Mercedes classe S • Jaguar Vanden Plas

Quoi de neuf?

Modification à la calandre • Phares avant revus • Déflecteur avant réduit

Verdict

Agrément	⊕ ⊕ ⊕ ⊕	Habitabilité	⊕ ⊕ ⊕ ⊕
Confort	⊕ ⊕ ⊕ ⊕ ⊊	Hiver	⊕ ⊕ ⊕ ⊊
Fiabilité	⊕ ⊕ ⊕ ⊊	Sécurité	⊕ ⊕ ⊕ ⊕ ⊊

tout en assurant une ample provision de chevaux-vapeur pour les roues motrices arrière. Reste à savoir si ce groupe propulseur accompagné de quelques accessoires supplémentaires justifie la différence de prix avec une 740iL de même gabarit.

Peu importe le modèle choisi, le conducteur devra s'habituer à une boîte automatique à 5 rapports de type adaptatif. Une telle transmission est dotée d'un centre de commande électronique qui analyse le style du conducteur et établit un pattern de changement de vitesses en harmonie avec ses habitudes. Comme c'est le cas chez la majorité de ces transmissions, il arrive que cette boîte hésite avant de prendre sa décision et qu'on note un délai dans le passage des rapports.

Agrément de conduite et luxe.

Manuel du propriétaire obligatoire

Tous les modèles de la série 7 débordent d'accessoires de toutes sortes. Ils offrent un système de contrôle de stabilité latérale, des freins ABS très sophistiqués, un antipatinage qui demeure toujours la référence et j'en passe.

Bien entendu, c'est la liste des accessoires visant à améliorer le confort dans la cabine qui permet aux voitures de luxe de s'élever au-dessus des autres. Cette famille de modèles BMW n'a pas à trembler devant la concurrence à ce chapitre. On y trouve de tout ou presque. Par contre, plusieurs des commandes qui gèrent le système audio, la climatisation automatique et le téléphone cellulaire ne sont pas évidentes. Il est fortement recommandé de passer quelques minutes dans la voiture, manuel du propriétaire en main, afin de se familiariser avec ce déluge de commandes. Et en passant, mieux vaut apprendre à se servir du téléphone cellulaire main libre le plus rapidement possible, car si le système est efficace, il faut un certain temps pour s'y adapter.

La série 7 de BMW démontre hors de tout doute qu'une voiture appartenant à la catégorie des berlines de grand luxe peut offrir un agrément de conduite plus intéressant que la moyenne, tout en conservant tous les autres privilèges associés à ce type de voiture.

Denis Duquet

BMW Z3 • M Roadster • Coupé

BMW M Roadster

Quand la Z3 sort ses griffes

À sa naissance il y a déjà près de trois ans dans une usine de la Caroline-du-Sud, le roadster Z3 de BMW avait de bien modestes ambitions en matière de performances. Propulsé par un maigrichon 4 cylindres 1,9 litre de 138 chevaux, il offrait un agrément de conduite résidant beaucoup plus dans sa suprême maniabilité que dans des accélérations à l'emporte-pièce. Ce moteur a d'ailleurs été mis au rancart cette année au profit d'un 6 cylindres de 2,3 litres, qui seconde le 2,8 litres provenant de la 328. Finalement, la gamme se complète d'une version encore plus musclée, le M Roadster, dont la mécanique se retrouve aussi dans un coupé aux lignes pour le moins discutables.

Les amis de la marque bavaroise savent déjà que l'appellation M est réservée à la crème de la crème chez BMW. Les anciennes M1 ou M5 ou les récentes M3 se sont chargées d'en faire la preuve. Produits en nombre limité, ces modèles se distinguent avant tout par leurs moteurs surdéveloppés offrant une puissance au litre pas très éloignée de celle de moteurs de compétition. Dans le cas du M Roadster, le 6 cylindres de 3,2 litres qui équipe les modèles destinés au marché européen produit la bagatelle de 318 chevaux. Installé dans les versions vendues au Canada et aux États-Unis, ce même 6 cylindres voit sa puissance chuter à 240 chevaux mais, fort heureusement, la pénalité n'est pas aussi lourde qu'on pourrait le croire. Avec 50 chevaux de plus que le moteur 2,8 litres, la Z3 sort ses griffes et peut désormais en découdre avec la Porsche Boxster, sa rivale de Stuttgart.

Un costume sur mesure

Bien sûr, les sorciers de BMW ne se sont pas arrêtés sous le capot et le M Roadster met son surcroît de puissance à profit au moyen d'une suspension revue et corrigée, comprenant des amortisseurs plus fermes et des barres stabilisatrices de plus grand diamètre. La voiture a aussi été abaissée d'environ 2 cm et roule désormais sur des roues exclusives de 17 pouces, chaussées de pneus Michelin beaucoup plus costauds. La direction à assistance variable est également unique au M Roadster, tout comme ses gros freins à disque ventilé. Par contre, le différentiel autobloquant est emprunté à la Z3 2,8.

Visuellement, la voiture se démarque des Z3 ordinaires par plusieurs éléments aussi bien décoratifs que fonctionnels. Le bouclier avant qui fait office de pare-chocs est plus massif et se caractérise par ses prises d'air agrandies servant à refroidir le moteur et le différentiel. Vue de l'arrière, la voiture se reconnaît à sa voie élargie et à son échappement à 4 sorties. Les garnitures en chrome ne sont plus l'apanage des anciennes voitures américaines; le M Roadster en fait un usage abondant. Les prises d'air latérales en sont garnies, tout comme les poignées de porte. La présentation intérieure remet aussi le chrome à l'honneur: on en trouve autour des cadrans et des leviers de vitesses et de frein à main. La sellerie en cuir bicolore fait aussi partie du costume distinctif du M Roadster. Et, finalement, la capote électrique est offerte en équipement de série au même titre que les arceaux de sécurité. L'absence d'une lunette arrière dégivrante confirme ce que l'on savait déjà: la Z3 n'aime pas l'hiver.

BMW Z3

Pour
Moteur souple et performant
- Très grande maniabilité
- Sièges agréables
- Présentation intérieure soignée

Contre
Marche arrière rétive
- Survirage brutal
- Flottement à haute vitesse
- Capote mal insonorisée

Caractéristiques

Échelle de prix:	voir page 11 et suivantes
Modèle / Prix:	M Roadster / 60 900 $
Type:	cabriolet / propulsion
Empattement:	246 cm
Longueur:	402 cm
Largeur:	174 cm
Hauteur:	127 cm
Poids:	1600 kg
Coffre / Réservoir:	165 litres / 51 litres
Coussins de sécurité:	conducteur et passager
Système antipatinage:	oui
Suspension av. / arr.:	indépendante
Freins av. / arr.:	disque ABS
Direction:	à crémaillère, assistée
Diamètre de braquage:	10,4 mètres
Pneus av. / arr.:	P225/45ZR17 / P245/40ZR17
Valeur de revente:	bonne
Garantie de base:	4 ans / 80 000 km

Motorisation et performances

Moteur / Transmission:	6L 3,2 litres / manuelle 5 rapports
Puissance / Couple:	240 ch à 6000 tr/min / 236 lb-pi à 3800 tr/min
Autre(s) moteur(s):	6L 2,5 litres 168 ch / 6L 2,8 litres 190 ch
Transmission optionnelle:	automatique 4 rapports (Z3)
Accélération 0-100 km/h:	5,8 secondes **autre moteur:** 6,6 s (2,8)
Vitesse maximale:	240 km/h
Freinage 100-0 km/h:	36,6 mètres
Consommation (100 km):	12,0 litres **autre moteur:** 10,0 litres (2,3)

Modèles concurrents
Porsche Boxster • Mercedes-Benz SLK • Jaguar XK8 • Audi TT

Quoi de neuf?
Version 1,9 remplacée par le modèle 2,3 • Modèle coupé livrable sur demande seulement

Verdict

Agrément	⊕ ⊕ ⊕ ⊕	Habitabilité	⊕
Confort	⊕ ⊕ (	Hiver	⊕ ⊕
Fiabilité	⊕ ⊕ ⊕ ⊕	Sécurité	⊕ ⊕ ⊕ (

Dans les hauteurs

En règle générale, on ne s'attend pas à trouver aux États-Unis des parcours très propices à l'essai d'un engin sportif comme le M Roadster. Or, la Caroline-du-Sud (où sont construites toutes les Z3) est l'une des belles exceptions à la règle. Malgré son nom, le Blue Ridge Parkway est une petite route en lacets qui grimpe et dévale un paysage montagneux tout à fait spectaculaire. C'est dans ses mille et un virages ainsi que sur les pistes d'essais de Michelin à Laurens que le M Roadster nous a donné un aperçu de son savoir-faire.

Même si la voiture boucle le 0-100 km/h en 5,8 secondes, le moteur s'exprime avec une progressivité qui occulte sa puissance. Il démontre aussi une grande souplesse qui le rend parfaitement à l'aise à bas régime. À titre d'exemple, le troisième rapport de la boîte manuelle peut être enclenché à partir de 40 km/h et «s'étirer» jusqu'à 150 km/h. Le levier de vitesses tombe parfaitement sous la main et se déplace sans effort, à l'exception peut-être de la marche arrière qui est quelquefois plus difficile à sélectionner.

«M» comme dans bombe.

Avec sa nuée de virages en épingle, le Blue Ridge Parkway exige des freins solides et c'est l'un des points forts du M Roadster. Sur la voie publique, la tenue de route ne pose jamais de problème et cette Z3 conserve la même maniabilité que les modèles courants. Ce n'est que poussé à fond sur un circuit fermé que le M Roadster exige un peu plus d'attention en raison d'un survirage qui ne pardonne pas toujours les frasques du conducteur. Le coupé M3 possède une suspension mieux équilibrée qui permet d'explorer plus facilement les limites de l'adhérence. Même si le réseau routier américain est beaucoup moins ravagé que le nôtre, le M Roadster m'est apparu plus solide que les autres Z3. Il rejoint toutefois la 2,8 dans le flottement de la suspension avant que l'on ressent à haute vitesse. La capote n'est pas mieux insonorisée qu'auparavant et elle engendre un niveau de bruit qui dégrade le confort sur autoroute, ce qui confirme que la Z3 est avant tout une voiture estivale, faite pour rouler à ciel ouvert.

Dans de telles conditions, on oublie vite ses petits travers pour savourer pleinement cet agrément de conduite typique des produits BMW et qui, dans le M Roadster, a été amené bien près de son paroxysme.

Jacques Duval

Buick Century · Regal

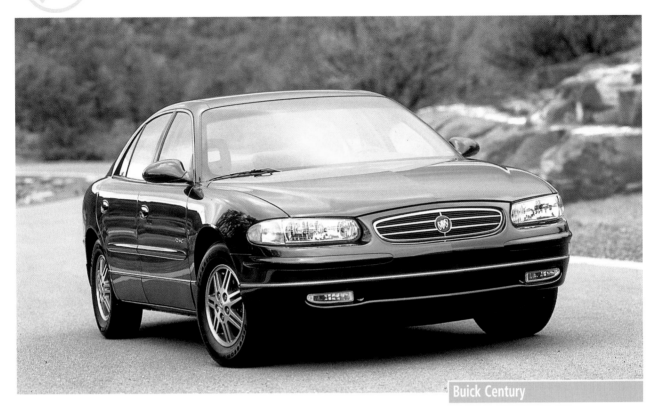

Buick Century

Sportive ou familiale?

La compagnie General Motors a tellement décortiqué sa gamme de produits en fonction de marchés spécifiques que presque tous ses modèles s'adressent à un public particulier. C'est ainsi que les Buick Century et Regal possèdent des caractères vraiment différents l'un de l'autre afin de satisfaire aux exigences de deux types d'acheteurs presque diamétralement opposés.

La Century est une berline familiale sans ambition particulière, sauf de transporter la petite famille dans le cadre de ses occupations régulières. Qu'il s'agisse d'aller faire ses emplettes, de visiter la tante Jeanne ou de se payer quelques jours de vacances, la Century est en mesure de s'acquitter de sa tâche sans trop décevoir conducteur et occupants. Un habitacle spacieux, une mécanique fiable à défaut d'être sophistiquée et un coffre de dimensions généreuses se feront apprécier au fil des jours. Il est vrai que le comportement boulevardier de la Century risque de décevoir ceux qui recherchent des sensations de conduite plus relevées. Par contre, plusieurs vont apprécier cette suspension très souple qui n'est pas sans mérite dans les régions où les routes sont en mauvais état.

Il est facile de critiquer le manque de vigueur du V6 3,1 litres, dont les accélérations et les reprises sont plutôt timides. Toutefois, la consommation se situe dans la bonne moyenne et la fiabilité s'est améliorée au fil des années. Le contraire serait surprenant, compte tenu des origines très lointaines de ce V6 qui a connu plus de transformations qu'Elizabeth Taylor a eu de maris. Et lorsque le fils ou la fille de la famille demandera la permission de prendre la

Century, les performances modestes de ce V6 atténueront les inquiétudes des parents.

La silhouette de la Century a été à l'origine de bien des discussions. Plusieurs apprécient ses formes classiques et discrètes qui lui permettront de bien vieillir. D'autres aimeraient un peu plus de panache. Néanmoins, en comparaison avec la plupart des berlines japonaises de cette catégorie, la Century n'est pas en retard en termes d'impression visuelle.

Cependant, certains de ses traits de caractère, dont sa propension à laisser pénétrer l'eau ou la neige chaque fois qu'on ouvre la portière ou le couvercle du coffre, constituent des irritants majeurs.

Regal: sport ou confort

Si, avec la Century, Buick ne vise rien d'autre que d'être une voiture familiale relativement économique et sans histoire, les ambitions de la marque pour la Regal sont plus élevées. Cette Buick se voit confier le rôle d'une berline bien équipée, confortable et capable d'offrir des performances raisonnables, grâce à son moteur V6 3,8 litres développant 195 chevaux. Parlant de ce V6, plusieurs le snobent en raison de ses origines plus que vétustes et de son système de soupapes à tiges et culbuteurs. Il n'en demeure pas moins que ses performances sont supérieures à celles de bien des groupes propulseurs de conception moderne et qu'il est plus économique en carburant. Et il ne faut pas oublier que ce V6 est couplé à l'une des meilleures transmissions automatiques qui soient.

Même si sa plate-forme est pratiquement identique à celle de la Century, des ressorts et des amortisseurs calibrés différemment permettent de profiter d'une tenue de route nettement plus

Buick Regal

Pour

Antipatinage amélioré • Moteur performant • Version GS agréable à conduire • Suspension Gran Touring bien calibrée • Tableau de bord pratique

Contre

Direction engourdie • Pneumatiques moyens • Suspension régulière trop souple • Silhouette très discrète • Certains détails de finition à revoir

Caractéristiques

Échelle de prix:	voir page 11 et suivantes
Modèle / Prix:	LS / 30 795 $
Type:	berline / traction
Empattement:	277 cm
Longueur:	498 cm
Largeur:	185 cm
Hauteur:	144 cm
Poids:	1597 kg
Coffre / Réservoir:	473 litres / 64 litres
Coussins de sécurité:	conducteur et passager
Système antipatinage:	oui
Suspension av. / arr.:	indépendante
Freins av. / arr.:	disque ABS
Direction:	à crémaillère, assistance variable
Diamètre de braquage:	11,4 mètres
Pneus av. / arr.:	P225/60R16
Valeur de revente:	passable
Garantie de base:	3 ans / 60 000 km

Motorisation et performances

Moteur / Transmission:	V6 3,8 litres / automatique 4 rapports
Puissance / Couple:	195 ch à 5200 tr/min / 225 lb-pi à 4000 tr/min
Autre(s) moteur(s):	V6 3,8 litres 240 ch / V6 3,1 litres 160 ch
Transmission optionnelle:	aucune
Accélération 0-100 km/h:	10,3 secondes autre moteur: 6,9 s (3,8 l)
Vitesse maximale:	180 km/h (limitée)
Freinage 100-0 km/h:	42,0 mètres
Consommation (100 km):	12,0 litres autre moteur: 13,0 litres (3,8 l)

Modèles concurrents

Chrysler LH (Concorde/Intrepid) • Ford Taurus/Mercury Sable • Nissan Maxima • Toyota Avalon

Quoi de neuf?

Freins ABS améliorés • Système antipatinage perfectionné • Chaîne stéréo «Monsoon»

Verdict

Agrément	⊕ ⊕ ⊕ ⟨	Habitabilité	⊕ ⊕ ⊕ ⟨
Confort	⊕ ⊕ ⊕ ⊕	Hiver	⊕ ⊕ ⊕
Fiabilité	⊕ ⊕ ⊕ ⟨	Sécurité	⊕ ⊕ ⊕ ⟨

intéressante chez la Regal. Il est vrai que l'Oldsmobile Intrigue offre mieux en fait de tenue de route en raison d'une suspension plus ferme, mais cette qualité devient pratiquement un défaut sur les mauvaises routes, alors que conducteur et passagers sont secoués au passage de trous et de bosses. La Regal devient une option alternative intéressante sous ce rapport. Surtout les modèles équipés de la suspension optionnelle Gran Touring, plus rigide, qui se tirent d'affaire aussi bien en termes de confort que de tenue de route.

Dans sa version standard, la Regal LS se débrouille fort bien au chapitre du confort, des performances et de la tenue de route. Il faut de plus ajouter que son habitacle est spacieux et son tableau de bord élégant et d'une ergonomie pratiquement sans faille. À défaut d'être raffinée, cette présentation permet d'accéder à la plupart des commandes sans chercher.

Elles méritent d'être considérées.

240 chevaux, rien de moins

Voilà pour la Regal de tous les jours. Buick propose également la GS, plus luxueuse et mieux équipée, tout en étant animée par une version suralimentée du V6 3,8 litres. Une puissance de 240 chevaux permet de surpasser en performance plusieurs berlines européennes fort bien cotées faisant appel à des moteurs plus raffinés.

La GS ne se contente pas d'accélérer en ligne droite. Ses pneus de 16 pouces travaillent de pair avec la suspension Gran Touring pour bien accrocher en virage et permettre de tirer profit des qualités routières du châssis. Il faut se rappeler qu'autant la Regal que la Century sont bâties sur une plate-forme rigide à laquelle est ancrée une suspension indépendante aux 4 roues. Si ces qualités sont plutôt oblitérées chez la Century, elles se font apprécier chez la Regal, tout particulièrement la GS.

Ce duo de berlines possède plusieurs qualités intéressantes tant en ce qui concerne le comportement que l'agrément de conduite. Toutefois, certains propriétaires ont été irrités par une multitude d'ennuis mécaniques qui les ont déçus. Les sondages effectués sur la fiabilité et l'indice de satisfaction semblent contredire ces faits, mais il y a toujours place à l'amélioration.

Denis Duquet

Buick Le Sabre • Oldsmobile 88 • Pontiac Bonneville

Buick Le Sabre

Rien à signaler

Ce trio représente une espèce sérieusement menacée de disparition: la grosse berline nord-américaine. Toutes trois ont beau proposer la traction, un moteur transversal et une suspension indépendante aux 4 roues, elles ne semblent plus intéresser les acheteurs. La Pontiac Bonneville vise une clientèle plus jeune, mais la Le Sabre et l'Olds 88 attirent surtout des acheteurs plus âgés tenant à profiter des qualités des grosses berlines traditionnelles.

Gardées quelque peu à l'écart, ces grosses voitures offrent cependant un rapport prix/qualité-confort-performances difficile à égaler. Malgré tout, elles sont en partie les laissées-pour-compte chez GM: elles n'ont eu droit qu'à de modestes changements au cours des récentes années. En fait, il y a trois ans, on s'est contenté d'apporter des modifications de détail à leur présentation extérieure. Pour le reste, il faut fouiller dans les archives du *Guide de l'auto* pour découvrir que la dernière transformation majeure a été effectuée en 1992.

Buick Le Sabre

Pendant plusieurs années, la Buick Le Sabre a été l'une des voitures les plus élégantes chez General Motors. Mieux encore, l'indice de satisfaction de ses propriétaires était l'un des plus élevés de l'industrie. Ces qualités sont toujours présentes dans la version actuelle. Cependant, elle a relativement peu évolué, malgré une refonte en 1997. C'est à peine si on a arrondi les angles de la partie avant et tenté de rafistoler le tableau de bord qui demeure toujours parsemé de modules rectangulaires.

Peut-être a-t-on sabré les budgets destinés à sa révision ou bien on n'a pas osé la transformer de façon trop radicale de peur d'effrayer la clientèle traditionnelle. Cette approche laisse cette Buick derrière la concurrence en fait de présentation dynamique. Devant la piètre apparence de cette voiture, on oublie rapidement les éléments positifs que sont le moteur V6 3800 de 205 chevaux, le système de freins ABS raffiné de même qu'un antipatinage efficace.

Les termes «stabilité en virage» et «élimination du roulis et du tangage» sont des mots qui ne semblent pas exister dans le vocabulaire des ingénieurs de Buick. La suspension Dynaride privilégie la souplesse afin d'offrir ce mouvement de va-et-vient sur les routes bosselées que plusieurs acheteurs associent au luxe. Heureusement, il est possible d'opter pour une suspension plus ferme et moins sujette à donner le mal de mer.

Seulement deux pages!

Deux pages, c'est toute l'inspiration qu'ont eue les rédacteurs du cahier de presse d'Oldsmobile pour nous vanter les mérites de la 88. Pourtant, cette berline n'est pas inférieure à ses deux consœurs. Au contraire, la version LSS peut facilement mettre la Le Sabre et la Bonneville dans sa petite poche. Mieux encore, cette grosse berline est l'une des perles cachées de cette division en pleine reconstruction. D'ailleurs, voilà le bobo!

La division Oldsmobile est en voie de transformer toute sa gamme de modèles. Ceux-ci sont destinés à être en mesure de lutter à armes égales contre la plupart des importées. Une grosse berline traditionnelle comme la 88 ne figure donc pas dans les plans à long terme, c'est pourquoi elle est plus ou moins laissée à

Buick Le Sabre

Pour

Moteur V6 performant • Tenue de route saine • Système antipatinage efficace• Habitabilité généreuse • Équipement complet

Contre

Modèles à bout de souffle
• Dimensions encombrantes
• Versions standards ternes
• Suspension standard trop souple
• Pneumatiques moyens

Caractéristiques

Échelle de prix:	voir page 11 et suivantes
Modèle / Prix:	Custom / 34 795 $
Type:	berline / traction
Empattement:	281 cm
Longueur:	508 cm
Largeur:	190 cm
Hauteur:	141 cm
Poids:	1556 kg
Coffre / Réservoir:	481 litres / 68 litres
Coussins de sécurité:	conducteur et passager
Système antipatinage:	oui
Suspension av. / arr.:	indépendante
Freins av. / arr.:	disque ABS / tambour ABS
Direction:	à crémaillère, assistée
Diamètre de braquage:	12,2 mètres
Pneus av. / arr.:	P205/70R15
Valeur de revente:	moyenne
Garantie de base:	3 ans / 60 000 km

Motorisation et performances

Moteur / Transmission:	V6 3,8 litres série II / automatique 4 rapports
Puissance / Couple:	205 ch à 5200 tr/min / 230 lb-pi à 4000 tr/min
Autre(s) moteur(s):	V6 3,8 litres à compresseur 240 ch (Olds 88)
Transmission optionnelle:	aucune
Accélération 0-100 km/h:	9,8 secondes autre moteur: 8,6 secondes
Vitesse maximale:	170 km/h
Freinage 100-0 km/h:	38,4 mètres
Consommation (100 km):	13,0 litres autre moteur: 12,0 litres

Modèles concurrents

Mercury Sable • Dodge Intrepid • Ford Crown Victoria

Quoi de neuf?

Système antipollution amélioré • Nouvelles couleurs de caisse • Système «On Star»

Verdict

Agrément	⊕ ⊕	Habitabilité	⊕ ⊕ ⊕
Confort	⊕ ⊕ ⊕ ⊕	Hiver	⊕ ⊕ ⊕
Fiabilité	⊕ ⊕ ⊕ ⊕	Sécurité	⊕ ⊕ ⊕ ⊕

elle-même. Il suffit de la comparer à l'Aurora pour comprendre la décision d'Oldsmobile. Pourtant, même si sa présentation commence à avoir du plomb dans l'aile, cette berline représente un bon compromis entre le caractère pantouflard de la Le Sabre et l'approche kitsch de la Bonneville.

Vraiment toute garnie

La division Pontiac a pour mission d'offrir des voitures fournissant des sensations fortes. Il semble cependant que le message se soit altéré en cours de route. Il ne serait pas surprenant que ces sensations fortes ne soient pas toujours le fruit de performances relevées ou d'une tenue de route exceptionnelle. Ces émotions seraient plutôt le résultat d'une présentation parfois tarabiscotée qui a pour leitmotiv: «Plus on en met, plus c'est élégant.»

Elles ont fait leur temps.

En effet, si la présentation de la version SE peut être qualifiée d'équilibrée, celle des modèles SLE et SSE est vraiment trop chargée. C'est comme si on avait réussi un gâteau succulent qu'on aurait recouvert d'un crémage très, très épais. Et le tableau de bord ne fait pas dans le détail non plus. Son instrumentation est excellente et ingénieuse avec ses cadrans faciles à lire et bien disposés. Mais le tout est entouré d'une planche de bord vraiment trop chargée qui vient gâcher la présentation générale.

Il est par ailleurs dommage que cette berline aux qualités de base intéressantes soit trahie en quelque sorte par une silhouette trop tourmentée. Cependant, comme toute chose est matière de goûts, il est certain que plusieurs se pâment devant la Bonneville. Considérations esthétiques à part, une SSE équipée de pneus haute performance de 16 pouces et du moteur V6 3,8 litres de 240 chevaux est en mesure de se comporter plus qu'honorablement lorsque le tempo s'accélère.

À titre comparatif, l'Olds 88 LSS propose une combinaison semblable et le même moteur, tandis que la Buick se contente prudemment de la version de 205 chevaux de ce même V6.

Bien qu'il représente un rapport qualité/prix intéressant, ce trio est à bout de souffle. On devrait d'ailleurs avoir droit à de nouveaux modèles pour l'an 2000.

Denis Duquet

Buick Park Avenue • Ultra

Buick Park Avenue Ultra

Pour retraités pressés

Rendons à César ce qui appartient à César, nos voisins du sud possèdent un savoir-faire indéniable en matière de luxe et de performances. La Buick Park Avenue, qui a subi un recarrossage complet l'an dernier, en est le meilleur exemple, car elle n'a pas grand-chose à envier à ses rivales importées beaucoup plus chères.

On pense notamment aux Lexus et Infiniti, dont les modèles haut de gamme coûtent entre 20 000 $ et 30 000 $ de plus que la plus chère des Buick. D'autant plus que les Buick, depuis quelques années, brillent de tous leurs feux dans les sondages et autres enquêtes portant sur le taux de satisfaction des propriétaires.

Les différents modèles Buick se démarquent en effet de la production américaine par leur fiabilité et leur qualité d'assemblage, deux domaines où cette division de GM a fait des pas de géants ces dernières années. Ne reste plus qu'à améliorer le service après-vente qui, malgré certains progrès, n'a pas encore atteint la qualité de celui de certains constructeurs japonais. Mais au moins, on a compris, chez Buick, que la meilleure façon de ne pas se plaindre du service était d'y avoir recours le moins souvent possible. Logique, non?

Une recette éprouvée

Comme toute bonne refonte qui se respecte, le processus de rajeunissement de la Park Avenue s'est accompagné de nombreux raffinements: suspensions redessinées, rigidité accrue du nouveau châssis et de la carrosserie, disques de freins plus gros, aménage-ment intérieur revu de A à Z, etc. La version Ultra, plus relevée, reçoit, outre une motorisation plus puissante, une boîte automatique renforcée pour s'accommoder de ce surplus de muscles ainsi qu'une toute nouvelle direction à crémaillère, appelée MagnaSteer, dont l'assistance varie selon la vitesse.

Pas de surprises sous le capot, cependant, puisqu'on a retenu les services de ce bon vieux V6 3800 série II. Chez Buick, cette mécanique a, de toute évidence, fait l'objet d'un clonage, car elle assure la motorisation de la presque totalité des modèles de cette division (à l'exception de la Century). Comme un chat, ce moteur semble avoir neuf vies, et s'il se comporte comme un gros matou dans sa version atmosphérique, il se transforme en lion dès qu'on lui adjoint un compresseur Eaton. La puissance effectue alors un bond de 35 chevaux, pour un joli total de 240. Cette cavalerie n'est toutefois pas un luxe pour déplacer la lourde masse de la Park Avenue Ultra.

En plus de cette mécanique éprouvée, les concepteurs de la Park Avenue ont utilisé une plate-forme existante, de la même famille de surcroît: celle de la Riviera, sur laquelle repose également l'Oldsmobile Aurora. De bonnes références, certes, mais ce châssis date tout de même de 1995; aussi a-t-on pris soin de le raffiner lors du renouvellement de la Park Avenue. La résistance à la torsion a été améliorée de 40 p. 100 et la résistance à la flexion, de plus de 50 p. 100. Cela se traduit par une caisse des plus rigides et fort bien suspendue, où le roulis et le tangage, dont sont trop souvent affectées les grosses berlines de luxe américaines, se ressentent moins dans les virages. Ils n'ont pas été éliminés pour autant. C'est ce que veulent les acheteurs, alors...

Buick Park Avenue

Pour

Caisse rigide • Mécanique éprouvée • V6 performant (Ultra) • Comportement étonnant (Ultra) • Confort de limousine • Fiabilité et qualité d'assemblage

Contre

Banquette antédiluvienne • Support latéral déficient des sièges • Suspension encore trop souple • Encombrement

Caractéristiques

Échelle de prix:	voir page 11 et suivantes
Modèle / Prix:	Ultra / 49 385 $
Type:	berline / traction
Empattement:	289 cm
Longueur:	525 cm
Largeur:	190 cm
Hauteur:	146 cm
Poids:	1760 kg
Coffre / Réservoir:	541 litres / 72 litres
Coussins de sécurité:	conducteur et passager
Système antipatinage:	oui (de série sur Ultra)
Suspension av. / arr.:	indépendante
Freins av. / arr.:	disque ABS
Direction:	à crémaillère, assistance variable
Diamètre de braquage:	12,0 mètres
Pneus av. / arr.:	P225/60R16
Valeur de revente:	passable
Garantie de base:	3 ans / 60 000 km

Motorisation et performances

Moteur / Transmission:	V6 3,8 litres compresseur / automatique 4 rapports
Puissance / Couple:	240 ch à 5200 tr/min / 280 lb-pi à 3600 tr/min
Autre(s) moteur(s):	V6 3,8 litres 205 ch
Transmission optionnelle:	aucune
Accélération 0-100 km/h:	9,1 secondes autre moteur: 10,6 secondes
Vitesse maximale:	180 km/h (limitée électroniquement)
Freinage 100-0 km/h:	46,2 mètres
Consommation (100 km):	12, 8 litres autre moteur: 13,6 litres

Modèles concurrents

Acura RL • Cadillac De Ville • Chrysler LHS • Ford Crown Victoria • Infiniti Q45 • Lexus LS400 • Lincoln Town Car

Quoi de neuf?

Chaîne stéréo améliorée • Pneus Michelin de série

Verdict

Agrément	⊕ ⊕ ⊕	Habitabilité	⊕ ⊕ ⊕ ⊕
Confort	⊕ ⊕ ⊕ ⊕	Hiver	⊕ ⊕ ⊕
Fiabilité	⊕ ⊕ ⊕ ⊕	Sécurité	⊕ ⊕ ⊕ ⊕

Il n'en demeure pas moins que ce paquebot navigue fort bien, son comportement étant même carrément surprenant, compte tenu de ses dimensions, de son poids... et de sa vocation. Celle-ci, n'ayez crainte, a été respectée à la lettre et notre véhicule d'essai, bien que muni de la suspension Gran Touring (plus ferme) et de pneus plus performants, n'en offrait pas moins un confort de limousine, rehaussé par une douceur et un silence de roulement typiquement américains. Pour résumer, on ne conduit pas une Park Avenue, on se laisse conduire.

Un luxe plus discret

L'habitacle de la Park Avenue est aussi vaste que confortable. Une superbe sellerie cuir, de série dans la version Ultra, accueille les occupants, qui n'ont plus qu'à s'enfoncer dans les fauteuils moelleux. À l'avant, la banquette de type 55/45, vestige d'une autre époque, offre un support lombaire appréciable, mais pour le soutien latéral, il faudra repasser. C'est encore pire avec le cuir qui, on le sait, a tendance à être glissant.

Les retraités rajeunissent, les Buick aussi.

Un rapide tour d'horizon nous réconcilie cependant avec cette grosse berline américaine: le luxe clinquant a pris le bord, pour céder le pas à une présentation à la fois sobre et étoffée. Bonne nouvelle: les cadrans rectangulaires, qui sévissaient jadis, ont, eux aussi, été relégués aux oubliettes. En lieu et place, on trouve une instrumentation analogique insérée dans des cadrans circulaires, qui facilitent la consultation tout en étant du meilleur goût.

L'aspect pratique, qui fut naguère une lacune des produits GM, n'a pas été négligé: ceux qui trimballent cassettes, disques compacts, lunettes de soleil et tout le bazar peuvent compter, en plus des petits vide-poches dans les portières, sur l'accoudoir central, qui recèle un vaste compartiment de rangement ainsi qu'un porte-verres. De plus, une ouverture pratiquée dans la banquette arrière permet le transport d'objets encombrants, tels skis ou bâtons de hockey. Quant au coffre, il est assez vaste pour y installer une table de billard ou une piscine. J'exagère à peine.

La nouvelle Buick Park Avenue remplit parfaitement son mandat, soit de transporter ses occupants du point A au point B dans le plus grand confort possible... et assez rapidement merci, dans le cas de l'Ultra. Tant par ses qualités que par le sérieux de son assemblage et sa fiabilité supérieure, elle possède tous les éléments pour attirer de nouveaux acheteurs, tout en conservant sa clientèle traditionnelle.

Philippe Laguë

Buick Riviera

Buick Riviera

Encore dans le coup

Apparue en 1995, la Riviera n'a pas bénéficié de changements significatifs à sa carrosserie ni à sa partie mécanique. Il faut dire que les coupés de cette taille se font plus rares, puisqu'ils offrent une habitabilité limitée par rapport à leur encombrement. Pourtant, celui-ci semble combler les amateurs du genre, qui lui demeurent fidèles.

La Riviera profite en effet du premier châssis élaboré par GM à l'aide des dernières techniques informatiques en ce domaine. Les ingénieurs devaient aussi tenir compte du partage de ses principales composantes avec l'Aurora et la Park Avenue, qui sont des berlines. Ils ont réussi, car sa rigidité ne peut être prise en défaut, mais on arrive aujourd'hui à des résultats équivalents, tout en réduisant sensiblement le poids des structures. Il faut souhaiter que GM travaille en ce sens pour la prochaine génération, à condition qu'on retrouve encore la Riviera dans le catalogue.

Des éléments mécaniques inchangés

Depuis toujours, on achète un coupé pour le style et les responsables du design de la Riviera ont eu le coup de crayon heureux. Qui plus est, ses lignes ont bien vieilli, contrairement à ce qui est le cas pour certains modèles qui brillent par leur originalité lors de leur mise en marché, mais deviennent complètement démodés après quelques années. Le gros coupé est encore dans le coup et réussit toujours à faire tourner les têtes, au grand bonheur de ses propriétaires.

On a l'impression de se répéter, tant les éléments mécaniques de ce coupé demeurent inchangés d'année en année. Toujours le

même V6 Series 2 de 3,8 litres, même s'il est remplacé chez d'autres divisions de GM par des motorisations plus modernes. Pourtant, il est bien vivant avec son compresseur qui lui insuffle la respiration artificielle et lui permet «d'expirer» ses 240 chevaux. Comme GM se refuse à investir de nouvelles sommes dans un modèle en fin de course, on bonifie la liste des équipements de série pour le bénéfice de l'acheteur. La Riviera vous est donc offerte complètement garnie, sauf pour le toit ouvrant, les jantes chromées, les sièges chauffants et le système de communication «On Star». Rappelons que cette petite merveille vous permet, à la simple pression d'un bouton, de converser avec un bon «génie» qui vous dépannera, vous guidera et appellera même les secours si les coussins gonflables se déploient au cours d'une collision. Un ange gardien satellisé, quoi.

Spacieuse et luxueuse, mais encombrante

À l'intérieur, cette Buick est capable du meilleur et du moins bon. L'espace disponible à l'avant est considérable et celui aux places arrière très acceptable, malgré une ligne de toit assez fuyante. Cependant, on n'échappe pas à sa nature et vos invités devront vérifier leurs articulations avant de prendre place dans la Riviera, car il faut encore faire un peu de gymnastique, même si les portières pourraient presque servir de portes de garage à une Chevrolet Metro. Les accessoires très nombreux sont à la portée de la main et les instruments, en nombre limité, de lecture facile. Les fauteuils immenses recouverts d'un cuir épais permettent de rouler confortablement, longtemps et sans fatigue. L'ambiance est luxueuse, les matériaux de bonne qualité et l'assemblage en net progrès avec les années. Impossible de se tromper toutefois, on a bien affaire à une

Buick Riviera

Pour

Joli design • Présentation intérieure originale • Douceur de roulement • Belle finition • Moteur bien adapté • Personnalité bien assumée

Contre

Encombrement • Roulis important • Portières pour haltérophiles • Panneau du tableau de bord peu esthétique

Caractéristiques

Échelle de prix:	voir page 11 et suivantes
Modèle / Prix:	Riviera / 46 225 $
Type:	coupé / traction
Empattement:	289 cm
Longueur:	526 cm
Largeur:	190 cm
Hauteur:	138 cm
Poids:	1690 kg
Coffre / Réservoir:	493 litres / 76 litres
Coussins de sécurité:	conducteur et passager
Système antipatinage:	oui
Suspension av. / arr.:	indépendante
Freins av. / arr.:	disque ABS
Direction:	à crémaillère, assistance variable
Diamètre de braquage:	12,3 mètres
Pneus av. / arr.:	P225/60R16
Valeur de revente:	passable
Garantie de base:	3 ans / 60 000 km

Motorisation et performances

Moteur / Transmission:	V6 3,8 litres compresseur / automatique 4 rapports
Puissance / Couple:	240 ch à 5200 tr/min / 280 lb-pi à 3200 tr/min
Autre(s) moteur(s):	aucun
Transmission optionnelle:	aucune
Accélération 0-100 km/h:	8,0 secondes
Vitesse maximale:	180 km/h (limitée électroniquement)
Freinage 100-0 km/h:	44,0 mètres
Consommation (100 km):	12,0 litres

Modèles concurrents

Acura 3,0CL • BMW 328 coupé • Cadillac Eldorado • Lexus SC400 • Lincoln Mark VIII

Quoi de neuf?

Antipatinage de série agissant à toutes les vitesses • 4 nouvelles couleurs

Verdict

Agrément	⊕ ⊕ ⊕ (	Habitabilité	⊕ ⊕ ⊕ (
Confort	⊕ ⊕ ⊕ ⊕ (	Hiver	⊕ ⊕ ⊕ (
Fiabilité	⊕ ⊕ ⊕ (	Sécurité	⊕ ⊕ ⊕ ⊕

américaine et la planche de bord chapeautée d'un espèce de pare-soleil sur toute sa longueur nous fait réaliser qu'elle a pris de l'âge.

Des pneus discutables

Confortable, la Riviera l'est aussi en mouvement. Les suspensions et les pneus se conjuguent pour filtrer les inégalités de la route. Le châssis inflexible fait aussi sentir sa présence par... l'absence de craquements et d'autres bruits parasites dans l'habitacle. Le correcteur d'assiette automatique garde la caisse au niveau, peu importe la charge et ses mouvements sont aussi assez bien contrôlés, sauf dans les courbes où on dénote un roulis évident. En fait, les limites se situent surtout du côté des pneumatiques qui expriment facilement leur dédain pour la vitesse en hurlant et qui sabotent les freins dans leurs tentatives pour stopper une telle masse. L'ABS entre trop souvent en action, alarmé par la perte d'adhérence des pneus au moindre freinage dans les trous ou les bosses. Encore une fois, dommage qu'un manufacturier lésine sur des équipements d'une si grande importance.

À quand la prochaine?

Heureusement, on doit encore se réjouir de la constance de GM concernant son bon vieux V6. Il fait partie des meilleurs actuellement offerts sur des voitures de grande série. On a l'impression que l'accélérateur se comporte comme un rhéostat relié à un puissant moteur électrique. Les accélérations sont toniques et s'effectuent sans vibrations ni bruits désagréables. On dirait un V8 moderne, mais sans les coûts associés à une telle configuration. Il faut dire que la boîte de vitesses l'assiste de façon impeccable sans programmes informatiques imprévisibles ou autres gadgets qui tentent de s'adapter à votre humeur. Une belle machine, quoi! Et en plus, par rapport à sa taille, elle fait montre d'une bonne retenue à la pompe à essence.

Bilan positif encore cette année pour ce bel engin au fuselage si original. Pourtant, rien n'est acquis: la concurrence met au point des productions aussi valables, la lourdeur et l'encombrement en moins. Heureusement pour la Riviera, elles sont rarement offertes dans une configuration de style coupé. L'avenir réside peut-être dans l'adjonction d'un échangeur eau/air qui permet d'augmenter la densité de la charge qui entre dans le moteur. Une telle mécanique tourne déjà sur les bancs d'essai et génère la bagatelle de 282 chevaux, tout en conservant la même civilité. Peut-être pourrait-on soumettre à la convoitise des acheteurs une version décapotable?

Jean-Georges Laliberté

Cadillac Catera

Cadillac Catera

Toujours controversée

Depuis son entrée en scène en 1997, la Cadillac Catera a soulevé de vives controverses. D'une part, certains refusent de croire que cette Opel à la sauce américaine possède l'étoffe nécessaire pour affronter les meilleures japonaises et autres allemandes de la catégorie. D'autre part, plusieurs la trouvent trop éloignée des autres modèles Cadillac pour être digne de l'écusson de la marque.

Pour ajouter au débat, une campagne publicitaire réalisée aux États-Unis mettait en vedette l'un des canards apparaissant sur l'écusson de la marque. Plusieurs ont trouvé l'astuce intéressante, tandis que d'autres ne l'ont pas appréciée. Une chose est certaine, cette Opel transformée en Cadillac n'a laissé personne indifférent. C'est au moins cela d'acquis.

Il est toujours difficile d'adapter une voiture à un autre marché et un autre continent que ceux pour lesquels elle a été conçue. Mais comme Cadillac et même General Motors ne possédaient aucun produit fabriqué en Amérique en mesure de s'immiscer dans le lucratif marché des voitures de luxe compactes, elles ont voulu transformer l'Opel Omega qui a obtenu plusieurs titres fort enviés tant au Japon qu'en Europe.

Compte tenu des délais relativement courts qui ont précédé son lancement en 1997, les modifications ont été assez peu importantes. Toutefois, le simple fait de remplacer la calandre Opel par la grille de type carton d'œufs de Cadillac a atténué l'aspect particulier de la présentation extérieure et enlevé beaucoup d'impact à la voiture. Il en est de même de la partie arrière qui ressemble à s'y méprendre à celle de certaines autres berlines de GM. Au premier

coup d'œil, on a l'impression d'avoir affaire à une grosse Saturn plutôt qu'à un «Caddy». Et comme quelques dizaines de milliers de dollars séparent les prix des deux marques, il y a de quoi s'interroger.

L'habitacle est un autre objet de dissension. Plusieurs ont critiqué le caractère étriqué de la présentation intérieure. Les stylistes ont en effet tenté de combiner les meilleurs éléments du design germanique et ceux adoptés par les Japonais pour leurs voitures de luxe. Cet amalgame est considéré comme un travail de mosaïque par les uns et comme une approche originale par les autres. Quoi qu'il en soit, il faut au moins quelques minutes pour s'adapter à cette présentation et à l'emplacement de certaines commandes disséminées en des endroits inédits. Il serait important qu'on trouve le moyen de placer ailleurs le bouton d'enclenchement du mode sport de la boîte automatique. Sur la partie supérieure du pommeau du levier de vitesses, il est très facile de l'accrocher par mégarde.

Enfin, pourquoi se contenter d'utiliser un tapis de qualité «Chevrolet» dans le coffre?

Une mécanique de circonstance

On n'envoie pas une voiture, même si elle est d'origine germanique, affronter les meilleures de la catégorie sans que sa fiche technique soit au moins à la hauteur des Infiniti, Lexus, BMW, Volvo, Mercedes-Benz et autres. On a trop souvent pensé chez Cadillac que le seul fait d'installer l'écusson de la marque sur une voiture la plaçait au-dessus du lot. Heureusement, cette époque est définitivement révolue et la Catera possède tous les attributs essentiels pour affronter les plus douées de la catégorie.

Cadillac Catera

Pour

Coffre généreux • Voiture confortable • Bonne habitabilité • Phares de route efficaces • Mécanique raffinée

Contre

Silhouette anonyme • Certaines commandes déroutantes • Finition du coffre modeste • Antipatinage sommaire • Direction mal isolée de la route

Caractéristiques

Échelle de prix:	voir page 11 et suivantes
Modèle / Prix:	Catera / 42 200 $
Type:	berline / propulsion
Empattement:	273 cm
Longueur:	493 cm
Largeur:	179 cm
Hauteur:	146 cm
Poids:	1710 kg
Coffre / Réservoir:	410 litres / 68 litres
Coussins de sécurité:	conducteur et passager
Système antipatinage:	oui
Suspension av. / arr.:	indépendante
Freins av. / arr.:	disque ABS
Direction:	à billes, assistée
Diamètre de braquage:	10,2 mètres
Pneus av. / arr.:	P225/55R16
Valeur de revente:	passable
Garantie de base:	4 ans / 80 000 km

Motorisation et performances

Moteur / Transmission:	V6 3,0 litres / automatique 4 rapports
Puissance / Couple:	200 ch à 6000 tr/min / 192 lb-pi à 3600 tr/min
Autre(s) moteur(s):	aucun
Transmission optionnelle:	aucune
Accélération 0-100 km/h:	9,2 secondes
Vitesse maximale:	205 km/h
Freinage 100-0 km/h:	38,5 mètres
Consommation (100 km):	12,5 litres

Modèles concurrents

Mazda Millenia • Infiniti I30 • Lexus ES300 • Mercedes-Benz C280 • Acura 3,2TL • Audi A4 2,8 Quattro • Oldsmobile Aurora • Volvo S70 GLT

Quoi de neuf?

Groupe sport disponible • Téléverrouillage amélioré • «On Star» offerte en option

Verdict

Agrément	⊕⊕⊕	Habitabilité ⊕⊕⊕⊕
Confort	⊕⊕⊕⊕	Hiver ⊕⊕⊕
Fiabilité	⊕⊕⊕	Sécurité ⊕⊕⊕(

Le moteur V6 3,0 litres est extrêmement compact en plus de posséder l'incontournable culasse à 4 soupapes par cylindre. Certains vont relever le fait que le bloc-moteur est en fonte, contrairement à ce qui est le cas chez plusieurs autres marques de prestige qui offrent un bloc en alliage léger. Par contre, même BMW utilise des moteurs avec blocs en fonte sur certains de ses modèles.

Si la suspension avant est tout ce qu'il y a de conventionnel avec ses jambes de force MacPherson, la suspension arrière indépendante est à liens multiples et possède la rigidité voulue pour garantir une rassurante stabilité dans les virages serrés. Comme chez plusieurs autres allemandes de luxe, la direction à billes est à assistance variable. Enfin, le système antipatinage se contente de diminuer la puissance du moteur sans faire appel aux freins. Cette configuration a ses mérites lorsque la chaussée est légèrement humide ou en sortie de virage. En revanche, dans la neige profonde, cette propulsion est parfois handicapée par son système antipatinage qui patine toujours trop.

Juste un peu plus et ça ira.

Un p'tit rien

La Catera se débrouille quand même bien au chapitre de la conduite et plusieurs apprécieront sa tenue nerveuse dans les virages serrés. C'est la seule Cadillac à offrir un feed-back aussi direct. La direction est même trop sensible sous ce rapport, transmettant avec fidélité les imperfections de la route. Quant aux performances, elles se situent dans la bonne moyenne, sans plus. D'ailleurs, contrairement aux prétentions de Cadillac, notre dernier essai nous a permis de boucler le 0-100 km/h en 9 secondes et des poussières et non en 8,5 secondes. De plus, le moteur semble parfois s'essouffler. Toutefois, sur les autoroutes, la Catera est imperturbable et son moteur se débrouille fort bien, tout en consommant assez peu.

Malgré plusieurs qualités intrinsèques, cette Cadillac BCBG n'a pas encore atteint l'équilibre de plusieurs de ses concurrentes. Elle se défend toutefois, grâce à un prix très compétitif par rapport à plusieurs de ses rivales. Cela contribue à faire pardonner sa personnalité un peu disparate. Un p'tit rien suffirait à la rendre plus compétitive.

Denis Duquet

Cadillac DeVille • Concours

Cadillac DeVille

Au-delà des apparences

Pour certains disciples de la plus célèbre marque de prestige américaine, la DeVille est la dernière vraie Caddy. Pour d'autres, plus nombreux, elle représente une vision passéiste de l'automobile. La vérité se situe probablement quelque part entre les deux: s'il est vrai que son allure et ses dimensions semblent dater de la préhistoire, cette grosse berline ne fait pas moins étalage d'une technologie de pointe.

Cependant, force est d'admettre qu'à première vue, la plus imposante des Cadillac n'a rien d'une séductrice: son dessin rétro – dont les lignes équarries ne sont pas sans évoquer les archaïques Zil de l'ex-URSS, ces grosses limousines qui transportaient les apparatchiks du défunt régime communiste –, son dessin rétro, donc, fait sourire plus qu'il n'inspire.

Précisons toutefois que c'est justement cette allure baroque qui plaît tant aux inconditionnels de ce dinosaure. Les goûts ne se discutent pas, direz-vous, avec raison; il convient d'ajouter que ces mêmes goûts varient d'une génération à l'autre, et que la DeVille compte quantité de retraités, et même d'octogénaires, parmi ses adeptes.

Une belle personnalité

C'est bien connu, lorsqu'on vous propose un *blind date* et que, du même souffle, on vous dit que la personne qui vous sera présentée possède «une belle personnalité», il y a lieu de se méfier... quand il n'est pas préférable de s'enfuir à toutes jambes! Et pourtant, certaines personnes, à défaut d'avoir été gâtées par la nature, n'en gagnent pas moins à être connues. Tel est le cas de la DeVille

et de sa sœur en tenue sportive, la Concours: il faut aller au-delà des apparences lorsque vient le temps de les juger à leur juste valeur. Malgré leur physique ingrat, elles possèdent en effet de solides qualités, à commencer par un prix hautement concurrentiel. D'accord, à plus ou moins 60 000 $, on peut difficilement parler d'aubaine; mais il importe de tenir compte du contexte. Or, celui-ci est drôlement favorable au tandem DeVille/Concours. Voyons voir.

Du côté des importées, les Infiniti Q45 et Lexus LS400 constituent ses véritables rivales. Oubliez les modèles haut de gamme de la Sainte-Trinité allemande (Audi-BMW-Mercedes), certes plus opulents, mais qui commandent un déboursé dans les six chiffres, ce qui est bien cher payé pour le prestige – d'autant plus qu'elles procurent un agrément de conduite inférieur à celui de leurs sœurs des gammes intermédiaires; mais c'est une autre histoire.

Comme la Cadillac, les deux berlines de luxe nippones sont imposantes (euphémisme), motorisées par de puissants V8, et leur comportement privilégie le confort. Comprenez par là qu'il est tout, sauf électrisant... Et si la fiabilité des Lexus et Infiniti est notoire, sachez que celle des Cadillac, naguère désastreuse, est en progrès constant. Mais le prix fait pencher la balance en faveur de la *Caddy*, et pas seulement un peu: on parle ici d'un écart d'environ 10 000 $ et 20 000 $ avec, dans l'ordre, l'Infiniti et la Lexus. L'autre différence majeure réside dans le rouage d'entraînement: chez GM, on est resté fidèle à la traction, tandis que chez Nissan (Infiniti) et Toyota (Lexus), on s'est converti à la propulsion. La plus grosse des Cadillac est d'ailleurs la seule traction de sa catégorie, ce qui n'est rien pour déplaire aux acheteurs d'ici, traumatisés par notre belle saison hivernale.

Cadillac DeVille / Concours

Pour

Habitacle spacieux et coffre caverneux • Comportement étonnant (Concours) • Mécanique sophistiquée • Prix concurrentiel • Fiabilité en net progrès

Contre

Ligne ingrate • Maniabilité restreinte • Banquette avant atroce (DeVille) • Lacunes ergonomiques (DeVille) • Suspension et direction «guimauves» (DeVille)

Caractéristiques

Échelle de prix:	voir page 11 et suivantes
Modèle / Prix:	Concours / 57 490 $
Type:	berline / traction
Empattement:	289 cm
Longueur:	532 cm
Largeur:	194 cm
Hauteur:	143 cm
Poids:	1840 kg
Coffre / Réservoir:	566 litres / 76 litres
Coussins de sécurité:	conducteur, passager et latéraux
Système antipatinage:	oui
Suspension av. / arr.:	indépendante
Freins av. / arr.:	disque ABS
Direction:	à crémaillère, assistance variable
Diamètre de braquage:	12,3 mètres
Pneus av. / arr.:	P225/60R16
Valeur de revente:	passable
Garantie de base:	4 ans / 80 000 km

Motorisation et performances

Moteur / Transmission:	V8 4,6 litres / automatique 4 rapports
Puissance / Couple:	300 ch à 6000 tr/min / 295 lb-pi à 4400 tr/min
Autre(s) moteur(s):	V8 4,6 litres 275 ch
Transmission optionnelle:	aucune
Accélération 0-100 km/h:	7,5 secondes autre moteur: 8,0 secondes
Vitesse maximale:	210 km/h
Freinage 100-0 km/h:	42,8 mètres
Consommation (100 km):	14,3 litres autre moteur: 14,2 litres

Modèles concurrents

Infiniti Q45 • Lexus LS400 • Lincoln Town Car

Quoi de neuf?

Système «On Star» offert • Antivol sonore de série • Rétroviseur intérieur à coloration électrochimique avec boussole, de série

Verdict

Agrément	⊕ ⊕ ⊖	Habitabilité	⊕ ⊕ ⊕ ⊕
Confort	⊕ ⊕ ⊕ ⊕ ⊕	Hiver	⊕ ⊕ ⊕
Fiabilité	⊕ ⊕ ⊕	Sécurité	⊕ ⊕ ⊕ ⊕

La métamorphose du pachyderme

Le comportement routier de la DeVille n'est ni meilleur ni pire que celui de ses rivales, toutes nationalités confondues. La tenue de route est correcte, sans plus, mais le roulis, même s'il est moins prononcé que sur les modèles antérieurs, est toujours présent et les dimensions de ce mastodonte limitent sa manœuvrabilité. Sauf qu'avant de lever le nez sur la Cadillac, sachez que les mêmes commentaires pourraient s'appliquer à ses rivales japonaises – en partie ou en totalité, selon qu'il s'agisse de l'Infiniti ou de la Lexus. Mieux encore, la DeVille est la seule du groupe à offrir une solution de rechange avec la version Concours.

Elvis se porte bien.

Celle-ci métamorphose ce placide pachyderme grâce à une présentation intérieure moins désuète et à une ergonomie plus étudiée, mais surtout grâce à une mécanique on ne peut plus sophistiquée. Sous le capot, rien de moins que le V8 Northstar, emprunté à la Seville STS de même famille, et sans nul doute le meilleur moteur jamais conçu chez GM. Fort de ses 300 chevaux, il confère à cette limousine des performances musclées, tout en se montrant docile en usage normal.

Mais la Concours n'est pas qu'un moteur, c'est aussi la sécurité active et passive à son paroxysme, le règne de «l'anti-tout»: freins antibloquants (ABS), antipatinage et, tenez-vous bien, antidérapage. Baptisé StabiliTrack, ce «système intégré de contrôle de la direction» travaille, à l'aide de capteurs, de concert avec les deux autres afin de détecter toute amorce de dérapage. Les freins avant se chargent ensuite de corriger la trajectoire du véhicule. Ajoutez à cela des coussins gonflables latéraux et une caisse aussi solide que celle d'un char d'assaut, et vous voilà blindés ou presque. Des amortisseurs plus fermes, des pneus plus performants et une direction moins gélatineuse parviennent par ailleurs à rehausser une conduite qui en avait grand besoin.

Affligée d'une laideur que n'aurait pas reniée Elvis, grand prêtre du kitsch devant l'Éternel, et souffrant d'obésité chronique, la DeVille/Concours mérite pourtant d'être considérée lorsque vient le temps de choisir une berline de luxe. D'abord à cause de sa fiche technique étoffée, qui n'a rien à envier à celles de ses rivales importées; ensuite parce que ces dernières coûtent beaucoup plus cher, sans que cela soit justifié par leur fiabilité et leur qualité d'assemblage supérieures, l'indice de satisfaction des propriétaires de Cadillac étant en hausse constante depuis quelques années.

Philippe Laguë

Cadillac Escalade

Cadillac Escalade

Une génération spontanée

La popularité des utilitaires sport de luxe continue de progresser. Pas besoin d'être un génie en marketing pour réaliser que Cadillac se devait d'offrir une parade au Lincoln Navigator, dont les succès surprennent même les dirigeants de cette division. Malheureusement, Cadillac avait jugé que ce marché allait s'estomper en quelques mois et n'avait pas de véhicule en préparation. Pour pallier la situation, on s'est permis d'emprunter le modèle Denali de GMC et de l'affubler de tous les attributs propres aux Cadillac.

L e tout s'est effectué en un temps record, puisque l'Escalade a été développé et mis au point en moins de 10 mois, du jamais vu chez GM. On aurait paniqué chez Cadillac qu'on n'aurait pas agi de façon différente. Par contre, il aurait été étourdi de continuer d'ignorer ce marché en pleine croissance. Comme il faut s'y attendre, compte tenu des délais très courts, les modifications ont porté essentiellement sur la présentation et l'équipement.

La première tâche a été de donner à l'Escalade l'allure Cadillac. La grille de calandre est cerclée d'une bande de chrome et le célèbre écusson trône en son milieu. Elle est encadrée de phares halogènes protégés par une feuille de polycarbonate transparente. Comme sur le GMC Denali, les pare-chocs en chrome du Yukon ont fait place à une pièce moulée en matière composite protégée contre les jets de pierre par un revêtement particulier. Des marchepieds, un support de toit intégré au pavillon et des roues à 6 rayons complètent la transformation.

Cette présentation extérieure est plaisante, sans plus. En fait, le pare-chocs massif a pour effet d'alourdir la silhouette. Nous avons

circulé plus d'une journée en plein cœur du Texas, le paradis des véhicules de ce genre, et une seule personne s'est retournée sur notre passage après avoir reconnu l'écusson Cadillac. Et cette personne était au volant d'un... Chevrolet Blazer! L'intérieur bénéficie beaucoup plus du traitement Cadillac. Si le tableau de bord demeure sensiblement le même que celui du Denali, les sièges sont transformés. Recouverts de cuir fin, ils sont élégants, luxueux et confortables. Ils offrent même un bon support latéral. Il en est de même des places arrière, dont le confort est très relevé pour la catégorie. Et si vous aimez voyager avec beaucoup de bagages, sachez que l'espace qui leur est réservé est le plus généreux de la catégorie.

L'Escalade n'offre aucune option, tant son équipement est complet. Il comprend des sièges chauffants, des rétroviseurs intérieurs et extérieurs électrochimiques, le système de son Bose Acoustimass, la traction intégrale «AutoTrac» de même que le système «OnStar». La seule décision à prendre: choisir parmi les 4 couleurs extérieures. Enfin, pas nécessaire de se casser la tête pour la couleur de l'habitacle, le choix se résume à une seule couleur: beige.

Une mécanique sans histoire

Chez Cadillac, les ingénieurs ne se font pas prier pour souligner que le V8 5,7 litres de l'Escalade est l'un des plus puissants de la catégorie. Ses 255 chevaux et son couple de 330 lb-pi vous assurent de pouvoir remorquer des charges allant jusqu'à 2955 kg. Compte tenu que ce moteur est en service depuis des années et a connu récemment plusieurs modifications, sa fiabilité ne devrait pas être mise en doute. Ce gros V8 est couplé à la boîte Hydra-Matic 4L60E qui a fait ses preuves. Il faut cependant ajouter que le 5,7 litres vient

Cadillac Escalade

Pour

Habitacle cossu • Équipement complet • Finition impeccable • Mécanique robuste • Tableau de bord fonctionnel

Contre

Direction imprécise • Pédale de freins spongieuse • Silhouette anonyme • Version GMC Yukon plus économique • Pneus mal adaptés à la conduite 4X4

Caractéristiques

Échelle de prix:	voir page 11 et suivantes
Modèle / Prix:	version Y / 61 250 $
Type:	utilitaire sport de luxe / 5 places
Empattement:	298 cm
Longueur:	511 cm
Largeur:	195 cm
Hauteur:	189 cm
Poids:	2527 kg
Coffre / Réservoir:	1894 l (3347 l, sièges arr. baissés) / 113 litres
Coussins de sécurité:	conducteur et passager
Système antipatinage:	non
Suspension av. / arr.:	indépendante / rigide
Freins av. / arr.:	disque ABS / tambour ABS
Direction:	à billes, assistance variable
Diamètre de braquage:	12,4 mètres
Pneus av. / arr.:	P265/70R16
Valeur de revente:	nouveau modèle
Garantie de base:	4 ans / 80 000 km

Motorisation et performances

Moteur / Transmission:	V8 5,7 litres / automatique 4 rapports
Puissance / Couple:	255 ch à 4600 tr/min / 330 lb-pi à 2800 tr/min
Autre(s) moteur(s):	aucun
Transmission optionnelle:	aucune
Accélération 0-100 km/h:	11,1 secondes
Vitesse maximale:	180 km/h
Freinage 100-0 km/h:	52,1 mètres
Consommation (100 km):	15,8 litres

Modèles concurrents

Lexus RX470 • Lincoln Navigator • Range Rover • Grand Cherokee Limited

Quoi de neuf?

Tout nouveau modèle

Verdict

Agrément	⊕ ⊕ ⏚	Habitabilité	⊕ ⊕ ⊕ ⊕
Confort	⊕ ⊕ ⊕ ⊕	Hiver	⊕ ⊕ ⊕
Fiabilité	nouveau modèle	Sécurité	⊕ ⊕ ⊕ ⊕

d'être remplacé sur les camions Silverado et Sierra par un V8 5,3 litres plus puissant, plus moderne et plus économique. Il devrait être offert sur l'Escalade en 2000 ou 2001.

Enfin, la première Cadillac tout-terrain de l'histoire comprend le système «AutoTrac» qui permet de passer du mode 2 roues motrices à la traction intégrale au simple toucher d'un bouton. Toujours par l'intermédiaire de commandes placées à la droite du volant, on peut sélectionner le mode 4Hi, 4Lo et même la position neutre pour le remorquage.

Une fois au volant, on découvre les éléments positifs de ce mastodonte. La position de conduite, la bonne prise du volant au boudin en bois, le confort des sièges et l'ergonomie du tableau de bord sont autant d'éléments appréciés par les propriétaires de Cadillac. Et il faut ajouter que la qualité de la finition de notre modèle d'essai était impeccable. La tenue de route est bonne pour un véhicule de ce format et il est toujours agréable de pouvoir compter sur des rétroviseurs de dimensions aussi généreuses.

L'opportunisme commercial à son meilleur.

Une concurrence étoffée

Malheureusement, une direction imprécise, une pédale de frein vraiment spongieuse de même qu'un moteur qui semble travailler fort, malgré sa puissance, viennent enlever du lustre à un véhicule qui doit affronter une concurrence qui ne fait pas de quartier. Toutefois, on peut se consoler en songeant que l'Escalade coûtera plusieurs milliers de dollars de moins qu'un Lexus LX470 et consomme moins qu'un Lincoln Navigator. Quant au comportement hors route, il n'a pas vraiment été possible de l'évaluer. Une petite escapade au volant de l'Escalade sur un terrain vague parsemé de fossés d'irrigation m'a permis de constater que l'angle d'attaque de ce véhicule était sérieusement handicapé par son pare-chocs avant. De plus, ses dimensions lui interdisent parfois l'accès à des routes forestières plus étroites que la moyenne. Un problème partagé par les Ford Expedition, Lexus LX470 et Lincoln Navigator.

Cette nouvelle Cadillac intéressera surtout l'amateur de la marque à la recherche d'un utilitaire sport spacieux et confortable, en mesure de préserver son standing, tout en lui permettant de négocier sans difficulté la montée qui donne accès à sa résidence secondaire en hiver.

Denis Duquet

Cadillac Seville • Eldorado

Cadillac Seville

Quand la technologie dérape

Je m'attendais à mer et monde de la dernière Cadillac Seville. D'abord parce que j'avais été bigrement impressionné par le modèle de la précédente génération et, ensuite, parce que la plus récente version se targue de posséder tous les attributs qui lui permettront d'entreprendre une carrière européenne. Or, mon essai d'une STS encore toute neuve n'a pas tout à fait comblé mes attentes.

Certes, cette Cadillac se situe à des années-lumière de la Fleetwood de grand-papa, ne serait-ce que par son fabuleux moteur Northstar 32 soupapes de 300 chevaux qui explose littéralement sous votre pied droit. Malheureusement, cette puissance brute passe par un train avant qui semble en avoir plein les cardans. De toute évidence, le principe qui veut que le mariage de la traction et d'une trop grande puissance soit voué à l'échec semble ici se confirmer. En conduite pépère, cela ne pose aucun problème, mais dès qu'on veut accélérer à fond (au moment de doubler par exemple), l'effet de couple dans la direction vous arrache pratiquement le volant des mains.

Des coordonnées impressionnantes

La plus récente Seville n'est pas que survoltée par rapport aux Fleetwood de naguère. Elle peut compter en plus sur une suspension à 4 roues indépendantes avec contrôle électronique de l'amortissement, un antipatinage, une direction à crémaillère à assistance variable et 4 freins à disque avec ABS, toutes des caractéristiques qui n'apparaissaient pas dans la fiche technique des Cadillac d'hier. En plus, le capot avant est en aluminium et la bat-

terie est logée sous la banquette arrière pour une meilleure répartition des masses.

Encore là, le résultat n'est pas aussi concluant qu'on le souhaiterait. Le problème majeur réside du côté de la suspension avant MacPherson à bras tirés qui semble beaucoup trop flasque. En augmentant le débattement des amortisseurs pour assurer un plus grand confort, on a créé un effet de tangage qui fait parfois plonger le train avant quasiment jusqu'au sol. La Seville est pourtant dotée d'une suspension conçue pour s'adapter automatiquement aux conditions de la route et au style de conduite de son propriétaire. En plus, le train arrière est désormais contrôlé par un nouvel essieu multibras d'une grande sophistication. Bref, cette Cadillac a tout ce qu'il faut en théorie pour lui assurer un comportement routier de haut niveau, mais en pratique elle se révèle décevante.

En conduite rapide dans les virages, elle ne fait montre d'aucun vice majeur en dépit du transfert de poids considérablement suscité par ses 1815 kilos. Il reste que l'agrément de conduite que j'avais éprouvé au volant de l'ancienne version semble s'être envolé. Se pourrait-il que la voiture mise à l'essai ait été la pomme pourrie d'un beau plateau de fruits? Je me le demande, d'autant plus que tout chez elle paraissait artificiel. Je prends pour exemple la direction qui, en devenant plus ferme, donne l'impression d'avoir perdu toute son assistance et de baigner dans la mélasse.

Un beau tandem

Le comportement sur la route obtient ses meilleures notes sur le plan du freinage et, bien sûr, à l'épreuve du chronomètre. Les freins sont progressifs et ne surchauffent pas outre mesure. Le tandem

Cadillac Seville

Pour
Performances spectaculaires • Freinage puissant • Confort haut de gamme • Finition soignée • Bonne habitabilité

Contre
Tenue de cap déplorable • Effet de couple énorme • Suspension flasque • Témoin plein phares invisible

Caractéristiques

Échelle de prix:	voir page 11 et suivantes
Modèle / Prix:	STS / 67 260 $
Type:	berline / traction
Empattement:	285 cm
Longueur:	510 cm
Largeur:	190 cm
Hauteur:	141 cm
Poids:	1815 kg
Coffre / Réservoir:	445 litres / 71 litres
Coussins de sécurité:	frontaux et latéraux
Système antipatinage:	oui
Suspension av. / arr.:	indépendante
Freins av. / arr.:	disque ABS
Direction:	à crémaillère, assistance variable
Diamètre de braquage:	12,3 mètres
Pneus av. / arr.:	P235/60R16
Valeur de revente:	bonne
Garantie de base:	4 ans / 80 000 km

Motorisation et performances

Moteur / Transmission:	V8 4,6 litres 32 soupapes / aut. 4 rapports
Puissance / Couple:	300 ch à 6000 tr/min / 295 lb-pi à 4400 tr/min
Autre(s) moteur(s):	V8 4,6 litres 275 ch
Transmission optionnelle:	aucune
Accélération 0-100 km/h:	7,3 secondes autre moteur: 8,2 secondes
Vitesse maximale:	210 km/h (limitée électroniquement)
Freinage 100-0 km/h:	42,4 mètres
Consommation (100 km):	12,5 litres autre moteur: 12,3 litres

Modèles concurrents
Audi A6 • BMW 540 • Mercedes-Benz E430 • Lexus LS400 • Lincoln Continental • Infiniti Q45

Quoi de neuf?
Trois nouvelles couleurs • Siège à support lombaire massant optionnel

Verdict

Agrément	⊕ ⊕ ⊕		Habitabilité	⊕ ⊕ ⊕ ⊕
Confort	⊕ ⊕ ⊕ ⊕		Hiver	⊕ ⊕ ⊕
Fiabilité	⊕ ⊕ ⊕		Sécurité	⊕ ⊕ ⊕ ⊕

moteur/transmission effectue pour sa part un travail exemplaire avec de solides accélérations et de brillantes reprises qui sont l'œuvre d'un V8 particulièrement en forme et d'une transmission à 4 rapports irréprochable. La vitesse de pointe pourrait sans doute atteindre les 240 km/h, mais Cadillac a jugé préférable de la limiter électroniquement à 210 km/h. Avec la voiture mise à l'essai, il fallait être brave pour foncer à une telle allure, compte tenu de son instabilité à haute vitesse. À qui la faute? Notre Seville n'était pas non plus exempte de bruits de caisse, malgré la rigidité accrue du châssis.

Serait-ce pour détourner notre attention de toutes ces faiblesses que cette Cadillac se pare d'autant d'accessoires destinés à faciliter la vie de son conducteur? Il faudrait des pages pour énumérer tous ces gadgets, dont le fonctionnement ne peut être maîtrisé que grâce à une bonne lecture du manuel d'instructions. Le modèle essayé était en plus muni de l'option «On Star», un système de navigation qui combine l'utilisation du téléphone cellulaire et du GPS (Global Positioning System) pour vous dépanner en cas de besoin. Sur un simple appel, le centre de contrôle peut vous indiquer la route à suivre pour atteindre votre destination, localiser l'emplacement de votre véhicule, appeler les services d'urgence en cas de vol ou de déploiement des coussins gonflables et même déverrouiller vos portes. Cependant, l'attente est relativement longue («tous nos préposés sont occupés...») et, hors des grands centres, ce guide de voyage électronique ne semble pas parfaitement rodé. Il est, en somme, à l'image de cette Cadillac Seville qui n'arrive pas à remplir ses belles promesses.

En mal de fignolage.

Elle est encore immensément jolie, spacieuse et confortable en plus d'être dotée d'une myriade d'accessoires intéressants. Certains peuvent finir par agacer (comme le message vous rappelant d'allumer les phares en plein jour si le temps est un peu sombre) mais d'autres, telle la chaîne stéréo Bose 4,0, sont particulièrement impressionnants. La Seville bénéficie en plus d'une finition intérieure irréprochable et d'une instrumentation, dont l'affichage à cristaux liquides est très efficace.

En résumé, on est bien parti chez Cadillac. Il faudra simplement voir à mieux homogénéiser toute cette technologie si l'on tient vraiment à ce que la Seville ait ses entrées dans le clan international des voitures de luxe désirées et désirables. Quant au gros coupé Eldorado, il nous revient inchangé pour ce qui pourrait bien être son chant du cygne.

Jacques Duval

Chevrolet Astro • GMC Safari

Chevrolet Astro

Les rescapées des années 80

Si vous vous demandez comment se comportaient les fourgonnettes compactes du milieu des années 80, il suffit de piloter un Astro ou un Safari, car leur conception remonte au début de la dernière décennie. En fait, ce duo est entré en scène en 1985 en tant que modèle 1986 et les changements ont été plutôt minimes depuis ce temps. Comme c'est devenu la tradition chez GM, les premiers exemplaires souffraient d'un manque de développement chronique tant sur le plan de la rigidité de la carrosserie que de l'aménagement intérieur et de la mécanique. Cependant, au fil des années, plusieurs campagnes de raffinement ont permis de dégrossir ce produit brut.

C'est ainsi que le moteur V6 4,3 litres a gagné en puissance et en sophistication. Non seulement il est moins rugueux, mais il comprend dorénavant un système d'injection sophistiqué qui permet de compter sur 190 chevaux. Il en est de même de la boîte automatique à 4 rapports qui s'est débarrassée l'an dernier des passages de rapports secs qui en agaçaient plusieurs. Par contre, la suspension avant est toujours demeurée fidèle aux ressorts hélicoïdaux sur la propulsion et aux barres de torsion sur le modèle à traction intégrale. La suspension arrière, de conception très simple, fait appel à des ressorts elliptiques. Cette configuration n'a rien de bien excitant, mais permet à cette Astro/Safari de profiter d'une capacité de remorquage de 2500 kg.

Par contre, il est bien évident qu'une telle configuration mécanique, surtout le modèle à propulsion, alliée à une carrosserie passablement haute, ne vient pas améliorer les choses lorsqu'un fort vent latéral souffle. La brise fait sentir son effet et il faut avoir la main ferme sur le volant. Bien entendu, cette propulsion nécessite un certain doigté lorsqu'on roule sur la neige et la glace. La situation s'améliore avec les modèles à traction intégrale qui affichent une meilleure stabilité et une traction supérieure.

D'ailleurs, compte tenu de notre climat, il est recommandé d'opter pour la traction intégrale, même si cela représente un déboursé additionnel. Vous vous en féliciterez lors de la première tempête hivernale.

Épaules carrées, habitacle polyvalent

L'Astro et sa jumelle, la Safari, ont connu une certaine révision esthétique en 1995. Les stylistes se sont contentés à cette époque de modifier la calandre et d'arrondir les angles. Depuis le début, ces deux fourgonnettes conservent donc leur gabarit de costaud et leur silhouette aux allures de réfrigérateur sur roues. Il est certain qu'une approche esthétique aussi radicale a ses détracteurs et ses partisans. Cette continuité a au moins l'avantage de permettre à ces fourgonnettes de conserver une valeur de revente intéressante.

Malheureusement, on n'a pas encore trouvé le moyen d'offrir plus d'espace pour les passagers avant. Ceux-ci doivent cohabiter avec des passages de roues avant qui débordent dans la cabine. Après quelque temps, on replie la jambe extérieure sous l'autre afin d'obtenir un certain confort, mais la situation empire au fil des kilomètres.

Sans vouloir disculper les concepteurs de ce non-sens, il est important de souligner que General Motors croyait mordicus que cette fourgonnette serait surtout utilisée par des petits entrepreneurs

Chevrolet Astro

Pour

Moteur Vortec costaud • Traction intégrale • Équipement complet • Tableau de bord bien réussi • Bonne capacité de remorquage

Contre

Sensible au vent latéral • Incursion des passages de roues dans la cabine • Suspension ferme • Propulsion délicate en conduite hivernale • Finition parfois légère

Caractéristiques

Échelle de prix:	voir page 11 et suivantes
Modèle / Prix:	LT / 33 450 $
Type:	fourgonnette / propulsion
Empattement:	282 cm
Longueur:	482 cm
Largeur:	197 cm
Hauteur:	193 cm
Poids:	1810 kg
Coffre / Réservoir:	4825 litres / 94 litres
Coussins de sécurité:	conducteur et passager
Système antipatinage:	non
Suspension av. / arr.:	indépendante / essieu rigide
Freins av. / arr.:	disque ABS / tambour ABS
Direction:	à crémaillère, assistance variable
Diamètre de braquage:	12,3 mètres
Pneus av. / arr.:	P215/75R15
Valeur de revente:	passable
Garantie de base:	3 ans / 60 000 km

Motorisation et performances

Moteur / Transmission:	V6 4,3 litres / automatique 4 rapports
Puissance / Couple:	190 ch à 4400 tr/min / 250 lb-pi à 2800 tr/min
Autre(s) moteur(s):	aucun
Transmission optionnelle:	aucune
Accélération 0-100 km/h:	11,9 secondes
Vitesse maximale:	180 km/h
Freinage 100-0 km/h:	44,2 mètres
Consommation (100 km):	13,4 litres

Modèles concurrents

Plymouth Voyager • Ford Windstar • VW Eurovan • Mazda MPV

Quoi de neuf?

Système antivol PASSLock • Nouvelles couleurs de carrosserie

Verdict

Agrément	⊕ ⊕	Habitabilité	⊕ ⊕ ⊕ ⊕
Confort	⊕ ⊕ ⊕	Hiver	⊕ ⊕
Fiabilité	⊕ ⊕	Sécurité	⊕ ⊕ ⊕

et des professionnels de la construction. Puisque ces gens sont habitués à un confort plutôt limité, cette configuration a été commercialisée au grand dam des familles. Cela explique également pourquoi la première génération était équipée de portes à battants à l'arrière. Ces dernières sont toujours au programme, mais la plupart des acheteurs optent pour les portes inférieures à battants jumelées à un demi-hayon dans la partie supérieure.

Au fil des années, la présentation intérieure de ces fourgonnettes a été raffinée. La qualité des matériaux a été augmentée et on a même trouvé le moyen d'améliorer la finition. Enfin, il est possible de commander une version 5 ou 7 places, tandis que la version standard comprend 8 places. Par contre, les deux banquettes arrière de cette dernière sont assez peu confortables. Il est préférable d'opter pour des sièges arrière individuels, qui permettent d'accueillir 6 personnes dans un confort surprenant.

Un travailleur spécialisé.

Enfin, les places arrière sont entourées de plusieurs espaces de rangement, de porte-verres, de prises pour casques d'écoute avec commandes individuelles ainsi que d'une prise d'alimentation placée dans le compartiment de charge.

Pour des besoins précis

Si l'Astro et le Safari ont connu une carrière aussi longue, c'est que leur popularité est demeurée stable. Ces deux fourgonnettes répondent aux besoins précis d'utilisateurs à la recherche d'un véhicule spacieux, capable de tracter une lourde remorque, tout en offrant un confort non négligeable aux places arrière. Et en dépit de ses larges épaules, ce costaud se débrouille fort bien en ville en plus d'être facile à garer.

Seule propulsion toujours offerte dans la catégorie des fourgonnettes compactes, le tandem Astro / Safari s'est attiré une clientèle intéressée par ses caractéristiques un peu hors normes de nos jours. De plus, sa fourchette de prix compétitive est un autre argument plaidant en sa faveur.

Denis Duquet

Chevrolet Blazer • GMC Jimmy • GMC Envoy

GMC Envoy

Le luxe, toujours le luxe!

Il est tout de même curieux que le marché des utilitaires sport se tourne de plus en plus vers des modèles privilégiant le luxe. Compte tenu de leur vocation initiale, on serait porté à croire que ces véhicules gagneraient en caractéristiques destinées à favoriser les excursions dans la brousse et hors des sentiers battus. Pourtant, même si les systèmes de transmission intégrale sont plus raffinés que jamais, c'est au chapitre du confort que les améliorations se font surtout sentir.

L'arrivée de l'Envoy de GMC est l'exemple parfait de cette évolution vers le confort. Depuis la réorganisation des divisions de General Motors, GMC / Pontiac a pour objectif de nous offrir des véhicules plus élaborés que ceux de Chevrolet autant du côté des camions que des utilitaires. L'Envoy a donc pour mission d'intéresser les amateurs qui, faute de mieux, seraient tentés de se tourner vers les versions plus cossues fabriquées par la concurrence.

Il faut tout de même s'interroger quant à la sagesse d'appeler cette version spéciale «Envoy», puisque ce nom risque de rappeler des souvenirs plus ou moins agréables à plusieurs. En effet, au cours des années 60, GM a commercialisé au Canada des sous-compactes de fabrication britannique d'une qualité horrible portant justement le nom d'Envoy. En fait, leur unique qualité était d'être vendues à un prix de famine. La seule mention de ce nom risque de faire remonter à la surface les pires cauchemars.

Vraiment toute garnie

La publicité a beau dire, le GMC Envoy n'est rien d'autre qu'un Jimmy doté d'un équipement plus relevé et d'une présentation extérieure permettant à ce modèle de se démarquer du Chevrolet Blazer et du GMC Jimmy. Le pare-chocs avant plus massif avec phares antibrouillards intégrés tente d'associer cette version au Denali, un dérivé plus huppé du Tahoe. Le résultat est passablement plus chargé et plus arrondi que sur le Jimmy, mais cet artifice visuel atteint les objectifs visés, puisque plusieurs personnes se retournaient au passage de notre véhicule d'essai. La présentation extérieure est donc assez réussie.

Il faut également souligner que l'habitacle est très soigné pour la catégorie. Le cuir recouvrant les banquettes ajoute au confort en plus de donner du panache à la présentation intérieure. Et les sièges sont également plus confortables que ceux offerts sur les Blazer et Jimmy. La même remarque s'applique à la banquette arrière qui est plus accueillante. De plus, le dossier se rabat facilement et, détail digne de mention, les appuie-tête se replient automatiquement afin d'éliminer la désagréable corvée d'avoir à les enlever et à les remiser quelque part dans l'habitacle.

Le hayon arrière est doté d'une vitre pouvant s'ouvrir individuellement, donnant ainsi accès à la soute à bagages sans devoir soulever le hayon. De multiples points d'ancrage, une prise 12V à l'arrière, des porte-verres et de nombreux espaces de rangement ajoutent à la polyvalence de l'Envoy.

Par contre, il faut souligner que la plupart des véhicules concurrents comportent les mêmes avantages et parfois à prix plus compétitif. Toutefois, le tableau de bord de l'Envoy, de même que ceux des Blazer et Jimmy, est non seulement d'une présentation soignée, mais d'une ergonomie de bon aloi.

GMC Envoy

Pour

Moteur costaud • Système Autotrac • Version Envoy • Suspension confortable • Tableau de bord exemplaire

Contre

Pneumatiques peu efficaces hors route • Direction floue • Finition toujours perfectible • Prix élevé (Envoy) • Tissus des sièges à revoir

Caractéristiques

Échelle de prix:	voir page 11 et suivantes
Modèle / Prix:	Envoy / 46 615 $
Type:	utilitaire sport / intégrale
Empattement:	272 cm
Longueur:	465 cm
Largeur:	172 cm
Hauteur:	163 cm
Poids:	1835 kg
Coffre / Réservoir:	2311 litres / 72 litres
Coussins de sécurité:	conducteur et passager
Système antipatinage:	non
Suspension av. / arr.:	indépendante / essieu rigide
Freins av. / arr.:	disque ABS
Direction:	à billes, assistance variable
Diamètre de braquage:	12,0 mètres
Pneus av. / arr.:	P205/75R15
Valeur de revente:	passable
Garantie de base:	3 ans / 60 000 km

Motorisation et performances

Moteur / Transmission:	V6 4,3 litres / automatique 4 rapports
Puissance / Couple:	190 ch à 4400 tr/min / 250 lb-pi à 2800 tr/min
Autre(s) moteur(s):	aucun
Transmission optionnelle:	manuelle 5 rapports (modèle 2 portes seul.)
Accélération 0-100 km/h:	9,0 secondes
Vitesse maximale:	195 km/h
Freinage 100-0 km/h:	40,0 mètres
Consommation (100 km):	14,6 litres

Modèles concurrents

Dodge Durango • Jeep Grand Cherokee • Ford Explorer • Nissan Pathfinder • Toyota 4Runner

Quoi de neuf?

Nouvelle version plus luxueuse • Chaîne audio plus puissante • Améliorations à la boîte de vitesses • Système Autotrac offert sur tous les modèles

Verdict

Agrément	⊕ ⊕ ⊕	Habitabilité	⊕ ⊕ ⊕
Confort	⊕ ⊕ ⊕	Hiver	⊕ ⊕ ⊕ ⊕
Fiabilité	⊕ ⊕	Sécurité	⊕ ⊕ ⊕

Au bout des doigts

L'Envoy utilise le même groupe propulseur que les deux autres modèles de la catégorie. Le V6 Vortec 4,6 litres a fait ses preuves au fil des années et sa puissance de 190 chevaux est toujours impressionnante. Par contre, la concurrence se rapproche de plus en plus et se raffine. Ford, sur son Explorer, propose au moins deux moteurs de plus de 200 chevaux. Il serait peut-être temps pour GM de voir à donner une seconde jeunesse à ce moteur qui fait toujours l'affaire, mais qui risque à court terme de marquer un certain recul. La boîte automatique est toujours aussi efficace et le passage des rapports s'effectue en douceur.

Le public en redemande toujours.

L'Envoy possède le système de traction intégrale Autotrac qui se commande du bout des doigts. Il suffit d'appuyer sur une série de boutons montés sur le tableau de bord pour passer en mode 4X2, 4X4 et 4X4 Lo. Ce système rapide et transparent sera apprécié par la majorité, mais plusieurs seront désappointés par une direction passablement floue. Cette imprécision peut se justifier sur un véhicule destiné à rouler presque exclusivement hors sentier. Par contre, l'Envoy tout comme le Blazer et le Jimmy sera presque toujours utilisé sur la route et mérite une meilleure précision. D'ailleurs, les pneumatiques dont était équipé notre véhicule d'essai sont vraiment plus à l'aise sur la route que dans la boue et le gravier.

Il faut également ajouter que la suspension se démarque par le confort qu'elle offre sur la route. Les suspensions de bois des modèles 4X4 sont choses du passé et les ingénieurs ont réussi des merveilles pour concilier confort, tenue de route et utilisation en tout-terrain, le tout à partir d'un essieu rigide. La même remarque s'applique aux Blazer et Jimmy. Toutefois, leur insonorisation est moins poussée et certains détails les rendent moins agréables à piloter.

Soulignons en terminant que le Blazer et le Jimmy bénéficient cette année de multiples améliorations de détails destinées à les raffiner et à les rendre plus compétitifs par rapport à une horde de concurrents tous plus attirants les uns que les autres.

Denis Duquet

Chevrolet Camaro • Pontiac Firebird

Pontiac Firebird Trans Am Ram Air

De glorieux tape-culs

Si l'usine General Motors de Sainte-Thérèse doit survivre ce ne sera certes pas en continuant de fabriquer des voitures aussi mésadaptées aux exigences actuelles du marché que les Chevrolet Camaro et Pontiac Firebird.

Cinq cents kilomètres au volant d'un cabriolet Pontiac Firebird Trans Am Ram Air WS6 (ouf!) ont suffi à me convaincre de la désuétude de ces coupés sport. Cela n'a rien à voir avec leur qualité de construction ni même avec leurs performances. Les travailleurs de Boisbriand font du bon boulot et la Trans Am Ram Air n'est pas avare de chevaux-vapeur, mais il faut bien admettre que ces voitures s'adressent désormais à un tout petit lot d'irréductibles, rescapés de l'ère glorieuse des *pony cars*. Cette période est révolue et tout le monde le sait, sauf General Motors, semble-t-il.

Une monoplace

Il faut avoir beaucoup de culot et d'optimisme pour tenter de vendre une voiture qui est pratiquement une monoplace quand tout le monde cherche des voitures polyvalentes aussi spacieuses qu'un hall de gare. Le marché réclame des fourgonnettes vastes ou des 4X4 entreprenants, et GM lui offre un glorieux tape-cul que l'on croirait sorti de la cour d'un petit mafioso de bas étage à souliers blancs, chaîne en or et chemise rose. Bref, la Firebird Trans Am ne donne ni dans la dentelle ni dans la discrétion avec ses boursouflures, ses rajouts aérodynamiques, ses plantureux orifices et ses jantes chromées. Ajoutez à cela une facture de près de 50 000 $ et vous aurez une bonne idée de l'ampleur du problème.

Il existe certes des versions moins ostentatoires de la Firebird ou de sa sœur jumelle la Camaro, mais leur raison d'être est encore moins évidente. Qui peut bien vouloir d'une voiture aussi peu commode si, en plus, on doit se contenter de performances que la moindre sous-compacte en bonne forme peut réaliser? Certains diront que GM se doit de laisser vivre ces voitures afin de ne pas abandonner ce marché à la Mustang. Or, l'équipe Camaro/Firebird souffre d'un embonpoint flagrant par rapport à la sportive de Ford qui, elle, a su s'adapter aux exigences de la clientèle. Plus courte de 31 cm, la voiture est plus maniable et, généralement, plus agréable à vivre, malgré sa propulsion et ses très faibles aptitudes hivernales.

Si GM veut vraiment faire échec à Ford, les Camaro et Firebird doivent passer à la moulinette et bénéficier du même type d'améliorations que l'on a fait subir l'an dernier à la Corvette.

V6 ou V8

Profitons-en tout de même pour jeter un coup d'œil sur ce vestige du passé qu'est la Pontiac Firebird Trans Am. La version Ram Air revendique 320 chevaux bien comptés de son planureux V8 de 5,7 litres contre 200 pour les modèles bas de gamme dotés du V6 3,8 litres. Ce dernier est loin d'être un impotent et il rend la voiture un peu plus agréable à conduire dans certaines conditions, tout en se montrant moins vorace à la pompe à essence. Le V8 normal de 305 chevaux est de série dans les Firebird Formula et Trans Am ordinaire. J'ouvre ici une parenthèse pour souligner que les mêmes groupes propulseurs sont de service dans les versions Camaro. La Z28 SS, soit dit en passant, est le pendant de la Ram Air mise à l'essai, mais elle se différencie à sa ligne épurée beaucoup plus

Pontiac Firebird

Pour

Moteur performant • Bons sièges • Capote étanche • Adhérence spectaculaire • Bon freinage • Assemblage soigné

Contre

Habitabilité nulle • Instabilité sur mauvaise route • Levier de vitesses revêche • Coffre ridicule • Confort marginal • Avenir incertain

Caractéristiques

Échelle de prix:	voir page 11 et suivantes
Modèle / Prix:	Trans Am Ram Air / 45 360 $
Type:	cabriolet 2+2 / propulsion
Empattement:	257 cm
Longueur:	492 cm
Largeur:	189 cm
Hauteur:	133 cm
Poids:	1639 kg
Coffre / Réservoir:	215 litres (366 l coupé) / 59 litres
Coussins de sécurité:	conducteur et passager
Système antipatinage:	oui (optionnel)
Suspension av. / arr.:	indépendante / essieu rigide
Freins av. / arr.:	disque ABS
Direction:	à crémaillère, assistée
Diamètre de braquage:	13,0 mètres
Pneus av. / arr.:	P275/40ZR17
Valeur de revente:	faible
Garantie de base:	3 ans / 60 000 km

Motorisation et performances

Moteur / Transmission:	V8 5,7 litres / manuelle 6 rapports
Puissance / Couple:	320 ch à 5200 tr/min / 335 lb-pi à 4000 tr/min
Autre(s) moteur(s):	V8 5,7 litres 305 ch / V8 5,7 litres 320 ch
Transmission optionnelle:	automatique 4 rapports
Accélération 0-100 km/h:	6,8 secondes autre moteur: 8,2 secondes (V6)
Vitesse maximale:	250 km/h
Freinage 100-0 km/h:	40,3 mètres
Consommation (100 km):	13,8 litres autre moteur: 12,0 litres (V6)

Modèles concurrents

Ford Mustang • Dodge Avenger • Chrysler Sebring

Quoi de neuf?

Pont autobloquant à différentiel «Torsen» • Témoin de durée utile de l'huile

Verdict

Agrément	⊕ ⊕	
Confort	⊕ ⊕ ⊕	
Fiabilité	⊕ ⊕ ⊕	
Habitabilité	⊕ ⊕ ⊕	
Hiver	⊕ ⊕ ⊕	
Sécurité	⊕ ⊕ ⊕	

engageante que celle de sa sœur jumelle. En ce qui concerne la mécanique toutefois, c'est du pareil au même et leur armada de chevaux-vapeur est optimisée par des suspensions raffermies assorties de pneus à taille basse (P275/40ZR17).

Sur la route, la Firebird Trans Am est une voiture tantôt étonnante, tantôt lamentable. Par exemple, la qualité de construction mérite des éloges et même le cabriolet est quasi exempt de bruits de caisse sur pavé dégradé. La capote réussit également assez bien à isoler l'habitacle des tumultes de la route. En revanche, les trois panneaux de plastique qui servent de housse, une fois le toit électrique abaissé, ne sont pas aisés à installer et, une fois rangés, rognent une bonne partie du volume utile d'un coffre pas plus logeable qu'un porte-document. Ne parlons pas de la visibilité arrière, tout à fait nulle, ni des espaces de rangement, avec un coffre à gants plat comme une galette. L'ergonomie est malgré tout très bonne et le tableau de bord aligne tous les instruments utiles à une voiture de sport, incluant le manomètre de pression d'huile. Le conducteur est choyé, il possède un siège confortable, mais son passager avant doit être conciliant. La bosse au plancher, qui gêne l'espace aux jambes, est un souvenir du convertisseur catalytique que l'on n'a pas encore réussi à loger ailleurs. Une voiture d'une autre époque, vous disais-je... Quant aux places arrière, mieux vaut les oublier...

Des dinosaures.

Sur la route, le moteur se déchaîne à la moindre sollicitation et il faut dire merci à l'antipatinage qui contrôle les réactions quelquefois intempestives du rouage d'entraînement. La boîte à 6 rapports (eh oui!) ne fait pas partie des meilleurs attributs de la Ram Air. Le levier est raide et ne permet de sélectionner le deuxième rapport que si l'on y va à fond de train. Autrement, il vous pousse vers le quatrième rapport, pour favoriser l'économie d'essence. Une bonne intention sans doute, mais une très mauvaise exécution.

Tant et aussi longtemps que la route est lisse comme un billard, cette Firebird affiche la tenue de route des sportives les plus aguerries, mais dès que ça se gâte, son pont arrière rigide devient un sérieux handicap à l'adhérence et au confort.

Après avoir conduit cette voiture, on comprend pourquoi l'usine GM de Sainte-Thérèse est en danger de mort. Comme sa partenaire, la Camaro, elle a fait son temps et mérite une cure de rajeunissement. Il serait dommage que les employés de l'usine de Sainte-Thérèse aient à souffrir de l'immobilisme de GM et doivent rentrer chez eux uniquement parce que les voitures qu'ils mettaient beaucoup de soin à construire ne répondent plus aux exigences du marché.

Jacques Duval

Chevrolet Cavalier • Pontiac Sunfire

Pontiac Sunfire

Gare aux options

La Chevrolet Cavalier et sa sœur jumelle, la Pontiac Sunfire, méritent-elles d'être les voitures les plus vendues au Canada? La réponse est oui, dans la mesure où l'on s'en tient au modèle de base proposé à un prix fort alléchant d'environ 16 000 $. Le verdict est tout autre cependant, si l'on succombe au jeu des options.

Dans le cas de notre voiture d'essai, une Sunfire 4 portes assortie du groupe d'équipement 1SD, la facture atteignait la rondelette somme de 22 575 $, un montant qui place dans une tout autre perspective le rapport qualité/prix des deux populaires compactes commercialisées par General Motors.

À près de 23 000 $, plusieurs concurrentes se dressent sur la route du duo Cavalier-Sunfire et nous incitent à réévaluer nos positions. La Toyota Corolla, pour n'en citer qu'une, devient alors une sérieuse rivale de notre paire de nord-américaines. En revanche, si l'on peut se passer du climatiseur, du moteur haute performance, du régulateur de vitesse, des glaces à commande électrique et des quelques autres accessoires du groupe d'options précité, il ne fait aucun doute que la Sunfire (ou la Cavalier) constitue un honnête moyen de transport à un prix décent. C'est d'autant plus vrai que son équipement de série est tout de même très convenable avec, entre autres, les freins antiblocage, deux coussins gonflables, une direction assistée, un compte-tours, une radio AM-FM et une banquette arrière rabattable.

Outre la berline 4 portes mise à l'essai, ces petites Pontiac et Chevrolet sont également offertes en version coupé ou cabriolet.

Un moteur très en verve

Le moteur d'origine est un 4 cylindres 2,2 litres de 115 chevaux qui paraît bien modeste par opposition au 2,4 litres à double arbre à cames en tête, dont la Sunfire d'essai était équipée. Même avec la transmission automatique à 4 rapports, ses 150 chevaux sont bien en vie et vous emmènent de 0 à 100 km/h en moins de 9 secondes. C'est un moteur vif qui répond toujours promptement aux sollicitations de l'accélérateur. Quand vient le moment de doubler par exemple, les reprises sont impressionnantes pour une voiture de cette catégorie. Pour 1999, ce groupe motopropulseur a aussi fait l'objet d'un certain nombre de retouches destinées à le rendre plus durable et plus économique.

La tenue de route mérite aussi des éloges. En virage, la voiture reste bien plantée au sol et manifeste un minimum de roulis. En ligne droite, quelle que soit la vitesse, la Sunfire fait preuve d'une impressionnante stabilité dans des conditions où plusieurs de ses concurrentes paraissent à la merci du moindre coup de vent. Cette médaille de bonne conduite a cependant un revers et plusieurs utilisateurs risquent de déplorer la sécheresse de la suspension sur des routes cahoteuses. Le dégel du printemps a aussi fait ressortir quelques craquements dans la partie droite du tableau de bord. À propos de bruit, le freinage en émet sa large part par l'entremise du système antiblocage. Celui-ci intervient au moindre prétexte et son fonctionnement s'accompagne d'un concert de castagnettes peu rassurant.

Le travail à la chaîne

Si le comportement routier de la Sunfire est généralement très satisfaisant, son aménagement intérieur est moins réjouissant. La

Pontiac Sunfire

Pour

Prix de base • Moteur performant (150 ch) • Bonne tenue de route • Bon équipement • Habitabilité satisfaisante

Contre

Options coûteuses • Moteur de série anémique • Suspension sèche • ABS bruyant • Finition bâclée • Sièges inconfortables

Caractéristiques

Échelle de prix:	voir page 11 et suivantes
Modèle / Prix:	Sunfire / 22 575 $
Type:	berline / traction
Empattement:	264 cm
Longueur:	458 cm
Largeur:	171 cm
Hauteur:	135 cm
Poids:	1194 kg
Coffre / Réservoir:	374 litres / 57,6 litres
Coussins de sécurité:	conducteur et passager
Système antipatinage:	oui (option)
Suspension av. / arr.:	indépendante / semi-indépendante
Freins av. / arr.:	disque ABS / tambour ABS
Direction:	à crémaillère, assistée
Diamètre de braquage:	10,8 mètres
Pneus av. / arr.:	P195/70R14
Valeur de revente:	passable
Garantie de base:	3 ans / 60 000 km

Motorisation et performances

Moteur / Transmission:	4L 2,4 litres / automatique 4 rapports	
Puissance / Couple:	150 ch à 5600 tr/min / 155 lb-pi à 4400 tr/min	
Autre(s) moteur(s):	4L 2,2 litres 115 ch	
Transmission optionnelle:	manuelle 5 rapports	
Accélération 0-100 km/h:	8,6 secondes	autre moteur: 12,4 secondes
Vitesse maximale:	180 km/h	
Freinage 100-0 km/h:	43,5 mètres	
Consommation (100 km):	8,5 litres	autre moteur: 7 litres

Modèles concurrents

Dodge Neon • Ford Escort • Honda Civic • Hyundai Elantra • Mazda Protegé • Nissan Sentra • Saturn SL1 et SL2

Quoi de neuf?

Plaquettes de freins plus durables • Deux nouvelles couleurs • Moteur 2,4 litres amélioré

Verdict

Agrément	⊤ ⊤ (	Habitabilité	⊤ ⊤ ⊤ (
Confort	⊤ ⊤ ⊤ (	Hiver	⊤ ⊤ ⊤ (
Fiabilité	⊤ ⊤ ⊤	Sécurité	⊤ ⊤ ⊤ (

finition est sommaire et on sent le travail à la chaîne qui est le lot de la plupart des voitures de grande série. Le tableau de bord est impressionnant de prime abord, mais sa forme tarabiscotée et l'absence de surface plane à des kilomètres à la ronde le rendent envahissant et, disons-le, peu harmonieux.

Sièges inconfortables

La position de conduite, on le devine, a été étudiée pour plaire à la majorité, mais cette façon de faire ne donne pas toujours d'heureux résultats. La forme des sièges est en grande partie responsable de cet inconfort. La partie avant du fauteuil est trop relevée au niveau des cuisses et le rembourrage donne l'impression que les ressorts s'apprêtent à passer à travers le tissu.

Une question de facture.

Le tableau de bord compense son manque d'élégance par une instrumentation d'une lisibilité facile avec un compte-tours juxtaposé à l'indicateur de vitesse. Non seulement le volant est inclinable, mais en plus on y trouve des touches permettant de régler la radio sans en retirer les mains. Le coffre à gants est vaste, mais les bacs de porte beaucoup trop minces pour être utiles.

À l'arrière, deux personnes de taille moyenne voyageront dans un confort adéquat. Mais mieux vaut ne pas emporter trop de bagages. Le coffre, en effet, n'est pas très grand, mais on a eu la bonne idée d'y installer un petit filet pour empêcher les sacs ou colis de se balader un peu partout. Par ailleurs, pour une voiture dont l'équipement de série est tout de même substantiel, on s'étonne de ne pas trouver de commande à distance pour l'ouverture du coffre. La Sunfire et la Cavalier partagent enfin avec bon nombre de leurs congénères une visibilité arrière moins que parfaite.

Le succès que remportent ces deux modèles de General Motors est, à certains points de vue, difficile à expliquer. En revanche, on peut comprendre que le consommateur en quête d'une voiture populaire, relativement bien équipée et offerte à un prix attrayant, soit attiré par les Chevrolet Cavalier ou Pontiac Sunfire. Il faut simplement éviter de tomber dans le piège des options pour ne pas gâter la sauce.

Jacques Duval

Chevrolet Corvette coupé • Cabriolet • *Hard-Top*

Chevrolet Corvette Hard-Top

Les chevaux les moins chers en ville

On a beau la ridiculiser ou lui trouver tous les défauts du monde, force est d'admettre que la Chevrolet Corvette est la voiture de sport qui offre les chevaux les moins chers en ville. Avec elle, on peut avoir accès aux ligues majeures de la haute performance sans avoir gagné à la loterie. Pour 1999, trois versions de la dernière Corvette figurent au catalogue: le coupé *hatchback* d'origine, le cabriolet apparu tard l'an dernier et finalement un tout nouveau modèle *hard-top*.

Comparée à la toute-puissante Viper GTS lors d'un match mémorable dans le dernier *Guide de l'auto,* la Corvette a vu sa réputation quelque peu assombrie par les éblouissantes performances du coupé Dodge. Cela ne lui enlève pas pour autant ses qualités, d'abord un rapport prix/performances quasi imbattable: 345 chevaux pour environ 50 000 $, ce n'est pas monnaie courante. D'accord, la Viper en met plein la vue avec ses 450 chevaux, mais ceux-ci coûtent près du double de ceux de la Corvette. Et puisque nous sommes dans les chiffres, aussi bien ajouter que le coupé GTS ne devance sa rivale de chez Chevrolet que par 0,3 seconde dans le sprint du 0-100 km/h, même s'il bénéficie d'un avantage de 24 km/h en vitesse de pointe.

Un confort à la hausse

Tous ces chiffres ne reflètent toutefois qu'un aspect de la Corvette. Ce qu'il est plus important de retenir, c'est qu'il s'agit d'une voiture beaucoup plus «civile» que la Viper. Surtout depuis sa dernière refonte en 1997, la Corvette a acquis une certaine

respectabilité. Le confort qu'elle offre, notamment, a été sérieusement amélioré, tout comme sa qualité de construction. Ainsi, les bruits de caisse propres aux anciennes versions ont pratiquement disparu. Et sans céder le moindre centième de point à ses cotes de résistance à la poussée latérale en virage, elle exhibe désormais un confort décent que l'on doit, en partie, à un allongement de l'empattement. Madame appréciera aussi l'abaissement d'environ 10 cm des seuils de portières.

Place au *hard-top*

Pour les fanatiques de la Corvette, qui scrutent minutieusement son évolution annuelle, les changements apportés à l'édition 1999 sont importants. La nouveauté la plus notable est l'addition d'un modèle coupé *hard-top* qui rejoint le cabriolet de l'an dernier et le coupé *hatchback* initial. Les statisticiens du groupe noteront qu'il s'agit du premier coupé à toit fixe à être offert depuis les modèles de deuxième génération des légendaires Sting Rays des années 1963 à 1967. Détail intéressant, ces coupés *hard-top* sont les plus précieux aux yeux des collectionneurs.

Le nouveau modèle ne se différencie pas uniquement par son coffre séparé de l'habitacle, mais aussi par un équipement qui lui est propre. Il est livré exclusivement avec la suspension raffermie Z51, une boîte de vitesses manuelle à 6 rapports (l'automatique n'est pas offerte) et un pont arrière à différentiel autobloquant avec un rapport numérique de 3,42 à 1. Nul besoin de savoir lire entre les lignes pour se rendre compte que ce coupé *hard-top* a été élaboré pour la compétition afin de défendre les couleurs du drapeau quadrillé qui jouxte le drapeau fleurdelysé sur l'emblème de la Corvette.

Chevrolet Corvette

Pour
Excellent rapport prix/performances • Confort en progrès • Tenue de route remarquable • Coffre à bagages pratique (*hard-top*) • Suspension «active» optionnelle

Contre
Tenue de route tributaire de la chaussée • Habitacle exigu • Faible visibilité arrière • Piètre maniabilité

Caractéristiques

Échelle de prix:	voir page 11 et suivantes
Modèle / Prix:	coupé *hard-top* / 50 165 $
Type:	coupé 2 places / propulsion
Empattement:	265 cm
Longueur:	456 cm
Largeur:	187 cm
Hauteur:	122 cm
Poids:	1430 kg
Coffre / Réservoir:	400 litres / 76 litres
Coussins de sécurité:	conducteur et passager
Système antipatinage:	oui
Suspension av. / arr.:	indépendante
Freins av. / arr.:	disque, ABS V
Direction:	à crémaillère, assistée
Diamètre de braquage:	12,2 mètres
Pneus av. / arr.:	P245/45ZR17 / P275/40ZR18
Valeur de revente:	bonne
Garantie de base:	3 ans / 60 000 km

Motorisation et performances

Moteur / Transmission:	V8, 5,7 litres / manuelle 6 rapports
Puissance / Couple:	345 ch à 5600 tr/min / 350 lb-pi à 4400 tr/min
Autre(s) moteur(s):	aucun
Transmission optionnelle:	automatique 4 rapports
Accélération 0-100 km/h:	5 secondes / 5,9 secondes (automatique)
Vitesse maximale:	275 km/h
Freinage 100-0 km/h:	38,2 mètres
Consommation (100 km):	11,8 litres

Modèles concurrents
Dodge Viper GTS • Porsche 911 • Acura NSX • Jaguar XK

Quoi de neuf?
Version *hard-top* • Colonne de direction télescopique à commande électrique • Suspension active optionnelle

Verdict
Agrément	⊕⊕⊕⊕	Habitabilité	⊕⊕
Confort	⊕⊕⊖	Hiver	⊕
Fiabilité	⊕⊕⊕	Sécurité	⊕⊕⊕⊖

Les autres modèles de la gamme ont accès cette année à de nouvelles options, dont l'affichage des lectures d'instruments dans le pare-brise («Head-Up Display») et une colonne de direction télescopique réglable électriquement. En plus du contrôle électronique de l'accélérateur, de l'antipatinage et des pneus Goodyear à mobilité continue pouvant rouler à plat, les conducteurs en quête d'un maximum de motricité pourront commander la suspension «active» introduite à la mi-saison en 1998. Chevrolet décrit cette suspension comme le système de contrôle de stabilité le plus sophistiqué de l'industrie. Ce dispositif fonctionne en harmonie avec l'ABS et l'antipatinage en appliquant la force de freinage appropriée à l'une des 4 roues afin de diminuer les excès de sous-virage ou de survirage. Le «Active Handling System» peut même être réglé de trois façons: pour la conduite de tous les jours, la conduite haute performance ou le pilotage en compétition. En pratique, ce système vaut son pesant d'or au chapitre de la sécurité, spécialement pour les conducteurs moins expérimentés.

Les chiffres disent tout.

Pas sans faute

Dans une comparaison avec des voitures de sport de grand prestige comme la Ferrari F355, l'Acura NSX ou la nouvelle Porsche 911, la Corvette n'a pas à rougir de honte. Son gros V8 à culbuteurs est sans doute moins sophistiqué que les groupes propulseurs des superstars de la catégorie, mais sa présence a permis de garder la voiture à un prix accessible. Ce gros 5,7 litres n'en produit pas moins 350 lb-pi de couple, tout en se contentant de 12 litres aux 100 km.

Une Corvette sans faute ne serait pas une Corvette et le modèle actuel est toujours affligé d'un habitacle étroit où les espaces de rangement sont quasi inexistants. Dans le coupé *hatchback*, la visibilité vers l'arrière est cauchemardesque. Finalement, quel que soit le modèle, la Corvette n'apprécie pas tellement les chaussées dégradées sur lesquelles la suspension sautille indûment, pas plus que les routes bosselées où l'avant trop bas racle le sol.

En performance absolue, la Corvette s'est fait damer le pion par la Viper l'an dernier, mais sur plan de l'agrément de conduite et du confort en usage journalier, elle domine aisément sa grande rivale nord-américaine. Elle incarne encore et toujours la voiture de sport à l'américaine, abordable et sans complexe.

Chevrolet Lumina • Monte Carlo

Chevrolet Lumina

Sous le signe de l'anonymat

Pendant des années, le design a régné en roi et maître chez General Motors. D'ailleurs, la personne qui occupait ce poste était l'une des plus connues de toute la compagnie. Malheureusement, au fil des multiples réorganisations, le grand responsable du design s'est vu relégué à un rôle de second plan et rares sont ceux qui connaissent son nom de nos jours. D'ailleurs, il suffit de jeter un coup d'œil sur la Lumina et la Monte Carlo pour constater que le grand manitou du design ne doit pas peser lourd dans la balance lors des réunions décisionnelles.

Pourtant, après le cuisant échec de la première génération de la Lumina, Chevrolet s'était bien promis de faire amende honorable. D'ailleurs, au premier regard, on constate que la silhouette pour le moins bizarre de la première cuvée a été délaissée. On a malheureusement décidé de la remplacer par une présentation sobre à l'excès. Il suffit d'observer le flot de la circulation pour réaliser que la Lumina aussi bien que la Monte Carlo se perdent dans la foule. Difficile de croire que Chevrolet tente avec ces voitures d'attirer des acheteurs intéressés aux Chrysler Intrepid et Ford Taurus… Tout un travail en perspective!

Ces lignes anonymes expliquent en partie pourquoi le public ne s'enthousiasme pas pour ce duo qui possède pourtant d'intéressantes qualités. De plus, la même philosophie prévaut dans l'habitacle, où le tableau de bord est d'une désarmante sobriété. Une troïka de boutons rotatifs est le seul élément qui ajoute un peu de relief à une planche de bord très dépouillée. Toutefois, il ne faut pas confondre sobriété et manque d'efficacité. Si les commandes et

contrôles sont discrets, cela ne les empêche pas d'être à la portée de la main et faciles à utiliser.

Lumina: une voiture honnête

À défaut de se distinguer par son panache, cette berline se défend plus qu'honorablement en termes de satisfaction de ses propriétaires. Et ces résultats ne sont pas surprenants compte tenu que cette Chevrolet nous offre une bonne habitabilité et un intérieur dépouillé mais confortable. De plus, elle se débrouille assez bien au chapitre du comportement routier. À cet égard, elle se défend bien jusqu'à ce qu'on dépasse de beaucoup les vitesses légales. Par la suite, les limites de la suspension se montrent le bout du nez. Compte tenu du fait que la quasi-totalité des acheteurs de Lumina n'envisagent pas de s'énerver au volant, ces limites de comportement risquent de ne jamais être découvertes.

Cette année encore, deux groupes propulseurs sont au programme: le V6 3,1 litres de 160 chevaux et le V6 3,8 litres de 200 chevaux. Le premier se débrouille quand même assez bien dans la conduite de tous les jours et offre des performances adéquates en utilisation familiale. Pour les gens pressés, c'est autre chose, alors que le niveau sonore s'amplifie au fur et à mesure que le moteur manque de souffle, soit vers 90 km/h. Le 3,8 litres est plus costaud autant en raison de ses accélérations plus vives que par son aisance à animer cette berline dans presque toutes les conditions. Encore une fois, il faut accorder de bonnes notes à la boîte automatique à 4 rapports dont les passages de vitesses s'effectuent en douceur. Et contrairement à ce qui fut le cas pour la première génération de cette boîte, sa fiabilité a été amplement démontrée au fil des années.

Chevrolet Lumina

Pour

Prix compétitif • Bonne habitabilité • Fiabilité en progrès • Tenue de route saine • Boîte automatique efficace

Contre

Silhouette quelconque
• Présentation intérieure terne
• V6 3,1 litres peu performant
• Pneumatiques moyens
• Direction floue

Caractéristiques

Échelle de prix:	voir page 11 et suivantes
Modèle / Prix:	LS / 23 749 $
Type:	berline / traction
Empattement:	273 cm
Longueur:	510 cm
Largeur:	184 cm
Hauteur:	140 cm
Poids:	1497 kg
Coffre / Réservoir:	444 litres / 65 litres
Coussins de sécurité:	conducteur et passager
Système antipatinage:	non
Suspension av. / arr.:	indépendante
Freins av. / arr.:	disque ABS / tambour ABS
Direction:	à crémaillère, assistée
Diamètre de braquage:	11,2 mètres
Pneus av. / arr.:	P205/70R15
Valeur de revente:	passable
Garantie de base:	3 ans / 60 000 km

Motorisation et performances

Moteur / Transmission:	V6 3,1 litres / automatique 4 rapports
Puissance / Couple:	160 ch à 5200 tr/min / 185 lb-pi à 4000 tr/min
Autre(s) moteur(s):	V6 3,8 litres 200 ch
Transmission optionnelle:	aucune
Accélération 0-100 km/h:	10,3 secondes autre moteur: 9,9 secondes
Vitesse maximale:	190 km/h
Freinage 100-0 km/h:	45,0 mètres
Consommation (100 km):	12,8 litres autre moteur: 13,9 litres

Modèles concurrents

Toyota Camry • Ford Taurus • Chrysler Intrepid • Honda Accord

Quoi de neuf?

Nouvelle couleur de caisse • Système «On Star»

Verdict

Agrément	⊕ ⊕ ⊕	Habitabilité ⊕ ⊕ ⊕
Confort	⊕ ⊕ ⊕	Hiver ⊕ ⊕ ⊕
Fiabilité	⊕ ⊕ ⊕	Sécurité ⊕ ⊕ ⊕ 6

Il est vrai que la Lumina bénéficierait d'une apparence un peu plus spéciale. Par contre, son homogénéité et sa polyvalence compensent ce petit défaut. Elle a quand même de la difficulté à se démarquer face aux Buick Regal, Oldsmobile Intrigue et Pontiac Grand Prix qui ont toutes une allure plus relevée et un comportement routier supérieur. Et la concurrence des autres marques s'avère encore plus féroce.

Monte Carlo: une berline deux portes?

À la belle époque de la fin des années 70, la Chevrolet Monte Carlo jouissait d'un standing à part. Elle n'était pas spécialement plus performante ou plus sportive, mais sa présentation quelque peu particulière lui permettait de se démarquer. Pour plusieurs, c'était une voiture de rêve.

Un duo sans passion.

Ceux qui n'ont pas connu cette époque doivent avoir de la difficulté à croire ces faits quand ils examinent la Monte Carlo actuelle. Sa silhouette est très sobre, anonyme presque. Pire, elle ressemble plus à une berline deux portes qu'à un coupé sport. Et même la version Z34 prétendument plus sportive n'offre pas un comportement inspirant en dépit de son moteur de 200 chevaux, de sa suspension sport et de pneus de 16 pouces. Les performances sont au mieux adéquates et la voiture demeure sans éclat.

Chez Chevrolet, on a voulu faire revivre un nom glorieux en faisant appel à l'une des voitures les plus discrètes qui existent sur le marché. À titre de comparaison, la Dodge Avenger possède un look d'enfer qui fait craquer, et ce même si ses performances sont moyennes.

Pour avoir trop voulu jouer la carte de la fantaisie et de l'originalité à tout prix, Chevrolet a souvent raté son coup. Toutefois, la solution n'est pas de rendre les voitures les plus dépouillées et les plus anonymes possible. Il est vrai que la qualité de la finition et de l'assemblage de même que la fiabilité de ses véhicules ont fait des progrès. Par contre, la concurrence a fait de même et davantage. Il est dommage que le manque d'imagination des concepteurs empêche les gens de considérer l'achat de ces Chevrolet dont le comportement d'ensemble et le prix de vente sont alléchants.

Denis Duquet

Chevrolet Malibu

Chevrolet Malibu

Il s'en faudrait de peu!

Avec la Malibu, la division Chevrolet retourne à ses sources avec une voiture basée sur le gros bon sens. Ses points forts: un prix compétitif, une cabine spacieuse et un comportement routier sain, à défaut d'être spectaculaire. Bref, la bonne vieille recette qui a permis à cette marque de demeurer la plus populaire en Amérique pendant des décennies.

Ce retour aux sources aurait dû permettre à la Malibu de dominer les palmarès et de devenir le moyen de transport favori des familles américaines. Pourtant, les ventes ne sont pas aussi spectaculaires que celles qu'on attendait, même si elles dépassent de beaucoup celles de la défunte Corsica. La raison est bien simple: la Malibu est une bonne voiture, mais son exécution laisse parfois à désirer par raport à celle d'une concurrence drôlement bien pourvue à ce chapitre.

Pour le vérifier, il suffit de se rappeler le match comparatif rapporté l'an dernier dans cet ouvrage et mettant en scène la Malibu et plusieurs de ses concurrentes. Une fois les chiffres compilés, elle s'est retrouvée bonne dernière. Le groupe d'essayeurs lui a reproché sa présentation intérieure bon marché, une finition inégale et un tempérament trop utilitaire. Comme le mentionnait un essayeur dépité par l'apparence de l'habitacle, «la Malibu semble avoir été conçue pour être utilisée comme taxi, un point c'est tout».

Une fois de plus, c'est sur les détails que cette Chevrolet se fait prendre. On trouve toujours une petite broutille qui fait oublier l'intégrité de l'ensemble. Par exemple, la qualité de la peinture laissait à désirer sur plusieurs des modèles essayés et des particularités de la finition intérieure témoignaient de mesures d'économie flagrantes qui venaient gâcher le tout. Des supports de dossier visibles, des tissus ternes, un réceptacle de cendrier bon marché et une foule d'autres détails lui font perdre des points.

C'est dommage, puisque la Malibu bénéficie d'un habitacle fort spacieux pour la catégorie et truffé d'espaces de rangement. Des places arrière généreuses et un coffre spacieux viennent s'ajouter à cet atout ainsi qu'un tableau de bord bien disposé, de présentation sobre et pratique. Toutefois, la qualité des plastiques employés et certains détails de finition bâclés laissent une impression de voiture bon marché. Quant au porte-verres placé à gauche du volant, Chevrolet doit être flattée de constater que Mercedes-Benz a copié cet accessoire. Pourtant, dans un cas comme dans l'autre, c'est plus embarrassant qu'autre chose.

Une mécanique sans surprise

Tout dans cette voiture est basé sur l'utilisation d'éléments mécaniques éprouvés afin d'assurer un entretien sans histoire et une fiabilité de bon aloi. Cela explique la présence du 4 cylindres en ligne 2,4 litres et du V6 3,1 litres. Les deux sont en service depuis des années et leurs versions les plus récentes jouissent d'une bonne réputation de fiabilité. Avec ses 2 arbres à cames en tête et ses 16 soupapes, le 4 cylindres est plus raffiné mécaniquement que le V6. Cependant, les deux proposent un bloc en fonte et une culasse en aluminium. Lorsque sa cylindrée était de 2,3 litres, ce 4 cylindres était reconnu pour son niveau sonore élevé et ses vibrations. Une fois sa cylindrée portée à 2,4 litres et son fonctionnement revu de

Chevrolet Malibu

Pour
Habitacle généreux • Équipement complet • Tenue de route rassurante • Mécanique éprouvée • Dimensions équilibrées

Contre
Finition perfectible • Peinture de qualité douteuse • Performances moyennes • Suspension avant allergique aux trous • Direction engourdie

Caractéristiques

Échelle de prix:	voir page 11 et suivantes
Modèle / Prix:	LS / 24 045 $
Type:	berline / traction
Empattement:	272 cm
Longueur:	483 cm
Largeur:	176 cm
Hauteur:	144 cm
Poids:	1385 kg
Coffre / Réservoir:	464 litres / 58 litres
Coussins de sécurité:	conducteur et passager
Système antipatinage:	non
Suspension av. / arr.:	indépendante
Freins av. / arr.:	disque ABS / tambour ABS
Direction:	à crémaillère, assistée
Diamètre de braquage:	11,1 mètres
Pneus av. / arr.:	P215/60R15
Valeur de revente:	moyenne
Garantie de base:	3 ans / 60 000 km

Motorisation et performances

Moteur / Transmission:	V6 3,1 litres / automatique 4 rapports
Puissance / Couple:	150 ch à 4800 tr/min / 180 lb-pi à 3200 tr/min
Autre(s) moteur(s):	4L 2,4 litres 150 ch
Transmission optionnelle:	aucune
Accélération 0-100 km/h:	9,5 secondes autre moteur: 10,5 secondes
Vitesse maximale:	195 km/h
Freinage 100-0 km/h:	41,6 mètres
Consommation (100 km):	11,7 litres autre moteur: 10,2 litres

Modèles concurrents
Nissan Altima • Toyota Camry • Dodge Stratus • Ford Contour • Honda Accord • Mazda 626 • Plymouth Breeze

Quoi de neuf?
Aucun changement majeur

Verdict

Agrément	⊕ ⊕ ⊕	Habitabilité ⊕ ⊕ ⊕ ⊕
Confort	⊕ ⊕ ⊕	Hiver ⊕ ⊕ ⊕ ⊕
Fiabilité	⊕ ⊕ ⊕ ⊖	Sécurité ⊕ ⊕ ⊕

fond en comble, il est plus civilisé. Ce qui ne l'empêche pas d'être toujours bruyant à régime élevé.

Le V6 3,1 litres offre la même puissance que le 4 cylindres, soit 150 chevaux. Cependant, son couple plus élevé et une plus grande douceur en font le choix de ceux qui apprécient la grand-route. Une seule transmission est offerte, une automatique à 4 rapports. C'est sans doute l'élément mécanique le plus sophistiqué et le plus performant de la voiture.

Côté suspensions, celle à l'avant utilise des jambes de force comme toutes les autres voitures de la catégorie. La suspension arrière indépendante constitue un atout de plus dans le jeu de la Malibu.

Presque compétitive.

Agréable à conduire, mais…

Cette Chevrolet a prouvé à plus d'une reprise qu'elle pouvait être conduite avec aplomb dans toutes les circonstances. Les parcours sur mauvaise route ont démontré hors de tout doute la solidité de la caisse. Le comportement en virage est sain et la voiture toujours facile à contrôler. Et si les sièges ne paient pas de mine, ils sont confortables, même après plusieurs heures passées derrière le volant.

Ces qualités portent à conclure que Chevrolet a finalement réussi à produire une voiture familiale homogène, dont le prix relativement modeste incite à passer l'éponge sur quelques faiblesses. Puis, sans qu'on s'y attende, «kapow», la voiture est secouée par une violente secousse.

La suspension avant vient de talonner à fond à cause d'un nid-de-poule plus profond que la moyenne. Cet incident qui s'est répété à quelques reprises dans le cadre de nos essais est venu jeter un bémol sur notre jugement final. Encore une fois, la Malibu prête le flanc à la critique.

Il suffirait de presque rien à Chevrolet pour améliorer la présentation de la Malibu, corriger quelques lacunes et revoir sa suspension avant. Cette berline pourrait ainsi devenir l'une des bonnes valeurs de sa catégorie. Pour l'instant, quelques irritants risquent de faire oublier que son prix et son équipement sont très compétitifs.

Denis Duquet

Chevrolet Metro • Suzuki Swift • Pontiac Firefly

Suzuki Swift

Beau, bon, pas cher

La dernière transformation de la Suzuki Swift et de ses clones que sont les Chevrolet Metro et Pontiac Firefly remonte à 4 ans. Bien qu'elles soient identiques en apparence, ces trois sœurs possèdent toutefois quelques caractéristiques bien à elles, selon la bannière sous laquelle elles sont vendues.

Ces sous-compactes d'origine asiatique sont assemblées à l'usine ontarienne CAMI d'Ingersoll, fruit du partenariat Suzuki/GM. Même si elles sont toujours dans le coup avec leurs lignes attrayantes et modernes, les Metro, Firefly et Swift devraient subir sous peu un *face-lift*, sinon une refonte totale, car elles auront bientôt 5 ans. C'est le cycle qui est devenu la norme dans l'industrie automobile.

Lors du précédent remodelage, la structure a fait l'objet d'une attention particulière, l'aspect sécurité venant désormais au premier plan dans la conception de nouveaux véhicules. La Metro ne fait pas exception et protège ses occupants mieux que jamais avec les désormais incontournables coussins gonflables (de deuxième génération) et des poutrelles de sécurité intégrées aux portières, ainsi que des zones déformables à l'avant comme à l'arrière. De plus, une cellule de sécurité rigide avec plancher et seuil de carrosserie renforcés, ainsi qu'un pavillon et des montants, dont la résistance a été accrue, entourent complètement l'habitacle.

Celui-ci, malgré les dimensions microscopiques de cette sous-compacte, offre un espace surprenant, particulièrement dans la berline, qui propose 4 vraies places, peu importe le gabarit des occupants, et ce, même à l'arrière, où les passagers disposent d'une

généreuse garde au toit et d'un dégagement pour les épaules et les jambes plus qu'acceptable. Le coffre arrière possède un volume de chargement tout aussi impressionnant. Bref, on est allé chercher tout l'espace disponible, ce qui confère de solides qualités ergonomiques à cette petite berline, ergonomie rehaussée par la présence d'espaces de rangement là où il en faut et d'un coffre à gants lui aussi étonnament logeable. Petits détails, certes, mais qui témoignent du soin apporté à la conception de l'habitacle.

L'accès aux diverses commandes ne pose pas de problèmes majeurs; seul le levier du clignotant semble haut perché et nécessite une courte période d'adaptation. Une broutille, en somme. Notons également, par rapport aux modèles antérieurs, une finition et une qualité d'assemblage à la hausse. Il y a cependant encore place à amélioration, ne nous leurrons pas: la qualité, si j'ose dire, de certains matériaux sème le doute. Ainsi, on ne peut passer sous silence l'utilisation outrancière du plastique – de marque *El cheapo* – dans l'habitacle. Allons, allons, un petit effort: il y a bon marché et bon marché, quand même!

Un appétit d'oiseau

Côté technique, peu de changements: chez GM, seule la berline a droit au petit 4 cylindres de 1,3 litre, les modèles à hayon se contentant du 3 cylindres de 1,0 litre. Vu sa puissance timide (55 chevaux), celui-ci ne peut être accouplé qu'à une boîte manuelle à 5 rapports. Le 4 cylindres développe une puissance acceptable (79 chevaux), compte tenu du poids du véhicule. De série sur la berline, on le retrouve également sur les coupés 3 portes équipés d'une boîte automatique à 3 rapports (optionnelle). Ce moteur

Chevrolet Metro

Pour

Sécurité accrue • Habitabilité surprenante (berline) • Confort acceptable • Assemblage en progrès • Championne de l'économie

Contre

Plastique bon marché • Piètre insonorisation • Agrément mitigé • Pneus minuscules • Modèle en fin de carrière

Caractéristiques

Échelle de prix:	voir page 11 et suivantes
Modèle / Prix:	LSi / 13 985 $
Type:	berline / traction
Empattement:	237 cm
Longueur:	417 cm
Largeur:	159 cm
Hauteur:	141 cm
Poids:	890 kg
Coffre / Réservoir:	292 litres / 40 litres
Coussins de sécurité:	conducteur et passager
Système antipatinage:	non
Suspension av. / arr.:	indépendante
Freins av. / arr.:	disque / tambour (ABS optionnel)
Direction:	à crémaillère, assistée (optionnelle)
Diamètre de braquage:	9,6 mètres
Pneus av. / arr.:	P155/80R13
Valeur de revente:	faible
Garantie de base:	3 ans / 60 000 km

Motorisation et performances

Moteur / Transmission:	4L 1,3 litre / manuelle 5 rapports
Puissance / Couple:	79 ch à 6000 tr/min / 75 lb-pi à 3000 tr/min
Autre(s) moteur(s):	3L 1,0 litre 55 ch (coupé de base)
Transmission optionnelle:	automatique 3 rapports
Accélération 0-100 km/h:	12,9 secondes autre moteur: 16,8 secondes
Vitesse maximale:	155 km/h
Freinage 100-0 km/h:	45,7 mètres
Consommation (100 km):	6,7 litres autre moteur: 5,8 litres

Modèles concurrents

Honda Civic *hatchback* • Hyundai Accent • Toyota Tercel

Quoi de neuf?

Deux nouvelles couleurs de carrosserie

Verdict

Agrément	⊕ ⊕	Habitabilité	⊕ ⊕ ⊕
Confort	⊕ ⊕ ⊕	Hiver	⊕ ⊕ ⊕
Fiabilité	⊕ ⊕ ⊕	Sécurité	⊕ ⊕ ⊕

accomplit un boulot honnête et à bas régime, il fait preuve d'une nervosité surprenante. Bruyant en accélération, il garde toutefois un niveau sonore acceptable à une vitesse de croisière. Ses performances ne lui permettront certes pas de passer à l'histoire; mais dans un premier temps, cela n'a rien à voir avec sa vocation et dans un deuxième temps, son appétit d'oiseau compense largement. Faut-il le rappeler, le trio Swift/Metro/Firefly se maintient, selon les données de Transports Canada, parmi les voitures les plus économiques sur le marché à l'heure actuelle.

Petit format, grandes qualités.

La boîte manuelle qui équipait notre véhicule d'essai a elle aussi fait bonne impression. Elle est nettement améliorée par rapport à celle des éditions précédentes: ses passages sont fluides, précis, et les rapports bien étagés. Le système de freinage conserve la configuration conventionnelle disque/tambour, mais il peut recevoir l'ABS en option – une première pour la Metro. La suspension à 4 roues indépendantes est munie de barres stabilisatrices à l'avant comme à l'arrière. Somme toute, on a fait appel à des solutions techniques éprouvées, un autre aspect qui importe pour la catégorie d'acheteurs visée. C'est simple, efficace, et gage de fiabilité.

Fais ce que dois...

Spacieuse, la berline Metro (une configuration à laquelle n'a pas droit la Swift) est aussi une routière convenable: l'habitacle pourrait être mieux insonorisé, mais les sièges sont confortables et le réglage de la suspension lui confère une douceur de roulement appréciable. Ladite suspension y est pour beaucoup dans l'équilibre général de cette berline en format de poche: ses réactions n'ont rien de bien enthousiasmant, les minuscules pneumatiques n'aidant guère, mais elles demeurent prévisibles en tout temps de sorte que si l'on se permet certains débordements, on ne risque pas de se retrouver dans le décor au premier virage. Du reste, la conduite de ce type de voiture n'inspire pas de tels élans; encore une fois, ce n'est pas dans son mandat et ce qu'on lui demande de faire, elle le fait et plutôt bien.

Le bilan de la Metro depuis son introduction sur le marché canadien est plutôt reluisant: fiable, économique et drôlement spacieuse, compte tenu de ses dimensions, cette sous-compacte donne ses lettres de noblesse à l'expression «beau, bon, pas cher». Le genre de voiture honnête, sans histoire, qu'un chroniqueur automobile peut se permettre de recommander sans trop d'hésitation.

Philippe Laguë

GMC Yukon

La voie de la multitude

Pendant des années, General Motors a été l'une des compagnies qui ont le plus innové dans le secteur des utilitaires sport. Encore de nos jours, le Suburban demeure sans égal et aucun concurrent n'est parvenu à offrir une réplique valable. General Motors a également été le premier manufacturier à offrir ses gros utilitaires sport en version 4 portes. Curieusement, avec l'extraordinaire croissance de ce secteur du marché, GM n'est pas restée le leader au chapitre des ventes.

Pour remédier à la situation, le numéro un n'a pas décidé de mieux cibler la clientèle de ses produits, de resserrer leur qualité ou encore d'améliorer leur comportement routier. Il a réagi à sa façon coutumière en proposant un nouveau modèle, le GMC Denali. Et ce, dans une période où la plupart des observateurs affirment que GM doit diminuer le nombre de ses modèles.

Le Denali est tout simplement une version plus luxueuse du Yukon, proposant de série le rouage d'entraînement AutoTrac et une foule d'accessoires destinés à relever le niveau de luxe de ce tout-terrain. Il se démarque également par une présentation extérieure qui lui est propre. Incidemment, le Denali est à l'origine d'un autre modèle, puisque le Cadillac Escalade n'est rien d'autre qu'un Denali avec un écusson de Cadillac sur la grille de calandre et des sièges encore plus luxueux.

Place aux grands gabarits

Si nos voisins du sud ont été obligés de se raisonner quant aux dimensions de leurs automobiles, ils sont vite revenus à leurs pre-

mières amours dans la catégorie des utilitaires sport. Le Suburban se trouve en tête de liste des grosses pointures, mais les Chevrolet Tahoe et GMC Yukon se défendent très honorablement à ce chapitre.

Ces deux modèles ont été décrits en 1995 comme étant la solution «du juste milieu» entre les modèles Blazer / Jimmy et l'incontournable Suburban. En fait, cette solution est plutôt un compromis au pays des géants car, avec une longueur hors tout de 506 cm, on parle d'un véhicule qui excède un Blazer ou un Jimmy de plus de 41 cm, une bagatelle! Mais il serait injuste d'accuser GM d'être le seul manufacturier à tomber dans la démesure, alors que les Ford Expedition et Lincoln Navigator sont plus longs de plusieurs centimètres.

Avec un tel gabarit, il va de soi que l'habitabilité est généreuse et la soute à bagages capable d'accueillir des objets fort encombrants. Quant aux occupants des places arrière, ils ont beaucoup d'espace à leur disposition, à défaut d'être assis sur une banquette confortable.

Toutes les versions du Tahoe / Yukon sont équipées du V8 5,7 litres de 255 chevaux qui a fait ses preuves. Robuste et fiable, il a également l'avantage de consommer moins que les groupes propulseurs offerts sur les Ford Expedition / Lincoln Navigator. Et il ne faut pas oublier le V8 6,5 turbodiesel de 180 chevaux, qui n'est pas offert sur toutes les versions. Les camionnettes Chevrolet Silverado / GMC Sierra bénéficient cette année de plusieurs nouveaux groupes propulseurs et il ne serait pas surprenant que ceux-ci se retrouvent également sous le capot de ces gros 4X4 dans un avenir rapproché.

Chevrolet Tahoe

Pour

Habitabilité sans égale • Tableau de bord fonctionnel • Moteur V8 bien adapté • Système AutoTrac efficace • Robustesse assurée

Contre

Présentation extérieure terne • Finition perfectible • Bruits de caisse • Consommation élevée • Version deux portes peu répandue

Caractéristiques

Échelle de prix:	voir page 11 et suivantes
Modèle / Prix:	LT / 43 515 $
Type:	utilitaire sport / 4 portes / propulsion / 4X4
Empattement:	298 cm
Longueur:	506 cm
Largeur:	195 cm
Hauteur:	190 cm
Poids:	2706 kg
Coffre / Réservoir:	3483 litres / 114 litres
Coussins de sécurité:	conducteur et passager
Système antipatinage:	non
Suspension av. / arr.:	indépendante / essieu rigide
Freins av. / arr.:	disque ABS / tambour ABS
Direction:	à billes, assistance variable
Diamètre de braquage:	13,1 mètres
Pneus av. / arr.:	P245/75R16 (4X4)
Valeur de revente:	bonne
Garantie de base:	3 ans / 60 000 km

Motorisation et performances

Moteur / Transmission:	V8 5,7 litre / automatique 4 rapports
Puissance / Couple:	255 ch à 4600 tr/min / 330 lb-pi à 2800 tr/min
Autre(s) moteur(s):	V8 6,5 litres turbodiesel 180 ch
Transmission optionnelle:	aucune
Accélération 0-100 km/h:	9,8 secondes autre moteur: 17,8 secondes
Vitesse maximale:	190 km/h
Freinage 100-0 km/h:	45,3 mètres
Consommation (100 km):	14,9 litres autre moteur: 10,5 litres

Modèles concurrents

Ford Expedition • Lexus LX450 • Land Rover

Quoi de neuf?

Aucun changement mécanique • Version Denali • Nouveau radiateur • Nouvelles couleurs

Verdict

Agrément	⊕ ⊕ ⊕	Habitabilité	⊕ ⊕ ⊕ ⊕
Confort	⊕ ⊕ ⊕	Hiver	⊕ ⊕ ⊕ ⊕
Fiabilité	⊕ ⊕ ⊕	Sécurité	⊕ ⊕ ⊕ ⊕

Même si elles ne sont sur le marché que depuis 1995, ces versions 4 portes ont pris de l'âge rapidement par rapport à une concurrence plus jeune et plus sophistiquée. Leur présentation extérieure manque de personnalité et les versions conduites récemment étaient toutes affligées de bruits de caisse. Il faut souhaiter qu'elles bénéficient le plus tôt possible des multiples améliorations apportées aux camionnettes Silverado / Sierra, dont les plates-formes servent de fondation aux Yukon et compagnie.

Enfin, soulignons que seul le Chevrolet Yukon est offert en version 2 portes. De dimensions plus modestes, ce modèle peu populaire intéresse surtout les vrais amateurs de conduite hors route.

Au rayon des grandes tailles.

King Kong sur roues

Avec une longueur hors tout de 557 cm, le Suburban est sans rival. Même le Ford Expedition, qui n'a aucun complexe côté dimensions, doit lui concéder 37 cm. À titre de comparaison, la Chevrolet Venture à empattement long est d'une longueur totale de 510 cm. Ça fait réfléchir.

Il ne faudrait pas pour autant en conclure que le Suburban est un véhicule hors catégorie pénalisé par son gabarit. Bien au contraire, ce gros outil de travail est d'une maniabilité surprenante et son comportement routier peut faire la nique à bien des véhicules de dimensions plus modestes.

Le Suburban demeure toujours le seul véhicule permettant à huit personnes avec leurs bagages d'effectuer une longue randonnée dans un confort assez relevé. Et pas besoin de rationner les bagages, le Suburban est capable d'en avaler une grande quantité.

Par le jeu des options, cet utilitaire toutes routes et toutes conditions climatiques peut pratiquement être converti en limousine des forêts. On surnomme d'ailleurs la version toute garnie «Cadillac du Texas». Comme on aime tout ce qui est gros dans cet État américain, la Suburban y jouit d'un statut particulier.

Malgré tout, GM aurait tout intérêt à éviter la prolifération des modèles pour se concentrer sur une exécution moins terne d'un ou deux véhicules à la présentation et à l'exécution plus sophistiqués.

Denis Duquet

Oldsmobile Silhouette

Bien conçues, mal ficelées

Après avoir tergiversé pendant plus d'une décennie, General Motors s'est enfin décidée à prendre le marché des fourgonnettes au sérieux. Tant et si bien que les Chevrolet Venture, Oldsmobile Silhouette, Opel Sintra, Pontiac Trans Sport et Vauxhall Sintra ont effectué leurs débuts à l'automne 1996 en tant que modèles 1997. Ces cinq modèles avaient pour mission de défendre les couleurs de GM sur les marchés nord-américain et européen. Et pour la première fois de l'histoire de GM, même les versions destinées au marché européen furent assemblées en Amérique.

Compte tenu de l'envergure du projet, General Motors a mis le paquet en prenant les moyens nécessaires pour développer un châssis robuste associé à un habitacle conçu sous le signe de l'efficacité et de la polyvalence. Fini les designs excentriques aussi agréables à regarder que peu pratiques. La compagnie a même délégué ses meilleurs spécialistes de l'assemblage à l'usine de Doraville, en Géorgie, pour s'assurer que ces fourgonnettes allaient être assemblées selon les règles de l'art. Voilà pour la théorie.

En pratique, certains éléments de ce plan ont touché la cible tandis que d'autres ont connu des ratés. Sur le plan des réussites, tous les modèles nord-américains sont animés par un groupe propulseur difficile à critiquer. En effet, le moteur V6 3,4 litres de 180 chevaux couplé à la boîte automatique à 4 rapports à commande électronique assure des accélérations franches et des reprises incisives même si le niveau sonore devient élevé à haut régime. Quant à la boîte automatique, elle est aussi fiable qu'efficace. Les

ingénieurs ont fait appel à des jambes de force MacPherson à l'avant et à une poutre déformante à l'arrière. Encore là, on a joué les entités connues et les valeurs sûres.

Le manque d'intégrité de la caisse figure parmi les éléments négatifs. Comme c'est dorénavant indispensable, il fallait prévoir une version à empattement allongé et une porte arrière coulissante du côté gauche. Ces deux éléments exigent une plate-forme et une caisse plus rigides. C'est pourquoi des longerons supplémentaires ont été insérés dans la plate-forme alors que la cabine comprend des arceaux se prolongeant sous le plancher afin d'en améliorer la rigidité. Malheureusement, les multiples bruits de caisse entendus sont la preuve qu'il y a des améliorations à apporter.

Sous le signe de la polyvalence

Si on a opté pour une mécanique passablement conventionnelle afin d'assurer une bonne fiabilité, l'habitacle a été conçu en fonction de l'efficacité. Selon la marque et le modèle choisi, il est possible de commander pour l'arrière des sièges individuels qu'on peut agencer de multiples façons. Légers en raison de leur structure en magnésium, ils sont faciles à enlever et à déplacer. Par contre, la banquette arrière jumelée de type 50/50 est non seulement moins souple mais en plus très peu confortable. C'est peu dire compte tenu que les sièges baquets ne sont pas eux-mêmes tellement agréables.

Les personnes qui jugent un véhicule en fonction des porte-verres qu'il contient seront impressionnées par cette fourgonnette qui en abrite pas moins de 17, répartis un peu partout dans la cabine. D'ailleurs, ce trio possède également de multiples filets de rétention pour les menus objets, dont un fort pratique placé entre

Oldsmobile Silhouette

Pour

Moteur bien adapté • Tableau de bord bien agencé • Habitacle polyvalent • Porte coulissante motorisée • Tenue de route saine

Contre

Bruits de caisse • Sièges arrière peu confortables • Pneus glissants • Direction floue • Lecteur de disques compacts mal placé

Caractéristiques

Échelle de prix:	voir page 11 et suivantes
Modèle / Prix:	GLS / 38 580 $
Type:	fourgonnette / traction
Empattement:	284 cm
Longueur:	475 cm
Largeur:	183 cm
Hauteur:	171 cm
Poids:	1665 kg
Coffre / Réservoir:	3585 litres / 76 litres
Coussins de sécurité:	conducteur, passager et latéraux
Système antipatinage:	oui
Suspension av. / arr.:	indépendante / essieu rigide
Freins av. / arr.:	disque ABS / tambour ABS
Direction:	à crémaillère, assistée
Diamètre de braquage:	11,3 mètres
Pneus av. / arr.:	P205/70R15
Valeur de revente:	bonne
Garantie de base:	3 ans / 60 000 km

Motorisation et performances

Moteur / Transmission:	V6 3,4 litres / automatique 4 rapports
Puissance / Couple:	180 ch à 5200 tr/min / 205 lb-pi à 4000 tr/min
Autre(s) moteur(s):	aucun
Transmission optionnelle:	aucune
Accélération 0-100 km/h:	12,5 secondes
Vitesse maximale:	180 km/h
Freinage 100-0 km/h:	43,5 mètres
Consommation (100 km):	13,5 litres

Modèles concurrents

Dodge Caravan/Plymouth Voyager • Ford Windstar • Toyota Sienna • Nissan Quest/Mercury Villager • Honda Odyssey

Quoi de neuf?

Système «Pass-Key III» • Quatre nouvelles couleurs • Système cinéma maison exclusif à la Silhouette

Verdict

Agrément	⊕ ⊕ ⊕	
Confort	⊕ ⊕ ⊕	
Fiabilité	⊕ ⊕ ⊕ (	
Habitabilité	⊕ ⊕ ⊕ ⊕	
Hiver	⊕ ⊕ ⊕	
Sécurité	⊕ ⊕ ⊕	

les deux sièges avant, de nombreux espaces de rangement dans les parois latérales de même qu'un coffre à gants de plus de 8 litres de capacité.

Pour la plupart de ses véhicules à vocation utilitaire, GM a conçu des tableaux de bord à la fois élégants et pratiques. Celui-ci ne fait pas exception à cette règle. Les cadrans sont larges et de consultation aisée, et la plupart des boutons et des commandes sont faciles d'accès et bien situés. Par contre, il faut consentir à effectuer quelques acrobaties pour accéder au lecteur de disques compacts placé tout en bas de la console.

Handicapées par leur finition inégale.

Trois modèles, trois personnalités

General Motors a adopté sa nouvelle politique de gestion des marques quelques mois seulement avant le dévoilement de ces fourgonnettes. Il est donc normal que les Chevrolet Venture, Oldsmobile Silhouette et Pontiac Trans Sport affichent des présentations et des comportements différents. La Venture est considérée comme la fourgonnette simple, pratique et plus économique. Comme d'habitude, la présentation intérieure est sobre tandis que les tissus des sièges font bon marché. Le comportement est dans la bonne moyenne. De plus, la Venture a été la seule version à cabine allongée du trio que nous avons essayé à ne pas être affligée de bruits de caisse.

La Pontiac Trans Sport nous en met plein la vue avec ses protecteurs latéraux, sa calandre à grilles jumelées et son tableau de bord plus recherché. La version Montana tente même de jouer les utilitaires avec ses pneus à semelle plus agressive. Malgré tout ce flafla, cette Pontiac nous laisse sur notre appétit, d'autant plus que ses pneumatiques sont assez peu performants en termes d'adhérence. De plus, les bruits de caisse accompagnant tous les modèles Trans Sport essayés sont trop nombreux pour ne pas tomber sur les nerfs.

L'Oldsmobile Silhouette a fait son entrée sur le marché canadien l'an dernier. C'est la plus intéressante des trois en ce qui concerne la tenue de route grâce à une suspension bien calibrée. La contrepartie est que cette rigidité des amortisseurs semble être à l'origine de multiples bruits de caisse dès qu'on roule sur une chaussée dégradée.

Ce trio de fourgonnettes GM a été développé sous le signe du gros bon sens. Malheureusement, sa finition inégale ainsi que de nombreux bruits de caisse viennent gâcher la recette.

Denis Duquet

Chrysler 300M • LHS

Chrysler 300M

Les voitures de la renaissance

Souvent considérée comme une marque dynamique, dont les produits ne sont pas toujours aussi fignolés qu'ils le devraient, Chrysler entend redorer son image et retrouver sa réputation d'antan. Son «mariage» surprise avec Mercedes-Benz lui sera hautement bénéfique à cet égard, tout comme les deux nouveaux modèles qui sont à l'origine d'une vaste opération «qualité» chez Chrysler. Je veux parler des nouvelles LHS et 300M, deux berlines bien nées, construites dans l'usine canadienne de Bramalea, à Brampton en Ontario.

Le lancement de ces deux voitures a été fait quelques jours seulement avant l'annonce du partenariat entre Daimler-Benz et Chrysler. C'était, en quelque sorte, un événement prémonitoire, puisque l'on nous avait fièrement annoncé que la 300M était destinée à devenir le porte-étendard de Chrysler à l'étranger. Riche d'un passé prestigieux, cette berline sportive serait le modèle clé de l'offensive européenne de Chrysler. Bref, une voiture dont Mercedes-Benz n'aurait pas à rougir...

Il en est coulé de l'eau sous les ponts depuis la mise au rancart de la célèbre Chrysler 300 en 1965. Le troisième constructeur automobile américain a notamment réussi à surmonter ses déboires financiers des années 70 et à reprendre le chemin de la rentabilité avec une gamme de voitures bien inspirées. Malgré tout, le nom de Chrysler n'a pas encore retrouvé cette aura de respectabilité qui l'entourait dans les années 50 et 60, alors que les divers modèles de la série 300 dominaient les *speedways* des États-Unis dans les courses du circuit Nascar. Même si seulement

16 857 voitures furent construites entre la 300C de 1955 et la 300L de 1965, elles faisaient alors partie de ces modèles prestigieux qui contribuent à la notoriété d'un manufacturier.

Pour retrouver ses lettres de noblesse, Chrysler a donc décidé de puiser dans son passé et de faire renaître la 300 sous les traits d'une grande berline qui, comme la LHS, est une évolution des récentes Intrepid et Concorde. Après une absence de plus de trois décennies, la 300M va donc prendre le relais de la 300L, la dernière de la lignée des «Letter Series».

Un lourd mandat

Cette nouvelle venue porte de grandes ambitions. Elle aspire d'abord à une carrière européenne, un mandat pour lequel on l'a sérieusement préparée en lui donnant, entre autres, un gabarit plus conforme à une utilisation sur le vieux continent. Ainsi, par rapport à la LHS, on a sacrifié 25 cm de sa longueur hors tout. Il suffit de placer la LHS et la 300M côte à côte pour se rendre compte que la majeure partie de ce raccourcissement a été réalisée aux dépens du porte-à-faux arrière. Le coffre à bagages n'en souffre que de façon marginale, compte tenu des dimensions gargantuesques de celui d'une LHS ou d'une Intrepid.

Ces dimensions réduites avaient aussi pour but de bonifier le comportement routier de la 300M, qu'on désigne comme une berline sportive. Car, bien qu'elle soit une réincarnation de la philosophie des modèles d'antan, on en a fait une interprétation toute contemporaine. La tenue de route, par exemple, a aujourd'hui préséance sur les performances en ligne droite et cela se reflète dans la nouvelle 300M. Celle-ci tient raisonnablement bien la route, même si son format encore considérable reste un handicap sur de petites routes étroites et sinueuses. La voiture ne possède toutefois pas le moteur qui pourrait lui permettre de renouer avec les performances des versions antérieures.

Son nouveau V6 multisoupape tout aluminium de 3,5 litres est le même que celui qui anime la Prowler 99, mais il n'a pas tout à fait le même rapport poids/puissance, une fois installé sous le capot de la 300M. Ses 253 chevaux sont incapables d'égaler les accélérations d'une vraie berline sport européenne comme la BMW 540i. En revanche, la 300M coûte près de la moitié du prix de l'allemande et c'est là sans doute l'une de ses plus belles qualités. C'est le type de voiture pour laquelle on s'attendrait à un prix carrément plus élevé. Malgré un équipement de série élaboré et une présentation assez cossue avec sellerie en cuir et appliques en bois, la 300M s'achète pour environ 40 000 $. Un tel prix la rend très attrayante par rapport à certains modèles concurrents (Audi A6, Saab 9-5, Lexus ES300, Cadillac Catera). Son seul handicap à l'égard de certaines berlines sport étoffées de chez BMW ou Mercedes-Benz est probablement sa traction.

Non à l'AutoStick

Les accélérations de cette voiture sont plus tempérées que celles annoncées par le constructeur. Alors qu'on fait état d'un 0-100 km/h de moins de 8 secondes, elle met une grosse seconde de plus à atteindre cette vitesse de croisière, même en faisant appel au mode manuel de la transmission AutoStick. Celle-ci permet de bénéficier de changements de vitesse totalement automatiques ou de sélectionner manuellement l'un ou l'autre des 4 rapports de la boîte. Personnellement, ce genre de transmission, que ce soit celle de Porsche, de Jaguar ou de Chrysler, me laisse tout à fait indifférent. On l'utilise quelquefois et, devant son peu d'intérêt, on l'ignore totalement.

Faute de performances à l'emporte-pièce, la 300M va sûrement faire des conquêtes, grâce à son look. Avec sa forme plus ramassée, elle arrive même à faire ombrage à la très belle Intrepid.

Son habitacle aussi est une grande réussite. L'instrumentation reste fidèle aux cadrans analogiques traditionnels blancs sur fond noir et adopte une touche rétro avec la présence d'une montre de bord en forme de cadran.

Le lancement des 300M et LHS s'est déroulé à l'usine ontarienne de Brampton où elles sont construites. De toutes les chaînes d'assemblage de Chrysler en Amérique, celle de Bramalea est la mieux cotée par la maison de sondage J. D. Power des États-Unis.

Ce classement a été confirmé par la qualité de construction des trois modèles essayés lors de la présentation.

À l'européenne

La 300M destinée au marché européen s'est révélée la plus intéressante à conduire, et de loin. Son comportement routier était nettement supérieur à celui de la 300 nord-américaine et bien sûr de la LHS, qui met surtout l'accent sur la douceur de roulement. Selon Chrysler, on peut recréer le comportement routier de la version européenne en choisissant la suspension «Touring» offerte en option.

Quant à la LHS, elle perd tout intérêt une fois que l'on a conduit la 300. Sa direction est plus lente, la suspension plus souple et, curieusement, les pneus de 17 pouces filtrent moins bien les bruits de roulement que les pneus Michelin XGTV4 de 16 pouces qui accompagnent l'option «Touring». De toute évidence, ce

Chrysler 300M

Pour

Silhouette séduisante • Prix attrayant • Comportement routier soigné • Équipement généreux • Habitabilité remarquable

Contre

Version LHS décevante • Direction gommée • Performances moyennes • Faible visibilité vers l'arrière • Moteur bruyant à haut régime

Caractéristiques

Échelle de prix:	voir page 11 et suivantes
Modèle / Prix:	300M / 38 900 $
Type:	berline / traction
Empattement:	287 cm
Longueur:	502 cm
Largeur:	210 cm
Hauteur:	142 cm
Poids:	1618 kg
Coffre / Réservoir:	476 litres / 64 litres
Coussins de sécurité:	conducteur et passager
Système antipatinage:	oui
Suspension av. / arr.:	indépendante
Freins av. / arr.:	disque ABS
Direction:	à crémaillère, assistance variable
Diamètre de braquage:	11,5 mètres
Pneus av. / arr.:	P225/60R17 (P225/60VR16 option)
Valeur de revente:	nouveau modèle
Garantie de base:	3 ans / 60 000 km

Motorisation et performances

Moteur / Transmission:	V6 3,5 litres / automatique 4 rapports
Puissance / Couple:	253 ch à 6400 tr/min / 255 lb-pi à 3950 tr/min
Autre(s) moteur(s):	aucun
Transmission optionnelle:	aucune
Accélération 0-100 km/h:	9,2 secondes
Vitesse maximale:	190 km/h (230 km/h avec pneus cote V)
Freinage 100-0 km/h:	38,5 mètres
Consommation (100 km):	12,0 litres

Modèles concurrents

Audi A6 • BMW 528 • Volvo S70 • Oldsmobile Aurora • Infiniti I30 • Acura TL • Lexus ES300 • Cadillac Catera

Quoi de neuf?

Nouveau modèle

Verdict

Agrément	⊕ ⊕ ⊕ ◖	Habitabilité	⊕ ⊕ ⊕ ⊕ ◖
Confort	⊕ ⊕ ⊕ ⊕	Hiver	⊕ ⊕ ⊕ ◖
Fiabilité	⊕ ⊕ ⊕ ◖	Sécurité	⊕ ⊕ ⊕ ⊕

modèle vise une clientèle traditionnelle en quête d'un luxe plus douillet. Quant à la 300 version «domestique», elle offre un bel équilibre de confort et de tenue de route.

Tout comme le duo Intrepid/Concorde, les 300 et LHS se distinguent par des carrosseries solides qui n'émettent aucun bruit sur mauvaise route. Cette rigidité est l'œuvre d'un châssis, dont les résistances à la torsion et à la flexion ont été majorées respectivement de 40 et de 20 p.100. Les éléments de la suspension sont les mêmes que sur les anciennes LHS, mais ils bénéficient de réglages plus serrés pour diminuer le roulis et le tangage. La suppression des bruits mécaniques est particulièrement efficace, grâce à des coussins de polyuréthane placés aux endroits les plus susceptibles de produire des résonances désagréables.

Deux coups sûrs.

Le freinage assuré par des disques à l'avant comme à l'arrière est progressif et affiche une endurance rassurante lors d'arrêts répétés. La direction de la 300M m'est toutefois apparue un peu gommée pour une voiture aux prétentions sportives. Encore là, le groupe «Touring» des versions européennes améliore sensiblement les choses.

Un habitacle de limousine

Même si elle est considérablement plus courte que la LHS, la 300M sacrifie très peu sur le plan de l'habitabilité. Trois personnes peuvent prendre place confortablement à l'arrière où le dégagement aussi bien pour la tête que les jambes est amplement suffisant. À l'avant, les sièges sont non seulement agréable, mais ils autorisent aussi un tel choix de réglages qu'il est pratiquement impossible de ne pas trouver la bonne position de conduite. La 300M possède aussi des dossiers de sièges avant hauts avec des appuie-tête réglables dans quatre directions et des appuie-tête arrière à hauteur variable.

Comme dans toutes les récentes Chrysler, le coffre surélevé rend les manœuvres de marche arrière plus délicates mais, dans l'ensemble, la visibilité est adéquate.

La 300M et, à un moindre degré, la LHS représentent ce que Chrysler a fait de mieux à ce jour. Leur silhouette est superbe et leur comportement routier très valable. Leur prix surprend agréablement. Il reste l'éternelle question de la qualité d'exécution. Compte tenu de la bonne réputation de l'usine canadienne de Bramalea à ce chapitre et des efforts de Chrysler pour peaufiner son image, il y a tout lieu de croire que la 300M et la LHS seront en mesure de participer à la renaissance de la marque.

Jacques Duval

Chrysler Cirrus • Dodge Stratus • Plymouth Breeze

Chrysler Cirrus

Les plus douées de la famille

Chrysler a amorcé au début de la décennie un redressement spectaculaire qui s'est notamment traduit par le renouvellement de sa gamme. Parmi la flopée de nouveaux arrivants, le trio Cirrus/Stratus/Breeze est cependant le seul qui n'a pas trébuché à ses premiers pas. Enfin, moins que les autres...

Lancées quelques mois après la Neon, soit à l'automne 1994, ces trois berlines ont connu un accouchement beaucoup moins douloureux que celui de leur petite sœur. Quelques années plus tôt, la première génération des modèles LH (Intrepid/Concord et cie) n'avait pas été épargnée, elle non plus, par les problèmes de jeunesse. Comme quoi avec les constructeurs américains, il est recommandé de se montrer prudent envers les modèles de première année.

Lorsque vient le temps d'évaluer la production du troisième constructeur américain, il ne faut pas chercher le meilleur... mais le moins pire. Certes, on ne peut nier que Chrysler a effectué des pas de géant ces dernières années, mais il lui reste encore du chemin à parcourir pour atteindre les standards de qualité et de fiabilité des japonaises.

Après 4 ans, le bilan de la Chrysler Cirrus et de ses deux clones vendus sous les bannières Dodge et Plymouth n'est pas parfait, loin s'en faut, mais il est assurément plus reluisant que celui d'une bonne partie de la famille. Les composantes électroniques semblent être la principale source d'ennuis, mais dans l'ensemble, les trois modèles issus de la plate-forme JA se distinguent par leur construction plus appliquée et leur fiabilité moins précaire. Quant aux nombreuses plaintes concernant le service après-vente, elles visent plutôt les concessionnaires – certains, pas tous – que le produit lui-même. Chose certaine, il y a, là aussi, place à amélioration.

Le «six penché» ressucité!

Dans la grande famille Chrysler, les Cirrus/Stratus/Breeze se positionnent entre la petite Neon et les intermédiaires «grand format» que sont les Intrepid et Concorde. Elles doivent affronter une concurrence pas piquée des vers: citons seulement les Honda Accord et Toyota Camry, deux best-sellers sur le continent nord-américain.

La Breeze, avec ses deux motorisations à 4 cylindres, est la plus abordable des trois, tandis que la Cirrus à moteur V6 se situe, logo Chrysler oblige, à l'autre extrémité. Entre les deux siège la Stratus, qui reçoit de série le 4 cylindres de 2,0 litres hérité de la Neon (132 chevaux), qu'elle partage avec la Breeze. Comme celle-ci, elle est aussi livrable, moyennant supplément, avec un 4 cylindres plus puissant (150 chevaux). Elle peut également recevoir le V6 de la Cirrus (168 chevaux).

Des 3 motorisations offertes, le 4 cylindres DACT de 2,4 litres, malgré le bruit et les vibrations, représente le meilleur compromis. Encore une fois, c'est la théorie du «moins pire» qui prévaut, tant les 2 autres moteurs déçoivent. On ne s'étendra pas trop sur le 4 cylindres SACT de 2,0 litres, une horreur dans le genre (voir l'analyse de la Neon); mais du V6, on s'attendait vraiment à plus. En fait, seul le couple à bas régime nous rappelle qu'il s'agit bel et bien d'un 6 cylindres; sinon, il pèche par son manque de vigueur et de souplesse. Son ronronnement n'a rien de bien glorieux non plus, car il évoque les «six penchés» des défuntes Valiant, Dart, Volare et autres dinosaures de ce constructeur. Si vous êtes trop jeunes pour saisir l'allusion, dites-vous bien que vous ne manquez rien... Quoi qu'il en soit, ce moteur souffre de la comparaison avec les V6 de la concurrence, américaine incluse.

Chrysler Cirrus

Pour
Chef-d'œuvre esthétique • Habitabilité impressionnante • Réussite ergonomique • Comportement routier inspiré • Assemblage et fiabilité en progrès

Contre
Électronique délicate • Moteurs décevants • Boîte automatique inefficace • Freinage moyen • Service après-vente inégal

Caractéristiques

Échelle de prix:	voir page 11 et suivantes
Modèle / Prix:	LXi / 26 465 $
Type:	berline 5 places / traction
Empattement:	274 cm
Longueur:	472 cm
Largeur:	197 cm
Hauteur:	137 cm
Poids:	1440 kg
Coffre / Réservoir:	445 litres / 60 litres
Coussins de sécurité:	conducteur et passager
Système antipatinage:	non
Suspension av. / arr.:	indépendante
Freins av. / arr.:	disque ABS / tambour ABS
Direction:	à crémaillère, assistée
Diamètre de braquage:	11,3 mètres
Pneus av. / arr.:	P195/65R15
Valeur de revente:	passable
Garantie de base:	3 ans / 60 000 km

Motorisation et performances

Moteur / Transmission:	V6, 2,5 litres SACT / automatique 4 rapports
Puissance / Couple:	168 ch à 5800 tr/min / 170 lb/pi à 4350 tr/min
Autre(s) moteur(s):	4L 2,0 litres 132 ch / 4L 2,4 litres 150 ch
Transmission optionnelle:	manuelle 5 rapports (2,0 litres)
Accélération 0-100 km/h:	10,8 secondes autre moteur: 9,7 s (2,4 l)
Vitesse maximale:	185 km/h
Freinage 100-0 km/h:	44,0 mètres
Consommation (100 km):	11,0 litres autre moteur: 10,5 litres (2,4 l)

Modèles concurrents
Ford Contour/Mercury Mystique • Honda Accord • Hyundai Sonata • Mazda 626 • Nissan Altima • Oldsmobile Alero/Pontiac Grand Am • Toyota Camry

Quoi de neuf?
Calandre retouchée (Cirrus) • Nouvelles roues chromées (Cirrus) • Suspension révisée • Insonorisation améliorée • Retouches au tableau de bord

Verdict

Agrément	⊕ ⊕ ⊕ ⅁	Habitabilité	⊕ ⊕ ⊕ ⅁
Confort	⊕ ⊕ ⊕ ⅁	Hiver	⊕ ⊕ ⊕
Fiabilité	⊕ ⊕	Sécurité	⊕ ⊕ ⊕

Fière allure

On retrouve sur les modèles JA des défauts typiquement Chrysler, tels une boîte automatique paresseuse, lente à rétrograder et dépourvue de frein-moteur ainsi qu'un freinage moyen, mal servi de surcroît par une pédale spongieuse. Et comme dans les autres voitures de ce constructeur, le seuil élevé du coffre nuit à la visibilité vers l'arrière. Un caprice de style, en somme, mais c'est le prix à payer pour se promener à bord d'une des plus belles berlines de cette catégorie – sinon LA plus belle. La Cirrus et ses deux sœurs ont fière allure, et ce, sous tous les angles. De plus, leurs formes vieillissent merveilleusement bien. Cette fois, c'est le Japon qui ne peut soutenir la comparaison, la presque totalité de sa production automobile souffrant d'aseptisation en matière de design.

> **Trop belles pour être mauvaises.**

Pour concevoir les modèles JA, Chrysler est demeurée fidèle au concept de cabine avancée, le seul qui a désormais droit de cité chez ce manufacturier. Le comportement routier comme l'habitabilité en bénéficient grandement. Signe d'un bon équilibre des masses, la caisse reste neutre en tout temps, même dans les virages plus prononcés, et la tenue de route de ces berlines les place dans le peloton de tête.

Plus spacieuses que leurs rivales, surtout en ce qui concerne le dégagement pour les jambes à l'arrière, elles comportent également un coffre de bonne capacité, dont le volume peut être augmenté grâce à un dossier rabattable. À l'avant, les sièges procurent un confort de premier ordre, tout en offrant un maintien digne de ce nom. La présentation intérieure varie selon les modèles et les versions, on s'en doute, mais on a opté pour l'uniformisation en ce qui a trait à la planche de bord. Celle-ci est complète et facile à consulter. L'accès aux diverses commandes ne pose aucun problème. Seule la petitesse du coffre à gants et des espaces de rangement prive l'ergonomie d'une note parfaite. Mentionnons en terminant la finition irréprochable de l'exemplaire qui nous avait été confié.

Si le présent est garant du futur, la prochaine génération des Cirrus / Stratus / Breeze laisse entrevoir de belles promesses, tout comme le rachat de Chrysler par le groupe Daimler-Benz. Ces berlines sont bien nées et quelques améliorations stratégiques leur donneraient les outils qu'il faut pour être en mesure de menacer le règne des Honda Accord, Toyota Camry et cie.

Philippe Laguë

Chrysler Concorde · Intrepid

Chrysler Intrepid

Superbe... à tous points de vue

Je n'irai pas par quatre chemins! La Chrysler Intrepid qui fait l'objet de cet essai est non seulement la plus belle, mais aussi la meilleure grande voiture à avoir vu le jour à Detroit. À ses côtés, les gros formats de Ford ou General Motors ne font pas le poids, tant au point de vue du coup d'œil que du comportement routier (voir match comparatif). Et cela vaut également pour la Concorde, la sœur jumelle de l'Intrepid. Si Chrysler a fait ses devoirs et que ces nouvelles venues sont mieux construites que les modèles de la première génération, elles risquent de modifier complètement la perception négative qui prévaut chez nous quand il est question des «grosses» voitures américaines.

Le premier duo Concorde/Intrepid a fait fureur à son apparition sur le marché il y a cinq ans. On présentait ces nouvelles voitures comme étant de taille «intermédiaire», mais leurs dimensions et leur habitabilité les rapprochaient davantage des modèles grand format. Elles ont connu un succès instantané qui s'est par la suite amenuisé lorsque les spécialistes de la consommation ont souligné leur piètre qualité de construction. Il importe donc que les modèles de la seconde génération soient parfaitement fignolés si Chrysler entend capitaliser sur leur côté immensément séducteur.

Mon essai, réalisé en hiver sur des routes particulièrement atroces, ne m'a pas permis de déceler la moindre lacune, du moins en ce qui a trait à la robustesse de la carrosserie. Même sur des revêtements profondément abîmés par le dégel, l'Intrepid ne faisait entendre aucun bruit. Pas de blague, je me serais cru à certains

moments au volant d'une allemande impeccablement boulonnée. Voilà qui augure bien pour ces nouvelles Chrysler.

Belle et spacieuse

L'Intrepid donne tout son sens à l'expression «beauté mobile», grâce à une ligne qui n'est pas sans rappeler celle d'un coupé. Vu de profil, cet arc tendu qui relie gracieusement les deux extrémités de la voiture est d'une rare élégance. Le seul hic est que la courbe plongeante du pavillon oblige à pencher la tête un peu plus au moment d'accéder aux places arrière. Une fois installé, toutefois, on y bénéficie d'énormément d'espace, suffisamment en tout cas pour trois personnes. Le coffre à bagages est dans la même veine, mais sa profondeur est telle qu'il faut pratiquement y monter pour aller récupérer les objets qui sont allés se balader dans le fond. Le petit filet pour emprisonner les sacs d'épicerie que l'on a ajouté aux modèles 1999 est le bienvenu. Dommage toutefois que le seuil du coffre soit aussi élevé.

Un autre inconvénient du design est que la visibilité arrière a été carrément sacrifiée, ce qui complique indûment les manœuvres quand vient le moment de garer le véhicule entre deux voitures.

Autant les lignes de l'Intrepid dénotent la bonne inspiration des stylistes de Chrysler, autant la présentation intérieure est décevante. À part les cadrans à fond blanc et leur éclairage bleuté la nuit, l'originalité fait cruellement défaut au tableau de bord. Tissus et plastique ont un petit côté bon marché qui fait contraste avec l'élégance générale de cette voiture. La radio aussi pourrait être de meilleure qualité et, en conduite nocturne, les phares ne sont pas assez puissants, malgré la présence de projecteurs d'appoint. Hormis ces quelques détails, l'aménagement intérieur de l'Intrepid

Chrysler Intrepid

Pour
Belle, très belle • Moteur bien adapté • Excellente habitabilité • Caisse solide • Comportement routier étonnant

Contre
Fiabilité à prouver • Seuil élevé du coffre • Freins sous-assistés • Mauvaise visibilité arrière • Bruit de vent

Caractéristiques

Échelle de prix:	voir page 11 et suivantes
Modèle / Prix:	ES / 29 015 $
Type:	berline / traction
Empattement:	287 cm
Longueur:	517 cm
Largeur:	190 cm
Hauteur:	142 cm
Poids:	1587 kg
Coffre / Réservoir:	521 litres / 65 litres
Coussins de sécurité:	conducteur et passager
Système antipatinage:	oui
Suspension av. / arr.:	indépendante
Freins av. / arr.:	disque ABS
Direction:	à crémaillère, assistée
Diamètre de braquage:	11,5 mètres
Pneus av. / arr.:	P225/60R16
Valeur de revente:	moyenne (modèle antérieur)
Garantie de base:	3 ans / 60 000 km

Motorisation et performances

Moteur / Transmission:	V6 3,2 litres / aut. 4 rapports avec «AutoStick»
Puissance / Couple:	225 ch à 6300 tr/min / 225 lb-pi à 3800 tr/min
Autre(s) moteur(s):	V6 2,7 litres 200 ch
Transmission optionnelle:	automatique 4 rapports surmultipliée
Accélération 0-100 km/h:	9,0 secondes autre moteur: 10,8 secondes
Vitesse maximale:	200 km/h
Freinage 100-0 km/h:	39,2 mètres
Consommation (100 km):	10,6 litres autre moteur: 10,4 litres

Modèles concurrents
Ford Taurus/Mercury Sable • Honda Accord • Toyota Camry • Oldsmobile Intrigue • Nissan Maxima • Buick Regal

Quoi de neuf?
Filet de retenue des bagages • Réduction du bruit et des vibrations • Tapis de l'habitacle plus luxueux

Verdict

Agrément	⊕ ⊕ ⊕ ⊕	Habitabilité	⊕ ⊕ ⊕ ⊕ (
Confort	⊕ ⊕ ⊕ ⊕	Hiver	⊕ ⊕ ⊕ (
Fiabilité	⊕ ⊕ ⊕	Sécurité	⊕ ⊕ ⊕ ⊕

est plutôt réussi. Avec l'assistance d'un volant réglable et d'un repose-pied, la position de conduite est agréable. De plus, on dispose de bons espaces de rangement.

Filez, filez ô mon navire

L'Intrepid a beau être longue comme le *Titanic,* elle tient drôlement bien la route. Même à des vitesses excessives, le roulis et le sous-virage qu'on s'attend à expérimenter sont pratiquement absents. Et pour faire une autre analogie avec la terminologie maritime, la tenue de cap est impressionnante. À 200 km/h (vitesse maximale), l'Intrepid file droit comme une flèche. En revanche, les lignes fluides de la voiture n'arrivent pas à apaiser le bruit du vent, même autour de 120 km/h. D'une fermeté de bon aloi, la suspension procure néanmoins un confort très convenable.

Un coup d'éclat si...

La version ES mise à l'essai pouvait compter sur le nouveau V6 de 3,2 litres de 225 chevaux, soit 11 de plus que l'ancien 3,5 litres. La puissance n'est pas phénoménale, mais elle est bien servie par une transmission automatique qui permet d'en tirer profit aux vitesses les plus courantes. Quant au mode «AutoStick» qui permet de passer les rapports manuellement, je persiste à croire que c'est le genre de gadget dont on se lasse rapidement. La motricité bénéficie d'un antipatinage qu'on peut heureusement annuler pour se sortir d'une ornière en balançant la voiture. Et pour terminer cet inventaire, la direction possède une assistance bien dosée, tandis que le freinage, progressif et endurant en dépit de la masse à stopper, exige un effort à la pédale qui m'apparaît supérieur à la moyenne.

Sans l'ombre d'un doute, le duo Intrepid/Concorde a toutes les qualités voulues pour faire taire les préjugés actuels à l'endroit des grosses voitures. Si la fiabilité y est, Chrysler pourra être fière de son coup.

Jacques Duval

Chrysler Sebring cabriolet

Chrysler Sebring cabriolet

La reine de la catégorie

Non seulement la compagnie Chrysler a relancé la popularité des cabriolets au début des années 80, mais elle domine ce secteur du marché depuis plus d'une décennie. Lors de son lancement il y a deux ans, la nouvelle Sebring cabriolet a bénéficié d'une foule d'améliorations inspirées par les suggestions et demandes des propriétaires de cabriolets Chrysler déjà sur la route. Les concepteurs ont retenu qu'il fallait conserver un prix abordable, en plus d'ajouter à la polyvalence de cette voiture.

Tant et si bien que la Sebring possède une foule de caractéristiques qui lui permettent même de jouer le rôle d'unique voiture familiale au lieu de se contenter d'être un véhicule spécialisé utilisé de façon saisonnière. Parmi les caractéristiques dignes de mention, il faut souligner que ce cabriolet peut aisément accommoder, aux places arrière, deux adultes qui pourront bénéficier d'un généreux dégagement pour les jambes et la tête. De plus, l'accès à la banquette arrière est grandement facilité par l'utilisation de sièges avant dotés d'une ceinture de sécurité incorporée à la structure.

Les cabriolets n'ont pas toujours été reconnus pour bien s'adapter à la conduite hivernale. Ceux qui ont déjà été propriétaires d'une décapotable dotée d'une capote non isolée, dont la lunette arrière était constituée d'un simple plastique transparent, ne conservent pas nécessairement un bon souvenir de leurs hivers. La Sebring remédie à ces inconvénients à l'aide d'un toit isolé assurant une bonne protection contre le froid. De plus, la lunette arrière en verre intègre un désembueur électrique, un must pour nos hivers. Comme

dans tous les cabriolets, la visibilité $3/4$ arrière est plutôt modeste, mais on s'y habitue assez rapidement.

Pour déployer ou abaisser le toit souple, il suffit d'appuyer sur un bouton. Le mécanisme est simple et fiable. Pour limiter les coûts, les ingénieurs ont opté pour un processus de verrouillage manuel du toit à la barre supérieure du pare-brise. Toujours pour la même raison, la cache de la toile est de type souple. Elle se remise dans le coffre lorsqu'elle n'est pas utilisée et il faut l'installer manuellement, une fois le toit baissé. L'opération prend moins de deux minutes, mais la housse occupe une bonne proportion du coffre lorsqu'elle est remisée.

Un autre élément positif de la Sebring est l'absence de turbulence aux places avant lorsqu'on roule à haute vitesse. Il est en effet possible d'écouter la radio sans peine ou de converser avec le passager avant sans hausser le ton. Les occupants des places arrière sont plus exposés, mais la turbulence est tout de même moindre que dans certains autres modèles de la concurrence.

À ne pas confondre

Chrysler produit deux modèles Sebring, un coupé et un cabriolet. En règle générale, c'est le cas chez Volvo, par exemple, les deux modèles utilisent la même plate-forme et les mêmes groupes propulseurs. Les deux Sebring ont cependant des origines différentes. Le coupé fait appel à une plate-forme dérivée de la défunte Eagle Talon, tandis que le cabriolet utilise celle des berlines Stratus/Cirrus.

Comme il se doit, la plate-forme du cabriolet a été renforcée afin d'offrir une bonne rigidité. Il faudrait toutefois que les ingénieurs

Chrysler Sebring cabriolet

Pour
Silhouette agréable • Places arrière spacieuses • Toit isolé • Version JXi • Faible turbulence le toit baissé

Contre
Rigidité à améliorer • Pilier «A» imposant • Moteur 4 cylindres gourmand • Direction floue • Boîte AutoStick peu convaincante

Caractéristiques
Échelle de prix:	voir page 11 et suivantes
Modèle / Prix:	JXi Limited / 38 970 $
Type:	cabriolet / traction
Empattement:	269 cm
Longueur:	490 cm
Largeur:	178 cm
Hauteur:	139 cm
Poids:	1506 kg
Coffre / Réservoir:	311 litres / 60 litres
Coussins de sécurité:	conducteur et passager
Système antipatinage:	oui (en option)
Suspension av. / arr.:	indépendante
Freins av. / arr.:	disque ABS
Direction:	crémaillère, assistance variable
Diamètre de braquage:	11,6 mètres
Pneus av. / arr.:	P215/55R16
Valeur de revente:	bonne
Garantie de base:	3 ans / 60 000 km

Motorisation et performances
Moteur / Transmission:	V6 2,5 litres / automatique 4 rapports		
Puissance / Couple:	168 ch à 5800 tr/min / 170 lb-pi à 4350 tr/min		
Autre(s) moteur(s):	4L 2,4 litres 150 ch (JX)		
Transmission optionnelle:	aucune		
Accélération 0-100 km/h:	9,3 secondes	autre moteur:	11,1 secondes
Vitesse maximale:	185 km/h		
Freinage 100-0 km/h:	43,0 mètres		
Consommation (100 km):	12,2 litres	autre moteur:	11,9 litres

Modèles concurrents
Ford Mustang • Chevrolet Camaro • Mazda Miata

Quoi de neuf?
Coussins de sécurité moins puissants • Nouveaux coloris • Agencement des groupes d'option

Verdict
Agrément	☻☻☻	Habitabilité	☻☻☻☺
Confort	☻☻☻☺	Hiver	☻☻☻☺
Fiabilité	☻☻☻	Sécurité	☻☻☺

révisent certains de leurs calculs. En effet, le passage de trous et de bosses provoque des secousses dans le capot et certaines vibrations dans le volant. Le plus curieux, c'est que ce comportement n'est pas régulier. La plupart du temps, la voiture est stable et avale les imperfections de la chaussée sans broncher. En d'autres circonstances, c'est moins réussi. Par contre, la Sebring a au moins l'excuse de se vendre à un prix très alléchant, compte tenu de son équipement et de sa présentation générale.

Il faut de plus souligner qu'un essai à long terme effectué l'an dernier par l'équipe du *Guide* s'est révélé très positif côté fiabilité, alors que la Sebring n'a connu aucun ennui mécanique.

Intéressant rapport agrément/ prix.

Le V6 s'impose
Les statistiques de ventes colligées par Chrysler ont démontré que les clients préféraient dans une proportion de 3 à 1 le modèle JXi avec son équipement plus complet et son moteur V6 de 168 chevaux. Cette tendance a même incité la direction à ajouter un modèle Limited encore plus luxueux, doté de la boîte AutoStick, permettant de changer les vitesses en mode manuel ou automatique. Encore une fois, les clients ont modifié la donne. L'un des points forts de la Sebring est son prix abordable. En revanche, au lieu de profiter de la carte de l'économie, les acheteurs ont sauté sur les versions plus luxueuses, donc plus chères.

Il faut souligner que Chrysler leur a quelque peu forcé la main, puisque le modèle animé par le 4 cylindres laisse les gens sur leur appétit. Ce moteur semble toujours peiner à la tâche, tandis que le V6 est plus doux et plus performant. Il possède 18 chevaux de plus et les utilise à son plein avantage. Quant au comportement routier, il est prévisible et efficace sans être exceptionnel pour autant. Les conducteurs sportifs devront opter pour les versions JXi ou Limited avec des pneus de 16 pouces et une suspension Touring.

Il est facile d'expliquer pourquoi le Sebring est le cabriolet le plus vendu en Amérique. C'est un modèle en mesure de satisfaire les attentes d'une vaste majorité d'acheteurs, tout en respectant leurs capacités financières.

Denis Duquet

Daewoo Lanos • Leganza • Nubira

Daewoo Lanos

Une nouvelle venue dans la guerre des prix

Malgré un climat économique très difficile en Corée, la compagnie Daewoo s'installera au Canada en 1999, à la surprise de plusieurs. En effet, Dame Rumeur laissait croire que plusieurs autres manufacturiers coréens étaient intéressés à venir tâter le marché canadien, mais Daewoo ne figurait pas nécessairement en tête de liste.

S a venue n'était pas prévue, mais Daewoo s'installe au Canada avec le même dynamisme qui lui a permis de devenir l'un des plus importants conglomérats industriels d'Asie. À peine son arrivée au pays fut-elle annoncée au début du mois d'août qu'une infrastructure commerciale a été mise en place, un directeur des communications engagé et plusieurs concessionnaires potentiels contactés. Bref, d'ici le printemps 1999, Daewoo deviendra une marque qui aura pignon sur rue au Canada. Et ce constructeur coréen n'arrive pas les mains vides, puisqu'il nous propose trois modèles de conception toute récente, dont la silhouette respecte les grandes tendances esthétiques en vigueur.

Détail intéressant, les trois modèles qui seront offerts aux automobilistes canadiens ont été développés en moins de deux ans. La Lanos fut la première Daewoo de la nouvelle génération à entrer en scène en novembre 1996. Elle a été suivie par la Nubira, une voiture de catégorie compacte dévoilée en février 1997. Finalement, la Leganza a été présentée un mois plus tard.

Cette entrée en scène n'a rien de comparable avec l'arrivée de Hyundai au Canada au début des années 80. À cette époque, le numéro un coréen fabriquait la Pony, une voiture désuète, dont la seule qualité était un prix ridiculement bas.

Daewoo? Connais pas!

Même si Daewoo est un consortium économique, dont le chiffre d'affaires dépasse les 65 milliards de dollars US, même si elle est classée au vingt-quatrième rang des entreprises mondiales par le magazine *Fortune,* cette compagnie est peu connue ici.

Pour satisfaire votre curiosité, voici donc un cours abrégé sur l'évolution de Daewoo depuis sa fondation en 1967. Modeste compagnie du secteur des textiles à ses débuts, ce groupe a connu une progression phénoménale, puisque 30 ans plus tard il regroupait 31 compagnies sur le marché coréen et 450 filiales réparties sur tous les continents de la planète. En 1997, le groupe employait plus de 250 000 personnes.

En 1978, Daewoo acquiert 50 p. 100 des actions de Saehan Motors, faisant ainsi son entrée dans le secteur automobile. Elle change son nom pour Daewoo Motor Co. Puis, en 1992, elle achète l'autre moitié des actions de l'entreprise, jusqu'alors détenue par General Motors.

Ce rachat marquait la fin d'un partenariat de 20 ans avec le géant américain. Désormais indépendant, le constructeur coréen entreprenait de devenir l'un des plus importants producteurs automobiles de la planète. En plus de posséder quatre usines en Corée, Daewoo est propriétaire de centres de production dans plusieurs pays de l'ancien bloc de l'Est. Le manufacturier coréen est présent en Pologne, en Roumanie, en République tchèque, en Ouzbékistan, en Inde, en Chine, en Iran, aux Philippines, au Viêt-nam et en Indonésie. Les installations hors de Corée les plus importantes sont celles de la Pologne avec plus de 25 000 employés.

La compagnie possède un centre de recherche et développement à Pupyong, en Corée. Celui-ci a été construit en 1983. Daewoo opère également des centres de recherche à Worthing, en Grande-Bretagne, et à Munich, en Allemagne.

C'est grâce à ses capacités de recherche et de développement que ce manufacturier a été en mesure de produire trois voitures modernes dans un laps de temps relativement court. Tous ces efforts ont pour but de permettre à Daewoo de développer une capacité de production de plus de 2 millions de véhicules d'ici l'an 2000 et de figurer parmi les 10 plus importants producteurs mondiaux. C'est du moins le but visé, bien qu'il paraisse aujourd'hui très ambitieux, compte tenu de la crise économique en Asie.

Cette compagnie revue et corrigée à partir de 1992 ne ressemble plus tellement à l'ancienne, dont la seule vocation ou presque était de produire des voitures économiques pour General Motors, le tout basé sur d'anciens designs et faisant appel à une mécanique simpliste. Avec ses nouvelles visées et une gamme de modèles de conception récente, Daewoo est prête à s'attaquer à notre marché.

Le cours d'histoire enfin terminé, parlons maintenant des voitures qui seront commercialisées en Amérique.

Lanos: la sous-compacte

Chez Daewoo, on a procédé au développement des nouveaux modèles avec une rigueur presque germanique en dévoilant une sous-compacte d'abord, pour ensuite progresser vers les modèles aux dimensions plus généreuses. La Lanos est fabriquée en versions berline et *hatchback* 3 portes. Elle est animée par un 4 cylindres 1,6 litre à double arbre à cames en tête développant 105 chevaux. Ce moteur se démarque par un système d'admission d'air à géométrie variable afin d'obtenir une performance optimisée en tout temps. Il est offert avec une boîte manuelle à 5 rapports ou une automatique à 4 rapports.

Comme sur la plupart des voitures de cette catégorie, la suspension avant utilise des jambes de force MacPherson, tandis qu'une poutre déformante associée à des bras tirés permet aux roues arrière d'assurer tenue de route et stabilité. Cette traction est freinée par la combinaison disque avant / tambour arrière et le système ABS est offert en option. Par contre, la direction assistée est de série.

Ce modèle plus petit qu'une Escort, mais plus imposant qu'une Hyundai Accent, compte sur des roues de 14 pouces pour assurer un bon comportement et les experts s'entendent pour lui accorder d'assez bonnes notes à ce chapitre. Par contre, la finition et la qualité des matériaux ne sont pas encore à la hauteur des japonaises, même si la présentation de l'habitacle est plus inspirée. Il faut souligner au passage que c'est le designer italien Giugiaro qui a dessiné cette voiture qui arbore la calandre très distinctive de la marque comprenant un trapèze au centre.

Nubira: même une familiale

Tout permet de croire que c'est le modèle Nubira qui sera le plus populaire, tout simplement parce que la catégorie des grosses compactes est le secteur le plus actif du marché canadien. D'ailleurs, l'Elantra est le modèle le plus vendu chez Hyundai et la Nubira devrait faire de même chez Daewoo. Il faut déjà s'attendre à une guerre de prix entre ces deux marques.

Nubira

Nubira familiale

Quant à la voiture elle-même, sa silhouette peut être décrite comme dans la bonne moyenne, tout en étant générique. En fait, c'est une fois de plus la grille de calandre qui vient donner un peu plus de caractère à cette compacte.

Sur le plan de la mécanique, cette traction est dotée d'un moteur 4 cylindres 2,0 litres d'une puissance de 129 chevaux. Il est couplé à une boîte manuelle à 5 rapports, tandis que l'automatique est en option. En plus des incontournables jambes de force MacPherson à l'avant, la suspension arrière est indépendante. Elle fait appel à des liens multiples travaillant de concert avec des ressorts hélicoïdaux. Et contrairement à la petite Lanos, la Nubira est freinée par des disques aux 4 roues.

Légèrement plus longue qu'une Toyota Corolla, mais plus courte qu'une Saturn, cette coréenne ajoute à sa polyvalence en proposant une version familiale assez réussie.

Leganza: la plus prestigieuse

Chez Daewoo, on est particulièrement fier de la Leganza, cette berline intermédiaire, dont les cotes s'apparentent à celles d'une Ford Contour. La carrosserie est signée Italdesign et c'est la berline la plus élégante des trois, même si la Lanos est plus audacieuse à ce chapitre. Dans l'ensemble, elle pourrait passer pour une japonaise de bonne souche, mais sa calandre bien particulière lui permet de se démarquer.

L'habitacle est également relevé côté présentation avec sa console centrale abritant les commandes de la radio et de la climatisation. La finition est sérieuse dans l'ensemble, même si les matériaux ne sont pas encore tout à fait à l'égal de ce que les constructeurs nippons ont de mieux à offrir. Il faut souligner que

Type M

Ssangyong Musso

Daewoo Leganza

Pour	Contre
Silhouette élégante • Attrait de la nouveauté • Mécanique moderne • Habitacle spacieux • Tableau de bord complet	Fiabilité inconnue • Valeur de revente à déterminer • Distribution limitée • Moteur un peu juste en puissance • Absence de boîte manuelle

Caractéristiques

Échelle de prix:	voir page 11 et suivantes
Modèle / Prix:	Leganza / n. d.
Type:	berline / traction
Empattement:	267 cm
Longueur:	467 cm
Largeur:	178 cm
Hauteur:	144 cm
Poids:	1370 kg
Coffre / Réservoir:	400 litres / 60 litres
Coussins de sécurité:	conducteur et passager
Système antipatinage:	non
Suspension av. / arr.:	indépendante
Freins av. / arr.:	disque ABS
Direction:	à crémaillère, assistance variable
Diamètre de braquage:	11 mètres
Pneus av. / arr.:	P205/60R15
Valeur de revente:	inconnue / nouveau modèle
Garantie de base:	n. d.

Motorisation et performances

Moteur / Transmission:	4L 2,2 litres / automatique 4 rapports
Puissance / Couple:	131 ch à 5400 tr/min / 148 lb-pi à 4400 tr/min
Autre(s) moteur(s):	aucun
Transmission optionnelle:	aucune
Accélération 0-100 km/h:	11,1 secondes
Vitesse maximale:	198 km/h
Freinage 100-0 km/h:	n. d.
Consommation (100 km):	12,6 litres

Modèles concurrents

Hyundai Sonata • Nissan Altima • Chevrolet Malibu • Ford Contour • Plymouth Breeze

Quoi de neuf?

Nouveau modèle

Verdict

Agrément	⊕ ⊕ ⊕	Habitabilité	⊕ ⊕ ⊕
Confort	⊕ ⊕ ⊕ ∈	Hiver	⊕ ⊕ ∈
Fiabilité	Nouveau modèle	Sécurité	⊕ ⊕ ⊕

l'habitacle est de dimensions généreuses: même les grands gabarits pourront s'y loger avec confort.

Sa suspension indépendante aux 4 roues conçue avec l'aide de Lotus Engineering utilise des jambes de force à l'avant comme à l'arrière. Cela a pour avantage d'offrir plus d'espace pour les places arrière en raison d'un encombrement moindre de la suspension dans l'habitacle. La direction est à assistance variable et les freins ABS de série. Il s'agit d'un système Bosch à 4 canaux.

La Leganza est animée par un 4 cylindres 2,2 litres à double arbre à cames en tête, dont la puissance est de 131 chevaux. Une quinzaine de chevaux supplémentaires lui permettraient de mieux se comparer à la concurrence, d'autant plus que seule la boîte automatique à 4 rapports est offerte. Malgré tout, les performances sont honnêtes, puisqu'il faut 11,1 secondes pour boucler le 0-100 km/h.

Le bénéfice de la nouveauté.

Ce n'est qu'un début

Daewoo compte sur ce trio de modèles pour s'implanter en Ontario et au Québec avant d'ouvrir des établissements partout ailleurs au Canada. Et si la demande initiale est forte, cette compagnie pourrait facilement multiplier le nombre de modèles. Par exemple, elle pourrait aisément offrir une gamme d'utilitaires sport sur notre marché, puisque Daewoo s'est portée acquéreur de la compagnie Ssangyong, dont les véhicules tout-terrains sont très populaires en Corée et dans plusieurs autres pays. Le modèle Musso, avec son moteur Mercedes, figurerait bien dans notre marché.

Et si jamais la catégorie des microvoitures prenait de l'ampleur, Daewoo possède dans sa famille plusieurs modèles intéressants, dont le Type M qui s'est attiré des critiques favorables.

Ce manufacturier entreprend donc sa pénétration au Canada tambour battant. Malgré tout, c'est le public qui aura le dernier mot et qui sera en mesure de transformer en échec ou en succès cette entrée en scène. Le marché est saturé, l'offre excède la demande et les manufacturiers se livrent à une guerre des prix pour attirer les clients. Mais Daewoo a réussi à s'implanter sur des marchés difficiles et croit être en mesure de le faire au Canada et aux États-Unis.

Denis Duquet

Dodge Avenger • Chrysler Sebring

Dodge Avenger

L'élégance avant tout

Pour vanter les mérites de ces deux coupés sportifs, les rédacteurs des communiqués de presse de Chrysler les décrivent comme élégants, spacieux et de prix abordable. Voilà des qualificatifs qui respectent très bien leur caractère. Vous avez certainement remarqué que les mots performances, agrément de conduite et tempérament sportif n'ont jamais été utilisés. Quand on sait à quel point ces gens aiment les superlatifs, on a une bonne idée de la vocation de ces deux voitures.

I est facile de critiquer le caractère très bourgeois de ce tandem. Pourtant, force est de reconnaître que Chrysler fait appel à une logique implacable. Les coupés vraiment purs et durs sont une espèce en voie de disparition ou presque, comme l'ont compris plusieurs constructeurs. De plus, ils attirent de jeunes acheteurs qui sont souvent découragés par des primes d'assurances vraiment prohibitives. En suivant la voie de la raison, Chrysler a créé non pas un coupé sport, mais une «berline 2 portes» s'adressant à un public désirant une voiture élégante, confortable, spacieuse et de prix abordable. Bref, on respecte à la lettre la description extraite du cahier de presse, dont je faisais mention en début de texte.

Les stylistes de Chrysler ont, une fois de plus, touché la cible en plein milieu. La silhouette de ces deux voitures est à la fois racée et dynamique. Cependant, au fil des années, on a ajouté quelques accessoires extérieurs pour donner un peu plus de punch, avec un résultat pas très sérieux, surtout sur la Sebring. Par contre, cette dernière se démarque par ses roues en alliage à rayons multiples

qui sont bien en évidence. Et contrairement à ce qui est le cas dans plusieurs coupés sportifs, dont les places arrière sont très exiguës, celles de l'Avenger / Sebring peuvent accueillir 2 adultes sans que ces derniers soient obligés de souffrir le martyre lors d'un long trajet ou de se contorsionner pour quitter l'habitacle. Ces personnes pourront même voyager avec quelques bagages, car le coffre est très généreux, bien que l'accès en soit limité par une ouverture très petite. C'est dommage, puisque le dossier arrière 60/40 se rabat pour permettre de transporter des objets longs. Il faut déplorer par la même occasion le manque d'espaces de rangement à l'avant et la petitesse de ceux qui sont offerts.

Prix et performances modestes

Ces deux élégantes se vendent également à des prix qui font grimacer la concurrence. Pour moins de 30 000 $, il est possible de se retrouver au volant d'un coupé très bien équipé, possédant un look d'enfer et… offrant des performances bien moyennes. Pour vendre une voiture aussi bien équipée à de tels prix, il était impossible de mettre l'accent sur une mécanique performante.

Il ne faut pas croire que les moteurs sont vieillots ou désuets. On a tout simplement utilisé des moteurs de grande série, dont les qualités de robustesse, de fiabilité et de consommation raisonnable surpassent de loin les critères de performance. Le moteur de série est un 4 cylindres 2,0 litres développant 140 chevaux. C'est très honnête, compte tenu de la cylindrée, mais ses performances sont tout aussi modestes que sa consommation de carburant. Malgré plusieurs tentatives, il a été impossible de briser la barre des 10,3 secondes au 0-100 km/h, une performance surpassée par

Dodge Avenger

Pour

Silhouette aguichante • Cabine spacieuse • Équipement complet • Comportement routier prévisible • Coffre généreux

Contre

Performances moyennes • Espaces de rangement minuscules • Moteur V6 essoufflé • Ouverture du coffre trop petite • Pédale de freins spongieuse

Caractéristiques

Échelle de prix:	voir page 11 et suivantes
Modèle / Prix:	ES / 27 890 $
Type:	coupé / traction
Empattement:	263 cm
Longueur:	485 cm
Largeur:	177 cm
Hauteur:	135 cm
Poids:	1450 kg
Coffre / Réservoir:	371 litres / 60 litres
Coussins de sécurité:	conducteur et passager
Système antipatinage:	non
Suspension av. / arr.:	indépendante
Freins av. / arr.:	disque (ABS optionnel)
Direction:	à crémaillère, assistance variable
Diamètre de braquage:	12,4 mètres
Pneus av. / arr.:	P215/50HR17
Valeur de revente:	passable
Garantie de base:	3 ans / 60 000 km

Motorisation et performances

Moteur / Transmission:	V6 2,5 litres / automatique 4 rapports
Puissance / Couple:	163 ch à 5500 tr/min / 170 lb-pi à 4350 tr/min
Autre(s) moteur(s):	4L 2,0 litres 140 ch
Transmission optionnelle:	manuelle 5 rapports
Accélération 0-100 km/h:	9,5 secondes	autre moteur: 10,3 secondes
Vitesse maximale:	195 km/h
Freinage 100-0 km/h:	45,4 mètres
Consommation (100 km):	11,8 litres	autre moteur: 9,7 litres

Modèles concurrents

Acura CL • Chevrolet Camaro/Pontiac Firebird • Ford Mustang • Mercury Cougar • Toyota Celica

Quoi de neuf?

Coussins gonflables moins puissants • Nouvelles couleurs

Verdict

Agrément	⊕ ⊕	Habitabilité	⊕ ⊕ ⊕ (
Confort	⊕ ⊕ ⊕ ⊕	Hiver	⊕ ⊕ ⊕
Fiabilité	⊕ ⊕ ⊕	Sécurité	⊕ ⊕ ⊕ (

plusieurs berlines, dont la Chrysler Concorde, pourtant destinée à jouer les bourgeoises.

À la consultation de la fiche technique, plusieurs vont se rassurer en voyant qu'un V6 2,5 litres est offert en option. Il ne faut pas se leurrer. Ce 6 cylindres est plus doux, développe 23 chevaux de plus que le 2,0 litres et consomme un peu plus. Pourtant, ses performances lui permettent à peine de se démarquer d'une version moins cossue animée par le 4 cylindres associé à une boîte manuelle à 5 rapports. En fait, il arrive de peine et de misère à effectuer un 0-100 km/h en 9,5 secondes et des poussières. Il est vrai qu'il ne peut être commandé qu'avec la boîte automatique, ce qui lui enlève un peu de mordant.

Des sportives de salon.

Le confort avant le sport

Malgré leur allure de grandes sportives prêtes à dévorer les courbes, aussi bien la Sebring que l'Avenger se comportent de façon honnête sans pour autant faire monter le niveau d'adrénaline de leur conducteur. En fait, ces deux voitures affichent un comportement correct, sans plus. La direction engourdie vient atténuer quelque peu le feed-back de la route, tandis que la voiture est relativement neutre en virage et le roulis de la caisse très bien contrôlé. Par contre, les amortisseurs sont réglés en fonction du confort et la voiture perd quelque peu de sa prestance lorsqu'elle est poussée dans ses derniers retranchements. Il est heureusement facile de la récupérer et ce, malgré des freins spongieux responsables d'une distance d'arrêt relativement longue.

Ce tandem privilégie donc le confort, même si l'agrément de conduite en souffre. Il est toutefois fort bien adapté à la conduite sur les autoroutes et aux courses quotidiennes. Il faut le répéter une fois de plus, Chrysler a choisi la raison et non la passion. C'est également la voix de la majorité. On laisse à la Viper et à la Prowler le soin d'exciter les enthousiastes et de faire rêver les mordus.

Denis Duquet

Dodge Durango

Dodge Durango

Un habile compromis

Même si cette tendance défie la plus élémentaire logique, les utilitaires sport de grand format ont toujours la cote. D'ailleurs, toutes les compagnies mettent les bouchées doubles pour développer des modèles à la fois plus spacieux et plus luxueux. Chez Dodge, on a trouvé une solution de compromis qui permet d'offrir un véhicule en harmonie avec ces objectifs sans tomber dans la démesure.

La compagnie Chrysler a réussi à tirer son épingle du jeu au cours des deux dernières décennies en développant des produits s'adressant à un nouveau secteur du marché. Ç'a été le cas avec les fourgonnettes, les camionnettes intermédiaires et certains véhicules sport. Le Durango découle de la même philosophie. Entre les utilitaires sport standards et ceux dont les dimensions sont trop généreuses, il y avait un créneau pour un véhicule moins encombrant, dont les caractéristiques techniques lui permettraient de rivaliser en force avec les gros formats et en agilité avec les versions au gabarit standard.

Dodge a réalisé ce compromis en faisant appel à la plate-forme de sa camionnette Dakota, un camion intermédiaire, dont les dimensions viennent justement s'insérer entre le très gros et le compact. Cette décision permettait d'obtenir le format recherché en plus de la robustesse d'un camion et d'un choix de moteurs adéquats pour le genre de travail anticipé.

Puissants mais gourmands

Depuis son lancement à l'automne 1997, nous avons pu prendre le volant de plusieurs exemplaires du Durango, ce qui a permis de confirmer que les premières impressions étaient bonnes. Ce Dodge tout-terrain livre la marchandise.

Mais avant de parler de comportement routier, il est important de se rappeler que sous cette élégante carrosserie se cachent la robustesse d'un camion et un éventail de groupes propulseurs drôlement costauds. Compte tenu de la puissance des moteurs offerts, le Durango sera parfois appelé à trimer dur. C'est pourquoi son châssis de camion a été modifié afin d'en améliorer la rigidité en torsion. Cela aura pour effet d'assurer non seulement un meilleur comportement routier, mais aussi un confort accru grâce à une caisse plus rigide qui élimine les bruits. La suspension a également été abaissée de 2,5 cm afin de faciliter l'accès à bord.

La suspension avant, comme celle du Dakota, fait appel à des barres de torsion, tandis que la combinaison ressorts elliptiques/essieu rigide a été retenue pour l'arrière. L'utilisation de points d'ancrage révisés permet d'assurer un confort assez surprenant pour un véhicule à essieu rigide arrière. Soulignons au passage que les freins ABS aux roues arrière sont fournis en équipement de série, tandis qu'un système aux 4 roues est offert en option.

Le Durango peut être animé par l'un des trois moteurs suivants: un V6 3,9 litres de 175 chevaux, un V8 5,2 litres de 230 chevaux ou l'imposant V8 5,9 litres d'une puissance de 245 chevaux. Le 6 cylindres est un peu juste en termes de puissance si vous avez l'intention de jouer au déménageur ou de rouler souvent sur des routes très boueuses. Quant au V8 5,9 litres, il est aussi puissant qu'assoiffé. Même si tous les gros V8 ont un bon appétit pour les hydrocarbures, celui-ci est particulièrement vorace. Le V8 5,2 litres est donc le choix le plus logique. Sa puissance est plus qu'adéquate

Dodge Durango

Pour

Bonne habitabilité • Caisse rigide • Espace à bagages généreux • Concept ingénieux • Direction plus précise • Silhouette flatteuse

Contre

• Moteurs gourmands • Tableau de bord terne • Accès aux places arrière difficile • Sièges arrière peu confortables • Levier du système 4X4 encombrant

Caractéristiques

Échelle de prix:	voir page 11 et suivantes
Modèle / Prix:	SLT / 39 655 $
Type:	utilitaire sport / traction intégrale
Empattement:	294 cm
Longueur:	491 cm
Largeur:	181 cm
Hauteur:	185 cm
Poids:	1790 kg
Coffre / Réservoir:	1453 litres / 95 litres
Coussins de sécurité:	conducteur et passager
Système antipatinage:	non
Suspension av. / arr.:	indépendante / essieu rigide
Freins av. / arr.:	disque / tambour ABS
Direction:	à billes, assistance variable
Diamètre de braquage:	11,9 mètres
Pneus av. / arr.:	P235/75R15
Valeur de revente:	très bonne
Garantie de base:	3 ans / 60 000 km

Motorisation et performances

Moteur / Transmission:	V8 5,2 litres / automatique 4 rapports	
Puissance / Couple:	230 ch à 4400 tr/min / 300 lb-pi à 3200 tr/min	
Autre(s) moteur(s):	V6 3,9 litres 175 ch / V8 5,9 litres 245 ch	
Transmission optionnelle:	aucune	
Accélération 0-100 km/h:	9,2 secondes	autre moteur: 8,7 secondes (5,9 l)
Vitesse maximale:	190 km/h	
Freinage 100-0 km/h:	41,5 mètres	
Consommation (100 km):	14,8 litres	autre moteur: 16,8 litres (5,9 l)

Modèles concurrents

Ford Expedition • Ford Explorer • Toyota 4Runner • Chevrolet Tahoe

Quoi de neuf?

Ajustement des groupes d'options • Commandes audio sur le volant

Verdict

Agrément	⊕ ⊕ ⊕ ⊕	Habitabilité	⊕ ⊕ ⊕ ⊕
Confort	⊕ ⊕ ⊕ ⊕	Hiver	⊕ ⊕ ⊕ ⊕
Fiabilité	⊕ ⊕	Sécurité	⊕ ⊕ ⊕

et sa consommation, bien qu'élevée, est plus raisonnable que celle de son grand frère.

Une illusion d'optique

De nos jours, les qualités esthétiques et d'habitabilité d'un véhicule sont fort appréciées. En plus de ses attributs mécaniques efficaces pour aller jouer dans la forêt, le Durango possède une silhouette relativement agréable qui met également en évidence sa personnalité macho. Ses épaules équarries, sa calandre imposante de même que les passages de roues élargis ne laissent aucun doute sur sa personnalité. Il faut également souligner une astuce des stylistes qui ont relevé la partie arrière du toit de 5 cm afin d'assurer un plus grand dégagement pour la tête aux occupants des places arrière. Et pour camoufler ce renflement, on a agencé un support de toit qui vient masquer le tout. Cette illusion d'optique est très efficace et ce support contribue à donner plus de caractère au Durango, tout en étant très pratique.

> Concept brillant, bonne exécution.

Quant à l'habitacle, il est sobre, trop sobre même. Le tableau de bord est équilibré et ergonomique, même s'il manque quelque peu de relief. Les sièges sont assez discrets et moyennement confortables, surtout aux places arrière. Comme cela semble de rigueur dans cette catégorie, une troisième banquette est offerte en option. Elle accommode surtout des enfants et se replie en un tournemain pour augmenter l'espace réservé aux bagages.

Routes et sentiers

L'an dernier, le Durango s'était démarqué par ses bonnes manières sur la route et sa capacité à attaquer les terrains en mauvaise condition. Cependant, une direction imprécise de même qu'une consommation élevée étaient à inscrire dans la colonne des moins. Quelques prises de contact plus tard, ce Dodge à tout faire n'a rien perdu de son habileté sur la route et hors route. En fait, sa direction semble beaucoup plus précise. En revanche, les moteurs V8 sont demeurés gourmands.

Le Durango est un excellent compromis pour les personnes à la recherche d'un tout-terrain robuste en forêt et à l'aise sur la grand-route. De plus, ses dimensions «songées» lui permettent d'être tout de même utilisable en ville, même si son gabarit et une visibilité arrière assez incertaine rendent les manœuvres de stationnement quelque peu délicates en certaines circonstances.

Denis Duquet

Dodge • Plymouth Neon

Dodge Neon

Trop peu, trop tard

La Neon de deuxième génération est prévue pour l'an 2000 et, si la tendance se maintient, elle devrait faire son apparition au printemps ou à l'été. Chose certaine, le plus tôt sera le mieux, car le bilan de son premier mandat n'est guère reluisant, et les améliorations reçues en cours de route n'ont pas réussi à renverser la vapeur.

Appelée à prendre la relève du duo Dodge Shadow / Plymouth Sundance, cette berline – qui porte le même nom quelle que soit la bannière sous laquelle elle est vendue – devait non seulement faire oublier ses tristes devancières, mais humilier la concurrence. Il est vrai que tout jouait en sa faveur: plus spacieuse et plus puissante que ses rivales, la Neon est de surcroît mignonne comme tout, ce qui ne gâche rien. Qui plus est, Chrysler, en pleine relance depuis le début de la décennie, occupait le devant de la scène américaine. Pour toutes ces raisons, nombreux furent ceux qui crurent d'emblée en cette nouvelle venue, avant même ses premiers tours de roues.

De ce fait, ils furent tout aussi nombreux à tomber dans le panneau, oubliant du coup les erreurs passées (mais pas si lointaines) des constructeurs américains. Plus d'une fois, ces derniers nous avaient fait le coup de la petite voiture qui devait écraser ses rivales importées. Cela nous a donné les glorieux tandems Chevrolet Vega/Pontiac Astre, Ford Pinto/Mercury Bobcat et, plus récemment, les Plymouth Horizon/Dodge Omni et les plates-formes X (Citation et cie) et J (Cavalier, Pontiac J2000) de GM. Que d'heureux souvenirs...

Hélas, la Neon était du même moule, ce qui n'a pas empêché plusieurs publications spécialisées *(sic),* et même une association de chroniqueurs automobiles (re-*sic*), de la nommer Voiture de l'année

lors de son lancement, en 1995. Ce qui en dit long sur l'importance et la crédibilité qu'il faut accorder à ce type de récompense...

Chassez le naturel...

Une fois l'effet de la nouveauté dissipé, la Neon n'a pas tardé à montrer que Chrysler, malgré d'indéniables progrès, n'avait pas encore fini d'exorciser ses démons. Un constructeur ne peut pas changer du tout au tout en seulement cinq ans; ainsi, en 1995, après une série de succès, Chrysler a renoué avec la médiocrité. Affligée d'une fiabilité précaire et d'une qualité d'assemblage risible, celle qui devait faire la leçon aux constructeurs européens et asiatiques souffrait en plus de défauts de conception impardonnables, tels une motorisation déficiente et une boîte automatique (à 3 rapports!) déjà désuète. Du même coup, la Neon est venue nous rappeler qu'il valait mieux être prudent avant d'acheter une voiture américaine qui en est à sa première année d'existence.

Cela dit, Chrysler s'est empressée de réagir aux critiques discordantes et aux doléances des premiers propriétaires de Dodge et Plymouth Neon. De toute façon, ce constructeur n'avait guère le choix, car il ne fallait surtout pas, après tant d'efforts, perdre le semblant de crédibilité retrouvé depuis quelques années. On a donc procédé de manière étapiste, en commençant par ce qui pressait le plus. Les contrôles de qualité ont été resserrés, ce qui s'est traduit par une finition et un assemblage plus rigoureux.

Un soin particulier fut aussi apporté à l'insonorisation, ce qui représentait une solution rapide et peu coûteuse à l'épineux problème du moteur. En effet, les deux motorisations proposées n'ont pour seule qualité que d'être performantes. Mais cela ne suffit pas:

Dodge/Plymouth Neon

Pour

Habitacle spacieux • Finition plus rigoureuse • Performances intéressantes • Direction améliorée • Fiabilité en progrès

Contre

Plastiques bon marché • Absence de repose-pied • Moteurs déficients • Boîte automatique désuète • Modèle en fin de carrière

Caractéristiques

Échelle de prix:	voir page 11 et suivantes
Modèle / Prix:	Style / 19 120 $
Type:	berline / 5 places / traction
Empattement:	264 cm
Longueur:	436 cm
Largeur:	186 cm
Hauteur:	139 cm
Poids:	1140 kg
Coffre / Réservoir:	334 litres / 47 litres
Coussins de sécurité:	conducteur et passager
Système antipatinage:	non
Suspension av. / arr.:	indépendante
Freins av. / arr.:	disque / tambour
Direction:	à crémaillère, assistée
Diamètre de braquage:	10,8 mètres
Pneus av. / arr.:	P185/65R14
Valeur de revente:	passable
Garantie de base:	3 ans / 60 000km

Motorisation et performances

Moteur / Transmission:	4L 2,0 litres DACT / automatique 3 rapports
Puissance / Couple:	150 ch à 6500 tr/min / 133 lb-pi à 5500 tr/min
Autre(s) moteur(s):	4L 2,0 litres SACT 132 ch
Transmission optionnelle:	manuelle 5 rapports
Accélération 0-100 km/h:	10,6 secondes (aut.) / 8,8 s (manuelle)
Vitesse maximale:	193 km/h
Freinage 100-0 km/h:	44,0 mètres
Consommation (100 km):	8,0 litres autre moteur: 7,5 litres

Modèles concurrents

Chevrolet Cavalier/Pontiac Sunfire • Ford Escort • Hyundai Elantra • Saturn SL

Quoi de neuf?

Nouveaux sacs gonflables • Équipement de série amélioré (climatiseur inclus)

Verdict

Agrément	⊕ ⊕ ⊕	Habitabilité	⊕ ⊕ ⊕
Confort	⊕ ⊕ ⊊	Hiver	⊕ ⊕ ⊕ ⊊
Fiabilité	⊕ ⊕	Sécurité	⊕ ⊕ ⊕

malgré une architecture moderne, les deux versions du 4 cylindres de 2,0 litres (SACT et DACT) sont décevantes à plus d'un titre. Elles sont bruyantes, rugueuses et elles vibrent. De plus, leur sonorité n'est en aucun temps inspirante. Certes, au fil des ans, on s'est attardé à réduire les vibrations, mais on est toujours à des années-lumière de la douceur des 4 cylindres japonais.

Le jour et la nuit

Plusieurs indices laissent pourtant entrevoir un certain potentiel. D'abord, il est vrai que la Neon, après quantité de retouches, s'est bonifiée: chaque année, les essayeurs du *Guide de l'auto* l'ont constaté. L'auteur de ces lignes abonde dans le même sens: entre les modèles de première année et ceux d'aujourd'hui, c'est le jour et la nuit.

Vivement la relève!

Dans un premier temps, un examen minutieux de l'habitacle laisse voir une finition dite «des ligues majeures». Oui, le plastique bon marché est toujours omniprésent, mais au moins, ça ne craque plus de partout et les ajustements sont plus serrés. Si l'on fait exception du tableau de bord qui, dans la version de base, est une œuvre minimaliste, la présentation intérieure ne mérite que des compliments. De plus, tant le coupé que la berline brillent par leur habitabilité, gracieuseté du concept de cabine avancée cher à ce constructeur. On apprécierait toutefois des espaces de rangement plus logeables et surtout, surtout, la présence d'un repose-pied. N'eût été de cet oubli fâcheux, cette berline aurait obtenu une meilleure note en ce qui a trait au confort.

Dans un deuxième temps, les améliorations apportées aux suspensions et à la direction se font sentir dès les premiers tours de roues. Bonne chose, puisqu'elles viennent rehausser l'agrément de conduite. Du reste, les qualités routières de la Neon n'en sont que mieux exploitées et, forcément, encore plus appréciées. Toutefois, la fermeté de la suspension plaira aux conducteurs sportifs autant qu'elle hérissera ceux qui privilégient la douceur de roulement. C'est un peu l'histoire de la Neon, qui semble prendre un malin plaisir à retirer d'une main ce qu'elle donne de l'autre. Et les nombreux correctifs effectués en cours de route ne suffisent pas à occulter les irritants majeurs qui l'affligent depuis le début. Souhaitons seulement que la leçon ait porté fruit pour la prochaine génération. Et puis, soyons optimiste: peut-être que les cerveaux de Daimler-Benz ont déjà été mis à contribution...

Philippe Laguë

Dodge Viper

Dodge Viper GTS

Detroit Bad Boys Part Two

Oui, je sais, ce titre a déjà été utilisé dans une précédente édition du _Guide de l'auto_ pour décrire la Mustang Cobra SVT et la Camaro Z28 SS, mais je pense qu'il s'applique avec encore plus de justesse à cette paire de méchantes sportives que sont la Dodge Viper GTS et la RT/10. Ce sont non seulement les deux voitures de production les plus puissantes offertes par un constructeur américain, mais deux authentiques protagonistes de la haute performance à tout prix.

Comme j'ai pu le constater au cours de plusieurs centaines de kilomètres au volant d'un coupé GTS, la Viper ne s'embarrasse pas de petites concessions au confort ou au sens pratique. Tout chez elle a été conçu, pensé et étudié en fonction d'un seul et même critère: la très haute performance. Alors, si vous cherchez une voiture grand-tourisme pour faire de jolies randonnées à la campagne et épater la galerie, puis-je vous suggérer de jeter un coup d'œil ailleurs? Même si, au fil des ans (son introduction remonte à 1992), la Viper s'est un peu civilisée, rien n'est plus loin d'une voiture conviviale que le roadster RT/10 ou le coupé GTS dévoilé en 1996. Ces deux modèles n'ont qu'une idée en tête: arriver à destination avant tout le monde.

Des chiffres ronflants

Leur argument majeur pour ce faire est un colossal moteur V10 de 8,0 litres crachant pas moins de 450 chevaux-vapeur dans son double échappement latéral en inox. C'est ce fabuleux moteur aux accents de tracteur agricole qui m'a permis l'an dernier de fracasser le record de piste du Centre d'essais de Blainville avec une pointe à

299,7 km/h. C'était aussi, soulignons-le, une vitesse supérieure à celle annoncée par Dodge pour le coupé GTS. Beaucoup moins aérodynamique que le coupé (avec son Cx de 0,35), le roadster RT/10 (Cx de 0,49) aurait évidemment été incapable de faire mieux.

Les cotes de consommation ville et route du V10 de la Viper sont vraiment aux antipodes. En déplacement urbain, il va jusqu'à avaler une vingtaine de litres de super aux 100 km, alors que sur autoroute il retrouve une sobriété étonnante en se satisfaisant de 10,3 litres aux 100.

Cette «économie» est attribuable en grande partie à la boîte de vitesses manuelle à 6 rapports qui équipe les GTS et RT/10. La sixième vitesse est à ce point surmultipliée que le moteur ne tourne qu'à 1500 tr/min à une vitesse indiquée de 120 km/h. Les performances du moteur sont faciles à exploiter. En effet, le couple est si abondant qu'il suffit d'appuyer sur l'accélérateur pour propulser la voiture au-delà de la vitesse légale en moins de temps qu'il n'en faut pour l'écrire.

À l'exception de la marche arrière, quelquefois difficile à enclencher, la boîte de vitesses n'exige pas d'effort particulier. Et l'embrayage n'a pas la dureté de celui de certaines voitures ultraperformantes. En plus, tout le pédalier est ajustable, ce qui permet d'améliorer légèrement une position de conduite qui semble faite sur mesure pour les coureurs de _stock-cars_ qui aiment bien piloter avec le volant dans l'abdomen.

De plus grandes pointures

Déjà, l'an dernier, la tenue de route de la Viper GTS m'avait hautement impressionné. Aidée en cela par ses immenses pneus

Dodge Viper

Pour

Puissance démentielle • Tenue de route spectaculaire • Ligne accrocheuse • Bons sièges

Contre

Confort simpliste • Sonorité d'un camion • Pas d'ABS • Habitabilité restreinte • Position de conduite particulière

Caractéristiques

Échelle de prix:	voir page 11 et suivantes
Modèle / Prix:	Viper GTS / 94 380 $
Type:	coupé 2 places / propulsion
Empattement:	244 cm
Longueur:	449 cm
Largeur:	192 cm
Hauteur:	119 cm
Poids:	1535 kg
Coffre / Réservoir:	565 litres / 72 litres
Coussins de sécurité:	conducteur et passager
Système antipatinage:	non
Suspension av. / arr.:	indépendante
Freins av. / arr.:	disque sans ABS
Direction:	à crémaillère, assistée
Diamètre de braquage:	12,3 mètres
Pneus av. / arr.:	P275/35ZR18 / P335/30ZR18
Valeur de revente:	excellente
Garantie de base:	3 ans / 60 000 km

Motorisation et performances

Moteur / Transmission:	V10 8,0 litres / manuelle 6 rapports
Puissance / Couple:	450 ch à 5200 tr/min / 490 lb-pi à 3700 tr/min
Autre(s) moteur(s):	aucun
Transmission optionnelle:	aucune
Accélération 0-100 km/h:	4,7 secondes
Vitesse maximale:	299,7 km/h
Freinage 100-0 km/h:	40,7 mètres
Consommation (100 km):	17,5 litres

Modèles concurrents

Chevrolet Corvette • Acura NSX • Porsche 911

Quoi de neuf?

Roues et pneus de 18 pouces • Rétroviseurs extérieurs à commande électrique • Pare-soleil en tissu • Couleur noire avec bandes argent

Verdict

Agrément	⊕ ⊕ ⊕ ⊕	Habitabilité	⊕ ⊕
Confort	⊕ ⊕	Hiver	zéro
Fiabilité	⊕ ⊕ ⊕	Sécurité	⊕ ⊕ ⊕

Michelin Pilot, la voiture m'avait beaucoup inspiré confiance jusqu'à sa toute limite de vitesse de près de 300 km/h. Pour 1999, elle bénéficie d'une ration additionnelle de caoutchouc avec l'apparition de pneus encore plus costauds, des P275/35ZR18 à l'avant et des P335/30ZR18 à l'arrière. Ce changement risque toutefois d'aggraver ce qui était déjà problématique dans cette Dodge, c'est-à-dire son confort de *go-kart*. Avec sa suspension dure, très dure et encore plus dure, la Viper n'est jamais très tendre pour la morphologie de ses occupants.

Le freinage s'inscrit dans la même foulée et fait abstraction de tout ce qui pourrait porter ombrage aux performances. L'absence de système ABS étonne de prime abord, mais elle vient confirmer le caractère «voiture de course» des GTS et RT/10. Ces deux sportives pures et dures utilisent, souvenons-nous, un châssis tubulaire, une architecture issue de la compétition. Et pour en finir avec le comportement routier, ajoutons que la direction à crémaillère possède une assistance bien dosée et qu'elle n'exige jamais d'effort particulier en conduite rapide.

Combien de points d'inaptitude, Monsieur l'agent?

Un habitacle étriqué

À l'intérieur, la finition affiche un p'tit côté artisanal que l'on a quelque peu atténué cette année avec un pommeau de levier de vitesses un peu plus «sexy», quelques touches d'aluminium brossé et des cuirs Connoly en option. En plus, les pare-soleil sont désormais recouverts de tissu plutôt que de vinyle, un petit détail qui a permis de soigner l'apparence générale d'un habitacle plutôt étriqué. Le conducteur a l'impression d'avoir le pilier A du pare-brise en plein front en plus de devoir subir une console exagérément large qui laisse peu de place aux jeux de pieds. On ne s'en plaindrait pas si ce n'était de ce pédalier décentré vers la gauche et de l'absence d'un appui pour le pied gauche. Fort heureusement, les sièges sont bien tournés et il est plus facile de s'y asseoir que dans l'Acura NSX, par exemple.

Si le stress vous accable et que vous détestez passer incognito, la Dodge Viper pourra sans doute vous rendre service. Il n'y a rien de tel pour se défouler le week-end venu et faire tourner les têtes. Attention simplement que ce ne soit pas celles des policiers de la route.

Jacques Duval

Ford Contour · SVT · Mercury Mystique

Ford Contour

Sous-estimées

Le duo Contour/Mystique n'a pas obtenu le succès escompté en Amérique du Nord. Leur jumelle européenne, la Mondeo, connaît pourtant une carrière fructueuse sur le vieux continent. À juste titre, d'ailleurs.

En effet, on ne peut reprocher grand-chose à ses clones américains, si ce n'est une habitabilité restreinte à l'arrière et une apparence encore trop timide au goût de certains. Sur ce dernier point, il convient toutefois de préciser que le style tout en rondeurs de la presque totalité des modèles de ce constructeur est loin de faire l'unanimité auprès des consommateurs. À Dearborn, on a d'ailleurs très bien saisi le message, comme en témoigne l'arrivée du *New Edge Design* qui a engendré les nouvelles Cougar et Focus (ainsi que les Ka et Puma européennes).

Cela dit, les modifications apportées aux Contour et Mystique l'an dernier sont venues rectifier le tir. Les parties avant et arrière ont été redessinées, tandis qu'on s'est efforcé d'augmenter le dégagement pour les jambes à l'arrière. Un gain qui fut toutefois jugé insuffisant, de sorte qu'on répète l'opération cette année, afin de faire taire les critiques pour de bon. De plus, le tableau de bord a été redessiné.

Une erreur de perception

Depuis leur introduction, en 1995, ces deux berlines ont pourtant reçu plus de compliments que de reproches. On apprécie leur mécanique sophistiquée, leur comportement à l'européenne et leur construction solide. De plus, leur fiabilité n'a pas été entachée des ratés que subissent habituellement les modèles américains de première génération. Un événement rare, qu'il convient d'applaudir haut et fort.

Somme toute, les Contour et Mystique n'avaient rien à voir avec les Tempo et Topaz auxquelles elles succédaient. Par ailleurs, c'est peut-être l'un des facteurs expliquant leurs débuts boiteux: plus raffinées que leurs antédiluviennes devancières, elles étaient aussi plus chères. Les bonzes du marketing chez Ford ont eu beau se fendre en explications pour préciser que les Contour et Mystique ne les remplaçaient pas comme tel, mais qu'elles montaient plutôt en grade, la perception des acheteurs était faussée au départ.

Alors que le tandem Tempo/Topaz jouait la carte du «beau, bon, pas cher», la Ford Contour et sa jumelle, la Mystique, se voyaient investies d'une mission beaucoup plus délicate, sinon périlleuse: affronter la compétition étrangère. Si vous jetez un coup d'œil à la fiche technique, dans la section *Modèles concurrents,* vous verrez qu'il y a de grosses pointures dans le lot... Pas une mince affaire, donc. Et pourtant, les promesses ont été tenues.

Sportives pour vrai

L'essai récent d'une Mystique et d'une Contour, en tenue sportive, est venu rappeler à l'auteur de ces lignes que ce tandem n'avait pas grand-chose à envier à ses rivales importées. Et qu'il surclassait ses compatriotes de même catégorie – décevantes, il est vrai, à plus d'un titre. Sur le plan de l'agrément de conduite, d'abord: côté américain, ces berlines sont les seules à offrir la combinaison V6 et boîte manuelle. De plus, les versions dites sportives de la Contour (SE) et de la Mystique (LS) ne se contentent pas d'un maquillage, recevant une suspension renforcée et une direction plus ferme. Cela suffit à rehausser d'un cran leur comportement routier, déjà supérieur à la moyenne.

Mercury Mystique

Pour

Mécanique raffinée • Tenue de route impressionnante • Direction exemplaire • Agrément de conduite • Solidité et fiabilité

Contre

Puissance un peu juste
• Rayon de braquage important
• Apparence trop discrète
• ABS bruyant

Caractéristiques

Échelle de prix:	voir page 11 et suivantes
Modèle / Prix:	LS / 27 057 $
Type:	berline / traction
Empattement:	270 cm
Longueur:	467 cm
Largeur:	175 cm
Hauteur:	138 cm
Poids:	1285 kg
Coffre / Réservoir:	394 litres / 55 litres
Coussins de sécurité:	conducteur et passager
Système antipatinage:	oui
Suspension av. / arr.:	indépendante
Freins av. / arr.:	disque ABS
Direction:	à crémaillère, assistance variable
Diamètre de braquage:	12,2 mètres
Pneus av. / arr.:	P205/55ZR16
Valeur de revente:	passable
Garantie de base:	3 ans / 60 000 km

Motorisation et performances

Moteur / Transmission:	V6 2,5 litres / manuelle 5 rapports
Puissance / Couple:	170 ch à 6250 tr/min / 165 lb-pi à 4250 tr/min
Autre(s) moteur(s):	4L 2,0 litres 125 ch / V6 2,5 litres 195 ch (SVT)
Transmission optionnelle:	automatique 4 rapports
Accélération 0-100 km/h:	9,3 secondes / 11,7 secondes (4L) / 8,7 secondes (SVT)
Vitesse maximale:	180 km/h (limitée)
Freinage 100-0 km/h:	39,0 mètres
Consommation (100 km):	10,0 litres

Modèles concurrents

Chevrolet Malibu/Oldsmobile Alero/Pontiac Grand Am • Chrysler Cirrus/Dodge Stratus/Plymouth Breeze • Honda Accord • Mazda 626 • Toyota Camry

Quoi de neuf?

Habitabilité arrière accrue • Planche de bord modifiée • 6 réglages électriques au lieu de 10 pour le siège du conducteur en option

Verdict

Agrément	⊕ ⊕ ⊕ ⊖	Habitabilité ⊕ ⊕ ⊖
Confort	⊕ ⊕ ⊕ ⊖	Hiver ⊕ ⊕ ⊕ ⊖
Fiabilité	⊕ ⊕ ⊕	Sécurité ⊕ ⊕ ⊕ ⊖

C'est d'ailleurs là que la contribution de la branche européenne de Ford – dont le QG est basé en Allemagne – se fait le plus sentir. Modèle de rapidité et de précision, la direction permet de placer impeccablement la voiture dans les courbes, et de corriger la trajectoire en un rien de temps si nécessaire. Dans les virages, la caisse reste neutre, quoique la Mystique, dont la supension est une coche plus souple, penche un brin. Mais Contour ou Mystique, toutes deux semblent soudées au pavé, de sorte qu'il faut attaquer très fort pour atteindre la limite d'adhérence. Ce n'est qu'à ce moment-là qu'un début de sous-virage pointe le bout du nez. Autrement dit, en conduite normale, les mauvaises surprises sont réduites à néant. L'agilité de ces voitures impressionne, mais la maniabilité s'accommoderait fort bien d'un rayon de braquage plus court. Mais qu'importe, je mets ceux qui aiment la conduite sportive au défi de s'amuser autant au volant d'une américaine ou d'une japonaise de même catégorie. Quant aux amateurs de puissance, ils peuvent se tourner vers la SVT, une Contour gonflée aux stéroïdes (195 ch), mais vendue au compte-gouttes par un nombre restreint de concessionnaires «certifiés SVT».

> Qualité et popularité ne vont pas toujours de pair.

Victimes de snobisme?

Pour compléter cet éloge, ajoutons que la paire Contour/Mystique offre deux motorisations qui n'ont rien à envier à celles de leurs rivales. Ou si peu: le 4 cylindres comme le V6 disposeraient d'une dizaine de chevaux supplémentaires qu'ils ne s'en porteraient pas plus mal. Mais ils se démarquent tous deux par leur architecture moderne, leur souplesse et leur discrétion. Quant au jeu des comparaisons, il est humiliant pour Chrysler et GM, dont les moteurs ne sont pas dans le coup. Ni pour le rendement ni pour la fiabilité.

Il en va de même pour le sérieux de l'assemblage et la qualité des matériaux utilisés dans l'habitacle. Encore une fois, Ford pourrait donner des leçons aux autres manufacturiers américains. En plus du rapport équipement/prix, favorable aux produits domestiques dans ce segment de marché, les Contour et Mystique peuvent soutenir la comparaison par rapport aux importées en termes de rapport qualité/prix. Quant au succès mitigé que connaissent ces deux modèles, allons-y d'une autre hypothèse: s'il s'agissait bêtement de snobisme? Auprès d'une certaine clientèle se voulant branchée, il semblerait que rouler en américaine, ça ne se fait tout simplement pas.

Ford Crown Victoria • Mercury Grand Marquis

Ford Crown Victoria

Des vestiges qui subsistent

Les grosses berlines américaines avec carrosserie montée sur un châssis autonome, dont les roues arrière sont animées par un bon gros V8, sont en voie d'extinction. En fait, la compagnie Ford est la seule, pour le moment, à maintenir cette tradition depuis que GM a abandonné la production des Chevrolet Caprice et Buick Roadmaster. Mieux encore, les Ford Crown Victoria et Mercury Grand Marquis ont été l'objet de plusieurs retouches à la carrosserie l'an dernier afin de rester plus dans le coup.

Il ne fallait tout de même pas s'attendre que des voitures dont les noms s'apparentent davantage à des véhicules à traction animale qu'à des automobiles adoptent des lignes trop audacieuses. Ce serait probablement signer leur arrêt de mort, puisque la clientèle qui craque pour ces grosses berlines rétro a des goûts plutôt conservateurs et n'apprécierait pas tellement un look branché. De plus, il faut souligner que depuis la disparition de la Chevrolet Caprice, la Crown Victoria est le véhicule de prédilection des forces policières un peu partout en Amérique. Une voiture dont la silhouette serait incompatible avec les gyrophares et la décalcomanie usuelle ne serait pas tellement en demande. D'ailleurs, même si notre voiture d'essai n'avait rien d'une voiture de police, il fallait voir les gens ralentir immédiatement lorsqu'elle pointait le nez dans leur rétroviseur.

Les changements apportés en 1998 ont permis de réviser la calandre avant et de modifier la partie arrière. Les versions antérieures étaient fort arrondies à l'arrière et manquaient d'impact visuel. Des feux plus imposants ont «retroussé» l'arrière et donné plus de personnalité à une silhouette qui en avait besoin. Ce n'est pas toujours facile de jongler avec le passé et le futur afin de correspondre aux goûts du jour.

Passez au salon

Les inconditionnels des Crown Vic et des Grand Marquis sont intarissables lorsque vient le temps de vanter l'habitabilité de ces voitures. Le contraire aurait été surprenant, compte tenu de leurs dimensions. Comme il fallait s'y attendre, la banquette avant peut accueillir trois personnes, c'est-à-dire deux adultes et un enfant à la place centrale. Et l'enfant ne devra pas être trop chatouilleux côté confort, car il sera assis à la conjoncture des deux sièges et devra appuyer le dos sur les deux accoudoirs articulés. Il faut ajouter que les deux «fauteuils» avant offrent un support latéral minime et sont aussi moelleux qu'un canapé.

La banquette arrière est relativement confortable, même si le revêtement en cuir de notre voiture d'essai favorisait les glissades: les passagers ne restaient au même endroit que grâce à leur ceinture de sécurité. La place centrale n'est pas plus confortable que celle de la banquette avant en raison de la présence d'un accoudoir intégré dans le dossier. En pratique, cette grosse berline ne permet donc d'accueillir que 4 personnes si on tient à leur confort.

La présentation intérieure est sobre, très sobre même. Quant à la planche de bord, elle s'inspire des années 70 avec de petits îlots rectangulaires abritant les cadrans indicateurs ainsi que les commandes de la climatisation et de la radio. Le tableau de bord en général est relativement plat et est conçu pour être plus fonctionnel qu'esthétique. D'ailleurs, toutes les commandes sont faciles

Ford Crown Victoria

Pour

Moteur moderne • Habitabilité généreuse • Consommation intéressante • Finition soignée • Équipement complet

Contre

• Sautillement du train arrière
• Agrément de conduite très mitigé
• Faible support latéral des sièges
• Dimensions encombrantes
• Direction engourdie

Caractéristiques

Échelle de prix:	voir page 11 et suivantes
Modèle / Prix:	LX / 36 895 $
Type:	berline / propulsion
Empattement:	291 cm
Longueur:	538 cm
Largeur:	191 cm
Hauteur:	144 cm
Poids:	1830 kg
Coffre / Réservoir:	583 litres / 76 litres
Coussins de sécurité:	conducteur et passager
Système antipatinage:	oui (optionnel)
Suspension av. / arr.:	indépendante / essieu rigide
Freins av. / arr.:	disque ABS
Direction:	à billes, assistance variable
Diamètre de braquage:	12 mètres
Pneus av. / arr.:	P225/60R16
Valeur de revente:	passable
Garantie de base:	3 ans / 60 000 km

Motorisation et performances

Moteur / Transmission:	V8 4,6 litres/ automatique 4 rapports	
Puissance / Couple:	200 ch à 4250 tr/min / 275 lb-pi à 3300 tr/min	
Autre(s) moteur(s):	V8 4,6 litres 215 chevaux	
Transmission optionnelle:	aucune	
Accélération 0-100 km/h:	8,7 secondes	autre moteur: 8,2 secondes
Vitesse maximale:	190 km/h	
Freinage 100-0 km/h:	39,4 mètres	
Consommation (100 km):	13,8 litres	autre moteur: 14,2 litres

Modèles concurrents

Buick LeSabre • Chrysler Intrepid • Oldsmobile Eighty-Eight

Quoi de neuf?

Freins ABS de série • Nouvelles couleurs • Modifications de détails

Verdict

Agrément	⊕ ⊕ ⊕	Habitabilité	⊕ ⊕ ⊕ ⊕ ⊖
Confort	⊕ ⊕ ⊕ ⊕	Hiver	⊕ ⊕
Fiabilité	⊕ ⊕ ⊕ ⊕	Sécurité	⊕ ⊕ ⊕ ⊕

d'accès. Par contre, il est plutôt surprenant d'y trouver une montre de bord ridiculement petite pour une voiture de ce gabarit.

Malgré leur présentation presque rétro, ces deux voitures proposent en option une instrumentation numérique qui détonne quelque peu.

De belles routes S.V.P.!

Si vous recherchez une voiture bien insonorisée, dont la suspension souple avale les imperfections de la chaussée et dont le moteur V8 4,6 litres de 200 chevaux offre de bonnes performances, la Crown Victoria comme la Grand Marquis sont susceptibles de vous attirer. Au cours d'un voyage de plusieurs heures sur les autoroutes, cette grosse berline nous a littéralement dorlotés. Curieusement, il fallait toujours insister pour qu'elle roule à la même vitesse que le flot de la circulation en appuyant délibérément sur l'accélérateur. Faute de quoi, la voiture décélérait graduellement. De plus, au fil des heures, le manque de support latéral des sièges avant se fait sentir. Ce qui est d'autant plus ennuyeux que la voiture roule énormément dans les virages et qu'il faut s'agripper au volant pour conserver sa position. Ce comportement explique sans doute la présence de poignées de maintien à l'avant comme à l'arrière.

Mais le trait de caractère le plus irritant de cette berline est le sautillement intempestif du train arrière qui se manifeste dès que la chaussée devient bosselée. Ce comportement est encore plus spectaculaire dans les virages. Bref, ces grosses boulevardières d'une autre époque se font beaucoup mieux apprécier sur les belles routes que lorsque la chaussée est en mauvais état. Ce qui explique qu'elles sont adoptées par les personnes qui doivent rouler beaucoup sur les autoroutes et qui ne se préoccupent pas tellement de la consommation de carburant.

Bref, une voiture d'une autre époque qui tente de survivre tant bien que mal dans un environnement moderne.

Denis Duquet

> L'ancien servi à la moderne.

Ford Escort • ZX2

Ford Escort

Un dernier tour de piste

Elle est avec nous depuis près de 20 ans, cette petite Ford. À ses débuts, elle péchait sur de nombreux plans, mais au fil des ans, elle a pris de l'assurance, de la maturité et, avec la troisième génération née en 1996, un certain air attachant. Il est donc curieux que Ford ait décidé d'abandonner le nom Escort – pourtant fort bien connu des deux côtés de l'Atlantique – pour passer à la Focus qu'on nous promet pour le courant de 1999. La marketing a parfois des raisons que la raison ne connaît pas.

C'est donc avec une familiale SE habillée de rouge que nous avons réalisé ce dernier essai de la Ford Escort. Notons que cette version est particulièrement intéressante, car il s'agit d'une des rares familiales sur le marché dans la catégorie des sous-compactes. En outre, Ford l'offre au même prix que la berline SE 4 portes.

En version SE, l'Escort est dotée d'un équipement convenable: climatisation, dégivreur et essuie-glace arrière, verrouillage à distance, rétroviseurs électriques, porte-bagages au toit pour la familiale, deux coussins de sécurité et chaîne stéréo avec lecteur de cassettes. Les sièges garnis de tissu sont confortables et procurent un bon espace aux jambes. Le soutien en virage est cependant moyen et on constate l'absence d'une poignée de maintien du côté du passager avant.

Dans la familiale, le dégagement pour la tête à l'arrière est supérieur à celui de la berline, grâce au léger relèvement du toit. Les dossiers séparés de la banquette arrière sont rabattables et le coffre comporte un rideau escamotable qui permet d'en couvrir le contenu. Le hayon facile à lever s'ouvre haut et le seuil au ras du pare-chocs facilite le chargement. Dommage qu'il ne s'ouvre pas de l'intérieur et qu'il lui manque une poignée pour les personnes de petite taille.

La finition est marquée par la vocation économique de l'Escort. L'ajustage des panneaux n'est pas à la hauteur de ce que font les Japonais et la moquette est de qualité moyenne.

L'air de famille

Ford a su donner aux modèles de sa gamme un air de ressemblance, notamment pour le trio Taurus, Contour et Escort. S'il est souvent controversé sur la Taurus et parfois sur la Contour, ce style «bio» fait en général l'unanimité sur l'Escort. Les flancs sont uniformes, les courbes plus subtiles, l'avant moins forcé et les cadres de glaces moins ovales. En somme, un résultat plus simple, plus classique.

À l'intérieur, on retrouve le tableau de bord signé Ford, orné du bloc de commandes ovale. Ce n'est pas du plus bel effet, mais il faut reconnaître qu'il présente l'avantage de regrouper toutes les commandes au même endroit.

Un comportement honnête

Si vous avez connu les premières Escort, vous serez sans doute d'accord pour dire que les modèles de la troisième génération marquent un pas important en matière de comportement routier. D'abord le moteur. Avec ses 110 chevaux, le 4 cylindres de 2,0 litres est plutôt timide, surtout qu'il existe sur le marché des 2,0 litres développant facilement 25 p. 100 de plus de puissance que le Ford.

Ford Escort

Pour
Faible consommation
• Comportement routier rassurant
• Ligne élégante
• Familiale polyvalente
• Bon rapport qualité/prix

Contre
Performances timides
• Moteur bruyant en accélération
• Modèle en fin de carrière
• Finition perfectible

Caractéristiques

Échelle de prix:	voir page 11 et suivantes
Modèle / Prix:	SE / 17 075 $
Type:	familiale / traction
Empattement:	245 cm
Longueur:	442 cm
Largeur:	170 cm
Hauteur:	135 cm
Poids:	1150 kg
Coffre / Réservoir:	739 litres / 48 litres
Coussins de sécurité:	conducteur et passager
Système antipatinage:	non
Suspension av. / arr.:	indépendante
Freins av. / arr.:	disque / tambour
Direction:	à crémaillère, assistée
Diamètre de braquage:	9,6 mètres
Pneus av. / arr.:	P185/85R14
Valeur de revente:	moyenne
Garantie de base:	3 ans / 60 000 km

Motorisation et performances

Moteur / Transmission:	4L 2,0 litres / manuelle 5 rapports
Puissance / Couple:	110 ch à 5000 tr/min / 125 lb-pi à 3750 tr/min
Autre(s) moteur(s):	4L 2 litres 130 ch
Transmission optionnelle:	automatique 4 rapports
Accélération 0-100 km/h:	10,2 secondes
Vitesse maximale:	185 km/h (limitée)
Freinage 100-0 km/h:	44 mètres
Consommation (100 km):	8,7 litres autre moteur: 8,9 litres

Modèles concurrents
Plymouth Neon • Chevrolet Cavalier • Toyota Corolla • Saturn SL
• Honda Civic • Nissan Sentra • Mazda Protegé

Quoi de neuf?
Aucun changement majeur

Verdict

Agrément	⊕ ⊕ ⊕	Habitabilité	⊕ ⊕ ⊕ ⊕
Confort	⊕ ⊕ ⊕	Hiver	⊕ ⊕ ⊕ (
Fiabilité	⊕ ⊕ ⊕	Sécurité	⊕ ⊕ ⊕

Mais comparé au 1,9 litre de la génération précédente, le nouveau moteur représente une amélioration notable. Si la consommation est fort raisonnable, les accélérations et les reprises sont honnêtes, sans plus. À un régime de croisière, le niveau sonore est convenable, mais il augmente sensiblement en forte accélération. Tout compte fait, un moteur sans grande lacune, mais sans brio non plus.

Les progrès réalisés en matière de suspension sont encore plus notables que l'amélioration de la motorisation. Agréablement ferme, confortable et bien guidée, la suspension entièrement indépendante de l'Escort lui procure une tenue de route très saine qui se compare favorablement avec celle des meilleures sous-compactes. Le roulis est bien contrôlé en virage et la voiture garde bien son cap en ligne droite.

Dommage qu'elle parte.

Côté freinage, rien de spécial à signaler, sauf l'absence d'ABS (offert en option) qui se traduit par un léger blocage des roues arrière lors d'un freinage vigoureux.

ZX2 à repenser

L'arrivée du joli coupé ZX2 en 1998 a laissé croire pendant un bref moment à la présence d'une version sportive de l'Escort. Animée par le 4 cylindres de 130 chevaux de la Contour, la ZX2 peut prétendre à des performances moins timides, mais force est de constater que «le ramage ne se rapporte pas au plumage». Suspension molle et direction peu précise se conjuguent pour rendre la tenue de route peu inspirante. À l'intérieur, le tableau de bord tarabiscoté avec son ridicule mini-compte-tours n'a rien de sportif non plus. En résumé, c'est à refaire.

Comme nous le disions plus haut, sachant que l'Escort a finalement rejoint les meilleures sous-compactes sur le marché, on comprend mal la décision de Ford de l'abandonner. Pour les amateurs d'aubaines, l'Escort du dernier millésime sera sans doute encore plus attrayante.

Alain Raymond

Ford Expedition • Lincoln Navigator

Ford Expedition

Si vous voyez gros

Par définition, un véhicule utilitaire sport devrait être agile et de dimensions plutôt modestes afin de se faufiler presque partout. De plus, l'efficacité devrait avoir préséance sur le confort. Pourtant, la tendance du marché est tout autre. Non seulement les utilitaires sport sont de plus en plus luxueux, mais leur gabarit ne cesse d'augmenter. Il suffit de passer quelques heures au volant d'un Ford Expedition ou d'un Lincoln Navigator pour constater que ces deux mastodontes ne possèdent pas toutes les qualités voulues pour parcourir d'étroites routes forestières.

Qu'à cela ne tienne, leur popularité est telle que la compagnie Ford a été obligée de réorganiser la production, tandis que Cadillac a jugé la menace de Lincoln suffisamment forte pour développer l'Escalade à toute vapeur. Il est facile de conclure que le marché des utilitaires sport a davantage pris la direction du club de golf que des forêts éloignées. Quand on achète un véhicule tout-terrain, c'est bien plus pour bénéficier de son rouage d'entraînement à 4 roues motrices que pour ses capacités à affronter roches et billots dans la forêt.

Les gens recherchent donc la sécurité que procure la traction intégrale, qui leur confère une impression d'invulnérabilité. Pour mousser la vente de leurs véhicules, les décideurs ont fait le nécessaire pour augmenter cette sensation. Les dimensions ont progressé et on assiste maintenant à une escalade vers des gabarits imposants. Le but est d'ailleurs atteint. Il suffit de prendre le volant d'un Expedition ou d'un Navigator pour se sentir pratiquement invincible. L'autre jour, je roulais derrière une mini-compacte et

j'avais l'impression de pouvoir l'écraser avec mon véhicule sans que ce dernier n'en soit affecté.

Si ces gros tout-terrain de Ford ou de Lincoln sont si populaires, c'est qu'ils répondent presque à la lettre à ce besoin des gens d'être au volant d'une machine presque intimidante pour leur entourage.

Avantage Lincoln

Lorsque la division Lincoln a dévoilé le Navigator l'an dernier, plusieurs observateurs avaient de sérieux doutes quant aux chances de succès de ce modèle. La clientèle très traditionaliste de Lincoln ne semblait pas être en mesure d'apprécier cette nouvelle venue. Pourtant, ces prévisions négatives ont été balayées du revers de la main par un accueil fort enthousiaste. Certains peuvent trouver à redire sur cette silhouette qui provoque un fort impact visuel à cause d'une calandre chromée omniprésente. Par contre, la partie arrière est fort bien réussie et l'habitacle est confortable et très spacieux. Lincoln a eu une excellente idée en développant une version dotée de sièges-baquets aux places arrière. Par contre, la troisième banquette est d'une utilité douteuse.

Pour se différencier du Ford Expedition, dont il est dérivé, le Navigator bénéficie cette année d'une version 32 soupapes du V8 5,4 litres, ce qui porte sa puissance à plus de 260 chevaux. Par contre, même si Ford affirme que la consommation de carburant de ce moteur se situe dans la bonne moyenne, il est important de souligner que certains essayeurs ont noté une consommation de plus de 25 litres aux 100 km, une fois le véhicule lourdement chargé.

Malgré tout, le Navigator possède tous les éléments pour plaire à une clientèle huppée qui se moque de la consommation de

Lincoln Navigator

Pour

Choix de moteurs • Système 4X4 d'utilisation facile • Habitacle spacieux • Sièges avant confortables • Équipement complet

Contre

Prix prohibitif • Dimensions encombrantes • Consommation très élevée • Troisième banquette inutile • Direction surassistée

Caractéristiques

Échelle de prix:	voir page 11 et suivantes
Modèle / Prix:	4X4 / 63 458 $
Type:	utilitaire sport / traction intégrale
Empattement:	302,5 cm
Longueur:	520 cm
Largeur:	195 cm (4X4)
Hauteur:	203 cm
Poids:	2520 kg (4X4)
Coffre / Réservoir:	de 280 à 740 litres / 113,5 litres
Coussins de sécurité:	conducteur et passager
Système antipatinage:	non
Suspension av. / arr.:	indépendante / essieu rigide
Freins av. / arr.:	disque ABS
Direction:	à billes, assistance variable
Diamètre de braquage:	12,3 mètres
Pneus av. / arr.:	P245/75R16
Valeur de revente:	bonne
Garantie de base:	4 ans / 80 000 km

Motorisation et performances

Moteur / Transmission:	V8 5,4 litres SACT / automatique 4 rapports
Puissance / Couple:	260 ch à 4500 tr/min / 345 lb-pi à 2300 tr/min
Autre(s) moteur(s):	V8 4,6 litres 240 ch (Expedition)
Transmission optionnelle:	aucune
Accélération 0-100 km/h:	8,2 secondes autre moteur: 9,6 secondes
Vitesse maximale:	190 km/h
Freinage 100-0 km/h:	43,8 mètres
Consommation (100 km):	17,3 litres autre moteur: 16,0 litres (V8 4,6 l)

Modèles concurrents

Chevrolet Suburban • Chevrolet Tahoe • GMC Yukon • Range Rover SE • Lexus LX470

Quoi de neuf?

Moteurs plus puissants • Pédales réglables • Système de climatisation à contrôle électronique

Verdict

Agrément	⊕ ⊕ ⊕	Habitabilité	⊕ ⊕ ⊕ ⊕	
Confort	⊕ ⊕ ⊕ ⊕	Hiver	⊕ ⊕ ⊕ ⊕	
Fiabilité	⊕ ⊕ ⊕ ⊕	Sécurité	⊕ ⊕ ⊕ ⊕	

carburant et qui ne veut rien perdre de son confort, tout en s'associant à un type de véhicule très populaire par les temps qui courent.

Ford Expedition: plus discret, tout aussi encombrant

Ford a devancé Lincoln de plusieurs mois et c'est probablement l'accueil enthousiaste qui a été réservé à l'Expedition qui a incité Lincoln à y aller de son cru. Ford a eu la main heureuse, alors que le marché se tournait vers les gros tout-terrain lors de l'entrée en scène de l'Expedition.

Succès démesuré de la démesure.

Dérivé du camion F-150, cet utilitaire sport affiche un look moins flamboyant que celui du Navigator. Il est équipé de série du V8 4,6 litres qui bénéficie d'une puissance accrue cette année en raison de multiples améliorations de détail. Il est également possible de commander en option le V8 5,4 litres, dont les 260 chevaux permettent de tracter des charges plus importantes.

Comme son cousin chez Lincoln, l'Expedition possède un rouage d'entraînement intégral, dont les réglages sont commandés par des boutons-poussoirs. En règle générale, on roule en mode «4 Automatique», alors que le couple est automatiquement réparti aux roues possédant la meilleure traction. Il est de plus possible de passer en mode 4X2, 4X4 High et 4X4 Lo. En mode 4X4 High, la puissance est distribuée de façon égale aux roues avant et arrière.

La conduite de l'Expedition est plus précise que celle du Navigator, dont la suspension plus souple et une direction plus assistée viennent atténuer encore davantage les sensations de conduite. Par contre, en usage normal, il est toujours impressionnant de constater qu'un mastodonte de cette envergure équipé d'un essieu arrière rigide offre un aussi grand confort.

Il faut toutefois être relativement prudent lorsqu'on quitte les sentiers battus pour s'aventurer en forêt. Le gabarit du véhicule limite l'accès à certaines routes très étroites, tandis que les pneumatiques ont été choisis en fonction de leur confort, plutôt que de leur efficacité dans la boue et le sol meuble.

Même si ces véhicules défient la logique sous certains aspects, ils répondent aux attentes de nombreux automobilistes qui semblent se passionner pour un type de véhicule, dont ils n'utilisent qu'une partie du potentiel.

Ford Explorer

Ford Explorer

L'engouement se poursuit

Le phénomène est moins important au Canada qu'aux États-Unis, mais le fait demeure: les utilitaires sport sont toujours en très grande demande. Chez Ford, on se réjouit de la tournure des événements, puisque sa gamme de véhicules tout-terrains bénéficie de la faveur du public. En fait, l'Explorer est le champion de sa catégorie au chapitre des ventes depuis qu'il a remplacé le Bronco II en 1991.

Cette suprématie n'est pas le fruit du hasard et si l'Explorer a conservé ce titre tant convoité pendant toutes ces années, c'est que la compagnie a toujours trouvé le moyen d'apporter les améliorations qui s'imposaient. Par exemple, en 1997, l'arrivée d'un nouveau moteur V6 4,0 litres à arbres à cames en tête est venue corriger l'une des lacunes de cette version. Nerveux, incisif et nettement plus économique que le V6 à soupapes en tête qui demeure toujours au catalogue, ce moteur est devenu le choix des connaisseurs. Mieux encore, il est couplé à une boîte automatique à 5 rapports qui est entrée en scène au cours de la même année. Cette boîte possède un rapport intermédiaire entre la première et la deuxième vitesse qui a pour effet d'adoucir les accélérations et d'alléger la consommation.

Par ailleurs, pour répondre aux besoins des personnes désireuses d'utiliser leur Explorer pour tracter une remorque, les ingénieurs ont adapté un V8 5,0 litres, dont le couple généreux permet d'augmenter la capacité de remorquage. Par contre, seule l'automatique à 4 rapports est offerte avec ce moteur.

Cette année, les améliorations ont pour but d'adapter la présentation extérieure au goût du jour. Puisque ces utilitaires sport sont de plus en plus achetés par des personnes qui en font leur véhicule de tous les jours, leur silhouette est tout aussi importante que plusieurs éléments techniques. Pour 1999, cette Ford des routes et des champs bénéficie de modifications à la calandre, aux pare-chocs, aux moulures et aux phares avant. Cela permet non seulement de lui donner un air plus moderne, mais de l'harmoniser avec la présentation des autres véhicules de la gamme.

Parmi les autres améliorations aux modèles 1999, il faut souligner la possibilité de commander en option des coussins de sécurité latéraux. Ce dispositif est fort ingénieux, car il protège à la fois le torse et la tête en cas d'impact latéral. Une nouvelle chaîne audio plus performante, une banquette arrière plus confortable et plusieurs autres raffinements sont à noter sur les modèles de ce millésime.

Son secret: habitabilité et équilibre

L'Explorer surclasse tous ses concurrents non pas nécessairement en raison de ses forces, mais plutôt grâce à l'absence de faiblesses majeures. Sa silhouette relativement neutre semble plaire à la majorité, tandis que son comportement routier se situe dans la bonne moyenne. De plus, des améliorations apportées aux essieux avant il y a quelques années ont corrigé l'un des irritants majeurs, soit le sautillement du train avant sur mauvaise route.

De plus, une simple commande placée sur le tableau de bord permet de passer des 2 roues motrices à l'intégrale. Cela élimine les leviers qui obstruent le plancher et dont le maniement n'est pas toujours facile. Il est certain que la clientèle féminine apprécie davantage ces boutons-poussoirs pour régler le comportement du rouage

Ford Explorer

Pour

Boîte automatique 5 rapports
• Moteur V6 SACT • Habitabilité
généreuse • Équipement complet
• Système 4X4 polyvalent

Contre

V8 5,0 litres gourmand
• Pneumatiques peu efficaces hors
route • V6 160 chevaux décevant
• Engagement du mode 4X4 parfois
saccadé • Tableau de bord terne

Caractéristiques

Échelle de prix:	voir page 11 et suivantes
Modèle / Prix:	Eddie Bauer 4X4 / 45 785 $
Type:	utilitaire sport / traction intégrale
Empattement:	283 cm
Longueur:	479 cm
Largeur:	170 cm
Hauteur:	178 cm
Poids:	1890 kg
Coffre / Réservoir:	1206 litres / 80 litres
Coussins de sécurité:	conducteur et passager
Système antipatinage:	non
Suspension av. / arr.:	indépendante / essieu rigide
Freins av. / arr.:	disque ABS / tambour ABS
Direction:	à crémaillère, assistée
Diamètre de braquage:	11,3 m (4X4) 10,5 m (4X2)
Pneus av. / arr.:	P235/75R15
Valeur de revente:	bonne
Garantie de base:	3 ans / 60 000 km

Motorisation et performances

Moteur / Transmission:	V6 4,0 litres SACT / automatique 5 rapports
Puissance / Couple:	210 ch à 5250 tr/min / 240 lb-pi à 3250 tr/min
Autre(s) moteur(s):	V6 4,0 litres 160 ch / V8 5,0 litres 215 ch
Transmission optionnelle:	man. 5 rapports / aut. 4 rapports
Accélération 0-100 km/h:	9,2 secondes autre moteur: 11,7 s (160 ch)
Vitesse maximale:	190 km/h
Freinage 100-0 km/h:	43,4 mètres
Consommation (100 km):	12,8 litres autre moteur: 13,7 litres (160 ch)

Modèles concurrents

Chevrolet Blazer • Dodge Durango • Jeep Grand Cherokee
• Nissan Pathfinder • Toyota 4Runner

Quoi de neuf?

Retouches esthétiques à l'avant et à l'arrière • Détecteur de proximité
arrière optionnel • Suspension réglable optionnelle • Nouveaux sièges

Verdict

Agrément	⊕⊕⊕	Habitabilité ⊕⊕⊕⊕
Confort	⊕⊕⊕	Hiver ⊕⊕⊕⊕
Fiabilité	⊕⊕⊕⊕	Sécurité ⊕⊕⊕⊕

d'entraînement, plutôt que de se battre avec un levier récalcitrant. Par contre, même si le système de traction intégrale est très souple et sophistiqué, son efficacité est partiellement handicapée par une sélection de pneumatiques mieux adaptés à la conduite sur les autoroutes que sur des sentiers boueux.

L'autre avantage qui joue en faveur de l'Explorer est sa grande habitabilité, son compartiment à bagages facile d'accès et l'aspect sympathique de la cabine. Cette habitabilité est fort appréciée par les familles qui l'ont adopté d'emblée en tant qu'outil de transport toutes saisons et toutes conditions. Malheureusement, la banquette arrière manquait de confort, un irritant d'importance pour un véhicule familial. Ce que Ford s'est empressée de corriger cette année, en offrant un design plus élégant et plus confortable. Il faut souligner que cette banquette 60/40 contribue à la polyvalence de ce véhicule.

Une maturité de bon aloi.

La présentation du tableau de bord ne possède pas cependant le même éclat que chez la plupart des autres modèles de la catégorie. Inspiré de celui du Ranger, celui-ci pourrait être plus relevé. Compte tenu du nombre d'Explorer sur le marché, il est permis de conclure que cet élément ne pèse pas beaucoup dans la balance. Ford offre toujours une instrumentation numérique plus ou moins efficace qui ne fait rien pour améliorer la présentation.

Et le 2 portes!

Certains auront de la difficulté à s'en souvenir, mais le marché des utilitaires sport était essentiellement composé de modèles 2 portes jusqu'à ce que le Jeep Cherokee vienne tout bouleverser en 1984. Le catalogue Explorer comprend toujours une version 2 portes trop souvent repoussée du revers de la main. Pourtant, son empattement plus court, son encombrement moindre et un prix plus alléchant devraient inciter plusieurs personnes à s'interroger sur le besoin de posséder un modèle 4 portes. De plus, la rigidité de sa caisse en fait un véhicule dont la conduite est plus précise et plus agréable. Compte tenu de la popularité plutôt modeste de cette version, il est facile de conclure que les gens préfèrent prendre leurs aises plutôt que de s'arrêter à des considérations pratiques. D'ailleurs, si les acheteurs étaient rationnels, il n'est pas certain que la popularité des véhicules 4X4 serait si grande.

Encore une fois cette année, Ford peaufine son best-seller afin de le garder toujours en mesure de devancer la concurrence.

Ford Mustang

Ford Mustang

Chirurgie plastique et stéroïdes

Symbole parmi les symboles de l'industrie automobile américaine, la Ford Mustang de la dernière génération reçoit cette année ses premières retouches depuis son lancement, en 1994. Si on ne peut parler de refonte au sens propre du terme, les modifications n'en sont pas moins importantes, tant sur les plans esthétique que mécanique.

Cette sportive n'a plus besoin de présentation, car elle a atteint le statut de légende de son vivant. L'expression, dans ce cas, n'a rien d'exagéré: mis à part la Corvette de Chevrolet, aucune autre voiture américaine ne jouit d'un tel statut. Autre exploit digne de mention: au fil des années, elle a toujours su rester fidèle à sa vocation originale – si on fait exception de l'épisode malheureux des Mustang II (1974-1978) –, soit d'offrir des performances relevées à un prix qui demeure, somme toute, abordable.

C'est exactement ce que proposait la première Ford Mustang, dévoilée le 17 avril 1964 dans le cadre de l'Exposition universelle de New York. L'instigateur de cet ambitieux projet était nul autre que Lee Iacocca, celui-là même qui allait contribuer, une quinzaine d'années plus tard, à sauver Chrysler de la faillite. La première génération de Mustang accéda instantanément au rang de vedette; acteurs, chanteurs, tout le *Who's who* du showbiz américain s'en procura une. Elle tint même un rôle de premier plan dans des classiques du cinéma tels *Bullit*, avec Steve McQueen à son volant, et *Un homme et une femme*, de Claude Lelouch, qui mettait en vedette un jeune acteur prometteur du nom de Jean-Louis Trintignant...

Fidèle à la tradition

Au premier coup d'œil, les changements paraissent timides, mais si on examine la voiture de plus près, on constate une plus grande fluidité de l'ensemble, ainsi que des lignes plus plongeantes et des formes légèrement équarries. Délaissant les rondeurs, les stylistes de Ford ont effectué un changement de cap radical, ne jurant plus que par le *New Edge Design* et ses lignes en coin. Après la Cougar, c'est au tour de la Mustang de s'y convertir. Toute ressemblance entre ces deux coupés sport s'arrête là: le premier est une traction, le deuxième, une propulsion, et ils ne partagent ni plate-forme ni organes mécaniques.

Malgré tout, un œil profane pourra difficilement faire la différence, car cette Mustang revue et corrigée reprend les grandes lignes de sa devancière. On a donc fait du neuf avec du vieux, une recette éprouvée s'il en est une. Le résultat est plutôt flatteur: malgré son allure moderne, la Mustang 1999 demeure fidèle à la tradition. Comme quoi il est possible de mélanger le passé et le présent sans tomber dans un kitsch outrancier... dont les stylistes américains ont longtemps eu le secret! L'habitacle est également rafraîchi, mais les changements sont plus discrets, se limitant à de nouvelles couleurs et de nouveaux tissus. Sur une note plus pratique, le siège côté conducteur se recule davantage, ce qui plaira aux plus grands.

Le tableau de bord est inchangé, ce qui n'est pas une mauvaise nouvelle en soi: celui du modèle actuel se consulte aisément, tout en étant complet et agréable à l'œil. L'ergonomie pourrait cependant être améliorée et les places arrière bénéficieraient de plus d'espace, mais il semble qu'il faudra attendre la prochaine génération pour voir

Ford Mustang

Pour	Contre
Retouches réussies • Tableau de bord bien garni • Finition irréprochable • Puissance en hausse • Rapport qualité-performances-prix	Places arrière exiguës • Sièges peu confortables • Lacunes ergonomiques • Train arrière sensible sur mauvais revêtement

Caractéristiques

Échelle de prix:	voir page 11 et suivantes
Modèle / Prix:	V6 / 23 816 $
Type:	coupé sport / propulsion
Empattement:	257 cm
Longueur:	465 cm
Largeur:	185 cm
Hauteur:	135 cm
Poids:	1392 kg
Coffre / Réservoir:	308 litres / 60 litres
Coussins de sécurité:	conducteur et passager
Système antipatinage:	oui
Suspension av. / arr.:	indépendante / essieu rigide
Freins av. / arr.:	disque (ABS optionnel)
Direction:	à crémaillère, assistée
Diamètre de braquage:	11,7 mètres
Pneus av. / arr.:	P205/65R15
Valeur de revente:	passable
Garantie de base:	3 ans / 60 000 km

Motorisation et performances

Moteur / Transmission:	V6 3,8 litres / manuelle 5 rapports
Puissance / Couple:	190 ch à 5250 tr/min / 220 lb-pi à 3000 tr/min
Autre(s) moteur(s):	V8 4,6 litres 250 ch
Transmission optionnelle:	automatique 4 rapports
Accélération 0-100 km/h:	9,0 secondes autre moteur: 6,1 secondes (V8)
Vitesse maximale:	180 km/h (limitée électroniquement)
Freinage 100-0 km/h:	41,8 mètres
Consommation (100 km):	10,5 litres (V6) autre moteur: 14 litres (V8)

Modèles concurrents

Chevrolet Camaro • Pontiac Firebird

Quoi de neuf?

Retouches esthétiques • Moteurs plus puissants • Suspensions modifiée • Antipatinage optionnel

Verdict

Agrément	⊕ ⊕ ⊕ ⊕	Habitabilité	⊕ ⊕
Confort	⊕ ⊕ ⊕	Hiver	⊕ ⊕
Fiabilité	⊕ ⊕ ⊕	Sécurité	⊕ ⊕ ⊕ (

ces souhaits exaucés. Sur notre véhicule d'essai, un modèle de base, la finition était cependant irréprochable; c'est d'ailleurs devenu l'une des marques de commerce de Ford depuis une dizaine d'années. Bravo, et continuez votre beau travail, messieurs-dames, car ce n'est pas tout le monde à Detroit qui peut prétendre en faire du pareil...

Encore du muscle

Puisqu'on parle de tradition, cette sportive demeure fidèle à l'architecture qui a toujours été sienne, c'est-à-dire moteur à l'avant et roues motrices à l'arrière. Comme ses rivales de chez GM, la Chevrolet Camaro et la Pontiac Firebird, dont les versions plus musclées sont toutefois plus puissantes. Mais elles sont aussi plus lourdes et l'écart se resserre, puisque le V8 de la Mustang GT s'enrichit de 25 chevaux supplémentaires en 1999, pour un total de 250. Ajoutons que les ventes de la Mustang surpassent celles de ces deux modèles ensemble, ce qui prouve que GM n'a pas fait ses devoirs avec le duo Camaro / Firebird.

La légende se porte bien.

Les motoristes de Ford ont obtenu ces gains en puissance et en couple sans augmenter la cylindrée (4,6 litres), en retouchant notamment le collecteur d'admission, l'arbre à cames et les pistons. L'antédiluvien V6 à culbuteurs de 3,8 litres n'est pas en reste, puisque sa puissance passe de 150 à 190 chevaux. Grand bien lui fasse, car il ne souffre plus de la comparaison avec les V6 du tandem Camaro / Firebird. De plus, malgré son âge canonique, ce moteur a de beaux restes. N'empêche que ce surplus de puissance ne lui fera pas de tort: il n'en rendra que plus compétitive et plus alléchante la version de base de la Mustang.

Autre nouveauté: cette propulsion dispose pour la première fois en 1999 d'un antipatinage. Mais attention, pas n'importe lequel: celui de cette fière descendante des *muscle cars* permettra aux pneus de glisser un peu lors d'accélérations brusques.

Comme en 1998, les deux configurations proposées seront un coupé et une décapotable; quant à l'exclusive version Cobra avec son V8 à double arbre à cames en tête, développant plus de 300 chevaux, et une suspension tout indépendante, elle pourrait resurgir en avril prochain, alors que la Mustang célébrera son 35e anniversaire.

Philippe Laguë

Ford Taurus • Mercury Sable

Ford Taurus

À trop vouloir en faire

Les Ford Taurus et Mercury Sable de la première génération sont assurées de passer à l'histoire comme des voitures qui ont littéralement bouleversé le monde automobile nord-américain. Au lieu de se contenter de rapiécer des voitures d'une autre époque, les concepteurs avaient travaillé sur un modèle neuf, rafraîchissant et fortement innovateur. Le succès a été formidable et les autres compagnies ont été obligées de réviser leurs positions. D'autant plus que la Taurus est restée pendant des années la voiture la plus vendue en Amérique du Nord.

Malheureusement, les modèles appelés à remplacer ces légendes ont failli à la tâche. Ils ont évolué, certes, mais peut-être pas dans la bonne direction. En fait, les responsables du projet ont voulu trop en faire et ont conçu une voiture qui rate la cible. Il suffit d'ailleurs de prendre connaissance du match comparatif mettant la Taurus en scène avec une Pontiac Grand Prix et une Chrysler Intrepid pour constater à quel point cette Ford a dévié de sa trajectoire.

Le principal problème de cette voiture est le fait que les différents éléments ne semblent pas être en mesure de travailler en harmonie. Si la plate-forme possède toute la rigidité voulue, la suspension ne semble pas à la hauteur. En effet, aussi bien la Taurus que la Sable sont facilement prises au dépourvu sur une route sinueuse et bosselée. Après quelques virages en succession, la voiture perd de son assurance, le train avant talonne, tandis que la direction passe alternativement de trop ferme à trop mou et vice versa. Et les freins ne sont pas nécessairement

plus efficaces: la distance de freinage est plus longue que la moyenne.

Bref, le comportement exemplaire et les bonnes manières des voitures de la première génération semblent s'être envolés avec l'arrivée de cette version «nouvelle et améliorée» en 1996. Curieusement, certains modèles Taurus et Sable se comportent de brillante façon uniquement dans le cadre de présentations spéciales de Ford, alors que les voitures semblent posséder les qualités anticipées. Par contre, toutes les voitures essayées à ce jour au Québec ont démontré un tempérament brouillon et une certaine anarchie dans le travail combiné des différents éléments.

Sur une note plus positive, les moteurs sont de conception sophistiquée et leur fiabilité ne présente aucun problème. Le V6 Duratec 3,0 litres à double arbre à cames en tête développe 200 chevaux et sa consommation modeste est digne de mention. Quant au V6 Vulcan, ses 145 chevaux ne sont pas désavantagés à bas régime, puisque son couple est généreux. Enfin, la Taurus la plus homogène est sans contredit la version SHO, dont le V8 3,4 litres développe 235 chevaux. Malheureusement, le SHO jouit d'une très faible diffusion et ses jours seraient comptés, s'il faut en croire la rumeur.

Silhouette étriquée, équipement complet

Il n'y a pas qu'au chapitre du comportement routier que ce duo a erré. Si les premières versions apparues en 1986 ont fait l'unanimité quant à leur silhouette innovatrice, la seconde génération en a fait tiquer plusieurs. Les stylistes ont devancé leur époque en dessinant des carrosseries trop complexes et pas nécessairement au

Mercury Sable LS

Pour

Équipement complet • Mécanique fiable • Sièges confortables
• Familiale polyvalente
• Prix compétitifs

Contre

Silhouette discutable
• Pneumatiques modestes
• Aménagement intérieur étriqué
• Direction mal calibrée
• Comportement routier moyen

Caractéristiques

Échelle de prix:	voir page 11 et suivantes
Modèle / Prix:	LS / 35 695$
Type:	berline / traction
Empattement:	275 cm
Longueur:	507 cm
Largeur:	185 cm
Hauteur:	141 cm
Poids:	1577 kg
Coffre / Réservoir:	447 litres / 60 litres
Coussins de sécurité:	conducteur et passager
Système antipatinage:	non
Suspension av. / arr.:	indépendante
Freins av. / arr.:	disque / tambour (ABS en option)
Direction:	à crémaillère, assistance variable
Diamètre de braquage:	11,8 mètres
Pneus av. / arr.:	P205/65R15
Valeur de revente:	faible
Garantie de base:	3 ans / 60 000 km

Motorisation et performances

Moteur / Transmission:	V6 3,0 litres / automatique 4 rapports
Puissance / Couple:	200 ch à 5750 tr/min / 200 lb-pi à 4500 tr/min
Autre(s) moteur(s):	V8 3,4 litres 235 ch (SHO) / V6 3,0 litres 145 ch
Transmission optionnelle:	aucune
Accélération 0-100 km/h:	10,3 secondes autre moteur: 8,6 s (V8)
Vitesse maximale:	175 km/h
Freinage 100-0 km/h:	45,0 mètres
Consommation (100 km):	12,0 litres autre moteur: 14,0 litres (V8)

Modèles concurrents

Buick Regal • Chrysler Intrepid • Pontiac Grand Prix • Oldsmobile Intrigue Toyota Camry • Mazda 626

Quoi de neuf?

Roues aluminium polies • Réaménagement de nombreux groupes d'options
• Nouvel enjoliveur de roue

Verdict

Agrément	⊕ ⊕ ⊕	Habitabilité	⊕ ⊕ ⊕ (
Confort	⊕ ⊕ ⊕	Hiver	⊕ ⊕ ⊕ (
Fiabilité	⊕ ⊕ ⊕	Sécurité	⊕ ⊕ ⊕ (

goût du jour. On avait bouleversé la catégorie une fois et on a voulu le faire une seconde fois. Malheureusement, les résultats ont été très modestes. Le public semble avoir de la difficulté à apprécier cette esthétique un peu trop débridée.

Il faut toutefois ajouter que la version familiale a reçu des commentaires plus positifs. Il semble que l'importante surface vitrée arrière s'adapte mieux aux lignes de la partie avant. De plus, puisque la familiale et la berline se vendent au même prix, la première est appréciée par une partie de la clientèle qui se laisse séduire par cette présentation unique et une capacité de chargement intéressante.

Toujours à la recherche de l'équilibre.

Un intérieur à revoir

L'habitacle a également été conçu dans le but de se démarquer de la concurrence. Tandis que Chrysler réussit à atteindre cet objectif avec astuce, les stylistes de Ford ont élaboré un habitacle de présentation inégale, dont certains détails de présentation diminuent l'habitabilité. Les garnitures de portières avant, par exemple, sont encombrantes et grugent quelques précieux millimètres. Quant à la galette ovale qui trône en plein centre du tableau de bord, son utilisation est facile et les commandes accessibles. Par contre, l'espace réservé à cet accessoire est relativement important.

Même les ingénieurs du châssis ont contribué à réduire l'espace intérieur. En voulant donner plus de rigidité à la plate-forme, ces derniers ont fait appel à un rail inférieur de dimensions généreuses qui vient enlever de l'espace aux pieds des occupants des places arrière. Par contre, l'espace pour les coudes et les hanches est généreux. De son côté, le dégagement pour la tête à l'arrière est affecté par la ligne du toit.

Il faut cependant souligner l'équipement très complet de tous les modèles de même qu'une finition généralement bonne. De plus, les Taurus et Sable sont vendues à des prix très compétitifs, ce qui permet de passer plus facilement l'éponge sur certains détails de comportement et de présentation.

Denis Duquet

Ford Windstar

Ford Windstar

La porte du succès

Les chiffres le prouvent, les consommateurs ont adopté la porte arrière coulissante gauche. De nos jours, inutile de songer à demeurer compétitif dans le marché des fourgonnettes sans offrir une version 5 portières. Coup sur coup, Chevrolet, Pontiac, Oldsmobile, Toyota, Honda et même Nissan ont suivi l'exemple de Chrysler. Le dernier irréductible était Ford, dont la populaire Windstar a réussi à limiter les dégâts en 1998, grâce à l'artifice de la portière gauche allongée et du siège du conducteur basculant afin d'accéder aux places arrière.

Cette année marque la fin des compromis avec l'arrivée d'une version remaniée, dotée de 2 portes latérales arrière coulissantes. Mieux encore, elles sont à ouverture automatique sur la plupart des modèles. Comme sur la Honda Odyssey, il suffit d'appuyer sur un bouton pour les voir s'ouvrir ou se fermer comme par magie.

La nouvelle Windstar affiche plusieurs autres changements. Les stylistes en ont profité pour apporter de multiples retouches à la silhouette, tandis que les ingénieurs ont peaufiné la mécanique. Sur le plan visuel, ce millésime affiche une calandre toute nouvelle et un hayon arrière redessiné. Les passages des roues sont légèrement bombés afin d'ajouter du caractère à la présentation. À l'arrière, le pare-chocs comprend un marchepied incorporé, recouvert d'un matériau en plastique antidérapant.

Tous ces changements ne transforment pas la Windstar du tout au tout, mais ils sont suffisamment importants pour différencier ce modèle des versions précédentes. Et force est d'avouer que le résultat d'ensemble est plutôt plaisant. D'ailleurs, bonne nouvelle pour Ford, cette nouvelle Windstar a souvent fait tourner les têtes sur son passage lors de notre essai sur route.

Propreté et sécurité

La Windstar bénéfice d'un châssis renforcé afin d'assurer une bonne rigidité, malgré la présence d'une portière supplémentaire. Pour ce faire, les poutres de chaque porte sont de type enveloppant. Cette astuce a réussi, puisque la Windstar 1999 affiche une rigidité en torsion améliorée de 33 p. 100 et une résistance à la flexion supérieure de 25 p. 100. Cela permet à la suspension de travailler de façon plus efficace. D'ailleurs, la géométrie des suspensions avant et arrière a été révisée, tandis que les sous-châssis sont plus rigides qu'auparavant. En fait, cette fourgonnette est actuellement le véhicule Ford dont la plate-forme est la plus rigide.

Deux moteurs sont au programme: un V6 3,8 litres développant 200 chevaux et un autre V6, un 3,0 litres cette fois, possédant 150 chevaux. Si leur cylindrée et leur puissance demeurent identiques aux versions 1998, ils sont toutefois nettement plus propres en ce qui concerne les gaz d'échappement. Les 2 groupes propulseurs sont couplés à des boîtes automatiques à 4 rapports qui s'adaptent au style de conduite du pilote. Les freins, plus gros à l'avant, permettent de réduire la distance de freinage de près de 3,0 mètres. Du côté de la sécurité passive, on trouve en option des coussins de sécurité latéraux qui protègent à la fois le torse et la tête des occupants des places avant.

D'ailleurs, la compagnie Ford ne se fait pas prier pour nous rappeler que cette fourgonnette conserve sa classification 5 étoiles

Ford Windstar

Pour

Silhouette plus élégante • Portière gauche coulissante • Tenue de route améliorée • Moteur 3,8 litres puissant • Habitacle polyvalent

Contre

Moteur 3,0 litres un peu juste • Cadrans indicateurs à revoir • Sièges intermédiaires lourds • Frein d'urgence difficile à opérer • Passage des rapports parfois sec

Caractéristiques

Échelle de prix:	voir page 11 et suivantes
Modèle / Prix:	SEL / 36 295 $
Type:	fourgonnette / traction
Empattement:	305 cm
Longueur:	510 cm
Largeur:	193 cm
Hauteur:	167 cm
Poids:	1895 kg
Coffre / Réservoir:	646 litres ou 4190 litres / 98 litres
Coussins de sécurité:	conducteur, passager et latéraux
Système antipatinage:	oui
Suspension av. / arr.:	indépendante/ rigide
Freins av. / arr.:	disque / tambour ABS
Direction:	à crémaillère, assistée
Diamètre de braquage:	12,3 mètres
Pneus av. / arr.:	P225/60R16
Valeur de revente:	bonne
Garantie de base:	3 ans / 60 000 km

Motorisation et performances

Moteur / Transmission:	V6 3,8 litres / automatique 4 rapports
Puissance / Couple:	200 ch à 4900 tr/min / 240 lb-pi à 3600 tr/min
Autre(s) moteur(s):	V6 3,0 litres 150 chevaux
Transmission optionnelle:	aucune
Accélération 0-100 km/h:	10,4 secondes
Vitesse maximale:	180 km/h
Freinage 100-0 km/h:	40,3 mètres
Consommation (100 km):	12,1 litres autre moteur: 11,4 litres

Modèles concurrents

Dodge Caravan • Plymouth Voyager • Chrysler Town & Country • Toyota Sienna • Honda Odyssey • Pontiac Trans Sport

Quoi de neuf?

Nouvelle carrosserie • Freins plus puissants • Portes coulissantes motorisées • Détecteur de présence arrière • Habitacle revu

Verdict

Agrément	⊕ ⊕ ⊕ ⟨	Habitabilité	⊕ ⊕ ⊕ ⊕
Confort	⊕ ⊕ ⊕ ⊕	Hiver	⊕ ⊕ ⊕ ⊕
Fiabilité	⊕ ⊕ ⊕ ⊕ ⊕	Sécurité	⊕ ⊕ ⊕ ⊕ ⊕

décernée par le bureau fédéral américain de sécurité routière pour la protection accordée en cas d'impact frontal.

Enfin, il sera également possible de commander un détecteur de proximité qui avertira le conducteur de la présence d'un obstacle derrière la voiture. Une succession de «bips» se fait entendre lorsqu'un objet se situe à moins de 4 mètres du pare-chocs. L'intensité de ce signal sonore augmente au fur et à mesure qu'on s'approche de l'obstacle. Cet accessoire se révèle très pratique au cours des manœuvres de stationnement.

Des modifications qui portent fruit.

Confort et stabilité

Les planificateurs ont mis l'accent sur la polyvalence de l'habitacle. Les banquettes intermédiaires peuvent être installées plus vers la droite ou vers la gauche afin de faciliter l'accès à bord. Les passagers des places arrière bénéficient de bouches de ventilation. La banquette arrière est montée sur roulettes afin de faciliter son déplacement. Il est également possible de disposer cette banquette en position limousine en enlevant les sièges intermédiaires et en l'avançant quelque peu afin de pouvoir offrir plus d'espace pour les jambes aux passagers arrière, tout en assurant un espace très généreux pour les bagages.

Le tableau de bord a également été remanié: les commandes de sonorisation, relocalisées, sont plus faciles d'opération. Par contre, les cadrans de même que l'indicateur de vitesse sont ternes et l'option numérique n'arrange rien non plus. Il faut également déplorer que le frein d'urgence soit passablement difficile d'accès, car il est placé trop près du siège du conducteur.

Sur la route, cette Ford se débrouille avantageusement. Elle ne possède pas l'agilité d'une Autobeaucoup, son moteur est moins sophistiqué que celui de la Honda Odyssey et la tenue de route est parfois incertaine. Malgré tout, l'équilibre général est bon. La direction est précise et l'assistance bien dosée pour un véhicule à vocation utilitaire. C'est un plaisir d'aborder des courbes à grand rayon avec la Windstar qui les négocie avec aplomb. Un galop à haute vitesse sur une autoroute ontarienne m'a également convaincu de sa stabilité à haute vitesse alors que les vents latéraux n'ont pas semblé l'affecter. Le V6 3,8 litres est toujours un peu rude, mais il réagit de manière plus incisive qu'auparavant. Quant au 3,0 litres, il est d'une surprenante vivacité. Bref, la Windstar s'est non seulement raffinée, mais elle a gagné en panache dans l'opération.

Denis Duquet

Honda Accord

Honda Accord

Le désaccord

Sans faire de mauvais jeux de mots, on peut dire que les deux versions de la dernière Honda Accord sont en complet désaccord. Pendant que l'une joue plutôt bien son rôle de berline sage et sans problème, l'autre passe difficilement la rampe sous son déguisement de coupé sport. Le moteur V6 peut, jusqu'à un certain point, réparer les pots cassés, mais le récent «remake» de cette gamme immensément populaire a produit des voitures plus aseptisées que jamais.

Pour mieux démarquer la berline du coupé, Honda les a vêtus d'un habillage différent. Au lieu de simplement supprimer deux portes à la berline pour en faire un coupé, on a adopté des carrosseries dont les éléments interchangeables sont beaucoup moins nombreux qu'auparavant. On espérait ainsi donner une petite poussée aux ventes marginales de la version 2 portes. Malheureusement, il ne suffit pas d'un simple aileron ou de bas de caisse élargis pour donner du mordant à une voiture. Le coupé ne réussit pas vraiment à accrocher les irréductibles de la conduite sportive en raison de son tempérament un peu trop calme.

Des pneus discutables

Pour faire son procès en vitesse, soulignons que ce modèle est lourdement handicapé par ses pneus d'origine, des Bridgestone Turanza, dont l'adhérence est rien de moins que lamentable. Même sur pavé sec, la moindre accélération un peu enjouée les fait patiner comme de vraies savonnettes. Leur dimension n'arrange pas les choses non plus au point de vue esthétique. La version haut de gamme (EX V6) reçoit des gommes de 16 pouces d'une dimension supérieure qui améliore non seulement l'apparence, mais aussi la tenue de route.

Quant à la motricité sur la neige, j'ai rarement conduit une traction aussi dépourvue à ce chapitre que le coupé Honda Accord. L'hiver a aussi mis en évidence un autre aspect agaçant de la voiture. Ses bas de caisse élargissent considérablement le seuil des portières, de sorte qu'il est difficile d'entrer ou de sortir sans salir son pantalon. De capacité moyenne, le coffre à bagages se complique d'un seuil de chargement élevé. L'aileron qui le surplombe restreint la visibilité arrière.

Soulignons aussi que le premier modèle mis à l'essai, un coupé EX à moteur 4 cylindres VTEC de 150 chevaux, n'était pas très représentatif des normes de qualité que l'on tient ordinairement pour acquises dans une Honda. La voiture avait, dit-on, lourdement souffert de la tempête de verglas en plus d'avoir été malmenée par certains journalistes peu respectueux de la propriété des autres. La seconde version essayée a biffé certaines de nos critiques initiales sans pour autant donner du mordant à ce coupé, malgré la présence du V6 sous le capot. Le chrono donne une certaine respectabilité aux accélérations, mais ne dit pas tout. À moins de jouer du levier de vitesses, les reprises sont molles et rendent les dépassements longuets. Quant à la suspension tout indépendante, elle confère une tenue de route sûre, mais nos mauvaises routes provoquent souvent un cognement au moment où les amortisseurs arrivent en fin de course.

Une berline «américanisée»

La berline, fort heureusement, vient embellir le tableau de la gamme Accord en rachetant la plupart des fautes de son compagnon

Honda Accord

Pour

Excellent groupe motopropulseur • Douceur de roulement • Tenue de route sûre • Finition soignée

Contre

Pneus exécrables • Qualité hors normes • Coupé inintéressant • Bruits de roulement

Caractéristiques

Échelle de prix:	voir page 11 et suivantes
Modèle / Prix:	LX / 23 800 $
Type:	berline / traction
Empattement:	271 cm
Longueur:	479 cm
Largeur:	178 cm
Hauteur:	144 cm
Poids:	1385 kg
Coffre / Réservoir:	399 litres / 65 litres
Coussins de sécurité:	conducteur et passager
Système antipatinage:	non
Suspension av. / arr.:	indépendante
Freins av. / arr.:	disque
Direction:	à crémaillère, assistance variable
Diamètre de braquage:	11,8 mètres
Pneus av. / arr.:	P195/65R15
Valeur de revente:	excellente
Garantie de base:	3 ans / 60 000 km

Motorisation et performances

Moteur / Transmission:	4L 2,3 litres VTEC / automatique 4 rapports
Puissance / Couple:	150 ch à 5700 tr/min / 152 lb-pi à 4900 tr/min
Autre(s) moteur(s):	4L 2,3 litres 135 ch / V6 3,0 litres 200 ch
Transmission optionnelle:	manuelle 5 rapports
Accélération 0-100 km/h:	10,3 s autre moteur: 8,4 s (coupé V6 aut.)
Vitesse maximale:	180 km/h
Freinage 100-0 km/h:	39,0 mètres
Consommation (100 km):	10,3 litres autre moteur: 11,4 litres (V6)

Modèles concurrents

Toyota Camry • Nissan Altima • Mazda 626 • Ford Contour • Chrysler Cirrus • Chevrolet Malibu

Quoi de neuf?

Rétroviseurs extérieurs articulés • ABS de série sur LX • Finition cuir sur LEX

Verdict

Agrément	⊕ ⊕ ⊕	Habitabilité	⊕ ⊕ ⊕ ⊕
Confort	⊕ ⊕ ⊕ ⊕	Hiver	⊕ ⊕ ⊕
Fiabilité	⊕ ⊕ ⊕ ⊕ ⊕	Sécurité	⊕ ⊕ ⊕ ⊂

d'armes. Rappelons d'abord qu'elle est plus «américanisée» que jamais, ce qui n'a rien d'étonnant quand on sait qu'elle a été conçue, élaborée et assemblée aux États-Unis.

Côté motorisation, la berline est plus généreuse que le coupé. Alors que celui-ci offre le choix entre un 4 cylindres VTEC de 150 chevaux et un V6 3,0 litres de 200 chevaux, la berline propose en plus un 4 cylindres régulier de 2,3 litres dans sa version DX. Précisons que le V6 est livré avec une transmission automatique seulement.

La berline LX qui me fut confiée s'accommodait fort bien du jumelage de la boîte automatique au moteur de 150 chevaux. Les accélérations étaient très correctes et les reprises servies par une transmission qui répondait sans hésiter aux sollicitations de l'accélérateur. La direction à assistance variable s'alourdissait toutefois un peu trop en circulation urbaine. La berline Accord prend grand soin du bien-être de ses occupants, mais les néglige un peu en matière de tenue de route. Le comportement en virage reste très sûr et il faut vraiment insister pour découvrir une tendance au survirage. En revanche, à haute vitesse, on éprouve une sensation de flottement qui incite à ralentir. Les pneus d'origine exigent aussi de la prudence dans les flaques d'eau en raison de leur faible résistance à l'aquaplaning.

La nouvelle Accord est atteinte de l'un des problèmes majeurs de toutes les Honda, soit leur mauvaise insonorisation aux bruits de roulement. À une vitesse d'autoroute, on se surprend à hausser le volume de la radio pour couvrir le bruit qui semble provenir principalement des roues arrière. En revanche, cette Accord offre une belle synthèse des qualités maîtresses qui ont permis à la firme japonaise de hisser la plupart de ses modèles sur la liste des «bestsellers». Honda a trouvé la clé du succès en misant sur une gamme de moteurs particulièrement au point, une finition irréprochable et des aménagements intérieurs soignés. Si les gens se trouvent aussi bien au volant d'une Honda, c'est souvent grâce à de petits détails comme la simplicité du tableau de bord. Pas de cachette, pas de tâtonnement, tout est à l'endroit où l'on s'attend à le trouver.

On dit souvent que la première impression laissée par une voiture dans une salle de montre est ce qui contribue le plus à faire son succès. Dans un tel cas, il ne faut pas chercher plus loin les raisons qui font de la berline Honda Accord l'une des voitures les plus vendues en Amérique. Elle offre tout ce que recherchent la grande majorité des automobilistes, rien de plus, rien de moins.

Du bon et du moins bon.

Jacques Duval

Honda Civic

Honda Civic Hatchback

L'initiation au plaisir

Les Québécois ont célébré leurs noces d'argent avec la Honda Civic l'an dernier. Dès son arrivée chez nous, en 1973, ce fut le coup de foudre et un quart de siècle plus tard, la Civic continue de trôner au sommet du palmarès des ventes au Québec. Qui a dit que la passion ne pouvait durer toujours?

É videmment, il y a plus d'un facteur – outre son charisme indéniable – pour expliquer le succès de cette petite japonaise. L'un d'eux est sa polyvalence, la gamme Civic pouvant se résumer ainsi: trois configurations, trois vocations. On optera pour le coupé à cause de son élégance; pour la berline parce qu'elle est plus spacieuse et plus confortable; et pour la trois portes (hatchback) parce que c'est la moins chère.

De plus, cette palette de versions permet à la Civic d'évoluer sur deux terrains à la fois: à cause de ses dimensions et de son prix, la petite *hatchback* doit être considérée comme une sous-compacte, tandis que la berline, plus volumineuse, monte d'une coche, rivalisant avec des compactes telles la Toyota Corolla, la Mazda Protegé et la Nissan Sentra, ainsi que le tandem Cavalier/Sunfire (GM), la Ford Escort et les Dodge et Plymouth Neon chez les Américains. Quant au coupé, il se place en rival direct des Saturn SC, Ford Escort ZX2 et Hyundai Tiburon.

Le Québec à contre-courant

Les Québécois, dit-on, forment une société distincte, et cela se reflète entre autres dans leurs préférences en matière d'automobiles. Ainsi, la Civic est depuis plusieurs années la reine des ventes

au Québec, alors qu'elle est devancée par la Chevrolet Cavalier dans le reste du Canada (du moins était-ce le cas jusqu'à l'an dernier). Autre exemple: la popularité des modèles pourvus d'un hayon arrière (ou trois portes), une configuration en voie d'extinction dans le reste de l'Amérique mais qui, chez nous, compte encore bon nombre de fidèles.

La Civic *hatchback* offre une habitabilité étonnante et ce, même à l'arrière où le dégagement pour les jambes est raisonnable. Accéder aux places arrière exige toutefois une certaine souplesse, mais comme la clientèle est en grande majorité dans la fleur de l'âge, elle se formalise moins des contorsions nécessaires. Ces mêmes jeunes font fi plus facilement de la pauvreté de l'équipement de série qui, dans la version de base (CX), bat des records de dénuement. Pour 800 dollars de plus, on peut se porter acquéreur d'une DX, avec servo-direction, compte-tours et coussin gonflable supplémentaire, côté passager. La chaîne stéréo hérite pour sa part de 4 haut-parleurs (au lieu de 2), mais le lecteur de cassettes reste optionnel. Franchement, à près de 15 000 $ l'exemplaire, on aurait pu se forcer un peu... Chose étrange cependant, cet appareil AM-FM des plus simplistes est plus performant que ceux qui équipent des modèles plus luxueux, tels l'Accord ou les Acura EL et Integra, qui sont vraiment mal nantis en la matière.

Par ailleurs, les amateurs de bombes en petit format se réjouiront d'apprendre que la Civic SiR débarque en Amérique du Nord. Fort de ses 160 chevaux, ce petit paquet de dynamite concentré sera offert en coupé seulement. Quant à la qualité d'assemblage proverbiale des Honda, elle est toujours au rendez-vous. L'habitacle respire la solidité et le travail bien fait, une impression renforcée par l'absence de bruits de caisse et d'autres cliquetis suspects. L'insonorisation

Honda Civic

Pour

Agrément de conduite • Mécanique raffinée • Habitabilité surprenante • Qualité et fiabilité • Gamme polyvalente

Contre

Accès difficile aux places arrière • Pauvreté de l'équipement de série • Manque de couple à bas régime • Direction surassistée • Pneus médiocres (CX)

Caractéristiques

Échelle de prix:	voir page 11 et suivantes
Modèle / Prix:	DX / 14 800 $
Type:	coupé *hatchback* / traction
Empattement:	262 cm
Longueur:	418 cm
Largeur:	170 cm
Hauteur:	137 cm
Poids:	1037 kg
Coffre / Réservoir:	408 litres / 45 litres
Coussins de sécurité:	conducteur et passager
Système antipatinage:	non
Suspension av. / arr.:	indépendante
Freins av. / arr.:	disque / tambour
Direction:	à crémaillère, assistée
Diamètre de braquage:	10,8 mètres
Pneus av. / arr.:	P185/65R14
Valeur de revente:	excellente
Garantie de base:	3 ans / 60 000 km

Motorisation et performances

Moteur / Transmission:	1,6 litre SACT / manuelle 5 rapports
Puissance / Couple:	106 ch à 6200 tr/min / 103 lb-pi à 4600 tr/min
Autre(s) moteur(s):	4L 1,6 litre 127 ch / 4L 1,6 litre 160 ch
Transmission optionnelle:	automatique 4 rapports
Accélération 0-100 km/h:	9,2 secondes autre moteur: 8,0 s (Si)
Vitesse maximale:	190 km/h
Freinage 100-0 km/h:	45 mètres
Consommation (100 km):	6,7 litres autre moteur: 7,5 litres (Si)

Modèles concurrents

Hyundai Accent • Suzuki Swift • Toyota Tercel • VW Golf

Quoi de neuf?

Nouvelle version SiR: 1,6 litre/160 ch • Avant et arrière redessinés • Moteurs LEV

Verdict

Agrément	⊤ ⊤ ⊤ ⊤	Habitabilité	⊤ ⊤ ⊤
Confort	⊤ ⊤ ⊆	Hiver	⊤ ⊤ ⊤
Fiabilité	⊤ ⊤ ⊤ ⊤	Sécurité	⊤ ⊤ ⊤ ⊆

demeure perfectible dans les modèles munis d'un hayon, mais tant la berline que le coupé sauront combler les conducteurs à la recherche d'une automobile une coche plus silencieuse, plus spacieuse et plus confortable. La polyvalence, c'est ça.

Délinquante

Voilà des arguments qui importent peu pour les jeunes adultes qui, casquette à l'envers, tricotent dans la circulation. On dénombre hélas quelques têtes brûlées dans le lot, friands qu'ils sont de zigzags et autres manœuvres audacieuses, sinon carrément dangereuses. Mais, bon, que celui qui n'a jamais péché lance la première pierre...

Comprenons-nous bien: l'idée n'est pas d'excuser les écervelés qui sèment la terreur au volant de leurs petites Civic modifiées, surbaissées, aux vitres teintées... Mais les aptitudes routières de ce petit paquet de nerfs peuvent facilement mener à la délinquance. Sans être une bombe à proprement parler, la Civic tire joliment profit des 106 chevaux de son 4 cylindres. Ce qui, du reste, n'a rien d'étonnant quand on connaît le savoir-faire des motoristes de Honda. Comme sur la plupart des engins multisoupape de petite cylindrée, le manque de couple se fait cependant sentir à bas régime et les reprises manquent de mordant à une vitesse de croisière. Il est donc de mise de rétrograder, surtout lorsque vient le temps de dépasser. De toute façon, jouer du levier avec les boîtes manuelles de ce constructeur n'a rien de déplaisant, au contraire!

En ville, ce petit diable se faufile partout, bien servi par son agilité, sa maniabilité et la rapidité de sa direction – bien que celle-ci soit un brin trop assistée. Sur un tracé sinueux, on se régale du travail des suspensions à double levier triangulé (une autre spécialité de la maison) et de la neutralité de la caisse dans les virages et ce, peu importe l'angle dudit virage. Une précision, toutefois: ces observations s'appliquent à la version DX, chaussée de jantes de 14 pouces. La CX est affligée de pneumatiques de 13 pouces, qui seraient plus à leur place sur une bicyclette.

D'aucuns ont reproché à la Honda Civic, lors de sa dernière refonte, il y a trois ans, de s'être embourgeoisée. Il est vrai que c'est en partie fondé, mais cela s'applique davantage à la berline et au coupé qu'au *hatchback*. Malgré tout, elle n'en demeure pas moins le meilleur choix pour ceux qui placent l'agrément de conduite au premier rang, tout en offrant une sophistication mécanique appréciable, qui n'exclut pas une fiabilité supérieure. Que demander de plus?

Championne toutes catégories.

Philippe Laguë

Honda CR-V

Honda CR-V

Une illusion d'optique

Les utilitaires sport traditionnels ont toujours la cote, même si la majorité des acheteurs n'ont aucunement besoin de ce genre de véhicule. Entre vous et moi, qui a vraiment besoin d'un de ces mastodontes pour se déplacer de sa résidence à son travail? Les quelques excursions réalisées chaque année sur des routes secondaires ne justifient pas plus cet achat. C'est dans ce contexte que les utilitaires sport compacts viennent s'interposer. Leurs dimensions plus raisonnables, leur moteur 4 cylindres moins gourmand et la traction aux 4 roues sont autant d'arguments qui militent en leur faveur.

Ce n'est donc pas le fruit du hasard si ces modèles et le Honda CR-V en particulier jouissent d'une telle popularité. Pour plusieurs, c'est le compromis idéal qui permet de rouler en 4X4 sans pour autant hypothéquer son budget ni faire baisser les ressources pétrolières du pays à chaque plein d'essence. Cette demande de plus en plus élevée pour les modèles compacts explique l'arrivée de Subaru dans cette catégorie et les efforts de Suzuki avec les modèles Vitara et Grand Vitara.

Si Honda n'a pas été la première à offrir un tel modèle, elle a fait une entrée en scène remarquée en mars 1997 avec cet élégant 4X4. La demande est toujours très forte depuis le début et Honda a souvent été obligée de mettre les bouchées doubles pour y répondre.

Le RAV4 de Toyota possède une ligne plus agressive, la silhouette du Subaru Forester est plus raffinée et celle du Vitara plus dynamique, ce qui n'empêche pas le CR-V de jouir d'une très forte popularité. Les stylistes de Honda ont réussi à associer au design de cet utilitaire le côté costaud de ce genre de véhicule, tout en lui conférant des rondeurs bien placées qui l'associent également aux familiales. Bref, la silhouette est sympathique, tout en donnant l'impression que ce véhicule est de dimensions plutôt modestes. Il faut voir l'air incrédule des gens lorsqu'on leur souligne que le CR-V est plus volumineux qu'un Jeep Cherokee.

Habitacle spacieux

Bref, ce Honda tout usage possède une silhouette en trompe-l'œil qui lui donne un air compact, même si ses dimensions sont assez généreuses. En prenant place à bord, on est immédiatement impressionné par l'espace qui nous entoure. Aussi bien à l'avant qu'à l'arrière, les personnes de tous les gabarits se sentent à l'aise. Cependant, la banquette arrière n'est pas très confortable. Le coffre est légèrement plus petit que ceux des RAV4 et Forester lorsque le siège arrière est en place. Une fois celui-ci rabattu, le CR-V supplante ses deux rivales à ce chapitre. Il n'est toutefois pas simple d'accéder à l'espace de chargement. Non seulement la roue de secours est à l'extérieur, mais le hayon en deux pièces n'est pas tellement facile à utiliser. En contrepartie, l'espace intérieur libéré par la roue de secours permet d'abriter une table à pique-nique et un bac de rangement.

La présentation intérieure est sobre et sans fla fla. Le tableau de bord provient de la même cuvée avec sa console centrale dépouillée et ses contrôles placés aux endroits stratégiques. À souligner: les commandes de climatisation à boutons et le réglage thermostatique de la climatisation. Quant à la tablette amovible située entre les deux sièges avant, elle doit être abaissée pour que les

Honda CR-V

Pour
Habitabilité généreuse • Boîte manuelle bienvenue • Caisse robuste • Tenue de route équilibrée • Agile dans la circulation

Contre
Performances modestes • Hayon arrière complexe • Roue de secours mal située • Comportement hors route moyen • Direction lente

Caractéristiques
Échelle de prix:	voir page 11 et suivantes
Modèle / Prix:	EX / 29 595 $
Type:	utilitaire sport compact
Empattement:	262 cm
Longueur:	451 cm
Largeur:	175 cm
Hauteur:	167,4 cm
Poids:	1397 kg
Coffre / Réservoir:	375 litres / 59 litres
Coussins de sécurité:	conducteur et passager
Système antipatinage:	non
Suspension av. / arr.:	indépendante
Freins av. / arr.:	disque / tambour ABS
Direction:	à crémaillère, assistance variable
Diamètre de braquage:	10,6 mètres
Pneus av. / arr.:	P205/70R15 M+S
Valeur de revente:	très bonne
Garantie de base:	3 ans / 60 000 km

Motorisation et performances
Moteur / Transmission:	4L 2,0 litres / automatique 4 rapports
Puissance / Couple:	126 ch à 5400 tr/min / 133 lb-pi à 4300 tr/min
Autre(s) moteur(s):	aucun
Transmission optionnelle:	manuelle 5 rapports
Accélération 0-100 km/h:	11,4 secondes
Vitesse maximale:	160 km/h
Freinage 100-0 km/h:	?????????
Consommation (100 km):	11,7 litres

Modèles concurrents
Toyota RAV4 • Suzuki Vitara • Chevrolet Tracker • Jeep TJ • Subaru Forester

Quoi de neuf?
Aucun changement majeur

Verdict
Agrément	⊕ ⊕ ⊕ ⊆	Habitabilité	⊕ ⊕ ⊕ ⊆
Confort	⊕ ⊕ ⊆	Hiver	⊕ ⊕ ⊕ ⊕ ⊆
Fiabilité	⊕ ⊕ ⊕ ⊕	Sécurité	⊕ ⊕ ⊕

passagers puissent accéder aux places arrière. De plus, sa capacité à accueillir des verres de dimensions généreuses est limitée.

Anémique ou dynamique?

L'an dernier, Honda a remédié à l'une des principales carences de ce véhicule en offrant une boîte manuelle. Curieusement, cet utilitaire sport avait été lancé sur le marché uniquement avec la boîte automatique. Si celle-ci était efficace, elle mettait en évidence le manque de couple de ce moteur 2,0 litres, dont les 126 chevaux avaient de la peine à se manifester. Et cette faiblesse devient encore plus perceptible lorsqu'on roule sur un sentier boueux ou en côte. Avec la version manuelle, on peut compter sur des accélérations et des reprises beaucoup plus vigoureuses. En fait, il est possible de retrancher pas moins de 2 secondes au 0-100 km. Malgré tout, quelques chevaux de plus seraient les bienvenus.

S.V.P.! Des chevaux de plus!

En conduite régulière, le CR-V transmet la quasi-totalité de la puissance aux roues avant et son comportement routier s'apparente d'assez près à celui d'une berline Accord de la génération précédente. La direction est toutefois très lente et cela devient agaçant lorsqu'on doit enfiler les virages. Par ailleurs, la suspension absorbe bien les imperfections de la route.

Lorsque l'adhérence des roues avant se dégrade, un visco-coupleur transmet le couple aux roues arrière. Ce transfert est imperceptible et s'effectue en une fraction de seconde. Par contre, ce système est assez élémentaire et il ne faut pas tenter le diable en s'aventurant sur des sentiers en trop mauvais état. D'autant plus que la garde au sol est tout juste dans la bonne moyenne.

Cet utilitaire sport doit sa popularité en partie à la réputation de Honda de fabriquer des véhicules fiables et agréables à conduire. De plus, son allure sympathique, son habitabilité généreuse et un rouage d'entraînement simple, mais efficace amplifient son charme. Le CR-V n'est peut être pas le plus doué de la famille, mais il est sans doute le plus attrayant aux yeux du public.

Denis Duquet

Honda Odyssey

Honda Odyssey

Cette fois, c'est sérieux!

Jusqu'à ce jour, la compagnie Honda a toujours été réticente à s'intéresser sérieusement au marché des fourgonnettes. Pour tâter le terrain, elle s'était contentée d'un demi-effort avec l'Odyssey de première génération dévoilée en 1995. Il s'agissait en fait d'une familiale surélevée, déguisée en fourgonnette. Elle n'offrait qu'un moteur 4 cylindres, des portes arrière régulières et un habitacle plutôt exigu.

Malgré tout, cette Honda tout usage innovait par sa suspension arrière indépendante, sa tenue de route agile et, surtout, une ingénieuse banquette arrière qui s'éclipsait dans le plancher. Malheureusement, cette approche différente n'a jamais été en mesure d'inquiéter les fourgonnettes plein format qui dominent le marché depuis 1983. Honda a donc décidé de se remettre au travail et de concocter un produit capable de faire la lutte aux «vraies fourgonnettes».

Silhouette sobre, cabine astucieuse

Les stylistes de Honda préfèrent les lignes épurées et les présentations extérieures plutôt sobres. La nouvelle Odyssey ne fait pas exception à cette philosophie. Comme il se doit, on a conservé la calandre des autres modèles Honda, tandis que la partie arrière se démarque des autres fourgonnettes par une bande transversale accueillant les phares de position et de freinage. De plus, les parois sont légèrement incurvées vers le haut pour équilibrer la présentation. Somme toute, le design extérieur n'est pas aussi relevé que celui des fourgonnettes Chrysler, mais moins aseptisé que celui de la Toyota Sienna ou de la Ford Windstar.

L'habitacle est de la même cuvée avec un tableau de bord pratiquement similaire à celui de la berline Accord. À défaut d'être spectaculaire, cette présentation est efficace, dégagée et facile d'utilisation et de consultation. Il faut également souligner la qualité du plastique et de l'assemblage. Par contre, on est en droit de s'interroger sur l'utilité des espaces de rangement placés en bas de la console verticale. Il faut se pencher encore davantage pour accéder à la prise pour accessoires placée à quelques millimètres du plancher.

Toute fourgonnette qui se respecte doit offrir la possibilité de passer de l'avant à l'arrière sans devoir quitter l'habitacle. Cela explique pourquoi le levier de vitesses est couplé à la colonne de direction. Une tablette escamotable se replie le long du siège du passager pour faciliter les déplacements.

Si les sièges avant se situent dans la bonne moyenne en termes de confort et de support latéral, il faut souligner la qualité des baquets arrière du modèle EX. Non seulement ils possèdent un coussin suffisamment long pour offrir un bon support pour les cuisses, mais ils sont juste à la bonne hauteur. Chez plusieurs concurrentes, les sièges ont une assise tellement basse qu'on se retrouve la tête entre les genoux. De plus, le dossier est bien moulé et assure un support presque idéal. À noter qu'il est possible de glisser le siège baquet de droite de la deuxième rangée sur un rail afin de le coupler à celui de gauche et de former une banquette. L'opération s'effectue facilement et permet d'ajouter à la polyvalence de ce véhicule. En outre, les deux peuvent se déplacer d'avant en arrière pour ajouter au confort de leurs occupants et de ceux de la banquette arrière. Par contre, la LX offre une banquette moins confortable et relativement étroite.

Encore une fois, les magiciens de Honda ont effectué leur tour de passe-passe pour le siège arrière. En effet, il est possible de le faire disparaître dans une dépression réservée à cet effet dans le plancher de la cabine. Il suffit de replier le dossier vers l'avant, de déclencher le levier de verrouillage et de tirer sur une sangle de nylon, et le tout disparaît dans le plancher. Par contre, il est dommage que les astucieux ingénieurs qui ont conçu ce siège pratiquement magique n'aient pas trouvé un truc pour que les appuie-tête s'escamotent par la même occasion. Il faut les enlever un par un et les remiser dans les vide-poches latéraux avant de replier la banquette dans le plancher.

Ce siège miracle oblige les ingénieurs à placer le pneu de secours ailleurs. On l'a mis dans une cavité du plancher placée derrière les sièges avant. Il suffit de reculer les sièges médians et de soulever une trappe d'accès pour l'en extirper. Comme il s'agit d'un mini pneu temporaire, il est impossible de loger le pneu crevé dans cet espace. Mais Honda a prévu la chose. Un sac de rangement est placé dans le logement du pneu de secours afin de recouvrir la roue endommagée, tandis qu'un support temporaire permet de la remiser à l'arrière. Ce n'est pas idéal, mais c'est mieux que de devoir transporter un pneu sale dans ses bagages.

Parmi les autres astuces de l'Odyssey, il faut souligner la présence de 4 buses de ventilation individuelles dans le pavillon arrière, accompagnées aussi d'une lampe de lecture. Chacun peut donc régler le jet d'air comme il le veut et lire sans déranger les autres. Par contre, comme dans plusieurs autres fourgonnettes, les commandes supplémentaires de la ventilation arrière sont placées du côté gauche du pavillon et elles ne sont pas nécessairement faciles d'accès si vous êtes assis du côté droit.

L'Odyssey est dotée de deux portes coulissantes arrière. Mieux encore, ces portières sont à ouverture à commande électrique sur le modèle EX. La télécommande permet d'ouvrir ces deux portes à distance, tandis que deux boutons placés à gauche du volant permettent de contrôler leur ouverture et leur fermeture sans devoir se déplacer.

Bref, à défaut d'utiliser une approche révolutionnaire, les concepteurs de Honda ont réalisé une fourgonnette très sophistiquée, privilégiant le confort et la facilité d'utilisation.

Une mécanique typiquement Honda

Cette grosse fourgonnette fait appel à un V6 3,5 litres spécialement conçu pour répondre aux exigences d'une fourgonnette. Très compact, ce moteur est doté de culasses identiques à celles du V6 de l'Accord afin d'offrir un profil très bas. Développant 210 chevaux, ce groupe propulseur utilise le système VTEC de calage variable des soupapes. Par contre, il fait appel à une version spéciale à 2 culbuteurs afin d'assurer un couple plus élevé à bas régime. Ce V6 est associé à une boîte automatique à 4 rapports, dont les algorithmes du système de logique de pente ont été spécialement réglés pour les besoins des fourgonnettes. Et il faut souligner que cette boîte automatique s'est révélée non seulement sans faille, mais d'une grande efficacité dans les côtes. Lors de notre essai, on n'a noté que très peu de passages intempestifs d'un rapport à l'autre.

L'Odyssey promet un comportement routier très proche de celui d'une automobile, ce qui justifie la présence d'une suspension indépendante aux 4 roues. La partie avant utilise des jambes de force ancrées en leur partie inférieure à un double levier triangulé.

Honda Odyssey

Pour

Moteur V6 bien adapté • Cabine astucieuse • Sièges confortables • Tenue de route relevée • Banquette arrière s'escamotant dans le plancher

Contre

Silhouette quelconque • Version LX un peu fade • Appuie-tête encombrants lorsqu'on range la banquette arrière • Prise d'alimentation avant difficile d'accès

Caractéristiques

Échelle de prix:	voir page 11 et suivantes
Modèle / Prix:	EX / 33 495 $
Type:	fourgonnette / traction
Empattement:	300 cm
Longueur:	511 cm
Largeur:	192 cm
Hauteur:	174 cm
Poids:	1945 kg
Coffre / Réservoir:	711 (3821 litres) / 75 litres
Coussins de sécurité:	conducteur et passager
Système antipatinage:	oui (sur EX seulement)
Suspension av. / arr.:	indépendante
Freins av. / arr.:	disques / tambour ABS
Direction:	à crémaillère, assistée
Diamètre de braquage:	11,7 mètres
Pneus av. / arr.:	P215/65R16
Valeur de revente:	nouveau modèle
Garantie de base:	3 ans / 60 000 km

Motorisation et performances

Moteur / Transmission:	V6 3,5 litres / automatique 4 rapports
Puissance / Couple:	210 ch à 5200 tr/min / 229 lb-pi à 4300 tr/min
Autre(s) moteur(s):	aucun
Transmission optionnelle:	aucune
Accélération 0-100 km/h:	9,6 secondes
Vitesse maximale:	195 km/h
Freinage 100-0 km/h:	42,4 mètres
Consommation (100 km):	10,8 litres

Modèles concurrents

Chrysler Town & Country • Ford Windstar • Oldsmobile Silhouette • Toyota Sienna

Quoi de neuf?

Nouveau modèle

Verdict

Agrément	⊕ ⊕ ⊕ ⊕	Habitabilité	⊕ ⊕ ⊕ ⊖
Confort	⊕ ⊕ ⊕ ⊕	Hiver	⊕ ⊕ ⊕
Fiabilité	nouveau modèle	Sécurité	⊕ ⊕ ⊕ ⊕

La suspension arrière fait appel aux incontournables leviers triangulés de Honda. Ceux-ci ont été modifiés en fonction de la vocation du véhicule. Et comme il se doit sur une fourgonnette privilégiant une conduite plus inspirée, les freins à disque aux 4 roues et le système ABS sont de série.

La fiche technique est plutôt sage. C'est raffiné, bien pensé, mais sans bouleverser les valeurs établies. Il semble que les astuces aient été réservées à la cabine.

Elle aime les virages

Aussi bien dans le cadre de sa présentation en Virginie-Occidentale que lors du match comparatif des fourgonnettes apparaissant en première partie de cet ouvrage, l'Odyssey s'est démarquée par ses bonnes manières sur la route. La première chose qui frappe lorsqu'on prend le volant est que la direction est moins légère que sur tous les autres modèles Honda. Cette heureuse exception ajoute certainement à l'agrément de conduite.

C'est toujours mieux la seconde fois.

Sur les routes dotées d'un revêtement inégal, la suspension n'est pas affligée par le léger sautillement du train avant qui se manifeste chez plusieurs concurrentes. Un poids non suspendu peu élevé explique le comportement exemplaire de l'Odyssey à ce chapitre. Quant à la suspension arrière, elle permet d'enfiler les virages serrés sans problème. Chez plusieurs autres fourgonnettes, l'essieu rigide provoque un certain sous-virage lorsque la route est en lacet. L'Odyssey enchaîne les virages sans problème. Par contre, cette suspension arrière indépendante ne sera probablement pas aussi efficace pour remorquer de lourdes charges.

Quant au moteur, il affiche le caractère parfois grognon des moteurs VTEC. Sa puissance est adéquate et il assure des accélérations intéressantes, mais tout de même pas à l'emporte-pièce. C'est adéquat, mais pas flamboyant.

L'Odyssey est un véhicule ingénieux, bien assemblé et doté de plusieurs caractéristiques visant à privilégier le confort et la facilité d'utilisation. De plus, son moteur V6 est très bien adapté à l'utilisation anticipée de ce type de véhicules. Et les stylistes se sont assurés de concevoir une silhouette qui devrait satisfaire les amateurs de fourgonnettes. Et si tous ces arguments ne sont pas suffisants, la réputation de qualité de Honda pourrait être l'ultime argument.

Denis Duquet

Honda Prelude

Honda Prelude

Le dernier des Mohicans

Mais où sont partis les coupés sport abordables, les vrais? Nissan 240SX, Eagle Talon, Volkswagen Corrado... Tous disparus, ou presque. Rien chez Volkswagen; rien chez Mazda; rien chez Ford. Il nous reste les coupés pseudo-sport, ceux qui font semblant, avec des lignes agui-chantes, des dénominations chargées de X et de Z, mais qui ont le comportement ouaté d'ordinaires deux portes en tenue sport. Puis il y a la Prelude.

C'est un fait; nous devons à Honda de «sauver l'honneur de la classe» des coupés sport, jusqu'au jour où la mode reviendra, car il est certain qu'elle reviendra. Optimiste, dites-vous? Peut-être, mais je pense vraiment que la mode des uti-litaires énergivores finira par s'estomper et que les baby-boomers vieillissants voudront retrouver le plaisir de conduire que procure le coupé sport, trait d'union entre le roadster diminutif et l'exotique inabordable. En attendant donc de revoir les Corrado, Probe, Talon et Celica d'antan, voyons ce que nous propose la tenace Prelude.

Offerte en deux versions, le modèle de base et la SH, la Prelude de cinquième génération nous est arrivée en 1997. Légèrement plus grande, montée sur un empattement allongé et d'un style plus conser-vateur mais assez banal, la Prelude devient aussi plus conviviale avec un coffre agrandi et un tableau de bord au dessin classique qui remplace – heureusement – l'instrumentation high-tech de son prédécesseur.

ATTS super efficace

Si Honda a abandonné le complexe système de direction aux 4 roues, elle a par contre adopté un dispositif nommé Active Torque Transfer System (ATTS) pour lequel le constructeur nippon a déposé une centaine de brevets. Associé seulement à la version SH, le sys-tème agit en virage et transmet une partie du couple moteur de la roue intérieure (celle qui a tendance à patiner) vers la roue extérieure. Résultat: la voiture est littéralement «tirée» vers l'in-térieur du virage, éliminant la tendance qu'ont toutes les tractions de sous-virer, c'est-à-dire de continuer tout droit.

L'effet sur route est frappant. Lors d'un virage négocié à vive allure, la Prelude réagit comme une propulsion bien née, une BMW ou une Miata. Elle plonge vers l'intérieur du virage et se dirige exactement là où vous le souhaitez, ce qui, évidemment, rehausse sensiblement le plaisir de conduire. Grâce à ce système, la Prelude est sans doute la traction la plus efficace sur le marché.

Un moteur à la hauteur

Mais pour accéder à la classe des véritables coupés sport, la tenue de route ne suffit pas. Il faut un moteur. Là aussi, la Prelude ne déçoit pas. Le 4 cylindres de 2,2 litres à distribution variable (VTEC) et 16 soupapes est un régal, notamment lorsqu'il est cou-plé à la boîte manuelle. Développant 200 chevaux à 7000 tr/min avec la boîte manuelle (190 chevaux avec l'automatique), ce moteur a la particularité de réagir en deux temps. Jusqu'à 5000 tr/min, tout se passe normalement: le moteur tire, la sonorité est moyenne, les accélérations correctes. Mais dès que l'aiguille du compte-tours dépasse les 5200 tr/min, le ton monte rageusement, l'aiguille et les accélérations aussi. On dirait qu'une main invisible vient de mettre le feu à une petite fusée d'appoint qui vous propulse jusqu'à la ligne rouge du compte-tours. Pour bien apprécier

Honda Prelude

Pour

Excellente tenue de route • Moteur en verve • Bonne fiabilité • Bonne finition • Bel agrément de conduite

Contre

Suspension ferme • Places arrière symboliques • Intérieur austère • Ligne banale

Caractéristiques

Échelle de prix:	voir page 11 et suivantes
Modèle / Prix:	SH / 31 300 $
Type:	coupé 2+2 / traction
Empattement:	258 cm
Longueur:	452 cm
Largeur:	175 cm
Hauteur:	131 cm
Poids:	1340 kg
Coffre / Réservoir:	246 litres / 60 litres
Coussins de sécurité:	conducteur et passager
Système antipatinage:	oui
Suspension av. / arr.:	indépendante
Freins av. / arr.:	disque ABS
Direction:	à crémaillère, assistée
Diamètre de braquage:	11 mètres
Pneus av. / arr.:	P205/50R16
Valeur de revente:	bonne
Garantie de base:	3 ans / 60 000 km

Motorisation et performances

Moteur / Transmission:	4L 2,2 litres VTEC / manuelle 5 rapports
Puissance / Couple:	200 ch à 7000 tr/min / 156 lb-pi à 5250 tr/min
Autre(s) moteur(s):	aucun
Transmission optionnelle:	automatique «sportshift»
Accélération 0-100 km/h:	7,3 secondes / 8,2 secondes (automatique)
Vitesse maximale:	220 km/h
Freinage 100-0 km/h:	37,2 mètres
Consommation (100 km):	10,8 litres

Modèles concurrents

Aucun

Quoi de neuf?

Moteur 200 chevaux • Calandre redessinée • Entretien du moteur jusqu'à 160 000 km • Habillage cuir sur SH

Verdict

Agrément	⊕ ⊕ ⊕ ⊕	Habitabilité	⊕ ⊕
Confort	⊕ ⊕ ⊕	Hiver	⊕ ⊕ ⊕ ⊖
Fiabilité	⊕ ⊕ ⊕ ⊕ ⊕	Sécurité	⊕ ⊕ ⊕ ⊖

cet «effet turbo», il faut évidemment écraser l'accélérateur et bien manier la boîte manuelle. Certains préféreraient un bon V6 plus souple, mais ça, c'est une question de goût.

Freins et suspensions sont aussi à la hauteur des aptitudes du châssis et du moteur. Les freins avec ABS ne posent aucun problème: ils sont puissants, endurants, avec une pédale facile à moduler. Quant aux suspensions, si leur fermeté contribue à rehausser la tenue de route, elle nuit au confort, notamment sur route dégradée.

Plus conservatrice, l'automatique

En version automatique, l'effet turbo s'estompe et la Prelude prend un visage plus conservateur. Je dirais même que l'automatisme enlève à cette voiture une partie de son caractère, de son charme, et ce, malgré la présence de la fonction SportShift permettant au conducteur de sélectionner manuellement les rapports de la boîte. Tout comme la Tiptronic de Porsche et d'Audi et l'AutoStick de Chrysler, nous avons toujours affaire à une boîte automatique à convertisseur de couple hydraulique. Pour vraiment se débarrasser de la pédale d'embrayage sans abandonner le plaisir (et l'efficacité) du passage des vitesses, il faudra attendre encore quelques années... ou commander une F355 F1 à boîte séquentielle (rouge Ferrari, de préférence).

De grâce, un peu de couleur!

Il est terne cet intérieur. Bien dessiné, ergonomique, une finition de bonne qualité, un équipement complet, des sièges avant confortables et enveloppants. Mais pourquoi tout ce noir? Heureusement, sur la version à boîte automatique, la belle grille de couleur bronze du sélecteur de vitesses ajoute une touche de gaieté. Donc, si vous êtes au volant de la manuelle, habillez-vous en rouge ou en jaune, question d'égayer un peu!

Si l'espace pour les occupants des sièges avant n'appelle pas la critique, l'arrière est par contre passablement étriqué. Pour enfants et colis seulement. Adultes s'abstenir. Sans être généreux, le coffre est un peu plus logeable que celui de la version précédente, mais le seuil est haut et il ne vous fait pas oublier qu'il s'agit après tout d'un coupé et non d'une familiale.

En somme, même si le coupé sport n'intéresse ces jours-ci qu'un infime pourcentage du public automobiliste, Honda lui reste tenacement fidèle. Espérons que ce courage sera récompensé.

Alain Raymond

Merci, Honda!

Hyundai Accent

Hyundai Accent

Économique et sans complexes

En cette période d'incertitude économique à l'échelle planétaire, il ne faut pas s'inquiéter de l'avenir des voitures à vocation familiale vendues à prix modique comme l'Accent. En effet, il est fort possible que le nombre d'acheteurs de ce type de voiture augmente au fil des mois, alors qu'une économie morose incite les gens à être plus sages quand vient le temps de choisir leur prochaine automobile.

Depuis qu'elle est apparue sur notre marché en 1995, cette petite coréenne à la silhouette si particulière a connu une carrière honorable qui s'explique autant par son prix compétitif que par ses qualités intrinsèques. Certains trouvent que les stylistes se sont inspirés d'une caricature lorsqu'ils ont dessiné cette carrosserie toute en rondeurs qui semble se moquer des conventions en vigueur. Pourtant, au fil des ans, l'Accent ne s'en laisse pas imposer par des compétitrices à la présentation plus raffinée, mais qui ne possèdent pas ce petit air de nounours que plusieurs apprécient. Et il faut applaudir les stylistes maison de ne pas s'être laissés influencer par les tendances en vogue dans les autres pays. Ils ont réalisé une voiture qui a du caractère, à défaut d'être élégante.

Soulignons au passage que la version GT n'est plus au catalogue cette année, ce dont personne ne se plaindra vraiment. Sur papier, ce modèle sportif était alléchant avec son moteur de 105 chevaux, sa présentation plus relevée et une suspension calibrée en fonction de la tenue de route. Par contre, à l'usage, cette combinaison d'éléments réussissait tout simplement à faire ressortir les limites et les défauts du châssis et de la suspension.

Le gros bon sens

Le projet de faire de l'Accent GT la «Cooper S» coréenne ayant échoué, les décideurs de la compagnie ont pris la sage décision de s'en tenir à la vocation première de cette voiture, soit de constituer un moyen de transport sobre, économique et efficace qui offre un agrément de conduite assez relevé, compte tenu de la catégorie.

Cette Hyundai est la voiture du gros bon sens autant en raison de son habitabilité généreuse que de son habitacle sobre et pratique. Tout cela est emmené par un moteur 1,5 litre de 92 chevaux qui ne recule pas devant la tâche. Bien que bruyant, ce moteur a prouvé sa robustesse et sa fiabilité au fil des années. Et il ne faut surtout pas oublier de mentionner que cette sous-compacte possède une suspension arrière indépendante qui n'est pas de trop, compte tenu de l'empattement court de cette voiture et des conditions routières passablement mauvaises au Québec.

Cette année, Hyundai a sagement intégré un coussin de sécurité gonflable du côté du conducteur en équipement de série. Il était plus que temps, puisque le fait de devoir ajouter cet accessoire en option venait fausser le prix réel de la voiture. Pour le reste, l'Accent se contente de changements plutôt modestes qui se limitent à de nouveaux enjoliveurs sur la berline GL et à quelques ajouts à la palette des couleurs de carrosserie. Et j'allais oublier! La plus économique de toutes, la version L trois portes, offre en équipement de série un support lombaire sur le siège du conducteur...

Hyundai Accent

Pour

Mécanique fiable • Cabine spacieuse • Bon rapport qualité/prix • Direction précise • Moteur robuste

Contre

Insonorisation modeste • Pneumatiques exécrables • Boîte automatique peu performante • Levier de vitesses imprécis (manuelle) • Freins peu efficaces

Caractéristiques

Échelle de prix:	voir page 11 et suivantes
Modèle / Prix:	GSi / 13 695 $
Type:	*hatchback* / traction
Empattement:	240 cm
Longueur:	410 cm
Largeur:	162 cm
Hauteur:	139 cm
Poids:	959 kg
Coffre / Réservoir:	460 litres / 46 litres
Coussins de sécurité:	conducteur et passager (optionnel)
Système antipatinage:	non
Suspension av. / arr.:	indépendante
Freins av. / arr.:	disque / tambour
Direction:	à crémaillère, assistée
Diamètre de braquage:	9,7 mètres
Pneus av. / arr.:	P175/80R13
Valeur de revente:	passable
Garantie de base:	3 ans / 60 000 km

Motorisation et performances

Moteur / Transmission:	4L 1,5 litre / manuelle 5 rapports
Puissance / Couple:	92 ch à 5500 tr/min / 97 lb-pi à 4000 tr/min
Autre(s) moteur(s):	aucun
Transmission optionnelle:	automatique 4 rapports
Accélération 0-100 km/h:	11,7 secondes
Vitesse maximale:	180 km/h
Freinage 100-0 km/h:	38,7 mètres
Consommation (100 km):	8,2 litres

Modèles concurrents

Dodge Neon • Chevrolet Cavalier/Pontiac Sunfire • Chevrolet Metro • Ford Escort • Honda Civic • Nissan Sentra • Toyota Tercel

Quoi de neuf?

Version GT abandonnée • Coussin de sécurité de série

Verdict

Agrément	⊕ ⊕ ◖	Habitabilité	⊕ ⊕ ⊕
Confort	⊕ ⊕ ⊕	Hiver	⊕ ⊕ ⊕ ◖
Fiabilité	⊕ ⊕ ⊕	Sécurité	⊕ ⊕ ◖

Sans complexe

Dans le cadre de nos essais routiers, il nous arrive souvent de devoir conduire des voitures à vocation économique et d'être intimidé par les autres véhicules sur la route. Un gabarit trop petit, un moteur anémique, un confort relatif et une suspension arrière rétive sont autant d'éléments qui nous font souhaiter que le prochain essai routier arrive pour nous débarrasser de ce purgatoire sur roues. Sans être l'égale d'une berline de luxe, l'Accent tire son épingle du jeu. La cabine est spacieuse et ne donne pas l'impression au conducteur d'être au volant d'une voiture qui concède plus de 110 cm en longueur et 1650 kg à un Ford Expedition. En fait, les places avant sont spacieuses, que ce soit dans la 3 portes ou dans la berline. Par contre, il faut se recroqueviller pour prendre place à l'arrière.

Son ramage dépasse son plumage.

Le moteur 1,5 litre se débrouille également de façon honorable, du moins avec la boîte manuelle. Il devient grognon si on le sollicite trop, mais ne semble pas être affecté par les mauvais traitements. Il est cependant bruyant et les longues randonnées sont toujours accompagnées d'un ronronnement prononcé sous le capot. Et si la boîte manuelle est affligée d'un levier dont la course est imprécise, c'est toujours mieux que l'automatique qui vient saper les énergies du moteur.

À l'usage, cette Hyundai est une voiture qui ne rechigne pas devant les tâches les plus répétitives ou lassantes. Elle a de fortes chances de devenir un membre actif de la famille sans que personne n'ait à se plaindre ou à se pâmer devant ses prestations. C'est la voiture outil qu'on appréciera en raison de son caractère pratique, de ses faibles coûts d'opération et de sa capacité de tirer son épingle du jeu sans jamais perdre la face.

Il est alors plus facile de lui pardonner ses pneumatiques modestes, sa finition sommaire et la faible insonorisation de la cabine. La version 3 portes a beaucoup plus de difficulté à filtrer les bruits de l'extérieur: on a toujours l'impression que le couvercle du coffre est mal fermé.

Pour les acheteurs à petit budget ou pour les familles à la recherche d'un véhicule d'appoint, l'Accent est une possibilité à ne pas négliger. À défaut d'éclat et de style, elle offre une conduite raisonnable qui permet à son propriétaire de rouler sans devoir vider ses goussets.

Denis Duquet

Hyundai Elantra

Hyundai Elantra

Dans les ligues majeures

Chez Huyndai, c'est le début d'un temps nouveau, comme le chantait jadis Renée Claude. Au cours des quatre dernières années, la firme coréenne a renouvelé, avec un certain succès, sa gamme au grand complet. La phase 2 s'amorce en 1999 avec l'introduction d'une toute nouvelle Sonata ainsi que les premiers changements à l'Elantra depuis sa dernière refonte, il y a trois ans.

On a beaucoup parlé, depuis le début de la présente décennie, du relèvement spectaculaire des constructeurs américains, Ford et Chrysler en tête de liste. Après s'être fait distancer par la concurrence japonaise pendant de longues années, les trois grands de Detroit ont voulu rehausser d'un cran la qualité de leurs produits. Et ils y sont parvenus.

Voilà le défi que doit maintenant relever le conglomérat sud-coréen, qui s'est lancé dans la production automobile en 1967 et qui a fait ses débuts sur le marché canadien il y a 15 ans. Faut-il le rappeler, les défuntes Pony et Stellar ont laissé un souvenir doulou-reux à leurs propriétaires. Cette mauvaise réputation, Hyundai la traîne depuis comme un boulet. Mais le vent commence à tourner, comme quoi les efforts des dernières années ont porté fruit.

D'autre part, la tâche de l'Elantra n'est pas de tout repos, car elle doit affronter des rivales établies, telles la Jetta (VW), le tandem Cavalier/Sunfire (GM), l'Escort (Ford), la Neon (Chrysler) et la Saturn, sans compter les championnes de la fiabilité qui composent le trio japonais Mazda Protegé, Nissan Sentra et Toyota Corolla. Devant un tel plateau, l'Elantra de première génération faisait diffi-cilement le poids, surtout avec les nippones. C'est donc un double

challenge qui attendait sa remplaçante: elle devait, dans un premier temps, prouver qu'elle pouvait faire jeu égal avec la concurrence, et confirmer du même coup la remontée des produits Hyundai.

Du joli... et du solide

Il faut saluer le coup de crayon des stylistes de la marque, déci-dément très inspirés par les temps qui courent. Comme le coupé sport Tiburon, avec lequel elle partage sa plate-forme, l'Elantra sort des studios californiens de design de Hyundai, qui a ainsi mis un terme à sa collaboration avec la firme Ital Design du célèbre Giorgio Giugiaro. Ce joli travail se reflète aussi à l'intérieur: l'habitacle est spacieux (très), confortable et pratique. Mais, car il y a toujours un mais, la qualité des garnitures et matériaux demeure un cran en deçà de celle des japonaises. De plus, on ne peut que déplorer la tristesse du tableau de bord dans la version de base – quoique le résultat est égal à ce qu'on voit chez la concurrence, américaine comme nippone.

Tant le revêtement que la charpente de l'Elantra ont été conçus afin d'obtenir le maximum de rigidité et d'insonorisation. Pour véri-fier le bien-fondé de cette allégation, l'auteur de ces lignes s'est appliqué à rouler pendant plusieurs jours sans la radio, question de détecter tout bruit suspect. L'exercice s'est révélé des plus con-cluants: les deux configurations mises à l'essai, berline et familiale, ont brillé par leur quiétude. Signe d'une bonne insonorisation, certes, mais aussi d'une qualité d'assemblage en net progrès.

Un nouveau 4 cylindres en 1999

Comme on peut le constater, douceur et silence de roulement sont les deux objectifs qui ont primé dans la conception de

Hyundai Elantra

Pour

Version familiale • Habitacle spacieux • Confort et douceur de roulement • Comportement inspirant • Bon rapport qualité/prix

Contre

Matériaux bon marché à l'intérieur • Version de base dépouillée • Pneus atroces (version de base) • Boîte automatique hésitante • Service après-vente inégal

Caractéristiques

Échelle de prix:	voir page 11 et suivantes
Modèle / Prix:	GLS / 18 105 $
Type:	berline 4 places / traction
Empattement:	255 cm
Longueur:	442 cm
Largeur:	170 cm
Hauteur:	139 cm
Poids:	1210 kg
Coffre / Réservoir:	324 litres / 52 litres
Coussins de sécurité:	conducteur et passager
Système antipatinage:	non
Suspension av. / arr.:	indépendante
Freins av. / arr.:	disques ABS (GLS)
Direction:	à crémaillère, assistée
Diamètre de braquage:	9,9 mètres
Pneus av. / arr.:	P195/60R14
Valeur de revente:	faible
Garantie de base:	3 ans / 60 000 km

Motorisation et performances

Moteur / Transmission:	4L 2,0 litres / manuelle 5 rapports
Puissance / Couple:	140 ch à 6000 tr/min / 133 lb-pi à 4800 tr/min
Autre(s) moteur(s):	aucun
Transmission optionnelle:	automatique 4 rapports
Accélération 0-100 km/h:	9,0 secondes (estimée)
Vitesse maximale:	200 km/h (estimée)
Freinage 100-0 km/h:	44,0 mètres
Consommation (100 km):	10,8 litres

Modèles concurrents

Chevrolet Cavalier/Pontiac Sunfire • Dodge Neon • Ford Escort • Honda Civic • Mazda Protegé • Nissan Sentra • Saturn SL • Toyota Corolla • VW Jetta

Quoi de neuf?

Retouches esthétiques • Le 4 cylindres 2,0 litres remplace le 1,8 litre

Verdict

Agrément	⊕ ⊕ ⊕	Habitabilité	⊕ ⊕ ⊕
Confort	⊕ ⊕ ⊕	Hiver	⊕ ⊕ ⊕ (
Fiabilité	⊕ ⊕ ⊕	Sécurité	⊕ ⊕ ⊕ (

l'Elantra. Ce souci se traduit également sur le plan de la motorisation; Hyundai, on le sait, conçoit désormais ses propres engins, ce qui a mis fin à la sous-traitance avec le groupe japonais Mitsubishi. Il n'en demeure pas moins que le 4 cylindres de 1,8 litre, bien que doux et silencieux, peinait à la tâche. Malgré son architecture moderne et une puissance prometteuse (sur papier), il fallait l'accoupler à une boîte manuelle pour en tirer le maximum; même qu'avec l'automatique, on se demandait franchement où se cachaient les 130 chevaux annoncés.

Pour pallier cette lacune, on a fait appel à une autre motorisation maison, soit le 4 cylindres de 2,0 litres de la Tiburon. Il s'agit de la troisième génération de moteurs conçus par Hyundai, après les Alpha et Beta de 1,8 litre, et c'est lui qu'on trouvera sous le capot des Elantra en 1999. Ses 10 chevaux supplémentaires ne nuiront sûrement pas; souhaitons seulement que la boîte automatique fasse, elle aussi, l'objet d'une révision, afin d'éliminer ses hésitations lors des changements de rapport.

En constante progression.

Pour le reste, les améliorations promises lors de la première refonte de l'Elantra sont bien présentes. En matière de confort et de douceur de roulement, notamment, cette compacte n'a rien à envier à ses rivales japonaises. Signe de l'équilibre de sa plate-forme, il n'a pas fallu sacrifier l'agrément de conduite pour obtenir de tels résultats. L'Elantra est vive, agile et maniable, tandis que sa direction précise et parfaitement dosée – un modèle du genre – permet d'exploiter ses qualités routières à leur mieux. Mieux chaussée, la version plus relevée tire encore mieux son épingle du jeu. Et surtout, elle freine, ce qui est une première pour un produit de la marque.

Pas de doute, Hyundai vient de terminer son stage dans les ligues mineures. Ce constructeur coréen doit maintenant prouver que la fiabilité de ses produits et la qualité du service après-vente sont désormais au rendez-vous. Espérons que les dirigeants de la branche canadienne en ont pris bonne note, et que certains concessionnaires seront surveillés de plus près. D'autant plus que la gamme actuelle de ce constructeur mérite considération: l'Elantra, entre autres, n'a rien à envier à personne. Confortables et agréables à conduire, tant la familiale que la berline sont de fort jolies voitures, ce qui ne gâche rien, tandis que le rapport qualité/prix est toujours leur force première.

Philippe Laguë

Hyundai Sonata

Hyundai Sonata

Elle s'élève d'un cran

La Sonata est une voiture qui est loin d'être étrangère aux Québécois, puisque ce modèle a connu son heure de gloire lors de l'ouverture de l'usine Hyundai à Bromont. Cette berline compacte était la première Hyundai à être assemblée hors de Corée et partait ainsi à la conquête de l'Amérique. On connaît la suite de l'histoire. Cela n'a pas empêché cette voiture de poursuivre sa carrière, même si la popularité de l'Elantra l'a quelque peu reléguée dans l'ombre.

C'est pour donner un nouvel essor à cette berline que la direction de Hyundai a pris les grands moyens en la transformant du tout au tout. À Ulsan, on ne s'est pas contenté d'un simple changement de carrosserie et de quelques améliorations sur le plan mécanique comme cela avait été le cas en 1997. Cette fois, les changements sont plus draconiens.

Les stylistes ont donc poursuivi le raffinement visuel de la voiture, tandis que les ingénieurs mettaient les bouchées doubles en remplaçant tous les organes mécaniques ou presque. Cette transformation vise à faire de la Sonata une berline plus luxueuse et plus confortable. Si les tentatives de Hyundai de s'immiscer dans la chasse gardée des Camry et Altima ont connu assez peu de succès par le passé, cette nouvelle version a sensiblement amélioré la position du constructeur coréen. Et l'arrivée de Daewoo sur le marché canadien a certainement été un facteur de motivation supplémentaire, puisque le modèle Leganza de cette compagnie s'apprête à venir jouer dans les plates-bandes de la Sonata. Hyundai n'entend certes pas assister sans riposte au développement de ce concurrent qui a décidé de hausser considérablement la qualité de ses voitures.

Un meilleur équilibre

La présentation esthétique de la Sonata 1998 n'était pas vilaine, mais il y avait quand même quelque chose qui clochait. Si la partie arrière faisait l'unanimité grâce à ses blocs optiques très réussis, l'avant soulevait bien des commentaires. La grille de calandre était bien typée, mais ses proportions détonnaient. Trop petite, placée trop loin vers l'avant, elle contribuait à donner un caractère plutôt étrange à la voiture. Ça sentait la décision de dernière minute.

Cette fois, les stylistes ont fort bien réussi à intégrer cette grille, tout en l'encadrant de façon très élégante par des phares aux formes effilées. Il n'est pas certain que ce design va bien vieillir, mais le résultat est agréable pour l'instant. Quant à l'arrière, les élégants feux de position et de freinage ont été retenus. La présentation est toutefois plus équilibrée qu'auparavant, grâce à la présence d'un débordement de la lèvre supérieure du couvercle du coffre. Les designers coréens semblent être d'accord avec leurs homologues de chez Mazda qui apprécient beaucoup cette approche.

L'habitacle montre le même désir de donner plus de caractère à la voiture. Le tableau de bord de la version précédente se contentait de reprendre une présentation inspirée de la plupart des japonaises de la catégorie. Cette fois, les concepteurs ont fait preuve de beaucoup plus d'imagination. En fait, la signature visuelle de la cabine est cette unité verticale en forme de trapèze allongé qui contient les commandes audio et celles de la climatisation. Servant à délimiter les deux côtés de la planche de bord, sa partie supérieure monte très haut et se termine à la limite de la portion horizontale du tableau de bord. Il en résulte une présentation vraiment distincte.

Les commandes ne sont pas nécessairement faciles à départager, mais on s'y habitue assez rapidement. Notre voiture d'essai était un modèle GLS, doté d'appliques en bois pas plus impressionnantes que ce que mettent tous les autres manufacturiers sur leurs tableaux de bord.

Par contre, il faut souligner le confort des sièges avant qui offrent non seulement un appui ferme pour les cuisses, mais un bon support latéral pour le tronc. Les places arrière permettront à deux adultes de s'asseoir très confortablement, bien que le dégagement pour la tête soit plus généreux que celui accordé aux jambes. Si la finition a été améliorée, la texture des plastiques pourrait gagner en qualité, même si des progrès énormes ont été effectués à ce chapitre par Hyundai au cours des dernières années.

Les ingénieurs n'ont pas chômé

Les stylistes se sont donc régalés en concevant une carrosserie et un habitacle tout neufs. Les ingénieurs ont également mis les bouchées doubles. Non seulement ils ont réalisé une nouvelle suspension avant, mais ils ont aussi développé deux nouveaux moteurs. La nouvelle Sonata bénéficie d'une carrosserie plus élégante, mais également plus rigide, qui permet d'améliorer le comportement de la voiture. Pour progresser davantage, on a remplacé les jambes de forces MacPherson de la suspension avant par des bras triangulés, une solution technique plus sophistiquée. À l'arrière, la suspension à liens multiples si répandue a été retenue.

Les deux groupes propulseurs sont des moteurs à double arbre à cames en tête et 4 soupapes par cylindre. Le V6 2,5 litres en alliage léger développe 163 chevaux, tandis que le 4 cylindres 2,3 litres en offre 15 de moins. Les deux sont couplés à une nouvelle boîte automatique à 4 rapports. Curieusement, il est impossible de commander une Sonata à boîte manuelle. C'est un indice sans équivoque de la clientèle visée avec ce modèle.

Si l'on choisit la version GLS, on peut également obtenir en option des sièges en cuir, un toit ouvrant électrique, un système antipatinage, des freins ABS et des coussins de sécurité latéraux. L'équipement de base de ce modèle comprend un système de filtration d'air pour la cabine.

Une bonne routière

Compte tenu des dates de tombée du *Guide de l'auto*, c'est un prototype de la GLS que Hyundai a gracieusement mis à notre disposition. S'il est impossible dans un tel cas de porter un jugement définitif sur la qualité de l'assemblage et des éléments de l'habitacle, force est d'admettre que la Sonata a progressé à ce chapitre.

Dès qu'on prend place dans la cabine, on découvre une position de conduite saine, un appuie-tête bien placé et un repose-pied bien conçu. Même les grands gabarits n'auront aucune difficulté à s'installer confortablement dans cet habitacle spacieux.

Le moteur V6 s'est révélé silencieux à bas régime mais sonore dans les régimes intermédiaires, pour ensuite retrouver son calme à une vitesse de croisière. En fait, ce moteur a particulièrement brillé sur la partie autoroute de notre essai routier. Ses reprises sont intéressantes et ses performances fort adéquates. La transmission automatique à 4 rapports fait généralement du bon travail, mais elle effectue parfois des changements de rapport qui semblent trop brusques. Elle a parfois le hoquet en rétrogradant, puis passe presque immédiatement à un rapport supérieur.

L'élément le plus mystérieux est la suspension avant qui semble parfois trop ferme lors du passage de petits trous et bosses pour ensuite avaler sans hésiter des obstacles plus importants. Encore une fois, elle est bien adaptée à la conduite sur les autoroutes. Cette berline se démarque également par un niveau sonore fort acceptable à plus de 120 km/h, tandis que l'intrusion du bruit des pneus dans la cabine se remarque à des vitesses inférieures à 50 km/h.

Côté performances, le V6 se débrouille relativement bien. Il permet de retrancher au moins une seconde au temps qu'il fallait pour réaliser le 0-100 km/h sur la version précédente. Il est aussi plus

Hyundai Sonata

Pour

Silhouette plaisante
• Moteurs plus sophistiqués
• Cabine spacieuse
• Prix compétitifs
• Équipement complet

Contre

Direction mal assistée
• Finition toujours perfectible
• Fiabilité inconnue
• Valeur de revente problématique
• Absence de boîte manuelle

Caractéristiques

Échelle de prix:	voir page 11 et suivantes
Modèle / Prix:	GLS / 26 095 $
Type:	berline / 5 places
Empattement:	270 cm
Longueur:	471 cm
Largeur:	182 cm
Hauteur:	141 cm
Poids:	1409 kg
Coffre / Réservoir:	377 litres / 65 litres
Coussins de sécurité:	conducteur, passager et latéraux
Système antipatinage:	oui, optionnel
Suspension av. / arr.:	indépendante
Freins av. / arr.:	disque / tambour (ABS optionnel)
Direction:	à crémaillère, assistée
Diamètre de braquage:	10,5 mètres
Pneus av. / arr.:	P205/60R15
Valeur de revente:	nouveau modèle
Garantie de base:	3 ans / 60 000 km

Motorisation et performances

Moteur / Transmission:	V6 2,5 litres / automatique 4 rapports
Puissance / Couple:	163 ch à 6000 tr/min/ 167 lb-pi à 4000 tr/min
Autre(s) moteur(s):	4L 2,3 litres 148 chevaux
Transmission optionnelle:	aucune
Accélération 0-100 km/h:	9,5 secondes autre moteur: 11,7 secondes
Vitesse maximale:	195 km/h
Freinage 100-0 km/h:	41,3 mètres
Consommation (100 km):	10,5 litres

Modèles concurrents

Plymouth Breeze • Nissan Altima • Ford Contour • Chevrolet Malibu • Honda Accord • Subaru Legacy • Toyota Camry

Quoi de neuf?

Nouveau modèle • Moteurs V6 2,5 litres et 4 L 2,4 litres • Nouvelle transmission automatique • Nouvelle carrosserie

Verdict

Agrément	⊕ ⊕ ⊕	Habitabilité	⊕ ⊕ ⊕
Confort	⊕ ⊕ ⊕ ⊕	Hiver	⊕ ⊕ ⊕
Fiabilité	Nouveau modèle	Sécurité	⊕ ⊕ ⊕ ⊕

performant au chapitre des reprises. Ce moteur permet de compenser la curieuse lacune du modèle antérieur, dont le V6 était laissé dans l'ombre par un 4 cylindres moins puissant, mais plus en verve.

Justement, le nouveau 4 cylindres n'est pas à dédaigner non plus. Avec 11 chevaux de plus que l'an dernier, il fera toujours sentir sa présence. Et curieusement, sa consommation de carburant est presque identique à celle du V6.

Sans être une voiture au tempérament sportif, la Sonata se défend assez bien en ce qui concerne le comportement routier. La direction passablement floue et une assistance mal dosée laisse présager le pire à l'amorce d'un virage. Pourtant, cette voiture se révèle relativement neutre en virage et reste très bien accrochée. Dans les courbes à point de corde infini des bretelles d'accès des autoroutes, la Sonata se comporte avec aplomb et ne fait pas crisser les pneus, une faiblesse de la version précédente. Malheureusement, le feed-back dans le volant est pratiquement nul, ce qui vient gommer une partie de l'agrément de conduite.

> Une agréable surprise.

Un pas en avant

En conclusion, cette nouvelle Hyundai ne se contente pas de présenter un nouveau visage. Elle s'est raffinée tant sur le plan technique que sur le plan du comportement routier. La nouvelle Sonata ne possède pas encore l'aplomb et le raffinement de plusieurs concurrentes nippones, mais elle marque un pas dans la bonne direction. Et il ne faut pas perdre de vue que le prix demandé est toujours très, très compétitif. Ces éléments devraient lui permettre de se tailler une place au soleil, ce que ses devancières n'ont jamais été en mesure de faire.

Denis Duquet

Hyundai Tiburon

Hyundai Tiburon

Une question d'image

À l'instar de tous les coupés sport, la Hyundai Tiburon n'est pas un modèle de grande diffusion. Si la firme coréenne l'a inscrite à son catalogue, c'est principalement pour polir son image de marque. Avant sa venue, Hyundai n'était reconnue que comme un petit constructeur de voitures bas de gamme à vocation économique. Et sa réputation en matière de fiabilité n'était pas très enviable...

En deux ans à peine, la Tiburon a réussi à renverser la vapeur et à donner à Hyundai une meilleure cote, spécialement auprès des jeunes. Car, à quoi bon le nier, les adolescents férus d'automobile sont souvent ceux que les parents consultent avant de faire l'achat d'une nouvelle auto. D'où l'importance de les impressionner...

La FX de préférence

Lors de son dévoilement au milieu des vignobles de la belle vallée de Napa en Californie, pas très loin de la petite ville de Tiburon (sans blague), il y a déjà près de deux ans, le petit coupé de Hyundai m'avait impressionné. Ses lignes flatteuses combinées à un comportement routier plutôt agréable et à un moteur d'une belle éloquence dans la version FX plaçaient ce modèle parmi les plus intéressants de sa catégorie.

À ses débuts, la Tiburon était offerte avec deux types de motorisation mais, depuis, le 4 cylindres 1,8 litre de 130 chevaux a été mis au rancart au profit du 2,0 litres, dont les 140 chevaux se révèlent un peu plus expressifs. Ce moteur est encore modeste dans ses élans, mais il est de loin préférable à l'ancien moteur de série. Même s'il n'est bonifié que de 10 chevaux, le 2,0 litres est en mesure de

retrancher près de 2 secondes dans l'exercice du 0-100 km/h, ce qui est énorme. La différence tient au fait que la Tiburon est une voiture légère capable de tirer profit d'un surcroît de puissance, si mince soit-il. Quel dommage que la tringlerie de la boîte de vitesses manuelle ne soit pas plus précise!

Un freinage convaincant

Lors d'un essai comparatif réalisé l'été dernier, le coupé Tiburon n'a été surpassé que par le coupé Honda Civic et s'est affirmé comme le plus sportif des modèles inscrits à cette confrontation. Les divers essayeurs ont souligné la qualité de son freinage, ses performances enlevantes et son esthétique réussie. Dans l'ensemble, la voiture fait plutôt belle figure, mais il reste que certains traits de son comportement déçoivent.

Sa tenue de route m'a laissé perplexe. Conduite sportivement dans les virages, la voiture est soumise à un roulis considérable, quoiqu'elle demeure assez neutre. Toutefois, il faut éviter de relâcher l'accélérateur, au risque de voir le train arrière vous fausser compagnie. En clair, la Tiburon affiche un comportement survireur complètement à l'opposé de celui de l'ensemble des tractions qui sont essentiellement sous-vireuses. Précisons qu'une voiture sous-vireuse (qui dérape de l'avant une fois la limite d'adhérence atteinte) est en général plus sécuritaire pour le conducteur moyen qu'une voiture survireuse, qui glisse de l'arrière dans les mêmes conditions.

Un confort à l'allemande

En contrepartie, la Tiburon est le coupé sport possédant le freinage le plus efficace et le plus endurant. Le confort aussi est louable

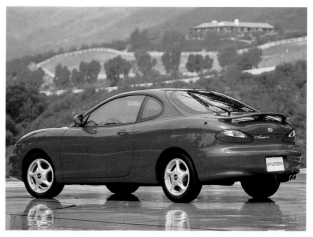

Hyundai Tiburon

Pour
Dessin original • Bel habitacle
• Confort soigné • Bon freinage
• Prix intéressant

Contre
• Levier de vitesses imprécis
• Comportement survireur (voir texte) • Mauvaise visibilité arrière
• Sièges manquant d'appui
• Puissance modeste

Caractéristiques

Échelle de prix:	voir page 11 et suivantes
Modèle / Prix:	FX / 19 595 $
Type:	coupé 2+2 / traction
Empattement:	247 cm
Longueur:	434 cm
Largeur:	173 cm
Hauteur:	131 cm
Poids:	1173 kg
Coffre / Réservoir:	362 litres / 55 litres
Coussins de sécurité:	conducteur et passager
Système antipatinage:	non
Suspension av. / arr.:	indépendante
Freins av. / arr.:	disque (ABS optionnel)
Direction:	à crémaillère, assistée
Diamètre de braquage:	10,4 mètres
Pneus av. / arr.:	P205/50VR15
Valeur de revente:	passable
Garantie de base:	3 ans / 60 000 km

Motorisation et performances

Moteur / Transmission:	4L 2,0 litres / manuelle 5 rapports
Puissance / Couple:	140 ch à 6000 tr/min / 133 lb-pi à 4800 tr/min
Autre(s) moteur(s):	aucun
Transmission optionnelle:	automatique 4 rapports
Accélération 0-100 km/h:	9,5 secondes
Vitesse maximale:	205 km/h
Freinage 100-0 km/h:	44,0 mètres
Consommation (100 km):	10,8 litres

Modèles concurrents

Acura Integra Si • Dodge Neon Sport • Eagle Talon • Ford Escort ZX2 • Honda Civic Si • Nissan 240SX • Saturn SC • Toyota Paseo

Quoi de neuf?

Aucun changement majeur

Verdict

Agrément	⊕ ⊕ ⊕ ◖	
Confort	⊕ ⊕ ⊕ ◖	
Fiabilité	⊕ ⊕ ⊕	
Habitabilité	⊕ ⊕	
Hiver	⊕ ⊕ ⊕	
Sécurité	⊕ ⊕ ⊕ ◖	

et fait penser à celui de certaines voitures allemandes. Les déformations du macadam se ressentent, mais ne sont jamais incommodantes. Elles n'ont, surtout, aucun effet sur la solidité de la caisse qui reste imperturbable au passage de bosses ou de nids-de-poule. La direction, quant à elle, gagnerait à être un peu moins lourde dans les virages.

Le look accrocheur de la Tiburon va au-delà de ses jolies formes extérieures. La présentation intérieure est aussi très engageante mais, hélas! ses qualités s'arrêtent là. La forme du pavillon est telle qu'il faut prendre garde de ne pas se cogner la tête en s'installant au volant. Une fois assis, on se sent confortable... jusqu'au premier virage un peu serré où le manque d'appui latéral des sièges se fait sentir.

Un prix irrésistible.

Les gens de Hyundai gagneraient aussi à suivre certaines leçons d'ergonomie. Les commandes pour l'essuie-glace arrière, le lave-glace et le régulateur de vitesse sont masquées par le volant. La finition est, dans l'ensemble, de bonne qualité à l'exception des poignées de porte qui ressemblent à des colifichets bon marché achetés dans une vente de liquidation chez Wal-Mart.

Pour un coupé sport, l'habitabilité est très acceptable. Les places arrière seront appréciées davantage par de jeunes enfants que par des adultes mais, à la rigueur, on peut y loger une personne de taille moyenne pour de courts déplacements. On a aussi prévu de bons petits espaces de rangement, tandis que le coffre à bagages est aussi vaste que celui de certaines berlines. On peut seulement déplorer son seuil élevé qui risque de se révéler gênant au moment de charger des objets lourds. Enfin, la Tiburon n'échappe pas au défaut majeur de la plupart des coupés sport qui sacrifient la visibilité arrière au profit de l'esthétique. Bref, c'est bien joli, mais on n'y voit strictement rien.

Le prix dit tout

Si l'on peut trouver à redire sur certains aspects de la Hyundai Tiburon, il faut reconnaître que son rapport qualité/prix est assez convaincant. Pour moins de 20 000 $ dans le cas de la version FX mise à l'essai, on obtient un coupé sport qui, comme on a pu le voir, supporte très bien la comparaison avec les modèles concurrents. J'ajouterai que les produits Hyundai gagnent constamment en fiabilité et que l'indice de satisfaction des acheteurs est à la hausse.

On peut en conclure qu'avec la Tiburon, l'image de marque de Hyundai est entre bonnes mains.

Infiniti G20

Infiniti G20

Second début

Lorsqu'elle est apparue en 1991, l'Infiniti G20 était la cadette de la famille. Un peu brouillonne avec son moteur bruyant, son tempérament sportif et ses airs de compacte économique, elle détonnait, comparativement au reste de la gamme. Née de la Nissan Primera européenne, elle avait pour but de contrer la venue de la Lexus ES300, tout en offrant des sensations plus fortes.

M al préparée pour le rôle qu'elle devait jouer, la G20 a connu un succès mitigé. Tant et si bien qu'elle a tiré sa révérence en 1996. Cette fois, elle tente un retour. Et chez Infiniti, on croit que le moment est mieux choisi qu'en 1991: non seulement le segment du marché des berlines néoluxueuses est en progression constante, mais la voiture a changé et s'est fortement raffinée.

Infiniti fait à nouveau appel à la Primera européenne, mais cette dernière a été entièrement transformée il y a deux ans. Elle est non seulement plus spacieuse et d'une esthétique améliorée, mais elle possède également de meilleurs organes mécaniques même si la puissance du moteur stagne.

Elle prend du coffre

Cette nouvelle venue est plus spacieuse que le modèle précédent. Non seulement la voiture est plus longue de 6 cm, mais son empattement s'est accru de 5 cm et l'habitacle est également plus généreux. Il faut souligner au passage que le coffre, avec ses 380 litres, est l'un des plus vastes de la catégorie. De plus, pour en faciliter l'accès, l'ouverture est également plus grande.

La silhouette reprend en grande partie les lignes du modèle précédent. Toutefois, les stylistes ont su apporter les rondeurs qu'il fallait aux bons endroits afin de donner à cette berline un air nettement sportif. La grille de calandre ressemble à celle des autres modèles de la famille, tandis que le déflecteur et les phares avant à réflecteurs multiples s'associent pour donner du relief à l'ensemble. Le résultat est vaguement rétro, mais l'élégance est toujours de la partie. Le modèle Touring, avec son aileron arrimé sur le coffre affiche une apparence plus agressive.

L'habitacle est sobre et équilibré, mais manque un peu de panache. Il est difficile de trouver à redire sur cette cabine spacieuse et silencieuse qui offre une excellente position de conduite. La G20 privilégie l'agrément de conduite: le pilote est comblé côté confort, support latéral du siège et visibilité. Il faut souligner que le moteur est nettement plus discret et raffiné que sur le modèle original, ce qui contribue à relever le caractère de cette berline. Soulignons au passage que le niveau sonore de la cabine a régressé de 4 décibels en comparaison de l'édition 1996. Il faut également ajouter que les sièges avant sont confortables et les places arrière relativement spacieuses.

Un moteur connu

L'un des points litigieux concernant cette voiture est le fait qu'elle se contente d'un moteur 4 cylindres de 140 chevaux. Il est vrai que plusieurs de ses concurrentes, notamment l'Audi A4 et la Mercedes C230, offrent aussi des 4 cylindres pour des milliers de dollars de plus, mais le fait demeure.

Les gens d'Infiniti ont beau souligner son raffinement technique, son niveau sonore amélioré et sa fiabilité, ce moteur en fera hésiter

Infiniti G20

Pour

Tenue de route exemplaire • Freins puissants • Excellente position de conduite • Insonorisation améliorée • Moteur plus souple

Contre

Puissance modeste • Pneumatiques discrets • Silhouette légèrement rétro • Réputation à rebâtir • Absence d'un modèle plus relevé

Caractéristiques

Échelle de prix:	voir page 11 et suivantes
Modèle / Prix:	Touring / 32 595 $
Type:	berline / traction
Empattement:	260 cm
Longueur:	451 cm
Largeur:	169 cm
Hauteur:	140 cm
Poids:	1335 kg
Coffre / Réservoir:	402 litres / 60 litres
Coussins de sécurité:	conducteur, passager et latéraux
Système antipatinage:	non
Suspension av. / arr.:	indépendante
Freins av. / arr.:	disque ABS
Direction:	à crémaillère, assistance variable
Diamètre de braquage:	11,4 mètres
Pneus av. / arr.:	P195/60R15
Valeur de revente:	nouveau modèle
Garantie de base:	4 ans / 100 000 km

Motorisation et performances

Moteur / Transmission:	4L 2,0 litres / manuelle 5 rapports
Puissance / Couple:	140 ch à 6400 tr/min / 132 lb-pi à 4800 tr/min
Autre(s) moteur(s):	aucun
Transmission optionnelle:	automatique 4 rapports
Accélération 0-100 km/h:	8,9 secondes autre moteur: 10,2 secondes
Vitesse maximale:	205 km/h
Freinage 100-0 km/h:	38,6 mètres
Consommation (100 km):	10,7 litres autre moteur: 11,6 litres

Modèles concurrents

Audi A4 • BMW 325 • VW Passat

Quoi de neuf?

Tout nouveau modèle

Verdict

Agrément	⊕ ⊕ ⊕ ⊕	Habitabilité	⊕ ⊕ ⊕ (
Confort	⊕ ⊕ ⊕	Hiver	⊕ ⊕ ⊕ (
Fiabilité	Nouveau modèle	Sécurité	⊕ ⊕ ⊕ ⊕

plusieurs. Dans la version Luxe, ce 2,0 litres est couplé de série à une boîte automatique à 4 rapports. Quant à la version Touring à vocation plus sportive, elle peut également être commandée avec une boîte manuelle à 5 rapports.

La G20 offre dorénavant des pneus de 15 pouces, un châssis plus rigide de 10 p. 100 et une direction à assistance variable. Et une suspension arrière à poutre de torsion à liens multiples, une exclusivité développée par les ingénieurs de Nissan.

Agile en diable

À défaut d'offrir un moteur qui pète le feu, Infiniti a concocté une voiture au comportement routier exemplaire. Cette petite berline est dotée d'une agilité diabolique et de freins puissants. Elle aborde les virages avec un aplomb égal à celui des grands noms. Son héritage européen fera le bonheur de toutes les personnes qui aiment piloter. Il est vrai que le moteur souffre un peu avec la boîte automatique, mais les prestations sont quand même intéressantes, une fois que la voiture a pris son élan.

Une injection de chevaux-vapeur s'impose.

En somme, c'est une auto pour les personnes qui préfèrent une conduite raffinée aux accélérations à l'emporte-pièce. Et si jamais votre enthousiasme vous place dans une situation difficile, les freins sont suffisamment puissants pour vous remettre dans le droit chemin. La G20 est équipée de freins ABS de la toute dernière génération dotés de 4 canaux et de 4 capteurs. De plus, la pulsation de la pédale est moins brutale qu'auparavant.

Il est facile de reprocher à la G20 de manquer de panache et de ne pas avoir une description aussi frappante que certaines de ses concurrentes. De plus, elle serait plus attrayante avec un moteur offrant tout au moins 10 à 15 chevaux de plus. Pourtant, son agrément de conduite élevé, sa construction soignée de même que son équilibre d'ensemble associés à un prix compétitif méritent notre attention. Et Infiniti a décidé de relever le pari en faisant appel à une campagne publicitaire agressive soulignant le caractère sportif de la voiture. Malheureusement, pour plusieurs, une voiture sportive ne doit pas se contenter de tenir la route et d'être plaisante à piloter, son moteur doit également contribuer à sa vocation. Dans le cas de la G20, l'effort est plutôt modeste.

Denis Duquet

Infiniti I30 • I30 T

Infiniti I30 T

Le prestige de la marque

Comme le démontre clairement le match comparatif publié en première partie de ce livre, la Maxima et l'Infiniti I30 sont des jumelles ou presque. Il suffit de jeter un coup d'œil sur leurs fiches techniques respectives ou de les examiner côte à côte pour s'en rendre compte. Il est donc naturel de se demander pourquoi des gens acceptent de dépenser plusieurs milliers de dollars de plus pour rouler en Infiniti, alors que la Maxima est identique ou presque.

Le match comparatif des sœurs ennemies au début de cet ouvrage tente de répondre à cette question. La I30 se démarque de sa sœur de chez Nissan par un équipement plus complet et une présentation extérieure qui la distingue, surtout en raison d'une calandre typiquement Infiniti. Il faut de plus souligner que l'habitacle est nettement plus relevé. Celui de la Maxima s'est souvent fait reprocher son caractère un peu économique et ses plastiques moches. La version Infiniti se révèle plus cossue et d'une finition plus sérieuse.

Cette différence suffit à faire choisir le modèle plus bourgeois à plusieurs. Et en plus, à moins que mes yeux me jouent des tours, la peinture de l'I30 semble de meilleure qualité. Les responsables de la mise en marché de cette division soulignent que la popularité de cette berline tient en grande partie au fait que les propriétaires d'une I30 sont nettement plus chouchoutés que leurs homologues qui roulent en Maxima. Et que vous soyez d'accord ou pas, on nous jure chez Infiniti que le prestige de la marque a également un rôle important à jouer dans la décision des acheteurs. Pour étayer leurs dires, les responsables du marketing de cette division soulignent que les personnes qui ont acheté une Infiniti sont plus satisfaites

que la moyenne des acheteurs des autres marques de la catégorie. D'ailleurs, c'est justement Infiniti qui a fait le plus d'efforts dans l'industrie automobile pour inciter les concessionnaires et leur personnel à traiter le client comme un roi.

Le retour de la G20 fait perdre à l'I30 sa vocation de voiture d'introduction à la gamme. Elle est dorénavant en sandwich entre la G20, plus sportive, et la Q45T nettement plus bourgeoise. Ce rôle de compromis lui convient. De plus, son prix, son équipement et ses prestations l'avantagent par rapport à plusieurs concurrentes.

Un moteur impeccable

S'il est un élément mécanique qui s'attire des éloges sur cette berline, c'est le V6 3,0 litres de conception moderne, dont les performances sont très intéressantes. Ce moteur offre une belle linéarité et n'est pas affecté par un creux dans ses prestations en fonction du régime. Il est couplé à une boîte automatique à 4 rapports qui, à défaut d'être très performante, se révèle en mesure d'accomplir le travail sans problème.

Cette berline se caractérise également par sa suspension arrière à liens multiples et à essieu rigide. Les ingénieurs de Nissan déclarent avoir découvert que les tractions n'ont pas besoin d'une suspension arrière indépendante, puisque les forces motrices sont placées à l'avant de la voiture. Cette configuration assure une meilleure stabilité directionnelle et moins de déflexion du train arrière dans les virages. Bien sûr, cet essieu pour le moins original est beaucoup moins cher à produire.

Cette conception respecte une philosophie adoptée chez Nissan / Infiniti au début de la décennie qui avait alors décidé de développer des

Infiniti I30

Pour

Moteur impressionnant
• Équipement complet • Mécanique fiable • Prix compétitif • Version Touring plus relevée

Contre

Suspension arrière peu confortable
• Pneumatiques moyens • Maxima presque identique pour moins cher • Seuil du coffre élevé • Commence à vieillir

Caractéristiques

Échelle de prix:	voir page 11 et suivantes
Modèle / Prix:	I30T / 44 550 $
Type:	berline / traction
Empattement:	270 cm
Longueur:	481 cm
Largeur:	177 cm
Hauteur:	142 cm
Poids:	1405 kg
Coffre / Réservoir:	411 litres / 70 litres
Coussins de sécurité:	conducteur, passager et latéraux
Système antipatinage:	oui
Suspension av. / arr.:	indépendante / essieu rigide
Freins av. / arr.:	disque ABS
Direction:	crémaillère, assistée
Diamètre de braquage:	10,6 m
Pneus av. / arr.:	P215/65R15
Valeur de revente:	moyenne
Garantie de base:	4 ans / 100 000 km

Motorisation et performances

Moteur / Transmission:	V6 3,0 litres / aut. 4 rapports
Puissance / Couple:	190 ch à 5600 tr/min / 205 lb-pi à 4000 tr/min
Autre(s) moteur(s):	aucun
Transmission optionnelle:	aucune
Accélération 0-100 km/h:	8,3 secondes
Vitesse maximale:	210 km/h
Freinage 100-0 km/h:	39,9 mètres
Consommation (100 km):	11,0 litres

Modèles concurrents

Lexus ES300 • Acura TL 3,2 • Mazda Millenia • Cadillac Catera

Quoi de neuf?

Antipatinage de série sur tous les modèles • Coussins de sécurité latéraux avant • Ceinture arrière centrale à trois points d'attache

Verdict

Agrément	⊕ ⊕ ⊕ ⊕	Habitabilité	⊕ ⊕ ⊕
Confort	⊕ ⊕ ⊕ ⊕	Hiver	⊕ ⊕ ⊕ ⊕
Fiabilité	⊕ ⊕ ⊕ ⊕ ⊕	Sécurité	⊕ ⊕ ⊕ ⊕

éléments mécaniques en harmonie avec la vocation de la voiture et de s'éloigner des solutions techniques inutilement complexes.

Agréable à piloter

Dans cette catégorie, plusieurs berlines d'origine japonaise se contentent de nous envelopper dans un cocon insonorisé, propulsé par un moteur plus silencieux que nerveux. Cette Infiniti s'éloigne de cette approche mi-figue, mi-raisin. Non seulement son moteur V6 est en verve et se démarque par son tempérament plus nerveux que la moyenne, mais cette voiture est agréable à piloter de façon sportive.

Elle se défend toujours de façon honorable.

Le train arrière est stable et n'a aucune difficulté à s'accorder avec l'avant pour négocier des virages serrés. De bonnes notes aussi à la direction à assistance variable qui donne un bon feed-back. Mais il faut déplorer que la version standard de l'I30 soit équipée d'amortisseurs un peu trop souples et de pneus de qualité assez moyenne. Il en résulte une imprécision quand vient le temps de négocier les virages. De plus, tout efficace soit-il, l'essieu arrière rigide a parfois de la difficulté à s'accommoder des trous et des bosses. Malgré tout, le comportement d'ensemble est intéressant et des pneumatiques plus performants devraient permettre d'améliorer la tenue de route.

Par contre, la version Touring avec sa suspension ferme, ses pneus plus performants et ses barres antiroulis est une voiture plus stable à vitesse élevée et plus en mesure de s'accommoder des virages rapides. Cette version est toutefois affectée par un sautillement persistant et à peine perceptible du train avant lorsque la chaussée est bosselée. Ce trait de caractère passera inaperçu la plupart du temps, mais risque d'irriter certains conducteurs plus sensibles.

L'Infiniti continue d'être compétitive, surtout en raison de son moteur très brillant, de son comportement routier honnête et d'un prix qui demeure alléchant, comparé à celui des autres ténors de la catégorie. Toutefois, au fur et à mesure que la concurrence rajeunira ses effectifs, cette Maxima en habit de luxe aura de plus en plus de difficulté à s'imposer. Il est également important de souligner que les dirigeants de Nissan réalisent, eux aussi, que la similitude entre la Maxima et la I30 est trop grande. C'est pourquoi les nouveaux modèles prévus pour l'an 2001 devraient se différencier davantage.

Denis Duquet

Infiniti Q45T

Infiniti Q45T

Elle se refait une beauté

La division Infiniti de Nissan a toujours eu de la difficulté à viser juste avec sa berline haut de gamme. La première génération s'était attiré de multiples éloges en raison de son comportement routier, de la puissance de son moteur V8 4,5 litres et de son agrément de conduite élevé. Malheureusement, une présentation extérieure assez étriquée, marquée par un avant sans grille de calandre et une plaque décorative placée en évidence sur le capot a suscité la controverse et éloigné les acheteurs. Pour satisfaire les clients, la Q45 a été l'objet de multiples modifications qui ont eu pour effet de l'embourgeoiser et de lui faire perdre son attrait initial. La suspension a été ramollie, les sièges sont devenus plus moelleux et la personnalité unique de cette japonaise grand luxe a été altérée à tout jamais.

I l y a deux ans, Infiniti a complété ce changement de caractère en donnant à ce modèle une silhouette vaguement rétro, inspirée des grosses berlines de luxe britanniques. Toute prétention à un comportement sportif s'est évanouie, même si la version Touring semblait affirmer le contraire. En fait, les pneus plus performants et la suspension plus ferme de ce modèle avaient pour effet de déstabiliser la voiture et de rendre sa conduite irritante sur mauvaise route. Curieusement, la cylindrée du moteur est passée de 4,5 litres à 4,1 litres sans que l'identification de la voiture soit modifiée. Côté conduite, on avait davantage l'impression de piloter une grosse américaine qu'une voiture voulant croiser le fer avec les allemandes au cœur sportif.

Cette situation a duré un peu moins de deux ans, période au cours de laquelle les ventes ont connu une hausse malgré tout, sûrement pas grâce à la présentation extérieure de la voiture. Il serait plus logique d'expliquer ces chiffres à la hausse par un prix très compétitif. Comparée à une Lexus LS400, la Q45T permet d'économiser au moins 10 000 $, un argument qui pèse toujours un certain poids.

Consciente qu'une voiture plus homogène et plus élégante serait encore plus appréciée, Infiniti a décidé, pour 1999, de remédier aux lacunes de son chef de file et d'apporter les modifications qui s'imposaient.

Le retour du cadran

À ses débuts, la Q45 possédait au centre du tableau de bord une horloge analogique très appréciée par les acheteurs. Pourtant, cela n'a pas empêché les décideurs de la faire disparaître lors de la révision de la voiture en 1997. Devant ce geste, les aficionados du modèle ont immédiatement déploré sa disparition et effectué des pressions auprès de la compagnie pour qu'on l'offre à nouveau. Cette année, elle est de retour. Les stylistes en ont profité pour réaménager quelque peu la présentation. L'importance accordée à la présence d'une simple horloge peut sembler incongrue à plusieurs personnes. Mais aussi ridicule que cela puisse paraître, elle donne un cachet plus relevé à l'habitacle. Et je suis prêt à parier que certaines personnes vont craquer pour cette voiture juste parce que cet accessoire trône à nouveau au centre du tableau de bord.

J'en vois sourire devant une telle affirmation. Toutefois, compte tenu que les berlines de luxe sont toutes d'une efficacité supérieure

Infiniti Q45T

Pour

Moteur raffiné • Finition sans faille • Prix compétitif • Silhouette plus élégante • Comportement routier sain

Contre

Roulis en virage • Coffre minuscule • Pneumatiques à revoir • Faible support latéral des sièges • Performances moyennes

Caractéristiques

Échelle de prix:	voir page 11 et suivantes
Modèle / Prix:	68 795 $
Type:	berline / propulsion
Empattement:	283 cm
Longueur:	506 cm
Largeur:	182 cm
Hauteur:	144 cm
Poids:	1761 kg
Coffre / Réservoir:	303 litres / 85 litres
Coussins de sécurité:	conducteur, passager et latéraux
Système antipatinage:	oui
Suspension av. / arr.:	indépendante
Freins av. / arr.:	disque ABS
Direction:	crémaillère, assistance variable
Diamètre de braquage:	11,3 mètres
Pneus av. / arr.:	P225/50R17
Valeur de revente:	faible
Garantie de base:	4 ans / 100 000 km

Motorisation et performances

Moteur / Transmission:	V8 4,1 litres / automatique 4 rapports
Puissance / Couple:	266 ch à 5600 tr/min / 278 lb-pi à 4000 tr/min
Autre(s) moteur(s):	aucun
Transmission optionnelle:	aucune
Accélération 0-100 km/h:	8,9 secondes
Vitesse maximale:	225 km/h
Freinage 100-0 km/h:	39,8 mètres
Consommation (100 km):	13,5 litres/100 km

Modèles concurrents

Acura RL • Cadillac DeVille • Lexus LS400 • Lincoln Town Car

Quoi de neuf?

Révisions à la carrosserie • Horloge numérique au tableau de bord • Phares au xénon • Nouveaux pneumatiques • Abandon de la version Luxury

Verdict

Agrément	⊕⊕⊕⊕	Habitabilité	⊕⊕⊕(
Confort	⊕⊕⊕⊕	Hiver	⊕⊕⊕(
Fiabilité	⊕⊕⊕⊕⊕	Sécurité	⊕⊕⊕(

en ce qui concerne le raffinement mécanique et la tenue de route, ce sont souvent les détails du genre et le design qui font pencher la balance.

C'est d'ailleurs pour cette raison que la direction d'Infiniti a décidé de revoir la silhouette de son modèle haut de gamme. Les stylistes s'étaient inspirés d'une ancienne limousine britannique des années 50 pour la partie arrière et d'une nord-américaine pour l'avant. Il en est résulté une présentation étriquée qui manquait d'équilibre. Cette fois, on s'est appliqué à gommer certains éléments, tout en atténuant les angles trop excentriques de l'arrière pour en arriver à un résultat beaucoup plus égal. La silhouette affiche toujours un air vaguement rétro, mais cette fois le résultat est harmonieux et même élégant. La voiture a dorénavant un air à part qui lui sied beaucoup mieux que le look abracadabrant des deux dernières années.

> Baroque, mais tout de même attachante.

Une seule version

Voulant intéresser une clientèle à la recherche d'une berline de luxe à vocation sportive, la division Infiniti s'était entêtée à offrir une version sportive. Affublé d'un aileron arrière, d'une suspension plus ferme et de pneus plus performants, ce modèle ne livrait pas la marchandise. La suspension trop ferme n'était pas en accord avec les routes bosselées et le tout entrait en contradiction avec le caractère plutôt débonnaire de cette berline.

Cette année, on a compris! Un seul modèle est à l'affiche et on a pris soin de l'équiper d'une suspension à réglage automatique qui s'adapte au type de conduite du pilote et assure ainsi un compromis tout à fait acceptable entre les modèles Luxury et Touring de l'an dernier.

La Q45T est la plus nord-américaine des berlines de luxe à provenir du pays du soleil levant. Sa direction est relativement engourdie, tandis que la présentation d'ensemble de l'habitacle pourrait avoir été conçue à Dearborn, par exemple. La tenue de route est bonne dans son ensemble, mais la souplesse de la suspension et un certain roulis de caisse en ennuieront plusieurs.

Bref, si vous aimez cette nouvelle allure un peu nostalgique et un tantinet rétro, cette Infiniti a des chances de vous intéresser. Surtout si vous privilégiez davantage le confort par rapport à la conduite.

Denis Duquet

Isuzu Rodeo • Trooper

Isuzu Rodeo

Plus raffinés, toujours ignorés

Même si le marché des utilitaires sport est à son apogée, les Rodeo et Trooper d'Isuzu ne jouissent pas d'une très grande popularité sur le marché canadien. Ils sont en fait éclipsés par presque tous les modèles concurrents. Pourtant, ce duo se débrouille fort bien sur les marchés étrangers. D'ailleurs, aussi bien le Rodeo que le Trooper sont commercialisés sous les bannières Acura, Honda et Opel dans plusieurs pays.

Chez Saab-Saturn-Isuzu, une filiale de GM du Canada, on a beau faire état de progrès au chapitre des ventes, le nombre d'unités vendues devrait tout de même être plus élevé compte tenu que ces deux modèles ont été révisés en profondeur l'an dernier. Il était facile auparavant de critiquer le Trooper avec ses allures des années 60, son centre de gravité élevé et son habitacle passablement timide. Depuis l'an dernier, la situation s'est tout de même améliorée.

Toute la partie avant du véhicule a été redessinée afin de lui donner une apparence plus moderne tout en tentant d'éliminer l'allure de cabine téléphonique mobile du modèle précédent. Entre autres, les passages de roues ont été élargis. La mécanique a aussi connu certains changements. Le moteur V6 3,5 litres à double arbre à cames en tête développe 215 chevaux depuis l'an dernier, ce qui en fait l'un des plus puissants de la catégorie. On a apporté de nombreux raffinements au châssis afin d'améliorer le confort et la tenue en virage du véhicule.

Il est toutefois surprenant qu'Isuzu ne propose pas, même en option, un système de traction intégrale qu'il serait logique de retrouver sur un véhicule visant une clientèle passablement huppée. Par contre, Isuzu soutient que son système de gestion électronique du couple, baptisé «Torque On Demand», donne un avantage marqué à ses modèles en conduite tout-terrain. La mécanique transférant le couple aux roues motrices est semblable aux autres systèmes, c'est le logiciel de gestion électronique qui fait la différence.

Malgré toutes ses qualités, le Trooper est un utilitaire sport qui possède peu de qualités sportives et qu'on a conçu avant tout comme un utilitaire en dépit de sa cabine confortable et cossue. Le centre de gravité élevé oblige le conducteur à piloter en conséquence. Derrière son volant, il faut avoir en mémoire que ce véhicule a été essentiellement élaboré pour rouler sur des routes en fort mauvaise condition et non pas pour battre des records en piste. Bref, le Trooper est solide, bien fini, puissant et polyvalent, mais il ne réussit certainement pas à nous enthousiasmer.

Le Rodeo: élégant et ennuyeux

Le Rodeo a également connu une sérieuse refonte l'an dernier. La présentation extérieure, le tableau de bord, le moteur, tout y a passé. Il en est résulté un élégant véhicule capable de soutenir la comparaison et même de surclasser plusieurs concurrentes. Après tout, cet élégant 4X4 est le fer de lance d'Isuzu sur plusieurs marchés. En effet, Honda le commercialise aux États-Unis sous le nom de Passport, tandis qu'il devient l'Opel Frontera sur le marché européen. Force est d'admettre que la présentation extérieure est réussie, alors que les angles sont arrondis juste ce qu'il faut pour être esthétiquement corrects à l'aube du troisième millénaire.

Isuzu Rodeo

Pour

Moteurs raffinés • Fiche technique intéressante • Aménagement intérieur amélioré • Silhouette plus moderne • Suspension arrière confortable

Contre

Portes arrière rébarbatives • Pneu de secours mal situé • Certains plastiques à revoir • Agrément de conduite mitigé • Places arrière peu confortables

Caractéristiques

Échelle de prix:	voir page 11 et suivantes
Modèle / Prix:	LS / 38 900 $
Type:	utilitaire sport / propulsion / 4X4
Empattement:	270 cm
Longueur:	465 cm
Largeur:	178 cm
Hauteur:	174 cm
Poids:	1895 kg
Coffre / Réservoir:	933 litres / 80 litres
Coussins de sécurité:	conducteur et passager
Système antipatinage:	non
Suspension av. / arr.:	indépendante / essieu rigide
Freins av. / arr.:	disque ABS
Direction:	à crémaillère, assistance variable
Diamètre de braquage:	11,7 mètres
Pneus av. / arr.:	P245/70R16
Valeur de revente:	faible
Garantie de base:	3 ans / 60 000 km

Motorisation et performances

Moteur / Transmission:	V6 3,2 litres / manuelle 5 rapports
Puissance / Couple:	205 ch à 5400 tr/min / 214 lb-pi à 3000 tr/min
Autre(s) moteur(s):	aucun
Transmission optionnelle:	automatique 4 rapports
Accélération 0-100 km/h:	10,2 secondes
Vitesse maximale:	185 km/h
Freinage 100-0 km/h:	43,2 mètres
Consommation (100 km):	13,2 litres

Modèles concurrents

Chevrolet Blazer/GMC Jimmy • Ford Explorer • Toyota 4Runner • Nissan Pathfinder • Jeep Cherokee

Quoi de neuf?

Appuie-bras sur tous les modèles • Nouvelle couleur • Tableau de bord plus complet

Verdict

Agrément	☺☺☺	
Habitabilité	☺☺☺	
Confort	☺☺☺🙂	
Hiver	☺☺☺☺	
Fiabilité	☺☺☺☺	
Sécurité	☺☺☺🙂	

Le tableau de bord de la version précédente était tout simplement atroce et il est heureux que cette importante lacune ait été corrigée. La nouvelle présentation est élégante et la disposition des commandes, tout à fait conforme aux règles de l'ergonomie. Cependant, la qualité du plastique de la planche de bord fait bon marché. Il faut s'adapter à la présence de la roue de secours accrochée à l'extérieur du Rodeo, qui obstrue la lunette arrière. Un autre irritant: l'accès à la soute à bagages s'effectue par l'intermédiaire de deux portes horizontales à battant, une solution biscornue et peu pratique. Soulignons au passage qu'il est possible de commander en option une roue de secours placée sous le véhicule.

Ils passent toujours inaperçus.

En mal d'originalité

Il est difficile de contester la fiche technique du Rodeo. Son moteur V6 3,2 litres à double arbre à cames en tête est sophistiqué et ses 205 chevaux sont capables d'assurer des performances intéressantes. Il peut être associé à une boîte manuelle à 5 rapports ou à l'automatique à 4 rapports. Celle-ci peut être réglée sur les modes économie ou hiver afin d'ajouter à sa polyvalence. La fiche technique souligne également la présence de freins à disque avec ABS aux 4 roues et d'une suspension arrière incorporant des ressorts hélicoïdaux et 5 bras oscillants.

Au simple toucher d'un bouton, le système 4 roues motrices à temps partiel peut être enclenché tout en roulant et, ce jusqu'à une vitesse de 100 km/h. Encore là, une version dotée de la traction intégrale aurait permis d'intéresser plusieurs clients. D'autant plus que la conduite du Rodeo n'inspire pas de grandes passions. C'est curieux, mais c'est ainsi. Ce véhicule possède tous les éléments pour se démarquer, mais il semble se plaire à être l'égal des autres utilitaires sport, rien de plus, rien de moins.

Aussi bien dans le cas du Trooper que du Rodeo, on risque de rater le coche à vouloir être trop politiquement correct. Ces deux Isuzu ne possèdent pas ce p'tit quelque chose qui nous permettrait de pencher en leur faveur.

Denis Duquet

Jaguar XJ8 • Vanden Plas • XJR

Jaguar XJR

Une dose de V8

Pour la première fois de son histoire, le monument de tradition qu'est la marque anglaise Jaguar a adopté l'an dernier un moteur V8 en remplacement du 6 cylindres ancestral qui propulsait jusque-là ses divers modèles. C'est sous le capot des coupés et cabriolets XK8 entièrement renouvelés que le nouveau V8 a d'abord fait irruption. Il a donné du nerf et du relief à des voitures à vocation sportive d'une rare élégance. Les berlines Jaguar ont dû patienter un an de plus avant de bénéficier, elles aussi, d'une dose de V8.

D'entrée de jeu, calmons les craintes des nombreux automobilistes qui ont un faible pour les Jaguar, mais qui sont convaincus qu'en acheter une équivaut à se mettre en ménage avec son mécanicien. Jadis reconnues pour leur fiabilité extrafragile, les célèbres voitures britanniques se retrouvent désormais près de la tête dans les sondages portant sur la satisfaction de la clientèle.

Cela dit, à quoi ressemblent les récentes XJ8, Vanden Plas et XJR? C'est d'abord sous le capot que ça se passe avec un V8 de 4,0 litres à 32 soupapes développant 290 chevaux dans la XJ8 ou la Vanden Plas et rien de moins que 370 chevaux dans la version à compresseur qui équipe la XJR. Cette dernière, d'emblée, se positionne parmi les berlines les plus rapides du monde, devançant dans le sprint du 0-100 km/h des gros canons comme la Mercedes-Benz S600 à moteur V12. À propos de Mercedes justement, c'est la firme allemande qui a «dépanné» Jaguar en lui cédant la transmission automatique à 5 rapports de sa berline 12 cylindres. Ni Jaguar ni Ford (son mentor) ne possédait une transmission assez robuste

pour gérer le couple imposant (387 lb-pi) de la XJR. La XJ8 s'accommode, quant à elle, d'une boîte ZF au fonctionnement irréprochable qui offre le choix entre des changements de rapport entièrement automatisés ou manuels, sans embrayage, bien sûr. Rappelons brièvement que la XJ8 est le modèle d'accès à la gamme, donc le moins cher. La Vanden Plas, plus luxueuse, se distingue par son empattement allongé de 12,5 cm, tandis que la XJR est la plus performante du lot avec son moteur à compresseur et ses pneus Pirelli P Zéro de 18 pouces. Le compresseur permet d'augmenter l'efficacité volumétrique en pressurisant l'air qui s'apprête à entrer dans les cylindres. Le moteur y gagne 80 chevaux par rapport au V8 à aspiration normale des XJ8 et Vanden Plas.

Une limousine express

Le moteur de la XJR est très expressif et regorge de puissance à n'importe quel régime, mais, sa douceur et sa discrétion masquent sa vraie nature. Il faut s'en remettre aux chiffres d'accélération pour bien mesurer l'ampleur de ses performances. Car, même si elle bondit de 0 à 100 km/h en 5,8 secondes, la XJR est avant tout une limousine express plutôt qu'une berline sport. Les réglages ont visiblement été faits pour optimiser le confort et cela au détriment de la tenue de route. La suspension filtre si bien les imperfections du revêtement qu'on ressent à peine les cicatrices de notre réseau routier. Cette grande douceur de roulement se révèle par contre un obstacle à une bonne tenue de route sur un parcours sinueux. Le roulis est considérable et, sur chemin bosselé, la voiture perd facilement son adhérence. Lorsqu'on la conduit moins sportivement, tout rentre dans l'ordre et la XJR reprend son aplomb.

Jaguar XJ8

Pour

Performances éblouissantes • Confort de haut niveau • Qualité de construction en progrès • Très bel intérieur • Freinage impeccable

Contre

Suspension trop souple • Direction légère • Coffre peu profond • Plus rapide que sportive • Lave-glace peu efficace

Caractéristiques

Échelle de prix:	voir page 11 et suivantes
Modèle / Prix:	Vanden Plas / 77 900 $
Type:	berline / propulsion
Empattement:	299 cm
Longueur:	515 cm
Largeur:	180 cm
Hauteur:	135 cm
Poids:	1836 kg
Coffre / Réservoir:	360 litres / 81 litres
Coussins de sécurité:	conducteur, passager et latéraux
Système antipatinage:	oui
Suspension av. / arr.:	indépendante
Freins av. / arr.:	disque ABS
Direction:	à crémaillère, assistance variable
Diamètre de braquage:	12,4 mètres
Pneus av. / arr.:	P225/60ZR16
Valeur de revente:	bonne
Garantie de base:	4 ans / 80 000 km

Motorisation et performances

Moteur / Transmission:	V8 4,0 litres / automatique 5 rapports	
Puissance / Couple:	290 ch à 6100 tr/min / 290 lb-pi à 4250 tr/min	
Autre(s) moteur(s):	V8 4,0 litres 370 ch (XJR)	
Transmission optionnelle:	aucune	
Accélération 0-100 km/h:	7 secondes	autre moteur: 5,8 secondes
Vitesse maximale:	249 km/h (limitée)	
Freinage 100-0 km/h:	38,2 mètres	
Consommation (100 km):	16 litres	autre moteur: 15,7 litres

Modèles concurrents

BMW 740i • Mercedes-Benz S420 • Lexus LS400 • Infiniti Q45

Quoi de neuf?

Moteurs moins polluants • Disques de freins avant plus grands (XJR)

Verdict

Agrément	⊕ ⊕ ⊕ ◖	Habitabilité	⊕ ⊕ ⊕ ⊕
Confort	⊕ ⊕ ⊕ ⊕	Hiver	⊕ ⊕ ⊕ ◖
Fiabilité	⊕ ⊕ ⊕ ◖	Sécurité	⊕ ⊕ ⊕ ⊕

La mollesse de la suspension est encore plus flagrante au volant de la XJ8. En plus, dans les deux voitures essayées, la direction était d'une légèreté déconcertante. Bien que la maniabilité ne soit pas le point fort des berlines Jaguar, la Vanden Plas est la moins bien dotée à ce chapitre. Les manœuvres de stationnement ne sont pas une sinécure. Les trois versions héritent d'un freinage exceptionnel rehaussé par un ABS à la fois efficace et discret.

Une carrosserie dépassée

D'une rare élégance, les Jaguar n'en restent pas moins affublées d'une carrosserie qui n'est plus jeune et dont les rides commencent à paraître. Dans la XJ8, l'espace arrière est mesuré et il vaut mieux opter pour la Vanden Plas à empattement long qui pousse le luxe jusqu'à offrir des sièges chauffants à l'arrière. Quant aux petites tablettes en bois poli, elles impressionnent la galerie, mais ne sont d'aucune utilité pour la simple raison qu'elles sont trop étroites et surtout trop glissantes. Le volume du coffre n'est toutefois pas plus grand dans la Vanden Plas et son manque de profondeur limite sa capacité à 360 litres. Dans l'une ou l'autre des versions, le dégagement pour les jambes du conducteur est aussi assez restreint en raison de la largeur du tunnel de transmission. Mais plusieurs sont prêts à oublier ces petits inconvénients en échange du raffinement de l'aménagement intérieur de ces prestigieuses berlines. L'arrivée de Ford à la tête de Jaguar n'a heureusement pas eu d'effet subversif sur les traditions de la marque. Au contraire, les voitures sont aujourd'hui mieux construites et plus fiables qu'elles ne l'ont jamais été.

À l'intérieur, les cuirs fins de chez Connolly et le bois noble contribuent à créer une ambiance chaleureuse et de bon goût. À mon sens, aucune autre voiture de luxe (à l'exception peut-être des Rolls-Royce et des Bentley) ne donne la même impression d'opulence. Le tableau de bord est superbe, mais les boutons de la climatisation et de la chaîne audio, trop nombreux (49), ne sont pas éclairés la nuit. La position de conduite est agréable même si le siège pourrait être un peu plus profond.

Les berlines Jaguar ne sont pas les plus spacieuses ni même les plus pratiques de leur catégorie, mais elles possèdent un charme qu'on ne trouve pas chez leurs rivales. Et avec un moteur V8 et une fiabilité accrue, l'achat d'une Jaguar n'est plus un coup de cœur, mais une décision raisonnée.

Succombez à la tentation.

Jaguar XK8 • XKR

Jaguar XKR

En attendant l'an 2000

Depuis l'arrivée l'an dernier de l'extrarapide Jaguar XJR à moteur de 370 chevaux, les symboles de haute performance que sont le coupé et le cabriolet XK8 se trouvent dans une situation embarrassante. Malgré leur image sportive, ils se font damer le pion par une berline mieux nantie sur le plan de la puissance brute. Et il faudra attendre à l'an prochain avant que cette anomalie soit corrigée.

Bien qu'il ait fait l'objet d'une longue liste de modifications, le moteur V8 à aspiration normale de 290 chevaux qui équipe depuis deux ans les XK8 conserve les mêmes caractéristiques générales pour 1999. Les petits changements qui lui ont été apportés (pistons modifiés, calage d'arbre à cames d'admission variable, accélérateur électronique révisé, etc.) avaient essentiellement pour but de respecter de nouvelles normes antipollution.

Aussi véloce qu'une 911

Quant à la XKR à compresseur vendue en Europe depuis déjà plusieurs mois, elle ne sera commercialisée sur le marché nord-américain qu'à partir du millésime 2000. En attendant, les amateurs peuvent toujours saliver en consultant les données mirobolantes du Cv de cette fabuleuse XKR, la voiture de série la plus rapide jamais produite par Jaguar.

Son moteur V8 suralimenté de 4,0 litres et 370 chevaux la propulse de 0 à 160 km/h en 12 secondes et sans le coupe-circuit qui limite la vitesse maximale à 250 km/h, la voiture pourrait tenir tête à une Porsche 911.

L'absence d'une boîte de vitesses manuelle indique que nous avons affaire à une grand-tourisme plutôt qu'à une authentique voiture de sport. Bref, cette Jaguar XKR est on ne peut plus véloce, mais préfère les longues lignes droites aux petits chemins sinueux, même si ses suspensions ont été réglées pour assurer une meilleure liaison au sol qu'avec les XK8 normales. Celles-ci affectionnent souplesse et confort, plutôt qu'adhérence en virage. La future XKR serre un peu la vis et offre un amortissement un peu plus ferme sous forme d'un système de contrôle électronique des amortisseurs. Connu sous le nom de CATS (Computer Active Technology Suspension), qui adapte les réglages en fonction des conditions de la route et du style de conduite. Il en résulte un comportement routier plus stable qui permet de tirer profit des pneus Pirelli P Zéro de 18 pouces dessinés spécifiquement pour ces Jaguar.

Une transmission... Mercedes

Dans la XKR, moteur et transmission sont identiques à ce que l'on trouve dans la berline XJR et la puissance est acheminée aux roues arrière motrices par une transmission automatique à 5 rapports que Jaguar achète de Mercedes-Benz. La transmission ZF normalement utilisée dans les coupés et cabriolets XK8 est incapable de supporter le couple par trop généreux (387 lb-pi) du moteur suralimenté. La transmission Mercedes, quant à elle, fonctionne sans heurts et est programmée (au moyen de l'ABS et de l'antipatinage) pour ne pas changer de rapport lorsque la voiture négocie un virage. Comme dans toutes les récentes Jaguar, le levier de vitesses comporte une double grille de sélection des rapports. D'un côté, tout se fait automatiquement, tandis que de l'autre, le conducteur

Jaguar XK8

Pour
Bon comportement routier • Confort soigné • Fiabilité en hausse • Bons moteurs • Cabriolet réussi

Contre
Visibilité précaire • Voiture lourde et encombrante • Faible habitabilité • Mauvais désembuage

Caractéristiques

Échelle de prix:	voir page 11 et suivantes
Modèle / Prix:	cabriolet / 102 350 $
Type:	cabriolet 2 places / propulsion
Empattement:	259 cm
Longueur:	476 cm
Largeur:	183 cm
Hauteur:	129 cm
Poids:	1754 kg
Coffre / Réservoir:	270 litres / 75,3 litres
Coussins de sécurité:	conducteur et passager
Système antipatinage:	oui
Suspension av. / arr.:	indépendante
Freins av. / arr.:	disque ABS
Direction:	à crémaillère, assistée
Diamètre de braquage:	12,4 mètres
Pneus av. / arr.:	P245/50ZR17
Valeur de revente:	bonne
Garantie de base:	4 ans / 80 000 km

Motorisation et performances

Moteur / Transmission:	V8 4,0 litres DACT / automatique 5 rapports
Puissance / Couple:	290 ch à 6100 tr/min / 284 lb-pi à 4200 tr/min
Autre(s) moteur(s):	V8 compresseur 370 ch (XKR)
Transmission optionnelle:	aucune
Accélération 0-100 km/h:	7,4 secondes autre moteur: 4,5 secondes
Vitesse maximale:	250 km/h
Freinage 100-0 km/h:	38,5 mètres
Consommation (100 km):	13 litres autre moteur: 15,2 litres

Modèles concurrents
Lexus SC400 • Mercedes-Benz SL

Quoi de neuf?
Capote offerte en beige • Nouvelles couleurs • Moteurs révisés

Verdict

Agrément	⊕⊕⊕G	Habitabilité ⊕
Confort	⊕⊕⊕G	Hiver ⊕⊕⊕
Fiabilité	⊕⊕⊕⊕	Sécurité ⊕⊕G

a le loisir de changer les rapports manuellement selon le principe d'abord mis de l'avant par Porsche avec sa boîte «Tiptronic».

Peu d'artifices

La plus rapide des Jaguar ne fait pas étalage de son exclusivité et il faut prêter attention pour la distinguer d'une XK8. Les plus observateurs noteront la présence de deux prises d'air sur le capot et d'un petit becquet arrière parfaitement intégré au coffre. La voiture possède aussi ses propres jantes à 10 branches et une grille de calandre maillée chromée, semblable à celle de la berline XKR.

De mieux en mieux.

Pour revenir aux XK8 actuelles, le coupé et le cabriolet se distinguent d'abord par des lignes d'une belle rondeur qui sont sans doute à l'origine d'une hausse substantielle des ventes au cours de la dernière année. Cette fort jolie carrosserie repose cependant sur la plate-forme de l'antédiluvienne XJ-S et cela se remarque sur les routes défoncées. Le coupé, notamment, n'a pas cette rigidité que l'on trouve sur les voitures allemandes. En revanche, le cabriolet réalisé par Karmann se démarque par sa belle exécution et un minimum de bruits insolites. Dommage cependant que cette belle qualité de construction soit assombrie par une capote qui, une fois abaissée, s'empile de manière disgracieuse derrière l'habitacle. Cette solution a toutefois l'avantage de ne pas rapetisser le coffre à bagages, dont le volume de 270 litres apparaît raisonnable pour ce type de voiture.

L'autre prix à payer pour la vétusté du châssis est le peu d'espace pour les jambes, surtout celles du conducteur. Pour une voiture d'un format tout de même assez considérable, l'habitabilité est assez mesurée. La position de conduite risque aussi de ne pas plaire à tout le monde et il faut souligner que la largeur des seuils de portière rend l'accès laborieux. De plus, une fois au volant, on n'a qu'une très vague idée de ce qui se passe derrière. Même le coupé n'est pas très gâté en matière de visibilité et un désembuage quelquefois déficient fait monter le degré de difficulté d'un cran.

À part les SL de Mercedes et peut-être le coupé Lexus SC400, les Jaguar XK8 sont pratiquement sans concurrence. Autour de 100 000 $, ce sont en quelque sorte des voitures-récompenses dont on a souvent rêvé toute sa vie et qu'on s'offre en bout de ligne pour se faire plaisir. Auparavant, le rêve pouvait souvent tourner au cauchemar, mais depuis quelques années, les Jaguar sont enfin devenues des voitures plus fiables.

Jeep Cherokee

Jeep Cherokee

Le dernier des Mohicans?

Le Cherokee tel qu'on le connaît maintenant date de 1984, alors que AMC en était le fabricant et qu'il était encore «politiquement correct» d'identifier un véhicule au nom d'une nation amérindienne. Depuis le rachat de ce manufacturier par Chrysler en 1987, nous avons assisté à de modestes remises à jour de ce modèle.

L'année 1997 marque la dernière opération de rajeunissement pour ce vénérable combattant de la première heure qui doit se frotter à de nombreux nouveaux concurrents aux noms beaucoup moins évocateurs comme les CR-V, le RAV4, quand ce n'est pas à un garde forestier nouveau genre (Forester). (Voir le match comparatif dans *Le Guide de l'auto 98*).

Une sélection difficile

Le Cherokee est offert en 4 versions, soit SE, Sport, Classic et Limited. Le SE et le Sport reçoivent une carrosserie à 2 ou 4 portes, et les deux autres à 4 portes exclusivement. Tous peuvent être entraînés par un système à 4 roues motrices. Normal pour un Jeep, me direz-vous, pourtant, on fabrique encore des versions à 2 roues motrices seulement. Enfin… Maintenant, le SE peut recevoir le même moteur de base que le Jeep TJ, soit un 4 cylindres de 2,5 litres, ou encore l'éternel 6 en ligne de 4,0 litres bien identifié à la marque. Comme le Cherokee affiche encore des lignes aussi aérodynamiques qu'une porte de grange, et qu'il souffre toujours d'un sérieux embonpoint, je vous conseille d'adopter le 6 cylindres, malgré sa plus grande soif de pétrole.

Dans l'éventualité où vous retenez la traction à 4 roues motrices, deux systèmes s'offrent à vous. Le premier, appelé

«Command-Trac», ne fonctionne qu'en mode temporaire, c'est-à-dire que vous vous exposez à certains problèmes d'ordre mécanique si vous persistez à l'utiliser en permanence. Il peut être couplé à une boîte manuelle à 5 vitesses ou à une automatique à 4 rapports (3 seulement avec le 2,5 litres). Le «Selec-Trac», quant à lui, est offert sur tous les modèles, sauf le SE et peut être engagé en permanence sans fâcheuses conséquences. En outre, les deux systèmes comportent un mode à gamme basse permettant de vous aventurer assez «creux» merci, ou de tracter de lourdes charges. Comme sur le TJ, la sélection des rapports de la boîte manuelle est imprécise, mais l'automatique à 4 rapports de conception plus récente satisfait pleinement. Les plus «sérieux» ne pourront s'empêcher également de retenir l'ensemble «suspension hors route» qui permet aux organes moteurs et à la suspension de garder la tête froide au combat. Le freinage mixte disque/tambour surprend par l'effort à fournir sur la pédale, mais ne semble pas manquer de puissance. On peut lui adjoindre l'ABS sur demande moyennant une autre plongée dans votre portefeuille.

La voie du centre

Le Cherokee a une apparence un peu plus moderne que son prédécesseur, malgré un style encore suranné. La carrosserie très anguleuse dégage beaucoup d'espace par rapport à son encombrement, tout en restant (oh surprise!) relativement discrète face au vent. À l'intérieur, le même thème est reconduit, la nouvelle planche de bord est simple, l'instrumentation complète et bien visible, et les commandes tombent bien sous la main. Les espaces de rangement abondent, mais sont de capacité moyenne. Je dois dire cependant

Jeep Cherokee

Pour

Polyvalence • Mécanique éprouvée • Tenue de route honnête • Habitabilité intéressante • Capacités de franchissement impressionnantes

Contre

Ligne surannée • Matériaux encore bon marché • 4 cylindres dépassé • Utilité discutable en 2 roues motrices • Prix de certains modèles

Caractéristiques

Échelle de prix:	voir page 11 et suivantes
Modèle / Prix:	Limited / 34 495 $
Type:	utilitaire sport / 4X4
Empattement:	258 cm
Longueur:	425 cm
Largeur:	176 cm
Hauteur:	163 cm
Poids:	1519 kg
Coffre / Réservoir:	932 litres / 76 litres
Coussins de sécurité:	conducteur et passager
Système antipatinage:	non
Suspension av. / arr.:	essieu rigide
Freins av. / arr.:	disque / tambour ABS optionnel
Direction:	à billes, assistée
Diamètre de braquage:	10,9 mètres
Pneus av. / arr.:	P225/75R15
Valeur de revente:	passable
Garantie de base:	3 ans / 60 000 km

Motorisation et performances

Moteur / Transmission:	6L 4,0 litres / automatique 4 rapports
Puissance / Couple:	190 ch à 4600 tr/min / 225 lb-pi à 3000 tr/min
Autre(s) moteur(s):	4L 2,5 litres 125 ch
Transmission optionnelle:	manuelle 5 rapports
Accélération 0-100 km/h:	9,7 secondes autre moteur: n.d.
Vitesse maximale:	180 km/h
Freinage 100-0 km/h:	50,0 mètres
Consommation (100 km):	15,6 litres autre moteur: 13,5 litres

Modèles concurrents

Chevrolet Blazer/GMC Jimmy • Ford Explorer • Honda CR-V • Nissan Pathfinder • Toyota 4Runner

Quoi de neuf?

Coussin passager peut être désactivé • Calandre «rafraîchie» • Couleur des pare-chocs assortie à la carrosserie • Sièges chauffants de série dans la Limited

Verdict

Agrément	⊕ ⊕ ⊕ (	Habitabilité	⊕ ⊕ ⊕ (
Confort	⊕ ⊕ (	Hiver	⊕ ⊕ ⊕ ⊕ (
Fiabilité	⊕ ⊕ (	Sécurité	⊕ ⊕ ⊕

que l'ambiance n'est pas des plus modernes et que certains plastiques font encore bon marché. Pourtant, n'allez pas croire que vous pourrez nettoyer l'intérieur en laissant les glaces baissées dans le lave-auto. Notre monture par exemple, une Limited à 4 roues motrices, recevait d'office le 6 cylindres utilisant la boîte automatique, le système «Selec-Trac», des jantes en alliage, des sièges tendus de cuir (celui du conducteur à réglage électrique à 6 positions), l'air climatisé, la panoplie usuelle d'accessoires à commandes électriques, un système de sonorisation avec lecteur de cassettes et j'en passe.

Au bas de l'échelle, le SE vous offre le 4 cylindres, 2 portières, une manuelle à 5 rapports et pour le reste, l'essentiel sans plus. Entre les deux, tout est possible, mais revenons à notre Limited. Les sièges fermes offrent un bon soutien et les passagers assis à l'arrière ne rechigneront qu'après quelques centaines de kilomètres. La soute peut engouffrer une bonne quantité de bagages, mais le pneu de secours l'encombre en permanence. Vous pouvez toujours replier le dossier de la banquette arrière pour en augmenter la capacité.

> En somme, une bête de somme.

De bonnes surprises vous attendent sur la route au volant de ce vieux baroudeur. Par une espèce de miracle, les ingénieurs ont réussi à dompter les suspensions rudimentaires (à essieux rigides) pour n'en garder que le meilleur. Son confort est honnête, il s'accroche relativement bien dans les courbes en dépit d'une direction un peu floue, et son comportement routier se rapproche de celui d'autres tout-terrains beaucoup plus onéreux. Hors route, vous pourrez afficher une supériorité évidente sur la plupart des concurrents genre «salons roulants», compliments d'une garde au sol importante et d'un rayon de braquage considérablement réduit. De plus, le 6 cylindres en ligne, dont les origines remontent au déluge (pas celui de 1996) tire fort bien son épingle du jeu. Il permet des accélérations franches, et son couple généreux à bas régime vous sortira du pétrin avec facilité. Sa douceur surprend et sa consommation est assez raisonnable si l'on tient compte du gabarit de l'engin, puisqu'il tourne à seulement 1900 tr/min à 100 km/h.

Le Cherokee évite donc les excès de ses concurrents plus lourds, plus encombrants et plus gourmands. Il peut aussi affronter sans peine la «cavalerie légère nippone» sur son territoire de prédilection hors route. Tout cela à un prix relativement raisonnable par rapport aux gros utilitaires sport. Devant tant de beaux restes, on ose donc espérer ne pas être en présence du dernier des Cherokee.

Jean-Georges Laliberté

Jeep Grand Cherokee

Jeep Grand Cherokee

Le surdoué se raffine

Même si le Grand Cherokee était sur le marché depuis 1992 et devait affronter une foule de concurrents bénéficiant d'une entrée en scène plus récente, ce Jeep restait la référence de la catégorie en matière de comportement hors route, d'agrément de conduite et même de confort. Toutefois, une refonte était devenue nécessaire pour lui permettre de conserver son leadership.

C e geste était d'autant plus important que le développement de la première génération du Grand Cherokee avait été amorcé avant l'intégration de Jeep dans le giron de Chrysler. Les ingénieurs avaient alors raffiné la plate-forme Cherokee et rafistolé certains éléments mécaniques. De leur côté, les stylistes avaient accompli de l'excellent travail en réalisant une silhouette en accord avec les caractéristiques visuelles de la marque, mais d'apparence très moderne. Il faut se souvenir que ce modèle était destiné à remplacer tout simplement le Cherokee, qu'on avait décidé d'abandonner. Mais Chrysler a modifié ses plans en constatant le succès du Cherokee auprès du public. Une seule décision s'imposait alors: maintenir ces deux modèles sur le marché.

La seconde génération du Grand Cherokee est vraiment toute nouvelle, puisque seulement 127 pièces du modèle précédent ont été conservées. Et la plupart sont minuscules, car il s'agit surtout de boulons et de vis. Faisant appel aux impressionnantes ressources en recherche et développement du centre technique de Chrysler situé à Auburn Hills, au Michigan, les ingénieurs ont concocté une toute nouvelle plate-forme, créé un moteur V8 et adopté un rouage d'en-

traînement intégral révolutionnaire, en plus de réviser les suspensions et plusieurs autres éléments mécaniques.

Le design, bien sûr!

Mon premier contact avec cette nouvelle version m'a laissé plutôt indifférent. Il m'a semblé que les stylistes s'étaient contentés de dépoussiérer quelque peu l'ancienne carrosserie. Il est vrai que les canons esthétiques de la première génération ont été conservés, mais un examen approfondi m'a permis de différencier assez facilement la nouvelle version de l'ancienne.

La grille de calandre conserve ses rayons verticaux, mais ces derniers sont toutefois plus espacés. L'inclinaison vers l'arrière de la partie avant est également plus accentuée, ce qui contribue à donner un air plus dynamique à l'ensemble. Cette grille est encadrée par de nouveaux blocs optiques à lentille transparente. Un autre élément visuel propre à ce Jeep est la présence de passages de roues soulignés par une cannelure prononcée qui donne du «coffre» au véhicule. Ces allures d'aventurier sont rehaussées par la présence d'un support de toit plus aérodynamique et de présentation plus épurée.

Les proportions de la silhouette de la première génération ont été conservées dans l'ensemble. Il a fallu toutefois augmenter la longueur hors tout du véhicule afin de pouvoir insérer le pneu de secours sous le plancher de la soute à bagages. Par contre, l'empattement reste inchangé, ce qui explique pourquoi les portières arrière sont de mêmes dimensions et pourquoi l'accès à la banquette arrière est toujours difficile. Par contre, le seuil est plus bas, et il est plus facile de sortir du véhicule.

Le tableau de bord, même s'il s'inspire de la version précédente, est toutefois plus dégagé, plus facile à utiliser. La qualité du plastique et de la finition est nettement meilleure. À souligner, la présence d'un système de climatisation à rayons infrarouges qui lit la température de la peau des occupants afin de se conformer aux réglages individuels sélectionnés par le conducteur et le passager.

Une mécanique toute neuve ou presque

Même si Jeep applique toujours le principe du châssis monocoque avec renforts intégrés développé sur le Cherokee en 1984, il ne faut pas confondre les deux. Celui offert par la seconde génération est beaucoup plus sophistiqué, plus léger d'environ 25 kg et au moins 20 p. 100 plus rigide. Cette plate-forme accueille une nouvelle suspension arrière à essieu rigide doté de ressorts hélicoïdaux, de bras tirés et d'un levier triangulé. De plus, les supports utilisés sont formés par pression hydraulique et sont cinq fois plus rigides que ceux de la version antérieure. L'essieu avant est toujours rigide, mais sa géométrie a été révisée.

Les ingénieurs ne se sont pas arrêtés à ces éléments. Ils ont également développé un tout nouveau moteur 4,7 litres à simple arbre à cames en tête qui vient remplacer les V8 de 5,2 litres et 5,9 litres à soupapes en tête. Sa puissance de 235 chevaux est amplement suffisante et sa consommation de carburant est inférieure d'environ 7 p. 100 à celle du V8 5,2 litres qui a été mis à la retraite. Quant au 6 cylindres en ligne de 4,0 litres, il est toujours au catalogue après avoir subi une sérieuse cure de rajeunissement. Plus souple, plus silencieux et également moins gourmand en hydrocarbures, il affiche dorénavant une puissance de 195 chevaux.

Le V8 4,7 litres est couplé à une toute nouvelle boîte de vitesses automatique à 4 rapports à commande électronique de type adaptatif. Celle-ci possède 2 rapports de deuxième vitesse. Le premier est de 1,67 et il est engagé lorsque la voiture accélère. Par contre, lorsque le rétrocontact est actionné, la boîte fait alors appel à un rapport de 1,50 pour plus de douceur.

Parmi les autres améliorations mécaniques, le nouveau Grand Cherokee bénéficie d'une nouvelle direction à billes qui donne l'impression de piloter une voiture équipée d'une direction à crémaillère.

Mais la plus grande nouvelle est l'arrivée du système de rouage intégral Quadra-Drive. Ce mécanisme comprend la boîte de transfert Quadra-Trac II qui permet de transférer automatiquement le couple aux roues possédant le plus de traction, ainsi que les différentiels avant et arrière Trac-Lock. Ces deux éléments combinent leurs efforts pour transformer le Grand Cherokee en véritable passe-partout. Même lorsqu'une seule roue bénéficie d'un peu de traction, le mécanisme permet au véhicule d'avancer.

Jusqu'à présent, seul le tout-terrain M320/M420 de Mercedes était en mesure de réaliser cet exploit par l'utilisation sélective des freins. Lors des tests effectués dans le cadre du lancement du Grand Cherokee, le système Jeep opéré par pompe hydraulique s'est révélé beaucoup plus efficace. Le Mercedes perd graduellement de son efficacité au fur et à mesure que les freins s'échauffent. Avec le Quadra-Drive, le rouage d'entraînement est toujours très efficace, même lorsque l'adhérence est minimale.

Il faut de plus ajouter que le Quadra-Drive est offert en équipement de série avec le moteur V8, tandis qu'il est optionnel sur les modèles animés par le 6 cylindres. Ces derniers offrent de série le système Select-Trac qui était offert sur la version antérieure.

Une combinaison gagnante

Si le Grand Cherokee de la première génération se démarquait par son confort et son comportement routier équilibré, ce n'était rien par rapport à ce que ce nouveau venu nous propose. En fait, il est difficile de croire qu'un véhicule possédant des essieux rigides aux deux extrémités puisse offrir un tel confort et un tel silence de

Jeep Grand Cherokee

Pour

Moteur V8 4,7 litres • Système Quadra-Drive • Agrément de conduite à la hausse • Roue de secours sous le plancher • Encore plus efficace en conduite tout-terrain

Contre

Fiabilité inconnue • Apprécié des voleurs d'autos • Portes arrière étroites • Levier de sélection du rouage d'entraînement à revoir • Consommation toujours élevée

Caractéristiques

Échelle de prix:	voir page 11 et suivantes
Modèle / Prix:	Limited / 42 595 $
Type:	utilitaire sport / traction intégrale
Empattement:	269 cm
Longueur:	461 cm
Largeur:	184 cm
Hauteur:	176 cm
Poids:	1837 kg
Coffre / Réservoir:	de 1104 à 2047 litres / 78 litres
Coussins de sécurité:	conducteur et passager
Système antipatinage:	non
Suspension av. / arr.:	rigide
Freins av. / arr.:	disque ABS
Direction:	à billes, assistée
Diamètre de braquage:	11,1 mètres
Pneus av. / arr.:	P245/70R16
Valeur de revente:	nouveau modèle
Garantie de base:	3 ans / 60 000 km

Motorisation et performances

Moteur / Transmission:	V8 4,7 litres / automatique 4 rapports
Puissance / Couple:	235 ch à 4800 tr/min / 295 lb-pi à 3200 tr/min
Autre(s) moteur(s):	6L 4,0 litres 195 chevaux
Transmission optionnelle:	aucune
Accélération 0-100 km/h:	8,1 secondes autre moteur: 9,2 secondes
Vitesse maximale:	190 km/h
Freinage 100-0 km/h:	40,2 mètres
Consommation (100 km):	16,2 litres autre moteur: 13,8 litres

Modèles concurrents

Ford Explorer • Mercedes-Benz M320/M420 • Toyota 4Runner • Infiniti QX4 • GMC Envoy

Quoi de neuf?

Nouveau modèle • Moteur V8 4,7 litres • Système intégral Quadra-Drive

Verdict

Agrément	☺ ☺ ☺ ☺	Habitabilité	☺ ☺ ☺ ☽
Confort	☺ ☺ ☺	Hiver	☺ ☺ ☺ ☺ ☺
Fiabilité	nouveau modèle	Sécurité	☺ ☺ ☺ ☺

roulement. Il est vrai que les routes de l'État de Washington où se déroulait la présentation sont en excellente condition. Cependant, le fait demeure que ce nouveau Jeep est très confortable et que sa tenue de route est de beaucoup améliorée. La rigidité du châssis et le travail effectué sur la suspension paient des dividendes.

Côté agrément de conduite, le nouveau V8 4,7 litres est non seulement incisif à bas régime, mais ses accélérations et ses reprises font l'unanimité. Le passage des rapports a parfois été saccadé, bien qu'il ait semblé harmonieux dans l'ensemble. Par contre, le ralenti de ce moteur m'a semblé un peu rugueux. Puisqu'il s'agissait d'un prototype, mieux vaut attendre pour porter un jugement plus catégorique à cet égard.

Le premier de classe.

Une autre amélioration marquée est la précision de la direction qui a perdu ce flou artistique qui la caractérisait. Sur la grand-route, le Grand Cherokee n'exige plus les multiples corrections de trajectoire qui étaient indispensables avec la version antérieure. Bref, une version Limited animée par le V8 est un utilitaire sport haut de gamme qui sera en mesure de soutenir la comparaison avec tout ce qui est actuellement offert sur le marché. Par ailleurs, l'habitacle est plus silencieux et plus confortable qu'auparavant.

Curieusement, une version équipée du 6 cylindres en ligne s'est comportée différemment. La suspension est apparue moins souple et la direction un tantinet moins précise. Vérification faite auprès des ingénieurs de Jeep, ce comportement s'explique en bonne partie par une différence de pneumatiques entre les deux versions. Le premier était équipé de pneus Goodyear Eagle LS, tandis que la version 6 cylindres roulait sur des Wrangler SR-A, dont la semelle est plus rigide et comporte un dessin plus agressif afin de répondre aux exigences de la conduite en tout-terrain.

Il faut ajouter que les responsables de Jeep ont mis à notre disposition une série d'obstacles et un circuit en terrain accidenté fort bien préparé. Nous avons été en mesure de vérifier que cette marque n'a rien perdu de sa touche. En fait, rares sont les propriétaires qui vont soumettre leur Grand Cherokee à de tels traitements.

Il faut se méfier des apparences. La nouvelle génération du Grand Cherokee peut sembler n'avoir subi qu'une sérieuse révision esthétique, mais beaucoup plus a été accompli. Une révision de fond en comble a permis à Jeep de concocter un véhicule qui devrait continuer d'être la référence dans cette catégorie.

Denis Duquet

Jeep TJ

Jeep TJ

Recette à l'ancienne, servie à la moderne

Nous assistons actuellement à un phénomène sociologique important que certains qualifient de «Nostalgia Boom». On nous offre en effet une foule de biens de consommation présentés dans des emballages rétro, d'anciens produits remis au goût du jour, ou encore des «remakes» de films.

L'industrie automobile n'échappe pas à cette tendance, à preuve l'engouement exceptionnel provoqué par la nouvelle Beetle. D'autres manufacturiers préparent leur version moderne de classiques plus ou moins oubliés. Expliquer la popularité de la Jeep relève plus de la psychologie et de la sociologie que du journalisme automobile. Essayons quand même d'en découvrir la «recette secrète».

La gamme se présente en trois versions, soit une SE, une Sport et une Sahara. La SE est propulsée par un petit 4 cylindres de 120 chevaux qui a bien du mal à mouvoir cette masse quand même importante de 1380 kg. Quand on pense que l'original en pesait un peu plus de 600! Malgré son couple quand même potable, il est préférable de le réserver aux déplacements urbains ou aux courtes distances à la campagne. On peut lui adjoindre une boîte manuelle à 5 rapports au maniement assez aléatoire ou une automatique optionnelle à 3 rapports seulement, un peu dépassée mais encore solide. Toutes les Jeep possèdent le système «Command-Trac» de Chrysler à mode 4 roues motrices temporaire. C'est donc dire que vous pouvez l'engager à n'importe quelle vitesse en poussant un levier, mais il n'est toutefois pas recommandé de l'utiliser constamment. Une autre pression (très appuyée) sur ce levier et vous passez à une gamme de rapports démultipliés qui doublent pratiquement la puissance. Pour les amateurs de sensations fortes ou, plus simplement, pour ceux qui veulent regagner leur point de départ en fin de journée, il est possible de commander un différentiel arrière autobloquant et des rapports de pont arrière plus courts. La SE se distingue des autres en offrant seulement 2 places, mais 2 autres sont offertes en option pour des passagers à tendance un peu masochiste.

Une tente roulante

On a actualisé le tableau de bord qui comporte maintenant une instrumentation plus complète s'intégrant dans une planche de bord qui ne semble plus sortir d'une chaîne de montage de 1945. Autre concession obligatoire aux temps modernes, 2 coussins gonflables de deuxième génération sont installés de série. Heureusement que toutes les Jeep possèdent un gros arceau de sécurité, car imaginez que les portières de série sont des demi-portes avec glaces à fermeture éclair. Il faut dire que le toit est une simple capote souple se refermant, elle aussi, avec le même dispositif pour le moins fragile. Ne vous inquiétez pas outre mesure, car vous pouvez commander des portes intégrales et une coquille rigide réalisée en fibre de verre. Le «décapotage» représente une opération d'une bonne quinzaine de minutes pour la toile et c'est encore plus laborieux pour la toiture rigide, puisqu'il faut bricoler les charnières des portières. Dites-vous bien cependant que rouler à plus de 100 km/h avec le toit mou peut se comparer à faire du camping sauvage au milieu d'un ouragan. Les conversations doivent se tenir par gestes et une grande lassitude s'empare rapidement des occupants. Au terme d'une telle expérience, la coquille rigide donne l'impression d'être aussi silencieuse que la dernière demeure de Toutankhamon.

Jeep TJ

Pour

Confort et finition en progrès
• Tableau de bord réussi
• 6 cylindres bien adapté
• Aptitudes hors route
• Charme intact

Contre

Toit souple très bruyant
• Places arrière et soute symboliques
• 4 cylindres faiblard • Boîte manuelle imprécise • Inconfort de suspension

Caractéristiques

Échelle de prix:	voir page 11 et suivantes
Modèle / Prix:	Sahara / 27 675 $
Type:	utilitaire / propulsion 4X4
Empattement:	237 cm
Longueur:	386 cm
Largeur:	386 cm
Hauteur:	178 cm
Poids:	1465 kg
Coffre / Réservoir:	320 litres / 57 litres (réservoir 72 l opt.)
Coussins de sécurité:	conducteur et passager
Système antipatinage:	non
Suspension av. / arr.:	essieu rigide
Freins av. / arr.:	disque / tambour ABS optionnel
Direction:	à billes, assistée
Diamètre de braquage:	10,5 mètres
Pneus av. / arr.:	P225/75R15
Valeur de revente:	faible
Garantie de base:	3 ans / 60 000 km

Motorisation et performances

Moteur / Transmission:	6L 4,0 litres / automatique 3 rapports
Puissance / Couple:	181 ch à 4600 tr/min / 222 lb-pi à 2800 tr/min
Autre(s) moteur(s):	4L 2,5 litres 120 ch
Transmission optionnelle:	manuelle 5 rapports
Accélération 0-100 km/h:	9,0 secondes / 8,6 secondes (manuelle)
Vitesse maximale:	165 km/h
Freinage 100-0 km/h:	42,3 mètres
Consommation (100 km):	14,7 litres autre moteur: 13,0 litres

Modèles concurrents

Chevrolet Tracker/Suzuki Vitara • Honda CR-V • Toyota RAV4 (2 portes)

Quoi de neuf?

Nouvelles commandes pour chauffage et climatisation • Coussin passager pouvant être désactivé • Nouvelles teintes de carrosserie

Verdict

Agrément	⊕ ⊕ ⊕	Habitabilité ⊕ ⊕
Confort	⊕ ⊕	Hiver ⊕ ⊕ ⊕
Fiabilité	⊕ ⊕ ⊕	Sécurité ⊕ ⊕ ⊕

Pas de bluff!

Pour rester sous les mêmes latitudes, parlons maintenant de la Sahara qui représente la version la plus «cossue» de la gamme. Grâce à un 6 cylindres en ligne de 181 chevaux au couple assez généreux, il devient beaucoup plus tentant de simplement rouler sur autoroute. Il offre des accélérations qui permettent de soutenir le rythme de la circulation et son sifflement de turbine, même s'il tourne à des régimes modestes, cadre bien avec le tempérament de la Jeep. Hors des sentiers battus, il permet de franchir les obstacles lentement, sans caler, et de gravir des pentes abruptes avec obstination. Car la Jeep ne bluffe pas comme certains véhicules utilitaires sport qui se comportent comme de gros caporaux d'opérette lorsqu'ils se retrouvent au front. Sa conception relativement simple, porte-à-faux courts et essieux rigides maintenant suspendus comme ceux de la plus moderne Grand Cherokee, permet un roulement un peu plus confortable et l'autorise à s'aventurer à des endroits à première vue infranchissables. Pour le simple amateur, il est plus commode de le faire avec l'aide de la boîte automatique qui tolère de ramper littéralement sur le couple dans les zones dévastées. Pour le reste, l'équipement de la Sahara demeure modeste, puisqu'il comprend seulement des amortisseurs renforcés, un réservoir de carburant plus grand, des roues en alliage montées de pneus plus gros, une radiocassette et des sièges-baquets en tissu. La TJ Sport, au milieu de la gamme, comprend elle aussi le moteur 6 cylindres, mais très peu d'équipement de série digne de mention. Cependant, la liste des options offertes par Chrysler est presque aussi longue que l'empattement du véhicule, et les pièces offertes chez les manufacturiers d'équipement spécialisé sont légion.

Malgré les nombreuses concessions au monde civil, la Jeep demeure fidèle à sa vocation première, soit d'offrir un véhicule simple, aux capacités de franchissement importantes et aux performances modestes sur la route. Servie depuis si longtemps, la recette semble indémodable, puisqu'elle plaît encore à des membres de toutes les couches de la société. À preuve, la réponse enthousiaste du public l'an dernier lors de la présentation du prototype Dakar à 4 portières et empattement allongé, qui permettrait à toute la famille de plonger au cœur de l'aventure et de la nostalgie.

Pour retrouver l'enfant en soi.

Jean-Georges Laliberté

Land Rover Discovery II

Land Rover Discovery II

Une seconde génération

Pour la première fois depuis son arrivée sur le marché en 1989, le Discovery fait l'objet de plusieurs modifications importantes. En fait, pas moins de 85 p. 100 des pièces de la nouvelle version n'ont rien en commun avec celles utilisées sur les modèles de la première génération. Les changements sont tellement significatifs qu'on a cru bon chez Land Rover de le baptiser Discovery II. D'ailleurs, cette nouvelle version est plus longue de 16,6 cm et plus large de 9,7 cm, de quoi justifier le changement de nom.

On a profité de l'occasion pour revoir le moteur qui est en fait le même que celui du Range Rover 4,0SE. Plusieurs modifications y ont été apportées, notamment au chapitre de la gestion du moteur et de l'alimentation en carburant. Ce V8 4,0 litres Thor développe maintenant 188 chevaux. Il est couplé à une nouvelle boîte de vitesses automatique qui fait ses débuts en 1999. Ce groupe propulseur sera plus économe en carburant, tout en offrant de meilleures performances. Parmi les innovations mécaniques, le Discovery II offre un système antipatinage, associé à la traction intégrale, en plus du système ACE destiné à diminuer le roulis en virage. Parmi les autres options, il faut mentionner une suspension pneumatique et un correcteur d'assiette automatique.

La cabine a été revue. La présentation est dorénavant plus moderne et les sièges avant nettement plus confortables. Les cadrans du tableau de bord ont été relocalisés et leur consultation rendue plus facile. De plus, les strapontins arrière ont été remplacés par des sièges amovibles dirigés vers l'avant et dotés d'appuie-tête escamotables.

Enfin, la présentation extérieure a été revue. Au premier coup d'œil, les deux générations se ressemblent d'assez près. Par contre, un examen plus attentif permet de les différencier plus facilement. Il faut souligner, entre autres, que les feux arrière sont maintenant placés dans les montants du hayon, à la manière des familiales Volvo.

Fidèle à ses origines

Plus raffiné, doté d'un intérieur plus confortable et d'une présentation extérieure plus moderne, le Discovery II n'a pas dérogé à sa vocation originale. Élaboré au début de la présente décennie, ce tout-terrain a été avant tout conçu pour affronter les déserts africains, la jungle amazonienne ou les blizzards de la Scandinavie, pas pour aller à l'épicerie du coin.

Même si le tableau de bord et les sièges en cuir tentent de faire oublier la vocation première du Discovery, toute la conception de ce véhicule a été faite en fonction d'une utilisation hors route assez intensive et le modèle de la seconde génération est demeuré fidèle à cette conception.

Cela explique la présence d'un châssis autonome de type échelle pour assurer la robustesse et la rigidité voulues. La caisse est haute afin de garantir une bonne habitabilité, une position de conduite élevée et une excellente visibilité. Cette configuration a pour inconvénient d'élever le centre de gravité. Cet élément a incité les ingénieurs à faire appel à des panneaux de caisse en aluminium pour alléger la cabine et maintenir une partie importante du poids sur la partie inférieure du véhicule. Ces solutions ne sont pas le fruit d'une improvisation de dernière minute, puisque Land Rover a

Land Rover Discovery

Pour
Habitabilité généreuse
• Excellente visibilité • Conduite hors route impressionnante
• Espaces de rangement pratiques
• Moteur V8 bien adapté

Contre
Réputation de fiabilité désolante
• Changements mécaniques non éprouvés • Finition à revoir
• Direction floue • Sensible au vent latéral

Caractéristiques

Échelle de prix:	voir page 11 et suivantes
Modèle / Prix:	Groupe performance / 57 850 $
Type:	utilitaire sport / traction intégrale
Empattement:	254 cm
Longueur:	471 cm
Largeur:	189 cm
Hauteur:	197 cm
Poids:	1990 kg
Coffre / Réservoir:	1735 litres / 89 litres
Coussins de sécurité:	conducteur et passager
Système antipatinage:	non
Suspension av. / arr.:	essieu rigide
Freins av. / arr.:	disque ABS
Direction:	à billes, assistée
Diamètre de braquage:	11,9 mètres
Pneus av. / arr.:	P255/55HR18
Valeur de revente:	faible
Garantie de base:	4 ans / 80 000 km

Motorisation et performances

Moteur / Transmission:	V8 4,0 litres / automatique 4 rapports
Puissance / Couple:	188 ch à 4750 tr/min / 251 lb-pi à 2600 tr/min
Autre(s) moteur(s):	aucun
Transmission optionnelle:	aucune
Accélération 0-100 km/h:	10,6 secondes
Vitesse maximale:	165 km/h
Freinage 100-0 km/h:	42,5 mètres
Consommation (100 km):	14,3 litres

Modèles concurrents
Mercedes M320 • Jeep Grand Cherokee • Ford Expedition

Quoi de neuf?
Nouvelle version plus longue et plus large • Moteur plus performant
• Suspension révisée

Verdict

Agrément	⊕ ⊕ ⊕ ⊝	Habitabilité	⊕ ⊕ ⊕ ⊕
Confort	⊕ ⊕ ⊕	Hiver	⊕ ⊕ ⊕ ⊕ ⊕
Fiabilité	⊕ ⊕ ⊝	Sécurité	⊕ ⊕ ⊕ ⊕

célébré l'an dernier son cinquantième anniversaire. De plus, ces outils de travail utilisés sous toutes les conditions climatiques représentent plus de 30 p. 100 de tous les véhicules du genre en usage sur la planète. C'est cette expérience qui a dicté la création du Discovery il y a une dizaine d'années.

Les concepteurs de la suspension continuent d'utiliser un essieu rigide à l'avant comme à l'arrière, ce qui convient le plus à une utilisation dans des conditions difficiles. Cette décision a été prise afin d'assurer une assiette plus stable sur des surfaces inégales, tout en garantissant la robustesse nécessaire en pleine brousse ou au beau milieu du désert. Les aventuriers du centre-ville, dont la seule prouesse au volant est de grimper la petite colline qui mène à leur chalet, ne comprennent sans doute pas cette philosophie de design. Par contre, une randonnée en compagnie d'un spécialiste de la conduite extrême en hors route réussit à impressionner le plus blasé des observateurs. Aux mains d'un pilote expérimenté, ce pataud passe presque partout.

Véhicule rural en tenue de ville.

Toujours en harmonie avec la philosophie initiale de la conception du Discovery, l'habitacle assure un dégagement très généreux pour la tête. En fait, le toit est surélevé afin de favoriser l'utilisation à l'arrière d'un siège escamotable, permettant d'asseoir des passagers additionnels. De plus, la portière à battant facilite l'accès à la soute à bagages lorsque le dégagement en hauteur ou en largeur est minime.

En conduite à basse vitesse sur un terrain accidenté, le couple du moteur est plus important que la puissance nette. Cela explique pourquoi le V8 4,0 litres offre un couple de 251 lb-pi par rapport à une puissance nette de 188 chevaux.

Cette année, la révision de la suspension, le nouveau groupe propulseur de même qu'un rayon de braquage plus court ont permis de civiliser le comportement routier de ce gros utilitaire. Malgré tout, il faut s'habituer à une positon de conduite élevée et à une direction pas toujours précise.

Soulignons le goût marqué pour le risque des acheteurs de ce Discovery II. En effet, se procurer un véhicule à la mécanique transformée et plus raffinée offert par un manufacturier qui jouit de la pire réputation en matière de fiabilité est tout, sauf une sinécure.

Denis Duquet

Land Rover Range Rover 4,0SE • 4,6

Land Rover Range Rover 4,6HSE

Elle a montré la voie

Il faut rendre à César ce qui appartient à César. N'eût été des modèles Range Rover, la popularité actuelle des utilitaires sport de grand luxe ne serait pas aussi grande. En fait, Range Rover n'imite personne, ce sont tous ses concurrents qui s'inspirent de ce pionnier qui a eu la bonne idée en 1970 d'associer un habitacle de luxe à un véhicule tout-terrain. En fait, on parlait de luxe à l'époque parce que le Land Rover était une bête de travail extrêmement primitive et inconfortable. Le «Range» offrait un confort et une présentation s'apparentant davantage à ceux d'une berline.

Au fil des années et des raffinements, le Range Rover a affiché une présentation de plus en plus raffinée, tout en étant l'un des premiers utilitaires sport à offrir une version 4 portes en 1982. Il faudra toutefois attendre 1995 pour voir l'arrivée du modèle de la nouvelle génération. Celui-ci fait toujours appel à la même mécanique, mais sa caisse et son habitacle ont été mis au goût du jour afin de pouvoir profiter de l'énorme engouement du marché nord-américain pour ce type de véhicule.

La version du riche et du moins riche

Même ceux qui peuvent se permettre de débourser des montants faramineux pour jouer aux aventuriers du dimanche doivent subir l'odieux de devoir choisir entre un modèle «économique» et un autre plus huppé. La gamme Range Rover comprend en effet une version plus «abordable», la 4,0SE, et une autre «toute garnie», la 4,6HSE. Les propriétaires de cette dernière peuvent se vanter de posséder le tout-terrain le plus luxueux d'Amérique. Il y a bien le Hummer, dont le prix peut excéder celui du 4,6HSE, mais il s'agit d'un véhicule militaire mal adapté à la vie urbaine qui fait partie d'une classe vraiment à part.

Le 4,0SE, plus économique d'environ 12 500 $, est animé par un V8 4,0 litres en alliage développant 188 chevaux associé à une boîte automatique à 4 rapports de type adaptatif qui possède également un mode «Puissance» pour assurer des accélérations plus nerveuses. Comme sur tous les Range Rover, la traction est intégrale. Quant à la suspension, elle est à essieu rigide à l'avant et à l'arrière. Ce choix est délibéré: les ingénieurs de la compagnie affirment que cette configuration demeure la meilleure solution pour garantir une performance optimale en conduite tout-terrain. Pour compenser pour l'inconfort généralement associé à des essieux rigides, les ingénieurs ont développé une suspension pneumatique à réglage automatique. En plus d'améliorer le confort, cette suspension permet de modifier la hauteur du véhicule de 13,2 cm en fonction de l'utilisation du moment. À l'arrêt, la suspension s'abaisse pour faciliter l'accès à bord et elle fait de même à haute vitesse afin d'assurer une meilleure stabilité. Par contre, le véhicule peut grimper sur ses talons hauts en conduite hors route. Soulignons au passage l'arrivée d'un système antipatinage.

Quant au 4,6HSE, il s'agit du modèle le plus cossu de la gamme Range Rover. Son prix dépasse les 92 000 $ et la facture peut grimper davantage si l'on opte pour des accessoires parmi lesquels on peut mentionner le nouveau système «JAMES» de positionnement global. Pourtant, pour un excédent de 12 500 $ par rapport au 4,0SE, la seule différence à souligner est le moteur 4,6 litres de 222 chevaux,

Le Freelander au Canada en 2001?

Range Rover

Pour

- Habitacle cossu et confortable
- Performances à la hausse
- Exceptionnel en hors route
- Pneus 18 pouces Scorpio
- Système de positionnement global

Contre

- Prix fantaisistes
- Consommation toujours élevée
- Fiabilité toujours perfectible
- Finition inégale • Roulis en virage

Caractéristiques

Échelle de prix:	voir page 11 et suivantes
Modèle / Prix:	4,6HSE / 95 395 $
Type:	utilitaire sport / intégrale
Empattement:	274 cm
Longueur:	472 cm
Largeur:	188 cm
Hauteur:	182 cm
Poids:	2252 kg
Coffre / Réservoir:	552 ou 1640 litres / 93 litres
Coussins de sécurité:	conducteur et passager
Système antipatinage:	oui
Suspension av. / arr.:	essieu rigide
Freins av. / arr.:	disque ABS
Direction:	à billes, assistance variable
Diamètre de braquage:	11,9 mètres
Pneus av. / arr.:	P255/55HR18
Valeur de revente:	faible
Garantie de base:	4 ans / 80 000 km

Motorisation et performances

Moteur / Transmission:	V8 4,6 litres / automatique 4 rapports
Puissance / Couple:	222 ch à 4750 tr/min / 300 lb-pi à 3000 tr/min
Autre(s) moteur(s):	V8 4,0 litres 188 ch
Transmission optionnelle:	aucune
Accélération 0-100 km/h:	9,7 secondes autre moteur: 11,4 secondes
Vitesse maximale:	190 km/h
Freinage 100-0 km/h:	55,0 mètres
Consommation (100 km):	17,1 litres autre moteur: 16,4 litres

Modèles concurrents

Lexus LX470 • Mercedes ML420 • Lincoln Navigator
• Grand Cherokee Limited

Quoi de neuf?

Chaîne audio plus puissante • Moteurs plus modernes
• Coussins de sécurité latéraux • Antipatinage

Verdict

Agrément	⊕ ⊕	Habitabilité	⊕ ⊕ ⊕
Confort	⊕ ⊕ ⊕	Hiver	⊕ ⊕ ⊕ ⊕
Fiabilité	⊕ ⊕	Sécurité	⊕ ⊕ ⊕ ⊕

des roues de 18 pouces et des garde-boue intégrés. Même si cela représente 367 $ pour chaque cheval-vapeur additionnel, plusieurs croient que cette dépense est justifiée. Ils apprécient ce surplus de puissance, compte tenu du poids et de l'encombrement de ce gros tout-terrain.

Il faut souligner que les deux moteurs ont connu d'importantes modifications cette année. Un nouveau système Bosch permet de diminuer la consommation de carburant et d'améliorer les performances.

Fidèle à ses origines

Même s'il faut être vraiment gonflé à bloc pour soumettre un véhicule de ce prix aux conditions parfois difficiles de la conduite en tout-terrain, on constate que les modèles Range Rover sont toujours demeurés fidèles à la vocation initiale de la compagnie de produire des véhicules en mesure de passer presque partout. Il est certain que la majorité des acheteurs sont intéressés par le prestige et le luxe associés à la marque. Mais ils peuvent également compter sur un utilitaire sport capable de s'attaquer à des obstacles majeurs.

D'ailleurs, la position de conduite élevée, la grande surface vitrée de même que le châssis autonome de type échelle sont des caractéristiques qui ont toujours été associées à ces véhicules 4X4 conçus pour aller s'éclater dans la nature. Cette année, Lexus vient jouer dans la cour de Range Rover avec son tout nouveau LX470 dont la qualité de finition et d'assemblage surpasse celle des Range Rover. Par contre, malgré ses qualités et une conduite sur route plus raffinée, ce Lexus se fait faire la barbe par cet élégant britannique lorsque la route fait place à la forêt et l'asphalte à un sentier boueux.

L'an dernier, l'arrivée de la classe M de Mercedes a certainement fait sentir sa présence sur le marché des utilitaires de luxe, d'autant plus que cet américano-germanique était moins cher que ses concurrents, tout en bénéficiant du prestige de l'étoile d'argent. Malheureusement, la qualité Mercedes n'a pas vraiment été au rendez-vous et le taux de satisfaction des acheteurs du M320 est très faible. L'arrivée d'une version V8 chez Mercedes et la promesse de resserrer la qualité chez Rover risquent de rendre le duel encore plus intéressant.

Les Range Rover se trouvent dans un créneau à part sur le marché des utilitaires sport. Pratiquement hors de portée côté prix, ils sont capables de se salir les roues et d'en sortir avec les honneurs. Reste à améliorer le rapport qualité-prix qui est actuellement le pire de toute l'industrie automobile.

Si l'exclusivité vous intéresse.

Lexus ES300

Lexus ES300

Mission accomplie

Discrètement revampée il y a deux ans, celle que l'on surnomme «la petite Lexus» doit affronter une compétition féroce, composée de japonaises comme elle, mais aussi d'américaines et d'européennes renommées. Modèle le plus vendu de cette marque de prestige lancée par Toyota au début de la présente décennie, l'ES300 s'acquitte plutôt bien de cette délicate mission.

Avec un équipement de série des plus complets, l'ES300 n'est offerte qu'en une seule version et la courte liste d'options se limite à trois groupes. Le premier comprend le toit ouvrant en verre et le lecteur de disques au laser; à cela s'ajoute, dans le deuxième groupe, la suspension variable ATS; les roues chromées complètent le troisième.

Si les lignes extérieures ne font pas l'unanimité, l'intérieur est plus réussi, mais encore là, pour l'originalité, il faudra repasser. Par contre, l'habitacle bénéficie d'une allure cossue et l'ambiance feutrée qui y règne, fruit d'une insonorisation phénoménale, contribue à le rendre des plus accueillants. La sellerie cuir d'excellente qualité et de discrètes appliques de bois rehaussent le tout. Quant à la finition, elle se compare à celle de voitures beaucoup plus chères. Disons-le, on peut difficilement faire mieux.

Tant sur le plan du confort que de l'ergonomie, la cabine de la «petite Lexus» ne peut être prise en défaut. Le rembourrage des sièges n'a rien d'excessif et leur confort fait l'unanimité, quoiqu'un peu plus de support latéral ne ferait pas de tort. Le conducteur bénéficie d'une position de conduite impeccable, agrémentée par la facilité d'accès des diverses commandes. Tout est à la portée de la main, avec des espaces de rangement logeables et bien disposés. La présentation du tableau de bord est dans la même veine, avec ses cadrans électroluminescents de bonne dimension, dont la consultation est facile en tout temps.

Quatre personnes – et non cinq, il convient de le préciser – peuvent prendre place dans la voiture en toute aise, bien que le dégagement pour la tête et les jambes soit un peu juste à l'arrière. Plus vaste est le coffre, mais son seuil élevé en complique l'accès. Contrairement à ce qui est le cas pour la Camry, dont descend en ligne directe l'ES300, la banquette arrière n'est pas rabattable, mais une trappe communiquant avec l'habitacle permet de loger des objets encombrants tels des skis. L'absence de pilier central procure une excellente visibilité, optimisée par des rétroviseurs extérieurs de bonne dimension.

Les occupants d'une ES300 bénéficient donc d'un environnement au luxe indéniable, cossu et bien pensé. Bien isolés des bruits tant mécaniques qu'extérieurs, ils seront ainsi en mesure d'apprécier le rendement de la chaîne stéréo avec lecteur au laser – l'une des meilleures sur le marché, il faut le répéter.

La douceur incarnée

Même si les chiffres ne sont pas tout à fait les mêmes, l'ES300 et la Camry V6 partagent châssis et mécanique, ce qui est loin d'être une mauvaise nouvelle. Et comme sur la Camry, le jumelage boîte/moteur ne mérite que des éloges. La souplesse de l'ensemble a de quoi impressionner et le V6 de la Lexus offre quelques chevaux supplémentaires qui sont les bienvenus: les reprises sont plus franches, tout comme le couple à bas régime. Ça tourne doux

Lexus ES300

Pour
Équipement de série relevé
• Finition exemplaire • Insonorisation phénoménale • Confort de premier ordre • Fiabilité et service
après-vente exceptionnels

Contre
Places arrière restreintes
• Direction surassistée
• Douceur exagérée • Suspension
ATS futile

Caractéristiques

Échelle de prix:	voir page 11 et suivantes
Modèle / Prix:	ES300 / 48 650 $
Type:	berline 4 places / traction
Empattement:	267 cm
Longueur:	483 cm
Largeur:	179 cm
Hauteur:	139 cm
Poids:	1495 kg
Coffre / Réservoir:	365 litres / 70 litres
Coussins de sécurité:	conducteur, passager
Système antipatinage:	oui
Suspension av. / arr.:	indépendante
Freins av. / arr.:	disque ABS
Direction:	à crémaillère, assistance variable
Diamètre de braquage:	11,2 mètres
Pneus av. / arr.:	P205/65VR15
Valeur de revente:	bonne
Garantie de base:	4 ans / 80 000 km

Motorisation et performances

Moteur / Transmission:	V6 3,0 litres / automatique 4 rapports
Puissance / Couple:	210 ch à 5800 tr/min / 220 lb-pi à 4400 tr/min
Autre(s) moteur(s):	aucun
Transmission optionnelle:	aucune
Accélération 0-100 km/h:	8,9 secondes
Vitesse maximale:	215 km/h
Freinage 100-0 km/h:	38,0 mètres
Consommation (100 km):	11,3 litres

Modèles concurrents
Acura TL • Audi A6 • Cadillac Catera • Infiniti I30 • Mercedes-Benz C280 • Saab 9-5 • Volvo S70

Quoi de neuf?
Puissance accrue de 10 chevaux • Coupé plus élevé • Nouvelle transmission

Verdict

Agrément	⊕⊕⊕	Habitabilité ⊕⊕⊕
Confort	⊕⊕⊕⊕	Hiver ⊕⊕⊕⊕
Fiabilité	⊕⊕⊕⊕⊕	Sécurité ⊕⊕⊕

comme c'est pas permis, même à haute vitesse, et la boîte gère de façon exemplaire les 210 chevaux du V6. Sans être une bombe, celui-ci affiche des performances au-dessus de la moyenne; de toute façon, on a mis toute la gomme sur le silence et la douceur de roulement et de ce côté, c'est réussi, pas de doute.

Très bourgeoise, l'ES300 ne possède pas un tempérament lui permettant de rivaliser avec certains modèles européens concurrents. Conçue expressément pour le marché nord-américain, elle brille surtout par son confort et sa douceur de roulement. Remarquez que son comportement n'a rien de déshonorant: sa tenue de cap à haute vitesse est rassurante et sa neutra-lité en virage lui permet de masquer ses tendances sous-vireuses qui, du reste, ne se manifestent que peu ou pas tant qu'on s'en tient à une conduite bien sage, ce que cette berline inspire. Ce manque d'agressivité se ressent dans la direction, surassistée et floue au centre.

Le meilleur des deux mondes.

Par contre, le freinage fait preuve d'autorité et son endurance est au-dessus de la moyenne. Le réglage de la suspension est bien équilibré. Oubliez l'inutile suspension ATS à 16 réglages, qui est plus une bébelle qu'autre chose; la suspension de série, à défaut de procurer de grandes sensations, fait un boulot acceptable.

Un heureux croisement

La Lexus ES300 n'est pas précisément ce qu'on pourrait appeler une aubaine, mais elle n'est pas dépourvue d'arguments en sa fa-veur. Le taux de satisfaction des propriétaires de Lexus, peu importe le modèle, parle par lui-même: les concessionnaires de la marque, qui traitent leurs clients aux petits oignons, jouent un rôle impor-tant. D'autre part, sa qualité d'assemblage et sa grande fiabilité font en sorte qu'elle conserve une excellente valeur de revente.

Les nombreuses qualités de la Lexus ES300 font en sorte qu'on lui pardonne son manque de tempérament et une esthétique dis-cutable. Pour les sensations fortes, mieux vaut orienter son magasi-nage du côté des européennes, qui procurent un agrément de con-duite supérieur. Mais à quel prix! Somme toute, cette berline de luxe nippone est un heureux croisement entre ses concurrentes du vieux continent et les américaines. Ces dernières sont souvent moins chères, certes, mais sa fiabilité et la qualité du service après-vente des dépositaires Lexus constituent des arguments de premier ordre.

Philippe Laguë

Lexus GS300 • GS400

Lexus GS400

Un grand pas dans la bonne direction

Entièrement remaniées l'an dernier, les berlines GS300 et GS400 de Lexus marquaient ainsi un tournant dans la philosophie de leur constructeur. Reconnue jusque-là pour l'excellence de ses produits, la marque japonaise n'avait jamais été en mesure de faire vibrer la corde sensible des automobilistes qui attachent plus d'importance à l'agrément de conduite qu'offre une voiture qu'à ses cotes de fiabilité. On s'entend pour dire que les Lexus bénéficient d'une qualité de construction irréprochable mais, chez elles, la perfection frise l'ennui.

La dernière GS400, surtout, a été conçue pour changer cette perception en conservant les qualités traditionnelles de sa devancière, tout en y ajoutant un brin de plaisir.

Son agrément de conduite s'articule autour d'un moteur d'une énergie débordante qui aligne pas moins de 300 chevaux. Cette puissance est l'œuvre d'un V8 de 4,0 litres à 2 arbres à cames en tête et 4 soupapes par cylindre, un moteur analogue à celui que l'on retrouve sous le capot de la Lexus LS400. Il travaille de concert avec une transmission automatique, dont les 5 rapports peuvent aussi être enclenchés manuellement en déplaçant le levier de vitesses vers une seconde grille de sélection placée sur la gauche. Le groupe propulseur est conjugué à un châssis extrarigide, assorti de pneus haute performance, dont l'adhérence est mise à rude épreuve avec une telle cavalerie sous le capot. Fort heureusement, la GS400 peut compter sur un antipatinage pour contrôler les écarts de conduite du train arrière lors d'accélérations en catastrophe.

De toute évidence, cette berline s'adresse à ceux qui privilégient la conduite sportive et son moteur V8 doit lui permettre de rivaliser avec les BMW 540i et Mercedes-Benz E430. Pour concurrencer les versions à moteur 6 cylindres de ces deux allemandes, Lexus offre la GS300, une version moins poussée, dotée d'un 6 cylindres de 225 chevaux.

Côté habillage, la ligne est plutôt réussie, mais a le curieux défaut de faire paraître les GS plus étroites qu'elles ne le sont réellement. Quant à l'aileron arrière, qui différencie la GS400 de la GS300, c'est un ajout dont l'esthétique et l'utilité sont discutables. On a l'impression que cet artifice a été installé à la dernière minute. De toute façon, même s'il devait avoir un léger effet sur la stabilité à grande vitesse, il nuit à la visibilité vers l'arrière.

Un moteur explosif

Malgré ses vaillants efforts pour concurrencer la BMW 540, cette Lexus ne réussit pas encore tout à fait à reproduire les impressions de conduite ressenties au volant de la berline bavaroise. Le moteur n'est absolument pas en cause: ses 300 chevaux sont d'une éloquence indiscutable avec un 0-100 km/h bouclé en 6 secondes à peine. L'utilisation du mode manuel de la boîte de vitesses contribue d'ailleurs à une meilleure exploitation d'une réserve de puissance qui semble inépuisable. Les choses se gâtent toutefois quand on examine la suspension et surtout les pneus. Ces derniers (des Bridgestone Potenza) ont la détestable habitude de suivre les moindres anfractuosités du revêtement, au point où la voiture devient souvent dangereuse à conduire. Sur certains pavés, il faut littéralement s'agripper au volant et corriger constamment la trajectoire,

Lexus GS400

Pour

Superbe moteur • Bonne boîte de vitesses • Excellente tenue de route • Finition soignée • Phares puissants

Contre

Suspension sèche • Pneus désagréables • Aileron encombrant • Antipatinage peu efficace en hiver

Caractéristiques

Échelle de prix:	voir page 11 et suivantes
Modèle / Prix:	GS400 / 67 600 $
Type:	berline / propulsion
Empattement:	280 cm
Longueur:	480 cm
Largeur:	180 cm
Hauteur:	140 cm
Poids:	1660 kg
Coffre / Réservoir:	419 litres / 80 litres
Coussins de sécurité:	conducteur, passager et latéraux
Système antipatinage:	oui
Suspension av. / arr.:	indépendante
Freins av. / arr.:	disque ABS
Direction:	à crémaillère, assistance variable
Diamètre de braquage:	11,0 mètres
Pneus av. / arr.:	P235/45ZR17
Valeur de revente:	moyenne
Garantie de base:	4 ans / 80 000 km

Motorisation et performances

Moteur / Transmission:	V8 4,0 litres / automatique 5 rapports	
Puissance / Couple:	300 ch à 6000 tr/min / 310 lb-pi à 4000 tr/min	
Autre(s) moteur(s):	6L 3,0 litres 225 chevaux	
Transmission optionnelle:	aucune	
Accélération 0-100 km/h:	6,1 secondes	autre moteur: 7,7 secondes
Vitesse maximale:	250 km/h	
Freinage 100-0 km/h:	37,0 mètres	
Consommation (100 km):	14,0 litres	autre moteur: 11,5 litres

Modèles concurrents

BMW 540i • Mercedes-Benz E430 • Cadillac Seville STS • Audi A6

Quoi de neuf?

Aucun changement majeur

Verdict

Agrément	⊕ ⊕ ⊕ ⊖	Habitabilité	⊕ ⊕ ⊕ ⊖
Confort	⊕ ⊕ ⊕	Hiver	⊕ ⊕ ⊕
Fiabilité	⊕ ⊕ ⊕ ⊕ ⊕	Sécurité	⊕ ⊕ ⊕ ⊕ ⊖

tellement on a l'impression qu'une force occulte agit sur la direction. C'est un prix excessif à payer en échange d'une tenue de route de haut niveau. L'autre aspect contrariant de la voiture est son amortissement plutôt brutal. Les Allemands ont su mettre au point des suspensions qui sont fermes sans être dures. Dans ce compromis confort/tenue de route, la GS400 s'égare un peu. Elle enfile les virages avec tout l'aplomb d'une voiture sport, mais fait ressentir les trous ou les bosses avec une sécheresse désagréable. Bref, les ingénieurs de chez Lexus ont encore un bout de chemin à faire pour recréer la sensation de conduite qu'offrent les berlines allemandes.

Encore un petit effort!

L'essai, réalisé en hiver, a aussi mis en lumière les limites de l'antipatinage. Celui-ci intervient à la moindre perte d'adhérence, empêchant la puissance d'être acheminée aux roues motrices. Il en résulte que la voiture reste sur place dès l'apparition du plus petit flocon de neige.

Vue de l'intérieur

À l'intérieur, la GS400 marque des points par son aménagement soigné et engageant. Le levier de vitesses moitié cuir, moitié bois donne le ton à une présentation qui fait contraste avec les intérieurs souvent peu réjouissants de certaines voitures allemandes.

Avec ses cadrans à éclairage électroluminescent, le tableau de bord est de lecture agréable. L'instrumentation est toutefois un peu «légère» pour une voiture à vocation sportive. En revanche, les 27 boutons servant au réglage de la chaîne audio et de la climatisation sont bien conçus et d'utilisation plus facile que ceux de l'Audi A6. Coup de chapeau également à la GS pour ses sièges douillets, sa position de conduite confortable et ses nombreux rangements. Encore là, on fait la nique aux Allemands en réussissant à aménager un coffre à gants utile, un chargeur de disques CD et un coussin gonflable face au passager avant. Enfin, comme dans bien des voitures, impossible de faire asseoir un occupant de taille moyenne au centre de la banquette arrière en raison du faible dégagement pour la tête de cette Lexus.

Avec sa GS400, Lexus compte enrôler une clientèle qui lorgne plus les berlines allemandes quand elle est à la recherche d'un agrément de conduite assuré. La marque japonaise a fait de beaux efforts pour éliminer le côté aseptisé de ses voitures, mais il reste encore un petit bout de chemin à parcourir.

Jacques Duval

Lexus LS400

Lexus LS400

Si le silence vous intéresse

Aux yeux de plusieurs, la Lexus LS400 est la berline de luxe la plus sophistiquée du monde. Les Américains en particulier en ont fait une voiture-culte. Il suffit de rouler en Floride pour voir combien de gens aisés et à la retraite ont adopté la LS400. Et comme si l'esthétique de cette voiture n'était pas assez moche en soi, ils lui ajoutent une foule d'écussons plaqués or qui ne sont pas du plus bel effet.

D'ailleurs, l'une des principales lacunes de cette voiture est son aspect extérieur vraiment trop massif qui porte à croire que la partie avant a frappé un mur de pierre. L'ensemble de la silhouette est fade et sans imagination. Même Mercedes-Benz, qui semble se plaire récemment à produire des berlines sans âme, réussit beaucoup mieux à ce chapitre. En fait, la seule Lexus dont la présentation extérieure affiche du caractère est la GS400. Elle est cependant loin de faire l'unanimité en raison d'une silhouette jugée extravagante par les inconditionnels de la LS400.

En revanche, ce modèle, le plus onéreux de la famille Lexus, est presque sans rival en ce qui concerne le caractère sophistiqué de l'habitacle et la qualité de la finition. D'ailleurs, tous les constructeurs automobiles le reconnaissent: cette Lexus demeure l'exemple à suivre en matière de qualité de la finition et d'attention apportée aux moindres détails. Les sièges sont garnis d'une sellerie en cuir fin, le tapis est d'un moelleux remarquable et la qualité des matériaux employés est exemplaire. Il ne faut pas non plus oublier de souligner l'utilisation d'appliques en bois qui viennent rehausser l'apparence de l'habitacle. Par contre, même si des progrès ont été réalisés sur ce point, les commandes de la climatisation et de la

chaîne audio ne sont pas toujours faciles à déchiffrer. Enfin, comme chez tous les autres modèles Lexus, les cadrans sont électroluminescents, ce qui les rend très faciles à consulter la plupart du temps. Malgré ce raffinement, il est arrivé à quelques reprises avec la voiture d'essai que le soleil vienne aveugler complètement la chaîne audio et qu'on se retrouve pendant quelques secondes avec un trou noir à la place des cadrans indicateurs.

Plusieurs ont vanté la qualité sonore de la chaîne audio de cette berline. À mon avis, cette réputation est surfaite. Les gens ont été plus impressionnés par le fait que cet appareil est fabriqué par Nakamishi que par ce qu'ils entendaient. La Cadillac Seville et son Bose, de même que plusieurs Volvo dotées du «Dolby Surround Sound» offrent un son de beaucoup supérieur.

En corollaire, Lexus a continué d'améliorer l'insonorisation de cette berline. Selon les ingénieurs de cette marque, il s'agit de la voiture la plus silencieuse sur le marché. Cette recherche de l'insonorisation parfaite peut plaire à plusieurs. Elle a toutefois pour effet d'aseptiser la voiture davantage. Il est bien évident que les ingénieurs qui président au développement de cette voiture visent une clientèle beaucoup plus intéressée à être isolée du monde qu'à apprécier la conduite. En fait, dans une LS400, on a l'impression d'être au volant d'une guimauve insonorisée au maximum.

Moteur raffiné, conduite engourdie

Parmi les éléments qui font bomber le torse aux ingénieurs de Lexus figurent la souplesse, la fiabilité, la sophistication et le silence de fonctionnement du moteur V8 4,0 litres. Et comme si cela n'était pas suffisant, il a été revu l'an dernier. On lui a ajouté un

Lexus LS400

Pour

Prestige assuré • Finition exemplaire • Moteur ultradoux • Éclairage puissant • Passage des rapports imperceptible

Contre

Roulis en virage • Faible agrément de conduite • Assistance de la direction mal dosée • Prix étoffé • Certaines commandes irritantes

Caractéristiques

Échelle de prix:	voir page 11 et suivantes
Modèle / Prix:	LS400 / 82 385 $
Type:	berline / propulsion
Empattement:	285 cm
Longueur:	499 cm
Largeur:	183 cm
Hauteur:	142 cm
Poids:	1775 kg
Coffre / Réservoir:	394 litres / 85 litres
Coussins de sécurité:	conducteur, passager et latéraux
Système antipatinage:	oui
Suspension av. / arr.:	indépendante
Freins av. / arr.:	disque ABS
Direction:	à crémaillère, assistance variable
Diamètre de braquage:	10,6 mètres
Pneus av. / arr.:	P225/60VR16
Valeur de revente:	excellente
Garantie de base:	4 ans / 80 000 km

Motorisation et performances

Moteur / Transmission:	V8 4,0 litres / automatique 5 rapports
Puissance / Couple:	290 ch à 6000 tr/min / 300 lb-pi à 4000 tr/min
Autre(s) moteur(s):	aucun
Transmission optionnelle:	aucune
Accélération 0-100 km/h:	6,9 secondes
Vitesse maximale:	250 km/h
Freinage 100-0 km/h:	39,0 mètres
Consommation (100 km):	12,5 litres

Modèles concurrents

BMW 740i • Cadillac De Ville • Lincoln Town Car • Infiniti Q45T • Mercedes-Benz S500

Quoi de neuf?

Aucun changement majeur • Retouches mineures

Verdict

Agrément	☺☺☺	Habitabilité	☺☺☺☺
Confort	☺☺☺☺☺	Hiver	☺☺☺
Fiabilité	☺☺☺☺☺	Sécurité	☺☺☺☺

système de calage des soupapes infiniment variable à commande électronique. Ce mécanisme permet de varier constamment le calage des soupapes afin d'obtenir la puissance optimale à tous les régimes. Les 290 chevaux que ce moteur produit sont transmis aux roues arrière par l'intermédiaire d'une boîte automatique à 5 rapports, dont la douceur est enviée par la concurrence. Et pour assurer un passage des rapports le plus en douceur possible, l'injection d'essence est stoppée pendant quelques millièmes de seconde lorsque la boîte passe d'un rapport à l'autre.

La LS400, de même que la GS400, dispose depuis l'an dernier d'un système de stabilité directionnelle qui fait appel à l'intervention sélective des freins pour empêcher la voiture de déraper dans les virages ou lors d'un brusque changement de voie.

Silence, on roule.

Silence et ennui

Débordante de luxe, animée par une mécanique sans reproche, dotée d'une finition impeccable, la LS400 semble avoir tout pour constituer la référence de sa catégorie. Elle ne peut pourtant aspirer à ce titre parce que la conduire est ennuyeux comme la pluie.

En effet, le pilote se sent emprisonné dans une grosse cellule insonorisée, animée par un moteur dont on entend à peine le murmure. Seul contact avec la route, la direction est trop engourdie. Et comme si cela n'était pas déjà assez moche, cette berline roule beaucoup dans les virages. C'est par contre la voiture idéale pour la personne privilégiant le luxe et le confort au détriment de l'agrément de conduite. Quant aux passagers, ils seront dorlotés dans cet habitacle accueillant et silencieux. Leur seule critique portera sans doute sur des sièges moelleux qui sont confortables sur de courtes et de moyennes distances, mais qui deviennent de plus en plus inconfortables au fil des kilomètres.

La LS400 est donc destinée aux gens qui aiment être traités comme des rois par le concessionnaire et rouler au volant d'une voiture d'une construction irréprochable, mais qui ne se soucient pas de l'agrément de conduite. Si c'est ce que l'on cherche, il faut également considérer l'Acura RL qui possède pratiquement les mêmes qualités, tout en étant tout aussi ennuyante côté conduite. En revanche, l'Acura vous permettra d'épargner plusieurs milliers de dollars à l'achat. Et il ne faut pas perdre de vue l'Infiniti Q45T: les retouches qui lui sont apportées cette année lui donnent beaucoup plus de caractère et elle demeure très compétitive côté prix.

Denis Duquet

Lexus LX470

Lexus LX470

Luxueux, mais malhabile

Grâce à sa gamme diversifiée de modèles, Toyota a été en mesure d'approvisionner sa division Lexus lorsque la demande pour un utilitaire sport de grand luxe s'est fait sentir il y a quelques années. Le légendaire Land Cruiser est devenu le LX450 après quelques modifications. Cette manœuvre a donné à Lexus le temps nécessaire pour concocter un modèle mieux adapté à son standing et permis entre-temps de réaliser quelques ventes aux dépens de la concurrence.

Force est d'admettre que le LX450 s'est assez bien tiré d'affaire, compte tenu que ce n'était rien d'autre qu'un robuste véhicule tout-terrain tentant de porter un smoking. Toutefois, si l'habillage était assez réussi, le comportement routier de même que le niveau sonore laissaient fortement à désirer. D'ailleurs, ce n'est pas le fruit du hasard si la division Lexus a réalisé un tout nouveau véhicule, dont la plupart des innovations techniques ont pour but d'améliorer le confort et la tenue de route.

Toujours du solide

Le nouveau LX470 sera assez peu utilisé en conduite hors route. Malgré tout, les ingénieurs ont développé un châssis autonome afin d'obtenir toute la robustesse voulue. Ce Lexus sera dorloté la plupart du temps, mais il faut toujours se souvenir que cet utilitaire sport partage la plupart de ses éléments mécaniques avec le Toyota Land Cruiser qui est le véhicule de choix sur la plupart des grands chantiers du monde. Il fallait donc adopter un châssis, dont la robustesse ne serait jamais mise en doute.

Lexus n'a toutefois pas oublié que nous étions à l'aube de l'an 2000, ce qui explique probablement l'arrivée d'une suspension indépendante à l'avant. Celle-ci fait appel à des leviers triangulés, reliés en leur partie inférieure par une barre de torsion. Quant à la direction, elle est dorénavant à pignon et crémaillère afin de donner plus de précision à un volant qui manifestait jusque-là un esprit d'indépendance très élevé. Il faut cependant ajouter que la suspension arrière à essieu rigide est empruntée au défunt LX450. On se demande si une utilisation intensive réussirait à malmener les éléments massifs et ultracostauds de cette suspension digne d'un poids lourd.

Place aux gadgets

En plus d'avoir conservé à ce Lexus la robustesse de sa devancière, on a profité de sa refonte pour lui ajouter une multitude de raffinements techniques et électroniques. Après tout, l'acheteur d'un tel utilitaire sport est bien plus intéressé par ces bébelles que par la perspective d'aller se perdre dans les forêts les plus éloignées. C'est pourquoi le LX470 possède un système de réglage automatique de la hauteur qui permet d'abaisser le véhicule de plus de 50 mm pour faciliter l'accès à bord. La suspension s'élève d'autant lorsqu'on roule hors sentier. Le reste du temps, elle est en position normale. Même s'il est ingénieux de prime abord, ce mécanisme est plutôt lent et on se surprend toujours à quitter le véhicule pendant que la suspension descend.

Par ailleurs, la fermeté des amortisseurs peut être fixée en fonction de ses goûts et des conditions routières du moment. À l'aide d'un bouton, on peut régler la suspension en mode confort ou

Lexus LX470

Pour

Moteur ultrasophistiqué • Châssis indestructible • Cabine luxueuse • Suspension avant améliorée • Conception plus moderne

Contre

Agrément de conduite mitigé • Balourd en conduite hors route • Pneumatiques décevants • Certains gadgets inutiles • Prix exorbitant

Caractéristiques

Échelle de prix:	voir page 11 et suivantes
Modèle / Prix:	LX470 / 82 000 $
Type:	utilitaire sport / traction intégrale
Empattement:	285 cm
Longueur:	489 cm
Largeur:	194 cm
Hauteur:	185 cm
Poids:	2450 kg
Coffre / Réservoir:	de 830 à 1370 litres / 96 litres
Coussins de sécurité:	conducteur et passager
Système antipatinage:	non
Suspension av. / arr.:	indépendante / essieu rigide
Freins av. / arr.:	disque ABS
Direction:	à crémaillère, assistance variable
Diamètre de braquage:	12,1 mètres
Pneus av. / arr.:	P275/70R16
Valeur de revente:	bonne
Garantie de base:	4 ans / 80 000 km

Motorisation et performances

Moteur / Transmission:	V8 4,7 litres / automatique 4 rapports
Puissance / Couple:	230 ch à 4800 tr/mn / 320 lb-pi à 3400 tr/mn
Autre(s) moteur(s):	aucun
Transmission optionnelle:	aucune
Accélération 0-100 km/h:	10,1 secondes (données du fabricant)
Vitesse maximale:	180 km/h
Freinage 100-0 km/h:	44,0 mètres
Consommation (100 km):	18,5 litres

Modèles concurrents

Mercedes-Benz ML320 • Infiniti QX4 • Land Rover Range Rover • Lincoln Navigator • Cadillac Escalade

Quoi de neuf?

Nouvelle version • Moteur 4,7 litres • Suspension pneumatique • Direction à crémaillère

Verdict

Agrément	⊕ ⊕	Habitabilité	⊕ ⊕ ⊕ ⊕
Confort	⊕ ⊕ ⊕	Hiver	⊕ ⊕ ⊕ ⊕ ⊕
Fiabilité	⊕ ⊕ ⊕ ⊕ ⊕	Sécurité	⊕ ⊕ ⊕ ⊕

ferme. On peut aussi faire en sorte que les amortisseurs s'adaptent automatiquement aux conditions en fonction des informations transmises par les capteurs placés sur le châssis.

Comme c'était le cas pour la version précédente, la traction intégrale est permanente. Mais puisque ce véhicule est appelé à être utilisé dans des conditions difficiles, un levier permet de mettre le rouage d'entraînement en position neutre ou «lo». Le différentiel central peut être bloqué, tandis que celui animant les roues arrière est à glissement limité.

Le vétuste 6 cylindres en ligne de 4,5 litres a été abandonné et c'est tant mieux. Ce glouton aux origines antédiluviennes a été remplacé par un moteur V8 4,7 litres ultramoderne possédant deux arbres à came en tête et 32 soupapes. Ses 230 chevaux permettent de boucler le 0-100 km/h en 10 secondes et des poussières. Sa conception moderne assure une consommation de carburant inférieure à celle du moteur précédent.

Un pataud en habit de gala.

On a oublié l'agilité

Les ingénieurs et les dirigeants de Lexus ont pratiquement tout prévu dans ce gros tout-terrain d'une grande sophistication mécanique. L'habitacle garni de cuirs fins et relevé par la présence d'un tableau de bord doté de cadrans éclairés par électroluminescence donne l'assurance que nous sommes dans une Lexus. De plus, l'habitabilité est bonne, l'insonorisation améliorée et les sièges confortables.

Mais il y a un hic. Il est vrai que le LX470 se débrouille beaucoup mieux sur la route en ce qui concerne le confort, la tenue de route et la précision de la direction. Et il est toujours agréable de s'amuser avec les gadgets qu'il contient. Toutefois, ce gros tout-terrain doit se satisfaire de l'habileté d'un pachyderme. Si c'est acceptable sur la grand-route et même sur les voies secondaires, c'est une tout autre chose en conduite tout-terrain.

Malgré un déluge d'assistance au pilotage et une robustesse à toute épreuve, le LX470 n'a pas tellement bien paru lors de nos essais hors route. Les pneus semblaient allergiques à la neige mouillée, tandis que la traction aux 4 roues n'a pas toujours effectué le travail requis. De plus, l'agilité n'était pas au rendez-vous. C'est quand même troublant, compte tenu du prix demandé pour ce King Kong des utilitaires sport de grand luxe.

Denis Duquet

Lexus RX300

Lexus RX300

De belles excuses

Après l'échec tonitruant du LX450, Lexus a fait amende honorable en présentant à sa distinguée clientèle un tout nouveau véhicule utilitaire sport nommé RX300. Le LX, quant à lui, est toujours au catalogue sous l'appellation numérique 470 qui souligne la présence sous le capot d'un nouveau moteur V8 de 4,7 litres (voir texte séparé). Il s'adresse aux inconditionnels du 4X4 rude et robuste alors que le RX300 vise une clientèle en quête de luxe et de confort.

B ien des véhicules utilitaires sport peuvent revendiquer le titre de «limousine», mais rares sont ceux qui répondent véritablement à cette définition. Le nouveau RX300 de Lexus est l'exception à la règle. En termes de confort, il dépasse de loin les meilleurs efforts des Range Rover et cie. Même le Mercedes-Benz ML320 n'arrive pas à offrir cette sensation de conduire une voiture de luxe, plutôt qu'un camion déguisé. Plusieurs diront que le RX300 n'est pas un vrai 4X4 et ils ont probablement raison. Il reste qu'il est capable d'accomplir sa part de dure besogne, tout en affichant de très belles manières sur la route. N'est-ce pas là l'essentiel chez un utiliaire sport, surtout quand on sait que moins de 10 p. 100 des usagers de ce genre d'engin vont vraiment se promener hors des sentiers battus?

Pour de nombreux automobilistes, le seul fait de quitter une route pavée pour emprunter un petit chemin de terre constitue du «tout-terrain». Dans cette optique, le RX300 est parfaitement à la hauteur, comme j'ai pu le constater lors de son dévoilement à la presse automobile dans le superbe décor de Whistler en Colombie-

Britannique. Dans cet univers de neige, le RX300 était tout autant à sa place à la porte du Château Whistler que sur les petits sentiers environnants.

Avant d'aller plus loin, permettez-moi d'effectuer un retour en arrière afin de souligner le cheminement de Lexus dans sa tentative de s'immiscer dans le marché des utilitaires sport, un secteur très lucratif où l'on s'attend que les ventes atteignent les 1,5 million d'unités en 1999.

Les premiers pas de la marque dans ce monde un peu irrationnel, il y a moins de deux ans, n'ont pas été une très grande réussite. Le LX450 avait été concocté à la hâte à partir du Toyota Land Cruiser dans le but évident de permettre à la division Lexus de participer à l'engouement de la clientèle pour ce type de véhicule. Lexus n'a toutefois pas tardé à rectifier le tir avec une paire d'utilitaires sport de caractère tout à fait distinct.

Beau et civilisé

Bien que modeste dans ses aptitudes hors route, le RX300 pourrait bien devenir le chef de file d'une nouvelle génération de 4X4.

C'est non seulement le 4X4 le plus joliment tourné actuellement en production, mais c'est sans doute aussi le plus civilisé. Par son prix et ses dimensions, il risque de se révéler un sérieux rival des ML320 et 430 de Mercedes-Benz.

Avec ce modèle, Lexus a réussi, somme toute, à réinventer le 4X4 ou, à tout le moins, à lui donner des qualités qu'on ne trouve pas chez ses concurrents. Contrairement à ses congénères, il consomme raisonnablement et offre le confort et le comportement routier d'une automobile, tout en étant relativement à l'aise sur pistes et sentiers. Comme la majorité des conducteurs de 4X4 quittent rarement le bitume, le RX300 s'emploie à redéfinir les paramètres de ce genre de véhicule. C'est, en quelque sorte, le compromis quasi idéal entre le 4X4 traditionnel et une familiale de luxe.

Petit cousin de la Lexus ES300

Le RX est d'ailleurs un proche parent de la Lexus ES300. Sa colonne de direction, son sous-châssis avant et son bloc moteur en aluminium proviennent tous de cette berline de taille moyenne. Le moteur V6 de 3,0 litres monté transversalement a été retravaillé pour faire passer sa puissance de 200 à 220 chevaux. Il est ancré sur des supports «actifs» qui sont conçus de manière à réduire les vibrations. Le couple a aussi fait un bond important et 80 p. 100 de sa force est disponible à compter de 1600 tr/min. De telles valeurs, selon Lexus, donnent au RX300 des performances supérieures à celles d'un Grand Cherokee à moteur V8. Ces assertions paraissent cependant un peu ambitieuses, si j'en juge par le rendement du modèle essayé.

Alors que le LX470 s'en remet au principe du châssis autonome qui a cours sur les camions, le RX300 utilise une carrosserie monocoque. Il s'apparente aussi à une voiture par sa suspension à 4 roues indépendantes et sa traction intégrale entièrement automatique ne nécessitant aucune intervention du conducteur. Ce système est très semblable à celui utilisé antérieurement sur la version européenne de la Toyota Celica Turbo.

La caractéristique la plus éloquente du RX300 est son coefficient de résistance à l'air. Contrairement aux 4X4 conventionnels qui sont aussi aérodynamiques qu'un mur de briques, ce nouveau venu possède un Cx de 0,36, le même que celui de la dernière Mazda Miata.

Une console inédite

L'habitacle, bien sûr, épouse l'ambiance feutrée habituelle des produits Lexus avec une sellerie en cuir, des appliques de bois et de nombreux accessoires de luxe. Le tableau de bord se distingue par un petit écran à affichage bleuté, posé au centre. On peut y lire les données fournies par l'ordinateur de bord ainsi que les informations relatives à la climatisation et à la chaîne audio.

Un examen en profondeur et quelques centaines de kilomètres ont toutefois permis de déceler quelques fautes d'ergonomie. Assis au volant, on ne voit pas le basculeur qui permet de sélectionner l'un des trois modes de fonctionnement de la transmission automatique. Celle-ci peut en effet être réglée pour maximiser les accélérations ou encore diminuer la puissance aux roues motrices de façon à améliorer la traction sur des routes enneigées. En plus, la commande électrique qui permet de mémoriser la position du siège du conducteur est voilée par le volant.

Les sièges offrent un confort de bon aloi, mais plusieurs passagers leur reprochent un manque de profondeur. Avantagé par pas moins de dix glaces latérales, la visibilité est très bonne...

D'un concept inédit, la console centrale se distingue par l'emplacement du levier de la transmission automatique, monté sur un plan vertical et parfaitement à la portée de la main. Cet aménagement a permis de diviser la console en deux sections avec une partie arrière que l'on peut reculer pour faciliter le passage du siège du conducteur à celui du passager. Les espaces de rangement sont multiples tandis que les porte-verres peuvent être démontés et placés ailleurs. Les places arrière sont spacieuses bien que leur

Lexus RX300

Pour

Confort au-dessus de la moyenne • Lignes flatteuses • Conduite facile • Bonnes performances • Banquette arrière réglable

Contre

Aptitudes hors route limitées • Bruit de vent • Sièges manquant de profondeur • Bruits de caisse

Caractéristiques

Échelle de prix:	voir page 11 et suivantes
Modèle / Prix:	RX300 / 46 000 $
Type:	utilitaire sport / traction intégrale
Empattement:	262 cm
Longueur:	457,5 cm
Largeur:	181,5 cm
Hauteur:	167 cm
Poids:	1770 kg
Coffre / Réservoir:	869 litres (banquette arrière utilisable) / 65 litres
Coussins de sécurité:	frontaux et latéraux
Système antipatinage:	oui
Suspension av. / arr.:	indépendante
Freins av. / arr.:	disque ABS
Direction:	à crémaillère, assistée
Diamètre de braquage:	12,6 mètres
Pneus av. / arr.:	P225/70R16
Valeur de revente:	excellente (estimé)
Garantie de base:	4 ans / 80 000 km

Motorisation et performances

Moteur / Transmission:	V6 3,0 litres / aut. 4 rapports avec *overdrive*
Puissance / Couple:	220 ch à 5800 tr/min / 222 lb-pi à 4400 tr/min
Autre(s) moteur(s):	aucun
Transmission optionnelle:	aucune
Accélération 0-100 km/h:	11,2 secondes
Vitesse maximale:	180 km/h
Freinage 100-0 km/h:	40,0 mètres
Consommation (100 km):	12,7 litres

Modèles concurrents

Infiniti QX4 • Land Rover Discovery • Mercedes-Benz ML320 • Lincoln Navigator • Jeep Grand Cherokee

Quoi de neuf?

Nouveau modèle

Verdict

Agrément	⊕ ⊕ ⊕ (	Habitabilité	⊕ ⊕ ⊕
Confort	⊕ ⊕ ⊕ ⊕	Hiver	⊕ ⊕ ⊕ ⊕ (
Fiabilité	⊕ ⊕ ⊕ ⊕	Sécurité	⊕ ⊕ ⊕ ⊕

accès soit ardu en raison d'une ouverture de porte relativement étroite. Par contre, la banquette arrière divisée (²/₃, ¹/₃) bénéficie d'un réglage avant-arrière qui permet d'obtenir plus ou moins d'espace pour les jambes, selon qu'elle accueille des enfants ou des adultes.

Coureurs des bois s'abstenir

Les rares utilisateurs qui ont l'intention d'aller jouer dans la boue et le sable seraient mieux d'oublier le RX300. Ce n'est pas du tout sa vocation. Il peut fréquenter de mauvaises routes et rouler en toute sécurité dans la pluie et la neige, mais il n'a pas été conçu pour les safaris, un domaine où le LX470 est particulièrement à l'aise.

Le 4X4 civilisé.

Bien que les accélérations ne soient pas fracassantes, le RX300 se révèle tout de même aussi performant que la majorité de ses concurrents. Son moteur se distingue par sa belle sonorité. Ses 220 chevaux sont toujours au rendez-vous quand vient le moment de doubler. La transmission automatique fait du bon travail, même si elle a tendance à rétrograder trop facilement. Les grands rétroviseurs extérieurs sont d'une aide précieuse dans certaines manœuvres, mais sont aussi responsables de bruits aérodynamiques à 100 km/h ou plus.

Les trous dans la chaussée font surgir quelques bruits de caisse inhabituels chez Lexus, tandis que la garde au sol de 18,5 cm est inférieure à celle des vrais durs de durs. En plus, le véhicule n'est pas équipé d'une gamme de vitesses courtes (*low range*) pour se sortir de certaines impasses.

Moi qui n'aime pas les 4X4, j'avoue que j'ai été séduit par le RX300 et cela en dépit des quelques imperfections que je viens d'énumérer. Il m'apparaît fait sur mesure pour ceux qui recherchent la tranquillité d'esprit que procure un 4X4, mais qui n'ont pas l'intention de jouer les coureurs des bois.

Plusieurs estiment que ce nouveau venu est davantage un croisement entre une fourgonnette et un 4X4, mais quelle que soit la définition qu'on lui donne, c'est à mon avis une très belle réussite.

Jacques Duval

Lincoln Continental

Lincoln Continental

Massage cardiaque

L'année qui vient de passer aura été celle de tous les changements chez Lincoln. La division de prestige de Ford se devait d'utiliser un remède de cheval pour sortir de sa torpeur, ce qu'elle fit. Résultat: la Mark VIII est disparue, le Navigator est arrivé, tandis que les Continental et Town Car ont fait l'objet d'une refonte.

Dans le cas de la Continental, il serait plus approprié de parler de retouches que de refonte. Ces modifications suffisent toutefois à améliorer de façon significative cette luxueuse berline qui se cherche depuis sa conversion à la traction, il y a 10 ans, et dont la dernière génération, pour l'année modèle 1996, s'est révélée un fiasco.

Naguère synonyme de prestige, le nom Continental ne cessait de perdre de son lustre, alors qu'il avait donné ses premières lettres de noblesse à cette marque, peu après son rachat par Henry Ford en 1922. Avec la Continental, Lincoln disputait à sa rivale de toujours, Cadillac, le privilège de transporter les millionnaires, les stars et autres grands de ce monde. (Pour la petite histoire, rappelons que c'est justement à bord d'une Continental décapotable que se trouvait John F. Kennedy lorsqu'il fut assassiné à Dallas, en 1963.)

Depuis, c'est à l'opulente Town Car qu'incombe le rôle de limousine, le mandat de la Continental étant, sur papier du moins, de rivaliser avec les berlines de luxe importées. Ce qu'elle n'a jamais vraiment réussi – ni même passé près de réussir –, allant jusqu'à être reléguée dans l'ombre par sa rivale directe, la Cadillac Seville. Chose étrange, par ailleurs, les deux sœurs ennemies américaines sont des tractions, alors que leurs concurrentes européennes et asiatiques, à une ou deux exceptions près, sont restées fidèles à la propulsion. Allez y comprendre quelque chose...

Une chirurgie réussie

Pour revamper cette grosse berline, il fallait d'abord lui donner ce qui lui manquait le plus: un look! En effet, lorsque venait le temps de chercher un exemple de ratage esthétique au sein de la production nord-américaine, la Continental se trouvait immanquablement parmi les finalistes. Sans être laide, sa silhouette ne payait guère de mine, et son arrière était rien de moins que hideux.

Pour corriger le tir sans procéder à un recarrossage complet, on s'est donc appliqué à redessiner les parties avant (un peu) et arrière (complètement). Avec un résultat heureux, cette fois: la ressemblance avec la Jaguar XJ8 revient constamment sur le tapis.

L'habitacle a reçu, lui aussi, sa part de modifications, mineures il est vrai: nouveau volant en cuir, appliques de bois au tableau de bord, commandes de la climatisation et de la radio intégrées au volant... Tout ça rehausse la présentation intérieure, mais on aurait apprécié plus d'attention sur l'aspect pratique, notamment en ce qui concerne les espaces de rangement, peu nombreux et peu logeables. Quant aux sièges, ils assurent un confort irréprochable, mais le support latéral est déficient. De plus, la banquette arrière a la prétention d'accueillir trois passagers, sauf que pour un long trajet, je ne voudrais pour rien au monde être celui qui prend place au milieu... Il convient donc de parler d'une berline 4 places, et non 5. Par contre, ce n'est pas l'espace qui manque à bord. Il en va de même pour le coffre, aussi vaste que facile d'accès, grâce à son ouverture au ras du pare-chocs.

Lincoln Continental

Pour
Esthétique en progrès • Habitacle accueillant • V8 compétent à tous points de vue • Antipatinage très efficace • Fiabilité en progrès

Contre
Manque de rangement à l'intérieur • Support latéral des sièges déficient • Petitesse des rétroviseurs extérieurs • Suspension encore trop souple • Direction surassistée

Caractéristiques

Échelle de prix:	voir page 11 et suivantes
Modèle / Prix:	Continental / 56 082 $
Type:	berline / traction
Empattement:	277 cm
Longueur:	525 cm
Largeur:	187 cm
Hauteur:	142 cm
Poids:	1785 kg
Coffre / Réservoir:	512 litres / 75 litres
Coussins de sécurité:	conducteur et passager
Système antipatinage:	oui
Suspension av. / arr.:	indépendante
Freins av. / arr.:	disque ABS
Direction:	à crémaillère, assistance variable
Diamètre de braquage:	12,5 mètres
Pneus av. / arr.:	P225/60R16
Valeur de revente:	faible
Garantie de base:	4 ans / 80 000 km

Motorisation et performances

Moteur / Transmission:	V8 4,6 litres / automatique 4 rapports
Puissance / Couple:	260 ch à 5750 tr/min / 270 lb-pi à 3000 tr/min
Autre(s) moteur(s):	aucun
Transmission optionnelle:	aucune
Accélération 0-100 km/h:	8,3 secondes
Vitesse maximale:	195 km/h
Freinage 100-0 km/h:	41,5 mètres
Consommation (100 km):	14,7 litres

Modèles concurrents
Acura 3,5RL • Buick Park Avenue Ultra • Cadillac Seville • Infiniti Q45T • Lexus GS400

Quoi de neuf?
Aucun changement majeur

Verdict

Agrément	⊕ ⊕ ☺	Habitabilité ⊕ ⊕ ⊕ ⊕
Confort	⊕ ⊕ ⊕ ⊕	Hiver ⊕ ⊕ ⊕ ⊕ ☺
Fiabilité	⊕ ⊕ ⊕ ☺	Sécurité ⊕ ⊕ ⊕ ⊕

Allure de Jaguar, comportement de Lincoln

Les changements apportés à la Continental sont avant tout d'ordre esthétique, à l'intérieur comme à l'extérieur. Et pour cause, puisque la mécanique de cette voiture demeure l'un de ses points forts. Utilisé à toutes les sauces au sein des trois branches du géant Ford, le V8 Intech de 4,6 litres est une référence, et il est tout à fait à sa place sous le capot de la Continental. Pour augmenter sa puissance initiale, on l'a pour ainsi dire multiplié par deux (échappement double, deux arbres à cames en tête), de sorte qu'il délivre 260 chevaux. Certains diront que c'est encore 40 de moins que le V8 Northstar de la Cadillac Seville, superbe moteur s'il en est un; or, celui de son opposante chez Lincoln ne souffre d'aucun complexe. Qu'il s'agisse des performances, de la souplesse ou de la discrétion, il n'a pas à rougir de son rendement.

Ce qu'une chirurgie esthétique peut faire...

Lorsque vient le temps d'aborder la question du comportement routier, c'est plus délicat. Si le confort et la douceur de roulement de cette grosse berline font l'unanimité, les avis sont partagés quant à ses qualités routières. Sa suspension molle, sa direction généreusement assistée et sa propension au sous-virage trahissent ses origines américaines. Rien de catastrophique, mais il ne faut surtout pas s'attendre à retrouver l'aplomb d'une Mercedes-Benz, encore moins d'une BMW. Même sa rivale directe, la Seville (encore elle!), a plus de caractère. Remarquez, ceux qui raffolent de ce comportement «à l'américaine» sont sans doute aussi nombreux que ceux qui détestent ça, alors... Sinon, il y a toujours le Driver Select Option, optionnel comme son nom l'indique, qui permet de régler la suspension et la direction.

Une longue randonnée au beau milieu d'une mégatempête de neige m'a cependant permis de mesurer l'efficacité du système de traction asservie (ou antipatinage), plus au point que jamais sur la Continental. Sur un revêtement enneigé, la motricité avait de quoi impressionner et les ingénieurs de Lincoln sont parvenus à éliminer les secousses et autres réactions bizarres de ce type de système. Du beau travail, qui sera apprécié à sa juste valeur au Québec.

Pour donner un deuxième souffle à la Continental, on s'est donc attardé à l'emballage plutôt qu'au contenu, et c'est justement là que le besoin était le plus criant. Une chirurgie esthétique qui a eu l'effet d'un massage cardiaque, en somme, tant la Continental «revue et corrigée» représente un net progrès par rapport à sa devancière.

Philippe Laguë

297

Lincoln LS6 • LS8

Lincoln LS8

Le changement de la garde

Les Lincoln LS6/LS8 représentent une véritable révolution pour cette marque. Même si leur carrosserie n'a rien de renversant, c'est toute la philosophie sous-jacente qui est radicalement transformée. Pendant des années, Lincoln comptait sur des dimensions généreuses et sur le clinquant pour attirer la clientèle. Cette époque est révolue: les goûts ont changé et le nombre d'acheteurs attirés par de grosses limousines aux fauteuils mous et aux qualités routières moyennes est en récession. Parlez-en avec les gens de chez Cadillac, Lincoln aussi se doit d'attirer une nouvelle clientèle intéressée par un comportement routier sain, un agrément de conduite relevé et une silhouette plus internationale. De plus, cette division doit absolument rajeunir sa clientèle pour survivre. C'est dire l'importance de ces deux versions pour son avenir.

Ces berlines ne seront offertes qu'à la fin du printemps 1999, mais il est quand même possible de se faire une bonne idée de ce que sera la version finale, même si plusieurs détails techniques ne sont pas encore définitifs. Jusqu'à tout récemment, pour contrer la concurrence étrangère, les compagnies américaines avaient l'habitude d'habiller un de leurs modèles à la mode européenne ou asiatique sans pour autant changer le plus important, à savoir le châssis et le groupe propulseur. Les insuccès répétés de cette politique ont incité les gens de Lincoln à adopter l'approche de la feuille de papier vierge et à concevoir une berline capable de rivaliser avec ce qui se fait de mieux dans la catégorie. Voilà des ambitions qui ne sont décidément pas modestes quand on sait que cette catégorie comprend les Audi, BMW, Infiniti, Lexus, Mercedes-Benz et Volvo, pour ne nommer que les plus connues. Il faut également ajouter que Jaguar va partager la même plate-forme pour son modèle X200 qui devrait arriver un peu plus tard au cours de 1999.

Pour atteindre des objectifs aussi élevés, on n'a pas lésiné sur les moyens chez Lincoln qui a bénéficié des connaissances des ingénieurs de Jaguar pour concocter une suspension capable de rivaliser avec les meilleures.

Une silhouette mondiale

Les stylistes américains ont toujours tendance à beurrer épais quand vient le temps de dessiner une voiture de luxe. Le style de carrosserie «coup de poing dans la face» à la Lincoln Town Car fait vibrer les gens de Detroit, mais c'est à peu près tout. Les LS6/LS8 se détachent heureusement de cette tendance. Pas question de réaliser un «mini Town Car» à la sauce «New Edge Design»! Au premier coup d'œil, cette Lincoln pourrait passer pour une japonaise avec un toit emprunté à l'Audi A6. La calandre typique à Lincoln niche harmonieusement entre des phares jumelés, recouverts d'un plastique transparent. Elle surplombe un pare-chocs abritant un grillage inférieur qui donne un peu de relief à une présentation qui aurait été probablement trop sobre sans sa présence.

La partie arrière est assez bien réussie avec un subtil becquet intégré dans le couvercle du coffre et des feux débordant sur les côtés. En revanche, on n'a pu s'empêcher d'encercler la plaque minéralogique d'une bande chromée, comportant en sa partie supérieure l'emblème Lincoln. Cet accroc à la sobriété est la preuve qu'il est difficile de se débarrasser de certaines habitudes...

Cependant, rien à redire du côté du tableau de bord où la sobriété et l'ergonomie dominent. Les commandes de la climatisation et de la radio sont intégrées à une console verticale qui vient séparer la planche de bord en deux. Quant au pilote, il bénéficie d'un indicateur de vitesse et d'un compte-tours aux dimensions généreuses, abrités par un surplomb en demi-lune qui épouse de près les dimensions du volant.

Une boîte manuelle!

La possibilité de commander le modèle LS6 avec une boîte manuelle à 5 rapports est tout un événement pour une voiture de luxe nord-américaine. Même Chrysler, qui aime provoquer la surprise grâce à ses innovations, n'a pas osé l'offrir sur la 300M. Soulignons au passage que les lettres LS signifient Luxury Sedan. Quant au chiffre qui suit, il indique le nombre de cylindres du moteur. Les appellations alphanumériques ne sont pas non plus monnaie courante à Dearborn.

La boîte manuelle est couplée à un V6 3,0 litres, dont la puissance sera «d'un peu plus de 200 chevaux», s'il faut en croire Bob

Cette fois, Lincoln a mis le paquet.

Widmer, le responsable du développement de la voiture. Il sera également possible de commander une boîte automatique à 5 rapports ou une toute nouvelle boîte automatique «SelectShift» de type «Tiptronic» qui permet le passage des commandes manuellement.

Quant au moteur V8, il est tout nouveau et, malgré sa cylindrée plutôt modeste de 3,9 litres, sa puissance anticipée est de plus de 250 chevaux. Toutefois, il est impossible de combiner la boîte manuelle avec ce V8.

Cette propulsion affiche une répartition de poids 50/50, grâce à l'utilisation de plusieurs pièces de suspension en alliage léger. Pour les conducteurs trop fougueux, Lincoln a doté sa berline de freins ABS de la toute dernière génération. Et si des roues de 16 pouces sont de série, il est possible de commander des 17 pouces.

Tous ces éléments nous permettent de croire que Lincoln n'a pas lésiné sur les moyens pour réussir à atteindre ses objectifs. Il faudra toutefois attendre à l'an prochain pour savoir si les LS6/LS8 sont à la hauteur des attentes.

Denis Duquet

Jaguar X200 S-Type

Si Lincoln est en mesure de proposer une berline aussi relevée, c'est en grande partie grâce au travail de collaboration avec Jaguar, propriété de Ford, qui a dévoilé au Salon de Birmingham sa toute nouvelle X-200. Comme vous l'avez deviné, ces deux voitures se partagent plusieurs éléments en commun, la plate-forme notamment. Ce projet conjoint Lincoln LS6/LS8 / Jaguar X200 permet à la firme britannique d'être en mesure de proposer une voiture capable de s'attaquer aux BMW de la série 5 et aux Mercedes de la classe E. Ce qu'elle n'avait pas été en mesure de faire depuis la disparition de la légendaire berline S-Type Mark 2 qui a tiré sa révérence à la fin des années 60.

Cette Jag, comme sa cousine américaine, sera dotée d'un moteur avant et de la propulsion aux roues arrière, ce qui devrait rassurer les inconditionnels de la marque qui craignaient comme la peste l'arrivée d'une X200 à traction. Deux moteurs seront offerts: un V8 de près de 300 chevaux et un V6 qui en propose une centaine de moins. Ce qui signifie que la Jag devrait avoir un certain avantage côté puissance par rapport à sa cousine d'Amérique, noblesse oblige.

Bien entendu, la X200 S-Type proposera une suspension très relevée de même qu'un habitacle cossu, toujours en harmonie avec

les berlines du passé qui ont permis à cette marque de s'inscrire dans l'histoire de l'automobile. Cette nouvelle venue permettra également à Jaguar de hausser substantiellement sa production annuelle.

Enfin, la X200 sera suivie l'an prochain de la toute nouvelle X400 qui sera encore plus petite afin de pouvoir venir jouer dans les plates-bandes des BMW série 3 et Mercedes classe C. Après tout, le temps presse, puisque la firme veut produire plus de 250 000 voitures d'ici l'an 2003. Comme la production annuelle de 1998 dépassera à peine les 50 000 unités, il faut souhaiter que ces deux nouvelles venues connaissent du succès, beaucoup de succès.

Lincoln Town Car

Lincoln Town Car

Une transformation ratée

La division Lincoln-Mercury fait l'impossible pour améliorer son image, augmenter sa clientèle et attirer des acheteurs plus jeunes chez ses concessionnaires. Au cours des derniers mois, cette division a déménagé ses pénates à Irvine, en Californie, discontinué la Mark VIII et dévoilé les nouvelles LS6/LS8 en plus d'avoir commercialisé la Cougar. Cependant, il ne faut pas oublier de mentionner que le coup d'envoi de cette révolution de palais a été donné lors du dévoilement de la Town Car à l'automne 1997.

Cette grosse berline a alors connu une transformation radicale. Pendant des années, elle avait été l'archétype de la grosse berline américaine de luxe avec ses flancs plats, ses formes carrées et ses dimensions inspirées des années 50. Si ces caractéristiques décourageaient la plupart des acheteurs, elles étaient idéales pour les propriétaires de limousines qui en faisaient leur voiture de prédilection. Sa propulsion, son châssis autonome de même que son robuste V8 étaient des atouts incontournables pour eux.

Dans le but d'attirer une clientèle plus diversifiée, les grands patrons ont donné le feu vert aux stylistes pour refaire à ce taxi glorifié une silhouette digne de son époque. Force est d'admettre que les résultats sont assez biscornus. L'avant de la voiture est tout au moins acceptable avec sa calandre bien en évidence et ses phares aérodynamiques. La Town Car affiche un indéniable air de famille avec les autres Lincoln. Par contre, de l'avis général, l'arrière est complètement raté. Les phares arrière verticaux de forme conique s'associent avec les panneaux de custode pour alourdir la présentation visuelle et donner un air loufoque à la voiture.

Les stylistes de Lincoln soulignent qu'ils ont consulté des milliers de propriétaires de Town Car et de jeunes conducteurs afin d'obtenir leur opinion quant à cette nouvelle présentation. Selon eux, l'accueil a été très enthousiaste. Il faut se demander ce qu'on leur a servi à boire avant de dévoiler la voiture. Il suffit de s'enquérir de l'appréciation des conducteurs de limousine pour qu'ils s'esclaffent: «Vous voyez comme moi que cette allure est ridicule!»

Pas surprenant que la personne qui était chargée de dessiner cette voiture ait pris sa retraite quelques jours avant le lancement. Mieux encore, Jack Tellnack, le grand patron du design chez Ford, a lui aussi tiré sa révérence.

Les valeurs sûres

Si on a voulu renverser la vapeur en transformant la silhouette de la Town Car, on a pris la sage décision de conserver les éléments qui ont fait la renommée de cette voiture. C'est ainsi que le châssis autonome est de retour, non sans avoir été renforcé afin d'obtenir une rigidité en torsion et en flexion nettement améliorée. Cela permet de diminuer le niveau sonore dans la cabine et de faire travailler les éléments de la suspension avec plus d'efficacité. De plus, le nombre de points d'ancrage de la carrosserie a été augmenté afin d'assurer une intégration supérieure des deux éléments et d'obtenir une meilleure insonorisation de la cabine.

L'un des objectifs était d'améliorer le comportement routier de cette berline, dont la tenue de route a été longtemps associée à celle d'une embarcation. La suspension arrière à essieu rigide est toujours utilisée. Cependant, l'intégration d'un lien de compensation Watt a pour effet de relever l'efficacité du train arrière. Comme

Lincoln Town Car

Pour

Direction précise • Agrément de conduite plus relevé • Version Touring Sedan • Boîte automatique efficace • Insonorisation améliorée

Contre

Esthétique ratée • Finition intérieure inégale • Seuil du coffre élevé • Place centrale arrière inconfortable • Ergonomie parfois déroutante

Caractéristiques

Échelle de prix:	voir page 11 et suivantes
Modèle / Prix:	Cartier / 54 595 $
Type:	berline / propulsion
Empattement:	297 cm
Longueur:	547 cm
Largeur:	198 cm
Hauteur:	147 cm
Poids:	1825 kg
Coffre / Réservoir:	583 litres / 72 litres
Coussins de sécurité:	conducteur et passager
Système antipatinage:	oui
Suspension av. / arr.:	indépendante / essieu rigide
Freins av. / arr.:	disque ABS
Direction:	à billes, assistance variable
Diamètre de braquage:	12,8 mètres
Pneus av. / arr.:	P225/60R16
Valeur de revente:	faible
Garantie de base:	4 ans / 80 000 km

Motorisation et performances

Moteur / Transmission:	V8 4,6 litres SACT / automatique 4 rapports		
Puissance / Couple:	200 ch à 4500 tr/min / 265 lb-pi à 3500 tr/min		
Autre(s) moteur(s):	V8 4,6 litres 220 ch		
Transmission optionnelle:	aucune		
Accélération 0-100 km/h:	10,7 secondes	autre moteur:	9,8 secondes
Vitesse maximale:	190 km/h		
Freinage 100-0 km/h:	39,4 mètres		
Consommation (100 km):	13,8 litres	autre moteur:	14,6 litres

Modèles concurrents

Cadillac De Ville • Infiniti Q45 • Acura RL • Buick Park Avenue

Quoi de neuf?

Révision mineure des groupes d'options • Certains détails d'aménagement revus

Verdict

Agrément	⊕ ⊕ ⊕	
Confort	⊕ ⊕ ⊕ ⊕	
Fiabilité	⊕ ⊕ ⊕ ⊕	
Habitabilité	⊕ ⊕ ⊕ ⊕	
Hiver	⊕ ⊕	
Sécurité	⊕ ⊕ ⊕ ⊕	

sur plusieurs autres modèles Lincoln, les ressorts pneumatiques sont toujours en place. À l'avant, la timonerie est ancrée avec plus de rigidité dans le but d'augmenter la précision de la direction et d'éliminer les secousses indues dans le volant. La suspension avant à bras asymétriques est de conception plus moderne. Quant à la version Touring, elle bénéficie d'amortisseurs plus sophistiqués et de ressorts hélicoïdaux plus fermes.

Cette année encore, le V8 4,6 litres à simple arbre à cames en tête a pour mission de déplacer cette masse. Ses 200 chevaux suffisent, mais ils n'offrent pas un surcroît de puissance. La version spéciale de 220 chevaux offerte sur la Cartier et le Touring Sedan est plus inspirante. Toutefois, ce V8 ne fait pas le poids par rapport au Northstar de Cadillac qui offre au moins 275 chevaux dans sa version la plus modeste.

On retourne à la planche à dessin!

Heureusement que...

Une silhouette ratée, une mécanique à peine améliorée: il est facile de conclure que cette Town Car de l'an 2000 est loupée. Cependant, il faut admettre que son comportement routier est nettement meilleur. Le résultat n'est pas à la hauteur des grandes routières allemandes, mais il est dorénavant envisageable de poursuivre un trajet de longue durée sans avoir recours à des pilules contre le mal de mer. La direction a gagné en précision, le roulis en virage est plus modeste et il est même possible d'aborder des courbes raides à haute vitesse sans se cramponner au volant.

Quant au Touring Sedan, il conserve ses qualités d'ensemble, tout en bénéficiant d'un moteur plus nerveux, et il apporte un peu plus d'agrément de conduite. Il faut cependant déplorer que les sièges manquent de support latéral, ce qui est en contradiction avec les visées de cette voiture.

La Town Car ne semble pas avoir beaucoup d'attrait pour les automobilistes et ses allures étranges n'ont pas l'air d'être appréciées des conducteurs de limousines. La conclusion s'impose d'elle-même.

Denis Duquet

Mazda 626

Mazda 626

Double personnalité!

Les Japonais seraient-ils en panne d'inspiration? On a bien envie de répondre par l'affirmative quand on examine la «nouvelle» Mazda 626 introduite l'an dernier. Il faut en effet être très familier avec l'ancienne version de ce modèle ou s'appeler Colombo pour découvrir les changements qui lui ont été apportés. Car s'il est une voiture qui mérite le qualificatif «du pareil au même», c'est bien la plus récente Mazda 626. Mais peut-être ne faut-il pas se fier aux apparences?

V oyons ce qui aurait dû retenir notre attention parmi les modifications faites à la voiture. De toute évidence, la voiture veut se rapprocher de sa grande sœur, la Millenia, l'une des plus belles berlines sur le marché. Malgré sa nouvelle calandre, le but n'est atteint que partiellement et la silhouette de la 626 est loin d'être aussi élégante que celle de la Millenia.

En revanche, la 626 s'est élargie et s'est allongée de quelques centimètres, ce qui lui vaut de posséder le meilleur volume intérieur de toutes les voitures de sa classe. À ce propos, Mazda fait largement état de son concept «Opti-Espace» sans en expliquer les principes autrement que pour préciser qu'il permet «d'optimiser l'aménagement intérieur». La suspension, nous dit-on, a été révisée afin de réduire le bruit et les vibrations. La carrosserie se réclame d'une meilleure rigidité.

Peut-on vraiment constater tous ces petits changements en conduisant la nouvelle 626? Seuls les propriétaires d'un modèle de la précédente génération seront en mesure de le faire. Quant aux autres, ils y trouveront une berline tout à fait convenable, dont les qualités sont largement tributaires de l'équipement choisi.

Deux moteurs, deux voitures

Optez pour la version à moteur 4 cylindres et vous aurez l'impression de conduire une banale sous-compacte qui a pris de l'embonpoint. Le V6 change la personnalité de la 626 du tout au tout. Ce moteur de 2,5 litres peut compter sur une puissance de 170 chevaux, alors que le 4 cylindres de 2,0 litres affiche un rendement de 125 chevaux. Ces deux groupes propulseurs sont offerts avec une boîte de vitesses manuelle à 5 rapports ou une transmission automatique. Des 4 versions proposées, c'est évidemment l'ES qui est la mieux nantie avec le V6, 4 freins à disque assortis d'un ABS, des pneus haute performance de 15 pouces au lieu de 14, un toit ouvrant, des garnitures en cuir et plusieurs autres accessoires qui en font une voiture de grand luxe. Tout cet équipement de série se reflète sans l'ombre d'un doute dans la facture qui grimpe aisément autour de 30 000 $.

La LX 4 cylindres est évidemment une tout autre voiture, mais son dépouillement lui permet d'abaisser la note à moins de 23 000 $. Il faudra toutefois se contenter du strict nécessaire et d'un comportement routier guère réjouissant. Sans les freins antiblocage et avec des roues de 14 pouces chaussées de pneus sous-dimensionnés, la 626 demande à être conduite avec ménagement. En simulant un freinage d'urgence, on note que les distances d'arrêt sont assez longues. Les sinuosités de la route font ressortir une tenue de route que je qualifierais d'acceptable, rien de mieux. La suspension fait merveille au chapitre du confort, mais des réglages un peu plus fermes auraient permis de réduire le roulis considérable qui se manifeste en virage.

Mazda 626

Pour

Relief du V6 • Bonne boîte de vitesses manuelle • Excellente habitabilité • Confort appréciable • Bonne position de conduite

Contre

Moteur 4 cylindres mésadapté • Pneus sous-dimensionnés (LX-4) • Modifications esthétiques peu apparentes • Ventilateurs pivotants agaçants

Caractéristiques

Échelle de prix:	voir page 11 et suivantes
Modèle / Prix:	LX-4 / 22 575 $
Type:	berline / traction
Empattement:	267 cm
Longueur:	474,5 cm
Largeur:	176 cm
Hauteur:	140 cm
Poids:	1395 kg
Coffre / Réservoir:	402 litres / 64 litres
Coussins de sécurité:	conducteur et passager
Système antipatinage:	oui (modèle ES)
Suspension av. / arr.:	indépendante
Freins av. / arr.:	disque / tambour (ABS optionnel)
Direction:	à crémaillère, assistée
Diamètre de braquage:	11,0 mètres
Pneus av. / arr.:	P185/70R14
Valeur de revente:	passable
Garantie de base:	3 ans / 80 000 km

Motorisation et performances

Moteur / Transmission:	4L 2,0 litres / manuelle 5 rapports
Puissance / Couple:	125 ch à 5000 tr/min / 127 lb-pi à 3000 tr/min
Autre(s) moteur(s):	V6 2,5 litres 170 ch
Transmission optionnelle:	automatique 4 rapports
Accélération 0-100 km/h:	10,0 s autre moteur: 8,5 s (man. 5 rapports)
Vitesse maximale:	180 km/h
Freinage 100-0 km/h:	42,0 mètres
Consommation (100 km):	8,0 litres autre moteur: 10,5 l (man. 5 rapports)

Modèles concurrents

Nissan Altima • Honda Accord • Chevrolet Malibu • Ford Contour • Toyota Camry • Dodge Stratus

Quoi de neuf?

Coussins gonflables à déploiement moins rapide • Accessoires de série révisés

Verdict

Agrément	⊕ ⊕ ⊖	Habitabilité	⊕ ⊕ ⊕ ⊖
Confort	⊕ ⊕ ⊕ ⊖	Hiver	⊕ ⊕ ⊕
Fiabilité	⊕ ⊕ ⊕	Sécurité	⊕ ⊕ ⊕

On peut toujours s'accommoder du manque d'ardeur du moteur 4 cylindres, mais son niveau sonore, ses vibrations et son rendement général sont gênants dans une voiture de ce type.

Cela dit, il ne fait aucun doute que la 626 est née pour être équipée d'un V6 et que ce n'est qu'avec une telle motorisation qu'elle arrive à se faire justice. Avec la boîte de vitesses manuelle à 5 rapports, elle adopte même un p'tit côté sportif qui n'est pas désagréable du tout. Le seul inconvénient de ce tandem (V6 et boîte manuelle) est un régime moteur un peu élevé à une vitesse de croisière. À 100 km/h, le V6 tourne à 3000 tours en 5e et on se surprend à chercher un rapport supérieur qui n'existe pas.

Mazda a déjà fait mieux.

Une vraie 5 places

En revanche, la 626 marque des points sur le plan de l'aménagement intérieur. Avec un volant réglable en hauteur et des sièges bien dessinés, la position de conduite est irréprochable. Contrairement à de trop nombreuses voitures, cette Mazda bénéficie également d'une très bonne visibilité avec des angles morts réduits à leur minimum. À l'exception d'un petit bruit provenant du tableau de bord, la qualité de construction du modèle essayé était très correcte. Comme dans les précédentes versions, la 626 se distingue par ses ventilateurs oscillants. En pivotant constamment de gauche à droite, ils permettent une meilleure répartition de l'air dans l'habitacle. Certains trouvent ce dispositif très pratique, mais il peut devenir agaçant après un certain temps et il est heureux que l'on ait prévu un bouton pour le neutraliser.

Mazda n'a pas menti en vantant le volume intérieur de sa 626. À l'examen, la voiture impressionne par ses places arrière offrant un excellent dégagement autant pour la tête que pour les jambes. Même la place du centre est agréable, ce qui est loin d'être le cas dans bien des voitures. Le dossier de la banquette peut aussi être rabattu afin d'agrandir un coffre à bagages déjà plus vaste que celui d'une Lexus LS400.

Tout compte fait, la dernière 626 est une compacte très honnête mais, hélas pour Mazda, la concurrence est très étoffée dans cette catégorie. Après la toute nouvelle Protégé, souhaitons que ce soit bientôt le tour de la 626 de passer à la moulinette.

Jacques Duval

Mazda Miata

Mazda Miata

Chouchoutée par la critique

Sans l'ombre d'un doute, la Mazda Miata est le chouchou de la presse automobile. Parmi les voitures sur le marché, la Mazda Miata a le rare privilège de faire partie d'un tout petit groupe de modèles qui n'ont jamais été critiqués par les experts de tout ce qui roule. Depuis sa sortie en 1989, les publications spécialisées n'en ont jamais dit du mal. Au contraire, chaque évaluation, chaque essai routier s'est soldé par un concert d'éloges. Comment pourrait-il en être autrement face à ce charmant petit roadster auquel on doit la renaissance de la voiture sport simple et abordable?

Pur instrument de plaisir, la sympathique Miata a fait rajeunir toute une génération aux tempes grises qui avait roulé sa jeunesse en MG, Triumph ou autres Austin-Healey de la fière Albion.

Même si Mazda en a construit plus de 450 000 exemplaires à ce jour, la Miata n'a probablement jamais fait monter les actions de ce constructeur japonais. En revanche, elle a été salutaire à son image de marque. C'est sans doute pour cette raison que la firme d'Hiroshima, en dépit de ses déboires financiers des dernières années, a consacré une partie substantielle de son budget à la première vraie remise à neuf de ce modèle en 8 ans. Cette version rajeunie nous a d'abord été présentée de long en large lors d'une conférence de presse tenue au Centre de Recherches et de Développement de Mazda à Yokohama au Japon, deux jours avant sa première sortie publique dans le cadre du Salon Automobile de Tokyo en octobre 1997. Quelques mois plus tard, entre deux

sautes d'humeur de El Niño, la Miata faisait un premier arrêt en Californie avant de se pointer au Québec au printemps de 1998.

Des changements discrets

Pour Mazda, la tâche de remodeler cette voiture n'était pas facile et c'est ce qui explique que l'on ait procédé avec beaucoup de circonspection. Le nouveau modèle ne risque pas de semer la panique chez les plus ardents «Miatistes»: les modifications sont subtiles et on s'est beaucoup attardé à préserver le charme original de la Miata.

Sur le plan de l'allure, le changement le plus notable est l'apparition de groupes optiques apparents plutôt qu'escamotables. Cette solution est plus simple, moins coûteuse et permet d'économiser du poids, un aspect non négligeable dans une voiture sport. Le capot avant et le couvercle du coffre arrière sont légèrement plus bombés, tandis que les flancs ont été épurés. Ajoutons que les voies avant et arrière ont été élargies (de 1 à 2 cm respectivement), tandis que le coefficient aérodynamique de la carrosserie a été ramené de 0,39 à 0,37 Cx. Enfin, la structure a vu sa rigidité augmenter de 7 p. 100 en torsion, tandis que l'espace pour les bagages a été agrandi de 42 p. 100 en repositionnant la batterie et la roue de secours sous le coffre.

Le moteur est le même 4 cylindres de 1,8 litre avec ses 16 soupapes et ses 2 arbres à cames en tête. Il développe cependant 140 chevaux au lieu de 133 et son couple a aussi été légèrement amélioré. Ces derniers changements sont imputables à une culasse redessinée avec des passages d'admission et d'échappement plus grands et un rapport volumétrique de 9,5:1.

Au Japon, la Miata peut compter sur une boîte de vitesses manuelle à 6 rapports mais, curieusement, les modèles d'exportation doivent se contenter de 5 vitesses comme dans les anciennes versions. Une transmission automatique à 4 rapports est toujours offerte en option. En revanche, le différentiel autobloquant fait désormais partie de l'équipement de série.

Un agrément à la hausse

Même si la suspension fait toujours appel à la même configuration, elle a été étudiée de manière à réduire les bruits de roulement, tout en mettant l'accent sur l'agrément de conduite. En plus, le porte-à-faux avant a été diminué afin d'obtenir une répartition du poids égale (50-50) entre les essieux avant et arrière.

La capote reste à commande manuelle, mais son maniement a été simplifié par la suppression de la fermeture éclair autour de la lunette arrière. Celle-ci, incidemment, n'est plus en plastique, mais en verre, et elle est dotée d'un dégivrage électrique, un luxe auquel même la Porsche Boxster ne peut prétendre.

Même si des voitures comme la Miata ne se prêtent pas toujours à l'écoute de la radio, plusieurs seront heureux d'apprendre que la nouvelle version est équipée d'une chaîne stéréo conçue en collaboration avec la firme Bose. Mazda a aussi fait appel à une firme extérieure pour dessiner le volant de la dernière Miata. La compagnie italienne Nardi a créé un volant en cuir à trois branches qui peut recevoir un coussin gonflable, tout en conservant un aspect sportif. Et pour terminer ce petit tour du propriétaire, notons que la voiture possède désormais un déflecteur d'air qui s'installe derrière les sièges lorsque la capote est baissée afin de réduire la turbulence.

L'opinion d'un utilisateur

Au-delà de toutes ces améliorations et des prétentions de Mazda, qu'en est-il vraiment de la nouvelle Miata? A-t-elle toujours ce charme irrésistible qui lui a permis de séduire l'ensemble de la presse automobile à sa venue sur le marché en 1989? Compte tenu de la subtilité des modifications qui lui ont été apportées, j'ai cru nécessaire de réaliser cet essai en compagnie d'un «fan» de la Miata qui conduit depuis de nombreuses années le modèle d'origine. Lui seul pourrait nous dire si les changements avaient des effets concrets sur le comportement de la voiture.

D'emblée, il salue les nouveaux phares apparents comme une bénédiction parce qu'ils améliorent la qualité de l'éclairage, tout en permettant de faire des appels de phare. Pour lui, le maniement de la capote est désormais un modèle de simplicité et s'effectue d'une main en 20 secondes au plus. Par contre, la visibilité de $3/4$ arrière reste nulle lorsque la capote est en place. Je me permets ici d'ajouter que si la capote s'enlève ou s'installe en un tournemain, la housse qui la recouvre est d'une qualité purement artisanale qui n'a pas sa place dans une voiture de 30 000 $.

Bien qu'il accepte assez bien la plupart des changements d'ordre esthétique, notre «Miatiste» n'en déplore pas moins la disparition des cercles chromés autour des cadrans du tableau de bord. On y perd la petite touche rétro qui seyait si bien à l'ancienne version. Il note aussi que le véritable manomètre de pression d'huile des premiers modèles a été remplacé par un pseudo-manomètre bon marché. Selon lui, le petit «coupe-vent» qui se place à la verticale derrière l'habitacle a un effet bénéfique réduisant le vent dans la nuque.

L'espace est rationné dans l'habitacle. La Miata est une toute petite voiture dans laquelle des conducteurs costauds risquent de souffrir. Les rangements n'y sont pas légion et, bien que le coffre ait été agrandi, il vaux mieux voyager «léger». J'ai aussi remarqué avec déplaisir que les pédales de frein et d'accélérateur sont beaucoup trop rapprochées, ce qui peut donner lieu à de coûteuses erreurs. En revanche, j'ai beaucoup aimé la position de conduite et le profil des sièges, même si mon «accompagnateur» avoue trouver les sièges en cuir un brin glissants.

Mazda Miata

Pour

Caractère original préservé
• Facilité de conduite • Excellente
tenue de route • Moteur souple
• Lunette arrière dégivrante

Contre

Habitabilité très restreinte
• Insonorisation insuffisante
• Faible amortissement (pneus
15 pouces) • Coffre encore limité
• Housse de capote bon marché

Caractéristiques

Échelle de prix:	voir page 11 et suivantes
Modèle / Prix:	Option Cuir / 30 725 $
Type:	roadster biplace / propulsion
Empattement:	226,5 cm
Longueur:	394,5 cm
Largeur:	167,6 cm
Hauteur:	122,8 cm
Poids:	1032 kg
Coffre / Réservoir:	144 litres / 48 litres
Coussins de sécurité:	cond. et passager (interrupteur de désactivation)
Système antipatinage:	non
Suspension av. / arr.:	indépendante
Freins av. / arr.:	disque, ABS optionnel
Direction:	à crémaillère, assistance variable
Diamètre de braquage:	9,2 mètres
Pneus av. / arr.:	P195/50R15
Valeur de revente:	bonne
Garantie de base:	3 ans / 80 000 km

Motorisation et performances

Moteur / Transmission:	4L 1,8 litre 16 soupapes / manuelle 5 rapports
Puissance / Couple:	140 ch à 6500 tr/min / 119 lb-pi à 5000 tr/min
Autre(s) moteur(s):	aucun
Transmission optionnelle:	automatique 4 rapports
Accélération 0-100 km/h:	9,0 secondes
Vitesse maximale:	202 km/h
Freinage 100-0 km/h:	38,3 mètres
Consommation (100 km):	8,8 litres

Modèle concurrent

BMW Z3 2,5

Quoi de neuf?

Nouveau modèle

Verdict

Agrément	⊕⊕⊕⊕	Habitabilité	⊕(
Confort	⊕⊕	Hiver	⊕⊕
Fiabilité	⊕⊕⊕⊕	Sécurité	⊕⊕(

À ciel ouvert d'abord

Autant la Miata est une voiture étriquée, bruyante et généralement désagréable une fois coiffée, autant sa personnalité change
du tout au tout lorsqu'on roule à ciel ouvert par une belle journée
ensoleillée. Le bruit de vent qui vous casse les oreilles lorsque la
capote est en place disparaît, la visibilité s'améliore, les soubre-
sauts de la caisse s'atténuent et à vous le plaisir!

Le moteur vif et spontané fait sa large part pour
donner à cette voiture sport ce p'tit côté nerveux
qui plaît tellement. Sa sonorité est un peu quelconque, mais tout à fait en accord avec le son
d'une MGB ou Triumph TR4 des années 60.
D'ailleurs, on a voulu faire de la Miata une réplique moderne de ces roadsters anglais. Sans rien
casser au chronomètre, la voiture a toujours la bonne
réserve de puissance pour doubler et dépasse légèrement
les 200 km/h, ce qui n'est pas rien.

Délice ou cauchemar?

La boîte de vitesses avec son levier supercourt mérite ici une
mention honorable. Quel délice de s'amuser à passer les rapports,
même quand cela n'est pas vraiment nécessaire.

Cet excellent groupe propulseur se complète d'une tenue de
route qui fera le bonheur des amateurs de conduite à l'accélérateur. La Miata survire joyeusement, mais le fait toujours de façon
prévisible et sa direction ultrarapide permet toujours de la ramener
facilement dans la bonne trajectoire. Ce comportement sportif très
stimulant tient en bonne partie à la rigidité accrue du châssis.

En revanche, le confort en prend pour son rhume. Sur mauvaise
route, les ruades du train arrière placent la Miata pas très loin de
la note 0 en matière de confort. On pourra améliorer cet aspect peu
réjouissant de la voiture de deux façons: en choisissant les sièges
en tissu, moins durement rembourrés, et en se limitant aux pneus
de 14 pouces (de série) plutôt que les 15 pouces optionnels.

Seule au sommet

La Mazda Miata a l'avantage d'occuper un créneau du marché
où elle est sans concurrence. Elle a été la source d'inspiration de voitures comme la BMW Z3, la Mercedes-Benz SLK et la Porsche
Boxster, mais elle a su maintenir un prix réaliste qui la place dans
une classe à part. Sa remise à neuf ne pourra que la rendre encore
plus attrayante aux yeux de ceux qui considèrent que se rendre du
point A au point B peut être un plaisir au lieu d'une corvée.

Jacques Duval

Mazda Millenia

Mazda Millenia

Beauté durable

Mazda est sans aucun doute un fabricant courageux, à l'affût de solutions inédites: moteur à cycle Miller, moteur rotatif Wankel, roadster Miata mis sur le marché, alors que personne n'y croyait... Malheureusement, en matière d'automobile, l'originalité n'est pas toujours récompensée et c'est précisément le sort réservé à la belle Millenia.

Lancée en 1995 et pratiquement inchangée depuis lors, la Mazda Millenia fait une fois de plus la preuve que le beau est durable. De toutes les voitures de luxe japonaises, qu'elles portent l'insigne Infiniti, Lexus ou Acura, c'est sans doute la Millenia qui présente la robe la plus gracieuse. L'arc du toit, l'angle incliné de la lunette arrière, le dessin du coffre, la beauté des jantes en alu et l'élégance de l'ensemble rappellent une certaine BMW série 5. Quand on sait que l'allemande est née en 1997, on se rend compte que les concepteurs de la Millenia avaient une certaine longueur d'avance.

Mazda propose deux versions qui se distinguent essentiellement par leur motorisation: d'une part la berline Groupe cuir animée par le V6 de 2,5 litres, moteur qui équipe aussi les 626, et, d'autre part, la berline S dotée du V6 de 2,3 litres à cycle Miller (modèle essayé).

Un moteur presque célèbre

Le V6 à cycle Miller est unique en son genre dans le monde de l'automobile, comme l'a été d'ailleurs le moteur rotatif Wankel, autre belle réalisation de Mazda. Il aurait donc dû être célèbre. Mais le hic, c'est que la Millenia qui le porte est une voiture boudée par le public, malgré ses qualités indéniables. Développant 210 chevaux à partir d'une cylindrée de 2,3 litres, ce moteur se comporte comme

s'il s'agissait d'une cylindrée de plus de 3 litres et affiche un rendement exceptionnel de 91 chevaux au litre. Rappelons que le cycle Miller (du nom de son inventeur) retarde la fermeture des soupapes d'admission lors de la remontée du piston en course de compression pour permettre l'admission d'un plus grand volume d'air pressurisé par un compresseur. Résultat: plus de puissance et plus de couple à partir d'une plus petite cylindrée et, en principe, une consommation moindre en conduite normale.

Sur route, le V6 à cycle Miller procure à la Millenia S des performances fort honorables... mais comparables à celles de ses concurrentes équipées de V6 de 3 litres, que ce soit au chapitre des accélérations (0-100 km/h en 8,2 secondes) ou sur le plan de la consommation (environ 12 litres aux 100 km). Mais le fait que le moteur de la Millenia soit plus petit n'assure pas une réduction de poids comme on aurait pu s'y attendre: la Millenia est plus pesante que l'Infiniti I30, la Nissan Maxima et la Lexus ES300. C'est que l'originalité de la Millenia S est limitée à la fiche technique de son moteur. Et c'est peut-être ce qui explique son manque relatif de succès. En effet, à qualité et prix égaux, l'acheteur ne sera-t-il pas tenté de bouder la complexité mécanique, même si la fiabilité a été constamment au rendez-vous?

Un habitacle perfectible

On ne retrouve pas à l'intérieur de la Millenia l'originalité manifestée dans la conception de son moteur. Le tableau de bord aux formes tarabiscotées ne sied pas à une voiture de luxe et le volant lourdaud manque d'élégance. Les commandes de chauffage et de climatisation sont heureusement fort accessibles et réduites à leur plus simple expression.

Mazda Millenia

Pour

Ligne distinguée et élégante
• Moteur souple et puissant (S)
• Bonne tenue de cap • Finition
haut de gamme • Équipement
complet

Contre

Tableau de bord à revoir • Sièges
et ergonomie perfectibles • Espace
restreint à l'arrière • Motorisation
insuffisante (modèle de base)

Caractéristiques

Échelle de prix:	voir page 11 et suivantes
Modèle / Prix:	S / 41 720 $
Type:	berline / traction
Empattement:	275 cm
Longueur:	482 cm
Largeur:	177 cm
Hauteur:	139 cm
Poids:	1522 kg
Coffre / Réservoir:	368 litres / 68 litres
Coussins de sécurité:	conducteur et passager
Système antipatinage:	oui
Suspension av. / arr.:	indépendante
Freins av. / arr.:	disque ABS
Direction:	à crémaillère, assistance variable
Diamètre de braquage:	11,4 mètres
Pneus av. / arr.:	P215/50VR17
Valeur de revente:	passable
Garantie de base:	3 ans / 80 000 km

Motorisation et performances

Moteur / Transmission:	V6 2,3 litres à cycle Miller / automatique 4 rapports
Puissance / Couple:	210 ch à 5300 tr/min / 210 lb-pi à 3500 tr/min
Autre(s) moteur(s):	V6 2,5 litres 170 ch
Transmission optionnelle:	aucune
Accélération 0-100 km/h:	8,2 secondes	autre moteur: 10,4 secondes
Vitesse maximale:	230 km/h
Freinage 100-0 km/h:	43,0 mètres
Consommation (100 km):	12,2 litres	autre moteur: 12,2 litres

Modèles concurrents

Acura 3,2TL • Audi A4 • BMW série 3 • Infiniti I30t • Lexus ES300
• Volvo S70 T5

Quoi de neuf?

Roues de 16 pouces (Groupe cuir), 17 pouces (S) • Retouches esthétiques
• Nouvelles couleurs

Verdict

Agrément	⊕⊕⊕⊖	
Confort	⊕⊕⊕⊖	Habitabilité ⊕⊕⊕
Fiabilité	⊕⊕⊕⊖	Hiver ⊕⊕⊕⊖
		Sécurité ⊕⊕⊕⊕

Les sièges habillés de cuir sont à réglage électrique, mais on s'explique mal l'absence de support lombaire réglable. En outre, il n'est pas aisé de trouver rapidement la bonne position de conduite et le maniement des commandes situées sur le côté des sièges est désagréable à cause de l'espace très restreint entre le siège et la porte. Même défaut d'ergonomie dans le cas des commandes d'ouverture de la trappe du réservoir d'essence et du coffre: trop basses, trop cachées. Le confort des places arrière laisse aussi à désirer.

Sur le plan positif, notons le réglage électrique de la position du volant qui monte lorsque vous retirez la clé de contact et reprend la position programmée au démarrage. L'habitacle présente aussi plusieurs casiers de rangement logés dans les contre-portes avant, dans la console centrale et sur la tablette arrière. Le coffre volumineux est doté d'une trappe à skis vis-à-vis de l'accoudoir de la banquette arrière. L'aérodynamique très soignée (Cx de 0,29) assure un silence réconfortant à haute vitesse et la chaîne stéréo présente une bonne sonorité. À ce propos, notons avec satisfaction l'absence d'antenne télescopique, une malédiction sous notre climat!

Pour amateurs de mécanique originale.

Une grande routière

Belle machine à rouler, la Millenia S affiche une excellente tenue de cap et une tenue de route saine, exempte de roulis excessif. Le millésime 1999 reçoit des roues de 17 pouces pour la S et de 16 pouces pour la version Groupe cuir. Le système antipatinage agit à toutes les vitesses (certains systèmes n'interviennent qu'à basse vitesse), l'éclairage assisté par les antibrouillards, est efficace et le système de chauffage et de dégivrage tout à fait à la hauteur.

Sur une route plutôt accidentée, les suspensions bien amorties procurent un confort appréciable et l'absence de bruits témoigne de la bonne rigidité de la caisse et du sérieux de l'assemblage. À ce chapitre, notons l'excellente finition intérieure et la qualité évidente de la belle peinture de couleur ivoire.

Proposée à 41 720 $, la Millenia S fait concurrence aux BMW série 3, à l'Acura TL et à l'Infiniti I30. Certes moins incisive et moins agréable à conduire que l'allemande, la Millenia S, par son élégance et son originalité mécanique, constitue néanmoins un choix intéressant.

Alain Raymond

Mazda MPV 4X4

Mazda MPV

La honte de la famille

Au sein du clan Mazda, la MPV joue le rôle ingrat de négligée et plus les années passent, moins on lui pardonne ses manières rustiques. On a bien tenté de l'améliorer il y a trois ans, mais c'était trop peu, trop tard.

On ne vous apprendra rien en vous disant que ce constructeur nippon a connu des ennuis financiers ces dernières années. C'est sa gamme de véhicules qui en a fait les frais. Certains modèles ont été éprouvés plus que d'autres par cette économie de bouts de chandelles, la MPV en tête de liste.

Une enfance malheureuse

À sa naissance, en 1989, elle était pourtant promise à un brillant avenir: à défaut d'être franchement belle, sa ligne était originale, tout comme sa conception. Les fourgonnettes ne s'étaient pas toutes converties à la traction, de sorte qu'il existait encore une demande pour les propulsions; de plus, le choix d'une portière conventionnelle pour accéder aux places arrière plaisait à ceux qui sont allergiques aux portes coulissantes. Le hic, c'est que cela remonte à 10 ans; depuis, la MPV stagne, tandis que le segment des fourgonnettes évolue constamment.

Qui plus est, elle a connu une enfance difficile, sa fiabilité laissant grandement à désirer à ses débuts. Des problèmes de jeunesse qui furent par la suite corrigés, mais cette réhabilitation tardive a laissé des traces et la réputation pourtant enviable de Mazda en a pris pour son rhume dans cette affaire. Car ce genre de situation, qui est monnaie courante chez les Américains, ne fait pas partie de la culture automobile japonaise.

Nageuse est-allemande

En attendant la relève, promise pour le printemps ou l'été prochain, Mazda entreprend donc l'année modèle 1999 avec un modèle qui fait office de dinosaure dans sa catégorie, au même titre que les Astro et Safari chez GM, ses seules véritables rivales. Mais attention, ces vieillissantes propulsions peuvent encore rendre service: elles n'ont pas leur pareil pour tracter, et avec une capacité de remorquage de 1900 kg, la MPV fait figure de nageuse est-allemande par rapport aux autres fourgonnettes.

En effet, son V6, qui date de l'ère précambrienne, possède une grande force brute, mais elle est mal répartie et convient davantage aux gros travaux qu'à une utilisation quotidienne. En ce sens, ce moteur est à l'image du véhicule qu'il dessert: vaillant mais vétuste. Dès qu'on le sollicite un peu, il s'assure qu'on remarquera ses efforts en émettant un grognement assez sonore, merci. Ensuite, son appétit décuple; et d'énergivore, il devient boulimique. Un conseil: si, en plus, vous avez opté pour la version 4X4, il est préférable que vous passiez voir votre gérant de banque avant de faire le plein. Et tout ça pour des performances très moyennes, car c'est bien de 155 chevaux de trait qu'il s'agit, et non de pur-sang... (Sans vouloir tourner le fer dans la plaie, je me dois d'ajouter que le V6 Vortec de la paire Astro/Safari offre 35 chevaux de plus, ainsi qu'un couple nettement supérieur.)

Pour le reste, la mécanique effectue du boulot honnête. La transmission gagnerait à être plus fluide, mais elle semble robuste, ce qu'apprécieront ceux qui confient à la MPV des tâches utilitaires. La direction est floue au centre, mais son assistance est bien dosée, ce qui facilite la conduite.

Mazda MPV

Pour
- Portières arrière conventionnelles
- Construction solide
- Fiabilité améliorée
- Capacité de remorquage
- Version 4X4 polyvalente

Contre
- Habitacle à revoir de A à Z
- Agrément de conduite inexistant
- Consommation excessive
- V6 à la peine
- Conception désuète

Caractéristiques

Échelle de prix:	voir page 11 et suivantes
Modèle / Prix:	LX 4X4 / 33 765 $
Type:	fourgonnette / propulsion 4X4
Empattement:	280 cm
Longueur:	466 cm
Largeur:	182 cm
Hauteur:	180 cm
Poids:	1845 kg
Coffre / Réservoir:	334 ou 3115 litres / 75 litres
Coussins de sécurité:	conducteur et passager
Système antipatinage:	non
Suspension av. / arr.:	indépendante / essieu rigide
Freins av. / arr.:	disque ABS / tambour ABS
Direction:	à crémaillère, assistée
Diamètre de braquage:	11,0 mètres
Pneus av. / arr.:	P225/70R16 (4X4)
Valeur de revente:	excellente
Garantie de base:	3 ans / 80 000 km

Motorisation et performances

Moteur / Transmission:	V6 3,0 litres / automatique 4 rapports
Puissance / Couple:	155 ch à 5000 tr/min / 175 lb-pi à 4000 tr/min
Autre(s) moteur(s):	aucun
Transmission optionnelle:	aucune
Accélération 0-100 km/h:	12,4 secondes
Vitesse maximale:	165 km/h
Freinage 100-0 km/h:	44,6 mètres
Consommation (100 km):	15,7 litres

Modèles concurrents

Chevrolet Astro • GMC Safari • Dodge Caravan • Plymouth Voyager AWD

Quoi de neuf?

Nouveau modèle en cours d'année

Verdict

Agrément	⊕ ⊕	
Confort	⊕ ⊕ ⊕	
Fiabilité	⊕ ⊕ ⊕	
Habitabilité	⊕ ⊕ ⊕	
Hiver	⊕ ⊕ ⊕ ⊕	
Sécurité	⊕ ⊕ ⊕ ⊕	

Les suspensions travaillent bien et la douceur de roulement est appréciable, mais il faudra sacrifier cette dernière si on se tourne vers la version 4X4, plus haute sur pattes et chaussée de gros pneus. C'est le prix à payer pour la polyvalence qu'apporte ce mode d'entraînement et cela illustre bien le caractère de la MPV, qui semble prendre un malin plaisir à retirer d'une main ce qu'elle donne de l'autre.

Au bout du rouleau

Lors de sa pseudo-refonte, il y a trois ans, la MPV s'est enrichie d'une portière supplémentaire. Le fait que les portes ne soient pas coulissantes contribue, en partie du moins, à la grande rigidité de sa structure, qui repose de surcroît sur un châssis de camionnette. Du solide, donc, ce que vient confirmer l'absence de bruits de caisse et autres craquements qui affectent souvent les fourgonnettes. Pour couronner le tout, la finition est supérieure à la moyenne et les matériaux utilisés respirent la qualité.

Mais, car il y a toujours un mais avec la MPV, la présentation intérieure risque de vous entraîner dans un profond cafard. Encore une fois, nos amis japonais ont confondu sobriété et austérité.

L'ergonomie est aussi une spécialité de ce pays mais visiblement, elle ne faisait pas partie du cahier de charges des concepteurs de l'habitacle de la MPV. Non pas que les commandes soient mal placées, mais l'éloignement de la planche de bord ne facilite pas leur accès. Disons qu'il est préférable d'avoir de longs bras... Le coffre à gants est minuscule, et les rares espaces de rangement guère plus grands. Finalement, la troisième banquette est inconfortable et on a déjà vu des places arrière plus spacieuses. Ah oui, j'allais oublier: la chaîne stéréo sonne comme un vieux CB. Bon, arrêtons ça là.

Dire que la MPV est au bout du rouleau est un euphémisme. Attendons maintenant de voir dans quel bois sera taillée sa remplaçante. La rumeur veut d'ailleurs qu'il s'agisse d'un clone de la Windstar, à cause du partenariat entre Mazda et Ford. À moins qu'il ne s'agisse du prototype MV-X, entrevu l'an dernier au Salon de l'auto de Montréal? Qu'importe, la relève sera drôlement bienvenue!

Ford de nouveau à la rescousse?

Philippe Laguë

Mazda Protegé

Mazda Protegé

La clef de voûte

Pour Mazda, le sort qui sera réservé à la nouvelle Protegé est pratiquement une question de vie ou de mort. Ce modèle, le best-seller de la gamme, est d'une importance capitale pour le constructeur japonais, aux prises depuis quelques années avec de sérieux problèmes financiers.

B ien sûr, la haute direction a pris les grands moyens pour éviter le pire... et ce n'est qu'un début. Après la Protegé, il y aura une fourgonnette MPV entièrement renouvelée (avec traction et plate-forme de 626), un premier véhicule utilitaire sport et, par la suite, un tout nouveau modèle tous les huit mois.

On commence cette année à réaliser ce plan de redressement, avec l'arrivée d'une version profondément remaniée de la populaire compacte Protegé. Ce modèle a vu le jour il y a une vingtaine d'années sous le nom de GLC et a aussi fait carrière sous l'appellation 323. De prime abord, on a l'impression que la voiture n'a fait l'objet que de légères retouches. Or, presque tout a été modifié depuis la plate-forme jusqu'à la présentation intérieure en passant par la mécanique. Le nouveau châssis est légèrement plus long que l'ancien, mais il est surtout doté d'une suspension, dont les points d'ancrage ont été repositionnés afin d'abaisser le centre de gravité et de diminuer considérablement le roulis. En plus, des barres stabilisatrices avant et arrière contribuent au bel équilibre de la Protegé en virage.

Une Protegé... qui protège

La nouvelle Protegé veut aussi faire honneur à son nom en offrant une protection optimale des occupants en cas d'accident. La carrosserie bénéficie d'une structure appelée «Triple H» qui se compose de longerons et de poutrelles en forme de H incorporés au plancher, au pavillon et aux côtés du véhicule. Ces cellules de renforcement donnent à la Protegé un score assez exceptionnel en matière de sécurité passive. On a voulu dessiner une carrosserie d'inspiraton européenne, mais cette nouvelle Mazda ne risque pas d'être confondue avec une Volkswagen ou une BMW. L'important est de savoir que la Protegé affiche des lignes à la fois sobres et élégantes qui s'accompagnent d'un coefficient aérodynamique de 0,32 Cd.

Nouveaux groupes propulseurs

La mécanique a aussi fait l'objet de nombreuses améliorations avec une paire de moteurs 4 cylindres à double arbre à cames en tête de 1,6 et 1,8 litre développant respectivement 105 et 122 chevaux. Ils sont offerts avec, au choix, une boîte de vitesses manuelle à 5 rapports ou une transmission automatique plus légère et moins complexe que l'ancienne avec 26 p. 100 moins de pièces. Enfin, trois versions sont au catalogue: une DX d'une navrante nudité, une SE légèrement habillée et une LX en tenue de soirée.

Les trois versions de la Protegé ont été appelées à démontrer leur savoir-faire dans des conditions atmosphériques peu agréables, mais néanmoins très révélatrices.

La pluie qui nous a tenu compagnie toute la journée a d'abord pointé un doigt accusateur vers les pneus Bridgestone Potenza de la version LX1,8. Sur pavé mouillé, leur adhérence est précaire, voire dangereuse, un problème qui ne s'était pas manifesté avec les Firestone de la Protegé SE conduite plus tôt. Il m'apparaît d'ailleurs

Mazda Protegé

Pour
Confort louable • Sécurité passive poussée • Bonne tenue de route • Habitacle vaste • Moteur silencieux (1,8)

Contre
Performances modestes • Combinaison 1,6-5 vitesses à éviter • Équipement pneumatique inégal • Désembuage perfectible • Version DX dépouillée

Caractéristiques

Échelle de prix:	voir page 11 et suivantes
Modèle / Prix:	SE / 14 545 $ (Prix 98)
Type:	berline 5 places / traction
Empattement:	261 cm
Longueur:	442 cm
Largeur:	170,5 cm
Hauteur:	141 cm
Poids:	1142 kg
Coffre / Réservoir:	376 litres / 50 litres
Coussins de sécurité:	conducteur et passager
Système antipatinage:	non
Suspension av. / arr.:	indépendante
Freins av. / arr.:	disque / tambour (ABS optionnel)
Direction:	à crémaillère, assistance variable
Diamètre de braquage:	10,4 mètres
Pneus av. / arr.:	P185/65R14
Valeur de revente:	passable
Garantie de base:	3 ans / 80 000 km

Motorisation et performances

Moteur / Transmission:	4L 1,6 litre / automatique 4 rapports
Puissance / Couple:	105 ch à 5500 tr/min / 107 lb-pi à 4000 tr/min
Autre(s) moteur(s):	4L 1,8 litre 122 ch
Transmission optionnelle:	manuelle 5 rapports
Accélération 0-100 km/h:	13,4 secondes autre moteur: 12,3 s (aut.)
Vitesse maximale:	165 km/h
Freinage 100-0 km/h:	43,8 mètres
Consommation (100 km):	8,5 litres autre moteur: 8,8 litres

Modèles concurrents
Honda Civic • Toyota Corolla • Chevrolet Cavalier • Ford Escort • Subaru Impreza • Plymouth Breeze

Quoi de neuf?
Nouveau modèle

Verdict

Agrément	⊕ ⊕ ⊕	Habitabilité	⊕ ⊕ ⊕ ⊕
Confort	⊕ ⊕ ⊕ (	Hiver	⊕ ⊕ ⊕ (
Fiabilité	⊕ ⊕ ⊕ ⊕	Sécurité	⊕ ⊕ ⊕ ⊕

tout à fait inconcevable que des ingénieurs consacrent tout leur talent à peaufiner des suspensions dans le but d'obtenir le meilleur compromis «confort/tenue de route» pour voir ensuite leurs efforts réduits à néant par des pneus bon marché choisis par des comptables plus soucieux d'économie que de performance.

Cela dit, les Protegé (avec de bons pneus) offrent un confort de suspension et un comportement routier qui les placent au sommet de leur catégorie. Le freinage est lui aussi handicapé par les pneus d'origine, mais devrait se révéler satisfaisant dans des conditions plus clémentes. La direction, quant à elle, possède une assistance variable bien dosée et offre juste ce qu'il faut d'effort et de sensation de la route. Sur mauvais revêtement, le confort se maintient et la rigidité de la coque se confirme de façon impressionnante. Ce qui nous amène aux moteurs... Le tandem 1,6-boîte manuelle est à éviter à moins que vous aimiez jouer du levier de vitesses. À la moindre pente, il faut rétrograder en quatrième, sinon en troisième, pour maintenir le rythme. La faible puissance du 1,6 litre semble moins gênante avec la transmission automatique. Quant au moteur 1,8, il est agréable, mais pas nécessaire. Et ce n'est pas tant sa puissance accrue que sa discrétion qui étonne. Au ralenti, il arrive même qu'on actionne le démarreur, tellement le moteur tourne silencieusement.

Sûre et solide.

Utilisation de l'espace, leçon 1

Mazda pourrait faire la leçon à nombre de ses concurrentes sur la planification de l'espace. En matière d'habitabilité, la Protegé possède un avantage marqué sur ses rivales avec de bons dégagements aussi bien à l'avant qu'à l'arrière. Détail intéressant, les rails sur lesquels glissent les sièges avant ont été conçus de manière à donner plus d'espace pour les pieds des passagers arrière. Le dossier de la banquette arrière se rabat en deux sections pour agrandir le coffre à bagages et l'intérieur est parsemé de petits rangements fort pratiques, dont un pour les disques CD. Même les bacs de porte ont été élargis.

Si l'on ajoute à cela une visibilité irréprochable, des sièges très corrects et une présentation intérieure bien inspirée, on se doit de reconnaître que Mazda a fait du bon travail. Il ne reste plus qu'à attendre la réaction de la clientèle devant une voiture qui, sans être excitante, se range parmi les meilleures de sa catégorie.

Jacques Duval

Mercedes-Benz classe C

Mercedes-Benz C43

Avec un zeste de C43

Pour revitaliser sa classe C, une gamme un peu vieillissante, Mercedes-Benz vient de lui injecter une surdose de puissance sous la forme d'une explosive berline sport nommée C43. Cette super Mercedes se fait accompagner d'une version à compresseur du modèle d'accès à la gamme, la C230. Entre les deux, la C280 est toujours au programme pour la prochaine année.

La C43 n'est pas une voiture pour tout le monde. Produite en toute petite série, elle s'adresse à une clientèle qui recherche le nec plus ultra en matière de conduite sportive et qui s'abstient généralement de faire de l'esbroufe. Cette anti-M3 cache d'ailleurs bien son jeu dans une tenue fort discrète se limitant à une double sortie d'échappement chromée, des bas de caisse rajoutés, des pneus à profil bas surdimensionnés et, sur la partie droite du coffre arrière, trois lettres qui disent tout: AMG. Ces initiales sont celles du préparateur se spécialisant depuis de nombreuses années dans les conversions à des fins sportives des produits Mercedes. AMG, entre autres, s'occupe de faire courir les berlines de classe C dans le championnat européen des voitures de tourisme et prépare les redoutables CLK GT qui disputent notamment les 24 Heures du Mans.

De toutes les voitures Mercedes actuellement en production, la C43 est non seulement la plus performante, mais aussi celle qui illustre le mieux le savoir-faire du constructeur allemand en compétition.

Une puissance à l'américaine

Son V8 de 4,3 litres n'a pas le panache du V10 qui propulse la McLaren de Mika Häkkinen, mais ses 302 chevaux sont rudement impressionnants lorsqu'ils se libèrent sous le capot de la plus petite des berlines Mercedes. En prenant le volant, je me suis même cru pendant un moment dans une Camaro SS. Par son punch et sa sonorité, ce V8 Mercedes n'est pas sans rappeler les grosses cylindrées américaines. La comparaison, bien sûr, s'arrête là, car la C43 n'a pas que du cœur au ventre. Son châssis est celui d'une voiture de rallye, impeccable de robustesse et de précision. Alors que sa devancière, la C36, était d'abord une berline rapide, sa remplaçante ne demande qu'à avaler des virages et à s'arrêter pile.

Doté de l'ESP (Electronic Stability Program), de 4 immenses disques de frein à double étrier issus des AMG de course et de l'assistance au freinage dite «Brake Assist», ce missile des *Autobahnen* négocie les routes les plus sinueuses avec une aisance et une sécurité qui ne cessent d'étonner. Et les freins rappellent par leur puissance de décélération ceux d'une Porsche 911 Turbo, ce qui n'est pas peu dire. Bref, autant par ses accélérations (0-100 km/h en 6,5 secondes) que par son comportement routier, la C43 peut se maintenir dans le peloton de tête avec une Corvette, une Porsche 911 normale, une Acura NS-X ou toute autre sportive bien affûtée. Les reproches qu'on peut lui adresser se limitent à sa ligne qui accuse déjà plus que ses cinq ans (en noir, elle a même une allure un peu funèbre), à son prix prohibitif et à une suspension arrière, dont la fermeté s'accommode plutôt brutalement des routes défoncées du Québec.

À l'intérieur, la sobriété reste de mise, mais le client qui débourse près de 40 000 $ de plus que pour une C230 d'apparence identique a droit à quelques petites douceurs, dont une paire de sièges avant orthopédiques munis d'un système pneumatique

Mercedes-Benz classe C

Pour

Performances spectaculaires
• Freinage exceptionnel • Tenue de route impressionnante • Sièges orthopédiques • Sécurité rassurante

Contre

Prix élevé • Ligne vieillotte
• Suspension arrière réfractaire aux routes du Québec • Quelques bruits de caisse • Climatisation difficile à doser

Caractéristiques

Échelle de prix:	voir page 11 et suivantes
Modèle / Prix:	C43 / 75 700 $
Type:	berline 5 places / propulsion
Empattement:	269 cm
Longueur:	451 cm
Largeur:	172 cm
Hauteur:	142 cm
Poids:	1572 kg
Coffre / Réservoir:	331 litres / 62 litres
Coussins de sécurité:	conducteur, passager et latéraux
Système antipatinage:	oui
Suspension av. / arr.:	indépendante
Freins av. / arr.:	disque ABS
Direction:	à billes, assistance variable
Diamètre de braquage:	10,8 mètres
Pneus av. / arr.:	P225/45ZR17 / P245/40ZR17
Valeur de revente:	bonne
Garantie de base:	4 ans / 80 000 km

Motorisation et performances

Moteur / Transmission:	V8 24 soupapes / 4,3 litres / automatique 5 rapports
Puissance / Couple:	302 ch à 5850 tr/min / 302 lb-pi 3250 à 5000 tr/min
Autre(s) moteur(s):	4L 2,3 l à compresseur 185 ch / V6 2,8 l / 194 ch
Transmission optionnelle:	aucune
Accélération 0-100 km/h:	6,5 secondes autre moteur: 9,0 s (C230K)
Vitesse maximale:	250 km/h
Freinage 100-0 km/h:	38,1 mètres
Consommation (100 km):	12,3 litres autre moteur: 10,8 l (C230K)

Modèles concurrents

C43: BMW M3 • C230: Audi A4 1,8 • Saab 9-3 • Volvo S70 • BMW 323i
C280: Audi A4 2,8 • BMW 328i • Saab 9-5 • Acura TL 3,2 • Lexus ES300

Quoi de neuf?

Moteur à compresseur 185 ch • Version C43 haute performance
• Nouvelle chaîne audio • Rétroviseurs sensibles à la lumière

Verdict

Agrément	⊕⊕⊕⊕	Habitabilité ⊕⊕⊕
Confort	⊕⊕	Hiver ⊕⊕⊕
Fiabilité	⊕⊕⊕⊕	Sécurité ⊕⊕⊕⊕

permettant le réglage sur mesure des supports pour les cuisses et la région lombaire ainsi que du maintien latéral. Des appliques en noyer poli, des cuirs fins, un volant sport AMG et des instruments sur fond ivoire complètent le décor.

Autant par sa finition que par son niveau élevé de performances, on sent que la C43 a fait l'objet d'une planification rigoureuse et que cette voiture n'a pas été concoctée à la hâte par des spécialistes du marketing dans le simple but d'épater la galerie. Si vous voyez surgir une banale Mercedes-Benz de classe C dans le rétroviseur de votre Corvette, ne croyez surtout pas que son conducteur est un homme d'affaires qui va son petit bonhomme de chemin. Car ce pourrait être une C43 conduite par un passionné qui a l'outil qu'il faut pour vous faire écarquiller les yeux.

> Placide ou explosive… Au choix.

Des versions plus calmes

Dans un autre registre, la C230 Classic, le modèle le moins cher, bénéficie cette année d'un gain de puissance de 37 chevaux, grâce à l'utilisation du moteur à compresseur de la SLK, le 4 cylindres de 2,3 litres et 185 chevaux. Hormis sa sonorité de diesel, ce nouveau groupe rend la C230 plus attrayante et lui donne d'étonnantes reprises. Notons aussi la présence de l'antipatinage en équipement de série. Un ensemble sport optionnel permet de hausser d'un cran l'agrément de conduite de la C230 Kompressor, grâce à un châssis et à une suspension raffermis par la présence de barres stabilisatrices plus volumineuses et d'amortisseurs plus robustes. Et pour le look, des sièges sport et des jantes en alliage AMG complètent la panoplie. Quant à la C280, elle conserve son V6 de 194 chevaux, dont elle a hérité l'an dernier et peut, elle aussi, bénéficier du groupe sport. L'option ESP (Electronic Stability Program) est également offerte sur ce modèle, tout comme les phares au xénon à haute intensité. Leur éclairage bleuté est très puissant, mais la portée du faisceau lumineux exige une certaine habitude. La partie éclairée s'arrête de façon abrupte plutôt que graduelle et cela peut se révéler gênant.

Les plus petites des berlines Mercedes vendues chez nous ne sont pas nécessairement les moins bien nanties. Elles respectent à la lettre la notion de sécurité et de qualité de la marque allemande, tout en permettant à des gens moins fortunés d'accéder aux rangs des propriétaires de Mercedes. À moins qu'ils succombent aux irrésistibles envolées de la C43…

Jacques Duval

Mercedes-Benz classe E

Mercedes-Benz E430 Sport

Elle a montré la voie

C'est avec la classe E renouvelée en 1996 que la compagnie Mercedes a donné le coup d'envoi à une pléiade de nouveaux modèles – tous plus audacieux les uns que les autres. Cette berline dotée de phares de routes ovoïdes était le reflet du nouvel esprit de Daimler-Benz. Jadis le bastion de la tradition et du conservatisme, le géant de Stuttgart désirait s'ouvrir à la nouveauté et offrir une technologie de pointe à des prix plus raisonnables. Par exemple, alors que Mercedes prenait généralement plus de 84 mois pour développer un nouveau modèle, cette classe E a été concoctée en moins de 38 mois, un record pour ce manufacturier.

Vous connaissez la suite. Cette nouvelle classe E a été suivie d'une volée de nouveaux modèles dans différentes catégories, allant de la mini à l'utilitaire sport. Malheureusement, cette explosion créatrice n'est pas toujours restée fidèle à la traditionnelle qualité de la marque. Plusieurs des nouveaux modèles ont été affligés par des problèmes de jeunesse. Par ailleurs, la qualité de la peinture et des plastiques utilisés est souvent inférieure à celle de marques moins prestigieuses, dont les voitures sont vendues beaucoup moins cher.

Elle vieillit mal

La classe E joue les iconoclastes en délaissant le museau bien stylisé, installé sur des générations de voitures, pour adopter des phares ovoïdes qui sont sa signature visuelle. Malheureusement, si l'avant joue les avant-gardistes, la partie arrière est totalement

ratée. Vue de profil, la berline prend presque la forme d'un berceau relevé vers l'arrière, dont les rondeurs ne semblent déboucher nulle part. Et il faut souligner que la familiale n'est pas mieux réussie. Si le museau a un certain attrait, le reste ressemble trop aux anciennes familiales qui ne se sont jamais très bien vendues, d'ailleurs. Il suffit de comparer cette classe E à la nouvelle BMW 528i Touring pour conclure que les stylistes de Munich ont le coup de crayon beaucoup plus inspiré.

Il est important de souligner que ces phares représentent plus qu'un caprice de style. Après tout, Mercedes ne peut tout de même pas s'amuser à de telles frivolités sans y mettre un peu de sérieux. Leur forme particulière a permis aux ingénieurs de concevoir un nouveau bloc optique utilisant des ampoules plus puissantes et un système de mise au point automatique de la lentille. On obtient un faisceau lumineux plus intense et beaucoup plus net.

Par ailleurs, Mercedes n'a jamais dévié de ses recherches sur la sécurité routière. C'est ainsi que la classe E offre dorénavant un rideau de sécurité latérale. Ce rideau gonflable est placé en bordure du pavillon et se gonfle automatiquement en cas d'impact latéral. En plus de protéger la tête des occupants avant et arrière, ce coussin réduit l'intrusion dans l'habitacle du verre brisé et d'autres objets susceptibles de blesser les occupants.

Une technique de pointe

Regorgeant d'innovations mécaniques et électroniques, cette voiture a quand même bénéficié de l'arrivée de deux nouveaux moteurs modulaires en V l'an dernier. Après avoir vanté pendant des années les mérites des moteurs 6 cylindres en ligne, les

Mercedes-Benz classe E

Pour

Moteurs performants
• Direction précise • Maniabilité exemplaire • Sécurité passive très poussée • Traction intégrale offerte

Contre

Tableau de bord terne
• Certaines options très chères • Qualité erratique • Silhouette étriquée • Coffre plutôt modeste

Caractéristiques

Échelle de prix:	voir page 11 et suivantes
Modèle / Prix:	E320 / 67 250 $
Type:	berline / propulsion
Empattement:	283 cm
Longueur:	481 cm
Largeur:	180 cm
Hauteur:	144 cm
Poids:	1570 kg
Coffre / Réservoir:	434 litres / 80 litres
Coussins de sécurité:	conducteur, passager et latéraux
Système antipatinage:	oui
Suspension av. / arr.:	indépendante
Freins av. / arr.:	disque ABS+ Brake Assist
Direction:	à crémaillère, assistée
Diamètre de braquage:	11,3 mètres
Pneus av. / arr.:	P215/55R16
Valeur de revente:	excellente
Garantie de base:	60 mois / 120 000 km

Motorisation et performances

Moteur / Transmission:	V6 3,2 litres / automatique 5 rapports
Puissance / Couple:	221 ch à 5600 tr/min / 232 lb-pi à 3000-4800 tr/min
Autre(s) moteur(s):	V8 4,3 litres 275 ch / 6L 3,0 litres turbodiesel 174 ch
Transmission optionnelle:	aucune
Accélération 0-100 km/h:	7,7 secondes autre moteur: 7,0 secondes (V8)
Vitesse maximale:	210 km/h (limitée)
Freinage 100-0 km/h:	39,2 mètres
Consommation (100 km):	13 litres autre moteur: 13,5 litres (V8)

Modèles concurrents

BMW 528 • Lexus GS300 • Infiniti Q45T • Audi A6 • Acura 3,5RL • Cadillac Seville • Lincoln Continental

Quoi de neuf?

Rideau latéral gonflable • Nouvelle radio Audio30 • Système ESP de série sur E430

Verdict

Agrément	⊕ ⊕ ⊕ ⊖	Habitabilité	⊕ ⊕ ⊕ ⊕
Confort	⊕ ⊕ ⊕ ⊖	Hiver	⊕ ⊕ ⊕ ⊕
Fiabilité	⊕ ⊕ ⊕ ⊖	Sécurité	⊕ ⊕ ⊕ ⊕

ingénieurs de Stuttgart ont fait volte-face et développé un V6 3,2 litres de 221 chevaux. Ce V6 se distingue par la présence de 2 bougies et de 3 soupapes par cylindre afin d'améliorer les performances et de diminuer le taux de pollution. Ce moteur modulaire est également offert en version V8 4,3 litres. Ses 275 chevaux lui permettent de boucler le 0-100 km/h en 7,0 secondes et parfois moins, selon les circonstances. Il est également possible de commander une version animée par un turbodiesel 3,0 litres de 174 chevaux.

La classe E offre une boîte de vitesses automatique à 5 rapports de type adaptatif. Si elle est censée s'adapter automatiquement à votre style de pilotage, il lui faut parfois un certain temps pour se faire une idée et cela se traduit par un temps d'hésitation qui risque d'en agacer plusieurs. Enfin, depuis l'an dernier, il est possible de commander le système de propulsion intégrale 4Matic.

Elle vieillit mal.

La suspension avant est dotée de jambes de forces triangulées pour assurer une meilleure amorce des virages, un meilleur confort et une plus grande efficacité. La suspension arrière à bras multiples a été empruntée à la version précédente et elle est demeurée virtuellement inchangée. Soulignons que cette voiture nouvelle vague a été la première à renier le passé et à adopter une direction à crémaillère.

Même si elle est carrément tournée vers l'avenir, la classe E rappelle à plusieurs points de vue les modèles qui ont fait la réputation de la marque. Spacieuses, agiles, offrant un comportement routier exemplaire, ces voitures se font apprécier par leur harmonie d'ensemble, par la fougue des moteurs – même le turbodiesel – et par le raffinement technologique des composantes. Par contre, en plus de se démarquer par sa présentation extérieure, cette famille de Mercedes déçoit: sa finition est inégale, et on a parfois utilisé des matériaux à la limite de l'acceptable.

Souhaitons que l'appât du gain et le désir de prendre de l'ampleur ne viennent pas renier une glorieuse tradition d'excellence.

Denis Duquet

Mercedes-Benz classe M

Mercedes-Benz ML 430

Des débuts vacillants

L'idée d'associer le nom du plus prestigieux constructeur automobile du monde à un véhicule utilitaire sport était un coup de maître. La fascination de l'Amérique pour ces gros engins passe-partout ne semble pas sur le point de s'atténuer et Mercedes-Benz aurait eu tort de ne pas profiter de cet engouement, aussi ridicule soit-il. Pour donner encore plus de poids à son entrée dans ce secteur du marché, la firme allemande a même décidé de construire ce 4X4 ici même en Amérique, dans les profondeurs de l'Alabama. La démarche n'a cependant pas été un succès sur toute la ligne.

Car si le ML320 respecte techniquement la plupart des critères qui font qu'une Mercedes est une Mercedes, son exécution en sol américain n'a pas été, du moins au début, à la hauteur du slogan publicitaire «la Mercedes des 4X4» ou, plus explicitement, de la qualité normalement associée aux produits arborant l'étoile à trois pointes. Je fais partie des rares dissidents qui ont osé dénoncer les failles du ML320 au moment même où le véhicule était porté aux nues par une presse automobile souvent plus intéressée à maintenir ses bonnes relations avec les manufacturiers qu'à donner l'heure juste. Que mon évaluation du véhicule ait été réalisée avec l'un des premiers exemplaires à sortir des chaînes d'assemblage ne change rien au fait que l'acheteur d'une Mercedes a droit à la qualité qui fait depuis des décennies la réputation de ce constructeur. De toute manière, mon essai reflétait la réaction de la clientèle. De nombreux acheteurs ont été parfaitement satisfaits de leur ML320, alors que nombre d'autres ont été

refroidis par divers ennuis similaires à ceux que j'ai éprouvés avec le modèle mis à ma disposition.

Quelques accrocs

Le plus irritant était sans doute l'infiltration d'eau par la partie supérieure gauche du pare-brise. Ajoutons à cela un antivol se déclenchant à propos de tout et de rien, des phares auxiliaires défectueux, des essuie-glaces bruyants, un porte-verres qui s'ouvre inopinément, un couvercle de télécommande de porte de garage qui ferme mal et vous aurez un petit aperçu de l'ampleur du problème.

Le côté réjouissant de ce sombre tableau est que le ML320, dans son ensemble, est un véhicule d'une conception très saine et que les problèmes mentionnés précédemment ont été rectifiés par un resserrement des normes de qualité à l'usine de Tucsaloosa.

Les ingénieurs ont bien fait leur travail. Le ML320 est animé par le nouveau V6 de 3,2 litres à 3 soupapes par cylindre qu'on trouve aussi dans les berlines de la classe E. Avec 215 chevaux, le rapport poids/puissance n'apparaît pas très prometteur, mais le moteur s'acquitte de sa tâche avec une ardeur étonnante. Et pour 1999, le modèle de classe M de Mercedes peut se révéler encore plus performant grâce à l'apparition du ML430, dont la principale caractéristique est la présence sous le capot du V8 modulaire de 4,3 litres et 268 chevaux. Cette version se distingue aussi par des jantes de 17 pouces à 7 rayons chaussées de pneus P275/55R17.

Les deux moteurs sont bien servis par une transmission automatique à 5 rapports parfaitement adaptée à la courbe de puissance du moteur. Son seul inconvénient est une certaine lenteur à enclencher le rapport voulu.

Mercedes-Benz classe M

Pour

Moteur bien adapté
- Bon comportement routier
- Rouage intégral efficace
- Intérieur spacieux
- Prix compétitif • Confort soigné

Contre

Niveau sonore élevé
- Transmission automatique
- Mauvaise visibilité
- Système de chauffage à revoir
- Banquette arrière complexe

Caractéristiques

Échelle de prix:	voir page 11 et suivantes
Modèle / Prix:	ML430 / 59 950 $
Type:	utilitaire sport / traction intégrale
Empattement:	282 cm
Longueur:	459 cm
Largeur:	183 cm
Hauteur:	178 cm
Poids:	2010 kg
Coffre / Réservoir:	de 1144 à 2418 litres (sièges rabattus)/72 litres
Coussins de sécurité:	conducteur, passager et latéraux
Système antipatinage:	oui
Suspension av. / arr.:	indépendante
Freins av. / arr.:	disque ABS
Direction:	à billes, assistée
Diamètre de braquage:	11,3 mètres
Pneus av. / arr.:	P275/55R17
Valeur de revente:	très bonne
Garantie de base:	4 ans / 80 000 km

Motorisation et performances

Moteur / Transmission:	V8 4,3 litres / automatique 5 rapports
Puissance / Couple:	268 ch à 5500 tr/min / 288 lb-pi 3000 à 4000 tr/min
Autre(s) moteur(s):	V6 3,2 litres 215 ch
Transmission optionnelle:	aucune
Accélération 0-100 km/h:	8,9 secondes autre moteur: 9,8 secondes
Vitesse maximale:	200 km/h
Freinage 100-0 km/h:	40 mètres
Consommation (100 km):	15,5 litres autre moteur: 14 litres

Modèles concurrents

Ford Explorer • Jeep Grand Cherokee • Lexus RX300 • Infiniti Q45
• Land Rover Discovery

Quoi de neuf?

Moteur V8 • Systèmes d'assistance au freinage et d'antipatinage de série
• Toit vitré «Skyview» optionnel

Verdict

Agrément	⊕ ⊕ ⊕ ◖	Habitabilité	⊕ ⊕ ⊕ ⊕
Confort	⊕ ⊕ ⊕ ◖	Hiver	⊕ ⊕ ⊕ ⊕
Fiabilité	⊕ ⊕ ⊕ ◖	Sécurité	⊕ ⊕ ⊕ ⊕

Confort et tenue de route soignés

Le rouage intégral de cette Mercedes mérite aussi de bonnes notes, pas tant pour sa polyvalence que pour sa facilité d'utilisation. Pas de levier à déplacer ou de manœuvres particulières à effectuer pour pouvoir compter sur 4 roues motrices. L'électronique s'occupe de déterminer les conditions d'adhérence et les trois différentiels font le reste. Seul un bouton au tableau de bord vous permet de choisir entre une démultiplication normale ou le *low range*. Le confort et la tenue de route sont particulièrement soignés et j'irais même jusqu'à dire que le ML320 surpasse ici tous ses concurrents. C'est, dans une large mesure, sa suspension à 4 roues indépendantes qui lui donne de si bonnes manières en virage ou sur pavé dégradé. Le comportement hors route risque d'en souffrir un peu, mais pour la conduite sur des chaussées enneigées, le ML320 affiche une adhérence très rassurante. Il en va de même du freinage, dont l'efficacité ne peut être mise en doute. J'aurais simplement préféré une direction un peu moins «détachée» des sensations de la route mais, encore là, l'impression générale est que ce 4X4 ressemble plus à une voiture qu'à un camion. Le seul détail qui trahit sa vocation d'utilitaire est le niveau sonore qui, à une vitesse de croisière, est carrément assommant. Le bruit a d'ailleurs plusieurs sources, émanant du moteur, du vent ou du roulement des pneus.

Le modèle de base (Classic) doit se contenter d'un habitacle plastifié assez austère, alors que la version Elegance a droit à un peu plus de luxe avec ses appliques en bois. Les ML mériteraient une meilleure visibilité et un meilleur chauffage. Le découpage de la troisième glace latérale, la présence des appuie-tête arrière et la largeur du pilier gauche du pare-brise sont autant d'éléments qui nuisent à la visibilité. Et n'importe quel utilisateur de ML320 vous dira que l'on y gèle des pieds en hiver pour la simple raison qu'il n'y a pas de réglage permettant de diriger le débit d'air uniquement vers le plancher.

Sur une note plus positive, on s'étonne de trouver autant d'espace intérieur dans un véhicule qui, somme toute, a à peu près la même longueur qu'un Honda CR-V.

Si les premiers exemplaires de cet utilitaire sport n'ont pas tous été à la hauteur de la réputation de Mercedes, la qualité de construction a, depuis, fait l'objet d'un resserrement qui permet d'espérer que ce véhicule deviendra finalement la «Mercedes des 4X4».

Jacques Duval

Rodage terminé.

Mercedes-Benz classe S/CL

Mercedes-Benz classe S2000

Le chant du cygne

Après une carrière relativement courte de huit ans, les grosses Mercedes de la classe S sont sur le point de tirer leur révérence. Décriées pour leur format outrancier et leur lourdeur excessive, ces immenses berlines ont connu des jours plus ou moins heureux depuis leur apparition sur le marché en 1992. Elles figurent parmi les meilleures voitures du monde mais, à une époque où le gaspillage des ressources naturelles n'est pas très politiquement correct, il n'est pas surprenant qu'on veuille les remplacer.

Pour 1999, c'est le statu quo: les cinq berlines de classe S, tout comme les deux coupés CL, ne subissent absolument aucun changement par rapport à l'an dernier. La raison en est bien simple... Dès le printemps 1999, Mercedes-Benz (ou est-ce Daimler-Chrysler?) va tenter de marquer un grand coup en lançant sa nouvelle classe S sous le millésime 2000. Ce renouvellement hâtif d'une gamme qui a toujours eu une durée de vie plus longue est sans doute la meilleure preuve que les précédents modèles n'étaient pas tout à fait dans le ton.

Le nouveau porte-étendard de Mercedes nous fera découvrir une voiture plus courte, plus basse et nécessairement plus svelte que les modèles de la génération actuelle. Elle sera notamment raccourcie de 12 cm, même si l'empattement ne changera pas. L'utilisation intensive d'aluminium, de magnésium et d'alliage léger a aussi permis une réduction substantielle du poids. Grâce à un Cx de seulement 0,26 et à des moteurs à 2 bougies par cylindre, les nouvelles berlines de la classe S seront moins gloutonnes. Détail intéressant, les phares ronds de la classe E n'ont pas été retenus

pour la classe S. Les stylistes se sont tournés vers des groupes optiques ayant une certaine ressemblance avec ceux de la Porsche Boxster. Quant à la ligne proprement dite, elle s'inspire de celle d'un coupé. Malgré cela, l'habitacle a été agrandi et les voitures offriront une sécurité passive accrue. On dit aussi que plusieurs technologies «futuristes» expérimentées sur les voitures concepts de la marque ont été incorporées aux nouvelles berlines de classe S.

Une technologie poussée

La remplaçante de la S600, le modèle le plus cher de la gamme, héritera vraisemblablement de ces perfectionnements, incluant des sièges climatisés, dotés d'un système de massage pour atténuer les douleurs au dos lors de longs déplacements. En plus, le régulateur de vitesse sera doté d'un détecteur de radar qui réduira automatiquement la vitesse sélectionnée lors d'une opération policière. Il sera intéressant de voir comment ce dispositif peu «politiquement correct» sera reçu sur le marché nord-américain. Un petit écran LCD situé au centre de la console permettra de contrôler la ventilation, la chaîne audio et le système de navigation. Ces diverses fonctions pourront être activées au moyen de commandes vocales.

Ces grandes berlines hériteront bien sûr des nouveaux coussins-rideaux latéraux qui viennent de faire leur apparition dans la classe E. Fonctionnant simultanément avec les coussins montés dans les portières, ce coussin-rideau est le seul système pouvant empêcher les occupants avant et arrière de se heurter la tête contre les fenêtres ou les montants de toit lors d'une collision majeure. De plus, le coussin-rideau rempli d'air protège contre les éclats de verre et autres objets qui pourraient entraîner des blessures lors d'une

Mercedes-Benz classe S

Pour

Silence de roulement impression-
nant • Confort absolu
• Équipement exhaustif
• Excellents groupes propulseurs

Contre

Modèle en fin de carrière • Forte
consommation (V8) • Prix élévés
• Entretien coûteux
• Faible maniabilité

Caractéristiques

Échelle de prix:	voir page 11 et suivantes
Modèle / Prix:	S320 / 87 950 $
Type:	berline / propulsion
Empattement:	304 cm
Longueur:	511 cm
Largeur:	189 cm
Hauteur:	149 cm
Poids:	2190 kg
Coffre / Réservoir:	444 litres / 100 litres
Coussins de sécurité:	conducteur, passager et latéraux
Système antipatinage:	oui
Suspension av. / arr.:	indépendante
Freins av. / arr.:	disque ABS
Direction:	à billes, assistance variable
Diamètre de braquage:	12,2 mètres
Pneus av. / arr.:	P235/60HR16
Valeur de revente:	bonne
Garantie de base:	5 ans / 100 000 km

Motorisation et performances

Moteur / Transmission:	6L 3,2 litres / automatique 5 rapports
Puissance / Couple:	228 ch à 5500 tr/min / 229 lb-pi à 3750 tr/min
Autre(s) moteur(s):	V8 5,0 l 315 ch / V8 4,3 l 275 ch / V12 6,0 l 389 ch
Transmission optionnelle:	aucune
Accélération 0-100 km/h:	8,5 secondes autre moteur: 7,5 s (S500)
Vitesse maximale:	210 km/h (limitée)
Freinage 100-0 km/h:	41,2 mètres
Consommation (100 km):	13,8 litres autre moteur: 15,5 litres

Modèles concurrents

Cadillac Seville • BMW série 7 • Lexus LS400 • Infiniti Q45 • Jaguar XJ8

Quoi de neuf?

Aucun changement

Verdict

Agrément	⊕ ⊕ ⊕ ᕮ	Habitabilité	⊕ ⊕ ⊕ ⊕ ᕮ
Confort	⊕ ⊕ ⊕ ⊕	Hiver	⊕ ⊕ ⊕
Fiabilité	⊕ ⊕ ⊕ ⊕ ᕮ	Sécurité	⊕ ⊕ ⊕ ⊕ ⊕

collision latérale ou en cas de tonneau. Le coussin, qui mesure 180 cm de long, se déploie du plafond en 25 millisecondes, environ.

Le modèle haut de gamme sera propulsé par un nouveau V12 de 5,8 litres et 400 chevaux, permettant d'accélérer de 0 à 100 km/h en moins de 7 secondes. La S500 sera équipée d'un nouveau moteur V8 de 5,0 litres et 300 chevaux doté, en option, d'un système permettant de mettre la moitié des cylindres hors fonction. On nous assure que, sur autoroute, le changement est imperceptible et qu'il permet d'abaisser la consommation de 7 p. 100. Quant à savoir si les richards qui roulent en Mercedes-Benz classe S seront éblouis par cette nouveauté, on me permettra d'en douter. On affirme toutefois que ce principe proposé par Cadillac dans les années 80 a été amélioré et que les problèmes du fameux V8-6-4 ont été réglés. En plus des S500 et 600, la gamme comprendra une S430 dotée d'un V8 de 4,3 litres et une S320 V6, deux moteurs déjà utilisés dans les divers modèles de la classe E.

Une année de transition.

Des amortisseurs contrôlés électroniquement et un système de contrôle de la stabilité encore plus sophistiqué viendront compléter le portrait.

La Maybach 2003

Dans la gamme Mercedes, la classe S sera plus tard détrônée par la Maybach, une limousine destinée à concurrencer les ténors de la catégorie que sont les Rolls-Royce et Bentley. Cette super Mercedes, qui pourrait coûter autour de 300 000 $, verra le jour au début de l'an 2003. Montrée comme prototype dans divers salons de l'auto au cours de la dernière année, la Maybach a été conçue comme un chef-d'œuvre de technologie. Nommée en l'honneur du célèbre designer allemand Wilhelm Maybach, la voiture fera revivre l'époque des Mercedes d'avant-guerre et des 600 Pullman du début des années 80.

Pour revenir à l'année en cours, la S320 à moteur 6 cylindres 3,2 litres de 228 chevaux m'apparaît comme le modèle de classe S offrant le meilleur rapport qualité/prix. La puissance est étonnamment fort bien exploitée par la transmission automatique à 5 rapports. Mais si voulez vraiment être à la page, attendez la classe S de l'an 2000. Connaissant Mercedes, j'ai la nette impression que la firme allemande va profiter du tournant du siècle pour redonner à ses berlines de prestige la place qu'elles méritent dans la hiérarchie automobile.

Mercedes-Benz CLK coupé • cabriolet

Mercedes-Benz CLK

Une belle famille

L'étoile de Mercedes-Benz n'a jamais brillé de façon aussi étincelante au firmament de la voiture sport. Bien appuyés par les exploits de la marque en Formule 1, des modèles comme le roadster/coupé SLK ou les coupés/cabriolets CLK connaissent un succès sans précédent attribuable autant à leurs qualités intrinsèques qu'à une politique de prix plus raisonnable que dans le passé.

Au premier coup d'œil, le coupé CLK évoque immanquablement la berline de classe E du même constructeur. Ses yeux ronds et la ligne plongeante de son capot sont les premiers signes de ce dédoublement de personnalité. Or, il ne faut surtout pas se fier aux apparences. Même si le museau du coupé CLK ressemble à s'y méprendre à celui d'une E320, la voiture a beaucoup plus d'affinités avec les modèles de la classe C. Il suffit de la conduire pour s'en rendre compte. Seul le moteur a de plus grandes ambitions. Le coupé CLK reçoit en effet le V6 modulaire de 3,2 litres à 3 soupapes et 2 bougies par cylindre. Ses 215 chevaux sont dans une forme splendide et propulsent ce coupé à 100 km/h en 7,2 secondes. Sans avoir la douceur des anciens 6 cylindres en ligne de Mercedes-Benz, ce moteur se fait valoir par de brillantes performances et une consommation fort modeste pour une voiture de cette envergure. Cette année, le coupé CLK se donne même plus de tonus avec un moteur encore plus puissant, le V8 de 4,3 litres et 275 chevaux.

Un équilibre quasi parfait

Que ce soit le V6 ou le V8, le moteur travaille de concert avec une transmission automatique à 5 rapports dont le seul hic est une certaine lenteur à passer à l'action quand vient le moment de rétrograder. À l'instar des premières SLK, ce modèle est privé d'une boîte de vitesses manuelle qui serait pourtant très à propos dans un coupé de ce genre. Souhaitons que Mercedes-Benz se ravise comme elle l'a fait avec la SLK puisque cette dernière offre désormais le choix entre une boîte automatique ou manuelle.

La suspension multibras marie confort et tenue de route de façon quasi parfaite.

Comme la majorité des produits Mercedes-Benz, le coupé CLK ne fait entendre aucun bruit insolite sur de mauvais revêtements et affiche la robustesse d'une voûte de banque. Le seul obstacle au silence est le bruissement du vent qui, à l'occasion, vient troubler la quiétude de l'habitacle. Le coupé CLK est sans contredit la voiture la plus facile à garer en ville. Son diamètre de braquage incroyablement court facilite énormément les manœuvres de stationnement. En plus de la présence de 4 freins à disque et de l'antiblocage, la voiture bénéficie d'un nouveau dispositif de sécurité appelé «Brake Assist». Selon la firme allemande, un conducteur confronté à une situation d'urgence utilise rarement le plein potentiel de freinage de la voiture. Mercedes-Benz a donc mis au point un système qui détecte la pression exercée sur la pédale de frein et qui maximise l'assistance afin de réduire les distances d'arrêt. Puisqu'il est question de sécurité active, j'en profite pour souligner que contrairement à bien des voitures rapides dont l'éclairage est insuffisant en conduite nocturne, le coupé CLK possède des phares parfaitement à la hauteur des performances réalisables. En revanche, je persiste à croire que l'essuie-glace unique qui équipe plusieurs des modèles de la marque, dont le CLK, est une aberration. Non seulement son

Mercedes-Benz CLK

Pour	Contre
Moteur énergique • Freinage sûr • Faible rayon de braquage • Construction robuste • Stabilité exceptionnelle	Transmission automatique lente • Un seul essuie-glace • Mauvaise visibilité arrière • Bruits de vent • Plus bourgeoise que sportive

Caractéristiques

Échelle de prix:	voir page 11 et suivantes
Modèle / Prix:	CLK320 / 59 950 $
Type:	coupé 4 places / propulsion
Empattement:	269 cm
Longueur:	457 cm
Largeur:	172 cm
Hauteur:	138 cm
Poids:	1470 kg
Coffre / Réservoir:	318 litres / 62 litres
Coussins de sécurité:	frontaux et latéraux
Système antipatinage:	oui
Suspension av. / arr.:	indépendante
Freins av. / arr.:	disque ABS
Direction:	à billes, assistance variable
Diamètre de braquage:	10,8 mètres
Pneus av. / arr.:	P205/55R16
Valeur de revente:	très bonne
Garantie de base:	4 ans / 80 000 km

Motorisation et performances

Moteur / Transmission:	V6, 3,2 litres / automatique 5 rapports
Puissance / Couple:	215 ch à 5500 tr/min / 229 lb-pi à 3000-4600 tr/min
Autre(s) moteur(s):	V8 4,3 litres 275 ch
Transmission optionnelle:	aucune
Accélération 0-100 km/h:	7,2 secondes autre moteur: 6,9 secondes
Vitesse maximale:	210 km/h (limitée électroniquement)
Freinage 100-0 km/h:	39,4 mètres
Consommation (100 km):	10,0 litres autre moteur: 11,9 litres

Modèles concurrents

Volvo C70 • BMW série 3 coupé • Saab 9-3 Turbo coupé • Buick Riviera

Quoi de neuf?

Moteur V8 4,3 litres • Version cabriolet

Verdict

Agrément	⊕ ⊕ ⊕ ⟨	Habitabilité	⊕ ⊕ ⟨
Confort	⊕ ⊕ ⊕ ⊕	Hiver	⊕ ⊕ ⊕ ⟨
Fiabilité	⊕ ⊕ ⊕ ⊕	Sécurité	⊕ ⊕ ⊕ ⊕ ⟨

usure est plus rapide mais, par mauvais temps, il ne réussit pas toujours à bien nettoyer la partie supérieure du pare-brise en dépit d'une généreuse aspersion de liquide de lave-glace. Et puisque nous parlons de visibilité, précisons que celle-ci est plutôt précaire vers l'arrière.

Sésame, ouvre-toi

Mercedes-Benz fait appel, fort heureusement, à des solutions plus ingénieuses dans d'autres domaines. Je pense notamment à la nouvelle clé de contact électronique fonctionnant au moyen de fréquences radio et de codes variables. Cette clé inédite, intégrée à la télécommande de verrouillage, n'a pas de tige métallique et s'emboîte plutôt dans le contact tout en envoyant un signal infrarouge. Si le mot de passe correct est renvoyé, la direction est électroniquement déverrouillée, le contact est établi et le démarreur est activé.

Des Mercedes plaisir.

Parmi les accessoires les plus raffinés du coupé CLK, soulignons la possibilité d'escamoter les appuie-tête arrière à partir d'un bouton au tableau de bord et un siège de passager avant motorisé qui, lorsqu'on rabat le dossier, avance automatiquement pour faciliter l'accès à des places arrière fort convenables pour un coupé. Le confort de l'habitacle est assuré par une climatisation à deux zones (conducteur et passager) tandis que la sécurité passive peut compter sur des sacs gonflables frontaux et latéraux.

À peu de choses près, tout ce qui précède s'applique également à la nouvelle version cabriolet du CLK qui prend la relève de l'ancienne E320 à toit souple disparue en 1995. Même s'il coûte moins cher, ce cabrio 4 places est doté du même fabuleux mécanisme d'ouverture et de fermeture de la capote à fonctionnement électro-hydraulique ainsi que d'arceaux de sécurité se déployant automatiquement dès que l'angle d'inclinaison de la carrosserie laisse entrevoir un tonneau possible.

Quant au coupé/cabriolet SLK, il s'adresse à ceux qui recherchent le meilleur de deux mondes avec son toit dur escamotable lui permettant de se transformer en quelques secondes en un ravissant roadster. Un groupe «Sport» optionnel permet aussi de donner un aspect plus performant à ce qui est essentiellement une mini-GT (voir texte sur la SLK).

Par leur construction soignée, les CLK et SLK respectent à la lettre la réputation d'excellence de leur constructeur.

Jacques Duval

Mercedes-Benz SLK

Mercedes-Benz SLK

Le roadster réinventé

Synonyme de luxe et de prestige, le nom Mercedes rimait également, depuis une vingtaine d'années, avec pragmatisme. Confortables, sécuritaires et sophistiquées, ces froides allemandes affichaient cependant un tempérament on ne peut plus cérébral, imperméable à toute fantaisie. Cette image, la firme de Stuttgart la traînait comme un boulet, mais il aura suffi de trois petites lettres pour bouleverser cette perception.

Les trois lettres en question, SLK, désignent un élégant roadster biplace à propulsion, dont la mission première consiste à redonner à ce constructeur une image de marque qui fut naguère la sienne, et qui conjuguait prestige et performances. Une démarche entreprise au cours de la présente décennie, notamment avec la participation croissante de la marque à l'étoile d'argent aux deux plus prestigieux championnats du sport automobile (Formule 1 et série CART), en tant que motoriste cette fois.

Aussi belle qu'astucieuse

En fière descendante des cabriolets 300SL et 190SL des années 50 et 60, la SLK leur emprunte ses deux bosses sur le capot. Du coup, elle annonce ses couleurs: les sœurs ennemies que sont ses compatriotes Porsche Boxster et BMW Z3 n'ont qu'à bien se tenir! Et n'oublions pas le quatrième larron, Audi, qui s'apprête à plonger dans le bain avec la TTS, dont l'arrivée est prévue pour 1999.

Devant cette concurrence, Mercedes a choisi de se distinguer par son originalité. Mécanique d'abord: pendant qu'à Zuffenhausen (Porsche) et à Munich (BMW) on optait pour une motorisation

atmosphérique à 6 cylindres, à Stuttgart on jouait la carte du 4 cylindres à compresseur. Du moins pour l'Amérique du Nord, puisque la version atmosphérique, moins puissante, n'a pas été jugée apte à traverser l'océan.

Autre particularité Mercedes, la SLK est à la fois un roadster et un coupé, gracieuseté de son astucieux toit rigide qui, une fois baissé, prend place dans le coffre. L'envers de la médaille, c'est que la capacité de chargement dudit coffre passe de 348 à 145 litres. Remarquez que dans les deux cas, la Mercedes ne s'en tire pas trop mal: 348 litres, c'est mieux que la plupart des coupés, tandis que la Mazda Miata n'offre que 144 litres, toit baissé ou non.

Du reste, le côté pratique de la SLK ne surprend guère de la part d'un constructeur aussi cartésien. Ce qui étonne, et pas seulement un peu, c'est l'audace de ses stylistes. À moins qu'on ne leur ait tout simplement laissé plus de corde qu'auparavant? Qu'importe, puisque le résultat est en tout temps flatteur: avec ou sans toit, à l'intérieur comme à l'extérieur, la présentation intérieure étant à la hauteur de la superbe carrosserie. À bord de notre véhicule d'essai, le mélange de rouge et de noir était aussi spectaculaire qu'agréable à l'œil. Bref, il y a belle lurette qu'on a vu un habitacle aussi jazzé dans une création de Stuttgart. Et, Mercedes oblige, fonctionnel en plus.

La nouvelle vague germanique

Rarement a-t-on vanté la polyvalence d'une voiture à vocation sportive, encore moins celle d'un roadster. Mais il y a un début à tout. Par une belle journée ensoleillée, le plaisir de rouler à ciel ouvert est incomparable, tandis que le toit rigide réduit à néant les inconvénients reliés aux capotes traditionnelles. À savoir les bruits de vent,

Mercedes-Benz SLK

Pour

Concept original • Finition et qualité d'assemblage exceptionnelles • Confort remarquable • Chef-d'œuvre de design • Comportement sûr

Contre

Coffre réduit si toit baissé • Prix abordable pour une Mercedes, mais corsé pour le commun des mortels • Motorisation qui laisse perplexe

Caractéristiques

Échelle de prix:	voir page 11 et suivantes
Modèle / Prix:	SLK / 57 550 $
Type:	roadster-coupé 2 places / propulsion
Empattement:	240 cm
Longueur:	399 cm
Largeur:	171,5 cm
Hauteur:	126 cm
Poids:	1325 kg
Coffre / Réservoir:	348 ou 145 litres (toit ouvert) / 53 litres
Coussins de sécurité:	conducteur, passager et latéraux
Système antipatinage:	oui
Suspension av. / arr.:	indépendante
Freins av. / arr.:	disque ABS
Direction:	à billes, assistée
Diamètre de braquage:	10,6 mètres
Pneus av. / arr.:	P205/55R16 / P225/50R16
Valeur de revente:	excellente
Garantie de base:	4 ans / 80 000 km

Motorisation et performances

Moteur / Transmission:	4L 2,3 litres à compresseur / aut. 5 rapports
Puissance / Couple:	191 ch à 5300 tr/min / 206 lb-pi de 2500 à 4800 tr/min
Autre(s) moteur(s):	aucun
Transmission optionnelle:	manuelle 5 rapports
Accélération 0-100 km/h:	7,4 secondes
Vitesse maximale:	228 km/h
Freinage 100-0 km/h:	39,7 mètres
Consommation (100 km):	8,5 litres

Modèles concurrents

Audi TTS • BMW Z3 • Mazda Miata • Porsche Boxster

Quoi de neuf?

Boîte manuelle à 5 rapports • Nouvelle version sport AMG (optionnelle) • Système d'assistance au freinage (Brake Assist System) de série

Verdict

Agrément	⊕ ⊕ ⊕ ⊕	Habitabilité	⊕ ⊕ ₢
Confort	⊕ ⊕ ⊕ ⊕	Hiver	⊕ ⊕
Fiabilité	⊕ ⊕ ⊕	Sécurité	⊕ ⊕ ⊕ ⊕

une étanchéité quelquefois douteuse et une coque moins rigide. Rien de tout ça dans cette Mercedes à la construction soignée.

Naguère réputés pour leur confort spartiate, les roadsters se sont considérablement civilisés avec l'arrivée de cette nouvelle vague germanique. Avec, en tête de liste, la SLK, loin devant la Boxster et la Z3. Ses deux rivales sont, il est vrai, plus sportives; non pas en termes de performances, la Mercedes tirant fort bien son épingle du jeu, mais plutôt en matière de comportement. Celui de la SLK n'est pas à dédaigner pour autant, car elle se montre sûre en toute situation. Agile et maniable, elle se conduit comme un charme dans les petites routes sinueuses, reste imperturbable dans les grandes courbes et impressionne par sa tenue de cap à haute vitesse. En résumé, on ne peut lui reprocher grand-chose, sinon d'être moins électrisante que la Porsche ou la «Béhème», ce qu'elle compense par un confort de premier ordre.

Quand Mercedes se dévergonde.

Elle mériterait cependant une mécanique plus noble, le rendement de son 4 cylindres supportant mal, cette fois, la comparaison avec les 6 cylindres de ses deux rivales. Il est moins onctueux et moins vif que ces derniers, particulièrement à bas régime où sa paresse oblige à se servir de la boîte automatique comme s'il s'agissait d'une manuelle, et ce afin de rétrograder pour obtenir une meilleure réponse. Une fois lancé, il montre cependant une belle flexibilité et à partir de 2500 tr/min, le couple répond toujours présent. Capable de filer à plus de 200 km/h sans effort, ce moteur est sans doute idéal pour les *Autobanhen* allemandes, mais compte tenu de la sévérité de notre Code de la route, on s'accommoderait fort bien d'une vitesse de pointe moindre au profit d'un peu plus de punch à bas régime. Et d'une sonorité digne de son standing, car le claquement du moteur lorsqu'il tourne au ralenti n'est pas sans rappeler celui des Coccinelle d'antan, ce qui est franchement gênant.

Mercedes n'en mérite pas moins un grand coup de chapeau pour avoir su réinventer le concept du roadster, rien de moins. Les comparaisons avec la Porsche Boxster et la BMW Z3 sont inévitables et il en ressort que les têtes pensantes de Stuttgart ont effectué un boulot remarquable en choisissant de miser sur la différence. La définition d'agrément de conduite n'étant pas la même pour tout le monde, la SLK comblera ceux qui privilégient confort et douceur de roulement, et dont la folie est malgré tout teintée d'une certaine logique. Car telle est la SLK: audacieuse et réservée à la fois.

Paradoxe, direz-vous? Complémentarité, plutôt.

Mercury Cougar

Mercury Cougar

Le félin aiguise ses griffes

Avec la nouvelle Cougar, Mercury poursuit deux objectifs: rajeunir son image plutôt pépère et donner à la marque une plus grande autonomie par rapport aux modèles Ford. Le coupé sport qui doit assumer ce double mandat est à mille lieues des anciennes Cougar et a presque tout pour réussir. Son pire ennemi pourrait être son nom qui rappelle des voitures d'une autre époque, fades et sans intérêt.

Personne ne prend plaisir à vendre une copie plutôt qu'un original. C'est pourtant la tâche ingrate qui incombe le plus souvent aux concessionnaires Mercury, la marque jumelle de Ford. Jusqu'à maintenant, il fallait être un génie de la mise en marché pour faire croire à la clientèle qu'une Mercury Sable, Mystique ou Grand Marquis était autre chose qu'une Ford à peine déguisée.

Dans un marché automobile infiniment varié, cette stratégie n'apparaît plus tellement viable. Pour affronter le prochain millénaire, Mercury se devait d'assumer sa propre identité et l'arrivée de la Cougar 1999 marque le début d'un temps nouveau à cette enseigne.

Bien qu'il emprunte 70 p. 100 de ses composantes à la Ford Contour, ce coupé sport à hayon possède une carrosserie qui lui est propre et est offert exclusivement sous l'emblème Mercury. D'emblée, son lien direct avec un modèle déjà existant lui assure une fiabilité non négligeable.

Un héritage européen

La Cougar a pris racine en Europe où les diverses filiales de Ford ont largement contribué à son développement. La voiture repose en effet sur une plate-forme de Mondeo, la berline compacte de Ford Europe. Cette Cougar sera d'ailleurs commercialisée sur le vieux continent. Son principal attrait est sans l'ombre d'un doute sa silhouette qui ne ressemble à aucune autre, tandis que son plus grand handicap est probablement son nom. Le dessin, appelé *edge design*, marie les lignes droites et courbes avec bonheur. Quant à l'appellation Cougar, elle nous rappelle beaucoup trop de grosses voitures plutôt insipides qui n'étaient que de mauvaises copies de la Ford Thunderbird.

Fort heureusement, la nouvelle Cougar n'a rien à voir avec les anciennes et c'est ce qui compte. On a affaire à un coupé à traction, raisonnablement bien équipé, doté d'une mécanique éprouvée et vendu à un prix très attrayant. La version la moins chère est animée par le même 4 cylindres (Zetec 2,0 litres) de 125 chevaux qu'on retrouve sous le capot des Contour et Mercury Mystique. Ce modèle d'entrée de gamme comporte tout de même une belle liste d'accessoires de série, incluant un ordinateur de bord à 5 fonctions, des rétroviseurs extérieurs chauffants à commande électrique, une radio AM-FM avec lecteur de cassettes, un volant inclinable et un siège du conducteur à hauteur variable.

Pour ceux qui croient qu'un coupé sport doit offrir autre chose qu'une belle gueule, un modèle à moteur V6 de 2,5 litres et 170 chevaux est aussi au programme. La puissance accrue s'accompagne de freins à disque aux roues arrière, de phares antibrouillards, de pneus et jantes de 16 pouces au lieu de 15 et d'un petit aileron joliment posé sur le hayon. Quant aux accessoires de luxe, ils s'enrichissent, dans la version V6, d'un climatiseur et d'un régulateur de vitesse.

Toutefois, en prenant connaissance de l'équipement d'origine de ces deux modèles, on a l'impression que les gens de Mercury, peu habitués à tant d'autonomie, ne savent plus très bien sur quel pied danser. À titre d'exemple, on ne cesse de vanter les prouesses sportives ou l'agrément de conduite de la Cougar, mais chacune des versions comporte un ordinateur de bord de série et non les freins ABS qui, eux, sont en supplément, tout comme l'antipatinage. Étrange...

En outre, on mise beaucoup sur la sécurité passive de la Cougar qui devient la première voiture de ce prix à offrir un ingénieux coussin gonflable latéral intégré au dossier des sièges avant et servant à protéger la tête et la poitrine lors d'un impact.

Chez Mercury, on rêve un peu en couleurs quand on affirme que le nouveau coupé Cougar est un vrai 4 places. On a eu beau incliner les sièges arrière au maximum et enfoncer leur coussin, il est strictement impossible d'y faire asseoir un adulte de taille moyenne sans se créer un ennemi pour la vie. Même les enfants risquent de crier à l'imposture.

Route et piste

Nous avons testé les deux versions de la Cougar, tant sur les routes de la Géorgie que sur le circuit de Road Atlanta.

Avec le moteur 4 cylindres, la voiture est un animal bien sage qui met près de 11 secondes à «bondir» de 0 à 100 km/h, et cela même avec la boîte manuelle à 5 rapports, la seule offerte avec cette cylindrée. L'absence inexplicable d'une zone rouge au compte-tours vous oblige à explorer les hauts régimes, ce qui se traduit par un niveau sonore particulièrement élevé. Cette voiture, il faut le noter, est relativement lourde et n'affiche ni les performances ni la maniabilité du coupé Saturn SC qu'on nous avait fourni à des fins de comparaisons. La direction aussi se ressent de cet excédent de poids. Malgré tout, l'ordinateur de bord affiche de bonnes nouvelles au chapitre de la consommation avec une moyenne de 7 litres aux 100 km à une vitesse constante sur autoroute. Sans être stimulant, le comportement routier est sain avec un sous-virage peu prononcé et un roulis bien contrôlé. Au freinage, la voiture inspire une plus grande confiance que la Saturn avec, notamment, une pression moindre à exercer sur la pédale. Le châssis de la Cougar est 18 p. 100 plus rigide que celui de la Contour et cela se vérifie sur mauvaise route où la voiture ne fait entendre strictement aucun bruit de caisse. Cette qualité est d'autant plus louable que les voitures de ce type sont ordinairement pénalisées à ce chapitre en raison de la grande échancrure imposée par la présence d'un hayon.

Un V6 quasi obligatoire

Pour mettre en valeur ses lignes et son allure, le coupé Cougar mérite vraiment un moteur plus étoffé et ce n'est qu'avec le V6 de 170 chevaux que l'on

Mercury Cougar

Pour

Ligne flatteuse • Confort relevé • Comportement routier sain • Carrosserie solide • Sécurité passive soignée

Contre

Position de conduite inconfortable • Seuil de coffre élevé • Places arrière exiguës • Mauvaise visibilité arrière • Levier de vitesses rêche

Caractéristiques

Échelle de prix:	voir page 11 et suivantes
Modèle / Prix:	V6 / 24 295 $
Type:	coupé 2+2 à arrière ouvrant / traction
Empattement:	270 cm
Longueur:	470 cm
Largeur:	177 cm
Hauteur:	133 cm
Poids:	1370 kg
Coffre / Réservoir:	350 litres / 55 litres
Coussins de sécurité:	conducteur, passager et latéraux
Système antipatinage:	optionnel
Suspension av. / arr.:	indépendante
Freins av. / arr.:	disque avec ABS Bosch 5,3 (option)
Direction:	à crémaillère, assistée
Diamètre de braquage:	10,9 mètres
Pneus av. / arr.:	P215/50R16
Valeur de revente:	nouveau modèle
Garantie de base:	3 ans / 60 000 km

Motorisation et performances

Moteur / Transmission:	V6 2,5 litres / manuelle 5 rapports
Puissance / Couple:	170 ch à 6200 tr/min / 165 lb-pi à 4250 tr/min
Autre(s) moteur(s):	4L 2,0 litres 125 ch
Transmission optionnelle:	automatique 4 rapports (V6 seulement)
Accélération 0-100 km/h:	8,5 secondes autre moteur: 10,9 secondes
Vitesse maximale:	218 km/h
Freinage 100-0 km/h:	39,7 mètres
Consommation (100 km):	8,8 litres autre moteur: 8,0 litres

Modèles concurrents

Saturn SC • Hyundai Tiburon • Dodge Avenger • Toyota Camry Solara

Quoi de neuf?

Nouveau modèle

Verdict

Agrément	⊕ ⊕ ⊕ ◖	Habitabilité ⊕ ⊕ ⊕
Confort	⊕ ⊕ ⊕ ⊕	Hiver ⊕ ⊕ ⊕ ◖
Fiabilité	⊕ ⊕ ⊕	Sécurité ⊕ ⊕ ⊕ ⊕

sera en mesure de l'apprécier à sa juste valeur. L'expérience de la piste est sur ce plan très révélatrice. Elle permet de libérer toute cette puissance et de bénéficier d'un comportement routier qui, avec le moteur 4 cylindres, est incapable de s'exprimer. Le freinage est encore plus efficace et la direction est moins sensible à l'effet de couple, même si la puissance est nettement supérieure. Bref, les pneus de 16 pouces sont moins sollicités et bonifient l'agrément de conduite. La seule ombre au tableau est le levier de vitesses qui n'a ni la précision ni la douceur des meilleures boîtes manuelles. On boucle néanmoins le 0-100 km/h en 8,5 secondes environ.

Bien née, mal nommée.

Des fautes de jeunesse

Si le coupé Cougar est une belle réussite en ce qui concerne l'esthétique et le châssis, l'aménagement intérieur souffre d'un certain nombre de lacunes. La plus sérieuse a trait au confort des sièges. Leur rembourrage est beaucoup trop dur et, en dépit des nombreux réglages possibles, la position de conduite ne semble jamais la bonne. En s'installant au volant, il arrive souvent aussi qu'on touche du pied, par mégarde, le bouton d'ouverture à distance du hayon. En plus, de nombreux essayeurs ont noté qu'il était trop facile de confondre les poignées de porte et les poignées de maintien placées sur un même plan.

La visibilité bénéficie d'une ceinture de caisse assez basse, donnant une grande surface vitrée. Les choses se gâtent toutefois quand vient le moment de faire marche arrière. On n'y voit à peu près rien, comme dans beaucoup de voitures dont le style sacrifie l'aspect fonctionnel à l'esthétique. Le seuil élevé du coffre est aussi un irritant, mais l'espace pour les bagages est généreux avec, en plus, la possibilité de rabattre en tout ou en partie la banquette arrière pour accroître le volume utile. La planche de bord mérite, quant à elle, de bonnes notes avec une belle instrumentation sur fond gris, des aérateurs parfaitement efficaces et une chaîne audio dotée de boutons de réglage qu'on peut manipuler sans l'aide d'un verre grossissant.

Globalement, les gens de Mercury ont bien fait leurs classes et la Cougar semble posséder suffisamment d'attraits pour permettre à la marque de prendre sa destinée en main. Il faudra toutefois que les autres modèles de la gamme empruntent la même voie et se démarquent davantage de leurs jumeaux de chez Ford.

Jacques Duval

Nissan Altima

Nissan Altima

Tel que prévu, sauf…

L'an dernier, Nissan a procédé au rajeunissement de sa berline Altima. Si les modifications mécaniques ont été modestes, l'ajout de plusieurs améliorations esthétiques avait pour but d'assurer un meilleur impact visuel à cette voiture. Les nombreuses études effectuées par Nissan avaient démontré que les gens ne se sentaient pas attirés par cette berline, dont les formes la faisaient paraître plus étroite qu'elle ne l'était en réalité.

Le Centre de design international Nissan situé à la Jolla, en Californie, s'est vu confier le mandat de remédier à la situation en altérant la silhouette de manière à la rendre plus sympathique et plus attrayante. Par la même occasion, on en a profité pour dépoussiérer l'habitacle et le tableau de bord en tenant compte des critiques de la clientèle. Il faut également souligner qu'il s'agit de la première Nissan à être entièrement conçue en Amérique du Nord. La portion technique était sous la responsabilité du Centre Nissan situé au Michigan.

Au Canada, l'Altima 1998 a connu un succès immédiat, tout particulièrement au Québec. Les gens ont craqué pour cette silhouette assez particulière avec son arrière légèrement tronqué qui lui confère un look européen. Une politique agressive de révision des prix a également contribué à intéresser les gens à cette Nissan. Mission accomplie? Pas vraiment, car les acheteurs américains ont été beaucoup moins emballés. En fait, la nouvelle Altima devait être le best-seller chez Nissan, mais ses ventes sont en retrait par rapport à l'an dernier. Il faut croire que nos voisins du sud ont moins apprécié les transformations.

Une fabrication soignée

Les considérations esthétiques mises à part, l'Altima est l'une des voitures les plus solides et les plus fiables sur le marché. D'ailleurs, Nissan a fait les manchettes il y a quelques années en faisant appel à un processus de fabrication très sophistiqué qui permet d'assembler en une seule opération toute la caisse de la voiture. Cette façon de procéder élimine pratiquement tout risque de déviation par rapport aux données originales. De plus, ce procédé permet d'utiliser un seul estampage par paroi latérale, ce qui ajoute à la solidité de la voiture.

Toutes les Altima sont assemblées à l'usine de Smyrna dans le Tennessee, un établissement reconnu comme l'un des meilleurs en fait de productivité et de qualité d'assemblage. Il suffit d'ailleurs d'examiner une Altima de près pour constater que la finition est impeccable et la qualité des matériaux presque sans reproche. Par contre, la texture du plastique de l'habitacle fait bon marché. De plus, on est en droit de se demander pourquoi les stylistes ne se sont pas donné la peine de trouver une solution plus élégante pour la confection du couvercle du coussin de sécurité du passager. Les joints presque grossiers détonnent avec l'ensemble.

Au chapitre de la mécanique, l'Altima propose plus ou moins la même fiche depuis son entrée en scène en 1993. Elle conserve donc le même 4 cylindres 2,4 litres qu'à ses débuts. Ce dernier a cependant eu droit à plusieurs modifications internes visant à améliorer sa courbe de puissance et sa fiabilité, tout en le rendant plus propre en ce qui concerne les gaz d'échappement. Les ingénieurs ont également tenté de modifier son côté grognon à régime élevé,

Nissan Altima

Pour

Construction solide • Moteur fiable • Bonne habitabilité • Tenue de route saine • Sièges confortables

Contre

Direction engourdie • Bruits éoliens • Ouverture du coffre étroite • Personnalité trop discrète • Pneumatiques moyens

Caractéristiques

Échelle de prix:	voir page 11 et suivantes
Modèle / Prix:	GXE / 23 498 $
Type:	berline / traction
Empattement:	262 cm
Longueur:	466 cm
Largeur:	175 cm
Hauteur:	142 cm
Poids:	1335 kg
Coffre / Réservoir:	390 litres / 60 litres
Coussins de sécurité:	conducteur, passager et latéraux
Système antipatinage:	non
Suspension av. / arr.:	indépendante
Freins av. / arr.:	disque / tambour (ABS optionnel)
Direction:	à crémaillère, assistance variable
Diamètre de braquage:	11,4 mètres
Pneus av. / arr.:	P195/65R15
Valeur de revente:	bonne
Garantie de base:	3 ans / 80 000 km

Motorisation et performances

Moteur / Transmission:	4L 2,4 litres DACT / automatique 4 rapports
Puissance / Couple:	150 ch à 5600 tr/min / 155 lb-pi à 4400 tr/min
Autre(s) moteur(s):	aucun
Transmission optionnelle:	manuelle 5 rapports
Accélération 0-100 km/h:	11,5 secondes
Vitesse maximale:	185 km/h
Freinage 100-0 km/h:	42,0 mètres
Consommation (100 km):	10,2 litres

Modèles concurrents

Chevrolet Malibu • Toyota Camry • Ford Contour • Honda Accord • Mazda 626 • Dodge Stratus

Quoi de neuf?

Nouveaux coloris • Aucun changement majeur

Verdict

Agrément	⊕⊕⊕	
Confort	⊕⊕⊕⊕	
Fiabilité	⊕⊕⊕⊕	
Habitabilité	⊕⊕⊕⊕	
Hiver	⊕⊕⊕	
Sécurité	⊕⊕⊕	

tout en diminuant les vibrations par l'utilisation de blocs d'ancrage plus sophistiqués.

Il est par ailleurs intéressant de souligner que l'Altima possède toujours une suspension arrière indépendante, tandis que la Maxima, plus chère et plus luxueuse, a adopté une suspension à essieu rigide il y a quelques années.

La voiture de tous les jours

Il est difficile de trouver à redire sur cette berline à l'habitabilité surprenante et au comportement routier sans histoire. À part une ouverture de coffre étroite et un sifflement perceptible à une vitesse de croisière, cette Nissan est une élève modèle en tant que voiture familiale. D'ailleurs, elle compense le premier défaut par une banquette arrière 60/40 permettant de transporter des objets plus encombrants. Quant aux bruits éoliens, il faut s'y faire et augmenter le volume de la radio.

Une refonte à demi réussie.

Le conducteur et son passager avant, installés dans des sièges-baquets très confortables, peuvent profiter d'une visibilité presque exemplaire. Même les personnes de grande taille vont y trouver leur compte, puisque le dégagement pour la tête est généreux. La tenue de route est prévisible et efficace. En revanche, les pneumatiques protestent rapidement. Ainsi équipée, cette berline semble à son mieux dans la conduite de tous les jours, même si son châssis lui permet de rouler de façon sportive. À noter que le moteur devient bruyant à haut régime.

En fin de compte, l'Altima propose un rapport qualité/prix très intéressant en cette période d'inflation dans le domaine automobile. De plus, sa construction sérieuse et sa mécanique sans histoire ont démontré au fil des ans qu'elle pouvait être un choix intéressant pour les personnes voulant conserver leur voiture le plus longtemps possible. À placer dans la colonne des moins, son caractère trop placide qui lui fait perdre des points. Malgré cela, aucun changement majeur n'est à souligner pour 1999, si ce n'est l'addition de nouveaux coloris.

Denis Duquet

Nissan Maxima

Nissan Maxima

Anatomie d'une réussite

Retouchée l'an dernier, la Maxima reste l'un des modèles qui procurent le plus de satisfaction à leurs propriétaires, et ce depuis belle lurette: cette berline est une routière confortable, bien construite et d'une fiabilité exceptionnelle. Si les ingrédients de cette recette gagnante n'ont rien de bien sorcier, la réussir est une autre paire de manches.

Quatre versions sont proposées, et elles ne se démarquent pas uniquement par leur équipement respectif, affichant plutôt des personnalités distinctes, ne serait-ce que par le réglage de leurs suspensions. La livrée de base (GXE) brille par un équipement de série complet qui comprend, outre les accessoires électriques, la climatisation, le régulateur de vitesse, le volant ajustable ainsi qu'une chaîne stéréo avec lecteur de cassettes. Le manque d'éclat de la présentation intérieure, avec son tableau de bord banal et ses matériaux d'allure bon marché, vient cependant rappeler qu'il s'agit d'une version de base. Sauf que, modèle de base ou non, à près de 30 000 $ l'exemplaire, la pilule est difficile à avaler. Comme par hasard, une voiture dite économique s'ajoute cette année: baptisée ES, il s'agit d'une exclusivité canadienne.

La SE affiche des prétentions plus sportives, avec sa suspension plus ferme et une décoration nettement plus jazzée: roues de 16 pouces en alliage, becquet arrière, phares antibrouillards et tableau de bord accrocheur avec cadrans à fond blanc. De plus, elle est la seule à recevoir de série le système de freinage antiblocant. Comme sur la GXE, la boîte manuelle à 5 rapports est de série.

La livrée GLE est la plus cossue, comme en témoignent sa boîte automatique à 4 rapports (optionnelle sur les deux autres versions),

le réglage de sa suspension axé sur le confort et son équipement de série rehaussé notamment par un système de climatisation automatique, une sellerie cuir et un lecteur de disques compacts. Cette polyvalence fait en sorte que la Maxima peut jouer sur deux terrains à la fois, soit celui des grandes compactes (Honda Accord, Toyota Camry, Mazda 626 et cie) et des berlines intermédiaires de luxe (Acura, Lexus et consorts).

Note parfaite pour le V6

Outre leur carrosserie, les trois versions possèdent un dénominateur commun, qui est aussi l'un de leurs principaux atouts: un amour de V6, d'une grande compétence à tout point de vue. Compact et léger, ce moteur multisoupape à deux arbres en cames en tête, d'une cylindrée de 3,0 litres, brille autant sur papier, gracieuseté de sa conception moderne, que par son rendement exemplaire.

Son ronronnement discret cache un solide tempérament, que vient confirmer le verdict du chronomètre. Rien de brutal, cependant, tout au contraire: bien servi par une souplesse et une douceur typiques des engins japonais, ainsi que par une souplesse qui se conjugue avec une saine répartition du couple à tous les régimes, il se démarque autant par sa grande civilité que par la linéarité de sa puissance. Pour ce beau travail, les motoristes de Nissan méritent une note parfaite, rien de moins.

L'accouplement à une boîte automatique se fait sans heurts, ce qui est presque un euphémisme, tant moteur et transmission semblent en parfaite symbiose. En fait, on peut parler ici de mimétisme, car la boîte se comporte de la même façon que le moteur qu'elle

Nissan Maxima

Pour

Superbe V6 • Conduite plus inspirée (SE) • Routière confortable • Fiabilité exemplaire • Versions complémentaires • Bon rapport qualité/prix

Contre

Présentation intérieure terne • Design banal • Direction légère • Pneus de série moyens

Caractéristiques

Échelle de prix:	voir page 11 et suivantes
Modèle / Prix:	SE / 34 898 $
Type:	berline / traction
Empattement:	270 cm
Longueur:	477 cm
Largeur:	177 cm
Hauteur:	142 cm
Poids:	1390 kg
Coffre / Réservoir:	411 litres / 70 litres
Coussins de sécurité:	conducteur et passager
Système antipatinage:	non
Suspension av. / arr.:	indépendante / essieu rigide
Freins av. / arr.:	disque ABS
Direction:	à crémaillère, assistée
Diamètre de braquage:	10,6 mètres
Pneus av. / arr.:	P215/55R16
Valeur de revente:	bonne
Garantie de base:	3 ans / 80 000 km

Motorisation et performances

Moteur / Transmission:	V6 3,0 litres / automatique 4 rapports
Puissance / Couple:	190 ch à 5600 tr/min / 205 lb-pi à 4000 tr/min
Autre(s) moteur(s):	aucun
Transmission optionnelle:	manuelle 5 rapports (sauf GLE)
Accélération 0-100 km/h:	8,8 secondes
Vitesse maximale:	195 km/h
Freinage 100-0 km/h:	39,9 mètres
Consommation (100 km):	11,0 litres

Modèles concurrents

Acura TL • Buick Regal • Chrysler Cirrus et Intrepid • Ford Taurus/Mercury Sable • Honda Accord V6 • Mazda 626 et Millenia • Toyota Camry V6

Quoi de neuf?

Antipatinage de série avec boîte automatique et ABS • Système de démarrage intégré à allumage • Nouvelle version canadienne ES

Verdict

Agrément	🛞🛞🛞	Habitabilité	🛞🛞🛞🛞
Confort	🛞🛞🛞🛞	Hiver	🛞🛞🛞🛞
Fiabilité	🛞🛞🛞🛞🛞	Sécurité	🛞🛞🛞🛞

dessert, c'est-à-dire avec douceur et doigté. N'eût été d'un minime temps mort dans le passage des vitesses, perceptible surtout lorsqu'on roule à bas régime et qu'on accélère avec un peu plus de vigueur, elle obtiendrait, elle aussi un, 10 sur 10. Elle s'en tire avec un 9, mettons.

La Maxima SE: plus inspirante

Ceux en qui sommeille une âme de conducteur sportif, mais qui doivent se tourner vers une berline pour des raisons pratiques, devraient opter pour la version SE, nettement plus inspirante à conduire. Le grand bénéficiaire de sa suspension raffermie est évidemment le comportement routier, plus aiguisé que celui des placides GXE et GLE. La direction reçoit un traitement semblable et son assistance moins exacerbée permet de mieux sentir à la fois la route et les réactions du véhicule. Cette direction affiche une nervosité de bon aloi et une belle précision. Tout cela se traduit par une tenue de route plus accrocheuse et une stabilité en virage où la rigidité et la neutralité de la caisse, dénuée de roulis, se font sentir. De plus, la tenue de cap est imperturbable, peu importe la vitesse.

Trois versions, trois personnalités.

La fougue, c'est bien beau, mais n'oublions pas la tendresse... Rassurez-vous, le confort n'a pas été sacrifié pour hausser d'un cran les aptitudes routières de la Maxima SE. Ou si peu: ceux qui ne jurent que par les suspensions guimauves n'ont qu'à se tourner vers les deux autres versions; de toute façon, la SE n'est pas conçue pour eux, point.

Que dire de plus, sinon que la Nissan Maxima obtient le succès qu'elle mérite. Sans être LA référence en matière de confort, de tenue de route ou de performances, elle fait bonne – sinon très bonne – figure dans tous ces domaines, tout en affichant un rapport qualité/prix qui a toujours été et qui demeure sa force première. Et quand vient le temps d'aborder la délicate question de la fiabilité, elle se retrouve dans le peloton de tête, comme en font foi un taux de satisfaction très élevé des propriétaires et une excellente valeur de revente. Des indices qui ne trompent pas quant à la valeur réelle du produit. Inutile d'en rajouter: laissons plutôt à la concurrence le temps de prendre quelques notes, qui pourraient se révéler d'une grande utilité. (Voir aussi match comparatif.)

Philippe Laguë

Nissan Pathfinder • Infiniti QX4

Nissan Pathfinder

Un temps d'arrêt pour «l'éclaireur»

Pendant que la concurrence s'acharne sans cesse à séduire les consommateurs avec de nouveaux utilitaires sport, Nissan n'apporte aucune modification notable à son Pathfinder et à sa «déclinaison» QX4. Est-on à la recherche d'un nouveau sentier, ou profite-t-on d'un simple bivouac pour mieux repartir ensuite dans la même direction?

Nous devrons attendre vers le milieu de l'année 1999 pour connaître la réponse à cette question. Quoi qu'il en soit, nous sommes encore en présence de véhicules au design résolument contemporain. Adoptant la même philosophie que l'Altima qui reçoit un seul moteur 4 cylindres, tandis que ses rivaux offrent des 6, le Pathfinder se contente d'un 6 quand certains autres peuvent se vanter d'avoir des V8 sous leur capot. Il offre seulement 5 places, alors que l'ascension se poursuit chez plusieurs qui se transforment lentement en minibus tout-terrains. Ne croyez pas pour autant qu'il fasse dans le léger. Avec plus de 1800 kg, notre éclaireur est en mesure d'écraser les obstacles rencontrés sur son chemin et consomme sans remords ses 15 litres/100 km. Les dernières modifications à la caisse ont été apportées en 1996 et les lignes sont encore fonctionnelles, à défaut d'être originales. La carrosserie s'étire un peu plus que celle d'un Grand Cherokee, mais – et ce reproche s'adresse à tous ces 4X4 – l'espace utilisable dans l'habitacle est encore assez réduit par rapport à l'encombrement. On est d'ailleurs surpris par l'immense renflement central sur le plancher. Pour le reste, les 5 passagers devront se serrer un peu les coudes, et la capacité de la soute est dans la norme, sans plus. Heureusement, on peut l'aménager, car le dossier du siège arrière est modulable 60/40.

Bien baraqué et de bonnes jambes

Le Pathfinder demeure offert avec trois niveaux d'équipement. À la base, le XE comprend l'ABS, l'air climatisé et un lecteur de cassettes et de CD à 6 haut-parleurs. Le SE ajoute les roues en alliage, la calandre chromée, les antibrouillards, les assistances électriques pour les portières et les glaces, le réglage automatique de l'air climatisé, le régulateur de vitesse et un antivol télécommandé. Dans le LE, on trouve entre autres des sièges chauffants tendus de cuir véritable, du faux bois, une vraie boussole et d'autres accessoires. Nissan a de la suite dans les idées et, après la série Klondike, voici que depuis l'année dernière une version «Chilkoot Trail» (célèbre piste empruntée par les chercheurs d'or) est offerte chez votre concessionnaire à un prix très attrayant si l'emballage vous sied.

L'ergonomie est impeccable même si l'ambiance fait dans le très sérieux, et le montage des pièces dépasse en précision toutes les productions américaines. Malgré un essieu rigide arrière, le confort surprend, les suspensions absorbent magnifiquement les horreurs de notre réseau routier et la direction se révèle précise. Les pneus de 15 pouces permettent d'éviter les effets provoqués par les énormes et surtout très hauts pneumatiques de 16 ou même 17 pouces qui se comportent souvent comme des haltères et télescopent leur inertie au volant.

Insuffisance cardiaque sous l'effort

Le moteur, dont la douceur ne peut être prise en défaut, force un peu en certaines circonstances. Son couple maximum disponible à bas régime lui permet de donner le change avec 2 passagers, mais les dépassements relèvent vraiment de l'aventure avec 4 occupants

Nissan Pathfinder

Pour
- Comportement routier exemplaire
- Finition impeccable
- Durabilité supérieure
- Équipement intéressant
- Service attentionné (QX4)

Contre
- Moteur à la limite
- Habitacle un peu étriqué
- Poids et consommation élevés
- Style anonyme (Pathfinder)

Caractéristiques

Échelle de prix:	voir page 11 et suivantes
Modèle / Prix:	Pathfinder «Chilkoot Trail» / 32 998 $
Type:	utilitaire sport / 4X4
Empattement:	270 cm
Longueur:	453 cm
Largeur:	184 cm
Hauteur:	172 cm
Poids:	1850 kg
Coffre / Réservoir:	1076 litres / 80 litres
Coussins de sécurité:	conducteur et passager
Système antipatinage:	non
Suspension av. / arr.:	indépendante / essieu rigide
Freins av. / arr.:	disque ABS / tambour ABS
Direction:	à crémaillère, assistée
Diamètre de braquage:	11,4 mètres
Pneus av. / arr.:	P265/70R15
Valeur de revente:	bonne
Garantie de base:	3 ans / 80 000 km

Motorisation et performances

Moteur / Transmission:	V6 3,3 litres / automatique 4 rapports
Puissance / Couple:	168 ch à 4800 tr/min / 196 lb-pi à 2800 tr/min
Autre(s) moteur(s):	aucun
Transmission optionnelle:	manuelle 5 rapports
Accélération 0-100 km/h:	10,8 secondes
Vitesse maximale:	165 km/h
Freinage 100-0 km/h:	44 mètres
Consommation (100 km):	15,0 litres

Modèles concurrents

Chevrolet Blazer/GMC Jimmy • Ford Explorer • Jeep Grand Cherokee • Land Rover Discovery • Mercedes-Benz classe M • Toyota 4Runner

Quoi de neuf?

Aucun changement majeur, sauf pour certaines options offertes
- Nouveau modèle prévu vers mi-1999

Verdict

Agrément	☺ ☺ ☺ ☺	Habitabilité	☺ ☺ ☺ ☺ ☺
Confort	☺ ☺ ☺ ☺	Hiver	☺ ☺ ☺ ☺ ☺
Fiabilité	☺ ☺ ☺ ☺ ☺	Sécurité	☺ ☺ ☺ ☺ ☺

et leurs bagages. Nissan nous assure que la version automatique permet de tracter un poids de 2270 kg, mais ce n'est pas le genre d'expédition qui m'enchanterait. Tous les Pathfinder sont munis d'un rouage d'entraînement permettant de rouler en mode 2 ou 4 roues motrices, avec la possibilité de passer de l'un à l'autre jusqu'à une vitesse de 80 km/h. Une boîte de transfert comporte un mode «low» bien utile pour crapahuter ou sortir le bateau de l'eau. Un différentiel autobloquant à l'arrière en option vous évitera l'ignominie de rester coincé avec 2 roues immobiles du même côté sur l'asphalte. Les XE et SE arrivent avec une boîte manuelle à 5 rapports, tandis qu'une automatique à 4 rapports équipe d'office le LE et est offerte dans les deux autres versions. Les deux se comportent de façon impeccable. Le freinage mixte donne satisfaction et l'ABS est programmé pour réagir de façon plus sélective sur surface glissante.

Une simple halte pour mieux s'élancer?

Tenue de gala trompeuse

Infiniti, la division de prestige de Nissan, offre le QX4 qui apparaît à première vue comme un Pathfinder en tenue de gala. Mais si on se permet de soulever le costume de cet explorateur du dimanche, on s'aperçoit que le rouage d'entraînement provient de l'espèce de fusée sur roues baptisée Skyline GT-R offerte seulement au Japon. Extrêmement sophistiqué, ce mécanisme permet de choisir un mode «auto» qui répartit instantanément le couple aux roues ayant le plus d'adhérence. Le style de la carrosserie déconcerte un peu avec une partie avant particulièrement massive. Plus concrètement, vous y trouverez tout l'équipement compris dans les luxueuses berlines de la gamme, incluant des roues de 16 pouces. L'agrément de conduite et le silence de fonctionnement de ce salon roulant surélevé vous étonneront. Avouons toutefois qu'il se languit encore un peu plus avec son sac à dos mieux garni, traîné par le même moteur. Vous aurez cependant droit à la garantie et au service impeccables de cette division.

En attendant la venue de leurs remplaçants, les Pathfinder/QX4 continuent à offrir un confort et un comportement routier haut gamme, même si le moteur ralentit parfois un peu trop leur cadence. Vous pouvez aussi miser sur la solidité et la qualité supérieures de leurs composantes, arguments non négligeables devant la fragilité inquiétante de certains autres colosses aux pieds d'argile.

Jean-Georges Laliberté

Nissan Quest

Nissan Quest

Le changement dans la continuité

Six ans après son lancement, la Nissan Quest subit une première transformation, axée sur l'être plutôt que le paraître. Cette remise en question n'amène toutefois pas de changements majeurs, car elle demeure fidèle à sa vocation originale.

Dans le lucratif marché des fourgonnettes, la Nissan Quest continue de privilégier l'agrément de conduite et le confort, plutôt que la capacité de chargement. Elle représente ainsi une solution de rechange pour les acheteurs traditionnellement peu attirés par ce genre de véhicule.

Elle conserve notamment son empattement court, ce dont tire profit son comportement routier, plus près de celui d'une automobile que d'une camionnette. La Quest a d'ailleurs gagné ses épaulettes en grande partie à cause de ses aptitudes routières; même si la concurrence s'est raffinée depuis, cette fourgonnette américano-japonaise demeure l'une des références de sa catégorie, grâce à une tenue de route et à une agilité supérieures à celles de bon nombre de ses rivales – qui, il est vrai, ont opté pour un empattement plus long.

Trois versions, une seule configuration

Assemblées à l'usine d'Avon Lake (Ohio), propriété de Ford, la Quest et la Mercury Villager partagent plate-forme, carrosserie et la totalité de leurs organes mécaniques. Il faut donc un œil averti pour les différencier, tout comme il en faut un pour remarquer qu'elles viennent de subir une refonte. La Quest – la seule que l'on peut se procurer au Canada – reprend les grandes lignes de sa devancière

et si les changements sont subtils, ils n'en sont pas moins nombreux, sur le plan esthétique comme mécanique.

Une nouvelle version vient se greffer aux deux qui étaient offertes l'an dernier. Elle porte la désignation SE et se veut plus sportive, grâce à sa suspension raffermie et à ses pneus plus performants, qui enrobent des roues de 16 pouces. Elle vient se positionner au milieu de la gamme, à la place de la GXE. Ces trois lettres désignent désormais la version de base, tandis que la plus cossue est rebaptisée GLE.

La deuxième génération de la Quest est plus longue et plus large, ce qui a contribué à rendre l'habitacle plus spacieux. Celui-ci ne mérite par ailleurs que des éloges, tant pour sa convivialité que pour son aspect pratique. À l'avant, les baquets assurent un confort de premier ordre, les espaces de rangement abondent et l'ergonomie se place à l'abri de toute critique. Il en va de même pour la finition, elle aussi irréprochable. On ne s'est toutefois pas trop creusé les méninges pour le tableau de bord, assez simpliste, merci; mais à tout le moins l'instrumentation se consulte-t-elle aisément.

Ledit habitacle est modulable, de sorte qu'il peut accueillir quatre ou sept passagers. Les sièges du milieu pivotent pour faciliter l'accès à la banquette arrière, mais il vaut mieux vous prévenir que lorsque cette dernière est en place, l'espace dans la soute à bagages diminue considérablement. Une nouveauté appréciable est cependant l'ajout d'un panneau rigide, ajustable en hauteur de surcroît, qui sert à cacher les bagages en question. De plus, la Quest cuvée 1999 a droit à deux portes coulissantes.

Nissan Quest

Pour
Habitacle convivial • Finition soignée • V6 souple et silencieux • Agrément de conduite • Fiabilité éprouvée

Contre
Pas de version 4X4 • Puissance insuffisamment accrue • Peu d'espace pour les bagages avec banquette arrière • Retouches esthétiques trop discrètes

Caractéristiques

Échelle de prix:	voir page 11 et suivantes
Modèle / Prix:	Quest SE / n. d.
Type:	fourgonnette / traction
Empattement:	285 cm
Longueur:	495 cm
Largeur:	190 cm
Hauteur:	170 cm
Poids:	2015 kg
Coffre / Réservoir:	de 405 à 3839 litres / 75 litres
Coussins de sécurité:	conducteur et passager
Système antipatinage:	non
Suspension av. / arr.:	indépendante / essieu rigide
Freins av. / arr.:	disque ABS / tambour ABS
Direction:	à crémaillère, assistée
Diamètre de braquage:	11,8 mètres
Pneus av. / arr.:	P225 / 60R16
Valeur de revente:	passable
Garantie de base:	3 ans / 80 000 km

Motorisation et performances

Moteur / Transmission:	V6 3,3 litres / automatique 4 rapports
Puissance / Couple:	170 ch à 4800 tr/min / 200 lb-pi à 4400 tr/min
Autre(s) moteur(s):	aucun
Transmission optionnelle:	aucune
Accélération 0-100 km/h:	11,2 secondes
Vitesse maximale:	170 km/h
Freinage 100-0 km/h:	41,6 mètres
Consommation (100 km):	13,8 litres

Modèles concurrents
Chevrolet Venture • Oldsmobile Silhouette • Pontiac Trans Sport • Dodge Caravan • Plymouth Voyager • Honda Odyssey • Toyota Sienna

Quoi de neuf?
Lancement de la deuxième génération • Porte coulissante côté conducteur • ABS de série sur toutes les versions • Villager pas en vente au Canada

Verdict

Agrément	⊤⊤⊤⊤	
Confort	⊤⊤⊤⊤	Habitabilité ⊤⊤⊤
Fiabilité	⊤⊤⊤⊤	Hiver ⊤⊤⊤⊤
		Sécurité ⊤⊤⊤

Mécanique «revue et améliorée»

Comme c'est le cas depuis sa naissance, une seule motorisation figure au catalogue. Monté transversalement, ce V6 signé Nissan se retrouve également sous le capot de la camionnette Frontier du même constructeur, et voit sa cylindrée augmenter de 300 cc. Ce qui se traduit par un gain de 19 chevaux (170 contre 151 l'an dernier) et un couple supérieur (200 lb-pi contre 174), dont le maximum est atteint à un plus bas régime. Jugez plutôt: à 1500 tr/min, il est déjà à 90 p. 100 de son couple maximum.

Dans les faits, cela confère une belle nervosité à ce V6 lorsqu'on roule à basse vitesse – en ville, par exemple; mais plus on accélère, plus il s'essouffle, comme quoi il y a encore de la place pour du muscle là-dedans. Remarquez, on ne lui en tiendra pas trop rigueur: d'abord parce que ce n'est pas un vilain moteur, souple et silencieux qu'il est; et ensuite, parce que la vocation de ce type de véhicule n'est pas de battre des records sur des pistes d'accélération le samedi soir.

À l'instar du moteur, la plupart des organes mécaniques d'importance ont fait l'objet qui de retouches, qui d'une révision. Des éléments de suspension ont été redessinés, la transmission a subi des raffinements visant à rendre les passages plus fluides, tandis que la rigidité structurale a été augmentée de 15 p. 100. De plus, le système de freinage antibloquant (ABS) fait désormais partie de l'équipement de série, peu importe la version. Une bonne chose, car les freins avaient besoin de renfort. Finalement, cette mécanique est gage de fiabilité, comme en fait foi un taux de satisfaction plus élevé que la moyenne.

Pour toutes ces raisons, la refonte que vient de subir la Quest n'est pas aussi timide qu'elle en a l'air. Même si certains – et j'en suis – auraient préféré une différence plus significative sur le plan visuel, il n'en reste pas moins que cette fourgonnette s'est bonifiée. L'envers de la médaille, c'est que la concurrence s'est, elle aussi, améliorée, notamment au chapitre du comportement routier, ces dernières années, de sorte que la Quest ressort moins du peloton qu'auparavant. Elle se démarquerait davantage avec une vingtaine de chevaux en plus et, surtout, le rouage intégral, très prisé chez nous et susceptible d'intéresser sa clientèle cible. Visiblement, ce sera pour une autre fois.

La concurrence gagne du terrain.

Philippe Laguë

Nissan Sentra

Nissan Sentra

Fidèlement anonyme

Remaniée en 1995, la Sentra est l'exemple de la voiture sans problème et sans charme. Mais comme le démontrent plusieurs réalisations américaines et européennes, l'heure du design a sonné dans le monde de l'automobile et le public, rassuré quant à la fiabilité des produits qu'on lui propose, commence à se tourner vers le beau, l'original. C'est précisément à ce chapitre que pèche la Sentra.

Nissan a joué la carte du classicisme lors du dernier remaniement de la Sentra en reprenant certains éléments du design de l'Infiniti G20, elle-même issue directement de la Nissan Primera commercialisée en Europe. Donc, continuité dans le design, sauf que le résultat n'est pas aussi harmonieux qu'avec la G20. Sur le plan esthétique, le premier coup d'œil sur la Sentra déçoit. La version SE à moteur 2,0 litres proposée pour 1999 diffère légèrement dans le détail, ce qui lui donne un look plus agréable.

Place au confort

La gamme Sentra comprend à présent les versions XE et GXE à moteur 1,6 litre et la SE à moteur 2,0 litres. L'essai réalisé au volant d'une Sentra XE révèle un habitacle spacieux à l'avant, mais plus limité aux places arrière. Les sièges, qui peuvent paraître trop durs de prime abord, se révèlent confortables à la longue, même s'ils manquent de soutien latéral. Des espaces de rangement ont été prévus dans les portes, dans le tableau de bord et dans la console, et toutes les versions sont équipées de deux coussins de sécurité à l'avant.

Il est facile de trouver une bonne position de conduite grâce en partie au volant réglable. L'absence de commande intérieure pour le réglage des rétroviseurs latéraux est toutefois regrettable. À noter que cette pratique assez généralisée sur les véhicules de bas de gamme nuit à la sécurité, car il est difficile de régler le rétroviseur droit sans commande intérieure. Qui plus est, ouvrir la fenêtre à -30 °C pour régler les rétroviseurs est loin d'être agréable. Je serais d'avis de sacrifier un porte-verres, mais de doter les deux rétroviseurs d'une commande intérieure.

Bonjour tristesse

Le tableau de bord est réduit à sa plus simple expression. Même la GXE n'obtient pas de compte-tours. Si la finition est correcte, la présentation d'un gris uniforme frise la déprime. Pas un seul contraste, pas une seule tache de couleur. C'est aussi réjouissant que la salle d'attente d'un hôpital! La GXE présente un visage plus gai avec des contre-portes garnies de tissu contrastant.

Le volant réglable tombe bien en main et la disposition des principales commandes démontre un bon sens de l'ergonomie, notamment les boutons rotatifs de chauffage et de ventilation. À noter sur la version GXE la présence de la climatisation de série offerte sur la XE avec le groupe Option Plus. La GXE reçoit aussi les glaces, les rétroviseurs et le verrouillage à commande électrique, de même que le régulateur de vitesse.

Des performances tièdes

Le caractère effacé de la Sentra se confirme sur la route. Le 4 cylindres moderne de 1,6 litre à 16 soupapes laisse prévoir des performances intéressantes. Mais en fait, avec la boîte automatique, les accélérations sont médiocres: 11,9 secondes pour boucler le

Nissan Sentra

Pour

Moteur robuste et économique • Moteur nerveux (SE) • Bonne tenue de route (SE) • Habitabilité • Coffre volumineux • Sièges confortables

Contre

Silhouette anonyme • Présentation triste • Roulis en virage • Faible adhérence des pneus • Freins perfectibles (sauf SE)

Caractéristiques

Échelle de prix:	voir page 11 et suivantes
Modèle / Prix:	SE / 27 495 $
Type:	berline / traction
Empattement:	253 cm
Longueur:	432 cm
Largeur:	169 cm
Hauteur:	138 cm
Poids:	1100 kg
Coffre / Réservoir:	303 litres / 50 litres
Coussins de sécurité:	conducteur et passager
Système antipatinage:	oui
Suspension av. / arr.:	indépendante
Freins av. / arr.:	disque ABS
Direction:	à crémaillère, assistée
Diamètre de braquage:	10,4 mètres
Pneus av. / arr.:	P195/55R15
Valeur de revente:	passable
Garantie de base:	3 ans / 80 000 km

Motorisation et performances

Moteur / Transmission:	4L 2,0 litres / manuelle 5 rapports	
Puissance / Couple:	140 ch à 6400 tr/min / 132 lb-pi à 4800 tr/min	
Autre(s) moteur(s):	4L 1,6 litre 115 ch	
Transmission optionnelle:	automatique 4 rapports	
Accélération 0-100 km/h:	8,8 secondes	autre moteur: 11,9 secondes
Vitesse maximale:	190 km/h	
Freinage 100-0 km/h:	42,2 mètres	
Consommation (100 km):	7,8 litres	autre moteur: 7,2 litres

Modèles concurrents

Honda Civic • Ford Escort • Toyota Tercel • Saturn SL • Hyundai Elantra

Quoi de neuf?

Modèle SE à moteur 2,0 litres • Élimination des versions de base et 200SX

Verdict

Agrément	⊕ ⊕ ⊕	Habitabilité	⊕ ⊕ ⊕ ◖
Confort	⊕ ⊕ ⊕	Hiver	⊕ ⊕ ⊕ ⊕
Fiabilité	⊕ ⊕ ⊕ ⊕	Sécurité	⊕ ⊕ ⊕ ◖

0-100 km/h. En outre, et sans doute par souci d'économie d'essence, le passage au quatrième rapport se fait à trop bas régime, ce qui fait peiner et vibrer le moteur, et entraîne des passages successifs des rapports en circulation dense. Pour rétrograder, il faut écraser la pédale d'accélérateur à fond et ça finit par être agaçant. Le moteur est bien mieux servi par la boîte manuelle qui procure aussi des reprises plus franches (0-100 km/h en 10,8 secondes) et, par conséquent, un soupçon d'agrément de conduite.

Dotée d'une suspension arrière semi-indépendante inspirée de celle de la Maxima, la Sentra procure à ses occupants un confort convenable. D'ailleurs, la conception de la suspension permet de dégager un espace appréciable pour le coffre dont l'ouverture se distingue par un seuil au ras du pare-chocs. La rigidité de la caisse favorise aussi la sensation de confort. En contrepartie, la souplesse de la suspension et les pneus maigrichons de 13 pouces sur la version XE signifient roulis et faible adhérence en virage. La direction légère facilite les corrections, mais la surassistance nuit à la précision des manœuvres.

Heureusement qu'il y a la SE.

La 200SX disparaît du catalogue

Certains regrettent encore les sympathiques coupés 1600 et 2000NX que la 200SX a remplacés en 1995. Mais l'heure ne semble pas favorable aux coupés et Nissan a décidé de sacrifier la 200SX qui prend donc le chemin de la retraite. Pour la remplacer, Nissan nous propose la Sentra SE qui possède une direction à assistance variable, des antibrouillards, des déflecteurs et des moulures de bas de caisse. À noter aussi la motorisation plus corsée (2,0 litres, 140 chevaux). Même en version automatique, les reprises sont franches et les dépassements bien plus sécuritaires. Économique et robuste à souhait, le moteur 2,0 litres n'a qu'un défaut: il est bruyant en forte accélération. Chaussée de pneus de 15 pouces, la SE présente aussi un comportement routier plus relevé. En somme, une Sentra plus musclée et plus ferme dotée d'un agrément de conduite qui manque amèrement aux deux autres versions.

La Sentra, une voiture solide et fiable à souhait, est une sous-compacte honnête mais ennuyeuse. Il est heureux que Nissan ait décidé d'agrémenter la gamme avec la SE qui comble les manques de ses deux sœurs en matière de performances, de comportement routier et d'agrément de conduite.

Alain Raymond

Oldsmobile Alero

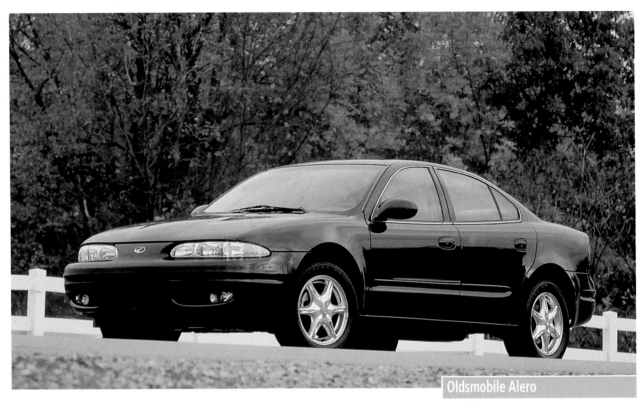

Oldsmobile Alero

Condamnée au succès

La nouvelle Alero a tardé à entrer en scène et ce n'est pas le fruit du hasard. Chez Oldsmobile, on ne veut absolument pas rater le coche avec ce nouveau modèle. En fait, il en va pratiquement de la survie de cette division. Le succès de ce modèle lui permettrait de s'imposer davantage et de défendre son territoire avec plus de vigueur auprès du bureau de direction de GM. C'est pourquoi les responsables d'Oldsmobile ont pris le temps de peaufiner ce nouveau modèle et de s'assurer qu'il serait au moins aussi bien accueilli que l'Intrigue lancée l'an dernier.

L'Alero tente également de renforcer la crédibilité de la division qui a subi un œil au beurre noir avec l'Achieva. Non seulement ce modèle a été complètement ignoré par les acheteurs, mais Oldsmobile le savait dès le départ. En effet, il avait reçu des notes terribles lorsqu'on l'avait présenté à des groupes de travail. Malgré tout, la direction avait ignoré leur opinion avec le résultat qu'on sait. Cette voiture a connu un échec lamentable. La seule consolation d'Oldsmobile: Buick a eu des résultats similaires avec la Skylark…

Cette fois, on a pris les moyens pour réussir. La silhouette de l'Achieva était atroce. Les stylistes d'Oldsmobile ont été ébranlés lorsque les premiers modèles de la nouvelle Alero n'ont pas soulevé l'enthousiasme. Les responsables du projet ont alors réussi à convaincre la haute direction de GM d'être patiente et de prendre le temps de concevoir une carrosserie qui ferait l'unanimité. Et le résultat est positif. Cette nouvelle venue s'apparente à la silhouette de l'Intrigue et elle est même plus élégante sous certains rapports.

La partie arrière plus relevée, les feux de freinage de dimensions plus généreuses et le renflement central du capot lui dessinent une silhouette facile à distinguer et plaisante. Cette présentation extérieure est aussi plus classique que celle de la Grand Am.

L'habitacle est de la même cuvée. En comparaison de certaines présentations parfois baroques de GM et de Pontiac, la sobriété de l'Alero est la bienvenue. Au premier coup d'œil, on pourrait croire qu'on a affaire à une voiture japonaise. Pourtant, le contraste des plastiques de couleurs différentes, la position de la clé de contact sur le tableau de bord et plusieurs détails de présentation nous assurent qu'il s'agit bel et bien d'une américaine. Il faut souligner que les commandes sont à la portée de la main et les cadrans indicateurs de consultation facile. De plus, la qualité des matériaux est supérieure à ce qui est le cas chez plusieurs américaines et dans la plupart des voitures GM. Une bonne note également aux sièges avant qui offrent un support latéral adéquat, tout en étant confortables. Par contre, le tissu qui les recouvre ne respire pas la qualité.

Un châssis rigide

L'Achieva et sa sœur ennemie, la Pontiac Grand Am, se partageaient sans aucun doute le pire châssis de la gamme General Motors. La suspension avant était sensible aux chocs, le débattement trop court et le châssis trop flexible. Il en résultait un agrément de conduite pratiquement nul.

L'Alero, tout comme la nouvelle Grand Am, est dotée d'une plate-forme très rigide pour la catégorie. De plus, un châssis autonome est utilisé à l'avant afin d'assurer un meilleur ancrage de la suspension et de la direction. La suspension arrière est de type à

Oldsmobile Alero

Pour

Silhouette plaisante • Direction précise • Matériaux de qualité • Moteurs bien adaptés • Châssis rigide

Contre

4 cylindres bruyant • Réputation à bâtir • Tissu des sièges à revoir • Moyeu du volant peu esthétique • Absence de coussins latéraux

Caractéristiques

Échelle de prix:	voir page 11 et suivantes
Modèle / Prix:	GLS / 26 795 $
Type:	Coupé / 5 places
Empattement:	272 cm
Longueur:	474 cm
Largeur:	178 cm
Hauteur:	138 cm
Poids:	1382 kg
Coffre / Réservoir:	326 litres / 56 litres
Coussins de sécurité:	conducteur et passager
Système antipatinage:	oui
Suspension av. / arr.:	indépendante
Freins av. / arr.:	disques ABS
Direction:	à crémaillère, assistance variable
Diamètre de braquage:	10,9 mètres
Pneus av. / arr.:	P225/50R16
Valeur de revente:	nouveau modèle
Garantie de base:	3 ans / 60 000 km

Motorisation et performances

Moteur / Transmission:	V6 3,4 litres / automatique 4 rapports
Puissance / Couple:	170 ch à 4800 tr/min / 200 lb-pi à 4000 tr/min
Autre(s) moteur(s):	4L 2,4 litres 150 ch
Transmission optionnelle:	aucune
Accélération 0-100 km/h:	9,2 secondes
Vitesse maximale:	190 km/h
Freinage 100-0 km/h:	41,4 mètres
Consommation (100 km):	9,4 litres

Modèles concurrents

Honda Accord • Plymouth Breeze • Ford Contour • Dodge Avenger • Nissan Altima

Quoi de neuf?

Nouveau modèle

Verdict

Agrément	⊕ ⊕ ⊕ ⊖	Habitabilité	⊕ ⊕ ⊕ ⊖
Confort	⊕ ⊕ ⊕ ⊖	Hiver	⊕ ⊕ ⊕ ⊕
Fiabilité	nouveau modèle	Sécurité	⊕ ⊕ ⊕ ⊕

jambes de force MacPherson. Elle utilise des liens multiples pour optimiser le contrôle. Et contrairement à plusieurs autres produits plus chers de GM, cette compacte fournit en équipement de série des freins à disque aux 4 roues.

Deux moteurs sont à l'affiche. Les versions GX et GL sont animées par un 4 cylindres 2,4 litres développant 150 chevaux. Ce moteur à arbres à cames en tête a connu plusieurs améliorations au fil des années et est maintenant fiable, à défaut d'être très silencieux. Le V6 3,4 litres, offert en option sur la GL et en équipement de série sur la GLS, a connu plusieurs modifications et se révèle silencieux et robuste. Ses 170 chevaux assurent des performances intéressantes. Pour l'instant, seule la boîte automatique à 4 rapports est offerte. Dans moins d'un an, une boîte manuelle à 5 rapports sera également proposée.

Les vertus de la patience.

Presque sportive

Plus élégante, mieux ficelée qu'auparavant et dotée d'une finition sérieuse, l'Alero se démarque également sur la route. En effet, cette voiture se fait apprécier en courbe, alors que la voiture est très neutre. Elle est d'autant plus facile à piloter que la direction est précise et son assistance bien dosée. Par contre, le moteur 2,4 litres est nettement plus bruyant et s'essouffle plus rapidement que le V6 3,4 litres. Ce dernier est plus souple et plus incisif, sans pour autant être exemplaire à haut régime. Son niveau sonore augmente au fur et à mesure que le compte-tours grimpe. Bref, ces deux moteurs sont efficaces à bas régime et relativement économiques, mais ils deviennent bruyants lorsqu'ils sont sollicités. Il faut souligner que c'est également le cas de plusieurs groupes propulseurs des manufacturiers japonais. Le moteur VTEC de l'Accord grogne, tandis que celui de la Nissan Altima devient rugueux. Quant à celui de la Subaru Legacy, il s'essouffle dans les régimes intermédiaires.

Plus polie et moins flamboyante que la Pontiac Grand Am, l'Oldsmobile Alero est une voiture compétente et sérieuse, capable d'offrir un agrément de conduite relevé, en plus d'être pratique et spacieuse. Elle surpasse la Pontiac qui souffre d'une présentation intérieure et extérieure trop chargée. De plus, la précision de la direction de l'Oldsmobile et ses sièges avant plus confortables lui permettent de se démarquer.

Denis Duquet

Oldsmobile Aurora

Oldsmobile Aurora

Une belle routière

L'Aurora devait marquer un renouveau chez le premier fabricant automobile du monde, tant sur le plan du design que de la qualité de fabrication. Quatre ans après son lancement, on remarque encore son élégance et ses lignes osées. Mais est-elle l'égale des voitures de luxe de «classe mondiale» auxquelles elle doit se mesurer?

Présentée en 1995, l'Aurora avait pour mission de lancer la division Oldsmobile de GM aux trousses des modèles haut de gamme européens et japonais. L'an dernier, des modifications ont été apportées à la suspension et à la direction de cette berline de luxe bâtie sur la même plate-forme que les Buick Riviera et Park Avenue, dont le moteur V8 est issu du célèbre Northstar de Cadillac.

La simplicité au service de l'élégance

Des lignes fluides, un museau élégant démuni de calandre et des hanches galbées se conjuguent au dessin épuré de l'arrière pour procurer à l'Aurora un bel équilibre esthétique. Ces mêmes éléments de style ont d'ailleurs été repris par l'Oldsmobile Intrigue dans la catégorie des berlines intermédiaires, ce qui prouve que les décideurs de GM sont satisfaits des réactions du public à l'égard de ce design. La fluidité des lignes se retrouve aussi à l'intérieur, notamment dans le dessin du tableau de bord qui se caractérise par un grand arc ininterrompu partant de la porte gauche et se terminant au plancher, entre les deux sièges avant. C'est pur, c'est efficace, c'est élégant.

Cet effort de style est aussi évident dans la présentation de l'habitacle, tant par le choix des coloris que par la qualité des matériaux. Seul l'ajustement de certains éléments nuit à la qualité de la finition. Si l'effort de design a porté fruit, l'ergonomie, elle, mérite quelques critiques: les témoins logés sur l'arête de la visière sont cachés par le haut du volant, les 4 boutons situés au bas du bloc d'instruments sont totalement invisibles derrière le volant massif et les manettes placées de part et d'autre de la colonne de direction sont trop courtes. Par contre, les commandes de réglage des sièges logées dans les contre-portes, les touches placées sur le volant et les boutons de la climatisation sont parfaitement situés. Et puisqu'il est question de climatisation, signalons que le climatiseur se met automatiquement en marche lorsqu'on sélectionne le mode de ventilation mixte et qu'il est impossible de l'arrêter sans changer de mode. Agaçant.

Les occupants de la voiture sont bien reçus dans des sièges tendus de cuir. Fermes mais confortables, les sièges avant, faciles à régler, permettent de trouver rapidement une bonne position de conduite. Mais attention aux virages! En effet, le manque de soutien latéral est tel qu'il faut s'agripper pour ne pas être projeté contre les portes. L'agrément de conduite en est sérieusement compromis. À l'arrière, les passagers sont bien traités dans la mesure où on se limite à deux occupants: sièges profonds et confortables, bonne visibilité, accoudoir central (avec trappe pour skis). Le coffre présente une grande contenance, mais l'ouverture est petite et le seuil surélevé.

Un moteur et des freins, mais le reste ne suit pas

Issu du fameux V8 Northstar qui anime la Cadillac STS, le moteur de l'Aurora affiche une cylindrée de 4,0 litres et développe 250 chevaux, contre les 4,6 litres et les 300 chevaux de la Cadillac.

Oldsmobile Aurora

Pour

Moteur souple • Freins puissants et endurants • Belle présentation de l'habitacle • Confort à bord • Design réussi

Contre

Poids excessif • Survirage prononcé • Manque de soutien latéral des sièges • Consommation élevée • Bruits de vent

Caractéristiques

Échelle de prix:	voir page 11 et suivantes
Modèle / Prix:	Aurora / 47 250 $
Type:	berline / traction
Empattement:	289 cm
Longueur:	522 cm
Largeur:	189 cm
Hauteur:	141 cm
Poids:	1810 kg
Coffre / Réservoir:	456 litres / 76 litres
Coussins de sécurité:	conducteur et passager
Système antipatinage:	oui
Suspension av. / arr.:	indépendante
Freins av. / arr.:	disque ABS
Direction:	à crémaillère, assistance variable
Diamètre de braquage:	12,4 mètres
Pneus av. / arr.:	P235/60VR16
Valeur de revente:	passable
Garantie de base:	4 ans / 80 000 km

Motorisation et performances

Moteur / Transmission:	V8 4,0 litres / automatique 4 rapports
Puissance / Couple:	250 ch à 5600 tr/min / 260 lb-pi à 4000 tr/min
Autre(s) moteur(s):	aucun
Transmission optionnelle:	aucune
Accélération 0-100 km/h:	8,5 secondes
Vitesse maximale:	210 km/h
Freinage 100-0 km/h:	43,0 mètres
Consommation (100 km):	13,3 litres

Modèles concurrents

Acura TL • Cadillac Catera • Chrysler LHS • Infiniti I30 • Lexus ES300

Quoi de neuf?

Aucun changement majeur

Verdict

Agrément	⊕ ⊕ ⊕	Habitabilité	⊕ ⊕ ⊕ ⊕
Confort	⊕ ⊕ ⊕ ⊙	Hiver	⊕ ⊕ ⊕
Fiabilité	⊕ ⊕ ⊙	Sécurité	⊕ ⊕ ⊕ ⊕

À vrai dire, 250 chevaux pour un 4,0 litres, c'est un peu juste de nos jours; il suffit de penser au nouveau V6 de Chrysler qui produit 253 chevaux pour 3,5 litres de cylindrée. Le V8 de l'Aurora est néanmoins très souple et il permet de bonnes reprises à bas régime. Certes, le poids respectable de la voiture pénalise la consommation et les performances (0-100 km/h en 8,5 secondes), mais la sonorité agréable du moteur donne une belle impression de puissance et la boîte automatique à 4 rapports réagit bien aux commandes du conducteur.

Si Oldsmobile voulait que son Aurora fasse ombrage aux berlines de luxe d'origine européenne ou japonaise, il reste du travail à faire, principalement sur le plan de la tenue de route. La voiture est trop lourde, le train avant est bien trop chargé et la direction amortit les sensations de la route au point de les rendre imperceptibles. Enfin, le manque total de soutien des sièges avant annule toute prétention sportive. Oublions donc les routes sinueuses et passons plutôt sur l'autoroute.

Princesse de l'autoroute.

Terrain de prédilection de l'Aurora, l'autoroute permet d'apprécier les qualités de cette voiture et d'en oublier les défauts. Comme nous le disions ci-haut, même si le V8 n'est pas un foudre de guerre, il procure quand même des reprises honorables qui permettent de réaliser des dépassements en toute sécurité. Le poids influe sur la consommation, mais le moteur est silencieux à haute vitesse. Par contre, le bruit de roulement est assez évident sur certains types de revêtement et on entend des bruits de vent du côté des rétroviseurs. Ceux-ci sont d'ailleurs trop petits, ce qui nuit à la visibilité latérale.

Toujours sur l'autoroute, l'Aurora présente une bonne tenue de cap. Les modifications apportées à la suspension et à la direction à assistance variable se traduisent par une belle précision et une facilité de conduite en ligne droite. Autre point positif: les freins. Puissants, endurants et bien équilibrés, ils réussissent à ralentir avec assurance les 1800 kg de l'Aurora.

L'habitacle confortable, la chaîne stéréophonique haut de gamme, la climatisation efficace et individualisée à l'avant, les nombreux accessoires et gadgets et, enfin, la présentation moderne de l'intérieur se conjuguent pour faire de l'Aurora une belle routière. Pour accéder au rang de grande routière, reste à rehausser la tenue en virage et l'agrément de conduite. Mais la traction est-elle le meilleur choix pour des voitures aussi imposantes? J'en doute.

Alain Raymond

Oldsmobile Intrigue

Oldsmobile Intrigue

Un beau concept inachevé

On pourrait décrire succinctement l'Oldsmobile Intrigue en disant qu'elle est belle et qu'elle marche bien. Ses lignes fluides empruntées à l'Aurora du même manufacturier et la bonne forme de son moteur V6 sont incontestablement ses meilleurs atouts. Hélas! de telles qualités ne suffisent pas à donner à une voiture son certificat de bonne conduite.

En somme, l'Intrigue est un beau concept qui, à la lumière d'un essai d'environ 1000 km, paraît inachevé. Conduite une première fois lors de son lancement à l'Île-du-Prince-Édouard, cette berline avait fait bonne impression mais, au fil des kilomètres, on découvre un certain nombre d'irritants qui viennent assombrir le bilan global. Exemple: par temps froid, il est pratiquement impossible de dégivrer complètement la lunette arrière et le pare-brise. Mais avant d'aller plus loin, rappelons que l'Intrigue partage la plupart de ses organes mécaniques avec quelques-unes des têtes d'affiche de General Motors, dont la Pontiac Grand Prix.

Construite sur la même plate-forme, elle reçoit le V6 de 3,8 litres que GM apprête à toutes les sauces avec ou sans compresseur et, depuis cette année, un tout nouveau moteur V6 de 3,8 litres, dérivé de l'excellent V8 Northstar que l'on trouve dans l'Aurora et la Cadillac Seville. Ce V6 est réservé pour le moment à la version GLS haut de gamme, mais il équipera tous les modèles d'ici quelques mois. Dans le cas du V6 de 3,8 litres, ce moteur développe une puissance quasi identique à celle du V6 de la Toyota Camry ou de la Nissan Maxima, c'est-à-dire 195 chevaux. Il est

sans doute moins sophistiqué, mais il n'en demeure pas moins l'un des meilleurs moteurs offerts par General Motors. Attelé à la transmission automatique à 4 rapports, il m'a semblé plus vif que lors de mes premiers essais. Chose certaine, il réagit promptement aux sollicitations de l'accélérateur et procure des reprises parfaitement acceptables pour une voiture de cette catégorie. Avec les 215 chevaux du 3,5 litres, l'Intrigue offrira des performances encore plus incisives.

Un confort inégal

Malgré la présence d'une suspension à 4 roues indépendantes, l'Oldsmobile Intrigue risque de ne pas faire l'unanimité sur la question du confort. Dans le langage populaire, on dirait que «ça porte dur». Curieusement, la voiture ne réagit pas toujours de la même façon aux nombreux trous et bosses qui sillonnent notre réseau routier. Si, de temps à autre, les imperfections du revêtement se traduisent par des secousses désagréables, il arrive souvent que la suspension se montre plus conciliante.

De toute évidence, Oldsmobile a cherché, sans le trouver, le meilleur compromis possible entre la tenue de route et le confort. Disons que l'Intrigue se débrouille mieux en virage que sur pavé dégradé. La direction et le freinage ne sont pas non plus tout à fait à la hauteur de nos attentes. Le volant se ressent beaucoup trop de la force de couple du moteur et les 4 freins à disque souffrent d'un ABS bruyant. Ce n'est pas tellement l'efficacité du freinage qui est en cause, mais cette espèce de «couic couic» un peu grinçant qui se fait entendre chaque fois que l'antiblocage entre en action.

Oldsmobile Intrigue

Pour

Équipement complet • Bonne habitabilité • Tenue de route valable • Excellente transmission automatique • Performances adéquates

Contre

Effet de couple dans la direction • ABS bruyant • Suspension sèche • Mauvais dégivrage • Visibilité perfectible

Caractéristiques

Échelle de prix:	voir page 11 et suivantes
Modèle / Prix:	GL / 29 698 $
Type:	berline / traction
Empattement:	277 cm
Longueur:	498 cm
Largeur:	187 cm
Hauteur:	144 cm
Poids:	1570 kg
Coffre / Réservoir:	462 litres / 68 litres
Coussins de sécurité:	conducteur et passager
Système antipatinage:	oui
Suspension av. / arr.:	indépendante
Freins av. / arr.:	disque ABS
Direction:	à crémaillère, assistance variable
Diamètre de braquage:	11,2 mètres
Pneus av. / arr.:	P225/60HR16
Valeur de revente:	passable
Garantie de base:	3 ans / 60 000 km

Motorisation et performances

Moteur / Transmission:	V6 3,8 litres / automatique 4 rapports
Puissance / Couple:	195 ch à 5200 tr/min / 225 lb-pi à 4000 tr/min
Autre(s) moteur(s):	V6 3,5 litres 215 ch
Transmission optionnelle:	aucune
Accélération 0-100 km/h:	9,2 secondes autre moteur: 8,6 secondes
Vitesse maximale:	200 km/h
Freinage 100-0 km/h:	43,2 mètres
Consommation (100 km):	12,0 litres autre moteur: 11,5 litres

Modèles concurrents

Ford Taurus • Chrysler Cirrus • Honda Accord • Toyota Camry • Nissan Maxima

Quoi de neuf?

Moteur V6 3,5 litres DACT de 215 chevaux

Verdict

Agrément	⊕ ⊕ ⊕	Habitabilité	⊕ ⊕ ⊕ (
Confort	⊕ ⊕ ⊕	Hiver	⊕ ⊕ (
Fiabilité	⊕ ⊕ ⊕	Sécurité	⊕ ⊕ ⊕ ⊕

Mi-figue, mi-raisin

L'aménagement intérieur de la nouvelle Oldsmobile Intrigue a aussi ses bons et ses moins bons côtés. Bien sûr, des sorties d'air un peu plus larges à la base du pare-brise permettraient de mieux le dégivrer mais, en revanche, il faut se réjouir de la présence de ces projecteurs latéraux qui éclairent la route lorsqu'on actionne les clignotants pour signaler un virage. La visibilité demeure tout de même perfectible. Car, si le pare-brise se distingue par ses dimensions «panoramiques», la ceinture de caisse élevée gêne la visibilité latérale alors que la lunette arrière trop étroite rend hasardeuses les manœuvres de marche arrière.

Comme dans la Chevrolet Malibu, le contact d'allumage de l'Intrigue est logé sur le tableau de bord plutôt que sur la colonne de direction, ce qui représente une solution beaucoup plus commode. On peut dire la même chose des commandes d'ouverture du coffre et du clapet du réservoir d'essence qu'on a eu la sage idée de placer sur le tableau de bord. Cependant, il faut déplorer l'aspect confus des réglages de la climatisation.

Vingt fois sur le métier...

Espace et confort

L'Intrigue passe haut la main le test de l'habitabilité, grâce à de bonnes places arrière et à un grand coffre. On a aussi prévu de bons espaces de rangement sur la console centrale ainsi que des pochettes aménagées dans le dossier des sièges avant. À propos de sièges justement, ceux de l'Intrigue sont agréables autant par le maintien qu'ils procurent dans les virages que par le confort qu'ils continuent d'assurer après de longues heures au volant.

Si cette nouvelle Oldsmobile nous laisse mi-figue, mi-raisin, c'est qu'elle s'attaque à une concurrence particulièrement étoffée dans la plus importante catégorie du marché automobile. Elle constitue une option alternative intéressante aux valeurs déjà en place, mais General Motors devra s'attarder à tous ces petits détails qui ne pardonnent pas quand on veut devenir l'anti-Camry.

Jacques Duval

Plymouth Prowler

Plymouth Prowler

Wow!

Admirer les rondeurs de la Plymouth Prowler est une chose, la conduire en est une autre... On s'accorde d'abord pour dire qu'il s'agit fort probablement de la voiture de série la plus spectaculaire jamais construite. Sur l'échelle de l'émerveillement, elle se situe un cran au-dessus des Lamborghini Diablo, Ferrari F50 et de tous ces engins bigarrés qui sont venus faire leur p'tit tour sur la planète. Même la nouvelle Coccinelle ne lui résiste pas.

I ne fait pas de doute que les stylistes de Chrysler se sont surpassés et qu'aucun placard publicitaire n'a la même force d'attraction que cette Prowler. Comme bâtisseur d'image, c'est une incontestable réussite, mais la question qui brûle la langue de tout le monde est la suivante: «Comment ça roule?»

Disons que les formes insolites de cette Plymouth doivent pouvoir faire oublier un tas de lacunes pour que son conducteur soit heureux au volant. Bref, il est facile de tomber amoureux de la Prowler, mais beaucoup plus difficile d'accepter ses petits et gros travers. Certains diront que c'est un beau jouet, mais une mauvaise voiture et force est d'admettre que cette description s'approche dangereusement de la réalité.

Chapeau Chrysler

Cela dit, je tire mon chapeau aux designers de chez Chysler d'avoir eu l'audace d'être si peu politiquement corrects et de semer un peu de fantaisie dans la trop grande rectitude d'une industrie où les comptables ont souvent plus de poids que les ingénieurs un peu fous. Leur création, aussi excessive soit-elle, n'en demeure pas moins

une sorte de prouesse technologique. Soulevez simplement le capot et admirez cette suspension avant de type *pushrod* semblable à ce que l'on trouve sur les monoplaces de formule Indy. Le moteur, tout à côté, est le nouveau V6 3,5 litres 24 soupapes en aluminium de 253 chevaux qui équipe aussi la nouvelle Chrysler 300M. Il donne à la Prowler 1999 39 chevaux de plus que dans les versions antérieures. Produite en toute petite série (environ 1000 unités à ce jour) dans la même usine que la Dodge Viper, cette Plymouth est aussi une sorte de véhicule expérimental pour le développement de la voiture en aluminium. Son châssis, sa carrosserie (à l'exclusion des ailes), certains éléments de sa suspension et même l'armature des sièges sont fabriqués en aluminium. Cette utilisation extensive d'alliage léger a permis d'abaisser le poids de la voiture de 275 kg par rapport à l'acier et compte pour 410 des 1290 kg de la Prowler. Parmi les autres particularités de ce roadster rétro, mentionnons que la transmission automatique est montée à l'arrière pour une meilleure répartition du poids et que les pneus arrière ont 20 pouces de diamètre, une première sur une voiture de série. Incidemment, la roue de secours brille par son absence dans les confins extrêmement réduits de la Prowler. Heureusement, les pneus Goodyear d'origine sont des EMT (pour «mobilité continue») sur lesquels on peut franchir près de 100 km à 80 km/h lorsqu'ils sont à plat. L'espace pour les bagages aussi est pratiquement inexistant. Avec son volume de 51 litres, le coffre a les dimensions d'une boîte à gants... ou presque.

Des faiblesses, et puis après?

La Prowler, est-il besoin de le préciser, fait passer le style bien avant l'aspect pratique. L'accès à la voiture est périlleux, l'espace à

Plymouth Prowler

Pour

Look irrésistible • Châssis avant-gardiste • Conduite amusante • Chaîne stéréo grandiose

Contre

Visibilité atroce • Accès laborieux • Pas de coffre à bagages • Suspension archisèche • Freinage perfectible • Boîte automatique seulement • Bruits de caisse

Caractéristiques

Échelle de prix:	voir page 11 et suivantes
Modèle / Prix:	Prowler / 55 000 $
Type:	roadster 2 places / propulsion
Empattement:	288 cm
Longueur:	420 cm
Largeur:	194 cm
Hauteur:	129 cm
Poids:	1298 kg
Coffre / Réservoir:	51 litres / 45 litres
Coussins de sécurité:	conducteur et passager
Système antipatinage:	non
Suspension av. / arr.:	indépendante
Freins av. / arr.:	disque, pas d'ABS
Direction:	à crémaillère, assistée
Diamètre de braquage:	11,7 mètres
Pneus av. / arr.:	P245/45VR17 / P295/40VR20
Valeur de revente:	excellente
Garantie de base:	3 ans / 60 000 km

Motorisation et performances

Moteur / Transmission:	V6 3,5 litres / automatique 4 rapports
Puissance / Couple:	253 ch à 6400 tr/min / 255 lb-pi à 3950 tr/min
Autre(s) moteur(s):	aucun
Transmission optionnelle:	aucune
Accélération 0-100 km/h:	8 secondes
Vitesse maximale:	195 km/h
Freinage 100-0 km/h:	38,4 mètres
Consommation (100 km):	15 litres

Modèles concurrents

Panoz AIV

Quoi de neuf?

Nouveau moteur V6 3,5 litres • Nouvelles couleurs • Bouton de débranchement du coussin gonflable de droite

Verdict

Agrément	⊕ ⊕ ⊕ ⊕	Habitabilité	⊕
Confort	⊕	Hiver	⊕
Fiabilité	⊕ ⊕ ⊕	Sécurité	⊕ ⊕

l'intérieur risque de mettre en transe le premier claustrophobe venu, l'insonorisation est plutôt fantaisiste, les bruits de caisse ne se comptent plus et la suspension a la douceur d'un marteau-pilon. En plus, il faut voir la carrosserie se déhancher sur ces mauvaises routes, dont le Québec dispute le championnat à la jungle africaine. Mais savez-vous quoi? On s'en fout comme de l'an 40 quand on est au volant de la Prowler et que les yeux de la planète sont braqués sur soi. À partir du moment où il fait beau et que les 320 watts de la chaîne stéréo Infinity font éclater les tubes des Beach Boys ou de Roy Orbison dans leurs 7 haut-parleurs, on est au septième ciel.

Comment voler la vedette à la Coccinelle 2.

La Prowler est une voiture qui ne demande qu'à se faire voir. En matière de performance, elle se défend raisonnablement bien, malgré sa transmission automatique, mais il n'est pas question de faire la barbe à une Corvette ni même à une Ford Mustang GT. La brusquerie du convertisseur de couple donne l'impression de décoller très vite, mais l'impitoyable chronomètre affiche 8 grosses secondes lors d'un sprint 0-100 km/h. Et si l'on conduit sportivement, on risque de passer beaucoup de temps dans les stations-service car, avec une capacité de seulement 45 litres, le réservoir à essence se vide aussi vite qu'une bouteille d'eau gazeuse en pleine canicule.

Et la tenue de route, direz-vous? Ni très bonne ni très mauvaise... Les pneus arrière sont si bien plantés au sol que l'avant a tendance à sous-virer dans les courbes raides. Les longs virages s'enfilent toutefois avec une grande aisance et ce n'est vraiment qu'au freinage que la Prowler laisse à désirer. Privée d'ABS, la voiture est aussi handicapée par de longues distances d'arrêt.

Sans être aussi inspiré que l'extérieur, l'intérieur n'est pas dépourvu d'originalité avec son compte-tours rajouté, monté sur la colonne de direction comme à l'époque des *hot-rods,* et son instrumentation complète, flanquée en plein centre du tableau de bord sur une petite plaque du même jaune que la carrosserie. À propos de couleurs, la Prowler, qui n'existait qu'en mauve jusqu'à cette année, est désormais offerte en jaune, noir et rouge. Malgré sa capote assortie d'une lunette arrière dégivrante en verre, elle reste avant tout un roadster fait pour rouler à ciel ouvert et qui a besoin d'une belle journée d'été pour se faire admirer. J'ai même cru entendre des applaudissements sur son passage... (Voir aussi le texte sur les roadsters rétro au début de cet ouvrage.)

Jacques Duval

Chrysler Town & Country

Elle épate encore!

La concurrence a beau proposer nouveau modèle après nouveau modèle, les fourgonnettes Caravan, Town & Country et Voyager continuent de résister à leurs assauts. D'ailleurs, le match comparatif des four-gonnettes, dont vous pouvez lire les résultats en pre-mière partie de cet ouvrage, a permis de démontrer que l'Autobeaucoup est capable d'affronter sans broncher des véhicules plus récents et théoriquement capables de distancer l'aînée des fourgonnettes sur le marché. Bien que la version actuelle ait été entièrement transformée il y a plus de trois ans, elle conserve une impression-nante verdeur.

En fait, Chrysler ne se contente pas de défendre ses posi-tions: elle trouve même le moyen d'innover. En 1996, elle a une fois de plus bouleversé le monde des fourgonnettes en dévoilant une version dotée d'une porte coulissante arrière gauche. Depuis l'entrée en scène de cette fameuse portière, tous les manufacturiers se sont fait un devoir de joindre les rangs. Et ce n'est pas tout! Il ne faut pas oublier de souligner le fait que c'est Chrysler qui a développé le concept de la fourgonnette de luxe. La première version de la Town & Country a été lancée en 1990 et plusieurs observateurs ont accueilli cette nouvelle venue avec scepticisme. Malgré tout, ce concept a immédiatement connu beaucoup de succès et les ventes de cette version toute garnie et plus huppée ont grimpé en flèche. En fait, la Town & Country a enregistré une hausse des ventes de plus de 117 p. 100 au cours des trois dernières années.

Un produit bien né

La version actuelle est plus âgée que la plupart de ses concur-rentes. Pourtant, sa silhouette en impose toujours. Les stylistes ont vraiment frappé dans le mille en réussissant à concevoir une car-rosserie élégante et sportive à la fois. L'habitacle est de la même cuvée: le tableau de bord fait la nique à tous les autres modèles sur le marché. Curieusement, il semble que les stylistes des autres com-pagnies ne semblent pas être inspirés par ce genre de véhicule et trouvent toujours le moyen de dessiner des planches de bord qui seraient souvent plus appropriées sur une camionnette. Cela donne un avantage certain à la présentation dynamique de Chrysler qui se révèle également très agréable à l'usage.

Tout n'est pas parfait, certes, mais l'équilibre général de ces fourgonnettes est très relevé. Il est vrai que la concurrence offre des portes arrière coulissantes à ouverture et fermeture automatique et des agencements de banquettes arrière plus astucieux. De plus, la finition des modèles fabriqués par Chrysler est parfois inégale et plusieurs concurrentes bénéficient de moteurs plus sophistiqués et plus puissants. En fait, c'est l'équilibre d'ensemble du trio Caravan, Town & Country et Voyager qui leur permet de conserver leur posi-tion avantageuse sur le marché.

Il faut de plus souligner que la gamme Chrysler comprend des modèles à empattement court et long, un éventail de cinq moteurs et une interminable liste d'options et d'accessoires allant de la sus-pension sport aux pneus plus performants, sans oublier des sièges intégrés pour enfants.

Malgré tout, les responsables des trois différents modèles ont continué de raffiner ces fourgonnettes: plusieurs améliorations de

Plymouth Voyager

Pour

Traction intégrale optionnelle
• Consommation raisonnable
• Équipement complet • Chauffage efficace • Véhicule très polyvalent

Contre

Absence de sièges chauffants
• Bruits éoliens à haute vitesse
• Phares peu puissants • Ancrage des sièges médians parfois difficile
• Essuie-glaces irritant

Caractéristiques

Échelle de prix:	voir page 11 et suivantes
Modèle / Prix:	SE Sport / 26 895 $
Type:	fourgonnette / traction
Empattement:	287 cm
Longueur:	473 cm
Largeur:	220 cm
Hauteur:	174 cm
Poids:	1608 kg
Coffre / Réservoir:	385 litres / 4046 litres / 76 litres
Coussins de sécurité:	conducteur et passager
Système antipatinage:	non
Suspension av. / arr.:	indépendante / essieu rigide
Freins av. / arr.:	disque ABS / tambour ABS
Direction:	à crémaillère, assistée
Diamètre de braquage:	11,5 mètres
Pneus av. / arr.:	P215/65R16
Valeur de revente:	excellente
Garantie de base:	3 ans / 60 000 km

Motorisation et performances

Moteur / Transmission:	V6 3,3 litres / automatique 4 rapports
Puissance / Couple:	158 ch à 4850 tr/min / 203 lb-pi à 3250 tr/min
Autre(s) moteur(s):	4L 2,4 l 150 ch / V6 3 l 150 ch / V6 3,8 l 166 ch
Transmission optionnelle:	automatique 3 rapports / traction intégrale
Accélération 0-100 km/h:	12,0 secondes autre moteur: 14,6 s (2,4 l)
Vitesse maximale:	165 km/h
Freinage 100-0 km/h:	43,5 mètres
Consommation (100 km):	10,8 litres autre moteur: 11,4 l (V6 3 l)

Modèles concurrents

Chevrolet Venture • Ford Windstar • Honda Odyssey • Mazda MPV • Mercury Villager • Toyota Sienna

Quoi de neuf?

Filet de retenue entre les sièges • Nouvelle télécommande d'ouverture des portes • Sièges pour enfants inclinables

Verdict

Agrément	⊕⊕⊕⊕	Habitabilité ⊕⊕⊕⊕
Confort	⊕⊕⊕⊕	Hiver ⊕⊕⊕(
Fiabilité	⊕⊕⊕	Sécurité ⊕⊕⊕(

détails permettent de relever leur confort et leur agrément de conduite. Parmi les innovations dignes de mention pour 1999, il faut souligner la possibilité d'équiper la Dodge Caravan de roues de 17 pouces, l'arrivée d'un filet porte-objets entre les sièges avant sur tous les modèles de même que plusieurs retouches à l'esthétique extérieure.

Verglas aller-retour

Les folies climatiques du mois de janvier 1998 ont permis de mettre à l'épreuve de façon bien involontaire une Town & Country à traction intégrale dans le cadre d'un voyage aller-retour Montréal-Detroit effectué dans des conditions très difficiles. À l'aller, nous avons affronté une véritable patinoire sur une distance de plus de 150 km à la sortie de Toronto. Tandis que la plupart des automobiles et fourgonnettes valsaient à gauche et à droite, notre intégrale offrait une stabilité directionnelle rassurante et une traction qu'enviaient plusieurs autres automobilistes.

Toujours dans le coup.

L'aller n'a été que de la petite bière en comparaison du voyage de retour qui s'est effectué en plein milieu de la tempête de verglas. Inutile de vous donner plus de détails sur le temps qu'il faisait ce jour-là. Encore une fois, la traction en permanence aux 4 roues a permis d'affronter les routes glacées avec assurance. En fait, les seules limites étaient imposées par les pneumatiques et par le gros bon sens qui dictait de rester prudent.

La Town & Country s'est également révélée confortable en raison d'un système de ventilation efficace, de sièges-baquets accueillants et d'un aménagement intérieur bien pensé. Par contre, avec le vent qui soufflait, le support de toit est devenu passablement bruyant. Dernier détail en passant, les sièges en cuir auraient intérêts à être chauffants. C'est vraiment inconfortable au petit matin.

Cette polyvalence et une conception saine à la base permettent donc à Chrysler de défendre sa position de leader avec succès, même si la concurrence est de plus en plus nombreuse et plus forte que jamais.

Denis Duquet

Pontiac Grand Am

Pontiac Grand Am

D'abord, un look accrocheur

S'il est une voiture qui mise sur ses lignes pour faire des conquêtes, c'est bien la Pontiac Grand Am. On aime ou on n'aime pas, mais il faut bien admettre que cette pseudo-sportive issue du vaste empire de General Motors a un look accrocheur pour ne pas dire enjôleur. Même si la dernière Grand Am succombe un peu trop aux fioritures et que sa silhouette manque de sobriété, elle marque néanmoins un net progrès par rapport aux versions antérieures.

E ncore là, c'est matière de goût, mais on peut comprendre l'attrait de la jeune clientèle pour une voiture possédant un p'tit côté futuriste qui a au moins l'avantage de sortir de l'ordinaire. Supprimez les bas de caisse par trop gondolés et vous aurez une voiture somme toute pas vilaine à regarder.

Cela dit, la Grand Am a-t-elle autre chose qu'une frimousse à part pour se faire apprécier? Après une semaine au volant, j'avoue que je me pose encore la question. Cette berline (un coupé est aussi offert) est le genre de voiture plutôt «générique», dont les «pour» ou les «contre» sont subtils. Rien n'excite, rien ne déçoit vraiment, si ce n'est un manque général de caractère. Bref, on ne serait pas loin de la vérité si l'on disait qu'on a l'impression de conduire une voiture de location.

Classique à souhait

Autant la Grand Am tranche par ses lignes, autant elle est techniquement d'un classicisme rigoureux. Nous avons affaire à une traction emmenée par un moteur 4 cylindres de 2,4 litres ou un V6 de 3,4 litres jumelés uniquement avec une transmission automatique

à 4 rapports au fonctionnement sans bavure. Malgré un avantage de 1 litre et de 2 cylindres, le V6 n'offre qu'un petit 20 chevaux de plus que le 4 cylindres, plus moderne avec ses 16 soupapes et son double arbre à cames en tête. C'est ce moteur de 150 chevaux qui équipait la version SE mise à l'essai. Ses prestations sont correctes avec un 0-100 km/h inférieur à 11 secondes, tandis qu'à 10,8 litres aux 100 km, la consommation moyenne paraît très raisonnable.

Si la suspension à 4 roues indépendantes suit les normes de l'industrie, le freinage doit se satisfaire de disques à l'avant et de tambours à l'arrière. En revanche, l'ABS et l'antipatinage répondent présents sur la liste de l'équipement de série. Un groupe d'accessoires (inclus dans la voiture essayée) permet de bénéficier de roues et de pneus de 16 pouces au lieu de 15 ainsi que d'une direction à crémaillère à assistance progressive, dont le volant ne ressent que modérément les coups de cravache souvent associés aux tractions. La Grand Am 1999 se pare aussi d'un nouveau châssis plus rigide, dont la qualité se vérifie sur la route par l'absence de bruits de caisse. Même sur les plus mauvaises routes, la voiture reste silencieuse et bien plantée au sol. Et, contre toute attente, la combinaison disque/tambour du système de freinage donne des résultats inespérés. Cette Pontiac freine comme une grande et inspire par le fait même une très grande tranquillité d'esprit. Je n'hésiterais même pas à dire que peu de voitures sont gratifiées d'un freinage aussi précis et sans histoire.

La tenue de route est moins stimulante. Malgré les pneus de 16 pouces, le roulis est assez important et l'adhérence peu convaincante. En conduite normale, cela ne pose absolument aucun problème, mais il faut savoir qu'en dépit des apparences, la Grand Am

Pontiac Grand Am

Pour
Freinage équilibré • Caisse solide • Bonne habitabilité • Équipement complet • Lignes insolites

Contre
Position de conduite inconfortable • Performances modestes • Tenue de route peu sportive • Agrément mitigé

Caractéristiques

Échelle de prix:	voir page 11 et suivantes
Modèle / Prix:	SE / 25 280 $
Type:	berline / traction
Empattement:	271 cm
Longueur:	473 cm
Largeur:	179 cm
Hauteur:	140 cm
Poids:	1413 kg
Coffre / Réservoir:	413 litres / 57 litres
Coussins de sécurité:	frontaux
Système antipatinage:	oui
Suspension av. / arr.:	indépendante
Freins av. / arr.:	disque / tambour ABS
Direction:	à crémaillère, assistance variable
Diamètre de braquage:	11,0 mètres
Pneus av. / arr.:	P225/50R16
Valeur de revente:	nouveau modèle
Garantie de base:	3 ans / 60 000 km

Motorisation et performances

Moteur / Transmission:	4L 2,4 litres DACT / automatique 4 rapports
Puissance / Couple:	150 ch à 5600 tr/min / 155 lb-pi à 4400 tr/min
Autre(s) moteur(s):	V6 3,4 litres 170 chevaux
Transmission optionnelle:	aucune
Accélération 0-100 km/h:	10,3 secondes autre moteur: 9,2 secondes
Vitesse maximale:	175 km/h
Freinage 100-0 km/h:	42,0 mètres
Consommation (100 km):	10,8 litres autre moteur: 11,2 litres

Modèles concurrents
Honda Accord • Nissan Altima • Ford Contour • Plymouth Breeze • Subaru Legacy • Mazda 626

Quoi de neuf?
Nouveau modèle

Verdict

Agrément	⊕ ⊕ ⊕	Habitabilité	⊕ ⊕ ⊕ (
Confort	⊕ ⊕ ⊕	Hiver	⊕ ⊕ ⊕
Fiabilité	⊕ ⊕ ⊕	Sécurité	⊕ ⊕ ⊕

n'est pas vraiment une sportive. Son rôle est d'offrir le meilleur compromis possible entre le confort et la tenue de route, un défi facilement relevé.

À l'intérieur, ça se gâte

La présentation intérieure de la Grand Am ne fera certes pas l'unanimité. Plusieurs la trouvent envahissante avec son tableau de bord aux formes généreuses, sinon biscornues. Au volant, on fait face à deux énormes rondeurs et à l'indicateur de vitesse. Pas moins de 5 sorties d'air occupent aussi une place importante dans ce tableau de bord on ne peut plus tapageur. Si l'on peut accepter la lourdeur du design, il faut se montrer plus critique sur le confort qu'offrent les sièges. Le coussin horizontal est beaucoup trop incliné, ce qui rend la position de conduite désagréable. En plus, le gros pourtour du volant risque de déplaire à des mains féminines.

Tape-à-l'œil.

Le cendrier optionnel occupe l'espace normalement réservé à l'un des deux porte-verres sur la console. Les espaces de rangement sont satisfaisants et le coffre à gants est complété par un vide-poches central. À l'exception de la fragilité du petit morceau de plastique fixé au pavillon destiné à recevoir une télécommande pour la porte de garage, la finition m'est apparue d'une qualité acceptable. La visibilité souffre d'un léger angle mort de $3/4$ arrière, mais c'est bien peu, comparativement à la grande majorité des voitures actuelles dans lesquelles chaque marche arrière devient une partie de poker.

Compte tenu de ses dimensions très raisonnables (elle est de la même longueur qu'une Honda Accord), la Pontiac Grand Am SE 1999 comporte 2 places arrière fort spacieuses agrémentées de porte-verres et de pochettes dans le dossier des sièges avant. Oubliez la place centrale de la banquette arrière qui donne l'impression d'être assis sur un 2X4, tellement elle est inconfortable. Le coffre à bagages manque de profondeur et son seuil de chargement est relativement élevé. Il est néanmoins possible de rabattre le dossier arrière pour accroître son volume.

Cet inventaire de l'une des voitures américaines les plus convoitées démontre assez clairement que, quoi qu'on dise, l'apparence d'un modèle compte encore pour beaucoup dans son succès auprès de la clientèle. Car, à part un look accrocheur, la Pontiac Grand Am SE est une voiture bien conventionnelle, ni meilleure ni pire que la majorité de ses congénères.

Jacques Duval

Pontiac Grand Prix

Pontiac Grand Prix coupé

Un signe encourageant

Lors de leur lancement à l'été 1996, les Pontiac Grand Prix mises à notre disposition étaient intéressantes, tant au chapitre de la présentation que du comportement routier. Par la suite, les quelques modèles que nous avons conduits étaient tous affligés d'un assemblage et d'une qualité de finition tout simplement atroces. Heureusement, la participation de la Grand Prix à notre match comparatif *La guerre des intermédiaires* en première partie de cet ouvrage nous a permis de nous réconcilier avec ce modèle.

Non seulement cette version relativement modeste avec son moteur 3,1 litres affichait une finition honnête, mais son comportement routier lui a valu des éloges. Plusieurs de nos essayeurs l'ont considérée comme la plus agréable à piloter parmi les voitures en lice. Pour la première fois, nous étions en présence d'une voiture qui rendait justice au concept original.

Le design, toujours le design

Pontiac se distingue des autres divisions de General Motors par son design nettement plus agressif. C'est encore plus important dans ce cas-ci, puisque Pontiac a officiellement été mandatée par la haute direction pour offrir des sensations fortes, tant sur le plan de l'apparence que de la conduite. C'est pourquoi la berline tente de passer pour un coupé. Toujours selon Pontiac, l'acheteur type de cette voiture est un enthousiaste de la conduite qui veut une voiture qui fasse tourner les têtes, tout en proclamant sa vocation sportive. Pour obtenir un tel résultat, les stylistes ont concocté une silhouette qui adopte des allures sport. Un pavillon bas et une voie

large sont des éléments indissociables pour une voiture de ce genre. De plus, la taille cintrée en forme de bouteille de Coca-Cola permet de donner plus d'importance à la largeur des voies avant et arrière. Les phares sont également placés très près de chaque extrémité afin de créer une impression de largeur.

La voiture paraît basse, même si le dégagement pour la tête dans l'habitacle est généreux. Les stylistes ont utilisé le trompe-l'œil en allongeant les parois vitrées et en donnant une inclinaison de 63 degrés au pare-brise. La Grand Prix paraît donc surbaissée sans que les occupants en soient incommodés.

Comme c'est le cas dans toutes les autres Pontiac, la présentation intérieure est plus chargée que la moyenne, même si la Grand Prix est mieux réussie à ce chapitre que la Grand Am qui est l'exemple de ce qu'il ne faut pas faire. La dernière Grand Prix que nous avons pilotée nous a permis de constater que la finition s'est resserrée au fil des mois et que les sièges sont confortables.

La plate-forme «W»

Cette Grand Prix emprunte la plate-forme «W» qui est également utilisée sur l'Oldsmobile Intrigue et la Buick Regal. Celle-ci se démarque par sa voie plus large à l'avant comme à l'arrière et sa rigidité est même supérieure à celle de plusieurs voitures de marques prestigieuses vendues à prix plus élevé. La suspension arrière indépendante utilise des ressorts hélicoïdaux, associés à des jambes de force et à des liens multiples, tandis que les ingénieurs ont opté pour des jambes de force à l'avant. D'ailleurs, Pontiac a consacré beaucoup d'énergie à donner à la Grand Prix un comportement routier supérieur.

Pontiac Grand Prix

Pour

Silhouette plaisante • Équipement complet • Tenue de route agréable • Habitabilité adéquate • Moteurs bien adaptés

Contre

Suspension avant sèche • Certains détails d'aménagement à revoir • Finition perfectible • Transmission qui chasse dans les côtes • Cendrier atroce

Caractéristiques

Échelle de prix:	voir page 11 et suivantes
Modèle / Prix:	GT / 31 795 $
Type:	berline / traction
Empattement:	281 cm
Longueur:	499 cm
Largeur:	185 cm
Hauteur:	139 cm
Poids:	1550 kg
Coffre / Réservoir:	435 litres / 68 litres
Coussins de sécurité:	conducteur et passager
Système antipatinage:	oui
Suspension av. / arr.:	indépendante
Freins av. / arr.:	disque ABS
Direction:	à crémaillère, assistance variable
Diamètre de braquage:	11,2 mètres
Pneus av. / arr.:	P205/60R16
Valeur de revente:	moyenne
Garantie de base:	3 ans / 60 000 km

Motorisation et performances

Moteur / Transmission:	V6 3,8 litres / automatique 4 rapports
Puissance / Couple:	200 ch à 5200 tr/min / 225 lb-pi à 4000 tr/min
Autre(s) moteur(s):	V6 3,1 litres 160 ch / V6 3,8 litres 240 ch
Transmission optionnelle:	aucune
Accélération 0-100 km/h:	9,5 secondes autre moteur: 6,9 secondes (240 ch)
Vitesse maximale:	180 km/h (limitée)
Freinage 100-0 km/h:	42,6 mètres
Consommation (100 km):	12,8 litres autre moteur: 14,2 litres

Modèles concurrents

Chrysler Intrepid • Ford Taurus • Mercury Sable • Oldsmobile Intrigue • Buick Regal

Quoi de neuf?

Moteur 3,8 litres plus puissant • Nouvelles roues 16 pouces • Chaîne audio améliorée

Verdict

Agrément	⊕ ⊕ ⊕ ◖	Habitabilité ⊕ ⊕ ⊕ ◖
Confort	⊕ ⊕ ⊕	Hiver ⊕ ⊕ ⊕
Fiabilité	⊕ ⊕ ⊕	Sécurité ⊕ ⊕ ⊕ ⊕

Le moteur de série est un V6 3,1 litres de 160 chevaux. Les modèles GT sont animés par les 200 chevaux du V6 3800 Série II. Ce moteur développe 5 chevaux de plus cette année, grâce à une meilleure admission d'air. Curieusement, les modèles antérieurs se voyaient limités en puissance parce que la silhouette sportive de la Pontiac limitait l'admission d'air au moteur. Par contre, la version suralimentée de ce V6 développe 240 chevaux, comme sur les autres modèles équipés de ce moteur. La version GTP animée par ce groupe propulseur est une voiture unique aussi bien par son comportement routier que par sa présentation sportive.

De mieux en mieux.

Une conduite précise

Une fois derrière le volant, il suffit de quelques kilomètres pour apprécier le comportement routier très positif de cette Pontiac. La précision de la direction à assistance variable ainsi que la rigidité de la plate-forme impressionnent. De plus, cette voiture ne se laisse nullement intimider dans les courbes à grands rayons abordées à bonne vitesse. Bien que la boîte automatique à 4 rapports se soit montrée parfois impatiente à passer d'un rapport à l'autre sur les routes montagneuses, elle est efficace dans l'ensemble et le passage des vitesses s'effectue en douceur.

Le V6 3,8 litres s'acquitte honnêtement de sa tâche et sa consommation observée de 12,8 litres aux 100 km est raisonnable pour un moteur de cette puissance et de cette cylindrée. Par contre, une vitesse maximale limitée à 180 km/h et un temps d'accélération de 9,5 secondes pour boucler le 0-100 km/h sont des statistiques honnêtes, mais pas vraiment sportives.

En fait, le talon d'Achille de cette voiture est la suspension avant des modèles GT et GTP, dont le tarage s'accommode assez mal des mauvaises routes. Tout va bien lorsque la chaussée est en bon état, mais la rencontre d'un trou ou d'une bosse de quelque importance se traduit par une secousse très sèche dans le volant. Malgré cela, la Grand Prix est une voiture au comportement routier très intéressant. De plus, elle fait toujours tourner les têtes. Sans contredit, cette Pontiac est en mesure de faire la barbe aux Lumina / Monte Carlo de Chevrolet, tandis qu'une version bénéficiant d'un assemblage décent n'a pas de complexe par rapport aux Ford Taurus et Mercury Sable.

Par contre, l'arrivée de l'Oldsmobile Intrigue avec son nouveau moteur V6 3,5 litres et son équilibre général est de nature à inquiéter la Grand Prix.

Porsche 911 Carrera coupé • cabriolet

Porsche 911 Carrera coupé

Un classique réinventé

Au sein d'une industrie automobile en perpétuel renouvellement, peu de voitures méritent d'être considérées comme des classiques. La Porsche 911 fait pourtant partie de ce groupe d'élite et la présentation de la première véritable nouvelle version de ce modèle en 34 ans était, bien sûr, très attendue. C'est à Saint-Tropez, en septembre 1997, que j'ai eu le bonheur de faire sa connaissance.

Après un survol technique, nous avons quitté le sud de la France pour faire route jusqu'au siège social de Porsche, à Stuttgart, en Allemagne. Neuf mois plus tard, je sillonnais les routes du Québec dans la version cabriolet de la légendaire 911. Les quelque 2000 km parcourus m'ont permis de découvrir une voiture, dont il n'est pas abusif de dire qu'elle est à deux pas de la perfection. Malgré tout, elle ne fait pas encore l'unanimité chez les loyalistes de la marque.

La clientèle Porsche est en effet d'un fanatisme qui frise le délire quand on touche à la 911. On vous dira par exemple que les carences de la 993 (l'appellation interne de l'ancien modèle) sont précisément ce qui faisait son charme. Dans un tel contexte, les ingénieurs de la marque allemande avaient un défi de taille à relever quand on leur a confié le mandat de créer une version entièrement nouvelle de cette légende sur roues. Leur démarche a néanmoins été fort habile, puisque la 996 (le nouveau modèle) représente un heureux amalgame de traditionalisme et de modernité.

Côté apparence, le profil familier de la 911 a été conservé, tout comme son moteur arrière. Même la clé de contact placée à gauche du volant demeure une anomalie sympathique. En revanche, la

voiture est entrée dans l'ère moderne en abandonnant son moteur refroidi par air au profit d'un tout nouveau 6 cylindres à plat de 3,4 litres et 24 soupapes refroidi par eau au moyen de 2 radiateurs logés à l'avant. Ses 296 chevaux passent par une nouvelle boîte manuelle à 6 rapports avec commande par câbles au lieu de tringles, tandis que la transmission automatique avec mode manuel «Tiptronic» bénéficie de 5 rapports. La direction à crémaillère a été relocalisée devant l'axe des roues avant comme sur les voitures de course, le châssis a gagné 55 p. 100 en rigidité, le freinage bénéficie de nouveaux étriers monoblocs et les suspensions ont été optimisées.

L'effet Boxster

Même si la nouvelle 911 coûte environ 40 000 $ de plus que la Boxster, elle ne se gêne pas pour emprunter plusieurs éléments au modèle d'accès à la gamme. En tout, 38 p. 100 de ses composantes émanent du petit roadster de Porsche. Du pare-chocs avant au pare-brise, tout est identique dans les deux modèles. Même les portières sont interchangeables. Cette affinité de style, encore plus flagrante dans le cabriolet, explique peut-être pourquoi la 996 n'a pas tout à fait le même pouvoir de séduction que la 993.

Cela dit, la 911, coupé ou cabriolet, redéfinit le plaisir de conduire à tous les échelons. Son 6 cylindres s'inscrit d'emblée parmi les meilleurs moteurs du monde, toutes catégories confondues. Il n'exige plus la maestria d'un pilote professionnel pour propulser la voiture vers un 0-100 km/h d'à peine 5 secondes. Le couple abondant ne rend pas nécessaires de fréquents recours à la boîte de vitesses, mais le maniement de son levier est un tel délice que l'on passe son temps à changer de rapport pour le simple plaisir de la chose. Seul le passage de la marche arrière exige une poigne plus solide.

L'autobahn à 269 km/h

La tenue de route déjà exceptionnelle (mais délicate) des anciennes 911 a été rehaussée d'un cran dans la dernière évolution du modèle. Et plus la route se montre capricieuse, plus la voiture est en parfait accord avec son environnement. Une petite irrégularité du revêtement dans un long virage d'*autobahn* enfilé à 269 km/h a à peine fait chasser le train arrière. Cet incident de parcours se serait révélé beaucoup plus dramatique dans la 993 et je doute même qu'il m'ait été possible de le raconter. D'accord, ce genre d'exercice est loin d'être recommandé, mais il sert tout de même à démontrer les extraordinaires ressources de la suspension multibras qui équipe la 911. À moins de faire des bêtises ou d'être sur une piste de course, il est quasi impossible de briser l'adhérence des roues motrices et de provoquer un survirage, la bête noire des anciens modèles. En conduite sportive, il suffit de mettre la voiture en appui à l'amorce du virage et d'enfoncer l'accélérateur pour que les 4 pneus se plantent obstinément dans le bitume. Ceux qui n'ont pas la vocation d'un Jacques Villeneuve apprécieront pour leur part le confort nettement accru offert par la suspension. Les habitués de la précédente 911 noteront aussi une réduction notable du diamètre de braquage, tout en déplorant l'insensibilité et surtout l'appesantissement de la nouvelle direction.

Triste tableau

En prenant place au volant de la nouvelle 911, on ne peut pas dire que la présentation intérieure soit très réjouissante. Le tableau de bord est le principal fautif avec ses plastiques grisâtres inadmissibles dans une voiture de ce prix. Que dire également du fait que le coussin gonflable de droite ait pris la place du coffre à gants? Même l'ancienne 911 arrivait à conjuguer les deux. L'habitacle rachète son aspect bon marché par de meilleures cotes, tant au point de vue espace qu'ergonomie. Les places arrière sont toujours symboliques, mais les dégagements ont néanmoins gagné de précieux centimètres çà et là, tandis que la disposition des diverses commandes répond désormais à la logique plutôt qu'aux contraintes d'un design vieux de 34 ans. L'instrumentation occupe une place de choix avec un compte-tours central combiné à un indicateur de vitesse numérique et à 4 autres cadrans entrecroisés, donnant l'heure parfaitement juste sur le rendement de la voiture.

Porsche 911

Pour

Moteur exceptionnel • Performances grisantes • Tenue de route immuable • Confort en hausse • Capote bien insonorisée

Contre

Ligne contestable • Intérieur banal • Direction insensible • Trop d'affinités avec la Boxster

Caractéristiques

Échelle de prix:	voir page 11 et suivantes
Modèle / Prix:	911 cabriolet / 109 000 $
Type:	cabriolet 2+2 / propulsion
Empattement:	235 cm
Longueur:	443 cm
Largeur:	177 cm
Hauteur:	131 cm
Poids:	1396 kg
Coffre / Réservoir:	130 litres / 65 litres
Coussins de sécurité:	frontaux et latéraux
Système antipatinage:	optionnel
Suspension av. / arr.:	indépendante
Freins av. / arr.:	disque, ABS
Direction:	à crémaillère, assistée
Diamètre de braquage:	10,9 mètres
Pneus av. / arr.:	P205/50ZR17 / P255/40ZR17
Valeur de revente:	excellente
Garantie de base:	4 ans / 80 000 km

Motorisation et performances

Moteur / Transmission:	6H 3,4 litres / manuelle 6 rapports
Puissance / Couple:	296 ch à 6800 tr/min / 258 lb-pi à 4600 tr/min
Autre(s) moteur(s):	aucun
Transmission optionnelle:	«Tiptronic» 5 rapports (semi-manuelle)
Accélération 0-100 km/h:	5,8 secondes (5,2 secondes, coupé)
Vitesse maximale:	280 km/h («Tiptronic» 275 km/h)
Freinage 100-0 km/h:	37,5 mètres
Consommation (100 km):	11,8 litres

Modèles concurrents

Acura NSX-T • Jaguar XK8 • Ferrari F355 Spider • Dodge Viper GTS • Mercedes-Benz SL

Quoi de neuf?

Modèle Carrera 4 (traction intégrale)

Verdict

Agrément	⊕ ⊕ ⊕ ⊕ ⊕	Habitabilité ⊕ ⊕ ⊖
Confort	⊕ ⊕ ⊕ ⊖	Hiver ⊕ ⊕ ⊕
Fiabilité	⊕ ⊕ ⊕ ⊕	Sécurité ⊕ ⊕ ⊕ ⊕

La sécurité passive a aussi fait des progrès notables avec l'adoption de coussins gonflables latéraux d'une conception ingénieuse. Grâce à leur volume important (34 litres), ils arrivent à protéger non seulement le bassin et le thorax, mais aussi la tête du conducteur en cas d'impact latéral ou de capotage. En plus, le cabriolet est doté d'arceaux de sécurité qui se déploient automatiquement si nécessaire.

Son et soleil

Avec sa capote mal insonorisée qui, une fois abaissée, s'empilait de manière disgracieuse au-dessus de la ceinture de caisse, l'ancienne Porsche 911 Cabriolet n'était ni très confortable ni très élégante. Bricolé à partir d'un coupé qui n'était pas destiné au départ à se faire ainsi charcuter, ce modèle était loin de la perfection. Il en va différemment du modèle actuel dont, dès l'étape de la planche à dessin, on connaissait la destinée.

À deux pas de la perfection.

La voiture partage évidemment la plupart de ses éblouissantes qualités avec le coupé mais, pour une fois, le toit souple ne vient pas gâter le plaisir.

Ne serait-ce que pour entendre les belles envolées de son moteur arrière lorsqu'on enfonce l'accélérateur à ciel ouvert, ce cabriolet a toute sa raison d'être. Au cours d'un petit spectacle de 20 secondes, son toit s'escamote entièrement sur la simple pression d'un bouton ou, plus simplement, en tournant la clé de la portière du côté du conducteur. Pas de loquet à déverrouiller ou de housse à agrafer. La toile est doublée afin d'étouffer le bruit du vent, mais la lunette arrière est toujours en plastique et dépourvue de dégivreur. À cette critique, Porsche répond qu'un toit rigide avec dégivreur est offert sans supplément de prix. Pour 109 000 $, c'est le moindre des choses... Sur la voiture mise à l'essai, la carrosserie avait pratiquement la même rigidité que celle du coupé, mais l'armature de la capote était responsable d'une multitude de bruits, qu'on disait attribuables à une pièce manquante.

Les puristes ont beau raconter que la nouvelle 911 ne les accroche pas, il faudrait être d'une innocence sans nom pour ne pas reconnaître que cette Porsche est une superbe synthèse des plus beaux attributs d'une voiture grand-tourisme et d'un authentique engin sportif. Sa plus grande qualité est d'être d'une civilité qui faisait cruellement défaut aux versions antérieures. Que ce soit le moteur, la boîte de vitesses, la direction, le freinage ou la tenue de route, tout chez elle est devenu remarquablement facile à exploiter. Dommage que le prix n'ait pas emprunté la même direction.

Jacques Duval

Porsche Boxster

Porsche Boxster

Tout pour plaire

Alors que la récente 911 existe déjà en trois versions (coupé, cabriolet et Carrera 4 à traction intégrale), la Porsche Boxster, qui en est pourtant à sa troisième année d'existence, attend toujours un élargissement de sa gamme qui se limite pour l'instant au modèle de base avec boîte de vitesses manuelle ou automatique («Tiptronic»). La version S, plus performante, ne fera pas son entrée sur le marché avant une autre année.

S i Porsche n'est pas plus pressée d'offrir la Boxster avec un moteur plus puissant, c'est que le modèle d'origine connaît un succès inespéré. La demande est telle que l'on a dû mettre en place une seconde chaîne d'assemblage à Valmet, en Finlande. Cette popularité s'explique non seulement par un prix abordable, mais aussi par cette silhouette unique qui reprend les grandes lignes de cette voiture-culte qu'est la Porsche Spyder 550 de 1953 dans laquelle le jeune acteur américain James Dean trouva la mort.

Le fait que la Boxster sorte facilement victorieuse d'une confrontation avec les autres roadsters allemands (Mercedes SLK et BMW M Roadster) n'est pas étranger non plus à sa réussite. On peut enfin soupçonner que Porsche a tout intérêt à ne pas hausser les performances de son petit roadster au niveau de celles de la récente 911 qui a besoin de tous les arguments possibles pour justifier un supplément de 40 000 $. Suis-je en train de vous dire que la Boxster est un meilleur achat que la 911? Presque... Dans un climat comme le nôtre où les voitures de sport assez précieuses restent au garage cinq mois par année, il est difficile de justifier de tels investissements. D'autant plus que pour savourer le plaisir de conduire sur

une petite route en lacets par un beau jour d'été, la Porsche Boxster ne donne pas sa place. Son moteur central a permis une parfaite répartition du poids qui contribue à une tenue de route presque neutre où le survirage n'intervient qu'à l'extrême limite. Le comportement routier ne mérite que des éloges et cela même sous la pluie. Et surtout, point n'est besoin d'être un pilote aguerri pour s'amuser au volant d'une Boxster. Elle prévient de ses pertes d'adhérence imminentes et reste toujours facile à mater.

Un moteur bien né

Avec un 0-100 km/h en moins de 7 secondes, les performances ne sont pas banales, mais c'est surtout le bel équilibre de cette Porsche qu'il faut admirer. Le moteur 6 cylindres de 2,5 litres est celui qui a donné naissance au 3,4 litres qui fait carrière sous le capot arrière de la dernière 911 (996). Il conserve l'architecture des cylindres horizontaux ou à plat des anciens moteurs Porsche, mais abandonne le refroidissement par air qui leur était typique au profit d'un refroidissement par liquide. Qu'on se rassure toutefois, il conserve une sonorité qui rend les montées en régime délicieuses à expérimenter et à écouter. Les 201 chevaux du moteur sont gérés par une boîte de vitesses manuelle à commande par câbles, dont le seul hic est de posséder un cinquième rapport un peu trop court qui rend parfois le niveau sonore agaçant à une vitesse de croisière. Quant à la transmission automatique «Tiptronic» permettant, si on le désire, de passer les rapports manuellement, elle m'apparaît aussi utile que des pneus cloutés en Floride.

En matière d'aides à la conduite, l'antipatinage combiné au différentiel automatique de frein sont de loin plus souhaitables.

Porsche Boxster

Pour

Silhouette sympathique • Moteur bien né • Superbe tenue de route • Freinage incomparable • Prix raisonnable... pour une Porsche

Contre

Présentation intérieure banale • Mauvaise visibilité (capote relevée) • Reprises molles • Boîtes de vitesses perfectibles • Clignotants trop discrets

Caractéristiques

Échelle de prix:	voir page 11 et suivantes
Modèle / Prix:	Boxster / 58 400 $
Type:	roadster 2 places / central / propulsion
Empattement:	242 cm
Longueur:	434 cm
Largeur:	178 cm
Hauteur:	129 cm
Poids:	1250 kg
Coffre / Réservoir:	260 litres / 57 litres
Coussins de sécurité:	frontaux et latéraux
Système antipatinage:	oui (optionnel)
Suspension av. / arr.:	indépendante
Freins av. / arr.:	disque ABS
Direction:	à crémaillère, assistée
Diamètre de braquage:	10,9 mètres
Pneus av. / arr.:	P205/50ZR17 / P255/40ZR17
Valeur de revente:	excellente
Garantie de base:	4 ans / 80 000 km

Motorisation et performances

Moteur / Transmission:	6H 2,5 litres / manuelle 5 rapports
Puissance / Couple:	201 ch à 6000 tr/min / 181 lb-pi à 4500 tr/min
Autre(s) moteur(s):	aucun
Transmission optionnelle:	«Tiptronic» 5 vitesses
Accélération 0-100 km/h:	6,7 secondes / 7,3 secondes (automatique)
Vitesse maximale:	240 km/h
Freinage 100-0 km/h:	37,5 mètres
Consommation (100 km):	8,0 litres

Modèles concurrents

Audi TT • BMW Roadster • Mercedes-Benz SLK

Quoi de neuf?

Aucun changement majeur

Verdict

Agrément	⊕ ⊕ ⊕ ⊕ (	Habitabilité	⊕ ⊕ (
Confort	⊕ ⊕ ⊕	Hiver	⊕ ⊕ ⊕
Fiabilité	⊕ ⊕ ⊕	Sécurité	⊕ ⊕ ⊕ (

Si la Boxster dispose de moins de chevaux qu'une 911, elle hérite toutefois de la même puissance de freinage. Sa direction à crémaillère donne aussi une meilleure sensation de contact avec la route que celle de la 911, tout en offrant un diamètre de braquage très court. Le seul obstacle à la maniabilité en conduite urbaine vient des nombreux angles morts qui rendent la visibilité très aléatoire lorsque la capote est en place.

Sûr et silencieux

Malgré son tout petit format, ce roadster offre néanmoins un maximum de sécurité grâce à la présence d'arceaux de sécurité au-dessus des appuie-tête et, depuis l'an dernier, de coussins gonflables latéraux en complément des coussins frontaux.

Une Porsche, une vraie.

L'équipement de série comprend entre autres une commande électrique qui permet d'abaisser la capote en 12 secondes seulement. La Boxster est d'ailleurs infiniment plus plaisante sans son toit souple qui, une fois en place, est à l'origine d'un bruit de vent plutôt élevé. Par contre, la voiture a pratiquement la même rigidité qu'un coupé, et la structure demeure assez silencieuse sur des revêtements qui ont connu des jours meilleurs.

On est presque redevable à Porsche d'avoir affublé la Boxster d'une présentation et d'un aménagement intérieur aussi inintéressants. Cela permet de meubler la case des «contre». Il y a d'abord les sièges qui sont certes confortables, mais dont les garnitures en cuir sont trop glissantes. Le volant non réglable en hauteur est aussi trop bas à mon goût, tandis que les clignotants (comme dans la 911) sont tellement silencieux qu'on oublie souvent de les désactiver lorsqu'on les utilise pour signaler un changement de voie. L'espace intérieur est à ce point limité qu'on ne sait plus trop quoi faire avec un simple porte-documents. Heureusement, le fait que le moteur soit central a permis l'aménagement de deux coffres à bagages (un à l'avant et l'autre à l'arrière) qui sont fort utiles. On peut s'habituer aux petits irritants, mais l'aspect bon marché de la présentation s'accepte moins bien dans une voiture d'environ 60 000 $.

De toute l'histoire de Porsche, la Boxster est le seul modèle d'accès à la gamme dont on puisse dire qu'il est une vraie Porsche. C'est sans doute là sa plus belle réussite après les expériences plus ou moins convaincantes des 914, 924 ou autres 944.

Jacques Duval

Rolls-Royce • Bentley

Rolls-Royce Silver Seraph

Nouveau modèle, nouveau propriétaire

Plus rien n'est sacré dans l'impitoyable monde des affaires. Ce qui pouvait être considéré comme le dernier joyau de l'industrie automobile britannique, l'auguste société Rolls-Royce, est récemment devenue propriété allemande. Peu de temps après le dévoilement d'une nouvelle génération de ses voitures d'apparat, le premier symbole mondial du grand luxe s'est trouvé au beau milieu d'une rocambolesque histoire d'acquisition, dont on ne sait plus très bien qui est sorti gagnant.

D e prime abord, on serait tenté de croire que c'est Volkswagen qui a gagné le gros lot puisque ce groupe allemand, à coups de dizaines de millions de dollars supplémentaires, a soutiré à son rival BMW, la prestigieuse firme britannique. Pourtant, la marque bavaroise flirtait déjà depuis longtemps avec Rolls-Royce en lui cédant son imposant moteur V12 accompagné d'une transmission automatique à 5 rapports et de toute l'expertise des sorciers de Munich en matière de groupes propulseurs. Puis, surprise...! Au moment même où BMW s'apprêtait à prendre possession des clefs de Rolls et de son partenaire Bentley, tout a basculé en faveur de Volkswagen. Il n'en fallait pas plus pour que Ferdinand Piech, PDG de l'entreprise, bombe le torse en criant victoire.

Les clefs à VW, le nom à BMW

C'est Vickers, le vrai propriétaire de Rolls-Royce, qui est venu jeter un pavé dans la mare. Oui, VW pouvait prendre possession de l'usine de Crewe, de la marque Bentley et de tout le tralala, mais les droits d'utilisation du nom Rolls-Royce ne feraient pas partie de

la vente. C'est BMW qui conserverait ce privilège. On ne sait plus très bien qui a gaffé dans toute cette histoire, mais disons que M. Piech n'a pas très bien accepté d'être couvert de ridicule par la presse allemande. Pour sauver la face, il en est toutefois venu à une entente tripartite avec Rolls et BMW. Volkswagen aura le droit d'utiliser le nom de Rolls-Royce jusqu'en 2003, après quoi ce nom deviendra la propriété exclusive de BMW. Il sera bien sûr passionnant de voir ce qui résultera de tout cet imbroglio. Les pros-Piech affirment que celui-ci n'est pas du tout décontenancé et qu'il préfère de loin construire des voitures haut de gamme sous le nom de Bentley que sous celui de Rolls-Royce. Cette dernière appellation, aux yeux de plusieurs, est beaucoup trop limitative et ne se prête pas à des modèles de grande série ou de toutes catégories. Par contre, le nom Bentley a aussi son auréole et permettrait au groupe VW-Audi-Lamborghini de commercialiser un grand assortiment de véhicules, allant de l'utilitaire sport à la voiture grand-tourisme. Sachant que VW a la ferme intention d'aller jouer dans les plates-bandes de Mercedes, le nom de Bentley apparaît comme une parfaite rampe de lancement pour ce projet.

La vie continue

En attendant, Rolls-Royce a dévoilé la Silver Seraph au dernier Salon de Genève. La Bentley Arnage faisait son entrée en scène quelques semaines plus tard.

Le nom fait sourire chez nous. Alors que «Silver Seraph» signifie «Séraphin d'argent» et désigne selon le dictionnaire Oxford un «être céleste de la plus haute dignité», cette appellation rappelle au Québec un personnage de fiction reconnu pour son avarice

Rolls-Royce

Pour
Prestige garanti • Confort suprême • Conception plus moderne

Contre
Faible volume du coffre • Poids important • Prix astronomique

Caractéristiques

Échelle de prix:	voir page 11 et suivantes
Modèle / Prix:	Silver Seraph / 312 625 $
Type:	berline 5 places / propulsion
Empattement:	312 cm
Longueur:	539 cm
Largeur:	193 cm
Hauteur:	151,5 cm
Poids:	2302 kg
Coffre / Réservoir:	374 litres / 94 litres
Coussins de sécurité:	conducteur et passager
Système antipatinage:	oui
Suspension av. / arr.:	indépendante
Freins av. / arr.:	disque ABS 4 canaux
Direction:	à crémaillère, assistée
Diamètre de braquage:	12,6 mètres
Pneus av. / arr.:	P235/65R16
Valeur de revente:	bonne
Garantie de base:	3 ans / kilométrage illimité

Motorisation et performances

Moteur / Transmission:	V12, 5,4 litres / automatique 5 rapports
Puissance / Couple:	322 ch à 5000 tr/min / 361 lb-pi à 3900 tr/min
Autre(s) moteur(s):	V8 4,4 litres double turbo 353 ch (Bentley Arnage)
Transmission optionnelle:	aucune
Accélération 0-100 km/h:	7 secondes autre moteur: 6,5 secondes
Vitesse maximale:	225 km/h (limitée électroniquement)
Freinage 100-0 km/h:	n. d.
Consommation (100 km):	17,4 litres autre moteur: 16,9 litres

Modèles concurrents
Mercedes-Benz Maybach 2001

Quoi de neuf?
Nouveau modèle

Verdict

Agrément	⊕ ⊕ ⊕ ⊕	Habitabilité ⊕ ⊕ ⊕ ⊕ (
Confort	⊕ ⊕ ⊕ ⊕ ⊕	Hiver ⊕ ⊕ ⊕ (
Fiabilité	⊕ ⊕ ⊕ ⊕	Sécurité ⊕ ⊕ ⊕ ⊕ (

maladive. Bref, tout le contraire du richard qui s'offre la voiture la plus chère du monde.

Cela dit, la Silver Seraph ne rompt pas avec la tradition des voitures archiclassiques qui ont endossé dans le passé l'emblème RR. Le bois précieux, dix fines couches de tulipier (provenant du peuplier américain qui pousse dans des forêts gérées comme des ressources renouvelables), le cuir Connolly et des moquettes Wilton contribuent à créer l'ambiance intérieure unique à Rolls-Royce.

Là où la Silver Seraph rompt avec le passé, c'est sous le capot avec un moteur, dont la puissance est dorénavant connue. Pendant très longtemps, la marque anglaise se refusait à dévoiler la puissance de ses moteurs, se contentant de préciser qu'elle était largement suffisante. Aujourd'hui, la présence du V12 BMW sous le capot des nouvelles voitures ne permet plus de faire de telles cachettes. Il s'agit d'un 5,4 litres qui se contente de 24 soupapes et d'un seul arbre à cames en tête, mais qui développe tout de même 322 chevaux. Il est jumelé à une transmission automatique «adaptative» à 5 rapports qui, comme le moteur, provient de la BMW série 7.

Qui perd gagne.

Pour la Bentley Arnage (du nom d'un virage du circuit des 24 Heures du Mans), le moteur BMW est un V8 de 4,4 litres gavé par deux turbos, dont la mise au point a été faite par Cosworth. Autre ironie du sort, ce motoriste anglais appartient désormais à Volkswagen et il sera sans doute fort utile au constructeur allemand lorsqu'il devra, dans un an, remplacer dans les Rolls et Bentley les moteurs BMW par des moteurs VW.

Le châssis aussi

Les dernières Silver Seraph et Arnage bénéficient d'une carrosserie monocoque en acier, dont la résistance à la torsion a été améliorée de 65 p. 100 par rapport aux modèles précédents. Les freins avec antiblocage à 4 canaux utilisent de grands disques ventilés à micro-alliage, ce qui permet de stopper toute cette masse en 3 secondes seulement à partir de 100 km/h.

Naguère menacé de disparition, faute de moyens, le groupe Rolls-Royce semble maintenant prêt à affronter le nouveau millénaire. Il reste à voir à quel genre d'avenir se prépare cette institution britannique, autrefois imperméable au changement. Avec VW et BMW dans le portrait, cette saga promet d'être aussi passionnante qu'un bon téléroman.

Saab 9-3

Saab 9-3

Plus ça change...

Une fois de plus, la compagnie Saab annonce qu'elle est sur la voie du retour. La direction admet que les ventes n'ont pas été tellement encourageantes au cours des dernières années, mais elle promet que cette période de misère est terminée. Mais chaque fois que la compagnie suédoise a tenu ce discours, on jurait que c'était la dernière.

Saab retombe souvent dans les ornières dont elle tente de sortir. Une fois de plus, on semble avoir confié à un groupe d'ingénieurs le soin de donner à la gamme de modèles les éléments nécessaires pour connaître plus de popularité sur le marché. Cette intention est louable, mais ce n'est pas par manque de sophistication mécanique que les Saab ne se vendent pas. C'est plutôt à cause d'un manque de jugement dans le marketing.

La 9-3 est le parfait exemple de cette politique de mise en marché biscornue qui a démontré par le passé qu'elle ratait la cible à tout coup. Le tout débute par un changement d'identification: la nouvelle version de la 900 devient la 9-3 qui est la sœur cadette de la 9-5, ex-9000. Après tout, si Volvo a réussi avec succès à changer la nomenclature de tous ses modèles, on peut le faire chez Saab. Si ce changement repose sur une certaine logique, on peut cependant s'interroger sur les raisons qui ont motivé les stylistes et les décideurs à adopter pour la 9-3 une présentation avant qui ressemble à s'y méprendre à celle de la 9-5. Si on avait voulu irriter les propriétaires de 9-5, on n'aurait pas agi différemment. Ces gens ont dépensé plusieurs milliers de dollars de plus pour se retrouver au volant d'une voiture qui ressemble de trop près à la version plus économique. Une plus grande différenciation entre les modèles

permettrait de s'y retrouver plus aisément et de convaincre un plus grand nombre d'acheteurs.

Saab a toujours tenu à préserver son caractère unique composé de plusieurs éléments disparates. Sa calandre à barre horizontale centrale, sa silhouette des années 60, la clé de contact au plancher, un habitacle austère, voilà autant de liens avec le passé qui sont jugés comme étant des points forts par la direction, qui les a intégrés dans la 9-3. Pourtant, ces éléments ont prouvé à plus d'une reprise qu'ils n'attiraient pas les acheteurs en grand nombre. Un peu coincée par son héritage, Saab conserve ces traits de caractère au risque de se marginaliser encore plus.

Des améliorations à gogo

Laissés à eux-mêmes, les ingénieurs de Trollhaten n'y sont pas allés de main morte sur cette version révisée de la 900. Pas moins d'une quarantaine d'éléments majeurs ont été modifiés ou remplacés. Il n'est pas question de les énumérer tous. Contentons-nous de souligner que la suspension a été révisée: les amortisseurs sont dorénavant plus souples afin d'assurer une meilleure stabilité directionnelle. La direction est ancrée plus solidement: sa géométrie a été améliorée pour offrir un feed-back à la fois mieux filtré et plus précis. Cette année, deux moteurs sont au programme. Le décevant 2,0 litres turbo est de retour et il est accompagné cette fois d'une version à haut rendement de 200 chevaux.

La cabine bénéficie également d'une pléthore de modifications, entre autres des sièges plus confortables et plusieurs commandes revues et relocalisées. Soulignons au passage l'utilisation d'un appuie-tête actif qui adopte la position idéale en cas d'impact.

Saab 9-3

Pour	Contre
Agrément de conduite en progrès • Multiples raffinements techniques • Sièges confortables • Boîte manuelle améliorée • Direction moins engourdie	Moteur mésadapté • Effet de couple dans le volant • Silhouette à revoir • Faible valeur de revente • Fiabilité à prouver

Caractéristiques

Échelle de prix:	voir page 11 et suivantes
Modèle / Prix:	SE / 35 425 $
Type:	berline / traction
Empattement:	260 cm
Longueur:	463 cm
Largeur:	171 cm
Hauteur:	143 cm
Poids:	1400 kg
Coffre / Réservoir:	285 à 451 litres / 72 litres
Coussins de sécurité:	conducteur, passager et latéraux
Système antipatinage:	non
Suspension av. / arr.:	indépendante / essieu rigide
Freins av. / arr.:	disque ABS
Direction:	à crémaillère, assistée
Diamètre de braquage:	10,5 mètres
Pneus av. / arr.:	P195/60VR15
Valeur de revente:	passable
Garantie de base:	4 ans / 80 000 km

Motorisation et performances

Moteur / Transmission:	4L 2,0 litres turbo / man. 5 rapports
Puissance / Couple:	185 ch à 5750 tr/min / 194 lb-pi à 2100 tr/min
Autre(s) moteur(s):	4L 2,0 litres 200 ch
Transmission optionnelle:	automatique 4 rapports
Accélération 0-100 km/h:	8,2 secondes autre moteur: 7,8 secondes
Vitesse maximale:	210 km/h
Freinage 100-0 km/h:	39,4 mètres
Consommation (100 km):	10,0 litres autre moteur: 12,5 litres

Modèles concurrents

BMW série 3 • Mercedes-Benz SLK

Quoi de neuf?

Moteur 200 chevaux • Nouvelles roues sur modèle SE • Porte-verres relocalisé • Boîte manuelle révisée

Verdict

Agrément	⊕ ⊕	Habitabilité ⊕ ⊕ ⊕ ⊕
Confort	⊕ ⊕ ⊕	Hiver ⊕ ⊕ ⊕
Fiabilité	⊕ ⊕	Sécurité ⊕ ⊕ ⊕ ⊕

Mais Saab demeurera toujours la même. C'est pourquoi le communiqué de presse mentionne non sans une certaine fierté que le cendrier est maintenant plus facile à ouvrir. Pas mal dans une période où la majorité des autres marques tentent d'éliminer cet accessoire ou du moins de ne pas insister sur sa présence.

Si la compagnie obtient à peine la note de passage en matière de perspicacité et de marketing, elle mérite une très forte note en fait d'honnêteté. En effet, Saab avoue que la version précédente, la 900, n'était pas d'une fiabilité exemplaire. La 9-3 sera de beaucoup supérieure, nous dit-on. Il faut le souhaiter. Cela permettrait probablement de voir sa valeur de revente grimper au fil des mois.

Pour les inconditionnels de la marque.

Fidèle au passé

La conduite d'une Saab est une expérience décevante. Après avoir étudié la fiche technique de la voiture et pris place derrière un tableau de bord inspiré de celui d'un avion, on est en droit de s'attendre à quelque chose de particulier. Après tout, la seule compagnie qui ose placer la clé de contact sur le plancher doit être en mesure de réaliser quelque chose de bien. Si le comportement de cette traction est rassurant, cette voiture nous laisse sur notre appétit en ce qui concerne l'agrément de conduite. En fait, tout ce qu'on retient est l'impuissance du moteur à bas régime, son temps de réponse important et le spectaculaire effet de couple dans le volant, une fois qu'il se met en marche.

Il est vrai que toutes les Saab à l'exception du cabriolet sont pratiques, polyvalentes et capables de bien se comporter sur une route sinueuse, mais la 9-3 manque toujours de substance. Quant au cabriolet, la visibilité arrière y demeure très modeste. Enfin, les ingénieurs n'ont pas encore trouvé le moyen d'éliminer un effet de couple persistant et très désagréable en accélération.

Malgré une multitude de retouches, la 9-3 ne possède pas à mon avis l'impact nécessaire pour remonter la pente. Il s'agit d'une voiture handicapée par plusieurs irritants qui viennent gâcher la sauce.

Denis Duquet

Saab 9-5

Saab 9-5

La trousse de survie

De l'aveu même de Saab, la nouvelle berline haut de gamme 9-5 1999 représente l'ultime effort de la petite marque suédoise pour se hisser au niveau des modèles les plus prestigieux de la catégorie. En d'autres termes, cette voiture doit ravir des ventes aux Mercedes-Benz de la classe C, Audi A4, BMW série 3 ou autres Volvo 70. La 9-5 est-elle en mesure de remplir ce mandat?

À part les Volvo, toutes les autres rivales de la dernière Saab sont des propulsions et c'est sans doute là que le bât blesse. Depuis toujours, traction et voiture de luxe ne font pas très bon ménage. On chuchote même à Detroit que les grandes Cadillac et Lincoln de la prochaine génération seront des propulsions et que la traction fait face à un constat d'échec dans cette catégorie du marché. À partir d'une certaine puissance, d'un certain gabarit et surtout d'une certaine image, le tout-à-l'avant devient plus un handicap qu'un avantage et la 9-5 en est un exemple frappant. Avec une telle architecture, la voiture laisse filer l'agrément de conduite et les qualités sportives que beaucoup de conducteurs recherchent dans les berlines européennes de ce format. Ce qui n'empêche pas la dernière création de Saab d'être une voiture très valable.

Sportifs s'abstenir

Il est toutefois utile de préciser que la 9-5 est tout, sauf une berline sport. Quand on mentionne le nom de Saab, on a souvent tendance à penser que ce sont des voitures fignolées à l'intention de ceux qui privilégient la performance et le plaisir de conduire plutôt que le confort et le luxe. Or, la 9-5 est un modèle de douceur et

d'onctuosité; elle se révèle beaucoup plus à l'aise sur une voie rapide que sur une petite route en zigzags. Sur celle-ci, son train avant la sert mal, principalement parce qu'il est ponctué de fortes secousses transmises dans le volant par un couple trop pointu. Son moteur turbo, comme bien d'autres de sa conception, a la vilaine habitude de livrer son surcroît de puissance de manière assez brutale. Et si l'on choisit d'éviter cet effet de suralimentation, ce 4 cylindres de 2,3 litres fait le mort tellement il a besoin de tr/min pour s'exprimer. Bien lancé, le moteur procure d'honnêtes accélérations, tel un 0-100 km/h de 9,2 secondes, mais si on se laisse surprendre à le solliciter à bas régime, le temps de réponse du turbo (environ une seconde) peut rendre les reprises hasardeuses. Le V6 de 200 chevaux paraît beaucoup mieux adapté au caractère feutré de la 9-5. Chez Saab, les boîtes de vitesses manuelles ne sont pas toujours des modèles de douceur et celle qui équipait ma voiture d'essai aurait été plus agréable avec un levier moins élastique. La firme suédoise a aussi opté pour des rapports très longs qui pénalisent les performances, mais font merveille en matière de consommation avec une moyenne de 9,5 litres aux 100 km. Pour en finir avec la boîte manuelle, le fait de devoir placer le levier de vitesses en marche arrière pour retirer la clé de contact au pied de la console centrale est plus agaçant qu'autre chose.

Le confort prime

J'ignore s'il faut y voir l'influence de General Motors, le tuteur de Saab, mais la 9-5 semble avoir été étudiée en fonction d'une clientèle nord-américaine. La douceur de la suspension, combinée aux meilleurs sièges d'automobile sous le soleil, en fait aisément la

Saab 9-5

<table>
<tr><td>Pour</td><td>Contre</td></tr>
<tr><td>Prix alléchant • Confort absolu • Sièges divins
• Excellentes places arrière
• Freinage sûr</td><td>• Temps de réponse du turbo
• Direction instable (voir texte)
• Levier de vitesses dur • Certaines commandes déroutantes • Moteur mal adapté</td></tr>
</table>

Caractéristiques

Échelle de prix:	voir page 11 et suivantes
Modèle / Prix:	9-5 2,3 / 42 095 $
Type:	berline / traction
Empattement:	270 cm
Longueur:	480 cm
Largeur:	179 cm
Hauteur:	145 cm
Poids:	1490 kg
Coffre / Réservoir:	450 litres / 75 litres
Coussins de sécurité:	frontaux et latéraux
Système antipatinage:	V6 seulement
Suspension av. / arr.:	indépendante
Freins av. / arr.:	disque ABS
Direction:	à crémaillère, assistée
Diamètre de braquage:	10,8 mètres
Pneus av. / arr.:	P215/55R16
Valeur de revente:	nouveau modèle
Garantie de base:	4 ans / 80 000 km

Motorisation et performances

Moteur / Transmission:	4L 2,3 litres turbo / manuelle 5 rapports		
Puissance / Couple:	170 ch à 5500 tr/min / 207 lb-pi à 1800 tr/min		
Autre(s) moteur(s):	V6 3 litres turbo 200 ch		
Transmission optionnelle:	automatique 4 rapports		
Accélération 0-100 km/h:	9,2 secondes	autre moteur:	8 secondes
Vitesse maximale:	215 km/h		
Freinage 100-0 km/h:	39,2 mètres		
Consommation (100 km):	9,5 litres	autre moteur:	10,6 litres

Modèles concurrents

Audi A4 • BMW 328 • Mercedes-Benz C230 • Volvo S70 • Cadillac Catera

Quoi de neuf?

Nouveau modèle

Verdict

Agrément	⊕ ⊕ ⊖	Habitabilité	⊕ ⊕ ⊕ ⊕
Confort	⊕ ⊕ ⊕ ⊕	Hiver	⊕ ⊕ ⊕ ⊕
Fiabilité	⊕ ⊕ ⊖	Sécurité	⊕ ⊕ ⊕ ⊕

berline la plus confortable sur le marché dans sa catégorie. La souplesse des réglages n'est pas contraignante dans les courbes à grande ou moyenne vitesse, mais la 9-5 est passablement moins à l'aise dans les virages serrés. Le roulis considérable la pousse à sous-virer, ce qui provoque un délestage de la roue intérieure et, conséquemment, une perte de motricité. L'insonorisation n'arrive pas toujours à éliminer certaines résonances de la carrosserie sur mauvaise route ou même le bruit de roulement sur certains revêtements de bitume. Pour leur part, les 4 freins à disque assurent des arrêts rectilignes, tout en faisant preuve d'une belle progressivité.

Un ultime effort de rattrapage.

Un peu de cocooning

Si l'on devait choisir une voiture pour y faire du cocooning, ce serait sans doute la Saab 9-5 tellement son habitacle est un lieu de détente. J'ai parlé des merveilleux sièges, infiniment adaptables et ventilés, mais il faut aussi souligner la forme parfaitement ergonomique des appuie-tête, l'impeccable position de conduite, le vide-poches central, dont le couvercle à glissière se double d'un accoudoir, le coffre à gants climatisé et le généreux espace, dont bénéficient les passagers arrière. Une finition très soignée, incluant un tableau de bord où le bois prédomine, ajoute au sentiment de bien-être. L'instrumentation est curieusement dépourvue d'une jauge de pression de suralimentation du turbo, mais un ordinateur de bord de série dispense une foule d'informations utiles.

Avec une clé de contact logée entre les deux sièges et des commandes de glaces au fonctionnement bizarre, l'ergonomie n'est pas parfaite, mais on appréciera les boutons grand format servant à régler la climatisation (excellente) et la chaîne stéréo. On doit mettre un bémol aussi sur la visibilité en raison de l'épaisseur du pilier central qui crée un angle mort dans la partie latérale arrière. Quant au coffre, son bon volume, son filet de retenue latéral et son sac à skis lui permettent de passer le test avec une note parfaite.

Exception faite de ses poignées de porte noires assez grotesques qui gâtent l'esthétique générale, la Saab 9-5 a plutôt bonne mine et marque à ce chapitre une vaste amélioration par rapport aux modèles précédents. Un dernier détail, et non le moindre, qui pourrait permettre à cette nouvelle Saab de faire sa place au soleil: son prix a été revu à la baisse. À 42 095 $ pour le modèle mis à l'essai, ce n'est pas donné, mais c'est une aubaine par rapport aux 50 000 $ de l'ancienne Saab 9000.

Jacques Duval

Saturn SC

Saturn SC2

Il ne suffit pas d'être différent

La sous-marque de General Motors poursuit sa route un peu à l'écart du reste du monde automobile nord-américain. Les méthodes de fabrication, les techniques de gestion, la philosophie du service à la clientèle et les fameux panneaux de carrosserie en polymère sont quelques-uns des éléments qui distinguent Saturn et ses produits des «autres». Mais l'automobile, elle, est-elle mieux servie? À vous d'en juger.

Les coupés SC1 et SC2 Saturn partagent le châssis et les éléments mécaniques des berlines SL et des sympathiques familiales SW ainsi que la technique des panneaux de polymère qui forment la carrosserie. Résistants aux petits coups et insensibles à la rouille, ces panneaux en matière plastique donnent aux Saturn un indéniable avantage concurrentiel. Il y a 15 ou 20 ans, à l'époque peu glorieuse des tôles perforées en moins de trois ans, Saturn aurait fait un malheur. Aujourd'hui, l'impact est assurément moindre, car la rouille est beaucoup mieux contrôlée.

Un effort de design

Certes, beauté et harmonie sont une question de goût, mais puisqu'il faut se prononcer, je dirais que le coupé Saturn est le moins réussi des trois modèles. La berline affiche une ligne sobre mais équilibrée, et la familiale présente un profil fort bien réussi. Le coupé, quant à lui, manque d'équilibre, notamment de profil. Serait-ce que le nez et le porte-à-faux avant sont trop prononcés par rapport à l'arrière tronqué? Peut-être; par contre, vu de 3/4 arrière, le déséquilibre est moins évident.

Les concepteurs de la Saturn ont fait un effort pour se différencier du lot, effort aussi notable à l'extérieur qu'à l'intérieur. C'est ainsi que le tableau de bord prend une forme quelque peu différente, marquée par une console centrale proéminente qui place les commandes de la radio et de la climatisation à la portée du conducteur. Moins réussies cependant sont les commandes logées sur le haut de la console et que l'on a de la difficulté à distinguer, ainsi que les deux leviers situés de part et d'autre de la colonne de direction qui, eux, sont trop courts. Sur la SC2, les commandes des glaces électriques sont invisibles la nuit. À corriger aussi, les essuie-glaces trop courts qui négligent le haut du pare-brise et l'absence de réglage intérieur pour le rétroviseur droit sur la SC1.

Sur une note plus positive, soulignons la présence de plusieurs espaces de rangement et la belle réalisation des instruments du tableau de bord constitués de cadrans de grand diamètre aux chiffres bien lisibles. L'effort de design se poursuit avec le garnissage aux couleurs contrastantes, même sur la SC1. Il suffit de comparer avec certains véhicules de bas de gamme japonais pour voir que c'est quand même plus gai chez Saturn.

Là où les choses se gâtent, c'est lorsqu'on prend place à bord. Rares sont les fois où j'ai été plus mal assis dans une voiture. Au bout d'une heure, les jambes, le dos et les épaules crient: «Ça suffit!» Et pourtant, Saturn est capable de fabriquer des sièges acceptables; allez voir dans la SC2! À noter également que les places arrière, ou plutôt les «cuvettes», sont strictement symboliques, comme c'est d'ailleurs le cas pour la plupart des coupés que l'on trouve sur le marché.

Saturn SC

Pour

Carrosserie en polymère • Moteurs performants • Équipement complet (SC2) • Freins puissants et endurants • Tenue de route correcte • Prix abordable

Contre

Sièges avant atroces (SC1)
• Ergonomie perfectible
• Moteur bruyant
• Long rayon de braquage

Caractéristiques

Échelle de prix:	voir page 11 et suivantes
Modèle / Prix:	SC2 / 22 800 $
Type:	coupé 4 places / traction
Empattement:	260 cm
Longueur:	457 cm
Largeur:	172 cm
Hauteur:	132 cm
Poids:	1095 kg
Coffre / Réservoir:	323 litres / 45,8 litres
Coussins de sécurité:	conducteur et passager
Système antipatinage:	non
Suspension av. / arr.:	indépendante
Freins av. / arr.:	disque / tambour ABS
Direction:	à crémaillère, assistée
Diamètre de braquage:	11,3 mètres
Pneus av. / arr.:	P195/60R15
Valeur de revente:	bonne
Garantie de base:	3 ans / 60 000 km

Motorisation et performances

Moteur / Transmission:	4L 1,9 litre DACT / manuelle 5 rapports		
Puissance / Couple:	124 ch à 5600 tr/min / 122 lb-pi à 4800 tr/min		
Autre(s) moteur(s):	4L SACT, 1,9 litre 100 ch		
Transmission optionnelle:	automatique 4 rapports		
Accélération 0-100 km/h:	9,0 secondes	autre moteur:	11,2 secondes
Vitesse maximale:	190 km/h		
Freinage 100-0 km/h:	42,0 mètres		
Consommation (100 km):	8,7 litres	autre moteur:	8,0 litres

Modèles concurrents

Dodge Neon coupé • Honda Civic coupé • Hyundai Tiburon • Toyota Celica • Ford Escort ZX2

Quoi de neuf?

Raffinaments aux moteurs • Vilebrequin à huit contrepoids au lieu de quatre • Nouvelles jantes

Verdict

Agrément	⊕ ⊕ ⊕	Habitabilité	⊕ ⊕ ⊕
Confort	⊕ ⊕	Hiver	⊕ ⊕ ⊕ ⊊
Fiabilité	⊕ ⊕ ⊕ ⊊	Sécurité	⊕ ⊕ ⊕ ⊊

Le coffre à seuil bas s'ouvre bien grand et présente une bonne contenance quelque peu amoindrie par les gros supports du couvercle qui empiètent sérieusement dans le coffre.

Ça démarre et ça freine!

La SC1 reçoit un 4 cylindres de 1,9 litre à simple arbre à cames en tête qui développe 100 chevaux. Si les performances avec la boîte automatique sont timides, elles le sont moins avec la boîte manuelle qui boucle le 0-100 km/h en 10,5 secondes. Quant à la SC2, la culasse à double arbre à cames en tête lui permet d'afficher 124 chevaux et un chrono de 9 secondes pour le 0-100 km/h. Même avec la boîte automatique, la SC2 offre des reprises vigoureuses. Dans un cas comme dans l'autre, l'agrément de conduite en est rehaussé. Une ombre au tableau cependant: le niveau sonore des moteurs en accélération, problème que Saturn n'a pas encore réussi à régler. À noter toutefois que sur l'autoroute, le bruit du moteur est fort bien contrôlé.

Outre les moteurs, ce sont les freins qui étonnent. Pédale ferme, freinage équilibré et endurant, aucune trace de blocage lors d'un freinage vigoureux, et ce, même avec la SC1 sans ABS. Une belle réalisation.

Se devant d'être plus sportive, la SC2 présente une meilleure tenue de route que la SC1, mais au détriment du confort de suspension. On ressent les imperfections de la route dans la caisse et le volant. La direction, correctement assistée, est précise mais le long rayon de braquage nuit aux manœuvres de stationnement.

Différente, mais perfectible.

Abordables

L'attrait des Saturn ne se limite pas aux panneaux de polymère. À moins de 16 500 $, la SC1 à boîte manuelle représente un achat intéressant. Même commentaire pour la SC2 version «tout équipée» qui se détaille à moins de 25 000 $. En somme, si on fait abstraction de la SC1 et de ses sièges ratés, la SC2 constitue un choix valable dans la catégorie des voitures économiques, notamment en raison de ses performances, de ses freins, de sa tenue de route et de son niveau d'équipement.

Alain Raymond

Saturn SL • SW

Saturn SL

L'exemple à suivre

À défaut d'avoir réinventé l'automobile, comme l'affirmait la publicité lors du lancement de cette nouvelle marque, en 1990, Saturn a réinventé le service après-vente chez General Motors. Ce qui n'est pas rien, avouons-le, et ce ne sont pas les (nombreux) clients qui ont vécu de mauvaises expériences avec les concessionnaires de la compagnie-mère qui diront le contraire...

Soutenue par l'infrastructure colossale du numéro 1 mondial, cette division, qui renie presque son appartenance à GM, tant elle se fait discrète sur le sujet, fut lancée avec une toute nouvelle philosophie, qui devait notamment lui permettre de lutter à armes égales contre les marques importées, japonaises surtout. Pourtant, sept ans après ses débuts sur le marché canadien, le succès se fait toujours attendre. Certes, Saturn a réussi à faire sa niche, mais ce n'est pas non plus la ruée aux portes des concessionnaires.

Il est vrai que lorsque l'on prétend pratiquement réinventer la roue et qu'on propose de pâles imitations des produits concurrents, il y a de quoi décevoir. Les Saturn de première génération avaient beau être plus fiables que la moyenne – pour des américaines, s'entend – et les concessionnaires traiter leurs propriétaires aux petits oignons, on leur pardonnait difficilement leur allure quelconque et surtout, surtout, leurs motorisations aussi bruyantes qu'anémiques. Bref, l'histoire se répétait pour les Américains qui éprouvent, encore aujourd'hui, beaucoup de difficultés à maîtriser le concept de la petite voiture.

L'arrivée de la deuxième génération, il y a trois ans, devait pallier ces lacunes. Plusieurs ont toutefois dû rester sur leur faim: on a opté, chez Saturn, pour le changement dans la continuité, en quelque sorte. Certes, le design est moins fade, mais il en fallait peut-être un peu plus pour donner un deuxième souffle à une marque ayant de si grandes ambitions.

Quatre cylindres 101

On ne va pas à la guerre avec un tire-pois, c'est bien connu, et pour affronter la rude concurrence japonaise et ses bijoux de petits moteurs, les Saturn paraissent bien mal équipées avec leurs motorisations actuelles... qui sont les mêmes que celles de la génération précédente, à peu de chose près: même puissance, même couple... Et encore, dans ce dernier cas, il s'agit d'une notion abstraite lorsqu'il est question du moteur des versions de base (SL1/SW1), vraiment trop timide et d'une conception archaïque (SACT, 8 soupapes). La seule différence, aussi notable que souhaitée, réside dans le grognement du moteur, qu'on a réussi à atténuer.

Les choses s'améliorent quelque peu avec la configuration DACT 16 soupapes dudit moteur. Il n'est pas explosif, mais ses prestations ne sont pas vilaines et il s'accouple aussi bien à une boîte automatique que manuelle. De plus, le rendement de ces deux boîtes ne mérite pas de reproches majeurs, si ce n'est que l'automatique qui équipait notre véhicule d'essai donnait des coups au départ et à l'arrêt. Quant au moteur, s'il est plus silencieux que par le passé, il est encore rugueux et un peu de souplesse ne lui ferait pas de tort. Comme quoi les motoristes de GM, tout comme ceux de Chrysler (voir le texte sur la Neon), n'ont toujours pas réussi le cours «Quatre cylindres 101». Une situation aussi pathétique que pitoyable, venant de constructeurs ayant autant de ressources ($).

Saturn SL

Pour

Tenue de route surprenante
• Habitacle spacieux • Chaîne stéréo de qualité • Fiabilité appréciable
• Service après-vente exceptionnel

Contre

Moteurs encore rugueux et bruyants • Motorisation de base anémique • Direction lourde
• Présentation intérieure tourmentée

Caractéristiques

Échelle de prix:	voir page 11 et suivantes
Modèle / Prix:	SL2 / 19 038 $
Type:	berline / traction
Empattement:	260 cm
Longueur:	449 cm
Largeur:	169 cm
Hauteur:	138 cm
Poids:	1065 kg
Coffre / Réservoir:	337 litres / 48,5 litres
Coussins de sécurité:	conducteur et passager
Système antipatinage:	de série avec l'automatique
Suspension av. / arr.:	indépendante
Freins av. / arr.:	disque ABS / tambour ABS
Direction:	à crémaillère, assistée
Diamètre de braquage:	11,0 mètres
Pneus av. / arr.:	P185/65R15
Valeur de revente:	excellente
Garantie de base:	3 ans / 60 000 km

Motorisation et performances

Moteur / Transmission:	4L 1,9 litre / manuelle 5 rapports
Puissance / Couple:	124 ch à 5600 tr/min / 122 lb-pi à 4800 tr/min
Autre(s) moteur(s):	4L 1,9 litre 100 ch
Transmission optionnelle:	automatique 4 rapports
Accélération 0-100 km/h:	10,1 secondes autre moteur: 12 secondes
Vitesse maximale:	185 km/h
Freinage 100-0 km/h:	42,7 mètres
Consommation (100 km):	8,9 litres autre moteur: 7,9 litres

Modèles concurrents

Chevrolet Cavalier/Pontiac Sunfire • Dodge/Plymouth Neon • Ford Escort • Honda Civic • Hyundai Elantra • Mazda Protegé • Nissan Sentra • Toyota Corolla

Quoi de neuf?

Améliorations: consommation et vibrations moteur • Freins à tambour à l'arrière • Nouveaux réglages de suspension • Ceintures de sécurité allongées

Verdict

Agrément	☺ ☺ ☺	Habitabilité	☺ ☺ ☺ ☺
Confort	☺ ☺ ☺ ☺	Hiver	☺ ☺ ☺ ☺
Fiabilité	☺ ☺ ☺ ☺ ☺	Sécurité	☺ ☺ ☺ ☺

Des qualités pratiques

Outre cette lacune – majeure, tout de même –, les berlines (SL) et familiales (SW) tirent bien leur épingle du jeu en matière de confort et de comportement routier, tout en freinant avec aplomb. Attention: on parle ici d'un modèle muni de l'ABS, et celui-ci est optionnel sur toutes les versions des Saturn SL et SW.

Confort et douceur de roulement sont appréciables. Malgré un roulis et un sous-virage prononcés, la Saturn enfile les virages sans dévier de sa trajectoire, s'accrochant au pavé avec une adhérence aussi remarquable qu'étonnante. On souhaiterait cependant une direction un peu moins lourde, mais à tout le moins elle est précise et bien dosée, ce qui mérite d'être souligné.

Mon royaume pour un moteur!

S'il est un aspect de la Saturn qui ne fait pas vraiment l'unanimité, c'est bien sa présentation intérieure, originale pour les uns, tourmentée et même déroutante pour les autres. Le klaxon aurait tout avantage à être relocalisé au centre du volant, étant peu pratique et pas toujours accessible. De plus, on a toujours peur que les leviers des clignotants et des essuie-glaces nous restent dans les mains, tant ils sont difficiles à enclencher. Par contre, le tableau de bord, avec ses deux cadrans surdimensionnés, se consulte aisément, en tout temps. (Notez qu'il est question ici de l'habitacle d'une SL2, moins dépouillé que celui des versions de base.)

Ce qui fait toutefois l'unanimité, c'est le rendement de la chaîne stéréo qui, dans une voiture à vocation économique, impressionne. Mais plus encore, c'est l'habitabilité des Saturn qui plaira à ses occupants. Les grands formats, bien qu'ils souhaiteraient que le siège du conducteur se recule encore d'une coche, apprécieront cependant la garde au toit généreuse, tandis que le dégagement pour les jambes comblera ceux qui prennent place à l'arrière. Et pour conclure le volet «qualités pratiques», mentionnons les panneaux de carrosserie en polymère: cette matière plastique se moque de la corrosion, en plus de résister aux impacts mineurs.

L'analyse des Saturn SL et SW se solde donc par un bilan positif. Malgré leurs motorisations déficientes, ces petites américaines paraissent mieux armées que la plupart de leurs compatriotes pour affronter les rivales importées, tout en offrant une fiabilité et un service après-vente comparables – sinon supérieur dans le cas du service. En somme, la Saturn n'a rien d'un objet de passion, mais comme achat logique et rationnel, c'est hautement défendable.

Philippe Laguë

Subaru Forester

Subaru Forester

20 000 km plus tard

Victorieux de notre match comparatif de l'an dernier portant sur les utilitaires sport compacts, le Subaru Forester a connu une année prospère. On en a dit beaucoup de bien ici et là, ce qui n'est pas passé inaperçu auprès des automobilistes en quête d'un véhicule à traction intégrale à la fois commode et moins énergivore que les gros 4X4 traditionnels. *Le Guide de l'auto* a toutefois voulu savoir si ce Forester perdait de son lustre initial au fil des mois. Subaru Canada a accepté que nous le soumettions à un essai à long terme d'une vingtaine de milliers de kilomètres.

Le plus beau compliment que l'on puisse adresser au Subaru Forester est de ne pas donner l'impression d'être un 4X4. C'est du moins le commentaire qui revient le plus souvent dans le carnet de bord du modèle (S) essayé. Cela en dit beaucoup sur le confort et la facilité de conduite de cet utilitaire sport compact qui a traversé sans coup férir un hiver authentiquement québécois, incluant de fortes accumulations de neige, des p'tits matins frisquets et, bien sûr, la mémorable tempête de verglas qui a plongé une bonne partie du Québec en plein cauchemar en janvier 1998. En mai, l'odomètre frôlait les 20 000 km et les seules occasions où nous avions dû soulever le capot, c'était au moment de remplir le réservoir de lave-glace. Comme sa carrosserie, la fiche des incidents mécaniques de notre Subaru est restée d'un blanc immaculé. Cela ne veut pas dire pour autant que le Forester fait l'unanimité à tous les points de vue.

C'est un véhicule jeune et, à ce titre, de nombreux aspects de sa conception demeurent perfectibles. Je pense notamment à l'ergo-

nomie qui est plutôt détestable. Certaines commandes étant invisibles et leur maniement compliqué, le Forester est le genre de véhicule auquel il vaut mieux s'acclimater avant de s'élancer sur la route. Il peut être dangereux de chercher des yeux un bouton mal placé, alors qu'on devrait concentrer son attention sur la route. Prenez le basculeur qui commande les sièges chauffants: il se cache à l'arrière de la console centrale, près du levier du frein de stationnement. Les commutateurs de phares et d'antibrouillard sont dissimulés par le volant et les boutons de la radio sont trop petits. Et que dire du levier servant à actionner les essuie-glaces et les lave-glaces avant/arrière? Après plusieurs semaines d'utilisation, je cherchais toujours la bonne combinaison entre pousser, tirer, tourner, soulever ou abaisser. Un peu de simplification ne ferait sûrement pas de tort...

Les petits défauts

Autres détails agaçants: la montre est illisible par temps ensoleillé, on se pince les doigts en voulant régler le rétroviseur central monté trop près du plafond et il faut claquer la porte du compartiment à bagages pour s'assurer qu'elle est bien fermée.

Les sièges, durement rembourrés, n'ont pas fait l'unanimité parmi nos essayeurs. On finit par s'habituer à leur fermeté, mais pour certains, leur assise est trop peu profonde et trop inclinée. La qualité de la construction gagnerait aussi à être un peu resserrée. Rien n'a flanché au cours de la première phase de cet essai prolongé, mais des craquements et des bruits sont apparus au tableau de bord, dans la région du hayon arrière ainsi que dans la portière avant droite.

Subaru Forester

Pour
Mécanique fiable • Bon comportement routier • Excellente visibilité • Conduite facile • Belles aptitudes hivernales

Contre
Forte consommation • Ergonomie à revoir • Sièges fermes • Faible espace arrière • Qualité de construction perfectible • Accélérateur dur

Caractéristiques

Échelle de prix:	voir page 11 et suivantes
Modèle / Prix:	S / 27 695 $
Type:	utilitaire sport / traction intégrale
Empattement:	252 cm
Longueur:	445 cm
Largeur:	173,5 cm
Hauteur:	159,5 cm
Poids:	1425 kg
Coffre / Réservoir:	940 litres ou 1830 litres / 60 litres
Coussins de sécurité:	conducteur et passager
Système antipatinage:	non
Suspension av. / arr.:	indépendante
Freins av. / arr.:	disque / tambour ABS
Direction:	à crémaillère, assistée
Diamètre de braquage:	11,7 mètres
Pneus av. / arr.:	P215/60R16
Valeur de revente:	bonne
Garantie de base:	3 ans / 60 000 km

Motorisation et performances

Moteur / Transmission:	H4 2,5 litres / automatique 4 rapports
Puissance / Couple:	165 ch à 5600 tr/min / 162 lb-pi à 4000 tr/min
Autre(s) moteur(s):	aucun
Transmission optionnelle:	manuelle 5 rapports
Accélération 0-100 km/h:	9,5 secondes
Vitesse maximale:	185 km/h
Freinage 100-0 km/h:	40,6 mètres
Consommation (100 km):	12,0 litres

Modèles concurrents
Honda CR-V • Toyota RAV4 • Suzuki Grand Vitara

Quoi de neuf?
Nouveau moteur • Nouveau système 4 roues motrices • Antenne intégrée au pare-brise

Verdict
Agrément	☺☺☺(	Habitabilité ☺☺☺(
Confort	☺☺☺	Hiver ☺☺☺☺
Fiabilité	☺☺☺☺	Sécurité ☺☺☺(

Vive l'hiver!

Rien de tout cela n'a cependant entaché l'agrément de conduite qui a été souligné à maintes reprises dans le carnet de bord. La tenue de route, le faible rayon de braquage, la douceur de roulement, l'excellente visibilité et la discrétion du moteur figurent parmi les atouts qui contribuent à égayer la vie à bord du Forester.

Celui-ci a supporté sans mal la rigueur du dernier hiver. Chaussées de Pirelli Winter 210, les 4 roues motrices ont emmené conducteur et passagers en toute sécurité au travail, à l'érablière ou à la station de ski, même avant le passage des chasse-neige ou des épandeuses. La seule tache au dossier du Forester en utilisation hivernale est que la neige et la glace ont tendance à s'embourber dans les puits d'ailes avant. Cela gêne souvent le braquage des roues, tout en provoquant un bruit désagréable. Dans la même veine, il semble que le moteur et ses divers accessoires gagneraient à être mieux isolés des salissures de la route. Ajoutons aussi que, comme c'est le cas de tous les véhicules à traction intégrale en prise constante, sa consommation est plus importante que celle d'une voiture conventionnelle du même format. Notre Forester exige environ 12 litres d'essence aux 100 km, ce qui est tout de même assez peu en regard des 16 ou 17 litres des balthasars de la catégorie. La puissance du 4 cylindres de 2,5 litres a été jugée adéquate, bien que plusieurs aient eu à se plaindre de la dureté et surtout du manque de progressivité de l'accélérateur, une constante chez Subaru. Sans critiquer le niveau sonore du moteur, on a trouvé à redire de l'insonorisation générale qui permet aux bruits de la route de s'infiltrer dans l'habitacle.

Pour 1999, Subaru annonce quelques changements qui auront cependant peu d'effet sur le comportement global du véhicule. Le moteur est nouveau, mais conserve les mêmes cotes, et correspond mieux aux normes antipollution. Le système de contrôle électronique de la traction a aussi été révisé pour rendre son fonctionnement plus doux.

Au terme de cet essai prolongé, le Subaru Forester a confirmé ses qualités premières, tout en faisant preuve d'une fiabilité rassurante. C'est néanmoins un véhicule d'un concept tout nouveau pour la firme japonaise et nul doute que son évolution permettra d'éliminer les quelques irritants attribuables à sa tendre jeunesse.

Jacques Duval

Promesses partiellement tenues.

Subaru Impreza • Brighton • Outback • TS • 2,5RS

Subaru 2,5RS

L'art d'en mettre plein la vue

Sur le plan du marketing, la gamme Subaru est un vrai désastre. À moins d'être un vendeur ou un fanatique de la marque, il n'est pas facile de s'y retrouver parmi les diverses versions issues de la même plate-forme. Ainsi, la palette de modèles Impreza comprend 2 types de carrosserie qui ne se ressemblent absolument pas et 4 versions bien distinctes. Leur seul point commun est la présence de la traction intégrale.

En premier lieu, essayons de voir clair dans ce galimatias. L'Impreza est d'abord offerte sous les traits d'une familiale aux lignes assez curieuses, proposée en version normale Brighton ou Outback. L'an dernier, un coupé 2 portes (2,5RS) est entré dans la danse, suivi cette année d'une berline TS. Les familiales et la nouvelle TS héritent d'un moteur de 2,2 litres revu et corrigé pour 1999, tandis que le coupé affiche ses aspirations sportives avec un 2,5 litres de 165 chevaux, lui aussi remanié cette année. Voilà qui en dit long sur la nouvelle orientation de ce constructeur nippon.

Il n'y a pas si longtemps encore, les Subaru étaient reconnues comme de robustes et vaillantes petites voitures totalement dépourvues d'agrément de conduite. Elles étaient certes durables, mais en même temps d'un ennui profond. Les choses ont commencé à changer quand la firme japonaise a sérieusement entrepris de revamper son image de marque.

On s'est d'abord attaqué au championnat du monde des rallyes avec une version profondément modifiée de la berline Impreza. Forte de ses 4 roues motrices et d'un moteur gonflé à bloc, la 2,5RS

de compétition a tout balayé sur son passage, s'adjugeant le championnat des rallyes deux ans de suite. Au même moment, Subaru enclenchait la commercialisation de ses modèles Outback, ces familiales hautes sur pattes à rouage intégral dérivées des Legacy et Impreza. Le marché leur a réservé un accueil chaleureux, préparant le terrain à la venue du Forester, un utilitaire sport compact dont on trouvera un essai de 20 000 km dans les pages précédentes.

Dans la gamme Subaru, il ne manquait plus qu'une berline sport et cette lacune est désormais comblée par l'Impreza 2,5RS. Ce coupé nous en met plein la vue au propre comme au figuré avec son immense aileron arrière et sa large prise d'air sur le capot avant. Ces artifices nuisent effectivement à la visibilité, mais permettent à cette Subaru d'affirmer son héritage sportif. Il s'agit en effet d'une version assagie et destinée à une utilisation routière du modèle de rallye qui s'est illustré un peu partout à travers le monde. Son déguisement est complété par ses roues en alliage de couleur or (un peu kitsch), son emblème WRC (World Rallye Championship), son échappement grand format, son volant en cuir à coutures rouges et ses sièges-baquets.

Comme toutes les Subaru, ce coupé est animé par un moteur de type «boxer» avec cylindres à l'horizontale, une architecture semblable à celle des mécaniques Porsche.

Des chiffres discrets

Par son look ravageur, la 2,5RS laisse entrevoir des performances plutôt étoffées, mais le chronomètre est implacable, indiquant qu'il faut 9,5 secondes pour boucler le 0-100 km/h en version automatique. Chose étonnante, la boîte manuelle à 5 rapports

Subaru Impreza

Pour

Caisse très robuste • Bon comportement routier • Freinage équilibré • Direction précise • Places arrière convenables

Contre

Roulis en virage • Présentation ostentatoire • Performances décevantes • Aileron gênant pour la visibilité

Caractéristiques

Échelle de prix:	voir page 11 et suivantes
Modèle / Prix:	2,5RS / 26 395 $
Type:	coupé 4 places / traction intégrale
Empattement:	252 cm
Longueur:	438 cm
Largeur:	171 cm
Hauteur:	141 cm
Poids:	1309 kg
Coffre / Réservoir:	310 litres / 60 litres
Coussins de sécurité:	conducteur et passager
Système antipatinage:	non
Suspension av. / arr.:	indépendante
Freins av. / arr.:	disque ABS
Direction:	à crémaillère, assistée
Diamètre de braquage:	10,2 mètres
Pneus av. / arr.:	P205/55R16
Valeur de revente:	bonne
Garantie de base:	3 ans / 60 000 km

Motorisation et performances

Moteur / Transmission:	4H 2,5 litres 16 soupapes / manuelle 5 rapports
Puissance / Couple:	165 ch à 5600 tr/min / 162 lb-pi à 4000 tr/min
Autre(s) moteur(s):	4H 2,2 litres 137 ch
Transmission optionnelle:	automatique 4 rapports
Accélération 0-100 km/h:	9,5 secondes autre moteur: 11,8 s (2,2 Outback)
Vitesse maximale:	190 km/h
Freinage 100-0 km/h:	40,2 mètres
Consommation (100 km):	10 litres autre moteur: 11 litres

Modèles concurrents

Ford Contour SVT • Acura 2,3 CL • BMW 318ti • Honda Accord coupé EX

Quoi de neuf?

Moteurs de 2e génération • Berline TS • Phares à réflecteurs multiples • Nouvelles couleurs

Verdict

Agrément	☺ ☺ ☺ ☺	Habitabilité	☺ ☺ ☺
Confort	☺ ☺ ☺	Hiver	☺ ☺ ☺ ☺ ☺
Fiabilité	☺ ☺ ☺ ☺ ☺	Sécurité	☺ ☺ ☺ ☺

n'y change strictement rien. Cela s'explique par la présence de la traction intégrale qui procure une adhérence exceptionnelle et prévient le patinage des roues quelle que soit la brutalité des accélérations. Par contre, le levier de vitesses ajoute au tempérament sportif en se laissant manier sans exiger le moindre effort. Comme bien d'autres transmissions automatiques contrôlées électroniquement, celle de cette Subaru ne rétrograde pas toujours sur commande, ce qui est quelquefois agaçant. Le moteur s'exprime assez bien à bas régime, mais sa ferveur diminue au fur et à mesure qu'on s'approche de la zone interdite du compte-tours.

Enfin, un peu de mordant.

En raison d'une garde au sol relativement élevée, ce coupé affiche un roulis important en virage, ce qui, curieusement, n'a aucun effet négatif sur la tenue de route. Avec des disques aux 4 roues et un ABS bien calibré, le freinage ne vous donne jamais de sueurs froides. Son endurance et sa progressivité inspirent une grande confiance. La direction à crémaillère se distingue également par son assistance bien dosée et sa rapidité d'intervention.

La qualité la plus «européenne» de cette voiture japonaise demeure toutefois la rigidité de son châssis. La RS est d'une solidité à toute épreuve sur mauvais revêtement et on a carrément l'impression d'être au volant d'une bonne berline allemande. Une autre des grandes qualités de ce modèle est la position de conduite qui conviendra parfaitement aux conducteurs de taille moyenne. On a également prévu des sièges en tissu, dont la forme procure un excellent maintien dans les virages. Même le simple fait de boucler sa ceinture de sécurité est simplifié par la présence d'un fourreau en plastique qui la rend plus facile à tirer.

La berline TS

Si l'on ajoute à cela une qualité de finition très correcte et un confort très convenable, le coupé RS a cette rare qualité de pouvoir satisfaire le goût de conduire sans pour autant négliger l'aspect pratique. Il est rejoint cette année dans la gamme Subaru par une berline Impreza TS légèrement moins performante et un peu plus discrète avec son aileron surbaissé. Comme c'est le cas pour le coupé, l'agrément de conduite qu'il procure peut être apprécié 365 jours par année, grâce à sa traction intégrale. Voilà enfin des Subaru qu'on peut aimer pour autre chose que leur ardeur au travail.

Jacques Duval

Subaru Legacy

Subaru Legacy Outback

Une berline à la mode Outback

Il faut espérer que la personne qui a concocté les modèles Outback chez Subaru a eu droit à une prime substantielle. En effet, l'arrivée de ces versions toutes conditions a eu un effet bénéfique sur la popularité de la marque, du moins sur notre continent. Curieusement, partout ailleurs, ce sont les exploits des voitures Subaru au championnat du monde des rallyes qui ont fait grimper les ventes. Heureusement pour la compagnie, les Nord-Américains sont en amour avec les utilitaires sport et l'entrée en scène de l'Outback est tombée à point.

Après que Subaru eut traité la Legacy familiale à la sauce Outback pour ensuite poursuivre avec l'Impreza, voilà que c'est au tour de la berline Legacy d'être transformée. Plusieurs vont s'interroger quant au bien-fondé de cette démarche, d'autant plus qu'une nouvelle génération de Legacy devrait faire son apparition sur notre marché dès l'an prochain. La réponse la plus logique est que la compagnie a voulu ainsi satisfaire les attentes des gens qui sont allergiques aux familiales, mais désireux de profiter des caractéristiques des modèles Outback.

Ce changement effectué avant l'entrée en scène des nouveaux modèles permettra à Subaru d'évaluer le potentiel de cette version sans risquer gros. Une mévente passerait inaperçue avec l'arrivée de la relève et une forte demande permettrait de consolider les plans d'avenir.

Cette berline se déclare d'office la première «berline utilitaire sport» sur le marché. Elle revendique ce titre en s'attribuant les mêmes caractéristiques que la familiale. La présentation extérieure se démarque par la peinture deux tons, les phares antibrouillards intégrés sous le pare-chocs avant et les roues à cinq rayons. La berline possède cependant des amortisseurs plus souples que ceux de la familiale, tandis que la garde au sol est la même, soit 185 mm.

Cette Legacy hérite en 1999 d'une nouvelle boîte automatique, comme toutes les autres versions de ce modèle. Cependant, contrairement aux Forester et Impreza, elle conserve le même moteur que l'an dernier. Quant à la transmission, on l'a améliorée de multiples façons dans le but de raffiner son fonctionnement et d'améliorer sa durabilité. Le convertisseur de couple, de son côté, s'engage de façon plus progressive. En conduite, cette boîte déroute de prime abord. Dès qu'on appuie sur les freins dans une descente, la boîte rétrograde en troisième vitesse. Cette caractéristique surprend au début, mais on s'y habitue.

Sur la route, cette berline aux allures de coureur des bois affiche un comportement routier très honnête. Son centre de gravité légèrement plus élevé que celui des autres berlines est perceptible au début pour ensuite passer inaperçu, mais cela n'affecte pas la tenue de route. Pour le reste, elle se comporte comme ses jumelles, à une exception près. Comme tous les autres modèles Outback, elle peut passer presque partout sans pour autant avoir les moyens de s'engager sur des voies impraticables. Malgré tout, aux mains d'un pilote expert, elle est capable d'impressionner.

Et le reste de la famille?

Même si les versions Outback volent la vedette, les autres Legacy ont suffisamment de panache pour se faire remarquer. Le

Subaru Legacy

Pour

Finition impeccable
- Traction sophistiquée
- Version Outback en demande
- Mécanique fiable
- Version Brighton abordable

Contre

Moteur 2,2 litres trop modeste
- Tableau de bord terne
- Versions Outback chères
- Boîte manuelle perfectible
- Modèle appelé à changer en 2000

Caractéristiques

Échelle de prix:	voir page 11 et suivantes
Modèle / Prix:	berline Outback / 30 995 $
Type:	berline Outback / traction intégrale
Empattement:	263 cm
Longueur:	459 cm
Largeur:	172 cm
Hauteur:	156 cm
Poids:	1402 kg
Coffre / Réservoir:	386 litres / 60 litres
Coussins de sécurité:	conducteur et passager
Système antipatinage:	non
Suspension av. / arr.:	indépendante
Freins av. / arr.:	disque ABS
Direction:	à crémaillère, assistée
Diamètre de braquage:	10,6 mètres
Pneus av. / arr.:	P205/55R16
Valeur de revente:	passable
Garantie de base:	3 ans / 60 000 km

Motorisation et performances

Moteur / Transmission:	H4 2,5 litres / automatique 4 rapports
Puissance / Couple:	165 ch à 5600 tr/min / 162 lb-pi à 4000 tr/min
Autre(s) moteur(s):	H4 2,2 litres 137 ch
Transmission optionnelle:	manuelle 5 rapports
Accélération 0-100 km/h:	9,7 secondes autre moteur: 11,0 secondes
Vitesse maximale:	210 km/h
Freinage 100-0 km/h:	42,0 mètres
Consommation (100 km):	11,0 litres autre moteur: 10,4 secondes

Modèles concurrents

Ford Contour/Mercury Mystique • Honda Accord • Hyundai Sonata • Mazda 626 • Nissan Altima • Toyota Camry • VW Passat

Quoi de neuf?

Modèle Outback berline • Nouvelle boîte automatique

Verdict

Agrément	⊕ ⊕ ⊕ (	Habitabilité	⊕ ⊕ ⊕ (
Confort	⊕ ⊕ ⊕ (	Hiver	⊕ ⊕ ⊕ ⊕ ⊕
Fiabilité	⊕ ⊕ ⊕ ⊕	Sécurité	⊕ ⊕ ⊕ ⊕

modèle GT abrite, lui aussi, le moteur 2,5 litres qui offre des prestations honnêtes, à défaut d'être spectaculaires, tandis que la traction intégrale permet de se moquer des intempéries et d'offrir un comportement rassurant en toutes conditions. Il faut de plus accorder de bonnes notes à la direction de toutes les Legacy en raison de sa précision et de son assistance bien dosée. La rigidité de la caisse est un autre élément qui permet à ces Subaru de se comparer à des voitures vendues beaucoup plus cher.

La GT, avec ses roues exclusives et son équipement très complet, comporte plusieurs éléments qui militent en sa faveur. Si Subaru pouvait trouver le moyen de donner un peu plus de vigueur à son moteur horizontal de type boxer, elle trouverait un auditoire encore plus intéressé auprès des conducteurs sportifs. À l'œil, ses 165 chevaux semblent suffisants, mais ce 4 cylindres s'essouffle rapidement et il est déficient à moyen régime. Une vingtaine de chevaux de plus feraient des merveilles. Malheureusement, il faudra patienter encore longtemps, car la nouvelle version de la Legacy dévoilée au Japon est animée par un moteur pratiquement identique à celui utilisé actuellement.

Une berline pour la ville et les champs.

L'habitacle est commun à presque tous les modèles; la finition est impeccable et les matériaux de première qualité. Les sièges seront en mesure d'offrir un confort élevé à presque tous les gabarits. Par contre, la présentation générale du tableau de bord est terne et il faut espérer que la nouvelle génération sera plus inspirée à cet égard.

Les personnes désireuses de se procurer une Legacy à un prix plus abordable se voient offrir le modèle Brighton. Son équipement est plus dépouillé et on doit être patient, puisque le moteur 2,2 litres est plutôt timide. Par contre, la qualité de finition et la fiabilité du moteur sont au rendez-vous. La version L est plus relevée, mais aussi animée par le 2,2 litres.

En cette dernière année de commercialisation de la version actuelle, la Legacy nous propose une gamme complète qui compte plus que jamais sur la magie de la présentation Outback.

Denis Duquet

Suzuki Esteem

Suzuki Esteem

Grands espaces et petit prix

La présence de Suzuki dans le marché automobile nord-américain est plutôt discrète. Si plusieurs personnes sont familières avec l'appellation Sidekick, peu de gens connaissent les modèles Swift et encore moins les deux versions de l'Esteem, une berline tout à fait anonyme, secondée par une familiale ayant plutôt fière allure.

Dans sa robe bleu et argent, elle attire les regards et les compliments, chose rare pour une familiale. On la confond aisément avec les dernières Subaru Legacy, une comparaison assez flatteuse. Or, la Suzuki Esteem familiale, puisque c'est bien d'elle qu'il s'agit, est une voiture banale en soi mais qui, sous les traits d'une familiale, semble combler une lacune sur le marché. Ces véhicules semi-utilitaires ne sont pas légion à l'heure actuelle, particulièrement parmi les très nombreuses compactes et sous-compactes offertes à un prix abordable.

Un oiseau rare

De la vingtaine de modèles répondant à cette définition, seulement quatre sont produites en version familiale : l'Escort de Ford, l'Elantra de Hyundai, la Saturn de General Motors et la nouvelle Esteem de Suzuki. Les trois premières peuvent être considérées comme de bonnes petites voitures avec un rapport qualité/prix attrayant. De toute évidence, la Suzuki a du pain sur la planche pour détourner l'attention des automobilistes qui misent normalement sur des valeurs sûres.

Certes, elle est belle et pas chère avec un modèle de base à 14 695 $ et une version de luxe affichée à 19 295 $. Restait à savoir si elle pouvait joindre à cela la qualité et c'est pour tenter de répondre à cette question que j'ai fait l'essai d'une Esteem GLX familiale pendant une semaine. Voyons d'abord comment s'énonce la fiche technique de cette Suzuki.

Comme ses congénères, il s'agit d'une traction emmenée par un moteur 4 cylindres 16 soupapes d'une cylindrée plutôt modeste de 1,6 litre. Toutes ses rivales sont mieux nanties sous ce rapport avec des moteurs allant de 1,8 à 2,0 litres. D'ailleurs, il est fortement question que la berline et la familiale Esteem reçoivent bientôt une version «automobile» du 1,8 litre de 120 chevaux qui équipait jusqu'ici le Sidekick Sport. Pour la transmission, on a le choix entre l'automatique à 4 rapports qui équipait ma voiture d'essai ou une boîte manuelle à 5 rapports.

L'Esteem ne déroge pas à la tradition côté suspension, mais elle doit se contenter d'une direction à billes dont le rendement, comme on le verra plus loin, diffère de celui de la crémaillère que l'on trouve sur la quasi-totalité des voitures de ce format. Quant au freinage, il est assuré par des disques ventilés à l'avant et des tambours à l'arrière. En 1999, la version GLX peut être équipée de freins ABS.

La timidité d'un diesel

Bien tournée et assez solidement construite, cette familiale est malheureusement pénalisée par un 0-100 km/h de 13,8 secondes, montrant assez bien que l'Esteem est sous-motorisée. C'est d'autant plus flagrant qu'une telle performance a été obtenue avec une seule personne à bord et sans aucune charge. Chargée de bagages et de deux ou trois passagers, la petite Suzuki vous oblige à

Suzuki Esteem

Pour

Prix abordable • Bonne habitabilité • Faible consommation • Confort appréciable • Belle présentation

Contre

Performances modestes • Direction déroutante • Pas d'ABS • Boutons de la radio trop petits

Caractéristiques

Échelle de prix:	voir page 11 et suivantes
Modèle / Prix:	GLX / 19 295 $
Type:	familiale / traction
Empattement:	248 cm
Longueur:	437,5 cm
Largeur:	169 cm
Hauteur:	142 cm
Poids:	1125 kg
Coffre / Réservoir:	680 litres (340 berline) / 51 litres
Coussins de sécurité:	conducteur et passager
Système antipatinage:	non
Suspension av. / arr.:	indépendante
Freins av. / arr.:	disque ventilé / tambour (ABS en option)
Direction:	à billes, assistée
Diamètre de braquage:	9,8 mètres
Pneus av. / arr.:	P185/60R14
Valeur de revente:	passable
Garantie de base:	3 ans / 60 000 km

Motorisation et performances

Moteur / Transmission:	4L 16 soupapes 1,6 litre / automatique 4 rapports
Puissance / Couple:	95 ch à 6000 tr/min / 99 lb-pi à 3000 tr/min
Autre(s) moteur(s):	aucun
Transmission optionnelle:	manuelle 5 rapports
Accélération 0-100 km/h:	13,8 secondes
Vitesse maximale:	158 km/h
Freinage 100-0 km/h:	45 mètres
Consommation (100 km):	8,4 litres

Modèles concurrents

Hyundai Elantra • Ford Escort • Saturn

Quoi de neuf?

Partie avant redessinée • ABS optionnel • Compte-tours de série sur GL • Moteur 1,8 en cours d'année

Verdict

Agrément	⊕ ⊕ (	Habitabilité	⊕ ⊕ ⊕ (
Confort	⊕ ⊕ ⊕ (	Hiver	⊕ ⊕ ⊕ (
Fiabilité	⊕ ⊕ ⊕ ⊕	Sécurité	⊕ ⊕ ⊕

réfléchir deux fois avant d'essayer de doubler un autre véhicule. Les reprises ne sont pas avantagées non plus par la transmission automatique qui, en certaines occasions, ne répond pas illico aux sollicitations de l'accélérateur.

Le comportement routier est acceptable, mais on met du temps à s'habituer à la sensibilité de la direction à billes. Le moindre petit mouvement entraîne un changement de cap qui nuit à la stabilité en ligne droite. La suspension tend d'abord à assouplir le passage de mauvais revêtements et si le confort mérite une bonne note, on ne peut que déplorer le trop grand débattement des ressorts. Le passage d'un nid-de-poule, par exemple, entraîne des secousses plutôt brutales.

GL oui, GLX non.

Un bon rapport prix/espace

L'aspect le plus attrayant de cette familiale est incontestablement son excellent volume intérieur par rapport au prix demandé. Elle peut accueillir 4 personnes et un bon lot de bagages sans autre inconvénient que la modeste puissance de son moteur. Le bon côté de l'affaire est une consommation, elle aussi, assez modeste se situant à 8,4 litres aux 100 km. À l'intérieur, la finition est relativement soignée et le tableau de bord agréablement aménagé. Le revêtement en tissu multicolore des sièges ne fera peut-être pas l'unanimité, mais disons que c'est une affaire de goût. La visibilité ne souffre d'aucun angle mort et on a prévu de bons espaces de rangement. Le seul inconvénient vient des bacs de portières qui sont vraiment trop minces pour être utiles.

Dans sa version GLX ou de luxe, la Suzuki Esteem est dotée d'un appareil de radio qui est un vrai désastre sur le plan ergonomique. Les boutons de commande sont si petits qu'il faut bien les regarder pour les manipuler correctement, ce qui oblige à quitter la route des yeux, une situation potentiellement dangereuse. Il est dommage également que l'on n'ait pas prévu un témoin sonore en cas d'oubli des phares.

Ceux-ci, par surcroît, s'allument souvent accidentellement lorsqu'on actionne les clignotants.

Si l'on peut se contenter de la version GL de base, la Suzuki Esteem familiale représente un achat logique en raison de son excellent rapport prix/valeur. En revanche, le modèle GLX plus cossu commande un prix qui oblige à se montrer beaucoup plus critique envers certaines lacunes.

Jacques Duval

Suzuki Vitara • Grand Vitara • Chevrolet Tracker

Suzuki Grand Vitara

L'heure du réveil

Lasse de jouer les valets et de se cacher sous divers emblèmes General Motors, la marque Suzuki a décidé de passer à l'attaque. Son offensive pour sortir de l'anonymat vient d'être lancée avec le dévoilement d'un nouvel utilitaire sport destiné à remplacer le populaire Sidekick, aussi connu sous ses appellations nord-américaines de Chevrolet ou Geo Tracker et Pontiac Sunrunner.

La firme japonaise fut, rappelons-le, une pionnière dans son domaine en ramenant les gros 4X4 à la raison avec des dimensions plus modestes et plus raisonnables. Inchangé pendant de trop nombreuses années, le Sidekick a payé le prix de sa désuétude et s'est fait sévèrement damer le pion depuis deux ans par un trio de véhicules du même format (Honda CR-V, Toyota RAV4, Subaru Forester), mais d'une plus grande modernité.

Désireuse de reprendre sa place dans la hiérarchie, Suzuki a entièrement remanié le Sidekick, à tel point qu'il a été jugé plus sage de lui trouver un nouveau nom: Vitara. Son lancement n'est toutefois qu'un maillon de la chaîne dans la grande campagne de revitalisation que ce constructeur entend mener au cours des prochains mois.

Si vous n'avez jamais entendu parler de Suzuki, préparez-vous à entendre et à lire plus souvent le nom de cette entreprise nippone qui a déjà gagné ses galons dans l'univers ultracompétitif de la moto sportive. Ses produits automobiles étant souvent demeurés dans l'ombre, Suzuki a pris les grands moyens pour que la situation change. Le programme de sensibilisation doit porter sur quatre points précis: une intensification des relations publiques, une cam-

pagne de publicité plus soutenue, un réseau de concessionnaires mieux développé et, bien entendu, de nouveaux produits attrayants qui viendront s'ajouter aux gammes de voitures Esteem et Swift ainsi qu'aux petits véhicules utilitaires.

Un marché toujours croissant

Chez Suzuki, on est d'avis que le marché des 4X4 petit format va prendre une forte ampleur au cours des prochains mois avec des ventes globales qui atteindront les 500 000 unités en l'an 2000. De ce nombre, les nouveaux Vitara et Grand Vitara 1999 visent environ 100 000 acheteurs. À ce chapitre, il est intéressant de noter que les femmes constituent 55 p. 100 de la clientèle de Suzuki et qu'elles interviennent dans 75 p. 100 des décisions d'achat. Désireuse d'être à l'écoute de sa clientèle féminine, Suzuki a invité au lancement de la Grand Vitara les représentantes de plusieurs magazines féminins, décision sage dont d'autres constructeurs devraient s'inspirer.

Avant de passer aux impressions de conduite, on peut au moins dire tout de suite que ces nouveaux venus ont fière allure. Ils ont abandonné leurs lignes angulaires pour adopter le look plus contemporain de leurs concurrents. Il n'y a pas que l'emballage qui a changé toutefois.

Un petit V6 pétillant

L'atout majeur du modèle haut de gamme, le Grand Vitara, est incontestablement son V6 de 2,5 litres, un moteur moderne à 24 soupapes développant 155 chevaux et un couple (160 lb-pi à 4000 tr/min) supérieur à celui de tous les autres véhicules de la

378

même catégorie, à l'exception du Jeep Cherokee. Monté longitudinalement et entraînant les roues arrière, ce moteur en aluminium autorise une meilleure répartition des masses et conséquemment, une tenue de route améliorée. Le modèle Vitara, plus dépouillé et moins cher, sera doté d'un moteur 4 cylindres de 2,0 litres qu'il partagera avec la version commercialisée par Chevrolet sous le nom de Tracker.

Le Grand Vitara que nous avons mis à l'essai était équipé du V6 et de la transmission automatique avec convertisseur de couple verrouillable. Le V6 se distingue par sa souplesse et par son silence de fonctionnement. À bas régime, le couple est convenable et permet des accélérations et des reprises franches. À haut régime cependant, le moteur s'essouffle et la puissance est un peu juste. Mais il est indéniable que ce nouveau V6 contribue fortement au caractère nettement plus raffiné du Grand Vitara. Dès les premiers tours de roues, on constate l'ampleur des progrès réalisés par rapport au petit 4 cylindres bruyant et vibrant des premières Samuraï!

Un châssis à la hauteur

La sensation de raffinement que procure le moteur est rehaussée par la rigidité de la caisse et la qualité de l'aménagement. Montée sur un châssis poutre, la jolie carrosserie à 5 portes reçoit de grosses moulures de bas de caisse qui alourdissent inutilement le dessin des flancs. La roue de secours est fixée à l'extérieur de la cinquième porte qui s'ouvre sur le côté, mais dans le mauvais sens (à la japonaise), c'est-à-dire de gauche à droite, ce qui est peu pratique lorsque le véhicule est garé le long d'un trottoir.

Ces nouveaux modèles se révèlent aussi plus raffinés que leurs prédécesseurs (Sidekick, Tracker, Sunrunner) en matière de confort de suspension. L'essieu arrière demeure rigide, mais comporte 5 bras de guidage et l'empattement a été allongé de 28 cm. Alliés à un châssis plus robuste, ces changements ont permis de hausser d'un cran le comportement routier plutôt sautillant des anciens petits 4X4 de Suzuki. Sur route sèche, en mode roues arrière motrices, le Grand Vitara se comporte «normalement»: tenue saine en virage et réduction notable du tangage qui caractérise de nombreux 4X4. La tenue de cap est en nette progression par rapport au Sidekick, mais elle n'a pas encore rejoint celle des modèles concurrents à transmission intégrale.

Pour formats moyens

À l'instar de la carrosserie, l'habitacle présente un dessin nouveau. L'instrumentation «en cascade» (à la Porsche) avec compte-tours de série est logée sous une visière qui se prolonge vers le centre. Les commandes à glissière du chauffage et de la climatisation (de série sur la version JLX) sont bien placées, mais moins pratiques que des commandes rotatives. La radio logée trop bas est affublée de boutons bien trop petits. Par contre, Suzuki a fait un effort louable pour ce qui est des espaces de rangement qui sont répartis dans tout l'habitacle. Enfin, le volant inclinable, les rétroviseurs à commande électrique ainsi que l'emplacement des

Suzuki Grand Vitara

Pour

V6 souple et silencieux
• Châssis robuste
• Boîte de transfert à 2 rapports
• 4x4 agile
• Design agréable

Contre

Pas de 4 roues motrices
en permanence
• Habitacle étroit
• Consommation et prix en hausse
• Sens d'ouverture de la 5e porte

Caractéristiques

Échelle de prix:	voir page 11 et suivantes
Modèle / Prix:	Grand Vitara JLX / 27 695 $
Type:	utilitaire sport / 4X4
Empattement:	248 cm
Longueur:	418 cm
Largeur:	178 cm
Hauteur:	174 cm
Poids:	1450 kg
Coffre / Réservoir:	637 litres / 66 litres
Coussins de sécurité:	conducteur et passager
Système antipatinage:	oui
Suspension av. / arr.:	indépendante / essieu rigide
Freins av. / arr.:	disque ABS / tambour ABS
Direction:	à billes, assistée
Diamètre de braquage:	10,4 mètres
Pneus av. / arr.:	P235/60R16
Valeur de revente:	moyenne
Garantie de base:	3 ans / 80 000 km

Motorisation et performances

Moteur / Transmission:	V6 2,5 litres / automatique 4 rapports
Puissance / Couple:	155 ch à 6500 tr/min / 160 lb-pi à 4000 tr/min
Autre(s) moteur(s):	4L 2,0 litres 127 ch
Transmission optionnelle:	manuelle 5 vitesses
Accélération 0-100 km/h:	9,2 secondes
Vitesse maximale:	170 km/h
Freinage 100-0 km/h:	n. d.
Consommation (100 km):	12,3 litres

Modèles concurrents

Honda CRV • Jeep Cherokee • Subaru Forester • Toyota RAV4

Quoi de neuf?

Nouveau modèle

Verdict

Agrément	⊕ ⊕ ⊕	Habitabilité	⊕ ⊕ ⅁
Confort	⊕ ⊕ ⊕	Hiver	⊕ ⊕ ⊕ ⊕
Fiabilité	⊕ ⊕ ⊕	Sécurité	⊕ ⊕ ⊕

sélecteurs de la boîte de vitesses et de la boîte de transfert permettent de trouver rapidement une bonne position de conduite.

La visibilité est bonne, tant pour le conducteur que pour les passagers. À noter, la découpe des portes avant à hauteur des rétroviseurs. En abaissant la roue de secours placée sur la cinquième porte, Suzuki a réussi à l'éliminer presque entièrement du champ de vision du conducteur. Par contre, les appuie-tête arrière obstruent partiellement la vue dans le rétroviseur. Les sièges à assise ferme mais confortable ne présentent pas de problème. Les personnes plus corpulentes pourraient cependant les trouver étroits, remarque qui s'applique aussi au dégagement aux épaules et aux hanches. À l'arrière, le Grand Vitara présente un plus grand volume habitable que le Sidekick et le dégagement à la tête est généreux. Comme c'est le cas dans d'autres 4X4, le seuil des portes est relativement haut et plutôt étroit à l'arrière, mais la banquette rabattable en deux parties permet d'accueillir deux adultes dans un confort raisonnable. En somme, un habitacle bien conçu et confortable et une finition soignée, dont l'attrait est rehaussé par le garnissage clair des sièges et des contre-portes.

Sur la bonne voie.

Comme une chèvre de montagne

Un passe-partout, ce petit Suzuki. Garde au sol de 20 cm, roues en alliage de 16 pouces, carrosserie étroite, bonne visibilité, couple moteur convenable à bas régime; il suffit d'engager les 4 roues motrices au rapport inférieur de la boîte de transfert (sans s'arrêter) et le Grand Vitara vous fera grimper les sentiers les plus accidentés. En descente, attention à l'ABS qui intervient rapidement; le rapport inférieur est fortement recommandé. Somme toute, un vrai 4X4!

Malgré des ventes d'environ 2 millions de véhicules à l'échelle planétaire et 5 p. 100 de part de marché, Suzuki n'a jamais été reconnue comme une des forces vives de l'industrie automobile en Amérique du Nord. Le constructeur japonais entend changer cette perception et il semble bien que l'on soit sur la bonne voie avec le Vitara et le Grand Vitara qui seront suivis dans quelques mois par les versions 2 portes et décapotable.

Soulignons enfin que la Vitara est aussi commercialisée par GM sous l'étiquette de Chevrolet Tracker. Ce modèle n'est toutefois offert qu'avec l'empattement court et le moteur 4 cylindres de 2 litres.

Jacques Duval et Alain Raymond

Toyota 4Runner

Toyota 4Runner

Solide comme le roc

S'il est possible de douter de la solidité du RAV4 en conduite tout-terrain, le 4Runner compense largement. Contrairement à son frère cadet qui fait appel à des éléments empruntés à des automobiles, le 4Runner a des origines beaucoup plus robustes, puisqu'il s'inspire de près des camionnettes Tacoma. Cela permet d'expliquer son caractère plus costaud et son châssis autonome.

Cela signifie également que ce Toyota aux épaules larges ne possède pas une traction intégrale comme certains autres modèles. Il utilise un système à temps partiel que le pilote doit enclencher. Sur pavé sec, le 4Runner est une propulsion comme la camionnette dont il est dérivé. D'ailleurs, plusieurs préfèrent ce système à un rouage d'entraînement intégral, surtout les mordus de la conduite hors-piste qui soulignent que cela leur donne plus de latitude. Mentionnons au passage que tous les éléments mécaniques sont d'une robustesse à toute épreuve.

D'ailleurs, tout dans ce véhicule dégage une impression de solidité et de qualité. Fidèle à la tradition de la marque, la silhouette est plutôt anonyme avec des rondeurs intermédiaires qui réussissent à lui donner un air de famille avec celle du Lexus LX470, lui-même dérivé du Land Cruiser, que l'on ne peut se procurer au Canada. Ceux qui aiment la continuité apprécient le fait que la version rafraîchie en 1997 ressemble d'assez près à celle qu'elle remplaçait. Cela permet aux propriétaires de l'ancien modèle d'obtenir un peu plus sur le marché des voitures d'occasion. Il est tout de même inconcevable que Toyota ait dépensé des centaines de millions pour remanier ce tout-terrain il y a deux ans sans pour autant prendre soin de relever la par-

tie supérieure des portières de 1 ou 2 cm. Cela aurait permis aux personnes de grande taille de cesser de se heurter le front en tentant de pénétrer dans le 4Runner.

Quant à l'habitacle, il fait appel à des matériaux de première classe et sa finition est impeccable. Comme c'est sa coutume, Toyota a apporté beaucoup d'attention à de multiples détails, en plus d'assurer une bonne insonorisation. Par contre, si les sièges avant sont confortables, la banquette arrière est plus ou moins accueillante pour les adultes et il n'est pas tellement facile d'y accéder en raison d'une ouverture de portière arrière relativement petite.

La sobriété excessive du tableau de bord ne fait rien pour donner un peu de vivacité à l'ensemble. Certaines commandes sont mal placées, telle la télécommande pour verrouiller le différentiel sur les modèles qui en sont équipés. De plus, le levier servant à passer en mode «neutre» et «lo» est situé au plancher, ce qui a pour effet d'encombrer la cabine. Quelques compagnies ont réussi à remplacer le tout par un simple bouton placé sur le tableau de bord et Toyota devrait les imiter.

Le 4Runner est un véhicule élevé. Et comme il ne possède pas la nouvelle suspension réglable du Lexus LX470, on doit lever la patte passablement haut pour prendre place à bord. Il faut également être sur ses gardes lorsqu'on descend, car la marche est haute. Plus d'un passager distrait a eu la surprise de sa vie en tentant d'en descendre comme s'il était à bord d'une auto...

Économique et anémique

Le moteur de série est un 4 cylindres 2,7 litres développant 150 chevaux. Il permet d'économiser sur le carburant. Il faut

Toyota 4Runner

Pour
Finition impeccable • Moteurs robustes • Équipement complet • Sièges avant confortables • Insonorisation efficace

Contre
Prix corsé • Moteur V6 gourmand • Silhouette anonyme • Pneumatiques décevants en hors route • Certaines commandes mal placées

Caractéristiques

Échelle de prix:	voir page 11 et suivantes
Modèle / Prix:	SR5 / 36 125 $
Type:	utilitaire sport / 4X4
Empattement:	267 cm
Longueur:	454 cm
Largeur:	169 cm
Hauteur:	176 cm
Poids:	1694 kg
Coffre / Réservoir:	1262 litres / 70 litres
Coussins de sécurité:	conducteur et passager
Système antipatinage:	non
Suspension av. / arr.:	indépendante / essieu rigide
Freins av. / arr.:	disque ABS / tambour ABS
Direction:	à crémaillère, assistée
Diamètre de braquage:	11,4 mètres
Pneus av. / arr.:	P265/70R16
Valeur de revente:	bonne
Garantie de base:	3 ans / 60 000 km

Motorisation et performances

Moteur / Transmission:	4L 2,7 litres / automatique 4 rapports
Puissance / Couple:	150 ch à 4800 tr/min / 177 lb-pi à 4000 tr/min
Autre(s) moteur(s):	V6 3,4 litres 183 ch
Transmission optionnelle:	manuelle 5 rapports
Accélération 0-100 km/h:	12,2 s autre moteur: 11,7 s (V6 aut.)
Vitesse maximale:	170 km/h
Freinage 100-0 km/h:	46,3 mètres
Consommation (100 km):	12,8 litres autre moteur: 14,9 litres (V6 aut.)

Modèles concurrents
Chevrolet Blazer/GMC Jimmy • Ford Explorer • Jeep Cherokee/Grand Cherokee • Mercedes-Benz classe M

Quoi de neuf?
Changements mineurs • Groupe d'options révisé

Verdict

Agrément	⊕ ⊕ ⊖	Habitabilité	⊕ ⊕ ⊕
Confort	⊕ ⊕ ⊕	Hiver	⊕ ⊕ ⊕ ⊕
Fiabilité	⊕ ⊕ ⊕ ⊕ ⊕	Sécurité	⊕ ⊕ ⊕ ⊕

cependant garder en mémoire que ce véhicule pèse pas moins de 1694 kg, ce qui explique pourquoi le moteur ne permet que des accélérations plutôt timides. Et les choses ne s'améliorent pas lorsqu'on passe en mode 4 roues motrices. En revanche, ce moteur constitue un choix intéressant pour les personnes qui envisagent d'utiliser leur 4Runner presque exclusivement sur la route et non pas sur les voies forestières.

Pour pouvoir faire face à la plupart des situations, le choix logique est le V6 3,4 litres de 183 chevaux. Souple, puissant et robuste, ce moteur est également d'une fiabilité à toute épreuve ou presque. En fait, il permet de donner un peu plus de relief à cet utilitaire, dont le caractère sportif est assez peu en évidence. Le prix à payer est une consommation de carburant relativement élevée de 14,9 litres aux 100 km.

Aussi ennuyeux que solide.

En dépit de son caractère costaud et de sa présentation très sérieuse, le 4Runner se défend assez bien sur la route. La suspension se montre sèche lors de la rencontre avec des joints d'expansion, mais son comportement se situe dans la bonne moyenne. Toutefois, ceux qui apprécient un véhicule qui possède un peu d'âme seront déçus. Le 4Runner est un simple outil de transport aussi efficace qu'impersonnel. Quant à ses prestations en conduite hors route, sa robustesse et sa fiabilité sont davantage en évidence que son agilité. De plus, il semble que Toyota ait de la difficulté à trouver des pneus qui lui conviennent, puisque les modèles essayés ont toujours été handicapés par des pneumatiques assez peu performants.

Somme toute, le 4Runner intéressera les personnes plutôt attirées par la fiabilité et une construction sérieuse que par l'agrément de conduite et un comportement agile en tout-terrain. Comme c'est souvent le cas chez Toyota, l'éradication des irritants et des petits défauts a pour effet d'enlever ce petit quelque chose qui fait apprécier le véhicule. C'est le prix à payer pour une exécution pratiquement sans faille et une fiabilité à toute épreuve.

Denis Duquet

Toyota Avalon

Toyota Avalon

Une autre mal-aimée…

**Il était une fois un géant japonais de l'automobile qui pro-
duisait une berline aux dimensions généreuses. Cette
berline bénéficiait d'une fiabilité redoutable, d'un groupe
motopropulseur très convenable et de certaines qualités
en matière de comportement routier. Mais, pour des
raisons qui pourraient paraître obscures, cette berline ne
remporta pas vraiment de succès auprès des automobilistes canadiens. Ce géant japonais, c'était Toyota et la
voiture, la Cressida. Même profil, mêmes qualités, mêmes
lacunes, mêmes résultats 10 ans plus tard avec la Toyota
Avalon. L'histoire se répète.**

Porte-étendard de la gamme Toyota, l'Avalon, lancée en
1995, a été conçue strictement pour le marché nord-
américain. Cette grande berline a été mise sur le marché
pour concurrencer les berlines américaines du genre Ford Crown
Victoria, Chrysler LHS et Buick LeSabre. Autrement dit, elle vise une
clientèle aux goûts traditionnels, composée de gens généralement
plus âgés qui recherchent d'abord le confort ouaté et les dimensions généreuses et pour qui l'originalité du design est un défaut
plutôt qu'une qualité.

Une motorisation feutrée

Offerte en versions XL et XLS, l'Avalon est construite à
Georgetown, au Kentucky, sur un châssis dérivé de celui de la très
populaire Camry. Contrairement à cette dernière, elle est dotée d'un
tableau de bord différent, d'un empattement plus long et d'une

ligne distincte. Le moteur V6 de 3,0 litres qui anime l'Avalon est le
même que celui que l'on trouve à bord de la Camry. Bien servi par
une boîte automatique à 4 rapports d'une douceur remarquable, ce
moteur procure à l'Avalon des accélérations et des reprises honnêtes. Le raffinement, la souplesse et le silence de fonctionnement
de ce groupe motopropulseur constituent véritablement un exemple du genre. Seule ombre au tableau: une consommation un peu
élevée, notamment en ville.

L'habitacle de l'Avalon peut facilement accueillir 4 adultes, mais
lorsqu'il s'agit de loger plus de passagers, la Toyota ne parvient pas
à concurrencer les grandes américaines. Plus étroite que ses rivales,
l'Avalon tentait de compenser en offrant une banquette avant au
lieu de sièges-baquets. Mais trois occupants à l'avant, ce n'est pas
le confort au foyer, et si cette formule trouvait ses adeptes aux
États-Unis, elle n'a pas été appréciée au Canada. Ce qui explique
sa disparition l'an dernier. Par contre, la version à 2 sièges présente
un confort appréciable et un dégagement généreux pour les jambes
et la tête.

Des coussins latéraux

L'Avalon comporte un coffre volumineux, mais dont la contenance est quand même inférieure à celle des rivales américaines.
Le coffre plat et profond est pourvu d'un seuil au ras du pare-
chocs, ce qui facilite le chargement et le déchargement. La visibilité ne présente pas de problème. D'ailleurs, la petite vitre de
custode arrière réduit la largeur du montant de toit ainsi que
l'angle mort.

Toyota Avalon

Pour

Groupe motopropulseur souple et silencieux • Finition et fiabilité enviables • Habitacle feutré et confortable • Équipement complet

Contre

Comportement routier prévisible • Ligne banale • Faible agrément de conduite • Direction surassistée • Prix élevé

Caractéristiques

Échelle de prix:	voir page 11 et suivantes
Modèle / Prix:	XLS / 42 515 $
Type:	berline / traction
Empattement:	272 cm
Longueur:	487 cm
Largeur:	179 cm
Hauteur:	144 cm
Poids:	1560 kg
Coffre / Réservoir:	436 litres / 70 litres
Coussins de sécurité:	conducteur, passager et latéraux avant
Système antipatinage:	oui
Suspension av. / arr.:	indépendante
Freins av. / arr.:	disque ABS
Direction:	à crémaillère, assistance variable
Diamètre de braquage:	11,5 mètres
Pneus av. / arr.:	P205/65HR15
Valeur de revente:	passable
Garantie de base:	3 ans / 60 000 km

Motorisation et performances

Moteur / Transmission:	V6 3,0 litres / automatique 4 rapports
Puissance / Couple:	200 ch à 5200 tr/min / 214 lb-pi à 4400 tr/min
Autre(s) moteur(s):	aucun
Transmission optionnelle:	aucune
Accélération 0-100 km/h:	8,3 secondes
Vitesse maximale:	210 km/h
Freinage 100-0 km/h:	44,8 mètres
Consommation (100 km):	11,8 litres

Modèles concurrents

Buick Le Sabre • Chrysler Intrepid/Concorde • Ford Crown Victoria • Oldsmobile 88 • Pontiac Bonneville

Quoi de neuf?

Coussins de sécurité latéraux

Verdict

Agrément	☺☺☺	Habitabilité	☺☺☺☺
Confort	☺☺☺☺	Hiver	☺☺☺
Fiabilité	☺☺☺☺☺	Sécurité	☺☺☺☺

Autre particularité de l'Avalon: les coussins de sécurité latéraux qui s'ajoutent aux coussins classiques et qui sont destinés à protéger les occupants des places avant lors d'une collision latérale. La rigidité de la caisse, les dimensions de la voiture et son comportement routier sans histoire procurent aux occupants une sensation de bien-être et de sécurité rehaussée par la très haute qualité de la finition.

La XLS se distingue de la XL par la présence de lave-phares, d'un thermomètre de température extérieure, de sièges chauffants habillés de cuir à réglage électrique, du système de climatisation automatique, de la chaîne stéréophonique à lecteur de disques compacts et d'un système de verrouillage à distance doublé d'un antivol perfectionné.

Américaine et marginale.

Mollesse et roulis

Sur la route, l'Avalon est fidèle à sa vocation de grande berline ouatée. Le groupe motopropulseur souple et silencieux ainsi que le tarage de la suspension et de la direction placent l'Avalon entre une Buick LeSabre et une Chrysler Intrepid. Plus ferme que la première, mais moins «sportive» que la deuxième, l'Avalon conviendra à ceux qui sont habitués au roulis en virage et qui ne se soucient pas d'un léger flottement sur route ondulée. La direction surassistée nuit à la précision de conduite.

En somme, une japonaise construite en Amérique, affichant une fiabilité impeccable et bien adaptée aux goûts de l'automobiliste américain traditionnel. Coincé entre la Camry V6 et la Lexus ES, ce modèle a beaucoup de mal à se trouver un créneau. Et si la Toyota Avalon ne semble pas avoir de succès chez nous, cela prouve une fois de plus que «nous ne sommes pas des Américains».

Alain Raymond

Toyota Camry

Toyota Camry

Son hégémonie est menacée

Depuis plusieurs années maintenant, la Toyota Camry est généralement considérée comme la référence en matière de qualité, de fiabilité et même de comportement routier dans sa catégorie. D'ailleurs, l'an dernier, dans le cadre d'un match comparatif du *Guide de l'auto 98*, elle avait repoussé avec brio les attaques des trois berlines *made in Detroit* qui avaient tenté de défier sa suprématie. Pourtant, sa révision effectuée en 1997 était restée modeste afin que Toyota puisse continuer à vendre sa populaire berline à un prix très compétitif. Cette politique a porté fruit à court terme, mais a augmenté le risque que la Camry soit davantage menacée par des modèles de conception plus récente.

C'est ce qui explique d'ailleurs pourquoi cette Toyota s'est fait tabasser dans le cadre de notre match comparatif des sœurs ennemies, publié en première partie de cet ouvrage. Ce match mettait en opposition des modèles dérivés l'un de l'autre, par exemple la Lexus ES300 et la Camry, ainsi que plusieurs autres modèles semblables. En plus de se faire faire la leçon par sa sœur plus bourgeoise, cette Toyota a été devancée par la nouvelle Honda Accord de même que par la Volkswagen Passat V6. Ces deux modèles de conception plus récente ont mis en évidence le caractère dépouillé et ennuyeux de la Camry en plus de la surpasser au chapitre de la conduite.

Cette Toyota est malgré tout une voiture de grande qualité, grâce au choix des matériaux, au raffinement de sa finition et à ses éléments mécaniques aussi fiables que sophistiqués. Bien que son

hégémonie soit menacée, elle continue d'être l'une des références du marché. La nouvelle Honda Accord est peut-être aussi effacée côté personnalité que cette Toyota, mais elle possède plusieurs qualités qui lui permettront de lui faire la vie dure. Quant à la nouvelle Passat, sa présentation relativement austère, une version à moteur V6 de prix plus élevé de même qu'une réputation de fiabilité toujours à développer sont des éléments qui jouent en faveur de la Camry lorsque vient le temps de passer aux actes.

Une mécanique de référence

La silhouette de cette berline semble avoir été dessinée pour que la voiture passe totalement inaperçue. Par contre, ses organes mécaniques sont d'un raffinement et d'une fiabilité de nature à donner des complexes à la concurrence. Même si le V6 3,0 litres est le moteur vedette de ce modèle, il ne faut toutefois pas ignorer le 4 cylindres 2,2 litres, dont les 133 chevaux permettent d'obtenir d'intéressantes prestations et une consommation de carburant qui n'est pas à négliger, car elle est inférieure à 10,0 litres aux 100 km. Il faut de plus souligner que ce 4 cylindres peut être associé à une boîte manuelle à 5 rapports. Cette dernière n'a toujours pas la précision de certaines concurrentes – la course du levier est toujours un peu trop longue –, mais le résultat est nettement plus acceptable que sur l'ancienne version.

Malgré tout, le meilleur choix demeure la boîte automatique à 4 vitesses, dont les changements de rapport sont à peine perceptibles. De plus, cette transmission automatique est de type adaptatif, ce qui signifie en clair que l'ordinateur de bord analyse votre

Toyota Camry

Pour
Mécanique fiable • Excellente valeur de revente • Sièges confortables • Insonorisation poussée • Moteur V6 très doux

Contre
Prix corsés • Direction floue • Sensations de conduite atténuées • Silhouette anonyme • Chaîne audio moyenne

Caractéristiques

Échelle de prix:	voir page 11 et suivantes
Modèle / Prix:	XLE V6 / 32 450 $
Type:	berline 5 places / traction
Empattement:	267 cm
Longueur:	478,5 cm
Largeur:	178 cm
Hauteur:	142 cm
Poids:	1430 kg
Coffre / Réservoir:	399 litres / 70 litres
Coussins de sécurité:	conducteur et passager
Système antipatinage:	oui
Suspension av. / arr.:	indépendante
Freins av. / arr.:	disque ABS
Direction:	à crémaillère, assistée
Diamètre de braquage:	11,8 mètres
Pneus av. / arr.:	P205/65R15
Valeur de revente:	excellente
Garantie de base:	3 ans / 60 000 km

Motorisation et performances

Moteur / Transmission:	V6 3,0 litres DACT / automatique 4 rapports
Puissance / Couple:	194 ch à 5200 tr/min / 209 lb-pi à 4400 tr/min
Autre(s) moteur(s):	4L 2,2 litres 133 ch
Transmission optionnelle:	manuelle 5 rapports
Accélération 0-100 km/h:	9,0 secondes autre moteur: 11,7 secondes
Vitesse maximale:	210 km/h
Freinage 100-0 km/h:	39,7 mètres
Consommation (100 km):	10,4 litres autre moteur: 9,8 litres

Modèles concurrents
Honda Accord • Chrysler Cirrus • Ford Taurus • Chevrolet Lumina • Nissan Altima • Mazda 626 • VW Passat

Quoi de neuf?
Nouveaux agencements de couleurs • Groupes d'options modifiés

Verdict

Agrément	☉ ☉ ☉	Habitabilité	☉ ☉ ☉ ☉
Confort	☉ ☉ ☉ ☉	Hiver	☉ ☉ ☉ ☉
Fiabilité	☉ ☉ ☉ ☉ ☉	Sécurité	☉ ☉ ☉ ☉

style de conduite et modifie automatiquement le contrôle électronique du passage des rapports.

Inutile de préciser que cette boîte est la compagne idéale du V6 3,0 litres de 194 chevaux, dont la douceur n'a d'égale que sa fiabilité. Même si la Camry était ratée à tous les autres chapitres, ce seul moteur vaudrait presque qu'on en recommande l'achat. Son silence et son caractère feutré viennent toutefois atténuer les sensations de conduite.

La Camry possède également un système antipatinage qui fait intervenir les freins, tout en diminuant la puissance du moteur lorsque les capteurs détectent une perte d'adhérence d'une ou de plusieurs roues. Comme il va de soi sur une voiture de cette catégorie, la plupart des modèles sont dotés de freins ABS en équipement de série.

Le choix des gens prévenants.

Ennuyante, mais confortable

À force de vouloir insonoriser l'habitacle à tout prix, de dessiner une suspension qui filtre les bruits et les vibrations de la route et de concevoir des organes mécaniques qui travaillent en douceur, les ingénieurs de Toyota ont conçu une voiture qui est très sophistiquée, mais également soporifique. Confortablement assis dans un habitacle spacieux mais sobre, isolés du monde extérieur grâce à une insonorisation très poussée, conducteurs et passagers se déplacent dans une capsule de confort qui atténue tout feed-back. De plus, la présentation de la cabine est sobre et de bon goût, mais aucun élément ne vient ajouter du piquant à l'ensemble.

Même une version 4 cylindres – un moteur plus bruyant en théorie qu'un V6 – dotée d'une boîte manuelle à 5 rapports parvient difficilement à troubler le calme général qu'engendre cette berline.

Malgré cette sagesse tous azimuts, la Camry est pénalisée par une direction floue, un roulis de caisse assez prononcé en virage et un manque de sensations de conduite. Par contre, c'est le type de voiture idéal pour effectuer de longs trajets non seulement en raison de sa fiabilité et de sa consommation plutôt raisonnable, mais aussi grâce à la qualité de ses sièges et à son habitabilité généreuse.

Somme toute, la Camry demeure l'une des berlines familiales les plus intéressantes, car elle offre la garantie d'une voiture fiable et confortable qui compense un prix d'achat un peu plus élevé par une valeur de revente qui fait l'envie de la concurrence.

Denis Duquet

Toyota Celica

Toyota Celica

Toujours en piste

Dans la gamme Toyota, les modèles Celica ont toujours été un brin excentriques, du moins en ce qui concerne la silhouette. On n'a qu'à observer les modèles du passé pour se rendre compte que les stylistes de Toyota n'ont pas craint de nous proposer des formes parfois bizarres. La version actuelle gagne en harmonie ce qu'elle perd en originalité. En fait, cette silhouette est parfaitement adaptée à la personnalité de ce coupé sport qui allie la traditionnelle robustesse mécanique propre à Toyota à une exécution sans bavure. Il y a toutefois un grain de sable dans l'engrenage: le prix.

Les voitures modernes doivent être dotées d'une caisse d'une très grande rigidité, non seulement afin d'offrir une meilleure protection en cas d'impact, mais aussi afin d'assurer un fonctionnement optimal de la suspension. Sur le plan de la rigidité, l'utilisation de super ordinateurs permet de déterminer avec exactitude les points de stress et les renforts à ajouter pour une plus grande solidité. Sur la Celica, des renforts spéciaux sont placés au point inférieur des piliers A et B ainsi que sur les parois internes de l'ouverture du hayon. Une couche de PVC est appliquée sous le véhicule de même que sur la partie inférieure extérieure et ce, afin d'offrir une meilleure résistance à la corrosion.

Bref, cette Celica s'inscrit dans la tradition Toyota de s'intéresser aux moindres détails et de rendre la voiture la plus solide et la mieux finie possible.

Des valeurs sûres

Pour animer cette sportive, Toyota mise sur des valeurs sûres et une mécanique éprouvée. Ce qui explique probablement pourquoi le 4 cylindres 2,2 litres de 130 chevaux est toujours en poste. Il possède d'ailleurs une fiche de route bien remplie, puisqu'il était déjà en service sur la version antérieure de la Celica en plus d'avoir été le moteur de série de la Camry au début des années 90. Sa puissance est assez modeste, compte tenu que plusieurs modèles de la concurrence offrent des moteurs développant aisément 20 à 30 chevaux de plus. En outre, son niveau sonore est passablement élevé.

Les suspensions avant et arrière font appel à des jambes de force, dont la géométrie a été spécialement étudiée pour éliminer la plongée et le cabrage lors du freinage et de l'accélération. À l'avant, la jambe de force est reliée à un bras inférieur en forme de «L», tandis que la suspension arrière joint la jambe de force à deux bras parallèles et un bras tiré. Sur le plan du freinage, des freins à disque aux 4 roues viendront tempérer vos élans. Toutefois, les freins ABS ne sont toujours pas offerts en équipement de série. Il faut opter pour un groupe d'équipement pour obtenir les freins ABS, ce qui a pour effet d'augmenter le prix.

Étroit, mais confortable

Si vous recherchez les habitacles spacieux et aérés, celui de la Celica risque de vous déplaire. Deux adultes assez costauds peuvent facilement y prendre place et les sièges avant sont confortables, mais l'espace est tout de même assez restreint. Heureusement, les garnitures sculptées des portières assurent un bon

Ce prototype MR-S pourrait remplacer la Celica d'ici peu

Toyota Celica

Pour
- Silhouette intéressante
- Tenue de route sportive
- Levier de vitesses agréable à manier • Sièges confortables
- Freins puissants

Contre
- Prix élevé • Moteur bruyant
- Seuil du coffre élevé
- Places arrière exiguës
- Modèle en fin de carrière

Caractéristiques

Échelle de prix:	voir page 11 et suivantes
Modèle / Prix:	GT-S / 29 678 $
Type:	coupé / traction
Empattement:	254 cm
Longueur:	442 cm
Largeur:	175 cm
Hauteur:	129 cm
Poids:	1170 kg
Coffre / Réservoir:	495 litres / 60 litres
Coussins de sécurité:	conducteur et passager
Système antipatinage:	non
Suspension av. / arr.:	indépendante
Freins av. / arr.:	disque / tambour (ABS optionnel)
Direction:	à crémaillère
Diamètre de braquage:	11,2 mètres
Pneus av. / arr.:	P205/55R15
Valeur de revente:	passable
Garantie de base:	3 ans / 60 000 km

Motorisation et performances

Moteur / Transmission:	4L 2,2 litres / manuelle 5 rapports
Puissance / Couple:	130 ch à 5400 tr/min / 145 lb-pi à 4400 tr/min
Autre(s) moteur(s):	aucun
Transmission optionnelle:	automatique 4 rapports
Accélération 0-100 km/h:	9,8 secondes
Vitesse maximale:	190 km/h
Freinage 100-0 km/h:	39,0 mètres
Consommation (100 km):	8,1 litres

Modèles concurrents

Acura Integra • Honda Prelude • Mercury Cougar • VW Golf VR6

Quoi de neuf?

Aucun changement • Version 98 reconduite

Verdict

Agrément	⊕ ⊕ ⊕	Habitabilité	⊕ ⊕
Confort	⊕ ⊕ ⊕	Hiver	⊕ ⊕
Fiabilité	⊕ ⊕ ⊕ ⊕	Sécurité	⊕ ⊕ ⊕

dégagement pour les bras et les coudes. Le toit en forme de goutte d'eau permet de compter sur un bon dégagement pour la tête aux places avant, mais c'est autre chose à l'arrière. À ce chapitre, la Celica ne se distingue pas de la grande majorité des coupés sport sur le marché: il s'agit plutôt d'un 2+2. Le coffre affiche de bonnes dimensions, même si le plancher est tourmenté en raison de la présence d'un pneu de secours pleine grandeur. Un seuil de chargement très haut nuit à l'efficacité.

Le tableau de bord est bien disposé et l'instrumentation complète. De plus, la partie centrale du tableau de bord est constituée par une console verticale regroupant la radio, les commandes de la climatisation et les buses de ventilation. C'est efficace et bien agencé, mais la présentation, ordinaire, ressemble à celle de plusieurs autres japonaises de la même génération. Quant au coffre à gants, il est plutôt exigu, probablement en raison de la présence d'un coussin de sécurité gonflable du côté du passager.

En semi-retraite.

Encore une fois, la qualité de la finition et des matériaux de cette Celica est nettement supérieure à la moyenne, à l'exception du tissu des sièges qui fait toujours bon marché.

Agréable à conduire

Même si la puissance de son moteur est minimale, la Celica GT-S peut porter sans honte le titre de coupé sport. Son moteur 2,2 litres de 130 chevaux est essoufflé et très bruyant aux alentours de 4000 tr/min, mais ses performances sont honnêtes. De plus, l'agrément de conduite est relevé par une boîte manuelle bien étagée actionnée par un levier dont la course est courte et précise. La suspension, passablement ferme mais sans exagération, permet d'aborder des virages serrés à des vitesses élevées avec aplomb, d'autant plus que la direction est précise et son assistance bien dosée.

Somme toute, la Celica ne possède pas les performances d'une Honda Prelude SR-V ou de l'Acura Integra GS-R dont les moteurs offrent respectivement 190 et 170 chevaux, mais elle est loin d'usurper le titre de coupé sport. Et il faut souligner que sa mécanique est increvable, à défaut d'être spectaculaire. Malgré tout, la rumeur veut qu'elle soit remplacée par un nouveau modèle d'ici l'an prochain. S'agit-il de la MR-S, dont la photo apparaît plus haut?

Denis Duquet

Toyota Corolla

Toyota Corolla

Une question de priorités

Tous les chroniqueurs automobiles vous le diront: la Toyota Corolla est l'une des voitures les plus «drabes» sur cette terre. Ces mêmes spécialistes de tout ce qui roule vous diront aussi que c'est l'une des meilleures voitures du monde. Cherchez l'erreur...

Ces opinions, en apparence contradictoires, exigent une explication. Si vous aimez conduire et que le temps passé derrière un volant est pour vous une immense source de plaisir, fuyez la Corolla comme la peste. En revanche, si vous n'aimez pas l'automobile et que vous désirez simplement vous rendre du point A au point B en toute quiétude, rabattez-vous sur la Corolla. Sauf exception, elle ne vous laissera jamais tomber. C'est le rôle d'une fidèle servante et elle le joue à merveille.

S'il faut en croire les chiffres de ventes, les automobilistes préfèrent de loin une voiture fiable et sans histoire à une sportive débridée. La Toyota Corolla a en effet délogé la Volkswagen Coccinelle au sommet de la liste des voitures les plus vendues de tous les temps. Cela signifie que plus de 21 millions d'acheteurs lui ont fait confiance au cours des 40 dernières années.

Un remodelage évolutif

Une fois tous les cinq ou six ans, la Corolla fait peau neuve, mais l'essentiel demeure. L'an dernier, justement, elle a changé de costume sans faire trop de vagues. La silhouette est restée très conservatrice, c'est-à-dire ni belle ni laide, juste en deçà de la banalité. Cette ligne sans saveur a l'avantage d'être assez fluide avec un coefficient de résistance à l'air plutôt favorable de 0,31. Cet

aérodynamisme, combiné à une cinquième vitesse fortement surmultipliée, est sans doute ce qui explique que la dernière Corolla consomme très peu d'essence, en dépit du fait que le moteur a gagné 15 chevaux par rapport aux anciennes versions. La Corolla VE 5 rapports utilisée pour cet essai s'est contentée de 7,8 litres aux 100 km, une moyenne qui souligne éloquemment sa vocation économique. Le revers de la médaille est que les reprises sont assez tièdes à une vitesse de croisière. Enfoncer l'accélérateur en cinquième vitesse autour de 100 km/h équivaut à s'appuyer sur le repose-pied, tellement le moteur est inerte à bas régime. À l'opposé, le petit 4 cylindres de 1,8 litre est plein d'allant dans les rapports intermédiaires et rend la voiture très agile en circulation urbaine. Il faut toutefois éviter de brusquer le levier de vitesses au risque d'entendre le grognement des engrenages.

Si la Corolla ne dispense aucun agrément de conduite, c'est en partie à cause de sa direction à assistance variable. Elle est d'une telle légèreté qu'on a l'impression qu'elle tourne à vide.

Pneus bas de gamme

La suspension n'arrange pas les choses non plus. Sa trop grande mollesse rend la tenue de cap assez aléatoire à haute vitesse, tout en étant à l'origine de sérieuses pertes d'adhérence des roues motrices sur une chaussée bosselée. Les pneus bon marché de la version VE sont sans aucun doute partiellement responsables aussi des déficiences du comportement routier. Sur bon revêtement, la Corolla se tire beaucoup mieux d'affaire. La grande souplesse des amortisseurs fait merveille pour le confort.

Toyota Corolla

Pour
Confort notable • Intérieur spacieux pour la catégorie • Qualité de construction • Belle maniabilité en ville

Contre
Comportement routier encore perfectible • Direction trop légère • Version VE dépouillée • Faibles reprises • Pneus médiocres

Caractéristiques

Échelle de prix:	voir page 11 et suivantes
Modèle / Prix:	VE / 15 090 $
Type:	berline / traction
Empattement:	246 cm
Longueur:	442 cm
Largeur:	169 cm
Hauteur:	136 cm
Poids:	1080 kg
Coffre / Réservoir:	343 litres / 50 litres
Coussins de sécurité:	conducteur et passager
Système antipatinage:	non
Suspension av. / arr.:	indépendante
Freins av. / arr.:	disque / tambour (ABS optionnel)
Direction:	à crémaillère, assistance variable
Diamètre de braquage:	10,3 mètres
Pneus av. / arr.:	P175/65R14
Valeur de revente:	excellente
Garantie de base:	3 ans / 60 000 km

Motorisation et performances

Moteur / Transmission:	4L 1,8 litre / manuelle 5 rapports
Puissance / Couple:	120 ch à 5600 tr/min / 122 lb-pi à 4400 tr/min
Autre(s) moteur(s):	aucun
Transmission optionnelle:	automatique 3 ou 4 rapports
Accélération 0-100 km/h:	9,8 secondes
Vitesse maximale:	182 km/h
Freinage 100-0 km/h:	42 mètres
Consommation (100 km):	7,8 litres

Modèles concurrents

Hyundai Elantra • Honda Civic berline • Ford Escort • VW Jetta • Mazda Protegé • Saturn SL2 • Chevrolet Cavalier

Quoi de neuf?

Pas de changement majeur • Réalignement des modèles

Verdict

Agrément	⊕ ⊕ ⟂	Habitabilité	⊕ ⊕ ⊕ ⟂
Confort	⊕ ⊕ ⊕ ⟂	Hiver	⊕ ⊕
Fiabilité	⊕ ⊕ ⊕ ⊕ ⊕	Sécurité	⊕ ⊕ ⊕ ⟂

Pour une petite voiture, la Corolla se distingue aussi par une bonne insonorisation.

Le sceau de qualité Toyota

Toyota nous a habitués à une qualité de construction irréprochable et la nouvelle Corolla ne fait pas exception à la règle. Le soin apporté à la finition intérieure en est d'ailleurs un très bel exemple. N'empêche que le dépouillement de l'habitacle de la version VE est presque choquant. Les glaces sont à commande manuelle, il n'y a pas de réglage centralisé pour les rétroviseurs extérieurs et, pire encore, le tissu qui recouvre les sièges sent l'économie à plein nez. Heureusement que le tableau de bord vient égayer un peu le décor. Au beau milieu de ce vide abyssal, on découvre avec surprise un volant à hauteur réglable. De bonnes notes aussi aux nombreux espaces de rangement (huit dans l'environnement immédiat du conducteur) et à la visibilité qui n'est gênée par aucun angle mort important.

La voiture générique.

Fidèle à sa vocation de bonne petite voiture familiale, la Corolla offre des places arrière très correctes où des adultes de taille moyenne se sentiront tout à fait à l'aise. L'espace pour les bagages n'est pas exceptionnel, mais le coffre a l'avantage d'être parfaitement plat et de posséder une grande ouverture qui facilite son chargement.

En plus de la VE mise à l'essai, la dernière-née des Corolla est aussi offerte dans une version CE qui est habituellement la préférée des acheteurs. Une version LE haut de gamme figure aussi au catalogue. Cette LE est notamment équipée de série d'une transmission automatique à 4 rapports. L'addition, il va sans dire, grimpe en conséquence et on s'approche du prix d'une Camry bas de gamme, ce qui prête à réfléchir.

Quelle que soit la version choisie, on pourra compter sur la fiabilité légendaire de la Corolla en même temps que sur une qualité de construction qui frise la perfection et, disons-le, l'ennui. Il ne vous reste plus qu'à établir vos priorités.

Jacques Duval

Toyota Prius

Toyota Prius

Si l'avenir m'était conté...

... on me parlerait de Prius, Toyota Prius pour être plus précis. En fait, cet avenir, c'est aujourd'hui, c'est maintenant. Elle existe vraiment, cette voiture écologique. Ce n'est pas un prototype; ce n'est pas un laboratoire plus ou moins roulant destiné à épater la galerie. Elle est propulsée à l'électricité, mais un moteur à essence tourne aussi sous son capot. Il n'est pas nécessaire de la recharger comme un cellulaire. Et le plus «électrisant», c'est qu'elle se vend déjà. D'accord, rien qu'au Japon pour le moment, mais dès l'an 2000, elle sera chez votre concessionnaire Toyota. Nous l'avons essayée pour vous.

Je sais. Certains diront qu'elle n'est pas très jolie, avec son museau court et son air pincé. Mais ça, c'est de l'esthétique; c'est relativement facile à changer. Mais ce qui est important – très important même –, c'est qu'il s'agit de la première voiture hybride commercialisée à grande échelle. Malgré toutes les promesses de voitures «écologiques», qu'elles soient électriques, au gaz naturel ou à piles solaires, rien n'a jusqu'à présent atteint un stade de développement qui permette une commercialisation partout dans le monde, depuis les déserts brûlants de l'Arizona jusqu'aux hivers verglaçants du Québec.

Comment ça fonctionne?

Mais d'abord, c'est quoi une voiture hybride? C'est tout simplement une voiture à deux modes de propulsion: le moteur électrique et le moteur à essence. Un nouveau 4 cylindres de 1,5 litre à 16 soupapes et distribution variable a été conçu spécifiquement pour la Prius. Fonctionnant selon le cycle Atkinson, ce moteur à haut rendement est réglé pour favoriser l'économie d'essence et non la puissance (58 chevaux). Le régime est limité à 4000 tr/min.

Alliés au moteur à essence et disposés à la place de la boîte de vitesses se trouvent l'alternateur pour recharger les batteries, le moteur électrique et la transmission à train planétaire sans embrayage. Cette transmission répartit la puissance du moteur à essence entre, d'une part, le moteur électrique et les roues motrices et, d'autre part, l'alternateur. Un inverseur envoie le courant vers les batteries ou vers le moteur électrique.

La particularité du système hybride Toyota (THS) réside dans la gestion continue de l'interaction entre le moteur à essence, l'alternateur, le moteur électrique et l'inverseur, gestion confiée à une centrale électronique très complexe qui a fait l'objet de plusieurs brevets déposés par Toyota. Quant à la batterie, il s'agit en fait de 240 piles de type D au nickel-métal-hydrure logées en un seul bloc derrière le dossier du siège arrière.

Est-ce que ça fonctionne?

Oui, sans aucun doute. Le bref galop d'essai que nous avons effectué au volant de la Prius nous a permis de constater que le système est pleinement opérationnel. Quelques minutes suffisent pour qu'on vous explique le fonctionnement de la voiture: tournez la clé de contact et attendez quelques secondes que la mention READY s'affiche au tableau central. Engagez le sélecteur comme s'il s'agissait d'une automatique et appuyez sur l'accélérateur. La voiture avance – ou recule – avec un léger bruit de moteur électrique. À plus de 20 km/h, un bruit à peine perceptible vous signale

Toyota Prius

Pour	Contre
Passages imperceptibles entre les modes de propulsion • Faibles consommation et pollution • Habitacle accueillant • Insonorisation et aérodynamique soignées	Puissance et reprises limitées • Consommation en hausse en usage intensif • Freins brusques • Tenue de route limitée

Caractéristiques

Échelle de prix:	voir page 11 et suivantes
Modèle / Prix:	Prius / n. d.
Type:	berline / traction
Empattement:	255 cm
Longueur:	427 cm
Largeur:	169 cm
Hauteur:	149 cm
Poids:	1515 kg
Coffre / Réservoir:	n. d. / 50 litres
Coussins de sécurité:	conducteur et passager
Système antipatinage:	non
Suspension av. / arr.:	indépendante / semi-indépendante
Freins av. / arr.:	disque / tambour
Direction:	à crémaillère, assistée
Diamètre de braquage:	9,4 mètres
Pneus av. / arr.:	P165/65R15
Valeur de revente:	inconnue
Garantie de base:	n. d.

Motorisation et performances

Moteur / Transmission:	4L 1,5 litre + élect. 6,5 Ah / automatique, variateur
Puissance / Couple:	58 ch à 4000 tr/min + 40 ch à 2000 tr/min
Autre(s) moteur(s):	aucun
Transmission optionnelle:	aucune
Accélération 0-100 km/h:	14,4 secondes
Vitesse maximale:	157 km/h
Freinage 100-0 km/h:	n. d.
Consommation (100 km):	3,6 litres (au Japon, voir texte)

Modèles concurrents

Aucun

Quoi de neuf?

Nouveau modèle

Verdict

Agrément	⊕ ⊕ (	Habitabilité	⊕ ⊕ ⊕ (
Confort	⊕ ⊕ ⊕ (	Hiver	n. d.
Fiabilité	Nouveau modèle	Sécurité	⊕ ⊕ ⊕ (

que le moteur à essence vient de démarrer pour commencer à recharger les batteries ou pour seconder le moteur électrique qui propulse la voiture. Lors d'un départ arrêté, l'accélération est assez franche. En marche, les reprises sont convenables à condition de ne pas trop en demander, un peu comme si on sollicitait un moteur de puissance moyenne.

Le freinage est déroutant au début, car la pédale est très sensible en partie à cause de l'effet régénérateur qui permet de récupérer l'effort de freinage sous forme d'énergie électrique. On nous assure que cette particularité serait modifiée pour l'Amérique du Nord et l'Europe. À ce sujet, il est important de noter que notre Prius d'essai était réglée pour les conditions de conduite au Japon où la vitesse moyenne de la circulation est de... 22,7 km/h, soit moins de la moitié de la vitesse moyenne chez nous. Tous les paramètres de la voiture doivent être adaptés à notre marché avant la commercialisation.

Une solution d'avenir.

Quel est l'avantage?

3,6 litres aux 100 km... au Japon. Tel est le chiffre de consommation moyenne de la Prius, accompagné d'une baisse sensible du degré de pollution. Ce sont là les deux grands avantages de cette voiture, avantages d'autant plus importants quand on vit dans un pays à forte pollution atmosphérique où l'essence coûte cher, très cher, c'est-à-dire au Japon ou en Europe. Chez nous, la Prius devra compter plus sur son «attrait écologique»! En outre, en conduite «plus performante» et à plus haute vitesse, les chiffres de consommation grimpent rapidement pour rejoindre ceux des bons moteurs à essence. Mais Toyota s'est engagée à produire pour l'an 2000 une Prius écologique, économique, conforme aux attentes des automobilistes de chez nous, qui, de surcroît, n'aura pas peur de l'hiver, le tout à un prix abordable.

Autrement classique

Habitacle spacieux et confortable, coffre convenable, climatisation de série, tableau de bord original avec instrumentation centralisée et écran illustrant le sens de circulation de l'énergie, suspension axée sur le confort, telles sont les autres caractéristiques de cette première «voiture verte». Qu'elle obtienne du succès ou non, elle marquera une date importante dans l'histoire maintenant centenaire de l'automobile.

Alain Raymond

Toyota RAV4

Toyota RAV4

À bout de souffle, déjà...

Réputée pour son conservatisme, Toyota a surpris tout le monde en dévoilant, sous le millésime 1997, un sexy petit véhicule tout-terrain, le RAV4 (pour Recreational Active Vehicle 4 wheel-drive). Mignon comme tout, il a fait battre les cœurs d'emblée, mais lorsque est venu le temps d'entretenir la passion, il a failli à la tâche.

Pas besoin de chercher bien longtemps pour trouver la cause de ce désenchantement: le contenu n'était pas à la hauteur de l'emballage, tout simplement. Et comme ce constructeur est imperméable à la critique, même si elle est constructive, le décevant RAV4 nous revient inchangé en 1999, à quelques détails près. À sa décharge, il convient cependant de préciser que cet utilitaire sport en format de poche se débrouille assez bien au chapitre des ventes. Certes, son look ravageur y est pour quelque chose, mais il peut également dire un gros merci à la réputation enviable des produits Toyota.

Si l'engouement des consommateurs pour ces petits 4X4 fut la raison première de l'arrivée de Toyota dans ce segment, le numéro 3 mondial entendait bien profiter de l'occasion pour rajeunir une image qui en avait grand besoin. Ce nom a beau être devenu, au fil des ans, synonyme de qualité et de fiabilité, il commençait à rimer avec morosité. Des modèles comme la Tercel, la Corolla et la Camry brillent sur bien des plans, mais leur conduite n'est guère excitante. Il devenait donc urgent pour cette marque de séduire des acheteurs plus jeunes et moins fortunés, en quête de plaisir.

Un vent de fraîcheur

En accouchant d'un véhicule aux lignes aussi harmonieuses qu'originales, les stylistes de Toyota ont frappé un grand coup, puisque ce petit jouet, qui évoque les Tonka de notre enfance, déclenche les coups de foudre. Avec une rare unanimité: peu importe l'âge ou le sexe, tous craquent pour le RAV. La configuration 2 portes lui sied particulièrement bien, mais la 4 portes, plus pratique, possède aussi son cachet.

Pour concevoir un habitacle triste, sinon lugubre, les stylistes de Toyota bénéficient d'une indéniable expertise. Ils ont tout de même daigné faire un effort quand est venu le temps de plancher sur celui du RAV4. Avec un résultat mi-figue, mi-raisin, aussi flatteur à l'œil que décevant au toucher, la qualité des matériaux se situant une coche en dessous de ce à quoi Toyota nous a habitués.

Le tableau de bord est complet et bien agencé. Les gros cadrans analogiques ne sauraient être plus lisibles et juste à côté s'encastrent, dans le même panneau, les autres commandes, toutes à la portée de la main. Pour couronner ce beau travail, les espaces de rangement abondent: partout où on pouvait en insérer, on l'a fait. Si seulement ils pouvaient contenir plus de choses... Pour mettre un peu de vie, on a eu recours à des tissus aux coloris variés pour les sièges. Pas de doute, à l'intérieur comme à l'extérieur, le RAV4 apporte un vent de fraîcheur dans la gamme de ce constructeur.

De déception en déception

À l'intérieur, on apprécie la position de conduite et le confort irréprochable que procurent les baquets à l'avant. Derrière, c'est

Toyota RAV4

Pour
Esthétique réussie • Présentation intérieure en progrès • Comportement sûr • Freinage efficace • Fiabilité assurée

Contre
Places arrière étroites • Version 2 portes négligée • Suspension revêche • Motorisation trop timide • Prix corsés

Caractéristiques

Échelle de prix:	voir page 11 et suivantes
Modèle / Prix:	RAV4 4 portes / 23 078 $
Type:	utilitaire sport compact 4 RM
Empattement:	241 cm
Longueur:	415 cm
Largeur:	166 cm
Hauteur:	176 cm
Poids:	1360 kg
Coffre / Réservoir:	460 litres / 58 litres
Coussins de sécurité:	conducteur et passager
Système antipatinage:	non
Suspension av. / arr.:	indépendante
Freins av. / arr.:	disque / tambour
Direction:	à crémaillère, assistée
Diamètre de braquage:	10,6 mètres
Pneus av. / arr.:	P215/70R16
Valeur de revente:	bonne
Garantie de base:	3 ans / 60 000 km

Motorisation et performances

Moteur / Transmission:	4L 2,0 litres / automatique 4 rapports
Puissance / Couple:	120 ch à 5400 tr/min / 125 lb-pi à 5600 tr/min
Autre(s) moteur(s):	aucun
Transmission optionnelle:	manuelle 5 rapports
Accélération 0-100 km/h:	12,8 secondes
Vitesse maximale:	160 km/h
Freinage 100-0 km/h:	40 mètres
Consommation (100 km):	11,5 litres

Modèles concurrents
Honda CR-V, Subaru Forester, Suzuki Vitara

Quoi de neuf?
Version à toit souple apparue en cours d'année

Verdict

Agrément	⊕ ⊕ ⊕	Habitabilité	⊕ ⊕
Confort	⊕ ⊕	Hiver	⊕ ⊕ ⊕ ⊕
Fiabilité	⊕ ⊕ ⊕ ⊕	Sécurité	⊕ ⊕ ⊕

moins drôle... Ça commence pourtant du bon pied: les passagers ont droit à une banquette (rabattable) dotée d'appuie-tête, ce qui ajoute autant au confort qu'à la sécurité. Le hic, c'est que seuls les petits formats pourront en profiter, tellement c'est étroit. Qu'il s'agisse de la configuration 2 ou 4 portes, il ne faut surtout pas être claustrophobe si on prend place à l'arrière. Ni misanthrope, car si quelqu'un s'installe à côté de vous sur la banquette, il empiétera sur votre «territoire». De plus, on se retrouve avec les genoux dans le front, ce qui n'arrange guère les choses.

À défaut de briller par le confort qu'il offre, le RAV4 s'illustre par son comportement routier. Vu ses dimensions réduites, il montre une belle agilité qu'une direction précise, dont l'assistance est bien dosée, permet d'exploiter à son mieux. Malgré le centre de gravité élevé, il se comporte avec assurance dans les virages et ses réactions sont vraiment plus près de celles d'une automobile que d'une camionnette. Quant au freinage (mixte), il répond avec autorité, mais sans brusquerie aucune. Pour aller s'épivarder dans les sentiers, il vaut cependant mieux jouer de prudence avec le RAV4. Ses capacités hors route sont limitées, mais sachant que plus de 90 p. 100 des propriétaires d'utilitaires sportifs ne s'aventurent jamais hors des sentiers battus (c'est prouvé), Toyota a préféré miser sur le confort et le comportement routier. Jusque-là, c'est hautement défendable.

Ce n'est pas tout d'être beau.

Toyota a toutefois poussé un peu trop loin le raisonnement en réservant le rouage intégral à la seule configuration 4 portes. Comme décision stupide, celle-ci passera à l'histoire: la version 2 portes est justement celle qui convient le mieux à une clientèle plus jeune, donc moins fortunée. Le célibataire dans la fleur de l'âge qui désire se procurer un petit tout-terrain n'a rien à cirer de la version 4 portes. De plus, Toyota n'arrive pas à maintenir des prix raisonnables, d'autant plus que l'excuse du yen ne tient plus. La liste des irritants ne s'arrête pas là: suspension revêche et moteur faiblard viennent couronner le tout.

Avec le RAV4, Toyota souhaitait à l'origine mettre fin au règne en solitaire du tandem Suzuki Sidekick/Chevrolet Tracker. Tant que la concurrence se limitait à ces jumeaux sous-motorisés et à un Honda CR-V qui ne l'était guère plus, ça pouvait aller. Puis le Subaru Forester est arrivé, le CR-V a gagné du muscle et cette année, c'est au tour du Sidekick, rebaptisé Vitara, de subir une cure de rajeunissement... qui s'accompagne de moteurs plus puissants. De sorte que, dans ce créneau ultraconcurrentiel, le RAV4 n'est déjà plus dans le coup. Dommage, une si jolie gueule...

Philippe Laguë

Toyota Sienna

Toyota Sienna

Place au gros bon sens

Après avoir tenté d'éblouir la galerie avec la Previa, une fourgonnette aux formes futuristes et à la mécanique excentrique, Toyota a adopté une solution beaucoup plus sage avec la Sienna. Commercialisée depuis l'automne de 1997, cette fourgonnette s'inspire de la concurrence en matière de présentation et de conception mécanique. En revanche, on a tenté de lui insuffler les traditionnelles qualités inhérentes à presque toutes les Toyota, soit un groupe propulseur raffiné et une fiabilité sans tache.

Un coup d'œil à la silhouette de la Sienna confirme que les stylistes n'ont pas cherché à frapper le coup de circuit en fait de présentation extérieure. Les lignes sont plus ou moins les mêmes que celles des autres fourgonnettes. De profil, cette Toyota affiche une belle élégance, surtout la version deux tons. Par contre, la calandre de couleur harmonisée à la carrosserie a pour effet d'atténuer l'impact visuel et de rendre ce véhicule plus anonyme. Quant à la partie arrière, elle est dans la bonne moyenne. La nouvelle fourgonnette Honda se démarque davantage sur le plan visuel et ses lignes plus audacieuses sont la preuve que Honda vise une clientèle plus jeune ou plus novatrice.

L'habitacle est dans la tradition Toyota. La planche de bord sobre, d'une finition irréprochable, offre une ergonomie de bon aloi. Si la mécanique est empruntée à la Camry, la présentation intérieure de la Sienna est tout à fait différente de celle de la berline. Le surplomb qui sert à abriter les instruments se prolonge vers la droite et se démarque de la planche de bord de 5 à 7 cm. Le prolongement vertical vers le plancher abrite les commandes de climatisation et la radio. Curieusement, même si la vocation pratique de la Sienna est plus marquée que celle de la Camry, son tableau de bord est plus attrayant. Et il faut souligner au passage qu'elle a été la première fourgonnette sur le marché à offrir un indicateur automatique de pression des pneus en équipement de série. Cependant, il est tout de même curieux que l'une des deux portières coulissantes ne soit pas à ouverture motorisée.

Tout dans la cabine est conçu en fonction de la polyvalence. Les espaces de rangement foisonnent, les porte-verres sont omniprésents et la banquette arrière est constituée de deux éléments séparés, ce qui se révèle très pratique à l'usage. Chacun des dossiers se rabat aisément et chaque banquette est très facile à enlever individuellement. Il est important de souligner que le porte-verres intégré à la paroi extérieure des sièges médians se «reconstitue» facilement si un pied maladroit le désarticule.

Côté présentation, certains témoins lumineux ou commandes sont mal situés. De ce nombre, il faut mentionner le témoin de surveillance de pression des pneus, les commandes arrière du climatiseur et la prise de courant 12 V avant.

En terrain connu

La fiabilité douteuse de quelques éléments mécaniques des fourgonnettes de la concurrence fait hésiter les acheteurs. Au contraire, la réputation de la Camry à ce chapitre est impeccable. Et son groupe propulseur est reconnu pour être increvable. Plusieurs acheteurs vont donc opter pour la Sienna pour le simple fait que cette fourgonnette utilise le même moteur V6 3,0 litres de 194 chevaux que la berline. En fait, elle ne se contente pas d'utiliser son

Toyota Sienna

Pour

Moteur sophistiqué • Habitacle polyvalent • Finition impeccable
• Tenue de route prévisible
• Fiabilité assurée

Contre

Certains bruits de caisse
• Agrément de conduite mitigé
• Roulis en virage
• Certaines commandes mal placées
• Prix corsé

Caractéristiques

Échelle de prix:	voir page 11 et suivantes
Modèle / Prix:	LE / 31 495 $
Type:	fourgonnette / traction
Empattement:	290 cm
Longueur:	491 cm
Largeur:	186 cm
Hauteur:	171 cm
Poids:	1765 kg
Coffre / Réservoir:	501 litres / 79 litres
Coussins de sécurité:	conducteur et passager
Système antipatinage:	non
Suspension av. / arr.:	indépendante / essieu rigide
Freins av. / arr.:	disque ABS / tambour ABS
Direction:	à crémaillère, assistance variable
Diamètre de braquage:	12,2 mètres
Pneus av. / arr.:	P205/70R15
Valeur de revente:	bonne
Garantie de base:	3 ans / 60 000 km

Motorisation et performances

Moteur / Transmission:	V6 3,0 litres / automatique 4 rapports
Puissance / Couple:	194 ch à 5200 tr/min / 209 lb-pi à 4400 tr/min
Autre(s) moteur(s):	aucun
Transmission optionnelle:	aucune
Accélération 0-100 km/h:	9,8 secondes
Vitesse maximale:	190 km/h
Freinage 100-0 km/h:	42,4 mètres
Consommation (100 km):	13,9 litres

Modèles concurrents

Dodge Caravan • Honda Odyssey • Nissan Quest • Ford Windstar • Chevrolet Venture/Pontiac Trans Sport

Quoi de neuf?

Aucun changement majeur • Nouvelles couleurs • Révision des groupes d'accessoires

Verdict

Agrément	⊕ ⊕ ⊕	Habitabilité ⊕ ⊕ ⊕ ⊕
Confort	⊕ ⊕ ⊕ ⊕	Hiver ⊕ ⊕ ⊕
Fiabilité	⊕ ⊕ ⊕ ⊕	Sécurité ⊕ ⊕ ⊕ ⊕

moteur, elle lui emprunte également sa plate-forme et sa boîte automatique. Par contre, la suspension arrière à poutre déformante est semblable à celle utilisée sur la Previa. Et puisque Toyota n'a jamais eu l'intention d'offrir un véhicule de prix inférieur à la concurrence, on n'a pas lésiné sur l'équipement mécanique. Le système de freins ABS, par exemple, est de qualité supérieure, tandis que le joint homocinétique du côté de la roue est de type Rzeppa afin d'atténuer l'effet de couple. Les ingénieurs ont même opté pour un roulement à billes double pour l'essieu avant.

La Sienna ne surprend donc pas du côté mécanique et il est facile de conclure qu'elle sera également sans surprise au chapitre de la conduite. Comme la berline, cette fourgonnette est l'archétype du véhicule politiquement correct. Le moteur est souple et silencieux, la boîte automatique effectue le passage des rapports avec grande douceur, tandis que la précision de la direction est certainement dans la bonne moyenne. En revanche, gare à ceux qui vont tenter de jouer aux kamikazes du volant, puisque le roulis en virage est prononcé, si bien que la stabilité latérale se dégrade rapidement. À ce chapitre, les fourgonnettes de Chrysler et l'Oldsmobile Silhouette, entre autres, comportent des suspensions nettement plus sportives assurant un comportement routier plus sain.

Si la Sienna affiche de bonnes manières lorsqu'on la traite avec douceur, elle perd parfois son flegme lorsqu'on la pousse dans ses derniers retranchements. Toutefois, rares sont les personnes qui se procurent un véhicule de ce genre pour rouler à fond de train dans les bretelles d'autoroutes. Mais ce qui est beaucoup plus inquiétant, c'est que notre modèle d'essai laissait entendre de nombreux bruits de caisse, ce qui n'est pas tellement dans les habitudes de la maison. Pourtant plusieurs propriétaires nous ont fait part d'une expérience similaire.

Malgré tout, la Sienna est la fourgonnette des personnes qui aiment miser sur les valeurs sûres, tant au chapitre de la fiabilité et de la durabilité que de l'équilibre et du comportement.

Denis Duquet

Mécanique sans histoire, conduite sans verve.

Toyota Solara

Toyota Solara

Berline endimanchée ou coupé sport?

Même s'il est plutôt restreint, Toyota a finalement décidé de prendre au sérieux le marché des coupés. Plutôt que de simplement retrancher 2 portes à une berline existante, on est parti d'une feuille blanche pour dessiner le tout nouveau coupé Solara.

Contrairement à l'ancienne Camry 2 portes qui a fait carrière dans l'anonymat le plus total et qui fut incapable de provoquer cette petite étincelle qui allume la clientèle, la Solara actuelle possède de solides coordonnées pour plaider sa cause. Un joli minois, un nom évocateur, un équipement relevé, une mécanique éprouvée et une habitabilité hors du commun sont autant d'arguments qui militent en sa faveur.

Une mécanique éprouvée

Toyota aurait sans doute été incapable de vendre ce nouveau modèle à un prix compétitif en utilisant une mécanique inédite. On a conséquemment fait appel aux principales composantes de la Camry, tout en s'assurant de donner à la Solara sa propre identité sur le plan visuel. Le résultat permet d'admirer une voiture qui, sous certains angles, n'est pas sans rappeler le très beau coupé Lexus SC400.

Sous sa robe adroitement galbée se cachent la plate-forme et les groupes propulseurs de la Camry. Le moteur du modèle d'accès à la gamme est un 4 cylindres de 2,2 litres et 135 chevaux offert seulement avec une transmission automatique, tandis que les versions plus coûteuses héritent d'un V6 de 3,0 litres coté à 200 chevaux et proposé avec une boîte manuelle à 5 rapports ou avec l'automatique à 4 rapports. Les freins, la direction et la

suspension proviennent aussi de la Camry. Le châssis a toutefois subi un certain nombre de modifications destinées à le rendre plus rigide. Les tourelles de suspension avant sont désormais reliées par des barres transversales et la structure entre le coffre à bagages et l'habitacle a été renforcée. La suspension a aussi fait l'objet de nouveaux réglages plus fermes et la servodirection a été remaniée afin d'offrir une meilleure sensation de la route. Et pour en finir avec la fiche technique, les versions à moteur 4 cylindres sont équipées de roues de 15 pouces chaussées de pneus Bridgestone, alors que les V6 bénéficient de jantes de 16 pouces roulant sur des Michelin MXV-4.

Toyota n'a pas lésiné sur l'équipement de série qui est substantiel. Même la Solara SE de base à 27 045 $ est dotée d'un climatiseur, de rétroviseurs extérieurs chauffants, d'une colonne de direction réglable, de freins ABS, d'une chaîne audio de très bonne qualité et de toutes les petites commandes électriques usuelles (glaces, rétroviseurs, régulateur de vitesse, verrouillage des portières, etc.). La SE V6 fait monter l'addition à 30 615 $ et le nec plus ultra, la SLE, majore la facture d'un autre 3985 $ avec la transmission automatique.

Avant de conduire la voiture, j'ai eu l'occasion de visiter l'usine ontarienne de Cambridge où sont assemblées 200 Solara par jour sur la même chaîne de montage que la populaire Corolla. Le modernisme de ces installations et les équipements très sophistiqués laissent présager une très grande qualité. Il ne restait plus qu'à prendre la route pour faire l'évaluation de la voiture.

La présence au lancement d'une dizaine de versions différentes de la Solara m'a donné l'occasion d'expérimenter successivement une SLE V6 automatique, une SE V6 manuelle et une SE de base à moteur 4 cylindres.

La version la plus huppée donne tout de suite l'heure juste sur sa vraie vocation. Cette Solara n'a aucune prétention sportive: c'est avant tout un coupé de luxe. Les appliques en bois au tableau de bord m'avaient d'ailleurs mis la puce à l'oreille et le comportement général de la voiture est venu confirmer ce dont je me doutais. Le moteur est d'un silence rigoureux et fait bon ménage avec la transmission automatique à 4 rapports. Ce jumelage est effectivement mieux réussi que l'ensemble V6 et boîte manuelle. D'accord, les 5 rapports permettent de retrancher 1,6 seconde au test du 0-100 km/h (de 10,4 à 8,8 secondes), mais la raideur du levier de vitesses et la nécessité de faire patiner l'embrayage pour éviter les à-coups seraient suffisantes pour me faire opter pour l'automatique. Cela dit, l'ambiance à bord est feutrée avec un silence de roulement qui rejoint celui d'une Lexus ES300 et un bel éventail d'accessoires de luxe. Le conducteur se laissera bercer davantage par la qualité de la chaîne audio haut de gamme JBL que par les murmures du moteur.

L'agrément de conduite est mitigé, malgré un freinage bien équilibré et une direction dont l'assistance est parfaitement dosée. Le hic vient de la tenue de route qui est certes satisfaisante en conduite détendue, mais qui n'incite pas à la conduite sportive. La lourdeur du train avant, palpable, se traduit par un sous-virage notable et par des mouvements de caisse importants au freinage. Le beau côté de la médaille est que le confort se compare à celui offert par bien des voitures de grand luxe.

Un 4 cylindres anémique

N'eût été de sa désespérante lenteur, la version à moteur 4 cylindres aurait pu relever considérablement le niveau de l'agrément de conduite. Plus léger et implanté bien en retrait de l'essieu avant, ce moteur permet à la voiture de trouver un bel équilibre. On la sent plus maniable, moins empâtée et généralement beaucoup plus agile. Elle s'inscrit aisément en virage et sa traction avant est moins perceptible que dans les versions à moteur V6. Son moteur tout à fait impotent offert seulement avec la transmission automatique vient toutefois gâcher la sauce. Il y a fort longtemps que je n'avais pas conduit une voiture qui met 14 grosses secondes à s'élancer de 0 à 100 km/h. Si ce chiffre ne vous frappe pas, sachez qu'une banale Honda Civic ou même une simple Toyota Corolla réalisent la même «performance» en 10 secondes ou moins. En toute honnêteté, soulignons que les reprises sont néanmoins satisfaisantes, une fois la voiture lancée.

L'habitabilité d'une berline

Quel que soit le modèle, le coupé Solara affiche un score remarquable pour sa présentation et son aménagement intérieurs. Les attentions sont nombreuses et les irritants assez rares. Mais la plus grande vertu de cette Toyota reste son habitabilité. À cet égard, elle laisse loin derrière elle chacune de ses rivales directes (Honda Accord Coupé, Chrysler Sebring, Dodge Avenger, Acura CL) et même quelques coupés d'une catégorie de prix bien supérieure (Mercedes-Benz CLK, Volvo C70). La Solara est l'un des premiers coupés à offrir des places arrière où 2 adultes de taille moyenne peuvent prendre leurs aises. À la rigueur, un enfant pourra même s'asseoir au centre. Qui plus est, le coffre à bagages est aussi vaste que celui d'une berline et le dossier de la banquette arrière peut se rabattre en deux sections (60-40) pour accroître le volume de

Toyota Solara

Pour

Ligne flatteuse • Mécanique éprouvée • Confort soigné • Équipement relevé • Direction agréable • Places arrière spacieuses

Contre

Moteur 4 cyl. anémique • Boîte manuelle désagréable • Tenue de route peu sportive (V6) • Certains détails à corriger (voir texte)

Caractéristiques

Échelle de prix:	voir page 11 et suivantes
Modèle / Prix:	Solara V6 SE / 30 615 $
Type:	267 cm
Empattement:	482,5 cm
Longueur:	180,5 cm
Largeur:	140 cm
Hauteur:	1480 kg
Poids:	391 litres / 70 litres
Coffre / Réservoir:	conducteur et passager avant
Coussins de sécurité:	oui (optionnel)
Système antipatinage:	oui
Suspension av. / arr.:	indépendante
Freins av. / arr.:	disque ABS
Direction:	à crémaillère, assistance variable
Diamètre de braquage:	11,6 mètres
Pneus av. / arr.:	P205/60R16
Valeur de revente:	nouveau modèle
Garantie de base:	3 ans / 60 000 km

Motorisation et performances

Moteur / Transmission:	V6 3,0 litres 24 soupapes/automatique 4 rapports
Puissance / Couple:	200 ch à 5200 tr/min / 214 lb-pi à 4400 tr/min
Autre(s) moteur(s):	4L 2,2 litres 16 soupapes 135 ch
Transmission optionnelle:	manuelle 5 rapports
Accélération 0-100 km/h:	10,2 secondes autre moteur: 14 secondes
Vitesse maximale:	210 km/h (4 cylindres: 180 km/h)
Freinage 100-0 km/h:	39,9 mètres
Consommation (100 km):	10,8 litres autre moteur: 8,5 litres

Modèles concurrents

Chrysler Sebring • Acura CL • Honda Accord Coupé

Quoi de neuf?

Nouveau modèle

Verdict

Agrément	⊕ ⊕ ⊕	Habitabilité	⊕ ⊕ ⊕ (
Confort	⊕ ⊕ ⊕ ⊕	Hiver	⊕ ⊕ ⊕ ⊕
Fiabilité	⊕ ⊕ ⊕ ⊕ ⊕	Sécurité	⊕ ⊕ ⊕ ⊕

chargement. Toujours à l'arrière, on a prévu de petites poignées pour aider les passagers à sortir de la voiture. Une autre astuce est cette petite pédale qui, dans une seule opération, fait glisser le siège avant, tout en rabattant son dossier pour mieux dégager la sortie du véhicule.

Silence, les cloches

Hélas, rien n'est parfait en ce bas monde et certains détails sont à repenser. Ainsi, les poignées de maintien sont beaucoup trop petites pour des mains nord-américaines et les satanées clochettes signalant l'ouverture d'une porte ou l'oubli des phares sont crispantes. Le tableau de bord n'est pas dépourvu d'élégance et, à une exception près, bénéficie d'une belle ergonomie. Seules les touches permettant de régler les rétroviseurs extérieurs sont difficilement repérables derrière le levier des clignotants. Les sièges n'offrent pas beaucoup d'appui latéral, mais leur rembourrage généreux et les multiples réglages électriques des versions V6 permettent de trouver une position de conduite qui conviendra à tous les gabarits. En dépit d'une ceinture de caisse assez haute qui laisse présager la venue prochaine d'une version cabriolet, la visibilité est irréprochable sous tous les angles, une qualité rare dans un coupé.

Bien joué.

Ce nouveau coupé Solara possède selon moi suffisamment d'atouts pour se faire une place au soleil sans qu'il soit nécessaire d'y accoler le nom de Camry. Le marché visé n'est certes pas très animé par les temps qui courent, mais chez Toyota, on croit fermement que la génération des «baby boomers» est sur le point d'abandonner les utilitaires de tout acabit pour redécouvrir le plaisir de conduire. Entre la berline de luxe et le coupé sport, la Solara est peut-être le modèle de transition dont ils ont besoin.

Jacques Duval

Toyota Tercel · Paseo

Toyota Tercel

De beaux restes

On annonçait sa fin imminente, et pourtant la Tercel revient en 1999. En chute libre chez nos voisins du sud, le modèle d'entrée de la gamme Toyota a ses adeptes chez nous, le Québec étant même l'une de ses chasses gardées. Introduite en 1978, cette petite berline, qui en est à sa cinquième génération, doit sa popularité – et sa survie – en grande partie à son excellente réputation en matière de fiabilité.

Condamnée à mort dans un premier temps, la Paseo, un élégant coupé issu de la même plate-forme, a obtenu une grâce, et on se demande pourquoi. Malgré une timide refonte il y a trois ans, le contenu n'a jamais été à la hauteur de l'emballage, de sorte que ses ventes sont demeurées confidentielles. Cela aurait dû la mener tout droit à l'échafaud, et pour cause: la Paseo n'est qu'une Tercel recarrossée, dont le comportement et les performances timides n'inspirent guère les acheteurs de coupés sport.

Ce qui est inacceptable pour une prétendue sportive ne risque cependant pas de froisser les propriétaires de Tercel, en consommateurs pragmatiques et rationnels qu'ils sont. En règle générale, ceux qui s'en portent acquéreurs cherchent avant tout un moyen de transport économique, fiable et confortable. Pour bon nombre d'entre eux, l'automobile est une nécessité et tout ce qu'ils veulent, c'est qu'elle les mène du point A au point B sans le moindre ennui. Efficace dans la plus pure tradition Toyota, la Tercel les déçoit rarement.

Un peu trop zen...

Aussi cartésiens soient-ils, les acheteurs de Tercel ne sont pas pour autant insensibles à ses formes agréables, son profil ayant même un petit quelque chose de l'ancienne BMW série 3 ou d'une Mercedes-Benz classe C. C'est un compliment, n'en doutez pas, et dans le cas de la Tercel, c'est aussi une grande première: rappelez-vous du laideron qu'elle était à sa naissance, ou encore de la génération qui a précédé le modèle actuel, avec une ligne qui évoquait celle d'une Ford 1949... Telle que nous la connaissons maintenant, elle est, de loin, celle qui a eu droit au dessin le plus inspiré. Ce qui confirme une fois de plus que les stylistes de la marque sont capables du meilleur comme du pire.

Le même constat s'applique lorsqu'on prend place à l'intérieur. On passe là aussi d'un extrême à l'autre: le sérieux de la finition et la qualité des matériaux impressionnent autant que la présentation déçoit... Encore une fois, chez Toyota, on a confondu sobriété et dénuement. Dans la version de base, le tableau de bord a de toute évidence fait vœu de pauvreté, renonçant ainsi à l'horloge, au compte-tours et autres cadrans pratiques. Tout aussi minimaliste est l'équipement de série, de sorte que le «groupe valeur» (optionnel), qui comprend notamment la direction assistée, les essuie-glaces intermittents et une instrumentation plus complète, apparaît incontournable. Sinon, un tel dépouillement risque d'être un peu trop zen pour le Nord-Américain moyen...

À défaut d'être attrayant, l'habitacle brille cependant par son aspect fonctionnel, avec ses commandes faciles d'accès, ses espaces de rangement et ses sièges confortables. La minceur de leur rembourrage fait craindre le pire, mais elle se révèle trompeuse. Le confort est par ailleurs l'un des points forts de cette sous-compacte, mais il pourrait grimper d'un cran si les places arrière étaient plus spacieuses. Pour les petits ou moyens formats, passe encore, mais les «grands six pieds» se retrouveront les genoux dans

Toyota Tercel

Pour

Moteur nerveux • Boîte manuelle agréable • Routière confortable • Allure sympathique • Fiabilité monacale

Contre

Direction atroce • Comportement soporifique • Pneus bon marché • Places arrière justes • Équipement de série minimaliste

Caractéristiques

Échelle de prix:	voir page 11 et suivantes
Modèle / Prix:	Tercel CE / 13 785 $
Type:	berline / traction
Empattement:	238 cm
Longueur:	412 cm
Largeur:	166 cm
Hauteur:	137 cm
Poids:	914 kg
Coffre / Réservoir:	263 litres / 45 litres
Coussin de sécurité:	conducteur
Système antipatinage:	non
Suspension av. / arr.:	indépendante
Freins av. / arr.:	disque / tambour
Direction:	à crémaillère, assistée
Diamètre de braquage:	9,9 mètres
Pneus av. / arr.:	P185/60R14
Valeur de revente:	excellente
Garantie de base:	3 ans / 60 000 km

Motorisation et performances

Moteur / Transmission:	4L 1,5 litre / manuelle 5 rapports
Puissance / Couple:	93 ch à 5400 tr/min / 100 lb-pi à 4400 tr/min
Autre(s) moteur(s):	aucun
Transmission optionnelle:	automatique 3 ou 4 rapports
Accélération 0-100 km/h:	11,0 secondes / automatique 12,7 secondes
Vitesse maximale:	170 km/h
Freinage 100-0 km/h:	42,8 mètres
Consommation (100 km):	8,0 litres

Modèles concurrents

Chevrolet Metro/Pontiac Firefly/Suzuki Swift • Honda Civic • Hyundai Accent • Saturn SL

Quoi de neuf?

Aucun changement majeur

Verdict

Agrément	⊕ ⊖	Habitabilité	⊕ ⊕
Confort	⊕ ⊕ ⊕ ⊖	Hiver	⊕ ⊕ ⊕
Fiabilité	⊕ ⊕ ⊕ ⊕ ⊖	Sécurité	⊕ ⊕ ⊖

le front. Tout comme ils pesteront contre le siège du conducteur s'ils s'installent au volant, car on ne peut le reculer suffisamment.

Une Maytag à 4 roues

Rationnelle comme ses utilisateurs, cette petite berline privilégie le confort et la douceur de roulement. On aura compris qu'elle se comporte sagement, trop même au goût de certains. Mais comme c'est sa vocation, on lui pardonnera sa timidité. Du reste, cela ne lui enlève pas ses compétences: cette placide routière freine et tient la route convenablement, mais elle gagnerait à être mieux chaussée. Sur ce plan, elle n'est vraiment pas gâtée; les pneus de 13 pouces offerts de série seraient plus à leur place sur une voiturette de golf, tandis que le doux roulement des 14 pouces optionnels n'arrive pas à faire oublier leur piètre adhérence.

Toujours dans le coup.

Dommage que la Tercel soit si réservée, car sa mécanique laisse entrevoir un certain potentiel. Son petit 4 cylindres multi-soupapes développe 93 chevaux, ce qui est acceptable pour une voiture de cette catégorie, mais surtout, cette puissance est bien répartie. À bas régime, il répond à la moindre pression sur l'accélérateur, ce qui ne le rend que plus agréable en conduite urbaine; de plus, il se marie aussi bien à une boîte automatique qu'à une manuelle. Celle-ci est par ailleurs un modèle du genre: le levier se manie du bout des doigts et son guidage très précis contribue à rehausser une conduite qui manque cruellement de piquant. Et ce n'est pas la direction qui arrange les choses: elle est trop légère, imprécise et surassistée. Un bel exemple à ne pas suivre, cette fois.

Il n'en reste pas moins que, tout compte fait, on ne peut pas reprocher grand-chose à la Tercel — sinon d'être trop cérébrale. Mieux, elle demeure hautement recommandable, ne serait-ce que pour sa qualité d'assemblage et sa fiabilité exceptionnelles. Qui plus est, son confort appréciable et son tempérament tout en douceur en font une routière des plus conviviales. Pour couronner le tout, elle ne fait absolument pas son âge, ce qui lui permet d'affronter des rivales plus jeunes, mais pas nécessairement plus douées. Quant à ceux qui trouveront à redire sur son prix, disons simplement qu'une Toyota, c'est comme une laveuse Maytag: c'est plus cher, mais ça ne brise jamais. Rarement tout au plus. Souhaitons-lui seulement de sortir un jour de sa coquille... Qui sait, la prochaine génération sera peut-être celle de l'émancipation?

Si prochaine génération il y a...

Philippe Laguë

Volkswagen Coccinelle

Volkswagen Coccinelle

La voiture des gens heureux

Dire que la nouvelle Coccinelle de Volkswagen a fait une entrée fracassante sur le marché est un euphémisme. Depuis son apparition en page couverture du *Guide de l'auto 98* jusqu'à son arrivée dans les salles de montre par une matinée neigeuse de mars dernier, cette sacrée voiture a provoqué un véritable raz-de-marée. Elle a subjugué les foules et plongé l'Amérique dans une sorte d'euphorie collective. En faisant jaillir les sourires partout où elle passe, la Coccinelle d'aujourd'hui est devenue la voiture du bonheur. Mérite-t-elle vraiment une telle adulation?

À commencer par notre dossier spécial de l'an dernier, *Le Guide de l'auto* s'est longuement penché sur ce qui est indéniablement l'un des phénomènes les plus intéressants de l'histoire de l'automobile. Ce n'est pas tous les jours en effet qu'une voiture renaît de ses cendres et devient un tel centre d'attraction. Même VW n'avait jamais imaginé que l'événement prendrait autant d'ampleur. La renaissance de la Beetle est un coup de génie qui relève beaucoup plus d'un heureux hasard que d'une savante planification. Même les analystes les plus futés n'avaient pas prévu ce coup de foudre de l'Amérique pour la nouvelle Coccinelle.

En passant par Puebla

Mais trêve de philosophie! Voyons plutôt à quoi ressemble le produit à l'origine de cette poussée de fièvre.

Mon analyse de la voiture repose non seulement sur le résultat de trois essais distincts dans des conditions bien différentes (en Arizona, au Mexique et au Québec), mais aussi sur une visite de

l'usine de Puebla au Mexique où sont construites les Coccinelle, anciennes et nouvelles (voir texte qui suit).

Faisons d'abord un rapide survol de l'aspect technique de cette Volkswagen bien spéciale. Malgré l'avalanche de détails publiés à son sujet par la presse écrite et parlée, la plupart des gens semblent ignorer que la nouvelle Coccinelle diffère passablement du modèle d'origine. À l'exclusion de sa forme bien familière, la voiture n'a rien en commun avec sa devancière. On peut mieux faire son portrait en soulignant que, sous sa robe rétro, on retrouve essentiellement la plate-forme et les organes mécaniques de la Golf 1999. On a affaire, somme toute, à une petite traction, dont le moteur avant est bel et bien refroidi par eau plutôt que par air et qui est doté de tous les accessoires modernes qui faisaient cruellement défaut aux premières Coccinelle. Alors que celles-ci possédaient par exemple un système de «chauffage» plutôt rudimentaire, les dernières sont livrées avec un climatiseur en équipement de série. Progrès oblige... Le prix de base comprend aussi des sacs gonflables frontaux et latéraux (dissimulés sur le côté des sièges), 4 freins à disque avec ABS, des ailes avant en plastique, des rétroviseurs à réglage électrique, un système d'alarme, un volant réglable, une radio avec lecteur de cassettes et le verrouillage central des portes. Le nouveau modèle GLX permet d'obtenir les jantes en alliage léger, les sièges chauffants, un déflecteur arrière sensible à la vitesse et surtout le moteur 1,8 turbo de 150 chevaux.

La grande question que l'on se pose porte sur la fiabilité et la qualité de construction. À cet égard, les VW «made in Mexico» ont été peu impressionnantes ces dernières années et il est tout à fait légitime de mettre en doute le comportement à long terme de la présente Coccinelle. Je ne suis ni devin ni prophète, mais à la lumière de plus de 2000 km d'essai, je peux affirmer que les trois exemplaires de la voiture qui m'ont été confiés se sont révélés d'une solidité remarquable. Dans les «excavations» de nos routes au lendemain du dégel printanier, la Coccinelle a été imperturbable: aucun bruit de caisse. Les problèmes d'ordre électrique qui ont été la bête noire des Golf ou Jetta mexicaines ont, semble-t-il, été éliminés.

Un pur bonheur

Voilà de bonnes notes qui ajoutent à l'authentique plaisir de rouler que procure la Coccinelle. Le moteur à essence n'a pourtant rien d'une boule de feu. Son manque d'ardeur rend les reprises assez molles et il faut cravacher en troisième pour arriver à doubler. Fort heureusement, la voiture a bien d'autres atouts pour se faire apprécier.

D'abord, elle tient la route aussi bien, sinon mieux, que la plupart de ses contemporaines et ne s'offusque pas lorsqu'on la bouscule dans les virages. La direction précise et totalement dépourvue d'effet de couple permet d'encaisser le sous-virage initial qui se transforme peu à peu en survirage si l'on persiste à défier les lois de l'adhérence. Le freinage est aussi parfaitement à la hauteur avec un ABS discret qui n'intervient que lorsque cela est vraiment nécessaire. Le confort est étonnant, agrémenté par un niveau sonore remarquablement faible pour une voiture qu'on croirait peu aérodynamique.

Le moteur 2,0 litres à essence, même jumelé à la boîte manuelle à 5 rapports, se montre avare de performances, en dépit de ses 115 chevaux. À 110 km/h en cinquième, sa sonorité se fait plus insistante et les 3300 tours qu'affiche l'indicateur de régime sont l'indice que la Coccinelle pourrait s'accommoder d'une sixième vitesse ou, à tout le moins, d'une surmultiplication. Pour toutes ces raisons, plusieurs lui préfèrent le TDI (Turbo Diesel Injection) de 1,9 litre, dont le couple est supérieur à celui du moteur à essence (149 lb-pi à 1900 tr/min). En conduite urbaine, ce groupe est effectivement un peu plus en verve et convient particulièrement bien au caractère de la Coccinelle. Peu bruyant et d'une sobriété qui permet de rouler près de 1000 km entre deux pleins, le TDI marque vraiment l'apogée du diesel.

Il faudra néanmoins se rabattre sur la GLX 1,8 litre turbo de 150 chevaux pour que la voiture puisse assumer sa vocation de «mini-Porsche». Cette motorisation risque d'ouvrir de nombreuses portes aux «accessoiristes» et il ne faudrait pas se surprendre de voir une Beetle ainsi équipée jouer les voitures de course.

Ne serait-il pas amusant de voir une trentaine de petites Coccinelle jaunes s'engouffrer dans le premier virage du circuit Gilles-Villeneuve à l'occasion du Grand Prix du Canada?

Quelques irritants

En attendant, elle n'a pas fini de faire des conquêtes dans sa tenue de ville. Aussi mignonne soit-elle, la Coccinelle a tout de même hérité de certains petits travers qui sont inhérents à ses formes tout en rondeur. Son habitabilité est réduite au point où seuls des enfants ne se plaindront pas d'avoir la tête dans le hayon en prenant place sur la banquette arrière. À l'avant, au contraire, le dégagement pour la tête est tel que n'importe quel joueur de basketball s'y trouvera à l'aise. Il risque par contre de manquer d'espace pour les genoux en raison de l'imposante console sur laquelle vient se buter même une personne de

Volkswagen Coccinelle

Pour

Exécution soignée • Bon comportement routier • Confort surprenant • Moteur TDI remarquable • Caisse solide • Lignes accroche-cœur

Contre

Tableau de bord massif • Places arrière peu accueillantes • Coffre étroit • Télécommande des portes mal conçue • Visibilité parfois problématique • Garantie courte

Caractéristiques

Échelle de prix:	voir page 11 et suivantes
Modèle / Prix:	New Beetle essence / 21 920 $
Type:	berline 2 portes à hayon / traction
Empattement:	251 cm
Longueur:	409 cm
Largeur:	172 cm
Hauteur:	151 cm
Poids:	1230 kg
Coffre / Réservoir:	120 litres / 55 litres
Coussins de sécurité:	frontaux et latéraux
Système antipatinage:	non
Suspension av. / arr.:	indépendante
Freins av. / arr.:	disque ABS
Direction:	à crémaillère, assistée
Diamètre de braquage:	10,0 mètres
Pneus av. / arr.:	P205/55R16H
Valeur de revente:	excellente
Garantie de base:	2 ans / 40 000 km

Motorisation et performances

Moteur / Transmission:	4L 2,0 litres / manuelle 5 rapports
Puissance / Couple:	115 ch à 5200 tr/min / 122 lb-pi à 2600 tr/min
Autre(s) moteur(s):	1,9 litre TDI (90 ch) / 1,8 litre turbo (150 ch)
Transmission optionnelle:	automatique 4 rapports
Accélération 0-100 km/h:	11,2 secondes **autre moteur:** 8,2 s (1,8 turbo)
Vitesse maximale:	180 km/h
Freinage 100-0 km/h:	39,8 mètres
Consommation (100 km):	10,0 litres **autre moteur:** 6,7 litres (diesel)

Modèles concurrents

Aucun

Quoi de neuf?

Moteur essence 1,8 litre turbo 150 chevaux • Commande de levier de vitesse par câble • Réalignement des modèles • Clignotants latéraux à l'européenne

Verdict

Agrément	⊕ ⊕ ⊕ ⊕ ⊖	Habitabilité	⊕ ⊕
Confort	⊕ ⊕ ⊕ ⊖	Hiver	⊕ ⊕ ⊕
Fiabilité	⊕ ⊕ ⊕ ⊕	Sécurité	⊕ ⊕ ⊕ ⊖

taille normale. Avec la boîte manuelle, la main gauche heurte aussi très souvent le bloc d'accessoires qui surplombe la partie centrale du tableau de bord. Et parlons-en de ce fameux tableau de bord, massif et profond à tel point que certains conducteurs s'en trouvent intimidés. Toutefois, après quelques jours d'utilisation, on s'y fait. D'ailleurs, la présentation intérieure de la Coccinelle est à ce point parsemée de petits détails attendrissants qu'on lui pardonne à peu près tous ses irritants. Personne ne reste indifférent devant le petit vase à fleurs logé derrière le volant, les touches enrobées d'aluminium sur le volant et le levier de vitesses ou, le soir, l'éclairage bleuté des divers instruments. Ceux-ci sont toutefois clairsemés, se résumant à l'indicateur de vitesse, à la jauge à essence et au compte-tours. Comme dans l'Audi A6, tous les boutons, commandes ou touches sont illuminés en rouge lorsque les phares sont allumés, ce qui les rend facilement repérables.

Quel délicieux flash-back!

Les sièges font aussi partie des meilleurs attributs de la Coccinelle. Ils offrent un bon maintien et, surtout, ils sont réglables en hauteur à l'aide d'un ingénieux levier que l'on actionne à la manière d'un cric. En plus, le dossier bascule pour faciliter l'accès aux places arrière. Malgré tout, la position de conduite ne conviendra pas à tout le monde. Bien que réglable dans les deux sens, le volant semble toujours trop bas. La visibilité souffre un peu de la largeur des piliers avant et du fait que le capot plongeant empêche de voir l'extrémité de la voiture. Les pare-soleil sont trop petits pour être utiles lorsqu'on les déplace latéralement pour contrer les rayons du soleil en fin de journée.

Avec la Coccinelle, il faut aussi apprendre à voyager avec un minimum de bagages. L'étroitesse du coffre est cependant compensée par la possibilité de rabattre le dossier de la banquette arrière pour en accroître le volume utile. En revanche, les rangements sont commodes et astucieusement aménagés avec un petit filet extensible dans les bacs de portières.

Bref, la Coccinelle n'en finit plus de nous en mettre plein la vue.

De la Ferrari Daytona à la Porsche Turbo, j'ai conduit, évalué et décortiqué un bon millier de voitures au cours des 30 dernières années. Pourtant, aucune ne m'a fait vivre les mêmes sensations que la Coccinelle. Avec son bagage d'émotions, son côté racoleur et sa parfaite exécution, cette voiture possède un charisme qu'on ne retrouve nulle part ailleurs au sein de l'industrie automobile. C'est, à n'en pas douter, la voiture de l'année ou, mieux, de la décennie.

Jacques Duval

Puebla

l'ancienne Coccinelle survit

Située à 127 km de Mexico, Puebla, la quatrième plus grande ville du Mexique, est en quelque sorte la capitale mondiale de la Coccinelle. C'est là en effet, à l'ombre d'un volcan toujours en activité (le Popocatépetl), qu'est installée l'usine Volkswagen où sont construites toutes les Coccinelle, anciennes et nouvelles. Ce voisinage a d'ailleurs quelque chose d'ahurissant. À côté de l'ultramodernisme de la chaîne d'assemblage de la Coccinelle d'aujourd'hui, on croit rêver devant la vétusté de certaines des méthodes utilisées dans la fabrication du modèle d'origine. Car la bonne vieille Coccinelle d'autrefois fait encore le bonheur des Mexicains et est toujours en production dans l'usine VW de Puebla.

Pour tout dire, je m'étais rendu là-bas principalement pour assister à la «naissance» de la nouvelle Coccinelle et c'est la chaîne d'assemblage de l'ancienne qui m'a coupé le souffle. J'ai eu l'impression d'avoir soudainement basculé 30 ans en arrière en voyant ces jeunes ouvriers «vargeant» à coups de marteau sur la plate-forme d'une future ancienne Coccinelle pour en faire disparaître les aspérités.

Tout archaïque qu'elle soit, cette petite berline n'en demeure pas moins le rêve de ces travailleurs mexicains à l'emploi de VW. Depuis que l'usine a ouvert ses portes en 1967, pas moins d'un million et demi d'exemplaires de ce modèle ont été fabriqués, contribuant à hausser la production totale à plus de 21 millions, un record de tous les temps pour une seule et même voiture. Encore aujourd'hui, 172 anciennes Beetle sortent quotidiennement de l'usine de Puebla, soit près de 50 000 par année.

Environ 95 p. 100 de ces *vocho* (Volkswagen dans la langue du pays) sont vendues au Mexique où les investissements de la firme allemande sont largement récompensés par une part de marché de 26 p. 100. Pour s'acheter une VW, ne serait-ce qu'une ancienne Coccinelle, l'ouvrier doit néanmoins trimer dur six jours par semaine. Sa rémunération est d'environ 20 $ par jour et une vieille Beetle neuve coûte l'équivalent de 9800 $.

La qualité mexicaine?

La fabrication de l'ancienne Coccinelle n'est toutefois qu'une infime partie des activités de l'usine VW de Puebla où sont assemblées également les Golf cabriolet destinées au marché nord-américain, les Jetta 1999 et, bien sûr, la nouvelle Coccinelle.

À ce propos, la qualité des Volkswagen «made in Mexico» a été sévèrement critiquée au cours des dernières années. Une rencontre avec le directeur du contrôle de la qualité à l'usine de Puebla, Werner Uhle, a permis d'aborder le sujet en des termes non équivoques. Avec l'autorité que lui confèrent ses 28 années à l'emploi de la firme allemande, celui-ci affirme que les voitures construites au Mexique actuellement sont d'une qualité égale à celles provenant des autres usines VW à travers le monde. M. Uhle avoue que cela n'a pas toujours été le cas, mais que la firme américaine J. D. Power, spécialisée dans les sondages sur l'indice de satisfaction des acheteurs de voitures neuves, a, dans son dernier relevé, abaissé le nombre d'anomalies des produits VW de 226 qu'il était en 1993 à 95 pour l'année 1997. Ce nombre demeure légèrement au-dessus de la moyenne de l'industrie (qui se situe à 86), mais il marque une sensible amélioration. Pour tenter de faire encore mieux, 10 voitures sont prises au hasard chaque jour en sortie de chaîne et passées au peigne fin.

S'il faut en juger par les premières «New Beetle» assemblées à Puebla (voir essai), la qualité de construction était pratiquement impeccable. De toute évidence, les Mexicains sont fiers de participer à la renaissance d'une voiture qui n'avait jamais véritablement tiré sa révérence.

Volkswagen EuroVan

Volkswagen EuroVan

Cette fois, ça semble vrai

Les préposés aux relations publiques de la compagnie Volkswagen doivent avoir des nerfs d'acier. Ils se sont fait harceler pendant des mois par une meute de chroniqueurs automobiles en furie. Mois après mois, l'arrivée de l'EuroVan V6 était annoncée comme étant imminente pour être démentie la semaine suivante. Finalement, il a fallu se rendre à l'évidence, cette fourgonnette ne serait pas sur le marché en version VR6 en 1998. En fait, seul le modèle Transporter à moteur diesel a été commercialisé au cours de l'année dernière de même que le Camper Winnebago qui disposait de ce fameux moteur VR6. Et encore, seuls quelques rares privilégiés y ont eu droit.

Cette incroyable saga se poursuit puisque, une fois de plus, on nous promet l'arrivée de l'EuroVan V6 pour 1999. Il semble que ce soit vrai, cette fois. Si, par le passé, on se contentait de vagues promesses et d'informations parcellaires, la venue de l'enfant prodigue est maintenant annoncée par le biais d'un communiqué de presse avec photos à l'appui. Ce serait vraiment pousser le canular un peu trop loin que de produire une pochette de presse pour une version qui se ferait encore attendre pendant des mois. Mais il ne faut jurer de rien, puisque Volkswagen est impayable à ce chapitre.

Plus qu'un simple moteur

À Wolfsburg, la direction est têtue et prend des mois à se brancher, mais il faut au moins reconnaître qu'elle ne fait jamais les choses à moitié. La nouvelle EuroVan ne se contente pas de nous offrir un moteur VR6 installé à la diable sous le capot. En premier lieu, les ingénieurs ont accru la rigidité de la caisse par l'entremise de panneaux de plancher renforcés et de montants B et C plus robustes. L'insonorisation a fait l'objet d'une attention toute particulière: les sources susceptibles d'infiltrations de bruits dans la cabine ont été passées au crible.

Quant au moteur V6 proprement dit, il s'agit d'une version spécialement adaptée à cette fourgonnette: il doit concéder 32 chevaux à celui installé dans les automobiles. Volkswagen considère l'EuroVan comme un véhicule à vocation commerciale et utilitaire à la fois. Les organes mécaniques sont développés en fonction de cela. Comme la plupart des moteurs destinés à des véhicules commerciaux, ce V6 développe un couple supérieur à la puissance, puisqu'il est de 177 lb-pi à 3200 tr/min par rapport aux 140 chevaux obtenus à 4500 tr/min. Cela explique pourquoi cette fourgonnette peut tracter une remorque équipée de freins électriques d'un poids maximum de 1996 kg ou transporter une charge de près d'une demi-tonne.

Le confort n'a toutefois pas été négligé pour autant. La suspension indépendante aux 4 roues est ferme, mais permet de pouvoir compter sur une tenue de route prévisible. Des freins à disque aux 4 roues sont venus corriger l'une des grandes lacunes de ce véhicule, soit une capacité de freinage désolante. Enfin, la direction à crémaillère mérite de bons points en raison de sa précision.

Spacieuse comme pas une

L'EuroVan ne bénéficie pas de la silhouette tape-à-l'œil de plusieurs de ses concurrentes, ses performances sont également moins bonnes que celles de ces dernières, mais elle possède une

Volkswagen EuroVan

Pour
Habitabilité sans égale
- Version Camper
- Freins à disque aux 4 roues
- Suspension arrière indépendante

Contre
Modèle Camper cher
- Dimensions encombrantes
- Pneumatiques de type commercial
- Tableau de bord toujours austère

Caractéristiques

Échelle de prix:	voir page 11 et suivantes
Modèle / Prix:	GLS / 43 940 $
Type:	fourgonnette / traction
Empattement:	292 cm
Longueur:	478 cm
Largeur:	184 cm
Hauteur:	194 cm
Poids:	1890 kg
Coffre / Réservoir:	495 litres / 80 litres
Coussins de sécurité:	conducteur et passager
Système antipatinage:	oui
Suspension av. / arr.:	indépendante
Freins av. / arr.:	disque ABS
Direction:	à crémaillère, assistée
Diamètre de braquage:	11,7 mètres
Pneus av. / arr.:	P205/65R15
Valeur de revente:	très bonne
Garantie de base:	2 ans / 40 000 km

Motorisation et performances

Moteur / Transmission:	V6 2,8 litres / automatique 4 rapports
Puissance / Couple:	140 ch à 4500 tr/min / 177 lb-pi à 3200 tr/min
Autre(s) moteur(s):	aucun
Transmission optionnelle:	aucune
Accélération 0-100 km/h:	13,6 secondes
Vitesse maximale:	168 km/h
Freinage 100-0 km/h:	47 mètres
Consommation (100 km):	13,1 litres

Modèles concurrents
Chevrolet Astro • Ford Econoline • GMC Savana

Quoi de neuf?
Version V6 enfin sur le marché • Habitacle révisé • Équipement plus complet

Verdict

Agrément	⊕ ⊕	
Confort	⊕ ⊕ ⊕	
Fiabilité	⊕ ⊕ ⊕	
Habitabilité	⊕ ⊕ ⊕ ⊕ ⊕	
Hiver	⊕ ⊕ ⊕	
Sécurité	⊕ ⊕ ⊕	

habitabilité que tous lui envient. Il s'agit de la plus spacieuse des fourgonnettes. On y prend ses aises et les trajets de longue durée se déroulent sans fatigue.

La version précédente ne faisait pas l'unanimité quant à la présentation de l'habitacle, notamment le tableau de bord. Cette nouvelle venue fait amende honorable à ce chapitre en offrant une position de conduite révisée et un tableau de bord tout aussi fonctionnel, mais de présentation moins austère. Et on a pris soin d'étoffer la liste de l'équipement de série qui comprend dorénavant les vitres à commande électrique, un filtre à poussière et à pollen, un régulateur de vitesse, des gicleurs de lave-glace chauffants, des rétroviseurs extérieurs à commande électrique et la liste se poursuit. Soulignons au passage que la boîte automatique à 4 rapports est de série.

Le miracle s'est produit.

Le Camper et son émule

Même si Volkswagen a fait peu d'efforts pour mousser sa popularité, la version Camper est devenue un véhicule culte pour des milliers de Québécois. La toute dernière génération est produite chez Winnebago et l'arrivée du moteur V6 en 1998 a encore ajouté à l'agrément de ce véhicule qui possède une polyvalence à nulle autre pareille. Il permet de camper dans un environnement très agréable, tout en bénéficiant d'un véhicule à la fois confortable lors de longs trajets et peu encombrant dans la circulation urbaine.

Cette année, Volkswagen propose une solution de compromis entre l'EuroVan standard et le modèle Camper. L'ensemble Weekender est offert en option sur le modèle MV et comprend un toit pouvant se déployer, un lit à deux places, les moustiquaires, le siège arrière fixe du côté du conducteur avec réfrigérateur sous le siège, une batterie auxiliaire de même qu'un alternateur de 120 ampères.

Bref, pour se faire pardonner son retard, Volkswagen a réalisé une fourgonnette éminemment pratique et spacieuse qui s'adresse à des gens prêts à accepter certains traits de caractère peu conventionnels et des accélérations plus modestes pour vraiment profiter de la polyvalence et de l'habitabilité de l'EuroVan.

Denis Duquet

Volkswagen Golf

Volkswagen Golf

La nouvelle génération

Même si on la trouve en Europe depuis plus d'un an, l'arrivée de la Golf s'est longtemps fait attendre en Amérique. D'ailleurs, sa date officielle d'entrée en scène n'était pas encore connue au moment de mettre cette édition du *Guide de l'auto* sous presse. Comme d'habitude chez ce manufacturier, bientôt peut signifier quelques semaines, plusieurs mois ou même une année. Selon toute logique, cette Golf revue et corrigée devrait faire son entrée sur notre continent au début de 1999 et tant mieux si c'est plus tôt. Mais sachez que l'ancienne version continuera d'être offerte comme modèle 1999, juste au cas.

Afin de vous fournir le maximum d'information compte tenu des circonstances, nous avons profité de quelques voyages sur le Vieux Continent pour faire davantage connaissance avec cette Volkswagen qui fait un tabac partout où elle est en vente. Même si la présentation et le degré d'équipement peuvent varier d'un continent à l'autre, ces quelques randonnées nous ont permis d'avoir une bonne idée de ce que cette Golf nous réserve.

Incidemment, pour le marché canadien, les versions GL et GLS seront les premières à faire leur entrée. Elles offriront, entre autres, les caractéristiques suivantes: vitres électriques, rétroviseur extérieur chauffant, régulateur de vitesse et air climatisé, en plus de plusieurs autres éléments déjà intégrés aux modèles actuels.

Juste ce qu'il faut

La personne qui jette un coup d'œil sur les photos va immédiatement conclure qu'on a à peine arrondi quelques angles pour apprêter la voiture au goût du jour. S'il est vrai que les stylistes sont demeurés fidèles à la silhouette si particulière de la Golf, ils ont fait évoluer ses formes pour en faire une voiture drôlement plaisante sur le plan esthétique.

Il suffit de rouler derrière une Golf de la quatrième génération pour constater à quel point les changements sont significatifs. En fait, le trait de caractère visuel le plus marquant de cette nouvelle venue réside dans la présentation des feux arrière, dont le support inférieur progresse jusqu'à effleurer la lèvre supérieure du pare-chocs. Ces «bosses» donnent du recul au hayon et contribuent à accentuer le caractère vraiment à part à cette petite allemande.

Et il faut d'ailleurs faire attention lorsqu'on parle de petite allemande, puisque cette nouvelle génération a pris du coffre. Son empattement est dorénavant de 251 cm, un gain de 4 cm, tandis que la longueur hors tout a progressé de 7 cm. La Golf est également plus large de 4 cm. Ces mensurations plus généreuses ne sont pas spectaculaires, mais elles ont permis aux concepteurs d'aménager un habitacle vraiment plus spacieux, notamment aux places arrière. Il faut d'ailleurs souligner la facilité avec laquelle les designers de Volkswagen peuvent offrir une habitabilité si généreuse à partir d'une voiture aux dimensions quand même modestes.

Pour en revenir à la présentation extérieure, la partie avant s'est affinée, tout en demeurant fidèle à sa grille de calandre à trois lamelles horizontales. Un autre changement d'importance est l'utilisation de phares avant en forme d'amande, constitués d'un bloc optique très sophistiqué. Il faut également noter que les roues sont presque affleurantes, ce qui contribue à donner une impression de force à la présentation, tout en assurant une assise au sol plus généreuse.

La caisse est également beaucoup plus rigide en raison d'une conception plus moderne et de techniques de fabrication plus sophistiquées, comprenant la soudure au laser et le collage de certains éléments. Cette rigidité permet également d'obtenir une caisse avec des interstices réduits entre les portes, le capot et la carrosserie. Cela diminue le niveau de bruit éolien et améliore la présentation extérieure. Notre expérience s'est effectuée avec des voitures de fabrication européenne d'une facture impeccable. Reste à savoir si les versions assemblées à l'usine de Puebla au Mexique seront aussi impressionnantes à ce chapitre. Chez Volkswagen, on nous jure que les modèles mexicains seront d'une qualité exemplaires. Seul l'avenir le dira. Ferdinand Piech, le grand patron du groupe Volkswagen-Audi, a l'usine mexicaine dans son collimateur et on doit y effectuer du travail de qualité, sinon le grand patron va rappliquer. D'ailleurs, Puebla s'est racheté dernièrement en assemblant des Nouvelles Coccinelle très bien fignolées.

Une mécanique sage

Les personnes affectées au développement des éléments mécaniques de la Golf semblent être allées à la même école que les stylistes. Elles ont choisi de raffiner les éléments en place au lieu de repartir à zéro. Sage décision quand on connaît les qualités de cette voiture en termes de tenue de route et d'agrément de conduite. Disposant d'une plate-forme plus rigide, elles ont peaufiné les suspensions avant et arrière qui demeurent toujours fidèles aux données de la version précédente.

C'est ainsi que l'on retrouve les jambes de force MacPherson à l'avant. Toutefois, les ingénieurs ont révisé l'angle du ressort hélicoïdal par rapport à l'amortisseur afin de diminuer la friction, d'assurer une opération plus harmonieuse et ainsi de réduire le niveau sonore. La géométrie a aussi été modifiée afin d'obtenir une meilleure stabilité en ligne droite et un engagement plus net dans les virages.

À l'arrière, la fameuse suspension articulée autour de cet essieu semi-rigide a été retenue. Les Golf vont donc continuer de lever la roue arrière extérieure dans les virages serrés abordés à haute vitesse, une caractéristique qui n'a jamais nui à la tenue de route. Une poutre déformante s'associe à des bras longitudinaux et à des ressorts hélicoïdaux pour assurer une tenue de route qui fait l'envie de la concurrence. Des freins à disque aux 4 roues de même qu'un système ABS viennent compléter le tableau.

Les premières versions à être commercialisées seront animées par un moteur 2,0 litres pratiquement identique à celui qui ron-

ronne sous le capot de la Nouvelle Coccinelle. Comme il se doit, l'increvable turbodiesel à injection directe de 1,9 litre sera également au rendez-vous.

À nouveau la référence

Les inconditionnels de la Golf ont toujours vanté ses qualités routières. Mieux encore, c'est la sensation de conduite qu'ils apprécient avant tout. Cette agile allemande se comporte comme une grosse berline sur la grand-route et se faufile dans la circulation comme une mini. De plus, la précision de la direction, son assistance juste ce qu'il faut et une grande stabilité en virage ont gagné plus d'un automobiliste à sa cause. En fait, les grands défauts de la Golf étaient surtout sa fiabilité parfois capricieuse, un service négligent de la part des concessionnaires et la lenteur de la compagnie Volkswagen à remplir ses promesses.

Volkswagen Golf

Pour

Caisse plus solide • Agrément de conduite relevé • Tableau de bord élégant • Sièges avant confortables • Cabriolet modernisé

Contre

Fiabilité inconnue • Arrivée sur le marché encore inconnue • Siège arrière très dur • Performances moyennes (2,0 litres)

Caractéristiques

Échelle de prix:	voir page 11 et suivantes
Modèle / Prix:	GL / n. d.
Type:	*hatchback* 2 portes / traction
Empattement:	251 cm
Longueur:	415 cm
Largeur:	173 cm
Hauteur:	144 cm
Poids:	1225 kg
Coffre / Réservoir:	330 litres / 55 litres
Coussins de sécurité:	conducteur, passager et latéraux
Système antipatinage:	non
Suspension av. / arr.:	indépendante / semi-indépendante
Freins av. / arr.:	disque ABS
Direction:	à crémaillère, assistée
Diamètre de braquage:	10,9 mètres
Pneus av. / arr.:	P195/65R15
Valeur de revente:	nouveau modèle
Garantie de base:	2 ans / 40 000 km

Motorisation et performances

Moteur / Transmission:	4L 2,0 litres / manuelle 5 rapports
Puissance / Couple:	115 ch à 5200 tr/min / 122 lb-pi à 2600 tr/min
Autre(s) moteur(s):	4L TD1 1,9 litre 90 ch
Transmission optionnelle:	automatique 4 rapports
Accélération 0-100 km/h:	9,2 secondes autre moteur: 11,1 secondes
Vitesse maximale:	190 km/h
Freinage 100-0 km/h:	40,2 mètres
Consommation (100 km):	8,0 litres autre moteur: 6,2 litres

Modèles concurrents

Honda Civic • Mazda Protegé • Toyota Corolla • Suzuki Esteem • Hyundai Accent

Quoi de neuf?

Tout nouveau modèle

Verdict

Agrément	⊕ ⊕ ⊕ ⊕	Habitabilité	⊕ ⊕ ⊕ ⊖
Confort	⊕ ⊕ ⊕ ⊕	Hiver	⊕ ⊕ ⊕ ⊕
Fiabilité	Nouveau modèle	Sécurité	⊕ ⊕ ⊕ ⊕

Cette nouvelle venue ne réglera peut-être pas ces problèmes, mais elle assure un agrément de conduite nettement amélioré. La position de conduite est toujours aussi bonne, mais la cabine est mieux insonorisée et la présentation du tableau de bord, moderne et pratique. C'est un design évolutif qui tombe pile. Et l'éclairage bleu et rouge des cadrans indicateurs vaut le détour. Encore une fois, on a su progresser sans aller trop loin ni délaisser le lien avec le passé.

Un peu à l'image de la nouvelle BMW de la série 3, cette Volkswagen a conservé ses marques en fait de tenue de route et de performances, mais elle le fait avec plus d'aplomb et d'assurance. Quant au moteur 2,0 litres, ses prestations sont bonnes, mais il faut souhaiter que des groupes propulseurs plus musclés viennent se joindre à la famille au fil des mois.

Mieux vaut tard que jamais.

Les prises de contact épisodiques que nous avons eues avec la nouvelle Golf nous ont permis de comprendre pourquoi cette nouvelle génération est devenue la coqueluche des Européens.

Le cabriolet itou!

Le cabriolet a également droit à une refonte. Il est plus modeste, puisque Volkswagen a conservé la plate-forme de la Golf III, tout en adoptant les principales caractéristiques visuelles de la nouvelle version. Sa partie avant abrite donc les nouveaux phares projecteurs doubles en forme d'amande et un capot très plongeant associé à un sigle VW de plus grande taille. Tous ces éléments contribuent à rapprocher le cabriolet de la nouvelle version. L'arrière a également été modifié afin de permettre une plus grande ressemblance entre les deux modèles.

Ce cabriolet comporte toujours l'arceau central intégré qui améliore la rigidité de la caisse, tout en offrant une protection assurée en cas de capotage. C'est simple, efficace et plus économique que les éléments à déploiement automatique à la mécanique plus complexe.

Cette nouvelle version possède toujours l'un des toits souples les plus sophistiqués de l'industrie. Ce toit doublé et isolé se fait apprécier par son étanchéité et sa lunette arrière chauffante en verre.

Cette Golf décapotable a toujours été l'un des cabriolets les plus agréables à conduire. La nouvelle version sera sans doute en mesure de nous faire oublier la version actuelle.

Denis Duquet

Volkswagen Jetta

Volkswagen Jetta

Sur les traces de la Passat

Il y a fort à parier que la nouvelle Volkswagen Jetta, qui sera introduite au Canada au début de 1999, remportera un succès colossal chez nous. Plébiscitée par l'accueil très favorable réservé à la récente Passat très convoitée du même constructeur, la Jetta pourrait se révéler une solution de rechange moins coûteuse. À un moment où VW a le vent dans les voiles, cette Jetta entièrement recarrossée devrait redonner à la marque allemande toute la crédibilité qui fut naguère son premier argument de vente.

Chez Volkswagen, on fonde d'ailleurs de grands espoirs sur la quatrième génération des Jetta. Il suffit de consulter les communiqués remis à la presse automobile pour se rendre compte que l'on n'y va pas avec le dos de la cuillère. On décrit la voiture en des termes flamboyants allant de «spectaculaire» à «révolutionnaire» avec des envolées stipulant, entre autres, que cette Jetta est une «redéfinition complète de la catégorie des compactes en matière de design, de performance, de luxe et de sécurité, tout en offrant une valeur élevée». Et toujours selon ces mêmes propos dithyrambiques, on ajoute que cette nouvelle compacte va au-delà des normes habituelles et empiète sur la catégorie des intermédiaires ou de modèles dont le prix est beaucoup plus élevé.

Bon, tout cela est bien joli mais, en 33 ans de carrière, j'ai entendu la même ritournelle plusieurs fois et souvent pour des voitures qui se sont révélées de vraies catastrophes. Je ne dis pas qu'il en sera de même avec la Jetta qui, entre vous et moi, a fort belle allure, mais attendons un ou deux hivers québécois et quelques dizaines de milliers de kilomètres avant de la sanctifier.

Une gueule du tonnerre

Il est certain que sa silhouette fortement inspirée de celle de la dernière Passat lui sera grandement bénéfique. Enlevons les badges Volkswagen et elle pourrait très bien passer pour une BMW avec ses épaules carrées et ses lignes ramassées. Ceux qui, plusieurs mois avant sa sortie, ont vu la nouvelle Jetta se promener autour de l'usine où elle est construite, à Puebla, au Mexique, ont été unanimes: c'est la plus belle Volkswagen produite à ce jour. Il faut dire que l'ancienne commençait à avoir des airs de voiture est-allemande, tellement elle était démodée. En Europe, on n'a d'ailleurs pas hésité à souligner sa nouvelle personnalité en changeant son nom de baptême. Connue autrefois sous l'appellation de Vento, elle se fait désormais appeler Bora (comme le vent de la côte Adriatique) sur le vieux continent. Ici en Amérique, la Jetta reste la Jetta même si, au dire de Volkswagen, il s'agit d'une voiture transfigurée. Examinons un peu justement ce qui différencie le nouveau modèle de l'ancien.

Grandir en beauté

La longueur n'a pas bougé d'un iota, mais l'empattement a progressé de 3,8 cm. Il rejoint celui de la nouvelle Golf, puisque les deux voitures utilisent la même plate-forme qui, soit dit en passant, est aussi celle de la dernière Coccinelle. Par rapport à sa devancière, la Jetta est surtout beaucoup plus large avec un gain de 4 cm en ce sens, tandis que la hauteur s'est élevée de 2 cm. Ces chiffres seraient purement théoriques s'ils ne se traduisaient pas par une meilleure habitabilité. À ce chapitre, on note un accroissement de

4,2 cm de l'espace pour les jambes à l'arrière. Le coffre n'a rien perdu de sa volumineuse capacité et reste le plus vaste chez les voitures de taille compacte. Comme sur la Coccinelle, sa serrure est joliment dissimulée sous l'emblème VW. Le châssis de la nouvelle Jetta est fabriqué à base d'acier galvanisé, ce qui permet à Volkswagen d'offrir une garantie exceptionnelle de 12 ans contre la rouille. De plus, le châssis est entièrement soudé de façon continue au laser afin de procurer à la Jetta une rigidité accrue de 35 p. 100. C'est une caractéristique qui peut sembler banale pour le néophyte mais, dans la pratique, elle se traduit par une plus grande solidité, une meilleure maniabilité et une tenue de route améliorée. La Jetta était déjà bien nantie côté agrément de conduite, mais la carrosserie souffrait souvent de petits craquements agaçants qui, en principe, devraient avoir été éliminés.

On aura remarqué plus haut que la voiture est fabriquée à Puebla, au Mexique, ce qui ne manquera pas de faire sourciller les connaisseurs qui ne jurent que par le sceau de qualité accompagnant les automobiles *made in Germany*. J'ai visité cette usine au printemps de 1998 et je dois avouer que j'ai été impressionné par sa haute technologie et par la discipline des employés. Il est certain que la qualité n'a pas toujours été au rendez-vous dans le passé, mais Volkswagen semble avoir corrigé la situation. Encore là, toutefois, il faudra attendre d'avoir beaucoup roulé en Jetta pour lui remettre son certificat de fiabilité.

Les suspensions n'ont pas changé pour la peine, si ce n'est le repositionnement des ressorts hélicoïdaux et une géométrie légèrement révisée. De plus, des barres antiroulis avant et arrière améliorent les réactions de la direction à crémaillère en virage.

En revanche, la voiture hérite de 4 freins à disque avec un ABS de dernière génération et des roues de 15 pouces au lieu de 14. La sécurité fait aussi un pas en avant, avec un châssis plus résistant aux impacts et des coussins gonflables latéraux, montés sur les côtés extérieurs des sièges avant.

Trois versions, trois moteurs

Sur le plan de la motorisation, c'est la règle de trois avec le bon vieux 4 cylindres 2,0 litres de 115 chevaux et l'étonnant turbo diesel TDI de 1,9 litre et 90 chevaux dans la GL de base. La GLS propose les deux mêmes groupes propulseurs, mais en y ajoutant le merveilleux VR6 2,8 litres de 174 chevaux en guise d'option. Ce moteur à vocation sportive est par ailleurs offert de série dans la GLX, une Jetta de très grand luxe avec sellerie en cuir, appliques en bois, roues en alliage léger, détecteur de pluie actionnant les essuie-glaces, climatiseur thermostatique, rétroviseur basculant automatique et petit rideau pare-soleil pour l'arrière. En somme, une mini-limousine. Chacun des moteurs peut être équipé d'une boîte de vitesses à 5 rapports à commande par câbles ou d'une transmission automatique.

À propos du moteur de base, il serait injuste de ne pas mentionner qu'il s'agit d'une version revue et corrigée de l'ancien. La puissance et surtout le couple sont obtenus à des régimes inférieurs, ce qui permet d'améliorer les reprises, une qualité dont la Jetta a bien besoin. Car s'il est une note discordante dans le dossier de cette nouvelle Jetta, c'est très certainement la reconduction de ce moteur, dont les 115 chevaux sont largement dépassés par la concurrence. Même une humble Toyota Corolla est mieux servie avec son 4 cylindres 1,8 de 120 chevaux. Le travail de VW a surtout porté sur un allègement des composantes du moteur (les bielles, entre autres), ce qui semble insuffisant.

Dans un tel contexte, il n'est pas étonnant que le surprenant moteur TDI ou turbo diesel à injection soit aussi attrayant. Ses performances à bas et moyen régime sont comparables et son ardeur moyenne est récompensée par une consommation d'une modicité réjouissante. Ceux qui voudront vraiment profiter des attributs sportifs de la Jetta se tourneront vers le VR6, un moteur nettement plus intéressant que le V6 provenant de chez Audi qui équipe les versions haut de gamme de la Passat. Cette différence d'équipement tient au fait que la Jetta nécessite un moteur transversal (ce qu'est le

Volkswagen Jetta

Pour
Ligne flatteuse
• Construction soignée
• Agrément de conduite indéniable
• Bon équipement de série
• Habitabilité intéressante

Contre
Fiabilité inconnue
• Sièges fermes
• Visibilité 3/4 arrière limitée
• Moteur 115 ch dépassé par la concurrence

Caractéristiques

Échelle de prix:	voir page 11 et suivantes
Modèle / Prix:	GL / n. d.
Type:	berline 5 places / traction
Empattement:	251 cm
Longueur:	438 cm
Largeur:	173,5 cm
Hauteur:	145 cm
Poids:	1279 kg
Coffre / Réservoir:	455 litres (785 banquette rabattue) / 55 litres
Coussins de sécurité:	frontaux et latéraux avant
Système antipatinage:	non
Suspension av. / arr.:	indépendante / semi-indépendante
Freins av. / arr.:	disque ABS
Direction:	à crémaillère, assistée
Diamètre de braquage:	10,9 mètres
Pneus av. / arr.:	P195/65R15 (P205/55R16 sur GLX Sport)
Valeur de revente:	nouveau modèle
Garantie de base:	2 ans / 40 000 km

Motorisation et performances

Moteur / Transmission:	4L 2,0 litres / manuelle 5 rapports
Puissance / Couple:	115 ch à 5200 tr/min / 122 lb-pi à 2600 tr/min
Autre(s) moteur(s):	4L TDI 1,9 litre 90 ch / VR6 2,8 litres 174 ch
Transmission optionnelle:	automatique 4 rapports
Accélération 0-100 km/h:	11 secondes autre moteur: 8,5 secondes (VR6)
Vitesse maximale:	195 km/h
Freinage 100-0 km/h:	n. d.
Consommation (100 km):	8,5 litres autre moteur: 6,5 litres (TDI)

Modèles concurrents
Honda Civic berline • Mazda Protegé LX • Toyota Corolla • BMW 318ti • Ford Contour • Hyundai Sonata • Saab 9-3

Quoi de neuf?
Nouveau modèle

Verdict

Agrément	⊕ ⊕ ⊕ ⊖	Habitabilité	⊕ ⊕ ⊕ ⊕
Confort	⊕ ⊕ ⊕ ⊕	Hiver	⊕ ⊕ ⊕ ⊕
Fiabilité	Nouveau modèle	Sécurité	⊕ ⊕ ⊕ ⊕

VR6), alors que la Passat a besoin d'un moteur longitudinal comme le V6 Audi.

Un bel emballage

Autrefois plutôt austère, la Jetta 1999 adopte un caractère fortement axé sur le luxe et le confort qui fait dire à ses concepteurs qu'elle peut se comparer à des véhicules européens haut de gamme. Un coup d'œil sur la liste des équipements est révélateur à ce sujet. Elle comprend notamment une colonne de direction réglable en profondeur et en hauteur, des coussins gonflables latéraux, le verrouillage central des portières, l'ABS, un antivol, des rétroviseurs chauffants et une banquette arrière rabattable. En optant pour la GLS, on obtient en plus le climatiseur, le régulateur de vitesse, les sièges à commande électrique, etc. Enfin, la GLX mentionnée plus haut vous en met plein la vue.

Tout d'un futur best-seller.

La présentation intérieure aussi est particulièrement soignée. Le tableau de bord se distingue par ses quatre cadrans rétroéclairés à luminosité bleue et aiguilles rouges, un autre emprunt à la nouvelle Coccinelle.

Sécurité enfants

La qualité des tissus est aussi en progrès et les sièges, bien que très fermes, paraissent confortables. Celui du conducteur est réglable en hauteur au moyen d'une pompe, une particularité déjà fort appréciée dans la Coccinelle. À l'arrière, l'accoudoir central se double d'un pratique coffre de rangement. Les familles avec de jeunes enfants apprécieront aussi le nouvel ancrage pour les sièges qui se fixent directement à la carrosserie de la voiture. C'est à la fois plus pratique et beaucoup plus sûr. Des poignées et des commandes dites «Soft Touch», un filtre à pollen et odeurs ainsi que des moquettes sont d'autres raffinements qui ne passent pas inaperçus. Et les petits feux de position latéraux à l'européenne ont été retenus pour la version vendue ici.

Sur papier, la toute nouvelle Volkswagen Jetta a de nombreux atouts pour séduire une vaste clientèle. Sa grande sœur, la Passat, s'est déjà montrée à la hauteur des nombreux éloges qui lui ont été adressés. En marchant sur ses traces, la Jetta ne peut que bénéficier des qualités de son aînée. Souhaitons simplement que de si beaux efforts ne seront pas perdus quelque part entre Wolfsburg et Puebla.

Jacques Duval

Volkswagen Passat

Volkswagen Passat 1,8 Turbo

Un second bilan doublement positif

L'an dernier, *Le Guide de l'auto* proclamait la nouvelle Volkswagen Passat l'une des meilleures voitures du monde. Deux essais subséquents (dont l'un en hiver) n'ont fait que confirmer les impressions initiales recueillies lors de son lancement à Hambourg, en Allemagne. Quel dommage que tant de gens aient été si profondément mécontents de l'ancienne version qu'ils refusent obstinément de s'approcher de la nouvelle!

Même dépossédée de ses pneus d'origine (remplacés par des pneus d'hiver) et de l'habillage grand luxe de la GLX V6 conduite l'an dernier, la Passat reste une voiture absolument ravissante à regarder... et à conduire. Son caractère germanique a été quelque peu atténué par l'assouplissement de la suspension, mais ses principales qualités sont toujours présentes. J'irais même jusqu'à dire qu'en lui soustrayant ses emblèmes et logos, on pourrait très bien se croire au volant d'une Audi A4. La Passat, rappelons-le, est à quelques détails près très semblable à l'A4, dont elle partage le châssis et les principaux éléments mécaniques. Sans doute moins endimanchée que sa luxueuse cousine, elle demeure tout de même d'une rare efficacité.

Un beau tandem

Son tandem moteur/transmission est l'un des plus heureux mariages mécaniques que l'on puisse trouver. Le petit 4 cylindres 1,8 litre turbo du modèle de base est tout aussi à l'aise sous le capot de la Passat que sous celui de l'A4 et les 5 rapports de la transmission automatique permettent d'exploiter adéquatement

ses 150 chevaux. Même son grognement à haut régime s'accepte plus aisément dans la Passat. Son énergie l'entraîne allègrement jusqu'à 6500 tr/min et se chiffre par un 0-100 km/h de 9,1 secondes. Cette Volkswagen n'abuse pas non plus d'hydrocarbures: sa consommation mi-ville, mi-route s'établit à environ 9,5 litres aux 100 km s'il faut en croire l'ordinateur de bord, dont la voiture est équipée. Avec le moteur V6, il faut compter autour de 11 litres aux 100 km, tandis que le Turbo Diesel de 1,9 litre continue de surprendre autant par sa frugalité (6,5 litres aux 100 km) que par un rendement qui ne permet en aucun temps de soupçonner la présence d'une telle mécanique sous le capot.

L'option V6, soit dit en passant, ne donne pas nécessairement des accélérations foudroyantes. En vérité, le 0-100 km/h n'est que très légèrement inférieur et ce n'est qu'au moment des reprises que les 193 chevaux de son moteur 5 soupapes deviennent plus éloquents. Ce V6 2,8 litres modifie toutefois le caractère de la Passat et lui donne davantage le cachet d'une voiture de luxe.

Que ce soit en version 1,8 Turbo ou en version V6, la boîte automatique offre 2 modes: entièrement automatique quand le levier est sur la gauche et «Tiptronic» quand on le déplace vers la droite. Ce dernier mode permet de changer soi-même les vitesses, tout en conservant les propriétés de l'automatisme, si jamais on oublie de passer au rapport supérieur en franchissant la zone rouge du compte-tours.

Le seul domaine où la Passat nord-américaine concède du terrain à sa contrepartie européenne a trait à la suspension. Les réglages font grand bien au confort, mais entraînent également un roulis considérable. La bonne nouvelle, c'est que la tenue de route ne s'en ressent pas le moins du monde. Dans un virage négocié

GLX V6

Volkswagen Passat

Pour
Groupe propulseur remarquable
• Bon comportement routier
• Grand coffre • Habitabilité supé-
rieure à l'Audi A4 • Confort soigné

Contre
Roulis en virage • Pédale de freins
et accélérateur trop rapprochés
• Ouverture du coffre mal conçue
• Tableau de bord sombre (1,8 Turbo)

Caractéristiques
Échelle de prix:	voir page 11 et suivantes
Modèle / Prix:	Passat 1,8 Turbo / 28 450 $
Type:	berline 4 portes / traction
Empattement:	270 cm
Longueur:	467 cm
Largeur:	174 cm
Hauteur:	146 cm
Poids:	1355 kg
Coffre / Réservoir:	475 litres / 62 litres
Coussins de sécurité:	conducteur, passager et latéraux
Système antipatinage:	oui
Suspension av. / arr.:	indépendante
Freins av. / arr.:	disque ABS
Direction:	à crémaillère, assistée
Diamètre de braquage:	10 mètres
Pneus av. / arr.:	P195/65R15
Valeur de revente:	nouveau modèle
Garantie de base:	3 ans / 60 000 km

Motorisation et performances
Moteur / Transmission:	4L 1,8 litre turbo / manuelle 5 rapports
Puissance / Couple:	150 ch à 5700 tr/min / 155 lb-pi 1750 à 4600 tr/min
Autre(s) moteur(s):	V6 2,8 litres 193 ch • 4L 1,9 litre Turbo Diesel
Transmission optionnelle:	automatique 5 rapports, «Tiptronic»
Accélération 0-100 km/h:	9,1 secondes autre moteur: 8,6 secondes (V6)
Vitesse maximale:	220 km/h
Freinage 100-0 km/h:	42,0 mètres
Consommation (100 km):	9,5 litres autre moteur: 11,0 litres (V6)

Modèles concurrents
Honda Accord • Toyota Camry • Nissan Altima • Mazda 626
• Oldsmobile Intrigue • Subaru Legacy • Hyundai Sonata

Quoi de neuf?
Version familiale et 4 roues motrices en cours d'année

Verdict
Agrément	⊕⊕⊕⊕	Habitabilité	⊕⊕⊕(
Confort	⊕⊕⊕⊕	Hiver	⊕⊕⊕(
Fiabilité	⊕⊕⊕(	Sécurité	⊕⊕⊕⊕

rapidement, la voiture se couche considérablement et les pneus hurlent à fendre l'âme, mais l'adhérence ne bronche pas. La stabilité en ligne droite est par ailleurs assez étonnante, ce qui contribue à masquer l'effet de vitesse, même à 210 km/h. Sur chaussée dégradée, les trous et les bosses sont encaissés sans secousse désagréable et, surtout, sans aucun bruit, grâce à un châssis encore plus rigide que celui de l'ancien modèle. Chaussée de pneus Continental Contact Eco Plus, la Passat a fait preuve d'un comportement routier hivernal très sûr.

Quelques fausses notes

Parmi les petits reproches que l'on peut adresser à la Passat, il y a notamment la clé de contact, dont les symboles de télécommande obscurs deviennent totalement invisibles le soir. La petite clenche sur laquelle il faut appuyer pour ouvrir le coffre est salissante en hiver et conçue de telle sorte qu'on peut facilement se pincer les doigts. Lors de la prise en main du véhicule, il m'a aussi fallu un bon moment pour m'habituer à la trop grande proximité des pédales de frein et d'accélérateur. Et, finalement, j'aurais souhaité que la molette du système de climatisation puisse permettre de diriger l'air vers le pare-brise et les pieds en même temps, plutôt que dans une seule direction, une lacune que corrige le modèle V6 avec son système thermostatique beaucoup plus élaboré. Pour le reste, la VW Passat cuvée 1999 se révèle un grand cru. Les sièges sont fort agréables et si vous êtes de taille moyenne, vous n'aurez rien à redire à la position de conduite. L'habitabilité est très satisfaisante et à l'arrière il y a plus d'espace pour les jambes que dans une Audi A4. On a aussi prévu une abondance de rangements et un coffre à bagages d'une profondeur étonnante.

Comme c'est souvent le cas chez Volkswagen, la présentation intérieure du modèle 1,8 est assez terne, avec un tableau de bord tout noir qui assombrit l'habitacle. Seule la grille en inox du levier de vitesses vient y jeter un peu de lumière. Avec ses appliques en bois et ses garnitures en cuir, la Passat V6 est drôlement mieux nantie sous ce rapport.

Avant d'être joliment remaniée et efficacement transformée, la Passat ne s'était fait, semble-t-il, que des ennemis. Volkswagen s'est cependant efforcée d'éliminer les irritants et, surtout, d'améliorer la fiabilité de sa berline haut de gamme. Le résultat m'apparaît comme une incontestable réussite. Il serait dommage que la clientèle se montre rancunière. (Voir aussi match comparatif.)

Sur la première marche du podium.

Volvo C70 cabriolet · C70 coupé

Volvo C70 cabriolet

Quand le coupé se découvre

La compagnie Volvo a le vent dans les voiles. Au cours des cinq dernières années, ce constructeur suédois nous a soumis à un véritable bombardement de modèles. Depuis les années 50, Göteborg se contentait d'un nouveau modèle par décennie ou presque. Cette philosophie a définitivement «pris le bord», puisque les nouveautés se succèdent à une cadence effrénée. L'an dernier la gamme 850 a été entièrement revue pour devenir les modèles S70 et V70 pendant que le tout nouveau coupé C70 entrait en scène. Cette fois, la gamme S90/V90 nous abandonne pour être complètement transformée, tandis qu'un cabriolet s'ajoute à la famille C70.

Pour Volvo, il s'agit d'un modèle à tout le moins inédit, puisque les cabriolets n'ont jamais été une priorité pour ce constructeur scandinave. D'ailleurs, sa dernière expérience remonte aux années 50 avec le modèle P1900 (voir photo) qui a été commercialisé avec peu de succès de 1956 à 1957. Il est intéressant de noter que ce cabriolet était doté d'une carrosserie en fibre de verre, une technologie très moderne pour l'époque. En fait, Assar Gabrielson, le directeur exécutif et cofondateur de Volvo, avait été impressionné par la Chevrolet Corvette lors de son passage aux ateliers que cette division possédait à Flint, dans le Michigan, en 1953.

Gabrielson avait alors contacté ses collègues en Suède pour qu'ils amorcent le développement d'une voiture sport 2 places dotée d'une carrosserie en fibre de verre. Le premier prototype a été complété en 1954. Animée par un moteur de 70 chevaux, cette voiture pouvait atteindre une vitesse maximale de 145 km/h.

Malheureusement, un essai routier a permis de dénombrer 22 problèmes majeurs sur cette voiture. Le capot sautillait sans cesse, le toit coulait, le coffre avait besoin de trous de drainage, tandis que la carrosserie présentait d'importantes fissures sous les portières.

La plupart de ces problèmes avaient été corrigés avant la réalisation d'un autre essai routier. La vitesse de pointe était dorénavant de 165 km/h, ce qui était impressionnant pour l'époque. Toutefois, le châssis se fissurait toujours, les freins étaient peu performants et le toit souple s'était détaché de ses amarres. Enfin, le moteur de 85 chevaux et la boîte manuelle à 3 rapports ne s'attiraient pas des commentaires élogieux.

Après que Volvo eut travaillé à corriger ces lacunes, la P1900 fut commercialisée au début de 1956: 46 voitures furent construites au cours de cette année. La carrière de ce cabriolet aux formes pour le moins bizarres allait toutefois se terminer l'année suivante. Gunnar Engelau, le président du conseil d'administration de Volvo, est revenu fort déçu d'un voyage de 500 km au volant de sa P1900. Il a jugé la voiture indigne de la marque et a signé son arrêt de mort. En tout, 68 unités ont été fabriquées.

Heureusement pour Volvo, la nouvelle C70 n'a rien en commun avec cet ancêtre au passé plus ou moins glorieux.

Planifié dès le début

Le fait que le coupé et le cabriolet C70 portent une identification similaire n'est pas le fruit du hasard. En fait, les deux partagent la même plate-forme et les mêmes organes mécaniques. La décapotable se démarque par son toit souple isolé, c'est tout. Ce jumelage a permis à Volvo de créer deux voitures intéressantes pour le prix d'une seule ou presque. De plus, lors de la conception de ces modèles, les renforts de structure obligatoires pour toute décapotable ont été intégrés dans la voiture.

Cette parenté explique pourquoi la version à toit souple possède une bonne rigidité. Ce n'est que lorsqu'on franchit certains obstacles qu'on ressent la flexion du châssis et un sautillement du capot. La plupart du temps, cette suédoise est d'une rassurante solidité.

La version qui sera distribuée en Amérique sera animée par le moteur 5 cylindres 2,5 litres doté d'un turbo à basse pression et développant 190 chevaux. Il faut par ailleurs souligner que sur certains marchés, ce cabriolet sera offert avec le moteur turbo 2,3 litres d'une puissance de 236 chevaux et la suspension sport. Au moment d'écrire ces lignes, Volvo affirmait que cette version ne serait pas commercialisée au Canada ni aux États-Unis.

P1900 1956

La sécurité? Certainement!

Pour la plupart des automobilistes, les mots Volvo et sécurité sont automatiquement associés. La compagnie a toujours joué un rôle de premier plan en matière de sécurité. Puisqu'un cabriolet expose ses occupants à plus de risques lors d'un capotage, les ingénieurs de Göteborg ont pris les moyens pour réduire ces risques au minimum. Cela explique pourquoi la C70 est la première décapotable à comporter des tendeurs automatiques de ceinture pour tous les occupants. Grâce à un élément pyrotechnique, la ceinture est immédiatement enroulée très serré en cas d'accident afin d'empêcher l'occupant d'être projeté dans l'habitacle à cause du jeu de la ceinture. De tels mouvements provoqués par un impact deviennent encore plus dangereux dans un cabriolet.

Pour améliorer la protection, les montants du pare-brise sont fabriqués à l'aide d'un acier particulier et des arceaux de protection à déploiement automatique sont placés derrière le siège arrière. Volvo appelle ce mécanisme ROPS ou «Roll Over Protection System». Des capteurs placés dans le châssis détectent l'imminence d'un capotage et déploient automatiquement les arceaux.

Bien entendu, des coussins de sécurité avant et latéraux sont offerts en équipement de série de même que le système SIPS permettant à la caisse de dissiper l'énergie causée par un impact latéral.

Une conduite similaire

Puisque le coupé et le cabriolet sont pratiquement identiques, il est normal que leur comportement routier se ressemble. Il est vrai que la version à ciel ouvert est plus timide côté performance par rapport au coupé équipé du moteur de 236 chevaux, mais l'agrément de conduite qu'il offre est peut-être plus relevé. Le 5 cylindres de 2,3 litres fait appel à un turbo haute pression plus gros mettant plus de temps à intervenir. Ce temps de réponse est parfois irritant. Il faut d'ailleurs ajouter que le coupé gagne en agrément ce qu'il perd en performance avec le moteur 2,5 litres doté du turbo basse pression.

Le tableau de bord de ces deux voitures est identique à un bouton près. La texture du plastique est bonne, tandis que la disposition des instruments et des commandes ne s'attire aucun commentaire désobligeant. Plusieurs personnes sont toutefois dérangées par la présence d'un haut-parleur sur la partie horizontale de la planche de bord. Cet accessoire vient rompre l'équilibre de la présentation. C'est le prix à payer pour bénéficier de la seule chaîne stéréo «Dolby Surround Sound» installée en équipement original. Une fois qu'on a réussi à maîtriser les commandes et trouvé la bonne combinaison, le son est excellent, même lorsque le toit est baissé.

Volvo C70

Pour
Sécurité assurée • Assemblage soigné • Toit souple sophistiqué • Moteur 2,5 litres • Système sonore unique

Contre
Déflecteur de vent mal ancré • Prix élevé • Visibilité arrière limitée • Freins moyens • Production limitée

Caractéristiques

Échelle de prix:	voir page 11 et suivantes
Modèle / Prix:	C70 cabriolet / 61 995 $
Type:	cabriolet / traction
Empattement:	266 cm
Longueur:	472 cm
Largeur:	182 cm
Hauteur:	143 cm
Poids:	1655 kg
Coffre / Réservoir:	220 litres / 70 litres
Coussins de sécurité:	conducteur, passager et latéraux
Système antipatinage:	oui
Suspension av. / arr.:	indépendante
Freins av. / arr.:	disque ABS
Direction:	à crémaillère, assistance variable
Diamètre de braquage:	11,7 mètres
Pneus av. / arr.:	P205/55R16
Valeur de revente:	nouveau modèle
Garantie de base:	4 ans / 80 000 km

Motorisation et performances

Moteur / Transmission:	5L 2,5 litres / automatique 4 rapports
Puissance / Couple:	190 ch à 5100 tr/min / 199 lb-pi à 1800 tr/min
Autre(s) moteur(s):	aucun
Transmission optionnelle:	aucune
Accélération 0-100 km/h:	9,0 secondes
Vitesse maximale:	210 km/h
Freinage 100-0 km/h:	41,8 mètres
Consommation (100 km):	11,3 litres

Modèles concurrents
BMW 325 cabriolet • Mercedes-Benz CLK • Saab 9-3

Quoi de neuf?
Nouveau modèle

Verdict

Agrément	☺ ☺ ☺ ☺	Habitabilité ☺ ☺ ☺
Confort	☺ ☺ ☺ ☺	Hiver ☺ ☺ ☺
Fiabilité	Nouveau modèle	Sécurité ☺ ☺ ☺ ☺

Il faut souligner que le déflecteur de turbulence monté à l'arrière est très efficace. Le tourbillonnement du vent est presque imperceptible et il est possible de converser avec le passager, même lorsque la voiture roule à plus de 150 km/h. Toutefois, lors de notre essai, ce déflecteur est sorti très facilement de ses amarres et il a été impossible de le replacer convenablement. Cet accessoire vient aussi condamner les deux places arrière qui sont très généreuses pour un cabriolet. Quant au toit souple, il est isolé et doté d'une lunette arrière en verre avec dégivreur intégré. Pour le déployer ou le remiser, il suffit d'immobiliser le véhicule, de mettre la transmission au point mort et d'engager le frein d'urgence. Reste à maintenir le doigt sur le bouton d'activation pour que tout s'effectue automatiquement. Ce mécanisme est aussi sophistiqué que celui des meilleures marques allemandes.

Plein air à la suédoise.

Somme toute, ce cabriolet mise sur la sécurité, le confort et un agrément de conduite qui n'est pas à négliger pour faire la lutte à toute une génération de roadsters apparus récemment sur le marché. Ces derniers sont plus séduisants et plus sportifs, mais ne possèdent pas le caractère convivial du C70.

Et le coupé?

Le coupé n'a rien perdu de ses qualités depuis son apparition l'an dernier. Solide, élégant, confortable, il se comporte presque exactement comme le cabriolet, toit souple en moins. Par contre, la possibilité de commander une version dotée d'un moteur disposant d'environ 50 chevaux de plus risque d'intéresser plus d'un conducteur sportif. Toutefois, tel que mentionné précédemment, ce moteur de 236 chevaux est doté d'un turbo haute pression qui répond moins rapidement. Autre point à souligner, le coupé essayé l'an dernier avait éprouvé des ennuis de freins, dont l'efficacité diminuait rapidement sur les routes de montagne. De nouveaux essais avec le coupé et plusieurs centaines de kilomètres au volant d'un cabriolet n'ont pas été marqués par des freins délicats. Malgré tout, le freinage est d'une efficacité moyenne, sans plus.

Enfin, la finition et l'intégrité de la caisse de ces deux modèles sont impeccables. Le numéro un suédois a donc accompli du bon boulot dans la réalisation de ces deux voitures à vocation plus spécialisée. Par contre, tout porte à croire qu'il sera toujours difficile de se les procurer, compte tenu d'une production limitée et d'une forte demande.

Denis Duquet

Volvo S70 · V70

Volvo V70 X-Country

Une gamme complète

Curieusement, après avoir été le bastion du conservatisme et de l'immobilisme pendant des années, la compagnie Volvo semble avoir le feu quelque part, alors que les nouveautés se succèdent à un rythme accéléré. L'an dernier, la gamme 850 a fait place aux nouvelles S70 et V70, tandis que l'arrivée de la C70 a permis à cette marque d'ajouter à sa gamme un coupé aussi sportif que pratique. Et il ne faut pas oublier la spectaculaire entrée en scène du V70 AWD X-Country. Cette année, la C70 cabriolet poursuit sur cette lancée de nouveaux modèles dans le giron de la famille 70.

En ce qui concerne la berline S70 et la familiale V70, il est normal que l'année 1999 soit plus calme côté nouveautés, à la suite des multiples remaniements de l'an dernier. D'ailleurs, une bonne partie des ingénieurs de Volvo devaient travailler au développement de la nouvelle S80, une berline inaugurant la nouvelle plate-forme «luxe».

Pour ceux qui ne l'auraient pas encore deviné, la lettre «S» qui précède le chiffre sert à désigner les berlines. C'est un dérivé du terme britannique «saloon» utilisé pour identifier les berlines. Quant à la lettre «V» utilisée pour les familiales, elle est associée à «versatility».

Le 5 cylindres est roi

Si la nouvelle berline S80 fait vraiment bande à part avec le premier moteur 6 cylindres en ligne transversal, les S70 / V70 sont toujours fidèles au moteur modulaire 5 cylindres offert en trois variantes. Associée au modèle de base, la version atmosphérique possède une cylindrée de 2,5 litres et développe 168 chevaux. Solide et économique, elle offre des performances adéquates si on ne recherche pas les accélérations très nerveuses.

Deux moteurs turbocompressés sont au programme. Le premier est un 2,5 litres alimenté en air par un turbocompresseur basse pression qui réduit à presque rien le temps de réponse. Sa puissance est de 190 chevaux. Plusieurs le considéraient comme le moteur turbo le plus souple sur le marché. C'était du moins l'opinion qui prévalait jusqu'à l'arrivée du S80 et de son moteur à double turbo en parallèle. Enfin, le 2,3 litres avec son turbo haute pression affiche une puissance de 240 chevaux. Par contre, le temps de réponse de ce gros turbocompresseur est plus long. Mais une fois que la cavalerie se pointe, on assiste à des performances impressionnantes.

La familiale par excellence

Cette marque suédoise a toujours connu beaucoup de succès avec ses familiales. En fait, elle domine ce marché en Europe où la concurrence est quand même très forte avec Audi, BMW et Mercedes qui offrent plusieurs modèles intéressants. Sans oublier Saab qui a dévoilé sa nouvelle familiale, appelée à être commercialisée dans le courant de 1999.

Si Volvo réussit si bien sur ce marché, c'est que ses voitures offrent un équilibre presque parfait entre le côté pratique de la catégorie et un confort très relevé. Trop souvent, la concurrence oublie que les acheteurs de familiales recherchent un véhicule pratique sans pour autant accepter d'être pénalisés côté confort et agrément de conduite. Par ailleurs, trop de marques se concentrent sur le luxe et les performances. Volvo offre tout cela et mieux encore.

Volvo S70

Pour
Choix de moteurs • Traction intégrale impressionnante • Sièges très confortables • Familiale ultrapratique • Sécurité passive exemplaire

Contre
Temps de réponse du THP • Certains bruits de caisse • Moteur atmosphérique moyennement performant • Aileron arrière superflu (berline) • Pare-brise fragile

Caractéristiques

Échelle de prix:	voir page 11 et suivantes
Modèle / Prix:	GLT / 44 995 $
Type:	berline / traction
Empattement:	266 cm
Longueur:	466 cm
Largeur:	176 cm
Hauteur:	141 cm
Poids:	1434 kg
Coffre / Réservoir:	410 litres / 73 litres
Coussins de sécurité:	conducteur, passager et latéraux
Système antipatinage:	optionnel
Suspension av. / arr.:	indépendante / semi-indépendante
Freins av. / arr.:	disque ABS
Direction:	à crémaillère, assistance variable
Diamètre de braquage:	10,2 mètres
Pneus av. / arr.:	P205/55R15
Valeur de revente:	bonne
Garantie de base:	4 ans / 80 000 km

Motorisation et performances

Moteur / Transmission:	5L 2,5 litres TBP / automatique 4 rapports
Puissance / Couple:	190 ch à 5600 tr/min / 191 lb-pi à 1800 tr/min
Autre(s) moteur(s):	5L 2,5 litres 168 ch / 5L 2,3 litres THP 240 ch
Transmission optionnelle:	manuelle 5 rapports
Accélération 0-100 km/h:	7,8 secondes autre moteur: 10,0 s (2,5 l)
Vitesse maximale:	220 km/h
Freinage 100-0 km/h:	43,0 mètres
Consommation (100 km):	11,2 litres autre moteur: 10,8 litres (2,5 l)

Modèles concurrents
Acura TL • Audi A6 • BMW série 5 • Lexus ES300 • Nissan Maxima

Quoi de neuf?
Aucun changement majeur • Nouveaux groupes d'options • Améliorations de détail

Verdict

Agrément	☺☺☺	Habitabilité	☺☺☺☺
Confort	☺☺☺☺	Hiver	☺☺☺☺
Fiabilité	☺☺☺	Sécurité	☺☺☺☺☺

Il ne faut pas oublier non plus que les modèles à traction intégrale viennent ajouter à l'attrait des modèles V70. Qui plus est, ce système est non seulement efficace, mais d'une grande transparence à l'usage. Et il ne faut pas oublier le X-Country avec sa suspension légèrement plus haute, son habitacle plus chic et une présentation extérieure se caractérisant par un support de toit plus costaud. Une barre décorative transversale sur le hayon arrière confirme l'identité de cette Volvo toutes conditions.

Toutes les familiales possèdent une banquette arrière 60/40 avec appuie-tête intégrés qui se replient très facilement pour permettre de rabattre le dossier. Et il faut louanger le concepteur qui a réalisé ce siège-baquet avant droit, dont le dossier peut se rabattre complètement vers l'avant afin d'augmenter la capacité de charge.

Le couteau suisse des voitures.

Un design fonctionnel

Les goûts ne se discutent pas, mais nombreux sont les gens qui critiquent les formes équarries des Volvo. Cette approche esthétique est surtout discutée dans le cas des berlines, dont la partie arrière très carrée ne fait pas l'unanimité. Cette présentation s'explique par le désir de ménager un espace généreux pour les bagages dans le coffre et d'obtenir une caisse plus rigide en cas d'impact. Pour ce faire, les ingénieurs ont dicté leurs conditions aux stylistes.

Malgré tout, il se dégage de cette berline un air de robustesse qui plaît à certains. Parions que ce sont les rationnels qui préfèrent cette approche. La planche de bord est également très fonctionnelle et d'une ergonomie pratiquement sans faille. Depuis l'an dernier, l'harmonisation des coloris et la qualité des matériaux est supérieure à ce qu'on trouvait dans la 850.

Malgré ses épaules carrées, la berline est d'une surprenante agilité sur la route et la version T5 est capable de tenir tête à plusieurs allemandes qui auraient l'intention de se mesurer à cette suédoise. Le moteur turbocompressé de 240 chevaux assure des accélérations très rapides et la tenue de route est rassurante, bien que le roulis de caisse soit assez prononcé. Ce gros turbo est ennuyé par un temps de réponse plutôt long, c'est pourquoi la version 2,5 litres de 190 chevaux est le choix logique pour la majorité.

Raffinée depuis sa dernière évolution l'an dernier, la série 70 comporte une gamme très diversifiée de berlines et de familiales, que ce soit sur le plan des performances, du luxe ou du prix de vente.

Denis Duquet

Volvo S80

Volvo S80

Un pari gagné d'avance

Volvo a non seulement décidé de viser une production annuelle de plus de 500 000 unités, mais également de diversifier sa gamme. La nouvelle S80 est issue de cette décision. Cette berline intermédiaire de luxe est en mesure d'affronter les Mercedes-Benz de la classe E, les BMW de la série 5, la Lexus GS400 et l'Audi A6.

B ref, Volvo progresse vers le marché des voitures de luxe. La S80 est établie sur une toute nouvelle plate-forme qui servira au développement de modèles plus volumineux et plus luxueux.

Et même si certains éléments mécaniques utilisés sur cette nouvelle venue sont connus, cette belle suédoise fourmille d'innovations techniques et d'astuces technologiques en plus d'aborder un nouveau virage sur le plan esthétique.

Toujours plus ronde!

Les nouveaux coupés et cabriolets C80 nous avaient permis de percevoir un changement de philosophie du design chez Volvo. Les présentations massives, les angles carrés avaient été remplacés par des rondeurs plus contemporaines et moins intimidantes. La S80 poursuit cette évolution. On ne lui a pas donné l'arrière tronqué et massif de la 70. La subtilité visuelle est de mise. Les phares arrière sont non seulement omniprésents, mais débordent sur la paroi latérale et imposent même au flanc de la voiture sa forme galbée. Immédiatement sous la ceinture de caisse, on trouve un renflement horizontal qui épouse partiellement les formes de ces phares et se confond à celles-ci vers l'arrière.

La partie avant est inspirée des coupés et cabriolets C70 bien que la grille de calandre soit plus modeste et l'intégration du capot plus marquée. Sans être une beauté comme l'Audi A6 par exemple, cette Volvo affiche une présentation originale et attrayante qui lui permet de se démarquer des autres modèles de cette catégorie et même des autres berlines Volvo.

L'habitacle de la S70 a été accueilli de façon favorable par la critique. Il aurait été facile de se contenter de rafistoler tant bien que mal ce concept et de l'adapter à une version plus luxueuse. Les stylistes ont heureusement résisté à cette tentation en concoctant un habitacle entièrement nouveau qui se révèle à la fois cossu, confortable et, il faut le souligner, d'une habitabilité très généreuse.

La texture des plastiques, le confort et le support latéral des sièges sont à la hauteur d'une voiture de luxe. La console centrale très large accueille les commandes de la climatisation et de la radio en plus du clavier téléphonique, du moins sur la version européenne. De gros commutateurs ainsi que des commandes rondes et faciles d'accès permettent de régler avec facilité la climatisation, la radio et autres commandes connexes. Le volant, à défaut d'être élégant, est parsemé de boutons qui permettent de régler différentes fonctions. Les cadrans indicateurs sont de dimensions ingénieuses et de consultation facile. Ajoutez à cela une position de conduite presque idéale, et voilà le portrait!

Par contre, les commandes des rétroviseurs extérieurs placés dans la portière semblent fragiles. De plus, les télécommandes du coffre et de la trappe à essence qui avaient été adoptées sur la S70 ont été abandonnées. Enfin, pour une voiture de cette catégorie, l'ajustement vertical et en profondeur du volant devrait être à commande électrique.

Un 6 cylindres transversal

Chez Volvo, on ne craint pas de faire les choses différemment. Les ingénieurs de la firme sont d'avis qu'un moteur à 6 cylindres en ligne est idéal en fait de douceur et de rendement en plus d'être plus propre qu'un moteur V6.

On a transformé le moteur longitudinal de la défunte S90 pour le monter transversalement, le raccourcir et améliorer ses prestations, tout en l'allégeant. Et pour lui permettre de rentrer dans un espace plus restreint, les ingénieurs ont conçu la transmission automatique la plus compacte sur le marché.

Deux moteurs sont offerts. Le moteur standard est un 2,9 litres atmosphérique développant 201 chevaux couplé à une boîte automatique à 4 rapports. Le second groupe propulseur est aussi un 6 cylindres en ligne. Toutefois, sa cylindrée est de 2,8 litres et il est alimenté par deux turbocompresseurs à basse pression agissant en parallèle sur 3 cylindres à la fois. Sa puissance est de 268 chevaux. Ce moteur plus musclé est associé à une boîte à 4 rapports dotée du système de sélection de vitesse séquentielle Geartronic qui permet de passer les vitesses de façon manuelle ou automatique.

Cette nouvelle plate-forme comprend une suspension avant à jambes de force, tandis que la suspension arrière est à leviers multiples.

La S80 est dotée d'un système de contrôle de traction qui combine les avantages du système TRACS de la S70 et du mécanisme DSA à contrôle de couple de la S40 européenne. Si les roues patinent à des vitesses inférieures à 40 km/h, l'application sélective des freins permet de contrecarrer cette réaction malvenue. À des vitesses plus élevées, le couple du moteur est réduit par une diminution de l'alimentation de carburant. Finalement, la S80 comporte également un système de contrôle dynamique de stabilité qui prévient les dérapages par l'application sélective des freins.

En plus, cette nouvelle Volvo possède un accélérateur à commande électronique, des moteurs dotés d'un calage des soupapes continuellement variable, des boîtes adaptatives, des freins à répartition électronique de même que de multiples touches de raffinement. Pour faire son entrée dans le monde des berlines de luxe, la S80 n'a ménagé aucun effort.

La sécurité toujours de mise

Il est impossible de parler de Volvo sans parler de sécurité. Après tout, cette compagnie a mérité d'emblée le titre de championne toutes catégories de la sécurité en matière d'automobile. Et à Göteborg, on jure sur la tête des fondateurs de la compagnie que la sécurité demeure un point capital pour Volvo, même si la S80 s'adresse à une clientèle plus huppée. En fait, on a profité de l'occasion pour offrir des caractéristiques de sécurité améliorées sur cette nouvelle version.

Volvo a déjà démocratisé la ceinture à trois points d'attaches, les zones de déformations de la caisse, le système SIPS de protection latérale et le coussin de sécurité latéral intégré dans les sièges avant. Sur la S80, la compagnie scandinave dévoile ses systèmes IC et WHIPS.

IC est l'abréviation de «Inflatable Curtain» ou «rideau gonflable». Cet accessoire est placé sur la partie latérale du pavillon et se déploie en cas d'impact latéral, protégeant ainsi la tête des occupants. Quant au WHIPS, il s'agit d'un dérivé du système élaboré à partir d'une étude portant sur la prévention du «coup de lapin» ou «whiplash» en cas de collision arrière. Ce système comprend un lien

Volvo S80

Pour

Moteurs intéressants • Tableau de bord bien disposé • Sièges avant très confortables • Absence de bruits éoliens

Contre

Tenue de route prévisible
• Version automatique seulement
• Roulis en virage
• Grondement des pneus

Caractéristiques

Échelle de prix:	voir page 11 et suivantes
Modèle / Prix:	S80 T6 / 55 995$
Type:	berline intermédiaire / traction
Empattement:	279 cm
Longueur:	482 cm
Largeur:	183 cm
Hauteur:	145 cm
Poids:	1490 kg
Coffre / Réservoir:	440 litres / 80 litres
Coussins de sécurité:	conducteur, passager, latéraux et tête
Système antipatinage:	oui
Suspension av. / arr.:	indépendante
Freins av. / arr.:	disque ABS
Direction:	à crémaillère, assistance variable
Diamètre de braquage:	10,9 mètres
Pneus av. / arr.:	P215/55R16
Valeur de revente:	nouveau modèle
Garantie de base:	4 ans / 80 000 km

Motorisation et performances

Moteur / Transmission:	6L 2,8 litres turbo / automatique 4 rapports
Puissance / Couple:	268 ch à 5400 tr/min / 268 lb-pi à 5000 tr/min
Autre(s) moteur(s):	6L 2,9 litres 201 ch
Transmission optionnelle:	aucune
Accélération 0-100 km/h:	7,1 secondes autre moteur: 8,9 secondes
Vitesse maximale:	250 km/h
Freinage 100-0 km/h:	40,3 mètres
Consommation (100 km):	11,2 litres autre moteur: 10,1 litres

Modèles concurrents

Mercedes-Benz E420 • BMW 528 • Lexus GS300/GS400 • Audi A6 • Saab 9-5

Quoi de neuf?

Nouveau modèle

Verdict

Agrément	⊕ ⊕ ⊕ ⊕	Habitabilité ⊕ ⊕ ⊕ ⊕
Confort	⊕ ⊕ ⊕ ⊕ ⊕	Hiver ⊕ ⊕ ⊕ ⊕
Fiabilité	nouveau modèle	Sécurité ⊕ ⊕ ⊕ ⊕ ⊕

mécanique qui relie le dossier des sièges avant à la base. La protection s'effectue en deux phases. Dans un premier temps, le dossier se déplace vers l'arrière, tandis que des ressorts spéciaux absorbent une partie du choc. Dans un second temps, le dossier s'incline jusqu'à un angle de 15 degrés, permettant ainsi d'absorber l'énergie de l'impact.

Silence, on roule!

Il est fréquent que des voitures possédant un raffinement technique poussé soient d'un ennui mortel à piloter. Heureusement, la S80 se démarque avantageusement à cet égard. Elle est non seulement silencieuse et confortable en raison d'une bonne insonorisation et d'excellents sièges, mais son comportement routier est intéressant. En fait, cette voiture a été conçue sous le signe de l'équilibre d'ensemble. Certains vont trouver que la direction pourrait être un peu moins assistée, mais elle est d'une très grande précision et d'une stabilité exemplaire à très haute vitesse.

Une fort agréable surprise.

Le même équilibre se manifeste au chapitre de la suspension. Le confort est bon, le roulis en virage présent sans être trop prononcé, tandis que les virages s'enchaînent sans problème.

Le moteur 2,8 litres turbo répond beaucoup plus rapidement aux commandes de l'accélérateur que le 2,3 litres du C70 coupé. Avec ses 268 chevaux, il lui faut une poussière au-dessus de 7 secondes pour boucler le 0-100 km/h. Souple et silencieux, il s'accommode très bien du sélecteur de vitesse manuelle du système Geartronic qui commande à une boîte automatique développée par General Motors. Il s'agit en fait d'une version spécialement adaptée de la transmission M4T6 utilisée sur la Cadillac Seville STS et considérée comme l'une des meilleures qui soient.

Quant au 2,9 litres atmosphérique, il ne possède pas la fougue de son grand frère, mais se débrouille fort bien. En conduite de tous les jours, il se révélera souple et silencieux et sa consommation est raisonnable.

En conclusion, la S80 devrait certainement faire l'unanimité auprès des propriétaires de S70 qui voudraient s'offrir une version plus luxueuse. Berline de luxe solide, équilibrée et agréable à conduire, cette nouvelle venue possède les éléments nécessaires pour inquiéter la concurrence et attirer de nouveaux clients.

Denis Duquet

Ce livre a été produit grâce au système d'imagerie au laser
des Éditions de l'Homme, lequel comprend:

- Un digitaliseur Scitex Smart TM 720 et
  un poste de retouche de couleurs Scitex Rightouch™;

- Les produits Kodak;

- Les ordinateurs Apple inc.;

- Le système de gestion et d'impression des photos avec
  le logiciel Color Central® de Compumation inc.;

- Le processeur d'images RIP 50 PL2 combiné avec
  la nouvelle technologie Lino Dot® et Lino Pipeline® de Linotype-Hell®.

Lithographié sur papier Jenson
et achevé d'imprimer au Canada
sur les presses de l'imprimerie Interglobe